LES TROIS ROIS

Au nom de la Palestine, Éditions Denoël, 1975.

Juifs et Arabes en Palestine (en collaboration avec Jean-Paul Kauffmann), Éditions du Centurion, 1976.

L'envers des pyramides, Éditions Sycomore, 1984.

La Syrie du général Assad, Éditions Complexe, 1991.

Hassan II ou l'espérance brisée, Éditions Maisonneuve et Larose, 2001.

Ignace Dalle

LES TROIS ROIS

La monarchie marocaine,
de l'indépendance à nos jours

Fayard

Je tiens à exprimer ma reconnaissance à toutes celles et à tous ceux qui m'ont aidé dans mon travail : Mouna, ma femme, Abdallah, qui a relu le manuscrit et m'a donné de précieux conseils, Abdelhaq, Abderrahim, Abdou, Ahmed, Fatima, Fouad, Khalid, Maati, Malek, Naïma, et bien d'autres amis qui m'ont permis de mieux comprendre ce Maroc complexe. Je voudrais remercier également Mme Anne Gorgeon, responsable des archives du Quai d'Orsay, qui a facilité mes recherches.

I. D.

Carte du Maroc

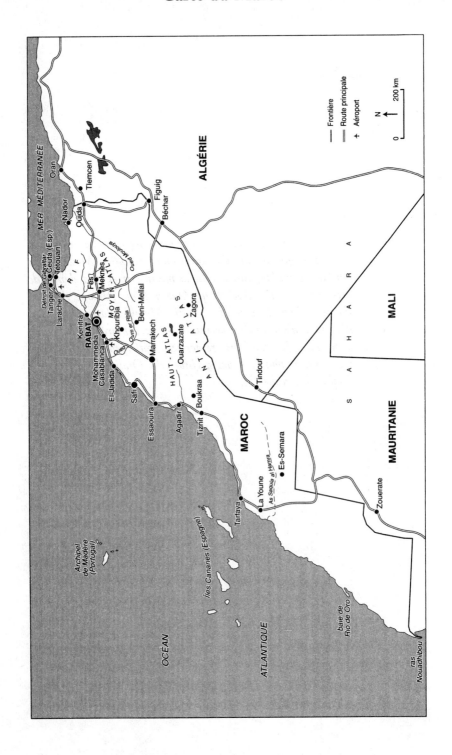

Avant-propos

Présentant au début des années soixante-dix son livre *Le Commandeur des croyants*, John Waterbury s'étonnait que les ouvrages français sur la politique marocaine aient été si rares depuis l'indépendance. Il regrettait aussi vivement « l'absence presque totale d'une analyse politique » par les Marocains, tout en estimant qu'elle s'expliquait « plus aisément » : « Le danger, disait-il, est trop grand d'écrire sur la vie politique de leur pays tout en continuant d'y vivre. C'est grandement déplorable, car c'est aux Marocains de faire leur analyse au lieu de supporter la mienne et celle de mes semblables. »

Trente ans ont passé depuis lors et même si, au moment où débute la rédaction de ce livre, le journaliste Ali Lamrabet, condamné à plusieurs années de prison, notamment pour « outrage à la monarchie », vient de mettre un terme à une longue grève de la faim qui n'honore pas le régime, le climat de ce début de millénaire n'est plus celui qui prévalait dans les années soixante ou soixante-dix. Un certain nombre de Marocains, universitaires, journalistes, juristes ou/et militants associatifs, ont apporté une vision originale et riche sur les problèmes de leur pays. Ils nous ont d'ailleurs beaucoup aidé dans notre travail. Que l'organe du Parti socialiste, *Al-Ittihad al-Ichtirakiya*, ait pu publier en feuilleton les Mémoires d'un survivant du bagne de Tazmamart[1] montre à l'évidence que la mort de Hassan II a ouvert une brèche dans un système de plus en plus pesant. Pas une entreprise de presse n'aurait osé aborder de son vivant nombre de dossiers évoqués depuis sa disparition par quelques périodiques : « Hassan II et la CIA », « Qui regrette Hassan II ? », « Le Mouvement national et le coup d'État de 1972 », « Les règlements de compte au lendemain de l'indépendance », ou encore des enquêtes sur la corruption de hauts-fonctionnaires ou sur « Monarchie et affairisme »…

Mais, si l'histoire contemporaine du Maroc commence à être mieux connue parce que des acteurs et des témoins, sollicités ou non, se sont mis à écrire ou à parler, il restait à regrouper ces témoignages, à en provoquer de nouveaux et, de tout cela, à essayer de tirer l'essentiel.

Correspondant pendant près de cinq années de l'Agence France-Presse à Rabat, j'avais eu l'occasion de rencontrer beaucoup de responsables politiques marocains. Mais Hassan II étant toujours sur le trône, il y a des questions qu'il était impossible de poser et qui, en tout état de cause, n'auraient pas obtenu de réponse. Comment, par exemple, certains de ces hommes, qui s'étaient comportés courageusement avant l'indépendance et dans les années qui la suivirent, avaient pu accepter de servir un régime dont les prestations n'ont cessé d'être à des années-lumière de leurs rêves d'antan ?

Dans l'avant-propos de son livre, John Waterbury indique encore qu'un lecteur marocain lui a reproché – « critiques largement justifiées », dit-il – d'avoir trop souligné l'importance des partis politiques et de la monarchie, et négligé l'armée et le ministère de l'Intérieur. Trois ou quatre décennies plus tard, de telles critiques restent de circonstance. En effet, ni au Maroc, ni d'ailleurs en France ou ailleurs, on ne prend rendez-vous avec le chef d'état-major pour un briefing complet sur l'état d'esprit de la troupe… Quant au « tout-puissant » ministre de l'Intérieur de Hassan II, Driss Basri, je ne peux que le remercier pour les longs entretiens qu'il m'a accordés, mais il ne m'en voudra pas si je dis ici que certaines de ses réponses m'ont laissé songeur…

---

1. Ceux de Mohammed Raïss, *De Skhirat à Tazmamart, retour du bout de l'enfer,* Éditions Afrique Orient, 2002.

Un autre point reproché à Waterbury par son interlocuteur marocain concerne le peu de place consacré au « hiatus entre l'idéologie et le comportement politique ». Pour se justifier, Waterbury répond que, quelle que fût la sincérité des dirigeants politiques, « leurs professions de foi n'avaient que très peu d'impact sur leurs activités politiques ». Il s'agit là d'un problème de fond qui s'est sans doute posé avec plus d'acuité à partir de la fin des années soixante et auquel ce livre s'efforce d'apporter des éléments de réponse.

Dans un premier ouvrage écrit après la disparition de Hassan II, je m'étais efforcé de montrer combien l'espérance qui habitait tant de Marocains au lendemain de l'indépendance avait été brisée par un régime à la fois autoritaire et corrompu. Mais je n'étais guère allé au-delà du constat, sinon de faillite, du moins de large échec d'un souverain omniprésent.

Dans cet ouvrage-ci, je me suis efforcé de mieux cerner la personnalité et le fonctionnement d'un monarque qui n'a jamais laissé indifférents ses innombrables interlocuteurs. Grâce aux bons soins du fidèle Driss Basri, un « registre du génie hassanien et de son œuvre bénéfique » *(sic)* est aujourd'hui disponible. Ces dix mille pages de discours, de déclarations et d'interviews permettent de mieux saisir la pensée d'un homme auquel aucun détail – y compris la manière de régler des grèves d'enseignants – n'échappait, quitte à se désintéresser rapidement, par la suite, de dossiers ayant momentanément retenu son attention.

Une bonne partie de la classe politique marocaine a bien voulu également répondre à nos questions. Sans grande surprise, peu nombreux sont ceux qui ont accepté d'être cités nommément, du moins sur des sujets délicats. Crainte d'irriter le successeur d'un monarque qu'ils redoutaient, gêne manifeste au souvenir de tant de couleuvres avalées, refus de s'étendre sur une très longue période qui, manifestement, a souvent été mal vécue ? Les hommes politiques marocains savent rester discrets dans certaines circonstances.

L'observateur est aussi frappé par le niveau de vie de la plupart des responsables politiques. Pour un Aït Idder, un Abdallah Layachi ou un Bourquiah (décédé au printemps 2003), vieux militants d'extrême gauche ou communistes qui, jusqu'à la fin de leur vie, ont vécu dans de modestes appartements de quartiers populaires de

Casablanca, combien de belles villas, voire de somptueuses demeures occupées par les représentants des principales formations ! La fracture sociale…

La lecture de la presse, nationale et étrangère, a aussi apporté une mine de renseignements, de rappels ou d'éclairages. Presse marocaine d'opposition longtemps schizophrène qui s'en prenait avec une incroyable violence aux gouvernements successifs de Sa Majesté, mais qui évitait soigneusement, sauf rarissimes exceptions aussitôt lourdement sanctionnées, de s'en prendre à celui qui concoctait ces cabinets ministériels et qui, à ce titre, était donc le seul véritable responsable… Institution sacrée, quand tu nous tiens !

Universitaires et journalistes ne sont pas les seuls Marocains à avoir pris la plume. Des hommes politiques, d'anciens résistants et d'anciens détenus politiques ont aussi commencé à écrire, en arabe ou en français, parfois les deux[1], révélant des faits inédits ou apportant d'utiles précisions sur des moments importants de l'histoire du Maroc indépendant. La masse de documents publiés depuis la mort de Hassan II montre que les craintes exprimées par Waterbury au début des années soixante-dix ne sont plus d'actualité, même si le concept d'« institution sacrée » (monarchie, islam, armée, etc.) oblige parfois à des contorsions de style…

Parallèlement à ces lectures, les archives du Quai d'Orsay, même si le manque d'effectifs fait qu'il n'a pas été possible d'avoir accès aux télégrammes postérieurs aux années 1966 et 1967, ont sans aucun doute été l'une de mes sources les plus intéressantes. Le poids considérable de la France au Maroc dans les années qui suivent l'indépendance rendait en effet incontournables de longs moments passés dans la salle des archives du ministère français des Affaires étrangères. Les diplomates français, on le verra, ne cachaient pas leurs préférences, mais savaient aussi quelquefois faire la différence entre gens de qualité et médiocres. Certains trouveront sans doute excessive la place accordée ici à un diplomate comme Alexandre Parodi. Mais, proche du général de Gaulle, entretenant les meilleures relations avec Moulay Hassan et les dirigeants marocains entourant le prince héritier, Parodi, qui est en poste de 1957 à la fin de 1960, est le témoin, sinon l'acteur

---

1. Par exemple Abdelhadi Boutaleb, ancien ministre et conseiller de Hassan II.

privilégié d'une période décisive pour l'avenir du pays. Sa vision du monde, qui peut quelquefois prêter à sourire, est celle d'un homme de la première moitié du XXᵉ siècle, élevé dans la tradition coloniale et qui ne voyait pas se désagréger l'empire sans un pincement au cœur.

Au-delà de Parodi, c'est la place de la France et de ses responsables dans ce livre qui pourra surprendre. L'ancien ministre des Affaires étrangères Hubert Védrine pense qu'on « a tendance, de part et d'autre, pour des raisons différentes, à exagérer le rôle de la France dans le Maghreb d'aujourd'hui. Ces pays sont indépendants et ont leur propre logique ». À propos du Maroc, il préfère parler d'« extraordinaire intimité, tant il y a de gens qui se connaissent, avec leur famille ou non, et se tutoient depuis parfois cinquante ans, mais c'est un peu trompeur. Nous ne pesons pas autant que nous le pensons, même si je ne sous-estime pas – loin de là – les liens entre Jacques Chirac et Mohammed VI ». Évidemment, dit Hubert Védrine, c'était différent dans les premières années de l'indépendance : « Le Maroc, selon lui, est devenu indépendant dans les meilleures conditions possibles. Les deux pays ont donc pu bâtir une coopération excellente. Mais, si l'on considère les grandes décisions prises ensuite par le Royaume, qu'il s'agisse de son positionnement à l'égard de l'Algérie, de la Marche verte, de l'initiative de Hassan II sur le référendum au Sahara, de celles qu'il a prises à propos de l'Europe, du Proche-Orient ou de l'Afrique, ce n'était pas sous l'influence de la France. C'était bien la politique de Hassan II. Il y a une intimité rare, parfois trompeuse, mais il ne faut pas confondre cela avec de l'influence[1]. »

Néanmoins, il faut bien convenir que cette proximité et cette intimité font que l'essentiel des travaux et des recherches accomplis jusqu'ici sur le Maroc l'ont été par des francophones, Marocains d'abord, Français ensuite. Cet investissement culturel ou intellectuel est sans doute à rapprocher du fait que la France est depuis longtemps le premier investisseur au Maroc, et son premier partenaire commercial. Les élites marocaines, même si elles se tournent de plus en plus vers les États-Unis, continuent à envoyer leurs enfants dans les écoles

---

1. Entretien avec l'auteur.

françaises, qu'elles soient primaires ou secondaires au Maroc, ou « grandes » en France.

Enfin, pour que tout soit clair, pas plus aujourd'hui qu'hier je n'entends faire œuvre d'historien. Pour avoir consacré beaucoup de temps à ce livre, j'ai vite compris qu'un travail d'historien sur le même sujet nécessiterait de longues années de travail à temps plein, tant les témoins se montrent souvent réticents à dire la vérité, tant les témoignages sont difficiles à recouper dans ce Maroc si complexe.

« Essaie au moins de te rappeler non pas comment les choses se sont passées – cela, tu ne le sauras jamais –, du moins celles que tu as vues : pour les autres, tu pourras toujours lire plus tard les livres d'Histoire », nous dit Claude Simon[1].

En questionnant de nombreux Marocains, acteurs, témoins ou victimes, ou tout cela à la fois, j'ai commencé à suivre ce conseil. Mais il reste tant à faire…

---

1. Claude Simon, *Histoire*, Éditions de Minuit, 1967.

Introduction

*« Les fleuves courent se mêler dans la mer, les monarchies
vont se perdre dans le despotisme. »*

Charles de MONTESQUIEU, *De l'esprit des lois*, livre VIII.

En mars 2006, très prochainement, le Maroc célébrera le cinquantième anniversaire de son indépendance. Pour donner au lecteur une petite idée de ce qu'était le royaume à la veille de cet événement historique, jetons un coup d'œil sur ce qu'écrit *Le Parisien libéré* du 15 février 1956 sous le titre ronflant « L'essor humain, culturel et social ». La population totale, à cette époque, est légèrement supérieure à 8 millions d'habitants, dont 7 650 000 Marocains (7 400 000 musulmans et 250 000 juifs) et 400 000 Européens aux trois quarts français. Il y a 250 000 postes de radio dans le pays, dont 150 000 chez les Marocains. Le nombre d'élèves atteint 307 903, dont 200 000 Marocains. Inexistants en 1913, les grands hôpitaux sont au nombre de 43. Le taux de mortalité est passé de 42 à 17 pour 1 000 durant la même période. 11 000 kilomètres de routes carrossables et 1 756 kilomètres de voies ferrées ont été construits par la puissance coloniale. Les terres irriguées sont passées de 20 000 à 300 000 hectares de 1938 à 1958. Dans le même intervalle, la production électrique a été multipliée par six. Le port de Casablanca a vu son trafic passer de 1913 à 1956 de 30 000 tonnes à 8 millions de tonnes.

Mais, en dépit des progrès considérables accomplis et de l'entrée du royaume dans la « modernité », ne nous y trompons pas : le Maroc, comme le souligne Daniel Rivet, n'a été la « bonne affaire » que pour la majorité des 400 000 Européens qui y vivaient juste avant l'indépendance[1]. En 1945, année de sécheresse dramatique, plus d'un Casablancais sur cinq vit dans un bidonville, et 648 personnes, dont une moitié d'enfants, meurent d'inanition sur la voie publique. À ces victimes de la misère il faut évidemment ajouter celles, infiniment plus nombreuses, de la guerre coloniale, ces centaines de milliers de Marocains morts dans les combats avec l'armée française, en particulier dans le Rif.

En un demi-siècle de souveraineté retrouvée, le Maroc a vu sa population quadrupler et franchir au début du millénaire le cap des 30 millions. Une ville comme Fès est passée de 200 000 à plus de 1 million d'habitants. On peut imaginer les conséquences de cet accroissement souvent mal maîtrisé. Le 21 août 2001, Mohammed VI révèle ainsi[2] que 770 000 familles, soit plus de 4 millions de personnes, vivent dans des bidonvilles, dont la moitié située entre Kénitra et Safi, sur la côte atlantique. Le roi précise que chaque année, 40 000 personnes viennent grossir les rangs de ces déshérités. En cinq décennies, le parc automobile est multiplié par cinquante, les lignes téléphoniques par cent, sans compter les mobiles, encore plus nombreux. Les médecins, qui étaient à peine quelques dizaines au moment de l'indépendance, sont désormais trop nombreux – pas loin de 15 000 – pour que tous puissent vivre décemment. L'espérance de vie a sensiblement augmenté, même si l'écart avec les pays développés et l'Europe toute proche demeure important. De « vieilles » maladies, comme le trachome ou la tuberculose, ont pratiquement disparu. D'autres, comme le sida, ont fait leur apparition, mais sans atteindre les niveaux dramatiques de certains pays africains. Le Marocain mange davantage de

---

1. Daniel Rivet, *Le Maroc de Lyautey à Mohammed V, le double visage du Protectorat*, Denoël, 1999.

2. Dans un discours prononcé à l'occasion du 48e anniversaire de la Révolution du roi et du peuple.

viande, s'habille mieux, change plus souvent de chaussures que son père ou son grand-père. Alors que neuf Marocains sur dix étaient illettrés à la veille de l'indépendance, un sur deux sait aujourd'hui lire et écrire. Enfin, toutes les enquêtes nationales sur la consommation relèvent des progrès notables dans l'équipement des ménages, dans l'électrification du pays ou dans l'accès à l'eau potable.

Ces chiffres ne donnent pourtant pas une idée exacte du climat général. Une grande majorité de Marocains, qui dépendent de leurs proches, établis ou non à l'étranger, ne songent ainsi qu'à émigrer vers l'Europe, l'Amérique du Nord ou les riches pays arabes, dans l'espoir de gagner convenablement leur vie ou d'avoir un job intéressant. Les centaines de Marocains disparus ces dernières années dans le détroit de Gibraltar en tentant de gagner l'Europe témoignent du désespoir d'une jeunesse privée de perspectives. Les plus amers sont sans doute les centaines de milliers de diplômés chômeurs auxquels ni le secteur public, ni le secteur privé ne sont en mesure de fournir un emploi. De ce point de vue, la situation est inquiétante. Elle explique sans doute l'omniprésence de l'appareil sécuritaire, toujours sur le pied de guerre dans la crainte de révoltes locales ou, pis, d'une explosion générale. Sur ce plan, le régime a eu le temps de se roder.

Comment en est-on arrivé là ? Comment et pourquoi trois millions de Marocains ont-ils quitté un pays auquel ils sont profondément attachés ? Pourquoi le régime marocain a-t-il failli à sa tâche première, celle d'assurer à la population une existence digne ? Pourquoi les belles promesses des souverains marocains et de la classe politique sont-elles largement restées lettre morte ? Pourquoi fait-on de la politique au Maroc ?

« Au centre du système, écrit l'anthropologue Abdallah Hammoudi, se trouve la figure bipolaire du monarque qui, selon les circonstances, peut aussi bien incarner la sainteté qu'être source de violence et cela sans transition aucune ni contradiction apparente[1]. » Baptisée *Les Trois Rois*, cette histoire politique du Maroc depuis l'indépendance est précisément construite autour des trois monarques qui ont écrasé ou dominé, chacun à sa manière, la scène politique nationale.

---

1. Abdallah Hammoudi, *Master and Disciple : The Cultural Foundations of Moroccan Authoritarianism*, University of Chicago Press, 1997, p. 135.

Mohammed V, d'abord, personnalité beaucoup plus complexe qu'on ne le pense généralement. Marqué par une enfance doulou-reuse, manipulé par le colonisateur avant de se ressaisir et de jouer finement la carte du Mouvement national, le « père de l'indépen-dance » sait admirablement tirer avantage des fautes de la France coloniale qui, en l'exilant, lui donne une dimension héroïque. Il aborde donc dans les meilleures conditions les premières années de l'indépendance. Mais, déjà, sa prudence naturelle, son caractère indécis provoquent l'impatience, l'irritation même du prince héri-tier, beaucoup mieux préparé à assumer le pouvoir et qui n'a ni les scrupules, ni la retenue de son père à l'égard des caciques du natio-nalisme. Les rapports entre les deux hommes dépassent manifes-tement la simple répartition des tâches. Leurs relations sont souvent tendues et leur vision du monde n'est pas toujours la même. Les témoignages des diplomates français, nombreux et encore très présents, apportent un éclairage parfois inédit sur les relations du souverain avec son fils aîné.

La disparition prématurée de Mohammed V, dans des conditions qui feront beaucoup jaser, permet à Hassan II, à peine trentenaire, de donner la pleine mesure de sa soif dévorante de pouvoir. Bénéfi-ciant dès l'indépendance du soutien de Paris que l'incapacité de Mohammed V à trancher agace, Moulay Hassan, devenu Hassan II, abandonne rapidement les options économiques défendues par Abderrahim Bouabid au sein du gouvernement Ibrahim. Conserva-teur dans tous les sens du terme, le jeune roi se méfie comme de la peste de l'idéologie socialiste, mais le libéralisme qu'il défend a une saveur bien particulière. Il n'en respecte les règles que dans la mesure où elles servent les intérêts de la monarchie et de ses affidés.

À ce libéralisme de façade correspondent des institutions politiques assez formelles au départ, et qui, très vite, se transforment en coquilles vides. Il y a de l'illusionniste dans cet homme qui, toute sa vie, a atta-ché une importance considérable aux formes, à l'étiquette, aux rites et aux coutumes. Son opposition résolue au parti unique en vogue chez les « frères » arabes contribue à forger une image flatteuse du régime marocain. On oublie cependant un peu vite qu'elle a d'abord pour objet de réduire l'influence du puissant parti de l'Istiqlal.

Plus grave, le multipartisme ne doit surtout pas conduire la classe politique à contester ou battre en brèche l'autorité du monarque. Irrité soudainement par ces partis qui « ne font rien », il proclame dès 1965 l'état d'exception, remisant au placard pour cinq ans ce Parlement dont il était si fier et qui s'est pris au jeu…

Annus horribilis, 1965 est un moment désastreux dans l'histoire du règne hassanien. La répression à Casablanca ternit gravement l'image du pays et de son chef. L'état d'exception isole un peu plus Hassan II. Enfin, la disparition de Ben Barka, personnalité connue dans le monde entier, achève de discréditer un régime désormais privé du soutien de la France, le général de Gaulle ayant fort mal vécu cette sinistre affaire.

Peu aimé de son peuple, contesté par une partie de l'armée, Hassan II échappe miraculeusement à deux tentatives de coup d'État. Mais le vrai miracle, c'est sa capacité à rebondir. Aidé par une conjoncture économique favorable, un appareil répressif de plus en plus sophistiqué, et par l'idée géniale de la Marche verte, il remonte rapidement la pente et s'impose définitivement comme le chef incontournable du Maroc avant la fin des années soixante-dix. La chance, l'imagination, la répression, mais aussi les fautes d'une opposition divisée, incohérente, sans véritable projet et amputée de quelques-uns de ses meilleurs éléments, expliquent pour l'essentiel ce rétablissement spectaculaire.

Au Maroc comme ailleurs, rien n'est cependant jamais acquis. On ne peut impunément négliger les classes les plus défavorisées et privilégier les couches les plus fortunées, priver d'emplois et de perspectives des dizaines de milliers de diplômés, corrompre à tour de bras tous ceux qu'on juge « récupérables », sans provoquer des réactions en chaîne. C'est évidemment sur le terreau de la misère, des inégalités et de la corruption que se sont épanouis les islamistes marocains depuis le milieu des années soixante-dix. L'incapacité de l'économie à décoller véritablement, due notamment à la faiblesse des investissements, s'explique également par la crainte des Marocains et des étrangers de s'impliquer dans un monde industriel et financier dont les règles de fonctionnement sont mal perçues.

Depuis juillet 1999, Mohammed VI a pris le relais. L'héritage est lourd. Certes, l'institution monarchique est sortie renforcée du règne précédent. D'une certaine manière, Hassan II, en ayant la bonne idée de ne pas impliquer son fils dans les « coups tordus » qui ont jalonné l'histoire récente du Maroc, lui a épargné bien des soucis. Mais, en le tenant constamment à distance des affaires de l'État, il l'a aussi bien mal préparé à assumer les plus hautes responsabilités. C'est sans doute cette inexpérience, conjuguée à un manque de passion pour le pouvoir dont il semble apprécier les avantages sans vouloir en assumer les charges et les inconvénients, qui donne le sentiment qu'il n'y a pas de capitaine à la barre du navire marocain ou, à tout le moins, qu'on navigue à vue. Dans les mois qui suivent sa montée sur le trône, le jeune roi porte un diagnostic lucide sur la situation globale du pays, mais les mesures prises jusqu'ici ne sont pas à la hauteur des enjeux – à de rares exceptions près comme l'IRCA et, surtout, la réforme du Code de la famille. La création de l'Institut royal pour la culture amazigh (IRCA) montre en effet que Mohammed VI a compris que la reconnaissance de l'identité berbère et du rôle joué par les Imazighen ne pouvait qu'être bénéfique pour le Maroc. Plus importante encore, l'adoption du nouveau Code de la famille donne enfin à la femme marocaine la place qui doit être la sienne dans une société moderne. Le roi s'est beaucoup impliqué dans l'affaire, mais l'on verra à l'usage si l'intendance suit. Ces deux importantes initiatives n'ont cependant pas d'effet immédiat sur la vie quotidienne des Marocains. Or, sur ce plan, ces derniers ne sentent absolument pas, de la part des politiques, palais et/ou partis, une volonté de prendre le taureau par les cornes et de bâtir une société moins injuste et mieux régulée.

En réalité, l'histoire du Maroc depuis l'indépendance est d'abord celle de la monarchie, des trois rois qui ont régné et gouverné, et en premier lieu de Hassan II. L'exceptionnelle personnalité de ce monarque à la fois intelligent et mesquin, odieux et séduisant, cruel et généreux, a profondément marqué le royaume. D'une certaine manière, le destin de la dynastie alaouite et la consolidation de l'institution monarchique ont été son unique préoccupation. Déjà, prince héritier, il tente d'imposer à son père sa vision de l'avenir. Réaliste, il prend le contrôle de l'institution militaire. Comme on le verra à maintes reprises, aucun détail ne lui échappe, de l'étiquette de la Cour aux horaires des enseignants du secondaire, en passant par l'expression du droit de grève ou la tenue vestimentaire des jeunes

Marocaines. Ce qui ressort de tout cela, c'est l'absence de contre-pouvoirs susceptibles de limiter la toute-puissance du souverain, Commandeur des croyants et descendant du Prophète. Le corollaire de cette relation inégale, c'est que le modèle mis en place durant son règne a reposé sur le népotisme et la médiocratie, et « cassé les ressorts de la société », selon l'expression de Driss Benali. « Du même coup, ajoute ce dernier, la confiance dans les élites, qui caractérisait les premières années de l'indépendance, cède le pas à la méfiance et à la dénonciation des privilèges et de la corruption de cette couche sociale […]. C'est un sentiment général qui consiste à voir dans les élites politiques des catégories qui cumulent privilèges et rentes et qui ont perdu tout souci et tout sentiment d'intérêt général »[1].

Comment ne pas être frappé aujourd'hui, en effet, par la différence entre les exigences éthiques et le niveau de réflexion d'un Ben Barka ou d'un Bouabid cherchant, à la fin des années cinquante, à transformer profondément le Maroc, et, quarante ans plus tard, la volonté d'un Youssoufi de réussir l'« alternance consensuelle » ? C'est aux raisons qui ont conduit à cette évolution des esprits et des formations politiques issus du Mouvement national – certains parlent même de leur « makhzénisation » – que nous nous sommes efforcé d'apporter des réponses. La répression, la mise à l'écart ou l'élimination des dirigeants et des cadres les plus actifs et les plus courageux ont certainement joué un rôle prépondérant. Mais la fatigue et la lassitude des « rescapés » n'expliquent pas, à elles seules, l'état de faiblesse dans lequel se trouvent aujourd'hui les deux grands partis historiques marocains.

Cinq ans après la disparition de Hassan II, les Marocains sont redescendus sur terre. Les peurs ou les angoisses que suscitait le régime hassanien ne sont plus de mise, même si de regrettables dérapages et l'arrogance de l'appareil sécuritaire font parfois craindre un retour de manivelle. Mais, en même temps, les espoirs suscités par l'arrivée au pouvoir d'un homme jeune, dont l'image n'est pas altérée par un comportement passé répréhensible, se sont envolés. Le système est bien en place, et rien n'indique que ses gardiens aient envie

---

1. Driss Benali, professeur de droit à Rabat et président d'Alternatives. *Réflexion sur l'avenir du Maroc*, consultable sur le site www.maghreb-ddh.org.

de le modifier. Pourtant, pour tous ceux qui ne s'accommodent pas d'un Maroc figé institutionnellement et en panne sur le plan économique, il n'y a pas trente-six solutions. La sortie de crise passe nécessairement par la mise en place d'institutions solides et crédibles qui soulageront un monarque beaucoup trop exposé et donneront un second souffle à une classe politique épuisée.

PREMIÈRE PARTIE

Le quinquennat de Mohammed V
(1956-1961)

I

Edgar Faure négocie l'indépendance

Dans ses Mémoires intitulés *Avoir toujours raison… c'est un grand tort*[1], Edgar Faure consacre près de cent cinquante pages au Maroc. Certes, dans ce texte passionnant, le très subtil ancien président du Conseil peut avoir été tenté de réécrire légèrement l'Histoire à son avantage. Mais il n'en reste pas moins que les piques adressées au général Guillaume – le « général Tajine[2] », qui lui « avait menti » – ou, surtout, à l'encontre du tristement célèbre Boniface, chef de la police à Casablanca – « un illuminé qui avait conçu le projet de faire du royaume du Maroc un ensemble de départements français à l'image de l'Algérie » –, témoignent d'une profonde aversion pour la droite coloniale la plus rétrograde. « Nous étions en présence, écrit-il à Vincent Auriol au lendemain de la déposition du sultan en août 1953, d'une machine bien montée, parvenue au dernier épisode de son fonctionnement et que, dès lors, personne n'était plus en mesure d'arrêter […]. L'autorité de l'État s'est trouvée réduite à néant, et le

---

1. Edgar Faure, *Avoir toujours raison… c'est un grand tort*, Plon, 1982.
2. Plat de base marocain. Il y a toutes sortes de tajines et Guillaume adorait se faire inviter à dîner.

25

gouvernement n'a eu qu'à entériner dans des conditions dérisoires l'exécution d'un plan arrêté sans doute dans ses moindres détails et appliqué avec une véritable perfection technique par des personnalités irresponsables ou par des agents insubordonnés [...]. À leurs yeux littéralement fascinés, poursuit Edgar Faure avec une ironie mordante, l'Aga Khan et le Glaoui présentaient le prestige bivalent de personnages mythiques sortis en robe orientale d'un antique opéra pour apparaître l'instant d'après en jaquette et tube gris au pesage de Longchamp [...]. Étant donné que j'avais désapprouvé la déposition du Sultan [qualifiée par lui plus tard de "criminelle sottise"], on devait bien s'attendre, lors de mon retour au pouvoir, à ce que je rouvre le dossier du problème dynastique. »

Parvenu à la tête du gouvernement français, Edgar Faure s'attaque au règlement de l'affaire marocaine. Un quart de siècle plus tard, il n'hésitera pas à écrire qu'il lui est apparu « comme l'épreuve la plus pénible et sans doute la plus importante de [sa] carrière ». Dans ces mois décisifs où, crut-il pouvoir dire, « son effort personnel a pu permettre d'éviter la catastrophe », le chef du gouvernement dut manipuler et ménager une droite française encore puissante et influente, tout en négociant avec des nationalistes marocains dont il ne comprenait pas bien l'attachement à la personne du sultan : « Depuis l'expulsion du souverain, relève-t-il, les nationalistes encourageaient ce sentiment féodal et cette attache personnelle, aussi était-il difficile de démêler dans le mouvement passionnel des foules la part du "nationalisme" de la part du "dynastisme". » Edgar Faure résume la situation en évoquant « le problème dynastique et la nébuleuse de haine et d'irrationalité créée autour de la personne et du nom de Mohammed V ».

Pour faire avancer les discussions, Edgar Faure s'appuie sur Pierre July qui, grâce à l'entremise du capitaine Oufkir, aide de camp du résident Lacoste, peut rencontrer certaines personnalités nationalistes. Oufkir, note Edgar Faure, « montrait déjà de remarquables dispositions pour l'intrigue ».

Parallèlement, le président du Conseil s'occupe de la partie française. Au mois de mai 1955, il déjeune chez Boussac, gros industriel et homme de presse farouchement opposé à l'indépendance. « Il faisait froid, relève Edgar Faure. Boussac avait fait apporter des burnous, un signe de cette manie marocaine qui l'habitait et qui pesait si lourdement sur de grands destins. » Constatant que Lacoste est sous influence, il décide de le remplacer.

Quelques jours plus tard, au mois de juin, c'est Roger Stéphane qui lui rend visite. Il est accompagné d'Abderrahim Bouabid, « un des plus fins et des plus raisonnables leaders du mouvement nationaliste », selon Edgar Faure qui précise : « Bouabid attire mon attention sur la surenchère pratiquée par les ultras du nationalisme. Lui et ses amis étaient décidés à aider la France à garder le contrôle des événements et à pratiquer une politique d'évolution progressive et graduée. L'objectif était bien sûr l'indépendance, et il n'entendait pas m'abuser. »

Conscient que les « activités terroristes » entravaient son action libérale, Bouabid le met également en garde contre « le bled » : « Vous avez les yeux fixés vers les villes [...]. Méfiez-vous plutôt du bled que vous croyez totalement discipliné car, là, il sera plus difficile de contrôler les pulsions. Le réflexe fellagha que vous avez connu en Tunisie est surtout redoutable chez les hommes de la campagne, chez ces centaures primitifs sur lesquels vous comptez pour perpétuer le passé ! »[1].

Pour mettre tous les atouts de son côté, Edgar Faure engage deux très bons connaisseurs du Maroc, Delefosse, « immunisé contre les phantasmes et les mirages du mythe glaouiste », et Francis Borrey. Parallèlement, il désigne Gilbert Grandval au poste de résident général, en dépit « de son goût pour la parade, de son insuffisant contrôle de l'expression verbale et de son irrépressible tendance à la provocation ».

Enfin, avec Antoine Pinay aux Affaires étrangères, que sa « lucidité et [son] bon sens portaient vers une solution favorable au sultan exilé », le président du Conseil se sent prêt à affronter la tempête.

Avant de rejoindre son poste le 7 juillet, Grandval voit de Gaulle pour qui il ne peut y avoir d'autre issue que la réinstallation de Sidi Mohammed Ben Youssef sur le trône chérifien, mais à condition que le gouvernement français en prenne l'initiative.

L'ignorance et la brutalité d'un certain général Miquel, en poste à Meknès, et qui fait tirer sur une foule qu'il a crue hostile, faisant 17 morts, compliquent très vite la tâche de Grandval. « Tirer sur une

1. Edgar Faure, *Avoir toujours raison... c'est un grand tort, op. cit.*, p. 271.

troupe d'émeutiers, c'est l'usage, mais fusiller la claque, c'est un comble », note, désabusé, Edgar Faure.

Le 24 juillet, après une visite protocolaire chez Ben Arafa, le sultan fantoche, et alors que le pacha Thami el-Glaoui a envoyé son fils à Paris chez Boussac et Juin, Grandval reçoit Bekkaï, « véritable meneur de jeu pour le compte de Mohammed V », ainsi que les représentants de l'Istiqlal et du Parti démocratique de l'indépendance (PDI), venus de Paris. Il passe avec eux un accord sur la base de la solution acceptée, voire suggérée par le sultan exilé à Antsirabé, à savoir : un Conseil du trône, un gouvernement marocain et, en perspective, l'installation de Mohammed V en France.

Mais la question du trône et de son occupant continue à faire problème en France. Fidèle à sa ligne de conduite, Edgar Faure réaffirme que cette question doit être résolue par les Marocains. Le président du Conseil n'a jamais caché son agacement devant l'insistance de ses interlocuteurs marocains nationalistes à exiger comme préalable le retour de Sidi Mohammed Ben Youssef. Pour lui, ce qui était important, ce n'était pas les individus, mais le projet qui serait mis en application au lendemain de l'indépendance.

À la conférence d'Aix-les-Bains, le 22 août, Edgar Faure réussit à rassembler les représentants de tous les courants marocains. Dans ses Mémoires, il évoque avec humour la partie « traditionaliste » – ces pachas, caïds, qui ne parlaient pas français : « C'est par une suite de sons gutturaux, inintelligibles pour nous, qu'ils exprimaient leur attachement à la France, à sa mission civilisatrice et à sa culture. »

À propos du Parti démocratique pour l'indépendance, sur l'importance duquel, contrairement à Antoine Pinay, il ne se fait aucune illusion, il rend hommage à Abdelhadi Boutaleb et Mohammed Cherkaoui (Ouazzani est resté à Lausanne) ; il souligne « la force de leur personnalité, leur aisance d'expression et l'intelligence de leur propos ».

Mais c'est incontestablement à Abderrahim Bouabid, l'un des trois représentants de l'Istiqlal avec Lyazidi et Ben Barka (Balafrej est à Genève), qu'il réserve le meilleur sort : « Son discours, écrit-il, lui aurait valu la première place à l'agrégation des facultés de droit. Ce fut un chef-d'œuvre de logique cartésienne, à ce niveau où la perfection de la méthode est preuve imparable de sincérité, car on peut simuler l'attachement sentimental, mais pas l'identité logique. La culture française, c'est vous ! lui dis-je. »

On le voit, les nationalistes n'ont pas eu de grandes difficultés à s'imposer.

Edgar Faure doit cependant s'accommoder du « lâchage » de Grandval, qui l'agaçait d'ailleurs depuis un bon moment, puis des états d'âme de son successeur, le général Boyer de La Tour. De ce dernier, il écrit : « Je l'avais pris pour un libéral du temps de Pierre Mendès France, puis pour un demi-libéral à Matignon. En réalité, son "libéralisme" était un dosage de réalisme et d'ambition. Il était plus lucide et plus clairvoyant que ses collègues archaïsants, mais, dans son nouveau poste, il se replaçait dans le personnage de ses débuts et retrouvait son système de références et l'ascendant des grands chefs militaires, Juin et Kœnig. »

Alors que ce dernier jure ses grands dieux que Mohammed Ben Youssef ne remontera jamais sur le trône, et tandis que Boyer de La Tour renoue avec les activistes de Présence française, Edgar Faure comprend avant tout le monde que seul le retour rapide du sultan d'Antsirabé peut empêcher un soulèvement général au Maghreb. Des informations ultra-confidentielles en ce sens lui sont parvenues, et la guérilla ne cesse de se durcir dans le Rif, non loin de la frontière avec l'Algérie. « Seul Mohammed V pouvait les ramener à la raison ou les réduire à l'impuissance », souligne-t-il.

Ben Arafa démissionne le 1er octobre. Un Conseil du trône réunissant le glaoui, le grand vizir el-Mokri et Si Bekkaï, représentant Mohammed V, lui succède pour quelques semaines. Le ralliement de Thami el-Glaoui au sultan sonne le glas des espoirs de la droite coloniale.

Le 31 octobre 1955, le sultan regagne la France, première étape du retour au pays. Il atterrit à Nice avant de se rendre à l'hôtel du Golf, à Beauvallon. Le 1er novembre, le roi arrive à Villacoublay, accueilli notamment par les membres du Conseil du trône. Il est installé à Saint-Germain-en-Laye, au pavillon Henri-IV, où il occupe la chambre où naquit Louis XIV… Le jour même, un premier entretien de deux heures a lieu entre le roi et Antoine Pinay.

Les négociations franco-marocaines s'entament, tandis que la situation au Maroc même frise l'explosion. Le gouvernement français, dont Edgar Faure assure la direction, entend en finir au plus vite. Commencent alors au château de La Celle-Saint-Cloud, dans une atmosphère empreinte de gravité qui sied aux circonstances, et avec la volonté d'aboutir, les entretiens historiques qui s'achèveront le 6 novembre sur une déclaration commune franco-marocaine annonçant des « négociations destinées à faire accéder le Maroc au statut d'État indépendant uni à la France par des liens permanents d'une interdépendance librement consentie et définie ».

Le 16 novembre, un avion royal quitte Paris à destination du Maroc. Ni les barrages dressés pour contenir la foule, ni les mesures de vigilance pour sauvegarder la voie où doit passer le cortège ne tiennent devant l'enthousiasme d'un peuple déchaîné sur des kilomètres.

Les négociations sont rapidement menées et aboutissent, le 2 mars 1956, à un accord qui considère comme caduc le traité de Fès du 30 mars 1912, et reconnaît l'indépendance du Maroc.

II

Mohammed V, le père de l'indépendance

Le 5 mars 1956, au moment où, venant de Paris, il regagne son pays, trois jours après que la France a solennellement reconnu l'indépendance du Maroc, Mohammed V est accueilli avec presque autant d'enthousiasme que le 16 novembre précédent, à son retour d'exil. Entre l'aéroport de Salé et le palais impérial, la foule est sans doute un peu moins dense, mais l'enthousiasme est aussi fort, le peuple aussi fidèle. Sur le pont du Bou Regreg qui sépare Salé de Rabat, le lait et les dattes sont offerts au cortège royal qui mettra plus d'une demi-heure pour parvenir à destination.

Âgé de quarante-cinq ans, le souverain peut mesurer le chemin parcouru, et sans doute encore plus tout ce qui lui reste à faire...

Trente ans plus tôt, son père, Moulay Youssef, a emmené pour la première fois en France son troisième fils, de santé fragile. Faveur inhabituelle de la part de cet homme qui, selon Jean Lacouture[1], « ne semble guère l'aimer et paraît l'oublier au milieu des femmes de sa maison ». L'adolescent « si timide, si emprunté », retrouve, à son retour, le palais de Meknès, quelques mois avant d'être marié à une

---

1. Jean Lacouture, *Cinq Hommes et la France*, Le Seuil, 1961, p. 182.

cousine. « Pour la première fois, il est heureux », affirme Lacouture avant de brosser un portrait pathétique de celui qui va monter sur le trône chérifien : « Quand Moulay Youssef meurt en 1927, le prince Mohammed a dix-sept ans à peine. La sévérité du souverain à son égard s'est aggravée depuis qu'un certain Hababou, gardien du palais, a accusé le jeune prince d'avoir revendu sans permission quelques objets – des tapis, dit-on – appartenant à son père. Sa disgrâce est complète ; le voilà interné au palais de Meknès, séparé de sa jeune femme. Ses deux frères aînés, Idriss et Hassan, le dédaignent. Que peut changer la mort d'un père à ce triste destin ? »[1].

Et pourtant, c'est lui que recommandent les conseillers du résident général Théodore Steeg pour succéder à Moulay Youssef, en faisant observer qu'il n'y a pas de règle de succession au trône chérifien. Pour Lacouture, Urbain Blanc, un proche de Steeg, estimait que ce « jeune homme sage, pieux et réservé » était le meilleur choix possible : « Prenons, fit-il, le plus effacé, et que son père tenait si bien à l'écart. Ses frères, Hassan surtout, sont des agités, il pourrait leur venir la lubie de vouloir gouverner. Mais, de lui, nous n'aurons à attendre aucune indiscipline [...]. Il n'eut pas de mal à convaincre ses interlocuteurs. Et c'est ainsi que fut choisi par d'habiles spécialistes du système colonial, et imposé au collège des Oulémas, l'homme qui devait restaurer le trône, détruire le Protectorat et rendre au Maroc sa pleine souveraineté... »[2].

On passera sur les erreurs de jeunesse du souverain qui, par exemple, ne mesure pas la faute qu'il commet en signant le *dahir* berbère du 16 mai 1930. Ce texte, par lequel l'occupant français entendait faire d'une pierre deux coups en flattant le monde berbère[3] dont la dissidence gênait considérablement les autorités du Protectorat, et en divisant la nation marocaine, est très mal accueilli au Maroc et dans le monde arabe. Les milieux traditionalistes et les intellectuels arabophones y voient une insupportable agression contre l'islam et une tentative de détruire l'arabisme. Dans le reste du monde arabe où le fait berbère ne préoccupait guère les dirigeants en place, ce fut aussi un tollé.

1. Jean Lacouture, *Cinq hommes et la France*, op. cit., p. 183.
2. *Ibid.*
3. Les tribus berbères étaient soustraites à la *charia* et soumises au droit coutumier.

Le sultan retient la leçon. Il commence à comprendre que l'avenir de la monarchie est en jeu et qu'il lui faut être davantage à l'écoute de son peuple. Mais, soumis, de 1936 à 1942, aux pressions de son ami Noguès, résident général, méfiant à l'égard des grands chefs nationalistes comme Allal el-Fassi ou Mohammed el-Ouazzani dont les ambitions ou les idées l'inquiètent, hostile à la violence, Mohammed Ben Youssef, prudent de nature, voire indécis, bouge peu.

La Seconde Guerre mondiale et l'anticolonialisme de Franklin Delano Roosevelt, qu'il rencontre en janvier 1943 à Casablanca, lui ouvrent de nouvelles perspectives. Mais, quelques mois plus tard, c'est au tour de Charles de Gaulle de rendre visite au sultan. Dans ses Mémoires, le chef de la France libre évoque ainsi cette rencontre : « À le voir et à l'entendre, parfois ardent, parfois prudent, toujours habile, on sentait qu'il était prêt à s'accorder avec quiconque l'aiderait à jouer ce rôle, mais capable de déployer beaucoup d'obstination à l'encontre de ceux qui voudraient s'y opposer. D'ailleurs, il admirait la France et croyait à son relèvement, et n'imaginait pas que le Maroc pût se passer d'elle. S'il avait, à tout hasard, prêté l'oreille à certains avis que l'Allemagne, dans ses triomphes, lui avait fait parvenir, et écouté, lors de la conférence d'Anfa, les insinuations de Roosevelt, il s'était cependant montré fidèle à notre pays […]. Je crus devoir prendre le sultan Mohammed Ben Youssef directement pour ce qu'il était, c'est-à-dire décidé à grandir, et à me montrer pour ce que j'étais, c'est-à-dire le chef d'une France suzeraine mais disposée à faire beaucoup pour ceux qui tenaient à elle[1]. »

L'enflure, les grands airs, les maladresses ou l'arrogance de la plupart des résidents généraux qui vont succéder à Noguès – de Gabriel Puaux aux généraux Juin et Guillaume, avec l'heureuse exception d'Eirik Labonne –, ainsi que « la petite cour moderniste et frondeuse[2] » qui commence à circonvenir le souverain, accélèrent la conversion de ce dernier aux idées d'indépendance. Son exil, provoqué par la bêtise et l'aveuglement de milieux français bornés dont on a pu voir à quel point ils exaspéraient Edgar Faure, achève de faire du sultan un héros.

---

1. Charles de Gaulle, *Mémoires de guerre*, t. II, Plon, 1999, p. 127.
2. Selon le mot de Lacouture, *Cinq hommes et la France, op. cit.*, p. 195.

Ce n'est pourtant ni le temps des souvenirs, ni celui des rêves. Les négociations d'Aix-les-Bains, à la fin de l'été, ont laissé des traces. Allal el-Fassi et Mohammed Hassan el-Ouazzani, les deux personnalités les plus en vue du Mouvement national, qui n'ont pas participé aux discussions, sont mécontents. Sans doute moins jusqu'au-boutistes que le vieil Abdelkrim exilé au Caire, ils trouvent comme lui qu'il aurait fallu se montrer plus solidaire du reste du Maghreb et que les accords intervenus sont très favorables à la France. Mais les deux hommes, loin du Maroc, sont un peu coupés de la réalité et ne se sont pas rendu compte que, devant la méfiance du Makhzen à l'égard de l'Istiqlal, les représentants de ce dernier, « conscients de leur devoir de séduction », avaient dû multiplier « les garanties visant à désarmer la méfiance aiguisée de certains ministres français »[1]. « C'est avec la France que nous avons choisi de vivre dans l'interdépendance », dira même Abderrahim Bouabid. Ce n'est d'ailleurs pas un hasard[2] si la partie française a invité, parmi les nationalistes, les plus ouverts au monde occidental : Omar Benabdeljalil, Abderrahim Bouabid, Mohammed Lyazidi, Ahmed Bargache et Mehdi Ben Barka pour l'Istiqlal, et Abdelkader Benjelloun, Abdelhadi Boutaleb, Ahmed Bensouda et Mohammed Cherkaoui pour le Parti démocratique pour l'indépendance (PDI).

Les ressentiments des plus intransigeants, et même d'un Ben Barka qui estimera ultérieurement qu'une faute grave a été commise à Aix-les-Bains par la partie marocaine, pèseront lourd. Alimenté par quelques tenants plus ou moins sincères d'une ligne dure, le soupçon sinon d'avoir trahi, du moins de s'être compromis, empoisonnera l'atmosphère au sein du Mouvement national. En revanche, au palais où le futur Hassan II occupe déjà une place importante, on suit sans déplaisir ces développements. Le souverain et son entourage sont aussi peu attirés par les nationalistes purs et durs, que fascine Gamal Abdel Nasser, que par les marxistes emmenés par Ben Barka.

---

1. Salma Lazrak, p. 236. Disparue prématurément en 2002, Salma Lazrak est l'auteur d'une thèse remarquable sur les négociations franco-marocaines qui conduisirent à l'indépendance du royaume : *La France et le retour de Mohammed V,* L'Harmattan, collection Histoire, 2003.
   2. *Ibid.,* p. 238.

La plus grande prudence est néanmoins de mise. Même si le ralliement, à la fin de 1955, de Thami el-Glaoui, qui l'a rendu moins dépendant des nationalistes, puis le retour d'exil et les lendemains de l'indépendance, qui ont mis en évidence son immense popularité, ont rasséréné et mis un peu de baume au cœur du souverain, Ben Youssef sait que l'enthousiasme retombera plus ou moins vite et que le bras de fer avec le Mouvement national sera long et difficile.

Dans sa thèse, Salma Lazrak cite le rapport envoyé à son gouvernement par un officier français, le colonel Touya, détaché auprès du sultan à Antsirabé, à la suite de la visite, à la mi-septembre 1955, d'une délégation de nationalistes marocains : « J'ai trouvé, écrit-il, un homme vieilli, désabusé, mais parlant avec beaucoup de sérénité des questions franco-marocaines. Bien que la plus grande déférence lui ait été témoignée, les contacts qu'il a eus avec ses partisans l'ont convaincu qu'il était davantage leur prisonnier que leur guide. Il estime donc que toute prise de position de sa part concernant le fonctionnement des institutions ou le choix des hommes le déconsidérerait et ne serait pas utilisable par le gouvernement français si elle s'écartait de la ligne de conduite des chefs nationalistes marocains. [...] À mon avis, poursuit Touya, le slogan nationaliste "Rien avec Ben Arafa, tout avec Ben Youssef" est d'ores et déjà dépassé. Dans le jeu franco-marocain, l'ancien sultan constituait probablement une carte non négligeable ; aujourd'hui elle est dévalorisée, demain elle ne sera plus jouable. »

Certes, l'avenir donnera tort au colonel, mais, replacée dans son contexte, cette observation d'un bon connaisseur du royaume montre à quel point le rapport de forces était, à cette époque, défavorable à la monarchie.

Conscient de ses handicaps, Mohammed V ne néglige rien pour établir un meilleur équilibre dans la lutte pour le pouvoir qu'il a entamée avec le Mouvement national bien avant son retour au Maroc. Dans ce cadre, le pardon accordé au pacha Glaoui, fer de lance de la Résidence, qui, ayant finalement compris qu'il allait être le dindon de la farce, s'est rallié au sultan, constitue un pas décisif et lourd de conséquences.

« Dès ce moment-là, commente Abdallah Layachi, vieux militant du Parti communiste dont il était à l'époque un des dirigeants, nous avons compris que Mohammed V voulait se réconcilier avec sa classe sociale, la féodalité. »

Layachi rappelle que, quelques jours plus tard, le 18 novembre 1955, ce fut la fête du Trône : « Le pays était dans un état second. Des limousines arrivaient de partout ; beaucoup de féodaux, dont Baghdadi, le fils du pacha de Fès. Ils avaient été invités par le roi. Des gens criaient : "Salauds, qu'est-ce que vous êtes venus faire ? – Nous sommes invités", répondaient-ils. Des dizaines ont été lynchés. Le sultan a alors dit : "Je peux pardonner et le peuple peut ne pas pardonner." Toutes les prémices de la lutte pour le pouvoir étaient réunies[1] ! »

Relevant l'habileté du roi, Layachi note que le souverain, immédiatement après avoir accordé son pardon au Glaoui, reçut une délégation du Parti communiste conduite par son secrétaire général, Ali Yata : « Cela voulait dire : je me réconcilie avec la féodalité, mais je noue des liens avec d'autres patriotes. C'est cela, la monarchie marocaine : l'unité des contraires[2]… »

Interrogé le 16 janvier 1956 par l'agence Reuter, un mois et demi avant l'indépendance, sur la manière dont il envisage « le passage au régime constitutionnel », le souverain, toujours très prudent, répond : « Jusqu'à l'élection d'un Parlement national représentatif, le gouvernement reste responsable devant Notre Majesté, seule dépositaire de la souveraineté marocaine. Notre volonté est d'instaurer au Maroc un régime démocratique dans le cadre d'une monarchie constitutionnelle basée sur la séparation des pouvoirs. Quand toutes les conditions permettant une libre consultation populaire seront remplies – dont la principale est l'indépendance du Maroc –, nous assurerons la réalisation de ce régime. »

Invité à préciser ce qu'il entend par « l'indépendance dans l'interdépendance », il déclare : « L'interdépendance postule que notre indépendance soit reconnue sans conditions ni limitations. » Il appartiendra ensuite aux gouvernements marocain et français de « délimiter les domaines particuliers où une coopération franco-marocaine est nécessaire pour le renforcement de leur indépendance et la sauvegarde des intérêts qui leur sont communs ».

---

1. Entretien avec l'auteur.
2. *Id.*

Mais, en ce 5 mars 1956, Mohammed Ben Youssef aurait-il été si peu tenté que ce soit de le faire qu'il n'aurait pu oublier, au terme de cette journée exceptionnelle, la présence dissuasive, à quelques centaines de mètres de là, d'André-Louis Dubois, haut-commissaire de France.

Même s'il est apprécié des autorités et des responsables marocains, Dubois, qui offre un cocktail à la presse internationale et locale, dans le patio de la Maison de France à Rabat, ne tourne pas autour du pot :

« La sécurité, leur dit-il, est désormais le problème numéro un. Pour le résoudre, c'est affaire d'autorité. Nous devons contribuer loyalement à la donner au gouvernement marocain. Ce qui ne signifie pas nécessairement qu'il faille multiplier le nombre de policiers. Les aspects politiques du problème ne doivent pas, en effet, être oubliés. Si toutes les difficultés auxquelles nous devons faire face étaient exclusivement marocaines, il n'y aurait pas lieu d'être pessimistes. Il y a des interférences étrangères avec lesquelles nous devons compter. »

Pour que les choses soient bien claires, le représentant français précise à ses invités que les « rebelles » marocains disposent de deux mille cinq cents fusils dans le Rif. Dans cette partie du royaume traditionnellement frondeuse, on est d'autant moins disposé à abandonner les armes que le héros local, Abdelkrim el-Khattabi, installé au Caire, a fait savoir qu'il était opposé aux accords conclus entre Paris et Rabat. En voisin compréhensif de l'Algérie dont une partie des combattants s'est repliée dans cette zone difficile d'accès, le vieux chef rifain, qui, dans les années vingt, posa tant de problèmes aux militaires français et espagnols, estime en effet que la guerre doit se poursuivre dans tout le Maghreb, aussi longtemps que le colonialisme n'aura pas été éradiqué.

Dans ces journées et semaines décisives pour l'avenir du royaume, le palais royal et le puissant parti de l'Istiqlal prennent garde d'éviter les provocations et les surenchères. Dans sa première intervention radiodiffusée, le 8 mars, Mohammed V s'efforce d'apaiser les inquiétudes de l'ex-puissance coloniale en fixant d'emblée les règles du jeu à ses compatriotes :

« Le monde nous observe. Il nous jugera sur nos moindres actes. C'est dans l'amour du travail en commun, sous le signe de l'ordre, de la sécurité et de la tranquillité, que notre jeune nation doit croître et prospérer. C'est à nous qu'incombera désormais la responsabilité du maintien de l'ordre au Maroc. Notre gouvernement aura pour devoir d'assurer la sécurité et de protéger les biens de tous les habitants de ce pays, quelles que soient leur origine et leur confession. L'État marocain ne peut en effet tolérer qu'il soit porté atteinte à son autorité et à son prestige, d'autant qu'il existe un régime légal, source de tous pouvoirs. Toute atteinte portée à l'ordre constitue une désobéissance à l'autorité du régime, préjudiciable à l'intérêt du pays et mettant en péril son existence même. »

À l'égard de la France, il se montre encore plus précis :

« Peuple fidèle, tu sais que la France a reconnu notre indépendance et que des négociations se poursuivent encore, qui définiront les rapports d'interdépendance entre nos deux pays. Loin de diminuer notre indépendance ou de porter atteinte à notre dignité nationale, cette interdépendance, au contraire, sera l'une des manifestations les plus probantes de notre personnalité. Quant à nos liens avec la France, ils seront fondés sur l'égalité de deux nations libres et indépendantes et sur le respect de leur souveraineté et de leurs intérêts respectifs […]. Pendant notre séjour en France, il nous a été donné encore une fois d'apprécier la dignité et la générosité du peuple français. Tout cela nous permet de penser que les négociations ultérieures seront empreintes des mêmes sentiments. Nous souhaitons voir le même esprit présider aux rapports entre nos sujets et les Français résidant au Maroc, dont nous n'avons à aucun moment oublié la contribution à la prospérité et à l'évolution de notre pays. »

Envers l'Espagne, le sultan est à peine moins aimable. Certes, il se dit « péniblement surpris » d'avoir appris « les incidents sanglants survenus dans la zone nord et dont ont été les victimes innocentes des dizaines de Marocains » qui manifestaient leur joie après la proclamation de l'indépendance ; mais c'est pour mieux se dire convaincu que « la clairvoyance et la sagesse finiront par l'emporter » et que les responsables espagnols feront en sorte de « réparer leurs erreurs », afin que « les relations amicales entre la nation voisine et nous se poursuivent sous les meilleurs auspices ».

Le même jour, recevant dans son palais de Rabat une délégation de plusieurs centaines de Marocains venus de la zone espagnole,

Mohammed V leur déclare : « L'Espagne devrait comprendre, alors que nous sommes à la veille d'ouvrir des négociations avec elle, que les revendications des Marocains du Nord sont légitimes. »

Le décor est ainsi planté : « Toujours du calme, toujours de l'ordre ». Telles sont les conditions qui, selon le souverain, permettront de mettre un terme au « morcellement du sol national, soumis à des statuts et à des régimes divers », et d'aboutir à la réunification du pays, priorité des priorités.

Enfin, dans les semaines qui suivent l'indépendance, un dernier élément ne doit pas être négligé pour comprendre la modération marocaine : l'attitude des États-Unis. Or, le 20 mars, Douglas Dillon, ambassadeur des États-Unis à Paris, apporte à la politique nord-africaine de la France un soutien qui ne manque pas de surprendre, compte tenu de l'anticolonialisme traditionnel de l'Amérique. Au moment où le monde arabe et les non-alignés supportent de plus en plus mal les derniers sursauts du colonialisme, en Algérie notamment, et alors que l'Égypte se prépare à nationaliser le canal de Suez, cet appui inattendu permet à la diplomatie française de gagner quelques mois appréciables.

Abdelkhaleq Torrès ou l'unité du royaume parachevée

L'indépendance du Maroc sous protectorat français acquise, la première priorité consiste à récupérer la partie du pays encore sous contrôle espagnol afin de parachever, du moins pour l'essentiel, l'œuvre de réunification du royaume.

De tous les Marocains qui se sont battus pour que leur pays recouvre son unité, ou, plus précisément, pour que le Nord sous domination espagnole rejoigne le giron de la mère patrie, Abdelkhaleq Torrès est sans aucun doute celui qui s'est le plus donné à cette tâche. À peu près ignoré des jeunes générations, largement oublié par la plupart des moins jeunes, Torrès, que Hassan II a abandonné à son sort dès le début des années soixante, a joué un rôle très important dans les événements qui ont conduit à l'indépendance et à la réunification du royaume.

Le 4 avril 1956, Mohammed V, dont on a vu qu'il entendait régler prestement cette question du retour à la mère patrie du nord du

Maroc, s'envole pour Madrid. Avant le départ, le souverain rend hommage à « la noble attitude du gouvernement espagnol en faveur du trône et de la souveraineté du Maroc, particulièrement dans les dernières années… ».

En réalité, le général Franco n'a d'autre choix que de se montrer noble et généreux. Mise au pied du mur par la France qui vient d'accorder l'indépendance à Rabat, soumise aux pressions internationales, l'Espagne, dont le régime dictatorial compte bien peu d'amis de par le monde, est obligée de reconnaître les principes de l'indépendance et de l'unité territoriale d'un Maroc souverain.

Jugé « indésirable » par le protocole du Caudillo, Abdelkhaleq Torrès est, parmi les personnalités les plus concernées par l'événement, le seul à ne pas être du voyage. Il n'empêche, sa joie est grande. Ce voyage, comme le note son hagiographe Jean Wolf, est « l'aboutissement d'une lutte exemplaire à laquelle il a voué le meilleur de sa vie ». Pendant plus de vingt ans, Torrès, indifférent aux pressions de ceux qui essayaient de le faire dévier de la route qu'il s'était fixée, a su galvaniser ses compatriotes du Nord et les convaincre de lutter pour la réunification du royaume. Moulay Abdallah, frère de Hassan II, a bien résumé la situation : « Torrès a été le détonateur principal qui a provoqué l'explosion de l'indépendance du Maroc »[1].

Pour cet homme de triple culture formé à la Qaraouiyine de Fès, à la Sorbonne, et qui, de surcroît, connaissait mieux l'Espagne que la plupart des Espagnols, une carrière de diplomate commence alors. « Nos entretiens avec le général Franco nous ont fait comprendre qu'il a pour toi une très grande estime. Nous avons donc décidé de te confier les hautes fonctions d'ambassadeur à Madrid », lui déclare Mohammed V.

Le 28 juin 1956, Torrès remet donc ses lettres de créance à Franco qui se retrouve ainsi « face au lutteur qui, plus que tout autre, a contribué à lui arracher des mains le Maroc du Nord, son dernier rêve colonial[2] ».

L'homme est tellement incontournable dans le nord du royaume que Mohammed V le charge, le 31 juillet 1956, d'administrer cette

---

1. Source : déclaration à Jean Wolf in *Les Secrets du Maroc espagnol*, Balland, 1994.
2. Jean Wolf, *op. cit.*, p. 315.

zone, tout en gardant ses fonctions d'ambassadeur, ainsi que du transfert de ses services à Rabat afin d'assurer l'unification définitive du Maroc.

Le nationalisme ombrageux de Torrès agace les Français, qui ne l'aiment pas. En témoigne ce télégramme de M. Bleuzet, consul général de France à Tétouan, en date du 19 octobre 1956 :

« La situation est assez trouble en zone nord […]. Abdelkhaleq Torrès a placé tous ses amis dans la province de Tétouan. C'est le triomphe de l'équipe de l'ancien parti réformiste aujourd'hui intégré au Parti de l'Istiqlal. Il a réussi à se débarrasser du Khalifa, il a mis en place des caïds. Il n'a songé qu'à augmenter son autorité personnelle par tous les moyens. Mais, en même temps, il se créait un nombre considérable d'ennemis […]. Le PDI s'est ressaisi et, grâce aux abus mêmes commis par les amis ou les créatures de Torrès, il connaît un regain très notable de popularité et enregistre de très nombreuses adhésions nouvelles. »

Rédigé à l'occasion d'une visite du prince Moulay Hassan dans la région, le télégramme met aussi en évidence les mauvaises relations de Torrès avec le général Meziane, une des gloires militaires du royaume, ancien officier supérieur dans l'armée espagnole[1] et sans doute le seul à représenter un contrepoids solide à l'Istiqlal dans le nord du pays : « Le général Meziane est résolument hostile à la main-mise de Torrès sur la région. Il n'était, pour s'en convaincre hier, que de voir les sourires forcés qu'échangeaient les deux hommes, qui se détestent et qui n'ont pas cessé un instant de veiller à ce que le Prince ne reste jamais seul avec l'un d'entre eux. »

Ayant mis un point final à la partition du Maroc, Torrès est nommé ambassadeur au Caire. Cette nomination fait jaser dans le royaume. Passer de Madrid au Caire ne représente pas vraiment une promotion. Torrès est sans doute victime de sa popularité, qui suscite de fortes jalousies. Plus ou moins consentant, Mohammed V s'est rallié au point de vue de certains dignitaires envieux, et se console en songeant que les qualités de diplomate et l'entregent de l'homme du Nord seront bien utiles pour améliorer les relations du Maroc avec l'Égypte et, plus globalement, du Maghreb avec le Machrek.

---

1. Il vient d'être nommé général de corps d'armée.

III

De la réunification du Maroc
aux divisions des Marocains

*« Des sujets qui soupçonnent leurs maîtres de duplicité et
de perfidie se forment à la perfidie et à la duplicité. »*

Benjamin CONSTANT.

Le 7 avril 1956, le Protectorat espagnol ayant vécu, le Maroc est donc réunifié, même si, pour certains, le compte est encore loin d'être bon. Un courant ultranationaliste, incarné par Allal el-Fassi, estime en effet que les possessions espagnoles au Sahara ainsi que les présides de Ceuta et de Melilla leur reviennent de droit. Ce courant entend également – une fois la guerre d'Algérie terminée, pour ne pas embarrasser les « frères » algériens – réclamer une partie importante de l'Ouest algérien sous domination française.

L'assassinat de Touria Chaoui

Mais si l'essentiel de la souveraineté est recouvrée, bien d'autres problèmes se posent pour l'heure au monarque. Depuis des mois, le pays va à vau-l'eau. Comme le raconte le Dr François Cléret[1],

---

1. François Cléret, *Le Cheval du roi*, Les Presses du Midi, 2000, p. 206.

43

médecin personnel de Mohammed V, alors que délégués marocains et responsables français achèvent de donner son plein effet à la déclaration de La Celle Saint-Cloud du 6 décembre 1955, « le désordre est total dans le pays ». Du retour d'exil de Ben Youssef jusqu'à l'indépendance, l'administration française se contente de liquider les affaires courantes. La police, attendant le changement de son personnel, ne fait rien. L'insécurité est grande dans les villes et les campagnes, et les règlements de comptes se multiplient. Si l'importante colonie française est inquiète et si la majorité de ses membres songe de plus en plus à partir, la vie quotidienne est encore plus éprouvante pour les Marocains. La situation économique est en effet catastrophique, les caisses de l'État sont vides et les impôts ne rentrent plus.

À vingt-quatre heures de l'indépendance, un événement dramatique, l'assassinat, le 1ᵉʳ mars 1956, de la première femme pilote marocaine, Touria Chaoui, frappe les esprits et témoigne du désordre qui règne à la fois dans le pays et dans les esprits. Encouragée par la célèbre aviatrice Jacqueline Auriol, cette jeune femme à la personnalité affirmée dès dix-huit ans est entrée cinq ans plus tôt à l'Istiqlal, et ses sentiments nationalistes sont connus, même s'il s'est trouvé quelques esprits chagrins pour dire le contraire et affirmer qu'elle était « profrançaise ». A-t-elle été liquidée par deux sbires d'Ahmed Touil, un tueur resté tristement célèbre, pour donner quelques gages aux conservateurs qui voyaient d'un très mauvais œil cette femme moderne – pour tout dire, féministe avant l'heure – occuper le devant de la scène marocaine ? Difficile de répondre. À l'époque, les confréries religieuses tiennent encore une place importante dans la société marocaine et leurs chefs luttent avec ardeur contre tout ce qui est moderne. Inutile de dire que le discours de Lalla Aïcha, fille du roi, quelques années plus tôt à Tanger, s'il a donné le signal d'un début d'émancipation de la femme marocaine, a aussi souverainement déplu aux ultraconservateurs. À cette époque, les responsables des confréries, quand ils entendent des jeunes femmes prendre la parole en public – elles suivent l'exemple de la princesse –, n'hésitent pas à citer le *hadith* suivant : « Maudite soit la femme qui élève la voix, même en citant Dieu ! »

Ce triste crime vient s'ajouter aux 1 500 victimes marocaines et européennes du terrorisme de juin 1955 à février 1956 : 470 morts et 1 024 blessés[1].

La création des FAR et la dissolution de l'ALM

Dans ce climat à la fois euphorique et anarchique, les sujets de la qualité et de la fidélité d'Abdelkhaleq Torrès ne sont malheureusement pas légion aux côtés du souverain. Bien au contraire ! Il y a ceux, peu nombreux, qui se passeraient volontiers de la dynastie alaouite, mais sans oser encore le dire ; il y a ceux, beaucoup plus nombreux, qui voudraient limiter au strict minimum ses prérogatives ; il y a encore ceux qui la servent en comptant sur elle pour faire carrière ; et puis, les moins nombreux sans doute, les monarchistes convaincus qui, sans états d'âme, non seulement défendent son maintien à la tête du royaume, mais souhaitent qu'à défaut d'être autoritaire, elle parvienne rapidement à asseoir son autorité. Pour ces derniers, c'est la condition *sine qua non* de la stabilité et du développement du pays.

Mohammed V, on l'a vu, veut « du calme » et « de l'ordre ». Avec l'aide de son fils Moulay Hassan qui prend, dès leur création, fin mars-début avril 1956, la tête des Forces armées royales (FAR), ainsi que l'appui des responsables français qui, à l'exception peut-être d'Edgar Faure, ne se sont jamais posé de questions quant au soutien à apporter à la famille régnante, il prend les mesures qui s'imposent.

Il lui faut d'abord mettre au pas les quelques milliers de résistants et de membres de l'Armée de libération, dont un certain nombre entend poursuivre le combat afin de libérer du colonialisme toute l'Afrique du Nord. L'indépendance du Maroc, répétons-le, intervient alors que ce pays vient de vivre plusieurs mois d'anarchie et de violences dus pour l'essentiel à l'état de « ni guerre, ni paix » qui prévaut sur l'ensemble du royaume, et qui a conduit les plus durs des nationalistes à multiplier les coups de main contre l'occupant français. À l'impatience des patriotes marocains, rejoints comme toujours dans ces transitions historiques par des voyous qui tentent de tirer

---

1. *Le Monde*, 7 mars 1956.

leur épingle du jeu, s'ajoute leur exaspération de voir les « frères » algériens subir une répression beaucoup plus grande encore.

On comprend, dans ces conditions, qu'amener la Résistance et l'Armée de libération à mettre un terme à leurs activités n'a pas dû être chose aisée.

Avant d'aborder les circonstances de cette mise au pas, un texte peu connu, une interview accordée trois mois et demi après l'indépendance par un cadre de l'ALM à l'AFP[1], permet de mieux comprendre le rôle de cette Armée de libération dans l'histoire du Maroc moderne. Dans cet entretien, Saïd Othman, qui se présente comme « un colonel de l'Armée de libération », affirme que l'ALM est « une branche de l'Istiqlal issue des cellules du Parti ». Il entend ainsi proclamer publiquement l'identité commune, aussi bien en ce qui concerne les origines que les objectifs poursuivis, « du plus grand parti politique et de la force armée de plus en plus nombreuse que la monarchie veut absolument voir disparaître, quitte à intégrer la plus grande partie de ses effectifs ».

Qu'affirme donc Othman ?

– Que l'Armée de libération et l'Istiqlal ne sont fondamentalement qu'un.

– Que l'Armée de libération est présente dans toutes les campagnes et que la Mounadhama Siriya (« organisation secrète » ou mouvement de résistance et branche semi-clandestine de l'Istiqlal) agit dans les villes.

– Que l'Armée de libération, l'Istiqlal et la Mounadhama Siriya s'inclinent devant l'autorité du sultan du Maroc, incarnation du patriotisme marocain.

– Que l'Armée de libération ne déposera les armes qu'une fois réalisées l'unité territoriale et l'indépendance absolue du Maroc, et seulement après la disparition de toute menace pesant sur cette indépendance et cette unité.

– Que, parmi ces menaces pesant encore sur le Maroc, figure la politique française en Algérie, sœur du Maroc, qui doit être indépendante.

– Il ne s'agit cependant pas de rejeter la France, qui doit demeurer l'amie, l'alliée et la collaboratrice de l'Afrique du Nord, mais seule-

---

1. Interview recueillie à Casablanca le 20 juin 1956.

ment de réaliser l'indépendance absolue, « l'indépendance dans l'alliance » dont parlait récemment Allal el-Fassi.

Puis Saïd Othman raconte l'histoire du mouvement :

« En 1949, sous l'impulsion des dirigeants de l'Istiqlal, Mohammed Zerktouni[1] créa dans une maison de la nouvelle médina de Casablanca la première cellule de la Mounadhama Siriya. Il s'entoura d'hommes jeunes, résolus à exécuter tous les ordres reçus, et tous musulmans afin que leur serment sur le Coran fût valable. Quand le sultan, qui ne voulait pas recourir à la violence, fut contraint à l'exil, Zerktouni décida alors d'agir. Ses amis et lui décidèrent de faire disparaître les traîtres, les fonctionnaires municipaux vendus aux colonialistes, les indicateurs et autres. Chaque cas fut examiné en comité, et ils n'agirent jamais aveuglément [...]. La population européenne vivait indifférente et traitait souvent les Marocains avec mépris. Il nous fallut provoquer chez elle un mal aussi grand que celui qu'on nous avait causé, pour ébranler son indifférence. Il y eut alors la bombe du Marché central qui, à la veille de Noël 1953, fit dix-sept morts à Casablanca. Puis nous dûmes démontrer aux agriculteurs et aux industriels français que la force ne servirait pas leurs intérêts. Les Marocains durent faire ce qu'ils considéraient à l'habitude comme un acte sacrilège : ils brûlèrent des récoltes et des entrepôts. Il fallait faire comprendre aux Français que leur avenir dépendait du nôtre. Vous pouvez en juger maintenant depuis le retour du sultan : aucune récolte n'a brûlé, aucun industriel n'a souffert. Pendant ce temps, ce qu'on appelle l'Armée de libération s'organisait dans la montagne. Nous décidâmes de commencer les opérations le 1er octobre 1955. L'Armée de libération était issue des cellules de l'Istiqlal, composées de membres actifs du Parti qui avaient décidé de tout quitter et, si nécessaire, de mourir pour la patrie. Aujourd'hui, nous sommes dans tout le Maroc. Nous sommes partout dans la montagne, et la Mounadhama Siriya se trouve dans la plaine et dans les villes. Le sultan nous a demandé d'arrêter les opérations. Nous obéissons aveuglément aux ordres de notre souverain. Pourquoi restons-nous dans la montagne ? Parce que nous estimons que notre indépendance est encore menacée, et nous voulons demeurer prêts à la défendre.

---

1. Grand résistant mort le 20 juin 1954.

L'Armée de libération, conclut Saïd Othman, n'a pas de chef unique, mais est dirigée par un comité multiple dont fait également partie le Dr Khatib, et dont certains membres se confondent avec certains dirigeants de l'Istiqlal. »

Cependant, dès les premières semaines de l'indépendance, Mehdi Ben Barka, déjà peu satisfait du contenu des accords passés avec la France, s'oppose à Moulay Hassan sur cet important sujet.

« La devise de l'armée royale marocaine est "qui s'y frotte s'y pique". On rencontre en son sein le fils du paysan à côté du parent du roi. Ainsi l'armée royale est la plus démocratique que l'on puisse concevoir, mais cette armée démocratique doit se tenir à l'écart de la politique, car la neutralité politique doit être le dogme de la morale militaire. À moins de saper le fondement de toute discipline et de courir à l'abîme, l'armée ne saurait être le juge ou l'arbitre politique[1] ». Pour le fils aîné de Mohammed V, il est en outre « impensable qu'un Marocain, et à plus forte raison un soldat, puisse être patriote sans être attaché à son souverain[2] ». Mehdi Ben Barka s'oppose totalement à cette vision des choses et, en conséquence, ne veut pas entendre parler de l'intégration de l'Armée de libération dans les Forces armées royales.

Mohammed Aouad, qui fut pendant quinze ans son secrétaire et le documentaliste de l'Istiqlal – il était connu sous le nom d'« Aouad journaux », – en est convaincu :

« Je pense que Mehdi était au fond d'accord avec Abdelkrim, même si, discipliné, il avait accepté à contrecœur Aix-les-Bains. La France voulait vraiment diviser le Mouvement national et la Résistance. Par la suite, il ne voulait pas que l'Armée de libération intègre l'armée royale ; il désirait qu'elle garde son indépendance, ses structures. C'est pour cela qu'il s'est très vite opposé au prince[3]. »

Mohammed Aouad, qui passait beaucoup de temps avec son patron dont il partageait les repas au domicile familial, raconte qu'il évoquait sans détour ses opinions devant ses proches, notamment des

---

1. Allocution du 14 mai 1957 de Moulay Hassan à l'occasion de l'anniversaire de la création des FAR.
2. *Id.*
3. Entretien avec l'auteur.

résistants comme le *fqih* Basri, Mohammed Mansour, Mohammed Bensaïd Aït Idder. À ceux-là « il disait ouvertement – mais ne l'écrivait pas – son opposition à l'entrée de la Résistance dans l'armée du roi ».

Mais le différend est encore plus grave. Dès 1956, Hassan II, si l'on en croit des propos qu'il a tenus beaucoup plus tard[1], ne reproche pas seulement à Ben Barka de s'opposer à la manière dont il envisage la montée en puissance des FAR, mais il le tient aussi pour responsable de la mort le 27 juin 1956 à Fès, d'un grand chef de l'Armée de libération, Abbas Messaadi, et, surtout, de manœuvres partisanes hostiles au pouvoir royal. Il lui reproche notamment d'avoir voulu politiser non seulement la Résistance – d'implantation citadine, et sensible au langage des partis politiques – mais aussi l'Armée de libération.

« L'objectif de Ben Barka, affirme Hassan II, était d'obtenir que les 9 000 à 10 000 hommes de l'Armée de libération se soumettent à l'emprise d'un parti qui serait devenu le parti unique. Cet épisode a abouti à l'enlèvement et à la liquidation d'un des chefs de l'Armée de libération, du nom d'Abbas Messaadi. »

Parti immédiatement pour Fès à la demande de Mohammed V qui voulait calmer les esprits, Moulay Hassan voit arriver devant lui un certain Hajjaj, soupçonné d'avoir assassiné Messaadi. Hajjaj lui affirme qu'il l'a fait « sur ordre de Ben Barka ».

Fondateur du Mouvement populaire, à la fin des années cinquante, avec son ami Mahjoubi Ahardane, Abdelkrim Khatib, ancien dirigeant important de la Résistance, qui, toute sa vie, a servi avec zèle et parfois avec courage la monarchie[2], ne dit pas autre chose :

« Les responsables des liquidations sont connus, même si on n'aime pas en parler. Les gens de la Résistance, qui ont réintégré le parti de l'Istiqlal sous l'impulsion de Ben Barka, en ont été les principaux responsables. Malheureusement, Ben Barka a joué un rôle important. Laghzaoui obéissait aux ordres de Ben Barka et du *fqih* Basri, le petit doigt sur la couture du pantalon. Je vais vous donner un exemple parmi d'autres. Parmi les gens de l'Armée de libération,

---

1. Hassan II, *Mémoires d'un roi*, Plon, 1994, p. 55 *sq*.
2. Voir *infra*, le chapitre sur le Mouvement populaire, p. 125.

il y avait un certain Bouzar, d'origine algérienne, de nationalité française, administrateur civil, très compétent. Il a rejoint l'Égypte, puis, grâce à Abdelkrim el-Khattabi, a pu regagner le Maroc par la mer. En raison de ses compétences et de ses capacités administratives, Mohammed V l'a nommé directeur de cabinet de Laghzaoui. Nos amis à Casablanca n'ont pas compris ni accepté cet intrus qui n'était pas un des leurs. Ben Barka et le *fqih* Basri sont donc allés voir Laghzaoui et lui ont dit : "Si tu le prends, on vous descend tous les deux !" Laghzaoui a dû se plier à leurs injonctions, et Bouzar a pris un peu de champ… En réalité, Ben Barka a demandé à Laghzaoui de liquider toute une partie de la Résistance. Laghzaoui disait : "Le président de l'Assemblée consultative a parlé, exécutez ![1] »

Pour Abdelkrim Khatib, il ne fait aucun doute que c'est l'Istiqlal et Ben Barka qui sont responsables de l'assassinat d'Abbas Messaadi :

« C'est l'Istiqlal qui a liquidé Abbas. Le Comité exécutif s'est réuni. Les rapports étaient très mauvais entre Messaadi et Ben Barka. Abbas avait demandé à Ben Barka que le Parti aide la Résistance. Ben Barka l'a menacé. Après l'indépendance, Ben Barka et Mahjoub Benseddik se sont rendus dans le Rif afin d'amener l'Armée de libération dans le giron de l'Istiqlal. Ils ont été arrêtés par les Rifains. Abbas était furieux. Il les a menacés, s'ils recommençaient, puis les a fait libérer. Les amis de la Résistance avaient accusé Abbas de vouloir prendre le pouvoir, ce qui était totalement faux. Ben Barka, on l'appelait le *hizb*[2], tellement il incarnait le Parti ! […] Après l'assassinat de Messaadi, il y a eu une révolte dans l'Armée de libération et nous avons pensé, avec Mohammed V, qu'il valait mieux intégrer tous ces éléments dans l'armée et la police. Pendant six mois, jusqu'à la fin de 1956, je me suis occupé de cette mission[3]. »

Fidèle parmi les fidèles, Mohammed Aouad proteste énergiquement quand on lui demande si Ben Barka a fait liquider des adversaires politiques :

« Je le voyais tous les jours. Je savais bien qu'il y était étranger. Il condamnait tous ces assassinats et les regrettait beaucoup. Il le disait.

---

1. Entretien avec l'auteur.
2. « Parti » en arabe.
3. Entretien avec l'auteur.

C'est vrai qu'il n'avait pas de sympathie pour les gens du PDI. Entre lui et Ouazzani, Cherkaoui, Boutaleb, ça n'accrochait pas, il n'avait pas confiance en eux. Du moins jusqu'à ce qu'ils quittent le PDI... Mais je suis catégorique : il n'a joué aucun rôle dans les exécutions, les assassinats. Il ne voulait pas s'intéresser à cela[1]. »

Mohammed Aouad apporte cependant certaines précisions :

« En 1956, 1957, le *fqih* Basri habitait une villa à Casablanca, avenue Victor-Hugo, à côté du palais royal. Avec Mehdi, on allait presque tous les jours le voir. Je l'accompagnais, et Driss Slaoui, qui était alors commissaire de police, était souvent avec nous. Il allait chercher quotidiennement ses instructions auprès du *fqih*. Celui-ci a joué un grand rôle dans pas mal de liquidations. Mehdi le savait, mais entretenait quand même des relations suivies avec le *fqih*. À ses yeux, celui-ci était d'abord un grand résistant qui n'avait jamais trahi la Résistance. Ils avaient de très bonnes relations personnelles... »

D'autres chercheurs, notamment à la Fondation Abderrahim Bouabid[2], qui travaillent depuis plusieurs années sur cette période et en ont interrogé les témoins, affirment n'avoir trouvé jusqu'ici aucun élément permettant de penser que Ben Barka ait pu donner des ordres de liquidation.

La version d'un Ben Barka « éradicateur » est également rejetée par deux anciens membres des « services » marocains qui ont souhaité garder l'anonymat et avec lesquels l'auteur a pu s'entretenir. Selon ces deux personnes qui affirment avoir eu accès à des « documents confidentiels », non seulement Laghzaoui n'avait pas le petit doigt sur la couture du pantalon quand Ben Barka parlait, mais il n'éprouvait que méfiance et aversion envers l'ancien professeur du prince héritier. Laghzaoui, disent-ils, était un spécialiste des « coups tordus ». Pour parvenir à ses fins, il utilisait notamment le tristement célèbre commissariat du VIIe arrondissement de Baladia-Casablanca, dirigé par Hussein Sghir, un ancien résistant de Casablanca, ainsi que certains miliciens de l'Istiqlal. Or, Laghzaoui, très proche du Palais,

---

1. Entretien avec l'auteur.
2. Installée à Salé, ville natale de Bouabib, la Fondation organise des colloques et des journées d'études consacrés aux champs politique et économique marocains et publie régulièrement des travaux de recherche sur l'histoire du Maroc.

entendait mettre au pas aussi bien les éléments récalcitrants de l'Armée de libération que les politiques qui les soutenaient. Il cherchait donc à discréditer gravement Ben Barka en lui faisant porter la responsabilité de l'assassinat de ce chef prestigieux de l'ALM dont le comportement indépendant irritait de plus en plus une partie de l'Istiqlal. Mais si Ben Barka a effectivement rencontré Messaadi pour essayer de le convaincre de rejoindre les rangs du Parti[1], sa démarche s'est arrêtée là. Selon nos deux ex-agents, Ben Barka, qui connaissait mal l'univers souvent glauque des services de police, ne s'occupait pas de ces affaires « très particulières », même s'il en était tenu informé par certains de ses amis, comme le *fqih* Basri. Les mêmes ex-agents sont par ailleurs persuadés que le chef de file de la gauche marocaine a été aussi contraint d'endosser, à son corps défendant, l'implication dans l'assassinat de Messaadi de certains membres de l'Armée de libération ou de la Résistance, politiquement proches de lui et dont le rôle ambigu n'a jamais été éclairci ni rendu public.

En réalité, Mohammed Laghzaoui, imposé par l'Istiqlal – avec la bénédiction du Palais – comme directeur général de la Sûreté nationale au lendemain de l'indépendance, faisait partie de la petite équipe qui entourait jalousement Allal el-Fassi et dont quelques membres détestaient Ben Barka.

Il ne faut pas oublier non plus que Laghzaoui, principal responsable du rétablissement de l'ordre dans le pays, était encore, à cette époque, l'homme le plus riche du Maroc, davantage même que Mohammed V, et qu'il exécrait les convictions socialistes de Ben Barka.

Zakya Daoud et Maati Monjib, qu'on ne peut soupçonner d'hostilité à l'égard du célèbre disparu, adoptent une version médiane :

« Les adversaires de Ben Barka affirment que, voulant intégrer l'Armée de libération dans le giron istiqlalien, il fit tout simplement disparaître, par un des ses hommes de main, le garant et le symbole de l'Armée de libération. Quelle est la responsabilité portée par Mehdi Ben Barka ? Ses partisans, mais aussi des personnalités de l'UMT qui ne l'aimaient guère, affirment pour leur part qu'il n'est pour rien dans l'affaire ; pour ses défenseurs, c'est son action de rapprochement entre

---

1. Voir. Zakya Daoud et Maati Monjib, *Ben Barka, une vie, une mort*, Michalon, 2000.

les groupes autonomes de l'AL et l'Istiqlal qui le désigne ainsi à la vindicte. La vérité doit se situer entre ces deux versions[1].

On ne saurait enfin manquer de signaler la réponse que fit Abdelhadi Boutaleb, ex-PDI, ex-UNFP, à une question du journaliste Hatim el-Betioui : « Votre adhésion à l'UNFP [en 1959] a donné l'impression que vous vouliez innocenter Ben Barka et ses camarades de la persécution subie par les membres du PDI et que votre participation à la création de l'Union visait plutôt à incriminer Allal el-Fassi et ses camarades. Qu'en est-il ? » Réponse de Boutaleb, alors un des principaux responsables du PDI pendant cette période d'épuration :

« Mehdi Ben Barka et ses compagnons nous ont déclaré qu'ils n'étaient pas impliqués dans ce qui était arrivé, et qu'ils étaient désolés de ce qui s'était passé. Ils imputaient tout cela aux dirigeants de leur parti contre lesquels ils s'étaient révoltés. L'essentiel, c'est que nous avions conclu un accord après des discussions empreintes de franchise, de transparence et de repentir, et pris l'engagement mutuel d'amorcer une ère nouvelle d'entente dans la transparence »[2].

Mais ni les pressions de Ben Barka et de tous ceux qui s'opposent à la dissolution de l'ALM, ni les réticences de certains monarchistes qui auraient bien voulu maintenir quelque temps encore les structures de l'ALM à côté de celles des FAR ne vont empêcher les représentants de la Résistance et de l'ALM, réunis en assemblée plénière, le 29 mai, d'annoncer leur décision d'arrêter leurs agissements :

« Répondant au désir de Sa Majesté Mohammed V relatif au retour au calme et à la stabilité, l'assemblée s'est trouvée unanime à penser que l'Armée de libération se devait de cesser toute action que les circonstances l'avaient obligée jusqu'ici d'entreprendre pour assurer le maintien de la sécurité publique. Dorénavant, il appartient au gouvernement de Sa Majesté, qui a pris en main les pouvoirs nécessaires, d'assurer ses responsabilités et d'accomplir les tâches qui lui incombent[3]... »

---

1. Z. Daoud et M. Monjib citent également deux témoignages de Charles-André Julien et d'un ex-militant de l'UNFP, laissant entendre que « Ben Barka lui-même ne se sentait pas totalement innocent ». Voir *ibid.*, p. 174.

2. Abdelhadi Boutaleb, *Un demi-siècle dans les arcanes de la politique*, Rabat, Éditions Az-Zaman, 2002.

3. Communiqué repris par l'AFP.

Pour la plus grande partie de l'Armée de libération, notamment sa branche nord, c'est chose faite dans la seconde quinzaine de juillet où près de cinq mille membres de l'ALM – sur un total d'environ dix mille, le reste rejoignant d'autres services publics ou regagnant ses foyers – intègrent les Forces armées royales.

La mise au pas de la branche sud de l'Armée de libération – quelques « dissidents du Nord » rejoindront les « irréductibles », parmi lesquels un grand nombre de Sahraouis établis au Sud – est un peu plus longue. L'Espagne, mise en difficulté, fait appel à la France, tandis que Madrid et Paris font pression sur Rabat pour qu'il retire son appui à l'ALM. Ce que le Maroc fait. Grâce au soutien des militaires français et espagnols, l'ALM, prise en tenailles dans le cadre de l'opération « Écouvillon », est défaite en février 1958.

En attendant la dissolution totale de l'Armée de libération du Maroc, Moulay Hassan veut aller vite. Mais les dures réalités s'imposent parfois à lui. En octobre 1956, il effectue une tournée d'inspection à Nador. Compte rendu de Victor Revelli, consul de France à Melilla :

« Le Prince a été très froid et n'a eu de sourires pour personne, même en recevant le salut des officiers espagnols. Il a paru extrêmement déçu par la pauvre exhibition de sa nouvelle armée[1]. »

Cependant, ces petites humiliations ne dureront pas longtemps. L'argent, qui fait cruellement défaut dans beaucoup de secteurs, irrigue abondamment l'appareil sécuritaire de l'État. La monarchie, à commencer par le prince héritier, y veille de près. Elle peut compter sur le soutien, discret mais efficace, de la France, encore très présente dans l'armée et les divers services de police, et qui contribue à la formation de nombreux cadres marocains envoyés dans l'Hexagone. Les États-Unis, à un degré moindre, s'impliquent également. Vingt ans plus tard, Hassan II le confirme, dans *Le Défi*, en rappelant que la priorité des priorités, pour le Palais, était de pouvoir s'appuyer sur une véritable armée et une police efficace :

« Nous récupérâmes au plus vite les Marocains incorporés dans les armées française et espagnole, afin de créer de nouvelles unités où les Forces armées de libération trouvèrent aussitôt leur place. Nous

---

1. Archives du Quai d'Orsay.

créâmes des écoles d'officiers et de sous-officiers, cependant que nos cadres faisaient des stages dans les écoles supérieures de France et d'Espagne. Au printemps de 1956, les Forces armées royales (FAR) existaient avec pour devise "Dieu, la Patrie, le Roi". Il était temps[1]. »

Ainsi, la disparition progressive de l'Armée de libération, la dissolution de ses groupes, leur intégration dans les FAR et le retour à la légalité de ses éléments enlèvent une sérieuse épine du pied de la monarchie. En se conformant à l'« impératif gouvernemental », selon l'expression d'Ahmed Réda Guédira, alors ministre de la Défense, dirigeants et membres de la Résistance et de l'ALN permettent à la monarchie de marquer un premier point important.

Les règlements de comptes entre partis

« En les observant au cours des cinq premières années de l'indépendance, j'ai trouvé qu'ils passaient beaucoup trop de temps à discuter sur les raisons d'agir plutôt que sur la manière d'entreprendre. À l'intérieur comme à l'extérieur du cabinet, ils [les membres des deux courants, "traditionnel" et "progressiste", de l'Istiqlal] se consacraient à diffuser des promesses bruyantes, rhétoriques et populistes. Quand ils n'étaient pas pris par des débats stériles, ils donnaient l'impression de passer leur temps à essayer d'éliminer des rivaux, réels ou supposés, dans une sorte de bousculade au portillon pour cueillir les fruits de l'indépendance. » Quarante-cinq ans après l'indépendance, tel est le piètre souvenir qu'a gardé de cette période Stephen O. Hughes, sympathique et célèbre journaliste britannique arrivé en 1952 au Maroc[2].

Dans le dur combat qu'elle mène pour asseoir son autorité, la monarchie peut donc presque immédiatement compter sur les divisions des Marocains, à commencer par celles du parti de l'Istiqlal, de loin la formation politique la plus importante. Hégémonisme des uns, volonté d'exister des autres, rivalités et haines anciennes, provo-

---

1. Hassan II, *Le Défi*, Albin Michel, 1976, p. 68.
2. Stephen O. Hughes, *Le Maroc de Hassan II*, traduit de l'anglais, Rabat, Bou Regreg, 2003. Après cinquante années de séjour, « Steve » ne se considère pas comme un « expert », mais comme un « observateur ». Privilégié, sans aucun doute…

cations des polices locales ou des milieux étrangers du renseignement : tout est bon pour créer la confusion dans le pays. Aujourd'hui encore, au Maroc, près d'un demi-siècle après l'indépendance, les opinions et, ce qui est plus troublant, les témoignages continuent, comme on l'a vu, à diverger complètement sur les véritables responsables des liquidations intervenues essentiellement en 1956 et en 1957, et dont les principales victimes, outre les membres indociles de la Résistance et de l'Armée de libération, furent les militants du Parti démocratique pour l'indépendance (PDI) de Hassan al Ouazzani, figure de proue du nationalisme marocain au même titre qu'Allal el-Fassi, et, à un degré moindre, les militants communistes.

En février 2004, dans un article intitulé « Mémoire : qui étaient nos collabos ? », l'hebdomadaire *Tel Quel* rappelle que les inspecteurs du parti de l'Istiqlal ont réuni, après l'indépendance, 4 226 dossiers de personnes suspectées d'avoir collaboré avec l'occupant français, d'avoir soutenu Ben Arafa ou de s'en être pris à Ben Youssef. Sur ce total, seules 207 sont jugées, le 28 mars 1958, par une commission *ad hoc* du PI. Mais, très vite, on découvre que des chèques ont été versés à des inspecteurs par des « collabos » afin d'être absous de l'accusation de trahison. Abdelmajid Kaddouri, un des rares historiens à travailler sur cette période, se veut, selon *Tel Quel*, très prudent, compte tenu du parti pris de l'Istiqlal qui règle ses comptes avec le PDI, et de l'impossibilité d'accéder aux archives françaises relatives aux « collabos » marocains, encore frappées du sceau de la confidentialité. « Ce qui brouille davantage les pistes, précise *Tel Quel*, est le retournement de situation qui s'est effectué après 1958. » Moulay Hassan, futur Hassan II, réalisant que l'Istiqlal devient encombrant, décide alors « d'assiéger le pouvoir en réhabilitant des hommes bannis par la commission de l'Istiqlal et des membres de l'Armée française, comme M'barek Bekkaï, pour mater l'Armée de libération nationale. Des décennies de lutte vont suivre, et le mot "collabo" va même changer de sens, puisqu'il voudra dire, dans la bouche des socialistes de la première heure, "ceux qui traitent avec le Palais"[1]. » Toujours selon la revue, la question des collaborateurs est « incontournable pour comprendre le système Hassan II » : « Il est

---

1. Driss Ksikès, *Tel Quel*, 8 février 2004.

impossible de faire l'impasse dessus, souligne *Tel Quel*, si l'on veut mettre sur le tapis l'impunité des nantis et des privilégiés du régime. Il est impossible de l'ignorer si l'on veut évaluer tous les torts causés dans la redistribution du patrimoine foncier, autrefois détenu par les colons et majoritairement cédé aux militaires […]. Il est impossible de mettre cette question de côté si l'on veut comprendre à quel prix la monarchie s'est maintenue. »

Depuis longtemps – depuis peut-être la rupture avec Allal el-Fassi –, Ouazzani et le PDI agacent prodigieusement les caciques de l'Istiqlal. Ces derniers n'ont toujours pas digéré l'importance, excessive à leurs yeux, qui a été donnée aux représentants du PDI par les autorités françaises lors des négociations d'Aix-les-Bains, fin août 1955. Leur entrée en force, en décembre 1955, dans le premier gouvernement Bekkaï, jugée totalement disproportionnée par l'Istiqlal pour qui le PDI est une formation de notables sans véritables effectifs, n'a fait qu'exacerber les tensions entre les deux partis. Rien d'étonnant, dans ces conditions, de voir le PDI devenir la cible principale de l'hégémonisme istiqlalien.

Parmi les victimes les plus connues de cette sombre période figure Si Abdelwahad Laraki, secrétaire général de la section de Fès du PDI, assassiné le 9 mai 1956 dans la médina de Fès. Professeur à l'université Qaraouiyine, il vient de sortir de son domicile en compagnie d'une jeune bonne quand un individu ouvre le feu sur lui. Atteint d'une balle de 9 mm dans la tempe droite, le professeur est achevé d'une seconde balle dans la tête par son assassin, tandis que les rares témoins du drame prennent la fuite.

Compagnon de route de Ben Barka et militant actif de l'UNFP au début des années soixante, le journaliste Hamid Berrada a perdu son père, membre du PDI, dans des circonstances tout aussi tragiques.

Durant toute l'année 1956 et les deux qui suivent, le PDI multiplie les critiques virulentes contre le parti de l'Istiqlal. De Genève où il se rend fréquemment, Mohammed Hassan Ouazzani, secrétaire général du PDI, qui vit depuis 1951 hors du Maroc, adresse le 21 août 1956 au sultan un télégramme dans lequel il déclare notamment :

« Devant l'aggravation de l'insécurité publique et politique due au régime policier actuel, plus abominable que celui du colonialisme, j'élève une protestation solennelle et indignée auprès de Votre Majesté contre certaines autorités et agents responsables de l'ordre public, et contre l'attitude suspecte, sinon complice, de certains pouvoirs publics. Je dénonce particulièrement le sectarisme des brigades dites spéciales et autres cohortes armées sévissant par rapts, tortures et assassinats de patriotes éprouvés et dignes dans un Maroc nouveau, sous un gouvernement dit national et d'union[1]. »

Quelques jours après le télégramme d'Ouazzani au sultan, c'est au tour des principaux membres du bureau politique du PDI d'être reçus par Mohammed V. Abdelkader Benjelloun, ministre des Finances, Abdelhadi Boutaleb, ministre du Travail et des Questions sociales, Ahmed Bensouda, ministre de la Jeunesse et des Sports, Mohammed Fader Moakit et Hadj Ahmed Maaninou expriment au souverain « leurs craintes de voir s'instaurer une dictature dont les conséquences seraient désastreuses pour le peuple marocain ». Ils précisent lui avoir dit que la crise actuelle, à leurs yeux, était « factice », et qualifient de « provocation » les demandes du parti de l'Istiqlal visant à la formation d'un gouvernement homogène. Les cinq hommes soulignent avoir constaté chez Sa Majesté, « très préoccupée » par la situation, « une ferme résolution de maintenir l'union nationale et d'épargner au pays la division et la discorde ».

« Le serment que nous avons prêté lors de la constitution du gouvernement d'union nationale, rappelle de son côté à la presse Mohammed Moakit, constitue un pacte qui nous lie à Sa Majesté et aux militants du Parti. C'est donc à Sa Majesté seule qu'il incombe de redonner confiance au pays. »

Tout à fait conscient du triste spectacle qu'offre un gouvernement aussi divisé, Moakit déplore, en concluant, que « la perturbation soit venue troubler le gouvernement au moment où le Maroc a le plus besoin de calme… L'opinion internationale, dit-il, s'attache à suivre nos efforts, et il nous appartient, par un labeur constructif, de détruire l'allégation consistant à dire que le Maroc n'est pas mûr pour l'indépendance ».

Pour tenter de compenser sa faiblesse intrinsèque, le PDI fait des contorsions et se tourne vers l'Europe, à commencer par la France, afin

---

1. Dépêche AFP, 22 août 1956.

d'y trouver des soutiens. Le *timing* est pourtant exécrable, compte tenu de l'intervention franco-britannique à Suez et du détournement de l'avion de Ben Bella. Le parti se penche également sur le sort d'un monde rural auquel il est largement étranger. L'affaire Addi Ou Bihi, un notable rural manipulé par les services français et que le PDI va défendre, contribue à décrédibiliser un peu plus le parti. Les plus lucides de ses membres – les plus opportunistes, diront d'autres –, Boutaleb, Bensouda, pour ne citer qu'eux, comprennent vite que leur parti est dans une impasse. Après un délai de décence, ils sautent sur l'occasion fournie par une scission au sein de l'Istiqlal pour rejoindre Ben Barka et ses amis et participer à la création de l'UNFP où ils ne resteront d'ailleurs que quelques mois, le temps de comprendre qu'une brillante carrière politique ne peut se construire, au royaume chérifien, dans un encadrement marxiste et une opposition résolue…

Deux mois plus tard, le 26 octobre, dans l'impossibilité de conti-nuer à diriger un gouvernement aussi hétérogène, le Premier ministre, Si Bekkaï, qui n'appartient ni à l'Istiqlal, ni au PDI, mais que sa fidélité au trône et ses amitiés rapprochent du futur Mouve-ment populaire, annonce la démission de son cabinet et, invité par le roi à constituer le nouveau gouvernement, propose aussitôt au PDI les ministères de l'Urbanisme et de l'Habitat, ainsi que celui du Tourisme. Ulcéré par cette proposition jugée humiliante, le parti de Ouazzani publie en fin de soirée le communiqué suivant :

« Le PDI, compte tenu de la force qu'il représente dans le pays, juge que ces deux ministères sont notoirement disproportionnés à son importance et qu'il ne pourra, dans ces conditions, avoir une responsabilité effective dans la conduite d'une politique nouvelle que doit mener un gouvernement national. Aussi décline-t-il l'offre du président Bekkaï. »

Tandis que les membres du parti continuent d'être pourchassés par ce que le régime compte de plus douteux, ses dirigeants, sans doute convaincus de mieux pouvoir limiter les dégâts à l'intérieur du second gouvernement Bekkaï, ne cessent alors de réclamer leur retour en son sein. En janvier 1957, lors d'un dîner offert à Casablanca en l'honneur de Mohammed Hassan Ouazzani, rentré quelques jours plus tôt de l'étranger en raison de l'état de santé de sa mère, Abdelhadi Boutaleb, haut responsable du PDI, après avoir dénoncé l'absence de politique économique du gouvernement, demande que le PDI soit appelé à participer au pouvoir :

« Nous avons droit au pouvoir dans l'intérêt général du pays, dit-il, car il ne nous est pas possible de jouer le rôle d'un parti d'opposition dans un pays où il n'y a pas de Parlement. Nous ne possédons aucune garantie politique pour exercer notre opposition, et il suffirait d'une décision gouvernementale pour nous faire mettre en prison. »

Quelques mois plus tard, en mai 1957, le Conseil national du PDI réclame la démission d'un gouvernement qui « poursuit une politique d'oppression à l'intérieur [...], n'a pas la confiance nationale ni celle de l'étranger », et son remplacement par un gouvernement d'union nationale chargé de préparer les élections municipales. Le Conseil national du PDI reconnaît une nouvelle fois le sultan comme « seul détenteur de la souveraineté nationale et de la légalité constitutionnelle, et affirme qu'aucune délégation de ses pouvoirs ne peut être faite avant la réunion d'un Parlement et la constitution d'un gouvernement issu de ce Parlement[1] ».

Dans ses Mémoires, Abdelhadi Boutaleb, qui n'avait pas encore quitté le PDI, donne une bonne idée du climat qui régnait à l'époque entre les membres des deux partis :

« Nous étions encore au gouvernement et nous apprenions le traitement atroce que Driss Slaoui[2] infligeait aux membres de notre parti dans le commissariat du VIIe arrondissement. On disait qu'il supervisait lui-même de telles tortures policières. Un vendredi, nous nous sommes rendus dans l'enceinte du palais pour accompagner Mohammed V à la prière. En attendant la sortie du roi, Mohammed Laghzaoui et Driss Slaoui sont passés devant les ministres pour les saluer, mais Ahmed Bensouda, ministre de la Jeunesse et des Sports[3], a crié à la face de Slaoui qui lui tendait la main : "Ma main ne serra pas la vôtre qui a fouetté des patriotes innocents." »

Ce qui n'empêche pas Abdelhadi Boutaleb d'écrire dans ses Mémoires : « Devenus plus tard conseillers du roi, nous avons noué,

---

1. Dépêche AFP, 25 mai 1957.
2. Chef de la police à Casablanca et futur conseiller de Hassan II.
3. Également membre du PDI.

Bensouda et moi, des rapports d'amitié avec notre collègue Driss Slaoui, en oubliant l'animosité qui existait entre nous[1]. »

Mais le gouvernement à majorité istiqlalienne tout comme le Palais restent sourds aux appels du PDI. À cela plusieurs raisons. D'abord, les dirigeants du parti d'Ouazzani, comme sa presse, ne ratent pas une occasion de dénoncer les visées hégémoniques de l'Istiqlal, ce qui n'incite guère la formation d'Allal el-Fassi et de Ben Barka à se montrer souple. La violence du ton employé, qui frise souvent l'hystérie, aggrave la polémique. Les arguments utilisés sont aussi douteux. Plus ou moins discrètement soutenu par la France, le PDI sait aussi renvoyer l'ascenseur vers Paris. Ainsi, avant même l'indépendance, Abdelhadi Boutaleb n'hésita pas à dire que son parti était disposé à accepter l'installation permanente de bases militaires occidentales, contre un loyer périodique[2].

« L'opportunisme à tous crins du PDI, ses volte-face et la mobilité rapide de sa ligne de conduite donnent le vertige[3] », écrit l'historien Maati Monjib.

En janvier 1958, à la suite d'une campagne de presse de plusieurs jours menée par *Al-Alam*, organe de l'Istiqlal, majoritaire au gouvernement, contre le PDI accusé de « saboter » la politique gouvernementale, le ministère de l'Intérieur interdit plusieurs manifestations prévues par le PDI. Les amis de Hassan Ouazzani réagissent violemment. Ils relèvent notamment que l'interdiction de célébrer la prière des morts à l'occasion de l'anniversaire de la tuerie de Souk el-Arba[4] constitue « un acte sacrilège unique dans les annales islamiques ».

Les dirigeants du PDI en appellent ensuite à Mohammed V, lui demandant de « doter le Maroc d'une charte des droits et libertés de l'homme et du citoyen pour empêcher que les tenants du parti unique n'abusent du pouvoir qu'ils exercent pour subjuguer et dominer le peuple marocain[5] ».

---

1. A. Boutaleb, *Un demi-siècle dans les arcanes de la politique, op. cit.*, p. 82.
2. *Le Monde*, décembre 1955, cité par Maati Monjib, *La Monarchie marocaine et la lutte pour le pouvoir*, L'Harmattan, 1992, p. 68.
3. *Ibid.*, p. 69.
4. Où de nombreux militants du PDI furent sauvagement assassinés à la fin de 1956.
5. Dépêche AFP, 23 janvier 1958.

Au même moment, la polémique entre les organes respectifs de l'Istiqlal, *Al-Alam*, et du PDI, *Al-Ray al-Amm*, atteint des sommets.

Dans son éditorial du 21 janvier, *Al-Alam* demande ainsi « quelles mesures le gouvernement a l'intention de prendre contre ceux dont les propos, les écrits et les actions compromettent les résultats de l'action de ceux qui édifient l'indépendance du pays ». Le lendemain, le même journal écrit que « la politique colonialiste a créé au sein du peuple une fraction qu'elle pourvoit de fonds et de conseillers. Elle fait présenter cette fraction comme nationaliste, voire même extrémiste, pour tromper les naïfs et faciliter son accession au pouvoir [...]. Il nous faut donc faire un choix : continuer à tolérer, ou abattre ce système qui n'a d'autre but que de ruiner le Maroc et de saper les fondements sur lesquels nous bâtissons selon nos propres plans et nos propres possibilités[1] ».

De son côté, *al-Ray al-Amm* n'est pas en reste et dénonce « la campagne arbitraire déclenchée par le parti de l'Istiqlal contre les patriotes, quel que soit le parti auquel ils appartiennent, et qui s'est déjà manifestée par des arrestations, des enlèvements et des assassinats ». L'organe du PDI se félicite néanmoins d'avoir, grâce à sa fermeté, mis en échec « la tentative de l'Istiqlal de s'imposer comme le parti unique de la nation ».

En avril 1958, le PDI profite d'une conférence qui doit se réunir le 27 avril, à Tanger, afin de jeter les bases d'une union nord-africaine, pour contester à l'Istiqlal le droit de représenter exclusivement le Maroc. Le PDI, qui avait déjà demandé quelques jours auparavant à Mohammed V de faire pression en ce sens sur le PI, délègue à Tanger, auprès d'Allal el-Fassi, un de ses vieux amis, Ahmed Bensouda. Mais, quoique fort aimable lors de cette rencontre – la première depuis bien longtemps entre responsables des deux formations –, le patron de l'Istiqlal se borne à déclarer que la demande du PI sera soumise à la commission politique de l'Istiqlal[2].

Bensouda réalise alors combien est limitée l'influence de son parti, et combien il est affaibli. Abdelhadi Boutaleb le souligne d'ailleurs dans ses Mémoires :

---

1. Dépêche AFP, 21 janvier 1958.
2. Dépêche AFP, 4 avril 1958.

« Je vais vous dire ce que vous pourrez à peine croire ! Lorsque nous avons entendu parler de la crise de contradictions qui a scindé en deux le parti de l'Istiqlal, nous traversions, au sein du Parti démocrate de l'indépendance, une crise interne semblable […]. À l'instar de certains dirigeants du PI qui critiquaient les leaders historiques, nous avions la même tendance dans notre parti. Nous ne voulions pas que notre leader exerce un pouvoir absolu sur le parti. Nous répugnions à utiliser ce mot de "leader" qui était pour nous synonyme de "Führer" en allemand. En créant le PDI, nous avions dépassé, et bien avant le PI, cette étape où l'on plaçait le leader à la tête du parti. Nous avons même écarté le terme de "président" en nommant un secrétaire général et un adjoint[1]. »

Excessif dans son expression, souvent incohérent dans ses prises de position, politiquement immature, privé de troupes, le PDI, en dépit de son souhait maintes fois exprimé d'être à nouveau représenté au gouvernement, disparaît pratiquement de la scène politique après avoir été utilisé habilement par le Palais pour contrer l'Istiqlal. Dès 1959, dans ses analyses régulières de la situation politique marocaine, le ministère français des Affaires étrangères ne consacre plus que cinq lignes au PDI, désormais considéré comme une formation mineure. L'Istiqlal, l'UNFP et le Mouvement populaire sont les seules forces qui comptent. Bon prince, l'auteur de la note du Quai d'Orsay estime néanmoins que le PDI « peut fournir un appoint à l'opposition du Mouvement populaire et de l'Istiqlal traditionnel contre le président Ibrahim[2] ». Tout est dit…

Une autre formation politique a aussi souffert, mais à un degré moindre, de la volonté hégémonique de l'Istiqlal ou de ses amis au pouvoir : le Parti communiste. Vieux militant communiste, longtemps bras droit d'Ali Yata[3], Abdallah Layachi, qui a lui-même échappé de peu à la mort, explique pourquoi sa formation a été la cible du grand parti nationaliste. Comme Abdelkrim Khatib, mais d'une manière beaucoup plus nuancée, l'implication de Ben Barka

---

1. A. Boutaleb, *Un demi-siècle dans les arcanes de la politique, op. cit.*, p. 105.
2. MAE, Sous-direction du Maroc, Note sur la situation politique intérieure au Maroc, 14 septembre 1959.
3. Secrétaire général du Parti du Progrès et du socialisme [PPS, communiste] jusqu'à sa mort accidentelle en 1997.

dans les règlements de comptes d'après l'indépendance ne fait guère de doutes à ses yeux :

« Après l'indépendance, la direction de l'Istiqlal [PI] a trouvé un tas d'organisations armées qui ne dépendaient pas du PI. Il y a eu une alliance entre Ben Barka et le *fqih* Basri[1], lequel n'avait aucun lien direct avec la Résistance, dont la principale organisation était la Mounadhama Siriya [l'Organisation secrète]. Quand Mohammed V est rentré, cette Mounadhama est devenue un groupe de tueurs chargé de liquider ou de capturer un maximum d'éléments armés. Le *fqih* Basri a été parachuté par Ben Barka pour remettre de l'ordre. Cela pouvait difficilement se passer autrement dans une ambiance aussi armée. Ceux qui refusaient de s'incliner étaient abattus. Le 31 mars 1956, notre camarade Abdelkrim Ben Abdellah, membre du Bureau politique et dirigeant du Croissant noir[2], a été liquidé. Peu après, Mehdi Ben Barka a demandé à me voir. Je lui ai dit : "Mehdi, assez de ces tueries !" Nous tenions pourtant compte du fait que les dirigeants de l'Istiqlal cristallisaient le Mouvement national et que celui-ci affrontait le palais royal. Nous nous défendions, mais sans dénoncer le PI. Il nous fallait, je vous le répète, prendre en compte le combat du PI, bien qu'il arrêtât et abattît nos militants. L'Istiqlal, plus précisément Laghzaoui, directeur général de la police, avait aussi fondé la *fourqa khassa* [brigade spéciale], dirigée par un ancien résistant métamorphosé en un infect tueur, Ahmed Touil. Cette brigade spéciale était en effet issue de la Mounadhama Siriya. Notre parti, lui, défendait son droit à une existence légale indépendante. Il défendait le pluralisme. Mais nous tenions compte de la réalité objective. Pour nous, il fallait à tout prix sauvegarder l'unité du Mouvement national, tout en dénonçant la volonté hégémoniste du PI. Sauvegarder l'unité nationale, mais dans la différenciation ! À ce moment-là, nous prêtions aux colonialistes et à la féodalité les crimes qui nous frappaient, alors que nous savions parfaitement qui en était responsable. Jusqu'à aujourd'hui, je crois que notre position a été juste. »

---

1. Mohammed Basri ou *Fqih* Basri, un des principaux dirigeants de la gauche marocaine décédé en 2003.

2. Organisation de résistance, le Croissant noir avait fusionné en mars 1954 avec le Parti communiste marocain.

Selon Abdallah Layachi, c'est en juillet 1957 que « cette sinistre période s'est pratiquement terminée avec la liquidation du noyau le plus irréductible du Croissant noir »[1].

Il faut toutefois bien comprendre que si le Parti communiste marocain est prêt à fermer les yeux sur les exactions dont il a été victime de la part du pouvoir et de l'Istiqlal, ce n'est pas seulement parce que l'unité nationale prime sur tout le reste, c'est sans doute aussi parce que ses pertes sont demeurées relativement limitées. Le passé du Parti, qui a pris en marche le train de l'indépendance, son audience, qui, quelles qu'aient été les qualités de ses militants, demeurait réduite, et ses sympathies soviétiques rendaient évidemment impossible sa participation au premier gouvernement, et n'en faisaient plus, dès lors, une cible privilégiée. Ainsi, ses relatives faiblesses eurent au moins pour avantage de lui épargner, à l'époque, une répression massive.

En guise de conclusion, on ne peut manquer de s'interroger sur le rôle joué, d'une part, par le Palais et, d'autre part, par la France pour affaiblir les partis politiques. En ce qui concerne cette dernière, on ne surprendra pas le lecteur en lui indiquant que l'auteur n'a trouvé aucun document relatif à la coopération franco-marocaine en matière de police, de « services » ou d'assistance militaire dans les archives du Quai. Le délai de droit commun au-delà duquel ce type d'archives est communicable étant de cinquante ans, on devrait en apprendre plus à partir de 2006 ou 2007… Mais il n'est nul besoin d'être grand clerc pour savoir que les policiers, les agents spéciaux et les militaires français occupaient encore une place considérable dans l'appareil sécuritaire marocain. Il serait pour le moins curieux qu'ils aient été tenus totalement à l'écart de manœuvres ou d'opérations montées contre les adversaires ou les ennemis d'une monarchie dont Paris n'avait aucune raison de se plaindre.

Enfin, ce tour d'horizon ne serait pas complet si l'on ne tentait pas de donner quelques chiffres permettant de situer l'ampleur des violences provoquées ou subies par les uns et les autres. S'il est difficile de dire aujourd'hui combien de militants ou de sympathisants du PDI payèrent de leur vie la vindicte de certains membres de l'Istiqlal, on sait que, de mars 1956 à fin 1957, le fameux commissariat du

---

1. Entretien avec l'auteur.

VIIᵉ arrondissement fut, à lui seul, à l'origine de 287 assassinats. Mais des miliciens armés de l'Istiqlal et d'autres bandes de tueurs manipulés par les uns et les autres ont aussi alourdi le bilan. En 1987, dans un livre qui avait fait un certain bruit, Mehdi Moumni el-Tajkani, ancien responsable du PDI, avait avancé quelques chiffres. Il publiait notamment une longue lettre d'Abdelkrim el-Khattabi adressée à Hassan el-Ouazzani. Dans cette missive datée du Caire, le héros du Rif affirme que 9 672 personnes arrêtées après l'indépendance et dont on connaît le nom, l'âge et la profession ont été torturées. Sur ce nombre, seules 6 520 ont été libérées, non sans avoir été profondément meurtries dans leur chair. Quant aux autres, on ignorait au début de 1960 ce qu'elles étaient devenues[1].

D'autres documents donnent les noms de nombreuses personnes et les dates de leur enlèvement. Les numéros d'un certain nombre de plaques d'immatriculation de voitures ayant été utilisées dans ces enlèvements sont aussi fournis, ainsi que les noms de certains commissariats directement impliqués, dont le fameux VIIᵉ arrondissement de Casablanca.

Enfin, un document cite un article du journal *Al-Ayyam*, publié après la scission de l'Istiqlal. Dans ce texte intitulé « L'appel du sang » (*istighathatou ad-dima'a*), *Al-Ayyam* reconnaît les enlèvements et les crimes et en fait porter la responsabilité aux « scissionnistes » conduits par Ben Barka et Abdallah Ibrahim. Le journal se garde bien, cependant, de donner des noms et se contente d'une condamnation de principe.

Pour en savoir plus, il faudra donc attendre le jour improbable où les archives du ministère marocain de l'Intérieur seront accessibles.

Les premières divisions au sein de l'Istiqlal

Déjà confortée par la dissolution de l'ALM et la réinsertion progressive de ses éléments dans les FAR, la monarchie ne peut que se féliciter des règlements de comptes entre partis qui, en affaiblissant

---

1. Dar Bricha et Qissat Moukhtataf, *Dar Bricha, histoire d'un kidnappé*, Casablanca, 1987, p. 157.

ces derniers, ne font que la renforcer. En exigeant une présence importante des amis de Mohammed Hassan el-Ouazzani dans le premier gouvernement Bekkaï de décembre 1955 – conformément d'ailleurs aux demandes de Paris lors des négociations d'Aix-les-Bains –, le Palais a réussi à introduire le ver dans le fruit. Il lui est ensuite facile de se déclarer au-dessus de la mêlée. Personne n'est vraiment dupe. Maati Monjib écrit justement :

« Malgré son monarchisme tout relatif et circonstanciel, le PDI sera, dès le retour de Mohammed V, un outil de manœuvre précieux entre les mains du Palais. Il s'en sert pour imposer à l'Istiqlal, au nom de l'union nationale, un dosage politique qui lui est défavorable », écrit justement Monjib[1].

Mais, non content de régler leur compte à ceux qui s'opposent à ses visées hégémoniques, l'Istiqlal présente dès le début de l'indépendance une façade lézardée. Certes, on savait depuis très longtemps qu'il y avait toutes sortes de sensibilités au sein du Mouvement national, et que les négociations avec la France, en 1955, avaient révélé l'ampleur de ces désaccords. Mais on aurait pu penser que les principaux dirigeants du PI parviendraient à les surmonter afin d'établir un rapport de forces convenable avec le Palais. Or, là encore, Mohammed V et Moulay Hassan vont rapidement tirer avantage de l'incapacité de certains membres importants de l'Istiqlal de vivre normalement leur double allégeance à la Couronne et au Parti.

Ainsi le comportement de deux responsables éminents du PI, Driss M'hammedi, rapidement nommé ministre de l'Intérieur, et Mohammed Laghzaoui, directeur général de la Sûreté dès mars 1956, irrite profondément une partie de la direction de l'Istiqlal, à commencer par Mehdi Ben Barka. Presque d'emblée, en effet, la fidélité au trône de ces deux hommes l'emporte sur la discipline partisane.

Dès juillet 1956, *Al-Alam*, organe de l'Istiqlal, fait état d'une déclaration à Marrakech, lors d'un congrès des secrétaires du PI de cette région, de Mehdi Ben Barka affirmant que « le parti de l'Istiqlal ne pourra longtemps cautionner une politique qui n'est pas la sienne ». Selon lui, une « grande partie » du « programme précis » de politique intérieure et extérieure, soumis et adopté par le congrès du

---

1. Maati Monjib, *La Monarchie marocaine et la lutte pour le pouvoir, op. cit.*, p. 68.

PI tenu en décembre 1955, n'a pu être exécutée « en raison d'obstacles et de difficultés de toutes sortes ». Pour Ben Barka, le PI « assume une grande responsabilité devant le peuple en cautionnant des agissements qui ne sont pas les siens et il ne pourra garder longtemps une telle attitude »[1].

Trois jours plus tard, le même quotidien prend violemment à partie le ministre de l'Intérieur, Driss M'hammedi, lui-même membre du PI. Avocat au barreau de Meknès, vieux nationaliste, considéré comme un modéré[2], M'hammedi a succédé, le 5 mai précédent, au caïd Lahcen Lyoussi à la tête du ministère de l'Intérieur. L'éditorialiste anonyme d'*Al-Alam* l'accuse de « se moquer de la logique et de la réalité », et de « courir à la faillite ». Dans cette première attaque de l'organe du PI contre un de ses membres devenu ministre, *Al-Alam*, qui prenait bien soin jusqu'ici de taire toute divergence intérieure au parti, reproche notamment à M'hammedi de couvrir les agissements d'un certain nombre de fonctionnaires – gouverneurs de province et caïds – au détriment du PI. Les gouverneurs de Taza et du Tafilalet (le fameux Addi Ou Bihi), dont les différends avec les cellules locales de l'Istiqlal avaient déjà fait récemment l'objet d'un éditorial d'*Al-Alam*, sont nommément cités :

« Ou bien le gouvernement va laisser à Addi Ou Bihi et à el-Khiari [gouverneur de Taza] et à leurs semblables le soin d'administrer le Maroc selon les méthodes qui prévalaient avant l'indépendance, ou bien le gouvernement lavera ce déshonneur en débarrassant le peuple de ces vestiges afin de lui rendre calme et sécurité », écrit le quotidien avant d'ajouter : « Il y a dans le gouvernement un ministre de l'Intérieur responsable de tout ce qui se passe et qui adopte l'attitude du mauvais élève : de mauvais départs l'ont conduit nécessairement à de mauvais résultats, et il ne profite ni de son intelligence, ni de son expérience. Se moque-t-il de la logique et de la réalité ? C'est possible. Il court à la faillite. »[3]

---

1. *Al-Alam*, 31 juillet 1956.
2. Dans une note de la sous-direction Maroc du Quai sur le dernier gouvernement, en date du 26 mai 1960, l'auteur parle de M'hammedi en ces termes : « Intelligent mais versatile et opportuniste. N'a pas d'opinion politique arrêtée. Sa cote semble en baisse. Personnage désaxé (obsédé sexuel)... »
3. Dépêche AFP, 2 août 1956.

Secrétaire particulier et confident de Ben Barka de 1948 à sa disparition, Mohammed Aouad confirme que son patron était vivement contrarié par le comportement de Driss M'hammedi, qui « se rapproche du Palais et s'éloigne du Parti dont il n'exécute plus les ordres et dont, à vrai dire, il se moque royalement. Quand il est devenu directeur du cabinet royal, il a aussitôt rompu avec l'Istiqlal[1] ».

Un autre responsable de l'Istiqlal, resté fidèle à Allal el-Fassi, confirme : « Il y avait deux personnages clés à cette époque : Laghzaoui, qui faisait n'importe quoi, n'importe comment, même contre le PI et ceux qu'il aimait, et M'hammedi. Ils agissaient par fidélité. Ils mettaient au pas tous ceux qui se pavanaient pour dire qu'ils avaient ramené Mohammed V. Que voulez-vous, c'est l'éternel : qui t'a fait roi[2] ? »

Un grave incident intervenu un mois et demi plus tard témoigne du climat d'anarchie qui règne dans le pays et, plus encore, de l'incapacité des autorités gouvernementales à assurer la sécurité des personnes, y compris des plus hautes personnalités. Alors qu'Allal el-Fassi se rend à Boulemane pour présider une réunion politique et qu'il est en train de franchir le col d'Abiknanas, un projectile tiré par « quatre hommes cachés dans des buissons » atteint la voiture dans laquelle il se trouve. Trois autres impacts sont retrouvés sur la voiture qui escorte le chef de l'Istiqlal. L'émotion est considérable dans le pays. « Honteux complot machiné par les féodaux », écrit *Al-Alam*.

Tandis que le *zaïm*[3] attribue à la « protection de Dieu » le fait d'être sorti indemne de l'attentat, l'éditorialiste d'*Al-Alam* estime que le « chaos » a été évité de peu :

« Si les criminels étaient parvenus à leurs fins, ce serait maintenant le chaos. Les forces du peuple se seraient lancées à détruire, à incendier et à écraser, et nous aurions glissé vers un précipice dont Dieu seul connaît le fond[4]. »

Ainsi, loin d'être un long fleuve tranquille que le Palais et le Mouvement national, longtemps unis dans la lutte contre le Protectorat,

---

1. Entretien avec l'auteur.
2. Entretien avec l'auteur. A souhaité garder l'anonymat.
3. Le *zaïm* est le chef, le patron.
4. Dépêche AFP, 25 septembre 1956.

continueraient à remonter d'un même vigoureux élan, la vie politique marocaine est marquée, dès les débuts de l'indépendance, par des divisions, des déchirements et des affrontements plus ou moins violents et sanglants. Derrière cette situation plus ou moins chaotique se cachent naturellement des visions de l'avenir du royaume radicalement différentes. Ces visions sont incarnées par quelques hommes dotés de personnalités plus ou moins fortes et qui, pratiquement tous, ont joué un rôle important dans la lutte pour l'indépendance.

Représenté pour l'essentiel par Mohammed V et son fils Moulay Hassan, qui, du fait de leur éducation et de leur tempérament, ont des sensibilités différentes, le Palais peut compter au départ sur l'appui de la quasi-totalité de la classe politique. Celle-ci comprend d'instinct qu'une hostilité à la monarchie serait tout simplement suicidaire, compte tenu du prestige immense acquis par Mohammed V, avant et pendant son exil, dans le combat qu'il a mené pour en finir avec le Protectorat. Mais si l'institution monarchique n'est plus remise en cause, l'étendue de son pouvoir et de ses prérogatives, ainsi que les rapports ambigus qu'elle entretient avec certains membres des deux premiers gouvernements Bekkaï conduisent vite à de vives tensions.

Dernier résident général, André-Louis Dubois relève au début de l'été 1956[1] que Mohammed V doit renoncer, à cette époque, à un « pèlerinage » qu'il comptait effectuer à Madagascar et auquel il songeait depuis quelque temps. Parmi les raisons qui le contraignent à reporter ce voyage – il s'y rendra finalement en février 1959 –, on trouve les difficultés du gouvernement à s'entendre sur le budget, et notamment le budget d'équipement, l'intégration des « bandes » de l'ALN – selon l'expression de M. Dubois – dans les FAR, « qui est en cours mais soulève de nombreux problèmes que seul le sultan peut résoudre », l'inquiétude des Français du Maroc à la perspective d'une longue absence de Mohammed V, et, enfin, la situation en Algérie, qui « complique tout ».

---

1. Télégramme du 25 juillet 1956.

IV

Les principaux acteurs
issus du Mouvement national

Des grandes crises naissent les grands hommes. Quand les systèmes politiques chavirent ou s'écroulent, il arrive que l'intervention d'un individu exceptionnel change une situation donnée, la retourne, et que l'homme providentiel fasse d'un désastre assuré une victoire. Il y a en effet des moments où l'Histoire tient à des décisions particulières et, parfois, à celles d'un seul homme.

Le Maroc du Protectorat n'a sans doute pas connu d'homme providentiel. Néanmoins, les événements qu'il a vécus ont favorisé l'émergence de quelques fortes personnalités auxquelles le royaume a dû son indépendance, autant sinon plus qu'à la monarchie. Il est évident que dans les systèmes politiques bien organisés, les hommes providentiels ou les individus exceptionnels n'ont guère de raisons d'être. Mais, dans un Maroc occupé et humilié, représenté par un jeune sultan inexpérimenté et manipulable, des hommes comme Allal el-Fassi, Mohammed Hassan el-Ouazzani ou Ahmed Balafrej ont, dès les années trente, joué un rôle déterminant qui n'est pas sans rappeler celui d'un de Gaulle refusant la France défaite et vaincue incarnée par Pétain. Par la suite, d'autres hommes de grande qualité, comme Mehdi Ben Barka et Abderrahim Bouabid, ont imprimé un nouvel élan au Mouvement national.

Avant même le retour d'exil du sultan, les opinions et réactions de ces cinq hommes étaient analysées à la loupe, et tout le monde s'attendait à ce qu'ils partagent le pouvoir avec le monarque, ou le lui disputent. On pourra naturellement discuter ces choix et penser, par exemple, qu'un Mahjoub Benseddik, patron de l'Union marocaine du travail (UMT), a eu plus d'influence que Hassan el-Ouazzani sur l'évolution du Maroc après l'indépendance. C'est possible, mais, à nos yeux, il ne fait guère de doutes que l'Histoire et les Marocains garderont plus longtemps en mémoire le souvenir d'un homme qui fut le premier patriote marocain à interpeller dans leur langue les dirigeants français que le souvenir d'un syndicaliste resté près d'un demi-siècle à la tête d'un syndicat et compromis jusqu'au cou avec le régime de Hassan II.

Si, pour certaines raisons déjà évoquées et d'autres que nous aborderons par la suite, Ouazzani et son parti disparaissent rapidement de la scène politique, Allal el-Fassi dirigera l'Istiqlal « maintenu » jusqu'à son décès en 1974, tandis que Bouabid, à la mort de Ben Barka, deviendra le leader incontesté de l'UNFP – transformée en USFP en 1975 –, également jusqu'à sa disparition en 1991. Quant au choix de Ben Barka, il ne saurait être sérieusement contesté…

Allal el-Fassi, le rival

Au moment où l'indépendance du pays est définitivement acquise, un seul Marocain peut se targuer d'être pratiquement aussi populaire que Mohammed V : Allal el-Fassi. Quand il débarque à l'aéroport de Tanger dans la seconde quinzaine de mars 1956, deux semaines après le retour de Paris du souverain, le chantre du nationalisme marocain, durement traité par les Français pendant le Protectorat, est accueilli par des dizaines de milliers de compatriotes malgré la pluie battante. Devant cette foule enthousiaste, celui que ses adversaires politiques ont souvent taxé de fanatisme et d'intransigeance calme d'emblée le jeu et rend hommage à « l'esprit de compréhension manifesté par le gouvernement français qui a compris que l'ère du colonialisme et du protectorat était révolue et que le Maroc devait recouvrer son indépendance[1] ».

Il rend aussi longuement hommage à l'attitude du gouvernement espagnol, puis évoque l'avenir de Tanger, « cette capitale diplomatique qui a donné la preuve de la vitalité de notre peuple » et dont on ne peut concevoir qu'elle « reste en marge de l'unité marocaine »[2]. Le statut international de la ville de Tanger ne sera en effet aboli que le 29 octobre 1956.

Puis, s'exprimant plus en homme d'État qu'en chef de parti et presque en rival du souverain, Allal el-Fassi, qui réside toujours au Caire et a fait savoir qu'il ne se rendrait pas pour le moment à Rabat, poursuit :

« Je réaffirme à tous les Européens, et particulièrement aux Français et aux Espagnols, que leurs intérêts légitimes seront respectés et qu'une justice égale sera donnée à tous. Aucun d'eux ne sera inquiété pour ses opinions politiques ou ses croyances religieuses. Si je donne des garanties à tous les éléments qui vivent dans notre pays, je dois en donner de plus formelles encore aux compatriotes israélites dont le Maroc est la patrie naturelle et qui doivent y jouir des mêmes droits et y assumer les mêmes devoirs que nous. »

Dans la soirée, le chef de l'Istiqlal marque bien une nouvelle fois sa différence devant quelques journalistes occidentaux en rejetant le mot « interdépendance » : « J'espère, dit-il, que les négociations finiront par éliminer le mot *interdépendance* et lui substitueront le mot *alliance*, une alliance que je veux efficace entre l'État français et l'État marocain, alliance aussi large que possible dans les domaines économique, culturel et militaire[3]. »

Pour l'heure, c'est le Maroc du Nord, toujours sous domination espagnole, qui le préoccupe. Lors de la même conférence de presse au siège de l'Istiqlal, à Tanger, le 18 mars, le *zaïm* évoque les entretiens qu'il a eus, la veille, à Séville, avec le général Valino, haut-commissaire d'Espagne au Maroc : « Tous mes entretiens avec M. Martin Artajo, ministre des Affaires étrangères, et avec le général

---

1. Dépêche AFP, 18 mars 1956.
2. *Ibid.*
3. *Le Monde*, 20 mars 1956.

Garcia Valino, ont porté exclusivement sur l'indépendance et l'unité territoriale du Maroc, et j'en ai retiré l'impression que le gouvernement espagnol est disposé à reconnaître et à confirmer l'indépendance et l'unité territoriale du pays. Les Espagnols désirent d'autre part ardemment que les négociations à cette fin s'ouvrent avec Sa Majesté le Sultan. »

Opinion partagée par Ahmed Balafrej, secrétaire général de l'Istiqlal, qui, en arrivant le lendemain à Casablanca, après avoir assisté à Tanger aux réunions en comité restreint de la direction de son parti, affirme : « L'Espagne est prête à suivre la voie tracée par la France en accordant l'indépendance à la zone khalifienne du Maroc[1]. »

Madrid a en effet tout intérêt à s'entendre avec les Marocains. À peine la France a-t-elle reconnu l'indépendance de la partie du royaume jusque-là contrôlée par elle que des milliers de manifestants marocains de la zone internationale de Tanger et du nord du Maroc (sous contrôle espagnol) se mettent à parcourir les rues de Tanger et de Tétouan en acclamant le nom du sultan. L'agitation ne cesse pas et des incidents assez graves entre patriotes marocains et forces de l'ordre espagnoles font plusieurs blessés à Tétouan. Secrétaire général du Parti réformiste, Abdelkhaleq Torrès envoie, de Tanger, un télégramme de protestation au général Valino et demande l'intervention de Mohammed V, « en tant que roi indépendant d'un peuple indépendant, pour arrêter la boucherie qui pourrait survenir à la suite de l'indignation générale de la population ».

Pour l'Espagne qui avait encouragé les nationalistes marocains quand ils luttaient contre la France, c'est le retour du « boomerang », selon l'expression du *New York Times* : « L'indépendance accordée par la France à sa zone signifie inévitablement la fin du Maroc espagnol », écrit le grand quotidien américain, qui ajoute : « Lorsque ces événements se préparaient, chacun remarquait que le dictateur ne pouvait accorder au Maroc espagnol l'indépendance qu'il refusait à ses propres sujets. Le dictateur lui-même se montrait intransigeant sur ce chapitre. Pourtant, des paroles plus modérées sont venues depuis lors de Madrid [...]. Ce sera un sombre jour pour

---

1. Dépêche AFP, 19 mars 1956.

les Espagnols, mais même Franco ne peut ordonner à la marée nationaliste de s'arrêter ».[1]

Dans ses échanges avec la presse, Allal el-Fassi semble particulièrement en forme. À un journaliste français qui, maladroit, lui demande si l'Espagne a soutenu la « rébellion du Rif » il répond : « Je n'admets pas qu'on dise *rébellion*. Je préfère le terme de *résistance*. L'Espagne, poursuit-il, a soutenu le peuple marocain dans ses revendications pour le retour du Sultan et, par voie de conséquence, a favorisé l'indépendance, car elle savait que le retour du Sultan impliquerait l'indépendance et l'unité territoriale du pays. L'Espagne n'a jamais soutenu l'Armée de libération, c'est en réalité le peuple marocain qui l'a soutenue[2]. »

Le patron de l'Istiqlal profite de l'occasion pour démentir les rumeurs selon lesquelles les combattants de l'Armée de libération du Rif (ALR) auraient posé des conditions au sultan pour déposer les armes : « Les Marocains, dit-il, n'ont cherché ni des places, ni des fonctions. Si l'ALR dépose les armes, c'est parce que le Sultan est rentré et que l'indépendance pour laquelle ils se sont battus a été réalisée. Si la Patrie est en danger, ils répondront de nouveau présents. »

La modération du *zaïm* ne se dément pas dans les jours qui suivent. Le 21 mars, dans une interview accordée au *Petit Marocain*, Allal el-Fassi, qui s'en tenait pourtant, quelques semaines plus tôt, à la même ligne que le héros rifain, n'hésite pas à critiquer de récents propos d'Abdelkrim el-Khattabi pour qui la lutte doit continuer dans l'ensemble du Maghreb aussi longtemps que la Tunisie, l'Algérie et le Maroc n'auront pas recouvré la plénitude de leur souveraineté : « La déclaration d'Abdelkrim n'a aucun effet sur nous, dit-il. Il est mécontent d'être laissé à l'écart, et cherche à nous gêner dans nos conversations avec la France. Il nous sabote. » Et, pour que les choses soient parfaitement claires, le *zaïm* ajoute : « Jusqu'à maintenant, l'attitude qu'a eue la France est digne de la France ! »[3].

S'adressant une nouvelle fois aux Français du Maroc, Allal affirme qu'ils n'ont « rien à craindre pour l'avenir, comme tous les autres

---

1. *New York Times*, 25 mars 1956.
2. Dépêche AFP, 20 mars 1956.
3. Dépêche AFP, 21 mars 1956.

Européens. Ils resteront toujours dans une position respectable, et leurs biens et leur liberté seront respectés. Le Maroc a traversé ces dernières années une période de souffrances. Nous voulons maintenant la tranquillité, la stabilité dans la coopération avec tous les gens de bonne volonté et pour le bien-être de chacun. Nous n'avons ni rancune ni haine dans le cœur. Notre cœur est ouvert pour aimer et je crois que nous sommes capables de le faire, car nous avons déjà prouvé que nous savons aimer. Il y a bien entendu des mentalités qui doivent changer de notre côté, nous faisons de notre mieux pour que le peuple marocain s'adapte à l'esprit moderne et à la démocratie qui donnent à chacun la liberté de conscience, de pensée et d'action. Nous ne croyons pas que nous pourrons réaliser toutes nos aspirations sans faire appel à toutes les énergies qui se trouvent dans notre pays ».

Cependant, si Allal el-Fassi, dans le même entretien, souhaite que « le Maroc continue à jouer son rôle véritable et déjà ancien de trait d'union entre l'Orient et l'Occident en matière de coopération culturelle », il n'en marque pas moins les limites à ne pas franchir : « Je tiens à vous dire, quant à moi, que le triomphe du programme de l'Istiqlal est la dernière chance du Maroc. Notre programme, qui est à la fois spirituel, progressiste et démocratique, est la seule évolution possible du Maroc. Et si nous ne réussissons pas, le Maroc tombera radicalement entre les mains des communistes. »

Mais quelle est donc cette personnalité exceptionnelle, peut-être un peu injustement oubliée par les Marocains, et qui, l'indépendance à peine acquise, c'est-à-dire le rêve de sa vie réalisé, s'inquiète déjà du poids pris au sein de son parti par l'aile gauche, coupable à ses yeux d'amitiés « sulfureuses » avec le bloc de l'Est ?

« *Zaïmouna syassi Yahia Allal el-Fassi !* » (« Notre leader est un homme politique, vive Allal el-Fassi ! ») : comme le relève Ahmed el-Kohen Lamghili, « la rime qui frappait les oreilles des masses sensibles à la poésie scellait l'union entre la chaleur du leader et celle des foules[1] ».

Qui est donc « ce courtaud[2] » au teint pâle, au collier de barbe finement taillé, aux yeux bleus pénétrants et aux dons d'éloquence incontestables ?

---

1. Ahmad el-Kohen Lamghili, « Les hommes », *Maghreb-Machrek*, 1973, p. 8 *sq.*
2. Selon le mot de el-Kohen.

Né à Fès en 1910, deux ans après Ahmed Balafrej, Allal el-Fassi descend d'une famille renommée dont l'arbre généalogique remonte au conquérant de l'Afrique du Nord Oqba Ben Nafi. Venus d'Andalousie, les ancêtres d'Allal émigrèrent à Fès peu avant la chute de Grenade. Ses ancêtres et leurs descendants ne tardèrent pas à s'imposer et à tenir intellectuellement Fès pendant près de cinq siècles. Fils d'un grand *alem* – contrairement à Ben Barka et Bouabid, issus de milieux modestes – conservateur de l'université Qaraouiyine et secrétaire du Conseil des oulémas, Allal est né avec une cuillère en or dans la bouche. Dans la maison de son père ne passent pas seulement les personnalités politiques et religieuses les plus en vue, mais circulent aussi les idées réformistes musulmanes de Mohammed Abdou, de Rachid Rida ou de Jamal el-Afghani, véhiculées par des cheikhs ouverts au changement[1]. L'influence des membres du groupe Lissan al-Maghrib[2] sur le jeune Allal n'est pas non plus négligeable.

À son entrée à la Qaraouiyine à dix-sept ans, Allal el-Fassi est donc mûr pour contester le Protectorat et, parallèlement, « l'attitude passive et fataliste » des confréries religieuses[3]. À dix-huit ans, il se fait remarquer en prenant la tête d'une délégation venue protester auprès du conseil municipal de Fès contre les excès somptuaires de certaines grandes familles durant mariages et funérailles. Le succès est tel qu'Allal el-Fassi, si l'on en croit Ahmed el-Kohen, ose affirmer à certains de ses amis qu'il se sent « le prophète du Mouvement nationaliste ». « Seule la psychanalyse pourrait nous aider à jeter quelques éclairages sur les attitudes passées et actuelles de cet homme », ajoute, perfide, el-Kohen[4].

À vingt ans, tout juste diplômé de la Qaraouiyine, il est déjà connu pour ses poèmes et ses idées nationalistes ; la publication du *dahir* berbère lui donne une occasion unique de franchir un nouveau palier. Pour la première fois, il est incarcéré, un mois avant d'être à

---

1. Notamment les cheikhs Senoussi et Doukkali.
2. *La Voix du Maroc*, journal en arabe édité à Tanger depuis 1900, réunissait un groupe de jeunes gens partisans de réformes démocratiques et qui se référaient à l'Europe, au Japon et à l'Empire ottoman.
3. El-Kohen, « Les hommes », art. cité, p. 9
4. Article écrit en 1973, peu avant la disparition d'Allal el-Fassi.

nouveau arrêté et exilé au fin fond du Moyen-Atlas pour quelques mois.

À vingt-trois ans, après avoir enseigné les idées salafistes – celles de Mohammed Abdou et Rachid Rida, pas celles du salafisme wahabbite[1]… –, il est contraint de quitter le Maroc et se rend en Espagne, en France et en Suisse où il fait la connaissance du chantre du pana-rabisme, l'émir druze Chakib Arslan.

L'année suivante, dans le cadre du Comité d'action marocaine (CAM) qui regroupe quelques jeunes gens issus des « bonnes familles », il participe à l'élaboration du « Plan de réformes » présenté à Paris, lequel émet un certain nombre de propositions après avoir dénoncé la politique du Protectorat qualifiée de « raciale, partiale, obscurantiste, anti-libérale, colonialiste et assimilationniste[2] ».

Devant le peu de succès de leur démarche, les auteurs de ce plan comprennent l'importance de disposer d'un soutien populaire. Le CAM organise ainsi quelques meetings qui ont pour résultat essentiel l'arrestation des organisateurs par les autorités du Front populaire. Allal el-Fassi se met aussi à dos quelques-uns de ses compagnons qui lui reprochent « ses attitudes démagogiques et son caractère impulsif[3] ».

Le mouvement nationaliste se scinde ainsi en deux en 1937 : Allal d'un côté, Ouazzani de l'autre[4].

Élu président du nouveau Parti national en 1937, Allal el-Fassi est exilé au Gabon en novembre de la même année. Il y reste neuf ans. Il est sans doute libéré grâce à l'intervention de Mohammed V qui vient d'être fait à Paris compagnon de la Libération et qui est inter-venu en sa faveur auprès du général de Gaulle[5]. Pour El-Kohen, ces années-là auront pesé lourd :

---

1. Celui-ci a beaucoup influencé les islamistes saoudiens qui ont participé aux attentats du 11 septembre 2001.

2. El-Kohen, « Les hommes », art. cité, p. 9

3. *Ibid.*, p. 10.

4. El-Kohen rappelle justement que la même rupture frappa le mouvement dans la zone sous protectorat espagnol, Mekki Naciri s'opposant à Abdelkhaleq Torrès, les deux hommes fondant respectivement le Parti de l'unité marocaine et le Parti des réformes nationales.

5. C'est du moins l'opinion du Dr Belkassem Belouchi ; voir *Portraits d'hommes politiques du Maroc*, Casablanca, Éd. Afrique-Orient, p. 37.

« Elles constituent incontestablement un point de rupture dans la trajectoire politique et intellectuelle d'Allal el-Fassi. Que peut connaître, en effet, un homme de vingt-sept ans, fût-il génial ? Or, c'est précisément au moment où il allait s'ouvrir à l'universel qu'il fut condamné à la sclérose et à la méditation mystique. Coupé des mouvements d'idées qui animaient l'Europe et le monde arabe, Allal était acculé à ruminer les enseignements de la Qaraouiyine. La hâte de rattraper ce retard, une fois libéré, n'a d'égale que l'ambiguïté qui caractérise ses œuvres. Certes, il a réussi à préserver son autorité morale sur une partie de l'aristocratie citadine qui s'était restructurée en décembre 1943 par la fondation du parti de l'Istiqlal, mais sa connaissance des affaires marocaines et de la chose politique n'était pas assez étoffée [...]. L'exil, nuance cependant el-Kohen, a eu en tout cas au moins un aspect positif dans sa vie : il lui a permis, loin des vicissitudes des temps, de se faire attribuer l'auréole de *zaïm.* »

Après un bref séjour à Tanger, Allal el-Fassi s'installe au Caire où, aux côtés d'Abdelkrim et de nationalistes tunisiens et algériens, il milite pour la création d'un Comité de libération du Maghreb arabe, qui voit le jour le 9 décembre 1947. Il donne des cours à al-Azhar, écrit des livres, dont le plus important a pour titre *Autocritique.* Inspiré par de Gaulle, il rédige de nombreux discours radiodiffusés, dont un fameux *Nida al-Qahira* (appel du Caire) qu'il prononce après la déposition de Ben Youssef, à la manière de l'appel du général de Gaulle à partir de Londres.

À l'image du président d'un gouvernement en exil réduit à agir sur le plan diplomatique – avec d'ailleurs plus ou moins de succès –, Allal el-Fassi est largement tenu à l'écart des nouvelles forces sociales qui font leur apparition au Maroc, même s'il contribue à fournir des armes à l'Armée de libération du Nord. De même, son point de vue n'est pris en compte ni dans les négociations d'Aix-les-Bains, ni dans le contenu du traité d'indépendance qu'il désapprouve, du moins dans sa partie relative aux futures frontières du royaume, amputé de la Mauritanie et d'une partie du Sahara algérien qu'il revendiquait, ou bien, comme on l'a vu, pour ce qui concerne le concept d'« indépendance dans l'interdépendance ».

Mais, respectueux de la loi et monarchiste convaincu, Allal el-Fassi sert loyalement Mohammed V qui, tout en se méfiant de la popularité d'un homme dont il redoute à tort les ambitions, sait aussi flatter l'ego surdimensionné du grand patriote. Allal el-Fassi est d'autant plus volontiers monarchiste qu'il s'est toujours défié des militaires et n'a jamais été attiré par les régimes tels que ceux du colonel Nasser ou du général Qasim en Égypte ou en Irak.

M'hammed Boucetta, qui succéda à Allal à la tête de l'Istiqlal en 1974, moins de deux et trois ans après deux tentatives de coup d'État militaire, raconte ainsi qu'une heure avant sa mort en Roumanie, Allal el-Fassi fit cette confidence aux dirigeants du parti qui l'accompagnaient :

« En rentrant au Maroc, je ne vais plus vous écouter, mais vous imposer […] de vous rapprocher du roi et ne pas le laisser aux mains des militaires. Vous avez pu voir tous leurs abandons successifs, et si nous n'agissons pas comme cela, ils [les militaires] vont le faire sauter, et nous aurons un régime militaire ! »

« Entre parenthèses, ajoute aussitôt M'hammed Boucetta, je me souviens très bien qu'avec Douiri et quelques autres, nous étions admiratifs, voire fascinés, dans les années cinquante et soixante, par les régimes militaires arabes qui avaient fait sauter des monarchies comme celles d'Irak et d'Égypte. Nasser pour nous était un dieu. Le seul qui était en complet désaccord avec nous, c'était Allal el-Fassi. Je me rappelle très bien, il se moquait de nous et disait : "Vous êtes irresponsables, vous ne vous rendez pas compte de ce qu'est un régime militaire arabe. Vous verrez !" Eh bien, il avait vu clair… »[1].

L'avocat casablancais Mao Berrada, qui fut longtemps très proche d'Allal el-Fassi, évoque une autre anecdote concernant Allal et Saddam Hussein :

« Dans les années soixante, après notre sortie du gouvernement, nous avons été invités à Bagdad par Saddam Hussein qui était déjà l'homme fort en Irak. Comme dans ce genre de circonstances, il y a eu deux exposés convenus, une sorte de présentation de la situation dans nos pays respectifs. Puis Saddam Hussein a brusquement demandé à Allal el-Fassi :

« – Qu'attendez-vous pour renverser le régime marocain ? Je suis prêt à vous y aider par tous les moyens !

---

1. Entretien avec l'auteur.

« – Écoutez, monsieur, lui a répondu Allal, cette affaire relève de la compétence du peuple marocain, et cela ne regarde personne d'autre !

« – Je vous donne un numéro de téléphone à Paris. Vous pourrez me joindre par ce biais pour tout ce que vous voulez, a poursuivi Saddam.

« Allal a refusé, et c'est moi qui ai pris discrètement le numéro de téléphone.

« Vous voyez, Allal el-Fassi était un monsieur qui n'était pas d'accord avec Hassan II, mais il n'aimait pas qu'on lui force la main. Dans l'âme d'un bourgeois fassi, il y a ce qu'on appelle le respect des formes. En arabe, on dit *al adaoua toulaqih oua as-sâwâb yakoune* [l'inimitié existe mais la convenance doit persister]. »

Cette forte personnalité, qui a su donner, dans les années trente, une impulsion décisive au nationalisme marocain, a cependant pris de nombreux coups dans les années quarante et cinquante. L'exil au Gabon n'a pas été seulement dur à vivre sur le plan psychologique, mais il a éloigné le *zaïm* de la scène politique marocaine.

À l'automne 1955, au cours d'une réunion élargie du Comité exécutif du parti de l'Istiqlal qui se tient à Madrid avant le retour d'exil de Mohammed V, Allal el-Fassi dénonce avec force l'orientation prise par les négociations d'Aix-les-Bains. Favorable à la poursuite de la lutte armée avec les « frères » algériens, il s'oppose au reste de la délégation marocaine, ce qui provoque, note Ahmed Balafrej[1], « une phase de tension dans ses rapports avec le parti. C'est au cours de cette réunion qu'Allal propose de coiffer sous sa direction le parti, le syndicat et la Résistance. Mais la proposition est rejetée par la majorité des membres présents : les résistants ainsi que les syndicalistes considéraient al-Fassi comme un *alem* et un leader spirituel plutôt que comme un dirigeant politique. Ils ne voulaient lui accorder qu'une direction honorifique. Allal en sera fortement ébranlé et déçu[2] ». Ses relations avec Balafrej s'en ressentiront.

Au sujet des relations du *zaïm* avec les dirigeants les plus progressistes de l'Istiqlal, el-Kohen écrit que « Ben Barka et ses amis obser-

---

1. Texte de Ahmed Balafrej sur Allal el-Fassi remis à l'auteur par Anis Balafrej, fils de Ahmed.
2. *Id.*

vaient avec un malin plaisir ces querelles entre représentants de l'aristocratie citadine. Il était temps, pour Allal, de rentrer, sans quoi il aurait connu le sort de Messali Hadj avec qui il présente d'ailleurs certaines similitudes : des clans s'étaient formés dans le parti, et Allal était utilisé tantôt par les uns, tantôt par les autres. Sa présence était gênante, mais utile en cas de besoin. Le *zaïm* s'offrait candidement à ce jeu et à celui de la monarchie qui avait commencé son travail de sape souterrain vis-à-vis du parti[1] ».

Malheureux d'avoir été évincé du premier gouvernement du Maroc indépendant, Allal el-Fassi vit mal le fait d'être considéré comme un « vieux turban » et de voir les « Jeunes Turcs », emmenés par Ben Barka, devenir les véritables animateurs du parti. Comme il n'a que peu de goût pour le travail organisationnel et que, très conscient de sa place dans l'histoire du Maroc, il préfère jouer avec les concepts et les idées, il laisse néanmoins à Ben Barka le soin de gérer la vie quotidienne du parti.

Cependant, les bons sentiments qu'il a manifestés à l'égard de la France au lendemain de l'indépendance ne durent pas. Il est vrai que le détournement de l'avion de Ben Bella, la crise de Suez, les graves difficultés économiques et financières du royaume, qu'il impute à l'égoïsme de Paris, ne l'incitent guère à se montrer indulgent. Le nationaliste intransigeant qu'il a toujours été reprend le dessus. Mais il sait aussi jouer des rivalités entre Paris et Madrid en se montrant particulièrement aimable à l'égard de l'Espagne. Cette attitude lui vaut une volée de bois vert du représentant de la France à Tanger :

« Allal el-Fassi, dont il est à peu près certain qu'il a touché tout récemment quelque 250 millions de francs à Madrid, ne réclame plus les présides et témoigne en général de beaucoup de délicatesse à l'égard des Espagnols. D'où, semble-t-il, quelque froid avec le "frère" Torrès[2]. »

L'aversion des diplomates français envers le *zaïm* est sans limites. En septembre 1958, Alexandre Parodi se lâche :

« Le fanatisme d'Allal el-Fassi est de notoriété publique. Sa fidélité à l'islam s'exprime notamment par des attaques passionnées contre

---

1. El-Kohen, « Les hommes », art. cité, p. 12.
2. Télégramme du 19 octobre 1956.

la pensée et la civilisation occidentales [...]. Notre force spirituelle, notre religion, nos mœurs, notre culture et notre civilisation sont supérieures à toutes les œuvres de l'étranger, a-t-il ainsi déclaré le mois dernier devant un auditoire populaire. Aux intellectuels marxistes, comme Mehdi Ben Barka, il reproche d'être inconsciemment les serviteurs du colonialisme, de l'Occident corrupteur et diviseur. Son ennemi intime est le Père de Foucauld[1] [...]. Il prêche sans relâche la guerre sainte en Mauritanie et affirme la nécessité de ramener dans l'allégeance chérifienne, au besoin contre leur gré, les habitants de ce pays. »

Ulcéré, Parodi s'étonne en conclusion que le maire de Florence, Giorgio La Pira, ait invité Allal el-Fassi à un colloque méditerranéen pour la paix... Il est vrai que, consciemment ou non, le *zaïm* joue parfois les provocateurs.

En mai 1957, il affirme devant vingt mille personnes, à Meknès, que le Maroc n'a rien à apprendre de l'Occident, hormis les sciences et la mécanique : « Durant quarante-cinq ans, ils [les Français] ont dirigé nos pensées et nous ont orientés. Leur idéologie nous a marqués à un point tel que nous nous sommes oubliés. L'orientation française ne nous convient pas. Nous devons libérer notre culture et nos esprits. Nous sommes une nation arabe et musulmane, et nous n'avons rien à apprendre de l'Occident, sauf les sciences et la mécanique dans lesquelles ils nous surpassent. Quant aux idées, nous avons les nôtres, et notre morale. Il est de notre devoir de suivre cette voie et de répandre ces idées[2]. »

Enfin, en bon nationaliste, Allal el-Fassi ne s'est pas contenté d'ignorer les minorités dans le monde arabe, il les a souvent combattues sans discernement. Ce fut vrai des Berbères, comme on le verra ultérieurement ; ce le fut aussi des Kurdes dont il condamne, au début des années soixante, les « tentatives scissionnistes » qui constituent, selon lui, « un coup de poignard dans le dos de la nation arabe ». Ce faisant, il s'attire aussitôt les foudres du Parti communiste marocain

---

1. Charles de Foucauld a effectué à la fin du XIXe siècle (1888), une traversée du Maroc à dos d'âne déguisé en juif marocain. Il a laissé un livre, *Reconnaissance du Maroc*. Allal el-Fassi détestait ce père catholique qu'il considérait comme étant au service du colonialisme.

2. Dépêche AFP, 28 mai 1957.

qui s'inscrit en faux contre les propos du *zaïm*, estimant que les Kurdes ne demandent que « la reconnaissance de leurs droits légitimes[1] ».

Mehdi Ben Barka, l'adversaire du Palais

Autant Allal el-Fassi aura pu parfois agacer le Palais en raison de son prestige dans le pays et de certaines exigences, notamment territoriales, jugées peu réalistes en haut lieu, autant Mehdi Ben Barka a longtemps inquiété la famille royale. Si celle-ci n'a jamais nourri d'illusions sur le monarchisme de circonstance de Ben Barka et de ses amis, ce sont évidemment ses options politiques, économiques et sociales, en totale contradiction avec les siennes, qui l'ont le plus alarmée. En ce sens, et quelle que soit par ailleurs son implication dans ce drame, la disparition de cet internationaliste, plus connu dans le monde que Hassan II, et adulé par un grand nombre de jeunes Marocains auxquels il offrait un idéal, aura sans doute été vécue avec soulagement par le régime (au moins pendant un certain temps, car on connaît le mot célèbre de Daniel Guérin à son sujet : « Ce mort aura la vie dure, ce mort aura le dernier mot ! »).

Même s'il ne mettait plus les pieds au Maroc depuis le début des années soixante, et si sa carrière politique après l'indépendance a été relativement brève, Ben Barka a exercé une influence considérable sur la vie politique marocaine. Comme animateur de l'Istiqlal, comme fondateur de l'Union nationale des forces populaires (UNFP), comme aiguillon critique du Palais et de son entourage, puis comme victime d'un régime peu fréquentable, il a marqué plus qu'aucun autre l'histoire de son pays. Les responsables français, qui s'en méfiaient, l'admiraient. Dans son rapport de fin de mission, l'ambassadeur Alexandre Parodi, dans un style diplomatique quelque peu suranné, résume assez bien le sentiment de l'époque :

« Mehdi Ben Barka est un homme de calcul, d'une intelligence froide et lucide, doué d'une grande capacité de travail et d'une culture politico-économique exceptionnelle pour un Arabe, lui-même très occidentalisé […]. Il est très populaire chez les jeunes […]. Mais son

---

1. *Al-Moukafeh*, 28 juin 1963.

autoritarisme et sa rouerie lui ont valu des inimitiés furieuses (Allal el-Fassi, Boucetta, Kadiri, Tahiri, Abdeljalil). Discret sur son républicanisme, son laïcisme a suscité la méfiance du roi. Il s'est donc placé dans ce qu'il croit être le sens de l'Histoire, et attend son heure[1]. »

Troisième enfant d'une famille de sept, Ben Barka est né en 1920 dans le quartier Sidi Fettah de la médina de Rabat. Le père, qui tient un modeste commerce de thé et de sucre, a suivi des études coraniques et est lecteur du Coran dans une mosquée. Il sait donc lire et écrire, cas peu fréquent dans des familles aussi modestes. La mère, elle, est couturière à domicile. Mehdi lui-même étudie d'abord dans une école coranique dite « réformée » où la grammaire et le calcul sont enseignés en arabe[2]. À l'âge de neuf ans, grâce à un directeur ouvert, il peut commencer à suivre l'école primaire des « fils de notables ». C'est là qu'il apprend le français, et montre des dons remarquables pour les mathématiques. À l'aide de petits boulots et avec le soutien de sa famille, il poursuit ses études secondaires au collège Moulay Youssef, puis au lycée de Lagdal, à Rabat. Il est reçu premier au baccalauréat avec mention « Très bien » à une époque où le Maroc ne compte qu'une vingtaine de bacheliers par an ! Après une classe préparatoire au lycée Lyautey de Casablanca, il termine à Alger sa licence de maths à la faculté des sciences. Il y rencontre des partisans du nationaliste algérien Messali Hadj. Il renonce alors à préparer l'agrégation et rentre en novembre 1942 à Rabat, où il commence à enseigner les mathématiques au lycée Gouraud, mais également aux enfants du sultan, dont le prince Hassan.

En janvier 1944, il est le plus jeune signataire du « Manifeste de l'indépendance », ce qui entraîne son arrestation un mois plus tard et son incarcération pendant vingt et un mois. Puis il reprend ses cours au lycée Gouraud et au collège impérial. Son activité est alors débordante : il participe aux travaux de la commission de réforme de l'enseignement musulman, rédige les textes de l'Istiqlal, anime le réseau de cellules istiqlaliennes qu'il a mis en place, notamment parmi les travailleurs syndiqués à la CGT. Il lance dans l'action

---

1. Note d'Alexandre Parodi du 23 septembre 1960.
2. Albert Ayache, *Dictionnaire biographique du mouvement ouvrier. Maghreb*, Casablanca, Eddif, 1998, p. 52.

politique le jeune Abderrahmane Youssoufi, encore étudiant, et fait la connaissance à Meknès du cheminot Mahjoub Benseddik, qu'il soutient dans la polémique qui l'oppose à la CGT[1].

La CGT ayant évolué dans un sens plus favorable aux thèses marocaines, Ben Barka pratique l'entrisme et pousse les ouvriers marocains à entrer à la CGT tout en réclamant le partage de la représentation et du rôle dirigeant, ce qui se réalise en 1950. « Cette ligne d'appui sur le syndicalisme, écrit Albert Ayache, caractérisait le courant de la gauche istiqlalienne qui avait la caution des anciens : Mohammed Lyazidi, secrétaire général adjoint, et Omar Benabdeljalil, et réunit dans l'amitié et l'action Abderrahim Bouabid et Abdallah Ibrahim. Ben Barka fut l'homme d'idées et d'initiatives, celui qui tissait les liens et menait les opérations. »

Le général Juin, résident général, cherchant à éloigner l'Istiqlal du sultan, Ben Barka est à nouveau arrêté en septembre 1951 et placé en résidence surveillée dans plusieurs localités du Moyen-Atlas et du Sud, avant de finir dans une prison de Casablanca. Il n'en sortira qu'en octobre 1954 pour assurer la direction effective de l'Istiqlal qui se bat pour le retour d'exil du sultan. Ben Barka joue un rôle important dans la création, en mars 1955, de l'Union marocaine du travail, dont il rêve depuis longtemps.

Toute la période qui précède l'indépendance montre un Ben Barka à la fois séduit par les idées marxistes et rebuté par certaines prises de position du Parti communiste français. Dès l'automne 1943, il prend ses distances avec le communisme à la suite d'une rencontre avec les responsables au sein du PCF de la question coloniale, Henri Lozeray et Jacques Grésa, qui, de passage à Casablanca, « assenèrent sans discussion la position du mouvement communiste : hostilité à l'indépendance et donc aux nationalismes en Afrique du Nord, et union avec le peuple de France dans la guerre contre l'Allemagne[2] ». Même si le Parti communiste marocain change de ligne en 1946, ce qui le conduit à accepter l'idée d'indépendance, le mal est fait : Ben Barka ne cessera plus de tenir les communistes à distance

---

1. *Ibid.*, p. 53.
2. *Ibid.*, p. 52.

ou de s'opposer frontalement à eux, considérant que la lutte nationale doit passer avant les luttes ouvrières.

Dernier point sur cette période, à propos du degré de monarchisme de Ben Barka. Dans sa préface aux *Écrits politiques* de Mehdi Ben Barka, François Maspero affirme qu'Edgar Faure « organise » le retour du sultan avec la volonté de faire en sorte que le Maroc reste un royaume. Puis il ajoute : « Cela n'était pas dans les plans des progressistes de l'Istiqlal. Quelques années plus tard, Ben Barka parlera de "la faute d'Aix-les-Bains", disant qu'elle a rendu impossible "l'insertion du Mouvement national marocain dans une perspective révolutionnaire marocaine". Je dirai que toute la suite de la vie politique de Ben Barka, fin comprise, sera une tentative acharnée d'assumer cette faute impossible à corriger, et que c'est là que se noue le drame. Le roi revenu en triomphateur régnera à Rabat et, avec son successeur, l'histoire du Maroc jusqu'à aujourd'hui sera une succession de compromis et d'affrontements sanglants entre un Palais souverain et une représentation parlementaire tantôt menacée, tantôt flattée, mais toujours impuissante à instaurer un réel État de droit. » Cette vision des choses est inexacte. Edgar Faure, on le sait, s'agaçait du « fétichisme » de ses interlocuteurs marocains, et ne comprenait pas leur insistance à vouloir le retour sur le trône du sultan. En outre, le prestige de ce dernier était tel, notamment du fait de l'exil, qu'il aurait été suicidaire, pour les dirigeants de l'Istiqlal, y compris ceux à « sensibilité républicaine », d'afficher des opinions antimonarchistes. La « faute » d'Aix-les-Bains porte sur bien d'autres sujets, à commencer par le poids excessif de la France dans les affaires marocaines, le manque de solidarité avec l'Algérie, et même, selon certains, le refus du retour d'exil de Mohammed V – bref, une prise en compte beaucoup trop grande des intérêts de Paris…

En revanche, on verra que Ben Barka a cherché dès le départ à codifier les relations entre le Palais et l'Istiqlal, et que l'idée qu'il se faisait d'une monarchie constitutionnelle n'avait évidemment rien à voir avec celle de la famille royale et de ses proches. Ben Barka en est d'ailleurs peut-être mort.

En réalité, ce ne sont pas les règlements de comptes ou les liquidations qui retiennent alors l'attention de Ben Barka, mais l'état général de l'Istiqlal. Il travaille comme un fou, dort à peine cinq heures par nuit, commence ses journées à sept heures et les termine à deux heures du matin. Écoutons encore Mohammed Aouad :

« Je n'ai jamais vu Mehdi malade ni même grippé. De temps en temps, il prenait un whisky, une cigarette. Il écoutait de la musique classique européenne ou du Moyen-Orient arabe, *charqi*… Il aimait beaucoup Yves Montand, Mouloudji. Il ne mangeait jamais seul. Il avait toujours des amis autour de lui, même au petit déjeuner. Il lui arrivait parfois de les engueuler quand ils ne suivaient pas les consignes qu'il leur avait données. Avec moi, ses remarques étaient toujours faites gentiment. Rien à voir avec le style makhzénien. Pour moi, Mehdi, c'était un frère, un copain, un patron, un *zaïm*. Mehdi voulait convaincre les gens. Il pouvait passer des heures à essayer de le faire. Un vrai démocrate ! »

Aouad, en ami, se préoccupe de l'avenir de Ben Barka et s'étonne de son indifférence aux biens de ce monde :

« En 1965, dix ans après l'indépendance, il habitait toujours un appartement en location. Cinq ans plus tôt, déjà, rue Lauriston, à Paris, où il avait un pied-à-terre, je lui avais posé une question sur ses rapports avec l'argent : "Te rends-tu compte que, cinq ans après l'indépendance, tu n'as toujours rien pour toi et tes enfants, pas même un petit logement ? Pendant ce temps-là, tes amis ont des fermes, des actions, des obligations. Ils achètent même des appartements en Espagne, ils ont des immeubles en France. Toi, tu n'as rien." Il m'a répondu : "Aouad, au Maroc on peut devenir riche en un clin d'œil. Tu baises la main, tu baisses la tête et tu deviens riche. J'ai horreur de cela. Je veux marcher la tête haute. Ce qui m'intéresse, ma vie, c'est la *qana'a* [conviction] !" »[1].

L'évolution du parti l'inquiète. En mai 1957, quatorze mois et demi après l'indépendance, Mehdi fait une conférence retentissante devant les cadres de l'Istiqlal. Intitulée « Nos responsabilités », elle vise à « analyser la situation au Maroc et les problèmes qu'elle soulève ». Si Ben Barka se félicite de la création, par la section de Casablanca, de la première crèche du pays depuis la proclamation de l'indépendance, ses compliments s'arrêtent là. Rappelant que le parti « a été créé pour accomplir une tâche sociale en même temps que la tâche politique

---

1. Entretien avec l'auteur.

qu'il a prise à son compte… », et qu'en tête de ses programmes il avait placé « l'ouverture d'écoles, l'aide aux orphelinats, les actions de secours, l'attention apportée aux mouvements de jeunes », il se demande alors comment « certaines sections peuvent négliger aujourd'hui ces actions ou les oublier ». Selon lui, « la source de cette négligence revient au laisser-aller qui s'est emparé de beaucoup d'esprits. Certains ont cru et d'autres se sont imaginé que, sitôt l'indépendance acquise, leur tâche serait terminée. Ils ont pensé que le gouvernement seul pourrait tout faire, que l'or et l'argent pleuvraient du ciel et que les projets dont a besoin le pays pousseraient tout seuls ».

Dans une sorte de cours magistral, Ben Barka rappelle à son auditoire que la tâche des militants « ne se résume pas à la liquidation des effets du colonialisme » et que, s'il est vrai que celui-ci a laissé « de graves séquelles, il y a aussi des causes plus profondes et plus fortes qui ont été à l'origine de la colonisation. Notre pays est encore arriéré sur les plans économique, culturel et social ; nous sommes donc en retard et il est de notre devoir d'agir avec force et en profondeur pour effacer les séquelles de deux siècles de sommeil profond ». Constatant que « les remparts, places fortes et défenses élevés par nos ancêtres pour repousser les agressions étrangères ont contribué à empêcher les parfums de la science nouvelle et les odeurs du progrès, dont il avait besoin de façon impérieuse, d'entrer dans notre pays », Ben Barka invite ses compatriotes à se « mobiliser sérieusement » pour changer cette situation.

Cependant, le meilleur reste à venir : « Nous trouvons dans nos rangs, martèle-t-il, trois catégories porteuses de dangers : deux minorités de rentiers et de rancuniers, et une majorité d'attentistes […]. Les rentiers, dit-il, ont considéré à tort que leur nomination à des postes dans différentes fonctions équivalait à une rente ou à une compensation pour leurs actions et leurs sacrifices passés. De ce fait, ils ont mésestimé les responsabilités qui leur incombent. Nous considérons cette mauvaise appréciation ou ce manque de conscience comme une faute et une erreur graves […], et nous leur demanderons des comptes de façon intransigeante. Pourquoi ? Parce que leur nomination est une charge et une responsabilité, et non pas une retraite ou une œuvre de bienfaisance… » Quant aux rancuniers, il s'agit, aux yeux de Ben Barka, de tous ceux qui sont devenus « jaloux » parce qu'ils n'ont pas été nommés à des postes : « Nous ne pouvons, dit-il, céder à cette mentalité qui ne conçoit nos responsabilités après l'indépendance que comme des méchouis dont chacun voudrait un morceau, et ne serait tranquille que lorsqu'il aurait une part du gâteau et un poste acquis jusqu'à la retraite… »

Mohammed Aouad confirme l'« amertume » de Ben Barka à constater que certains de ses amis quittent ou ont déjà quitté le parti pour suivre le Palais : « Il était navré, furieux. Voilà des gens qui ont travaillé, lutté, souffert, et qui, au lieu de continuer le combat après l'indépendance, lâchent tout ! » Volontariste et optimiste de nature, il croit néanmoins encore possible de limiter le danger et de rallumer parmi ces deux catégories « la flamme du patriotisme véritable ».

Homme sans doute trop pressé, Ben Barka n'a pas toujours, semble-t-il, montré la prudence que ses responsabilités auraient requise. Abderrahim Bouabid s'est souvent fait du souci à ce sujet : « Mon père, se souvient Ali Bouabid, reprochait surtout à Ben Barka son manque de vigilance vis-à-vis de son entourage, son impatience, et le fait qu'il s'emporte vite. Ma mère m'a rapporté que quand Mehdi venait à la maison, mon père lui disait : "Qu'est-ce que tu me caches encore ?" Puis il le mettait en garde contre telle ou telle personne. Mais mon père ne s'est jamais éloigné de Ben Barka, même s'ils ont eu une franche dispute après ses déclarations à Radio-Alger au moment de la guerre des Sables[1]. »

M'hammed Boucetta, ancien secrétaire général de l'Istiqlal, raconte[2] que dans l'enthousiasme qui le pousse alors à rallier au parti le plus grand nombre possible de jeunes, Ben Barka fait composer un poème qui résume bien la situation :

Hadha saout hizb al istiqlal
Ya qaoum ista'adou an nidal
Oua 'amalou jami'ane
'amalan sari'ane
libina' al istiqlal
Al maghreb lana,
la lighairina !

---

1. Entretien avec l'auteur.
2. *Id.*

(Cette voix est celle du parti de l'Istiqlal, ô peuple, prépare-toi à la lutte, construisez tous ensemble rapidement l'Istiqlal, le Maroc est à nous, pas aux autres !)

Quelques années plus tard, en 1962, Ben Barka évoque avec une certaine lassitude ces premières années d'indépendance : « Ai-je besoin de vous rappeler toutes les batailles que nous avons dû mener de 1956 à 1960 sans que le peuple en sache rien ? Tout se passait dans les villas des bonzes du parti de l'Istiqlal ou entre les murs d'un palais, et rien n'en transpirait[1] ! »

Le thème d'une « direction forte » est presque obsessionnel chez Ben Barka. « Constituée de citoyens ayant fait leurs preuves dans le combat patriotique et qui ont démontré leur compétence et leur capacité à poursuivre le chemin vers les objectifs requis par l'intérêt suprême du pays », la « direction ferme et forte » aura pour objectif de « désarmer les traîtres et de déjouer leurs manœuvres, ainsi que tous les complots étrangers pouvant précipiter le pays dans l'anarchie et l'instabilité ».

Mehdi Ben Barka, qui, on l'a vu, trouve qu'une part trop belle a été faite à la France à Aix-les-Bains, et qui n'était pas favorable au retour d'exil de Mohammed V, se méfie aussi bien de Paris que du Palais dont il soupçonne qu'il a – au moins chez certains de ses membres – partie liée avec l'ancienne puissance coloniale. Pour lui, l'indépendance n'a pas mis fin à l'esprit colonial, et ses représentants mènent une « bataille du sabotage » pour préserver et conserver les privilèges qu'ils se sont octroyés sous le Protectorat. Il dénonce là aussi bien le sabotage administratif et technique que le sabotage financier ou la guerre psychologique.

Se référant à l'interruption de l'aide financière française au cours du premier semestre de l'année 1957, il estime qu'elle « est due aux pressions des milieux colonialistes sur le gouvernement français pour qu'il ne nous concède pas ce prêt dont nous avons besoin de façon cruciale ». Leur but, dit-il, « est de placer le gouvernement marocain dans une impasse et de le faire apparaître comme étant incapable. À ce moment-là, ces milieux auront atteint leurs objectifs de domination qu'ils essaient de réaliser pour coloniser de nouveau notre pays ».

---

1. Cité par *Jeune Afrique*, 4 mars 1972.

À cela s'ajoute, selon Ben Barka, une guerre psychologique « organisée par des spécialistes expérimentés » et qui vise à discréditer le parti de l'Istiqlal et à diviser les Marocains. Ces « complots » vont tous dans le même sens et ont un même objectif : « écarter la direction patriotique en charge du gouvernement et la défaire pour semer la confusion dans les esprits et restaurer l'influence politique du colonialisme »[1].

L'homme à tout faire du parti de l'Istiqlal a raison d'être inquiet. Depuis 1953, compte tenu du climat politique incertain, les investissements ont chuté de façon drastique. Depuis de nombreuses années, la tendance générale est à la baisse de la production et de la consommation, sauf pour quelques rares groupes sociaux qui ont bénéficié de l'indépendance[2]. L'autre aspect de la crise de l'investissement est la baisse du niveau de l'emploi industriel et l'aggravation du problème du chômage ou du sous-emploi. Au rythme annuel de 3 700 emplois créés dans l'industrie, l'accroissement du chômage de la main-d'œuvre non agricole qui dépassera le chiffre de 500 000 en 1964, s'élève déjà à plusieurs centaines de milliers de personnes en 1957.

Même si Mehdi Ben Barka se garde bien d'attaquer de front la monarchie et rend même hommage à Mohammed V[3], il n'est pas difficile de voir que, derrière les pratiques visées, se profilent l'ombre inquiétante du prince héritier et celle de son conseiller préféré, Ahmed Réda Guédira, tous deux proches de ce que beaucoup de patriotes marocains appellent le « parti de la France ».

Dès 1956, Ben Barka attache une grande importance à ce qu'il appelle la « participation populaire », qu'il considère, avec une « direction forte » et la « planification », comme une des trois conditions « indispensables à la construction d'une société nouvelle ». Pour lui, cela se fera par « la mise en place des assemblées rurales et communales,

---

1. Mehdi Ben Barka, « Option révolutionnaire », in *Écrits politiques*, p. 54.
2. Voir Abdelaziz Belal, *L'Investissement au Maroc (1912-1964)*, Casablanca, Les Éditions maghrébines, 1976, p. 196.
3. Voir *Problèmes d'édification du Maroc et du Maghreb*, quatre entretiens avec Mehdi Ben Barka recueillis par Raymond Jean, Plon 1959, p. 109 : « Le Maroc dispose d'un atout considérable qui lui assure continuité et stabilité en la personne de Sa Majesté Mohammed V. »

et de l'Assemblée nationale élue qui veillera au respect de la Constitution, contrôlera le gouvernement, lui demandera des comptes et réalisera l'équilibre entre gouvernants et gouvernés ». Ces trois conditions, poursuit-il, « sont nécessaires pour nous débarrasser des séquelles des sociétés pré-coloniale et coloniale ». Pour lui, souligne Rémy Leveau[1], « les communes étaient un moyen d'administrer le pays sans avoir recours aux techniques du Protectorat. Les communes devaient briser le cadre tribal et constituer de vastes ensembles où les liens d'intérêts économiques et sociaux (souk, école, infirmerie, etc.) rendraient inutiles les anciennes solidarités ethniques ».

Ahmed Balafrej, un honnête homme sans troupes

Pendant qu'Allal el-Fassi cherche à retrouver le lustre d'antan et que Mehdi Ben Barka s'impatiente devant les carences de ses compatriotes, un homme, Ahmed Balafrej, un peu perdu dans la tourmente qui fouette les ambitions de la plupart des responsables politiques en ces années agitées, s'efforce de calmer le jeu, d'apaiser les rancœurs, de rapprocher les points de vue, bref d'éviter l'irréparable : la division du parti dont il est depuis des années le secrétaire général.

Cet éminent patriote, sans véritables troupes, est apprécié des plus grands. Ambassadeur de France à Rabat au début des années soixante, Pierre de Leusse rapporte une conversation du général de Gaulle avec Hassan II au cours de laquelle sont évoquées les personnalités d'Ahmed Réda Guédira et d'Ahmed Balafrej, tous deux proches du jeune souverain :

« De Gaulle, dit de Leusse, a parlé à Hassan II d'Ahmed Guédira en des termes qui déguisaient mal le peu de sympathie qu'il a pour lui : "Est-ce que M. Guédira est toujours à votre service ?" Un peu plus tard, le Général, évoquant Balafrej, a ajouté : "Celui-là, au moins, a une vie de famille correcte"[2]... »

---

1. Rémy Leveau, *Le Fellah marocain, détenteur du Trône*, Presses nationales de la Fondation de sciences politiques, 1985.
2. Lettre de Pierre de Leusse, 17 juillet 1963, à Robert Gillet, directeur du cabinet du ministre des Affaires étrangères.

Dans un télégramme daté du 20 février 1964, de Leusse ne tarit pas d'éloges sur l'ancien Premier ministre de Mohammed V : « Il joint à son humanisme des qualités de négociateur ferme et pondéré […]. Il apporte à tout ce qu'il entreprend une passion qui le ronge et qui peut compromettre sa santé… »

Né en 1908 à Rabat, Balafrej fréquente dans cette ville l'école des fils de notables, puis le lycée Gouraud. Après des études supérieures au Caire, il obtient à Paris une licence ès lettres et est diplômé de l'École des Hautes Études. Pendant son cursus universitaire dans la capitale française, Balafrej fonde l'Association des étudiants musulmans d'Afrique du Nord, dont il assume le secrétariat. Parallèlement, il prend des contacts à Genève avec l'émir Chakib Arslan, un des chantres du nationalisme arabe. Il collabore également à la revue nationaliste *Maghreb* fondée en 1932 par l'avocat et militant socialiste français Robert Longuet. En 1934, il participe à la conférence préparatoire du congrès panislamique de Berlin.

Membre du Comité national pour la réalisation du « Plan de réformes », Ahmed Balafrej soumet dès 1935 aux autorités françaises un mémoire sur la politique menée par la résidence générale.

Les activités de cet homme de double culture, militant infatigable, irritent les autorités. Balafrej est contraint en 1937 de quitter le Maroc et de se réfugier à Tanger. À la fin de 1943, il participe à la création du parti de l'Istiqlal et lance, le 11 janvier 1944, le manifeste du parti avant d'être arrêté, quinze jours plus tard, par la Sécurité militaire française avec d'autres leaders nationalistes.

En juin 1946, il bénéficie des mesures de clémence du résident général Eirik Labonne, mais, moins d'un an plus tard, il doit quitter à nouveau son pays. Il voyage beaucoup et se crée alors un solide réseau de relations internationales. C'est donc tout naturellement qu'il est nommé, le 26 avril 1956, six semaines après l'indépendance du Maroc, ministre des Affaires étrangères. Le 12 novembre 1956, c'est lui qui prononce le discours marquant l'entrée du Maroc aux Nations unies.

Ahmed Balafrej s'est aussi efforcé de réduire les tensions entre Paris et Rabat chaque fois que cela pouvait servir les intérêts des deux pays. Fidèle en amitié, il se dépense beaucoup comme ministre des Affaires étrangères, puis comme chef du gouvernement, pour obtenir la libération, en février 1959, de l'adjudant Caciaguerra, enlevé par l'Armée de libération deux années auparavant. L'affaire fait d'autant plus de bruit qu'elle intervient après l'enlèvement et la disparition, durant l'été 1956, du capitaine Moureau dans des circonstances qui n'ont jamais été vraiment élucidées. Or Balafrej, assigné à résidence en Corse en 1944 par les autorités du Protectorat pour son action nationaliste, était alors logé chez la mère de l'adjudant. Gravement malade, il avait été soigné avec dévouement par Mme Caciaguerra et s'en était montré reconnaissant[1].

Mohammed Hassan el-Ouazzani, un précurseur incompris

Homme de principes, Mohammed Hassan el-Ouazzani est sans doute l'une des personnalités politiques marocaines qui ont vécu avec le plus d'amertume les années qui ont suivi l'indépendance. On peut affirmer aujourd'hui, sans crainte d'être démenti, qu'aucun des rêves que ce grand patriote avait nourris durant sa jeunesse ne s'est réalisé. Faute d'avoir su se plier aux nouvelles règles du jeu auxquelles son tempérament un peu rigide l'avait mal préparé, ce démocrate en avance sur son époque a vite été le dindon de la farce. Utilisé par la monarchie avant d'être impitoyablement rejeté, violemment agressé par un parti de l'Istiqlal beaucoup trop puissant pour lui, Ouazzani s'est défendu maladroitement en accusant par exemple les nouveaux maîtres du Maroc d'être pires que la puissance coloniale. Ses alliances malheureuses avec les courants les plus réactionnaires du royaume ont achevé de discréditer sa formation, dont les membres les plus opportunistes n'ont pas tardé à rejoindre le Palais après un petit détour par l'UNFP, histoire de voir dans quel sens allait tourner le vent … Avant même la fin des années cinquante, ce personnage original, qui a joué un rôle considérable dans l'histoire du Mouvement national, n'était plus rien politiquement. Il faudra pourtant un jour restituer sa véritable place à cet homme disparu en septembre 1978 à l'âge de soixante-huit ans.

---

1. Georges Chaffard, *Les Carnets secrets de la décolonisation*, Calmann-Lévy, 1965, p. 129.

Né à Fès en 1910, fils d'un gros propriétaire terrien, il fait ses études secondaires au lycée Moulay Idriss de Fès, puis au lycée Gouraud de Rabat, et figure donc parmi les premiers Marocains à bénéficier d'une éducation bilingue. Il passe son baccalauréat au lycée Charlemagne à Paris, puis entre à l'Institut d'études politiques. Il suit également les cours des Langues orientales et de l'Institut de journalisme. Toute la première partie de l'existence de ce brillant sujet sera consacrée au combat pour l'indépendance du Maroc. Mais sa personnalité entière, qui s'accommode sans doute mal du partage du pouvoir, le conduit à s'éloigner de ses amis nationalistes, notamment de son grand rival Allal el-Fassi, après que celui-ci a été porté à la tête du Comité d'action nationale (CAN) créé au milieu des années trente, et ancêtre des premiers partis politiques marocains. Ouazzani, qui était l'un des très rares dirigeants marocains à pouvoir s'adresser en français à l'opinion publique de la métropole, et qui, de surcroît, avait été le premier journaliste marocain à créer un journal francophone, *L'Action du peuple*, organe du CAN, estimait que la présidence aurait dû lui revenir. Le CAN se scinda donc en deux, donnant naissance au Parti national, dirigé par Allal el-Fassi, et au Mouvement national, conduit par Ouazzani. Comme le relève Abdelhadi Boutaleb, membre de la formation d'Ouazzani et cofondateur en 1946 du PDI qui allait lui succéder : « Par-delà toutes ces considérations, il demeure qu'à cette époque le Maroc est entré dans l'ère du multipartisme. »

Le succès – relatif – rencontré par le PDI dans les années qui suivirent sa création peut aussi s'expliquer par le fait que ses adhérents non seulement n'étaient pas contents du Protectorat, mais étaient en outre « mécontents de l'Istiqlal[1] ».

Dans de très intéressants Mémoires politiques[2], Abdelhadi Boutaleb évoque longuement la rivalité entre Allal el-Fassi et Mohammed Hassan el-Ouazzani. Certains – notamment des analystes français « prétendant connaître le Maroc », s'appuyant sur l'analyse sociologique de l'histoire du Maroc et sa réalité sociale – ont conclu, écrit-il, qu'il s'agissait d'une rivalité entre deux familles, celle des chérifs

---

1. *Les Partis politiques marocains*, de Robert Rézette, cité par Jean et Simonne Lacouture, *Le Maroc à l'épreuve*, Le Seuil, 1958, p. 157.
2. Abdelhadi Boukaleb, *Un demi-siècle dans les arcanes de la politique, op. cit.*, p. 59.

(el-Ouazzani) et celle des oulémas (el-Fassi). D'autres ont parlé du sourd antagonisme qui opposait les modernes (el-Ouazzani) aux traditionalistes (el-Fassi). Tout cela paraît inexact à A. Boutaleb qui souligne qu'Allal el-Fassi, loin d'être « un *alem* intégriste », était au contraire « un chantre de l'islam à l'esprit ouvert ». « On pouvait le traiter de tout, ajoute-t-il, sauf d'être obtus ! » Abdelhadi Boutaleb affirme également pouvoir avancer, « à l'issue d'un effort de recherche objective de la vérité, que le fait qu'on ait qualifié el-Fassi d'intégriste et Ouazzani de fanatique du modernisme a affecté et l'un et l'autre ». Selon lui, « Allal el-Fassi cherchait à apparaître comme l'homme à l'esprit bien ouvert pour qu'on ne le traite pas d'"*alem* à l'esprit borné", tandis qu'Ouazzani se montrait parfois intolérant dans sa défense de l'islam et des coutumes, pour qu'on ne dise pas qu'il était laïque et rentré de France avec une éducation étrangère athée ».

Dans une étude publiée en 1993[1], le politologue Mohammed Tozy analyse notamment les éléments d'un théorie politique chez Ouazzani. Il relève en particulier que celui-ci s'était attaché à démontrer que la théorie du pouvoir de droit divin est « un non-sens du point de vue de la raison, et une calomnie envers la pratique prophétique ». Tozy rappelle ensuite ce qu'écrivait Ouazzani dans *Al Islam wa ad-daoula* (L'Islam et l'État) : « Les idées principales de cette théorie, c'est que les rois dominent les peuples par la volonté de Dieu. Ils tirent leur pouvoir de lui, et non des nations qu'ils gouvernent […]. La conséquence, c'est que la nation ne peut pas leur demander des comptes sur leur gestion. Elle n'a qu'à se soumettre à l'oppression et au mépris, et considérer leur volonté comme sacrée. » Le Prophète, souligne encore Ouazzani, « a quitté ce monde sans laisser aux musulmans quelque chose qui puisse les guider pour fonder sa succession ».

Ouazzani laissait-il entendre par là que l'hérédité était étrangère à l'islam ? Comme le note Tozy, « il s'agit là d'une position très osée dans le contexte politique marocain », la monarchie ayant réinstauré la pratique de la désignation testamentaire du prince héritier, et les

---

1. Mohammad Tozy, « Mohammed Hassan Ouazzani : liberté individuelle et pouvoir politique », in *Penseurs maghrébins contemporains*, Casablanca, Eddif, p. 227 à 248.

différentes constitutions ayant consacré cette pratique très rarement dénoncée par la classe politique.

Un certain nombre d'observateurs ont voulu voir dans de tels propos un penchant prononcé d'Ouazzani pour la république, et une opposition de principe à la monarchie. Certains de ses exégètes ont même retrouvé quelques écrits de jeunesse abondant clairement dans ce sens. Mais, par la suite, après l'indépendance, Mohammed V jouissant d'une popularité exceptionnelle du fait de l'exil, le chef du PDI, sans doute soucieux de respecter les sentiments monarchistes de la grande majorité de ses compatriotes, ne s'est jamais prononcé clairement, en public, sur ses choix. La question était d'ailleurs d'autant moins importante que son parti de notables n'a jamais eu de réelle assise populaire, et que la plupart de ses dirigeants, monarchistes convaincus – et, contrairement à lui, souvent opportunistes –, l'ont abandonné en 1959 pour participer à la création de l'Union nationale des forces populaires (UNFP).

Ayant perdu pratiquement toute influence sur la scène politique, Ouazzani, obligé de quitter en 1960 le gouvernement en raison d'une opposition de fond avec le Palais sur les moyens de réformer le pays, aura l'occasion, au début des années soixante-dix, après le coup d'État manqué de Skhirat – où, sérieusement blessé, il devra être amputé d'un bras –, de présenter à Hassan II un rapport très critique sur la situation politique et morale du pays[1].

« Incarnation vivante de l'honnêteté », n'ayant absolument pas profité financièrement de l'indépendance, Ouazzani a toujours veillé à ce que les fonds du PDI soient dépensés sans excès ni gaspillage. Il contrôlait d'ailleurs personnellement les dépenses pour éviter tout abus[2]. Dans ce royaume si corrompu, tant de vertu constituait sans doute un handicap insurmontable !

Cardiologue installé à Fès et portraitiste de talent, le Dr Belkassem Belouchi a décrit avec justesse cette personnalité exceptionnelle, admirateur d'Abdelkrim, et, « comme lui, culturellement républicain, laïc et nationaliste » : « Poli, courtois, souple, astucieux, habile mais ferme et déterminé, il restait un peu froid et fascinait plus qu'il

---

1. *Ibid*, p. 247.
2. Abdelhadi Boutaleb, *Un demi-siècle dans les arcanes de la politique, op. cit.*, p. 86.

n'entraînait. De son séjour en France il ramena une culture politique, une expérience du discours, le sens de la justice et de la démocratie, et surtout le métier de journaliste où il mit au point et développa une dialectique de militantisme moderne. »

Il convient pourtant d'apporter un bémol à cette élogieuse description. En bon bourgeois fassi, Ouazzani n'a pas compris grand-chose au monde berbère, et certains de ses propos ont profondément heurté les plus actifs des militants imazighen. Sur un site Internet géré par ces derniers, on trouve ce jugement pour le moins rapide sur la langue berbère : « En réalité, y écrit Ouazzani, il s'agit d'un parler de bergers, de gens arriérés, et non pas d'une langue d'émancipation parlée par des gens qui ont fait des études, qui sont civilisés comme ceux qui utilisent l'arabe classique. »

On comprend mieux que, peu sensible ou indifférent à la culture de la majorité de ses compatriotes berbères – travers au demeurant fort répandu, au lendemain de l'indépendance, chez les élites marocaines, y compris celles d'origine berbère –, Ouazzani n'ait guère suscité l'adhésion populaire. Ainsi, autant il avait su faire avancer la cause de l'indépendance, autant cet intellectuel exigeant fut incapable de jouer les premiers rôles dans le Maroc devenu indépendant.

Abderrahim Bouabid, le surdoué

Sur la scène politique marocaine, Abderrahim Bouabid occupe depuis l'indépendance une place tout à fait particulière. Si l'on osait la comparaison avec les Oscars du cinéma, on pourrait parler à son sujet de « meilleur second rôle », naturellement loin derrière la personnalité écrasante et envahissante de Hassan II. Beaucoup plus longtemps que Ben Barka ou même qu'Allal el-Fassi, Bouabid, en effet, a été pendant trente-cinq ans, jusqu'à sa mort en 1991, l'interlocuteur principal, sinon privilégié, du monarque, auquel il a souvent résisté et avec lequel il a entretenu des relations complexes. Fathallah Oualalou, ministre de l'Économie et des Finances dans les gouvernements Youssoufi et Jettou, a aussi raison de dire que Bouabid, est le seul titulaire du poste « dont le nom a été retenu par l'Histoire, tant il l'a marqué de son empreinte ». Il est aussi le seul, ajoute Oualalou, à « s'identifier au combat pour la souveraineté économique nationale »[1].

Fils d'un menuisier-charpentier de Salé handicapé par un accident du travail et réduit, de ce fait, à exercer de petits métiers, Abderrahim Bouabid, né en 1921, a eu une enfance dure. À sept ans, enfant très intelligent, il est admis à l'école des fils de notables de Salé, pourtant réservée aux rejetons de la bourgeoisie. Prix d'excellence à treize ans, il en sort avec le certificat d'études, mais, surtout, avec la conscience qu'il existe une hiérarchie sociale qui ne doit rien au mérite, mais tout à la naissance et à la fortune. Grâce au directeur de l'école, Bouabid évite d'être placé par son père comme garçon de courses dans une administration à Rabat, et il poursuit ses études. En octobre 1934, il est admis au concours d'élèves-maîtres et passe cinq ans au collège Moulay Youssef de Rabat où il a pour censeur, en 1936, Lucien Paye, qu'il retrouvera vingt ans plus tard lors des négociations franco-marocaines sur les relations culturelles.

Tout en entamant une carrière d'instituteur stagiaire à Fès en 1940, il prépare seul le baccalauréat qu'il réussit en même temps que son CAP d'instituteur. À partir de 1942, à Salé où il continue à enseigner, il entreprend parallèlement des études de droit.

Peu de temps après, au cours d'un stage au cœur de l'Anti-Atlas avec un groupe de jeunes Français, on lui propose d'intégrer l'armée française comme officier. Sans doute du fait de ses idées nationalistes, il ne donne pas suite à cette proposition et manque de peu, au contraire, d'adhérer au Parti communiste après avoir eu de bons contacts avec des militants de gauche français. Mais une rencontre avec deux responsables du Parti communiste français, venus de Paris, finit par l'en dissuader : « J'étais sur le point d'adhérer au PCM, écrira-t-il, mais une rencontre avec Jacques Grésa et André Marty, venus au Maroc début 1943, qui refusaient de donner leur accord pour inclure l'indépendance du Maroc dans le plan d'action du PC, m'a déterminé à choisir le Parti national[2]. »

---

1. Fathallah Oualalou, « A. Bouabid : l'économique et l'engagement politique », texte communiqué par la Fondation Abderrahim Bouabid.
2. *Maghreb-Machrek*, 1972, p. 10.

Beaucoup d'autres Marocains réagiront comme lui. Engagé au Parti national, il participe à la rédaction du manifeste de l'Istiqlal du 11 janvier 1944. Le 29 janvier, il conduit à Salé une manifestation organisée pour protester contre l'arrestation d'Ahmed Balafrej, laquelle tourne au drame puisqu'on dénombre six morts. Le 31 janvier, il est arrêté et reste deux années en prison, non sans être radié des cadres de l'enseignement et interdit dans les universités d'Alger et de Bordeaux dont dépendent les étudiants marocains.

En 1946, il est étudiant à Paris où il est responsable du parti de l'Istiqlal, tout en poursuivant ses études de droit. Il loge à l'hôtel de Paris, rue Bonaparte, puis à la fameuse pension Laveur qui abrite la communauté estudiantine marocaine de Paris.

Il reste dans la capitale française jusqu'en 1949. Tout en suivant en auditeur libre les cours de Sciences-Po, il s'occupe des bourses et du logement de ses compatriotes, organise les travailleurs immigrés et anime les cellules de l'Istiqlal.

En 1948, il refuse d'approuver les positions du PCF dans la guerre froide européenne. Estimant que les problèmes marocains sont prioritaires, il somme ses amis militants de choisir entre Istiqlal et PC. « C'est l'époque où Hédi Messouak, Mohammed Tahiri et d'autres, raconte Elizabeth Stemer[1], se déclarent communistes et l'appellent Jules[2]. »

Rentré au Maroc à la fin 1949, il exerce la profession d'avocat tandis que, pour l'Istiqlal dont il est membre du Comité exécutif, il est chargé des questions ouvrières. Il noyaute la CGT, révèle de bonnes capacités d'organisateur et, avec Mehdi Ben Barka, s'impose comme un des espoirs de l'Istiqlal, Allal el-Fassi et Ahmed Balafrej étant alors en exil.

En décembre 1952, il est à la tête des manifestations qui, à Casablanca, font suite à l'assassinat du syndicaliste tunisien Ferhat Hached. Interné pour « complot communiste », il passe à nouveau près de deux ans en prison.

Libéré en octobre 1954, il joue un rôle de premier plan dans les délicates négociations qui commencent, dès le printemps suivant,

---

1. *Ibid.*
2. Allusion à Jules Moch, homme politique français, ministre de l'Intérieur, membre de la SFIO, violemment anticommuniste et qui réprima de grandes grèves.

pour l'indépendance du Maroc. On a vu combien Edgar Faure appréciait cet interlocuteur.

Dans le premier gouvernement formé avant même l'indépendance, il est ministre, chargé des négociations à La Celle-Saint-Cloud et à Paris, qui durent jusqu'en février 1956. Il est ensuite le premier ambassadeur de son pays à Paris jusqu'en octobre 1956, date à laquelle il entre dans le second gouvernement Bekkaï pour y exercer d'importantes responsabilités économiques : d'abord comme ministre de l'Économie, puis, à partir du 12 mai 1958, dans le gouvernement Balafrej comme vice-président du Conseil tout en gardant le portefeuille de l'Économie. Il conserve ces fonctions dans le gouvernement de gauche d'Abdallah Ibrahim, du 24 décembre 1958 au 20 mai 1960.

Sur cette période, qui va de 1955 à 1960, nous disposons de témoignages précieux : celui de Meyer Toledano, qui fut son directeur de cabinet, et celui de Mohammed Lahbabi, économiste et l'un de ses plus proches collaborateurs. Écoutons Meyer Toledano :

« J'ai rencontré Bouabid pour la première fois au début de 1955. Le Maroc était alors en proie à des problèmes extrêmement graves : résistance et contre-terrorisme, chômage massif, fuite de capitaux, désinvestissement, départs nombreux de Marocains et d'étrangers. Le pays allait à la dérive. La politique française au Maroc était inconsistante, déboussolée. Il y avait alors au Maroc une armée de 250 000 soldats français et une communauté française qui n'était pas prête à changer de statut ou de régime. En face d'elle se trouvait une communauté marocaine décidée à conquérir ses libertés, par la violence au besoin. Comment conjurer ces périls qui menaçaient la paix civile au Maroc ? […] Abderrahim Bouabid avait su remarquablement définir les formules simples et sages qui devaient concilier les divers acteurs de la société au Maroc. Que me dit Bouabid au début de 1955 ? "Nous ne voulons pas obtenir l'indépendance contre les Français par la force, mais par la persuasion et par étapes. Nous avons besoin, pour obtenir l'indépendance, du concours de la France. Nous avons le devoir de rassurer les Français et les étrangers quant à la sécurité des personnes et des biens. Nous devons être francs quant à nos objectifs. Le peuple marocain doit recouvrer sa dignité et être libre de son destin. L'économie marocaine ne doit pas être au service de groupements particuliers. Nous devons lutter contre la misère et l'exploitation des hommes. Notre société doit être juste et veiller au bien de tous, sans discrimination à raison de la nationalité ou de la religion." »

Meyer Toledano rappelle ensuite le travail de *lobbying* accompli par Bouabid auprès de centaines de décideurs français : « Grâce à son éloquence, à son don de persuasion, mais surtout grâce à sa sincérité et à sa rectitude intellectuelle, il était devenu l'une des figures les plus connues et les plus populaires du Mouvement national marocain en France. »

Ses talents de négociateur impressionnent favorablement Antoine Pinay et Edgar Faure, et permettent au Maroc d'accéder à l'indépendance dans des conditions relativement calmes. Certains, néanmoins, lui reprochent – et lui reprocheront longtemps – de s'être montré par trop conciliant avec Paris.

Puis, en charge des affaires économiques et financières, il intègre la zone nord sous contrôle de l'Espagne, jusqu'en avril 1956, et la rattache économiquement à la zone sud en mettant fin notamment à la circulation de la monnaie espagnole. Il restructure les entreprises industrielles et commerciales dépendant financièrement de l'État, il définit un nouveau régime douanier afin de protéger l'économie marocaine, il détache le franc marocain du franc français à la suite d'une dévaluation de celui-ci, assurant ainsi l'indépendance monétaire du pays. Il élabore un plan quinquennal ainsi qu'un budget d'équipement distinct du budget de fonctionnement.

Pour Meyer Toledano, « le Maroc moderne doit à Bouabid les structures économiques qui lui ont permis de survivre au moment de l'indépendance et de se développer ensuite ».

Les responsables français ont toujours eu un faible pour Bouabid. En novembre 1957, Parodi, pourtant réticent à l'égard de ses options économiques, écrit qu'il « passe pour un des éléments du parti de l'Istiqlal les mieux disposés à l'égard de la France, et pour avoir des conceptions sociales *[sic !]* particulièrement avancées ». Dans le bilan de sa mission, en septembre 1960, Alexandre Parodi se montre tout aussi élogieux : « Bouabid, écrit-il, a toujours pris soin de garder sa liberté d'action. Son indépendance de caractère, son charme, sa valeur intellectuelle, son désintéressement personnel lui ont valu des sympathies dans tous les milieux, et notamment auprès du roi qui redoute son franc-parler[1]. »

L'homme est en effet le contraire d'un dogmatique. Nombre de ses proches collaborateurs marocains ne partagent pas toujours exactement ses idées politiques. Certains viennent par exemple du Parti communiste. Abraham Serfaty, ingénieur des Mines, assure ainsi successivement la direction de l'administration des Mines, puis la direction technique de l'Office chérifien des phosphates (OCP). « À partir de 1960, j'étais plus près de Bouabid, pour lequel j'éprouvais de l'admiration et de l'estime », affirme quarante ans plus tard Serfaty, pourtant membre à l'époque du Parti communiste et marxiste de conviction, contrairement à Bouabid. « Son erreur, ajoute-t-il, a été de maintenir la libre convertibilité après la création du dirham, ce qui a fait fuir les capitaux marocains »[2].

Seuls importent aux yeux de Bouabid les compétences et le désir de servir le pays. Il n'hésite pas non plus à s'entourer d'experts étrangers, européens et surtout français, mais aussi arabes. Ismaïl Mahroug, futur ministre algérien des Finances, fait ses classes à la direction du Plan aux côtés de Bouabid. En faisant appel à l'expertise étrangère, ce dernier cherche à contrebalancer l'emprise de techniciens français conservateurs sur l'administration marocaine, qui demeure forte après l'indépendance. « Tous les cadres français, écrit encore Fathallah Oualalou, n'étaient pas conservateurs. Certains, au contraire, progressistes, se sont fait connaître par leurs positions anticolonialistes et ont joué un rôle important en tant que conseillers de Bouabid. » Parmi les plus connus – et qui, presque tous, étaient ses amis – on trouve Georges Oved, inspecteur des Finances et conseiller pour les questions monétaires, Raymond Aubrac, le célèbre résistant, ingénieur des Ponts et Chaussées, qui s'occupait des entreprises publiques et joua un rôle important dans la création de l'Office national d'irrigation, l'économiste Maurice Rué et Michel Albert, futur commissaire au Plan en France.

Écoutons Georges Oved : « J'ai été surpris, à l'époque, par la capacité d'Abderrahim à affronter les exigences de la vie quotidienne sans

---

1. Bilan de mission, note en date du 23 septembre 1960, archives du Quai d'Orsay.
2. Entretien avec l'auteur.

perdre de vue les perspectives à long terme, à concilier le réel et l'utopique, le présent et le futur. J'ai beaucoup appris de lui. Le Maroc lui doit beaucoup d'avoir fait ce qu'il fallait faire alors avec courage, et d'avoir mis en place les moyens économiques et financiers de son indépendance[1]. »

De son côté, Raymond Aubrac confie à Abraham Serfaty qu'« Abderrahim Bouabid, c'est Léon Blum : un homme de progrès, mais faible politiquement ». Pour Serfaty, « Bouabid est resté toute sa vie un homme de gauche, mais il a toujours tenu à garder des ponts pour discuter avec le pouvoir ». Néanmoins, « il ne pouvait y avoir de confiance entre Hassan II et Bouabid »[2].

Entièrement absorbé par les questions économiques, Bouabid reste relativement en retrait sur le plan politique, au moins jusqu'à la fin de 1958, quand il finit par démissionner du gouvernement Balafrej. Mohammed Lahbabi, qui travaillait à ses côtés, le confirme :

« Comme la plupart de nos camarades, nous étions, au lendemain de l'indépendance, opposés à une Constitution octroyée. Mais les plus préoccupés par cette importante question étaient ceux qui n'avaient pas de responsabilités au gouvernement, c'est-à-dire Ben Barka, les responsables de l'Union marocaine du travail (UMT) et ceux de la Résistance. Bouabid et les jeunes qui, comme moi, l'entouraient étaient complètement absorbés par l'industrialisation et la politique économique[3]. »

Lahbabi note néanmoins qu'au ministère de l'Économie, on voyait très bien apparaître les « premiers désaccords » : « La droite de l'Istiqlal, comme Allal el-Fassi, estimait qu'il ne fallait pas se presser, qu'accéder à l'indépendance politique était très délicat, fragile, en raison du contrôle encore exercé par la France dont l'armée était d'ailleurs très présente. En outre, il y avait toujours beaucoup de "collaborateurs" dans la société marocaine. Les élites restaient très imprégnées de la mentalité *makhzen*, cette manie de vouloir transiger avec tout le monde. Au fond, on était favorable à l'indépendance, mais on reprochait beaucoup de choses à l'Istiqlal… »

---

1. Cité par F. Oualalou, « A. Bouabid : l'économique et l'engagement politique », texte communiqué par la Fondation Abderrahim-Bouabid.
2. Entretien avec l'auteur.
3. *Id.*

Cependant, selon Lahbabi, le désaccord était encore plus important avec le « courant du prince héritier ». Pour celui-ci, « l'essentiel n'était pas l'économique, mais le contrôle de l'appareil de répression, la police, l'armée. D'ailleurs, le prince s'entourait d'officiers marocains venus de l'armée française, et non de l'Armée de libération nationale ».

Mohammed Lahbabi se souvient avec émotion du 17 octobre 1959, jour de la naissance du dirham, une des initiatives capitales prises alors que Bouabid était à la tête du ministère de l'Économie : « Celui qui a pensé au dirham, c'est Mohammed Zeghari, qui était gouverneur de la Banque du Maroc. La création de l'Institut d'émission a été un moment fort. C'était difficile, parce qu'on coupait avec la zone franc. On coupait le cordon ombilical. Il n'y avait pas d'office des changes, et la fuite des capitaux était considérable. Nous avions un capital immobilier important, mais pas de capital financier. Notre trésorerie était faible. Un capital industriel, cela met du temps à s'amortir, et notre industrie ne faisait que démarrer... »

En charge des finances du royaume, Bouabid sait qu'une armée coûte cher, et une guerre encore beaucoup plus. Aussi s'efforce-t-il de limiter le budget des Forces armées royales pendant la guerre du Rif, fin 1958-début 1959, et signifie à Moulay Hassan qu'il « préfère les activités productrices à la "guerre d'opérette" menée dans le nord du pays ».

De fait, avec son ami Lahbabi, il est à l'origine de la création de grands établissements publics comme la Caisse de dépôts et de gestion, la Caisse nationale de sécurité sociale, la Compagnie marocaine de réassurance, la Banque marocaine du commerce extérieur, le Bureau d'études et de participation industrielle[1], la Banque nationale pour le développement économique.

Ce faisant, il heurte beaucoup d'intérêts, et les mécontentements provoqués viennent s'ajouter à ceux liés à la politique du gouvernement Ibrahim, jugé par trop critique à l'égard de la police et de l'administration du pays... Hormis les quelques mois précédant les

---

1. D'où sont issues un ensemble de sociétés constituant le premier noyau du tissu industriel marocain, comme la Samir, la Somaca (montage de voitures), la General Tyre (pneumatiques), la Cofitex (textile) ou la Tarik (montage de tracteurs).

législatives de 1977 et celles de 1984, où il se laisse à deux reprises plus ou moins piéger par Hassan II en acceptant un poste de ministre d'État pour « préparer » les élections, et, surtout, conforter l'union autour du souverain sur la question du Sahara, Bouabid ne sera plus jamais ministre…

Pendant ces quelques années qui scellent largement le sort du Maroc, Bouabid s'efforce d'apaiser la rivalité qui oppose Allal el-Fassi à Balafrej pour le *leadership* de l'Istiqlal. Un de ses amis[1] affirme que Bouabid, qui ne se sentait proche de Balafrej « ni idéologiquement, ni par tempérament […], avait plus d'admiration et de respect pour Allal el-Fassi. Allal comme Balafrej, ajoute-t-il, étaient certes des bourgeois, mais Allal était aussi un homme de convictions, qui ne transigeait pas sur certains principes, alors que Balafrej était plus malléable et mieux disposé à l'égard du *makhzen* ».

Quant à la scission de l'Istiqlal, que Bouabid a tout fait pour éviter, son fils Ali en donne l'explication suivante : « La scission est à rapprocher directement du travail de sabotage et de déstabilisation dont le gouvernement Ibrahim a été l'objet de l'intérieur comme de l'extérieur, que ce soit de la part du roi, de son fils, de Guédira, ou *via* la création du Mouvement populaire pour faire pièce à l'Istiqlal. Un travail d'infiltration de l'Istiqlal par le *makhzen* de Moulay Hassan, qui n'était pas le *makhzen* de Mohammed V, s'opérait en parallèle. À cela il faut ajouter l'attitude très critique à l'égard du gouvernement de l'aile moderniste ou aile gauche de l'Istiqlal, incarnée par le journal *Al-Tahrir*. Seul mon père, encensé à longueur de colonnes, échappait à la curée. Ceci pour dire simplement que Bouabid était pris dans un étau, tiraillé entre, d'une part, le comportement de ses amis, que justifiaient les manœuvres de Moulay Hassan et de son ami Guédira, et, d'autre part, la nécessité de tenir le plus longtemps possible pour tenter de créer l'irréversible, notamment sur le plan économique… » « La crainte fondamentale de mon père, précise Ali Bouabid, tenait dans l'idée que toute scission est un point marqué par le camp adverse. »

Ali Bouabid apporte également un éclairage intéressant sur le processus qui a finalement conduit son père à participer à la création de

---

1. Qui a tenu à garder l'anonymat.

l'UNFP : « Dans l'UNFP, le rapport à la modernité n'était pas le même, s'agissant de Ben Barka et de Bouabid d'un côté, du *fqih* Basri et de la Résistance de l'autre. Mais l'adversité, comme souvent, a permis de reléguer les nuances au second plan. Le rapport à la classe ouvrière et son rôle – Bouabid en avait la charge à Paris – constitue une deuxième ligne de partage. Enfin, quand on a compris une fois pour toutes que Moulay Hassan, prince héritier mais ô combien influent, n'est pas Mohammed V, on voit apparaître une dernière ligne de partage, cette fois-ci entre la vieille garde de l'Istiqlal et les jeunes loups, à propos de la pérennité du pacte entre la monarchie et le Mouvement national. Bien qu'étant occupé par ses fonctions ministérielles, mon père était en contact permanent avec Ben Barka, Youssoufi et le *fqih*. Et quand il s'est aperçu que Mohammed V avait perdu la main sur les affaires, donc qu'il ne pouvait plus être le recours, que Moulay Hassan était dans l'antichambre du pouvoir et qu'une partie de l'Istiqlal résistait de plus en plus mal à ses avances, il s'est inscrit d'emblée dans la dynamique qui a abouti à la création de l'UNFP[1]. »

---

1. Entretien avec l'auteur.

V

Moulay Hassan au centre de l'échiquier

Aux côtés d'un père de santé fragile, tourmenté et indécis, et face à une classe politique dont les éléments les plus remarquables n'ont pas encore renoncé à imposer leur vision au Palais, Moulay Hassan, qui domine intellectuellement son père, s'impose rapidement à toutes les parties comme un interlocuteur incontournable. Les excès et les caprices du prince – dont les conséquences, on le verra, ne seront pas négligeables – ne l'empêchent pas de veiller de près à l'essentiel et d'être présent à tous les moments importants du destin du royaume. S'il assoit progressivement et habilement son pouvoir, ce n'est pas un hasard. L'héritier du trône chérifien est intelligent et, surtout, son père a veillé à lui donner une formation complète, et l'a associé depuis longtemps à la gestion du pouvoir.

Grâce aux bons soins de l'ancien ministre de l'Intérieur Driss Basri, le grand public dispose aujourd'hui d'« un registre du génie hassanien et de son œuvre bénéfique ». Même si la formule peut prêter à sourire, le contenu de ces dix mille pages, réparties en une quinzaine de volumes, n'a rien à voir avec la pensée de Kim Il Sung, « soleil de la pensée mondiale ». Il s'agit en fait, pour l'essentiel, des discours et interviews de Moulay Hassan, devenu Hassan II en 1961.

Au début du premier tome de « cette œuvre si noble et généreuse », un album de photos permet de se familiariser avec l'enfance du futur Hassan II : « Son Altesse royale, sur sa bicyclette, éclate d'un rire qui manifeste toute l'innocence de l'enfance » ; ou : « Son Altesse, exemple de l'ordre, de la régularité dans l'étude, du sérieux, étudiant dans une classe », ou encore confessant faire « de la poésie de temps en temps ». « J'écris des vers, dit-il, et je les déchire parce qu'ils ne me plaisent pas. »

Mais déjà, l'adolescent montre de nobles ambitions au service de la dynastie alaouite : « Si, parmi les Rois, il y en a qui se sont adonnés aux plaisirs de la vie, laissant leurs sujets sombrer dans l'ignorance et traîner les carcans de la misère, déclare-t-il à Tanger en 1947, votre Roi œuvre à ce que vous recouvriez votre droit à la vie en tant que peuple musulman et arabe qui n'accepte pas d'autre alternative à la place de l'islam et de l'arabité[1]… »

Le 3 juillet 1948, venant d'obtenir la seconde partie du baccalauréat, Moulay Hassan, parlant de lui à la troisième personne, dit toute sa fierté : « Aujourd'hui, il a le cœur qui vibre de joie et de fierté en voyant les signes du bonheur emplir le visage du père bienveillant et affectueux parce que son fils fidèle et obéissant a obtenu la deuxième partie du diplôme du baccalauréat, réalisant ainsi une part du souhait royal chérifien et prenant sur lui l'engagement de ne ménager aucun effort pour finir ses études supérieures. »

Le prince en profite au passage pour rendre hommage à la modernité de son père qui « a fait de ma sœur Lalla Aïcha un exemple à suivre par la jeune fille marocaine émancipée […]. Il a placé ainsi la question de la scolarisation des jeunes filles dans son véritable contexte, dévoilant les préceptes de la *charia* qui ne pouvaient pas empêcher la moitié de l'*oumma* mohamédienne d'acquérir le savoir et de s'éclairer des lumières de la science et de la connaissance ».

On ne s'étendra pas davantage, pour l'instant, sur les curieuses relations du futur Hassan II avec son père, sur l'éducation d'un enfant à la fois choyé et tenu en laisse, puis d'un adolescent parfois incommode et d'un jeune adulte partagé entre les études et la fête avant d'être marqué par l'exil à Madagascar.

---

1. À l'école Mohammadia ; *Discours et Interviews*, ministère de l'Information, t. I du registre du génie hassanien, p. 99.

Dans ses Mémoires, rédigés vingt ans plus tard, Hassan II brosse un tableau du Maroc assez conforme à la réalité que son père et lui retrouvent en novembre 1955 à leur retour d'exil : « Le Maroc alors n'était pas gouverné. Les Français, qui savaient que c'était terminé, ne commandaient plus, n'administraient plus rien. Le résident était là uniquement pour expédier les affaires courantes ; les caïds, qui avaient été pour la plupart dans l'obligation de reconnaître la légitimité de Ben Arafa, ont été renvoyés dans leurs foyers, naturellement. Bref, il n'y avait plus de protectorat ni d'administration locale traditionnelle ou coutumière. L'Armée de libération, quant à elle, se promenait dans le Rif. Le miracle, malgré tout cela, est que le Maroc a tenu. Il n'y a pas eu d'émeutes, de villes incendiées. »

L'urgence, souligne Hassan II, était alors « de mettre sur pied une diplomatie, d'adhérer à la Ligue arabe, et, surtout, de résorber les dix mille hommes de l'Armée de libération ».

Très vite, il laisse voir qu'il a des idées sur tout, et n'hésite pas à les exprimer haut et fort. Déjà, pendant les deux exils – corse et malgache –, le prince héritier, qui venait de terminer ses études de droit, a eu l'occasion de montrer qu'il n'aime pas qu'on lui manque de respect. À la suite d'un incident qui l'oppose à Antsirabé (Madagascar) à un commissaire de police français du nom de Bœuf *(sic)*, il envoie la lettre suivante au Dr François Cléret, médecin de son père :

« Antsirabé, le 21 octobre 1954. – Cher docteur et ami, vous avez été le témoin de l'incident qui est survenu entre Bœuf et moi. Je ne sais si vous avez saisi la portée de la phrase qu'il a prononcée : "Sa Majesté ou pas Sa Majesté, je m'en fous !" Un tel incident est quotidien, et le commissaire n'a pas hésité à déverser sur moi ses incorrections, même devant vous. J'attendais de vous que, pour votre Auguste Ami, vous refusiez de prendre la même voiture que celui qui Nous a offensé. Tant pis ! Quoi qu'il en soit, je compte sur vous pour que de telles vexations ne se reproduisent plus. Sa Majesté, à qui j'ai rapporté le fait, en a énormément souffert, et cette dernière blessure n'est point faite pour la ramener à mieux juger vos compatriotes. Mes sincères amitiés. Hassan Ben Mohammed[1]. »

---

1. François Cléret, médecin militaire détaché auprès du sultan, a transmis la lettre au Quai d'Orsay qui l'a conservée dans ses archives, novembre 1954.

De retour au pays, le jeune homme poursuit son apprentissage. Il voyage beaucoup. En juin 1956, il est au Caire. « Il ne m'a pas caché que l'Égypte et ses dirigeants n'avaient pas fait la meilleure impression sur lui », note l'ambassadeur de France dans la capitale égyptienne, Armand du Chayla, qui se félicite en revanche que le prince « ait fait preuve à notre égard d'une amabilité marquée »[1].

Les fortes réserves du fils aîné de Mohammed V disparaissent totalement trois mois plus tard, au moment où il reçoit à Rabat Mahmoud al-Saadani, envoyé spécial du quotidien cairote *Al-Goumhouriya*, auquel il confie avoir gardé une impression « inoubliable » de son récent séjour en Égypte : « Je n'imaginais pas une Égypte aussi grandiose ! » ajoute-t-il avant de conclure, sentencieux : « La personnalité de votre chef, Gamal Abdel Nasser, m'a profondément ému. C'est un homme qui connaît parfaitement son objectif : ressusciter la gloire arabe et travailler pour la paix. »

De retour du Caire, Moulay Hassan fait escale à Rome pour quelques jours. Le 27 juin, il est invité à participer au palais Farnèse à la distribution des prix du lycée Chateaubriand de la capitale italienne. Il s'en déclare « très heureux ».

L'Égypte continue néanmoins à le préoccuper, et il en parle longuement à André-Louis Dubois, le représentant de la France à Rabat, qui relève : « Les prétentions du président Nasser, posant au leader des peuples arabes, ont agacé sa susceptibilité […]. Il ne dissimule pas les préoccupations que lui cause l'emprise croissante de l'URSS sur ce pays. Le voyage en Égypte semble avoir eu pour effet de le confirmer dans sa conviction que le Maroc n'a pas à recevoir de leçons du Caire et que la vocation de son pays est de représenter la cause de l'Occident au sein du monde arabe. »

Lors de son passage à Rome, précise André-Louis Dubois, Moulay Hassan a été reçu par le pape et a réclamé, dans une interview à une agence italienne, que soit confiée au Maroc la mission de créer un lien entre la civilisation islamique et la religion chrétienne, afin que leur union fasse obstacle au déferlement du matérialisme. Près de trente années plus tard, il sera le premier chef d'État arabe à recevoir la visite d'un pape, Jean-Paul II, auquel il réservera un accueil somptueux.

---

1. Télégramme du 25 juin 1956.

Comme le note Roger Lalouette, chargé d'affaires français, « le rôle politique du Prince s'est considérablement élargi depuis qu'il a pris le poste de chef d'état-major général [...]. Il a les qualités d'un souverain et aussi d'un chef politique », ajoute le diplomate qui se montre résolument optimiste : « Son impatience, son impulsivité, le goût qu'il éprouve pour certains avantages matériels, s'émousseront et s'effaceront, on doit l'espérer, devant le sentiment, que l'on sent croître en lui, de sa responsabilité vis-à-vis de la Couronne et de son pays »[1].

Le 20 août 1956, le prince héritier regrette à Madrid, devant un parterre d'étudiants espagnols, que son « ignorance » de la langue de Cervantès l'empêche, comme il l'aurait voulu, de s'adresser « au peuple espagnol directement pour lui expliquer ce que le Maroc entend par indépendance, souveraineté et unité ».

Un peu après, le 1er avril 1957, constatant que son pays « est confronté à de nombreux problèmes aussi bien sociaux que politiques », il a donné pour la première fois une idée de ce qui pourrait passer pour une ébauche de doctrine sociale : « La doctrine de Marx, qui a pu se répandre grâce à la prédominance du capitalisme en Amérique et en Europe, se limite à quelques points qui nient l'existence de Dieu et réduisent le monde à une simple lutte de classes. C'est ainsi que la personne exploitée parvient à se révolter contre son exploitant et à rejeter tous les principes qu'on lui a inculqués depuis son enfance. Cette philosophie a été mise en application pratique en 1917 en Russie après une révolution politique et sociale ayant permis l'avènement du communisme [...]. Quelle est donc la position du Maroc ? Ou plutôt quelle est la position des Marocains devant les problèmes qui leur sont imposés actuellement ? Le Maroc choisira-t-il le système capitaliste ou le socialisme avec tout ce que ces deux systèmes ont de positif et de négatif, ou bien le Maroc devra-t-il choisir une voie intermédiaire qui lui permettra de sauvegarder les fondements de la société et qui sera adaptée aux exigences des temps modernes[2] ? »

---

1. Télégramme du 10 juillet 1956.
2. Hassan II, « Conférence sur le thème de la conscience sociale », *Discours et Interviews*, *op. cit.*, t. I, p. 146 *sq*.

Conscient du rapport de forces qui prévaut encore au Maroc, Moulay Hassan se garde bien de trancher brutalement et opte pour un capitalisme modéré, adouci par les préceptes de l'islam : « Mon avis personnel, en tant que musulman, est que l'islam comporte tous les principes qui font de l'action sociale un devoir pour tout musulman, mais encore faut-il évoluer dans le cadre du véritable islam, de celui qui s'adapte au contexte, car l'islam est une religion dynamique et non statique, comme nos ennemis veulent bien le faire croire [...]. Nous devons donc considérer l'islam sous un nouvel angle, celui du XXᵉ siècle, et nous y retrouverons tous les principes dont nous avons besoin pour fonder une société qui emprunte au capitalisme ses aspects les plus positifs, sans pour autant se laisser asservir par la monnaie. »

Quant à la philosophie marxiste, il estime qu'il faut seulement lui emprunter « son ambition d'améliorer la condition humaine », et « délaisser ses moyens et ses principes ». En même temps, il ne cache pas sa préoccupation devant l'ampleur de la séduction exercée sur les jeunes Marocains par les idées de Marx et Lénine : « Je suis très frappé, dit-il, du développement de l'idéologie marxiste chez les jeunes gens, surtout parmi les étudiants qui reviennent de Paris[1]. »

Deux mois plus tôt, il avait été encore plus clair. Après avoir réglé son compte à la « neutralité », qui est une « utopie », il avait déclaré : « En aucun cas nous ne devons laisser le communisme s'installer chez nous, car sa doctrine est incompatible avec notre religion islamique[2]. »

Cependant, chez le politicien habile perce déjà le provocateur qui, plus tard, n'hésitera pas à mettre brutalement au pas les grévistes et autres perturbateurs. Dans une conférence donnée en avril 1957 sur « les moyens de résorber le chômage », le prince, après avoir critiqué – première cause du chômage – le comportement de certains Français qui « vivaient comme des rois » avant une indépendance mal assimilée et acceptée, s'en prend à ses compatriotes : « Celui qui parle des autres se doit de dire la vérité sur soi-même. La deuxième cause du chômage concerne notre génération et le comportement des employés vis-à-vis des employeurs. Certains de nos employés n'ont

---

1. Interview au Centre d'informations du Proche-Orient, 27 juin 1957.
2. Le 23 avril 1957 à Tétouan.

pas compris le sens du mot syndicat. Ils pensent que le syndicalisme, c'est dire à l'employeur : "Vous avez un costume en soie que vous portez depuis quatre ans, vous devez me le donner pour que je puisse le porter à mon tour". » Dénonçant « l'utilisation abusive du droit de grève », Moulay Hassan estime en conclusion que les « causes du chômage » tiennent à « la fermeture des usines et des grands magasins [par les propriétaires français], la non-assimilation des droits syndicaux, l'insuffisance des précipitations, le problème algérien [qui a conduit des milliers de Marocains à revenir au Maroc] et l'explosion démographique ».

En ce mois d'avril particulièrement fécond pour lui, le fils aîné du souverain s'invite également à Fès[1] pour parler de « la démocratie ». Rappelant qu'il a fallu plusieurs siècles à la Grande-Bretagne et à la France pour y parvenir, il déclare : « La réalité est que la démocratie est une chose que chacun peut comprendre comme il veut, sauf dans un pays comme le Maroc qui a encore besoin de stabilité pour édifier son indépendance et consolider sa force [...]. La démocratie est une affaire de maturité d'abord, de détermination ensuite... » Admirateur de Siéyès, Moulay Hassan pense que sa théorie de la « démocratie pyramidale », la confiance venant d'en bas et le pouvoir d'en haut, offre « le meilleur système pour l'éducation et l'initiation du peuple à la démocratie, en commençant par les villes et les communes pour aboutir aux petites localités, puis vient le tour des régions et, enfin, celui du pays tout entier ». Il annonce ainsi, dans la foulée, que le Maroc, « avant la fin de 1957 en cours, aura des municipalités élues. Vous pouvez considérer cela comme étant un engagement de ma part, au nom de Sa Majesté. Vous savez fort bien que Sa Majesté ne promet jamais ce qu'elle ne peut réaliser ». Néanmoins prudent, il ajoute : « Le ministre de l'Intérieur, Driss M'hammedi, a reçu les instructions de Sa Majesté à ce sujet, et si cela ne se réalise pas, il en sera le seul responsable »[2].

Dans la même intervention, le prince héritier, de manière prémonitoire, cette fois-ci, affirme que « dans très peu d'années, qui ne

---

1. Le 30 avril 1957.
2. *Discours et Interviews*, op. cit., t. I, p. 171. Rappelons que les premières élections municipales au Maroc n'auront lieu qu'en juin 1960...

devraient pas dépasser le nombre des doigts d'une main, le Maroc disposera d'un Parlement, d'une Constitution et d'une monarchie constitutionnelle[1] ».

Pour Moulay Hassan, il ne peut y avoir de démocratie sans l'existence de partis politiques. Ce thème, récurrent chez le prince, est d'autant plus d'actualité que le parti de l'Istiqlal montre à l'époque de fortes tendances hégémoniques. Curieusement, Moulay Hassan, qui est le témoin, sinon le complice passif, des règlements de comptes qui opposent les partis d'alors, tient des propos sibyllins et s'interroge encore sur les avantages et inconvénients respectifs du parti unique et du multipartisme :

« L'intérêt du Maroc réside dans les partis politiques [...]. Est-il de l'intérêt du Maroc d'avoir un seul ou plusieurs partis qui pourraient se livrer à des luttes intestines qui disperseraient les forces ? [...] Je prie Dieu qu'il n'existe au Maroc qu'un seul parti qui le conduira vers son objectif suprême, celui de la démocratie et de l'intérêt général[2]. »

Un peu plus loin, il précise sa pensée : « Si le multipartisme devait nous conduire aux luttes et à la haine, je prie Dieu de donner au Maroc un parti unique fort dont l'objectif serait la réalisation de la démocratie et la préparation d'une élite pour s'en assurer[3]. »

En réalité, le prince héritier, qui estime que les Marocains ne sont pas encore mûrs pour la démocratie, penche dans un premier temps pour l'existence d'un parti unique de type rigide[4], c'est-à-dire capable de préparer les élites de demain qui feront fonctionner la démocratie, une fois le royaume doté d'une Constitution et d'institutions parlementaires.

Le 27 juin 1957, dans une interview accordée au Centre d'informations du Proche-Orient, Moulay Hassan confirme que les élections municipales auront bien lieu à la fin de l'année, et qu'il « pense aux professeurs Maurice Duverger et André de Laubadaire pour nous

---

1. Le référendum sur la Constitution et les premières élections législatives ont eu effectivement lieu à la fin de 1962 et en 1963.
2. *Discours et Interviews, op. cit.*, p. 169.
3. *Ibid.*, p. 173.
4. Il évoque à cet égard son maître Maurice Duverger, qui différencie « partis souples » et « partis rigides ».

aider dans cette tâche délicate [...]. Que voulez-vous, ajoute-t-il, les arrière-grands-parents de Duverger et Laubadaire avaient déjà une vieille habitude du vote, alors que les Marocains n'ont jamais connu que des élections très locales aux *jema'as* ».

Ainsi, à vingt-sept ans, le futur Hassan II laisse déjà entrevoir une conception très autoritaire du pouvoir. Dans cette même allocution, il rejette comme étant purement théorique la définition de Jean-Jacques Rousseau selon laquelle « la démocratie est le gouvernement du peuple, par le peuple, pour le peuple », pour la remplacer par « le gouvernement du peuple pour le peuple par une élite du peuple[1] ».

Le Ciel est particulièrement généreux, en cette année 1957, pour Moulay Hassan. Le 10 juillet, il est fait prince héritier. Son père y pensait depuis son plus jeune âge. Dans son livre de souvenirs, Stephen Hughes souligne qu' « il est remarquable que ce principe – la primogéniture – ait été adopté sous la houlette du militant de gauche Mehdi Ben Barka, alors président de l'éphémère Assemblée nationale consultative. Celle-ci, en effet, avait adopté une résolution à ce propos à un moment où les relations de Ben Barka avec le jeune prince Hassan étaient plutôt chaleureuses, remontant au temps où il était son professeur de mathématiques. Ben Barka m'avait confié qu'il pensait que la succession par primogéniture "assurerait stabilité et continuité", ce qu'il a peut-être regretté plus tard quand d'ami il est devenu l'ennemi de la monarchie[2] ».

Si l'on en croit Roger Lalouette, cette investiture est loin de susciter la joie des foules qui réservent à son père leur affection : « Parmi les jeunes et dans la foule, l'écho a été faible, et l'enthousiasme tiède. Ces cérémonies officielles coûtent cher alors que le chômage et la misère sévissent. » Le diplomate français est, en fait, plus intéressé par la signification de l'événement : « L'investiture d'hier est une assurance contre les menées de certains éléments qui, comme Ben Barka, ne séparent pas l'avenir du Maroc de l'instauration d'une république »[3].

---

1. *Discours et interviews, op. cit.*, p. 169.
2. Stephen O. Hughes, *Le Maroc de Hassan II, op. cit.*, p. 135.
3. Télégramme du 10 juillet 1957.

Représentée par Eirik Labonne, la France offre un cheval au nouvel héritier[1].

Si l'on en croit les diplomates français, la perception qu'ont à l'époque les Marocains de la famille royale n'a pas grand-chose à voir avec l'actuelle. Autant Mohammed V restera aimé de son peuple jusqu'à sa disparition, autant Moulay Hassan semble, dès les lendemains de l'indépendance, peu apprécié. En novembre 1957, un diplomate français en poste au Vatican relate une confidence d'un collègue arabe qui vient de s'entretenir avec l'ambassadeur du Maroc auprès du Saint-Siège : « Bien que Mohammed V jouisse d'un prestige considérable chez les Marocains, il n'en est pas de même pour Moulay Hassan. L'ambassadeur du Maroc a cité à cette occasion le nom de Mehdi Ben Barka comme éventuel premier président de la République marocaine[2] ! »

Huit mois plus tard, un autre diplomate français écrit : « Si Mohammed V, bien qu'il ait été accueilli avec moins d'enthousiasme qu'en septembre dernier, paraît conserver un grand prestige, le prince Moulay Hassan déplaît franchement : l'irrévérence de la foule a répondu à la désinvolture et à l'arrogance avec lesquelles le Prince héritier a, en diverses occasions, traité les membres du gouvernement, les autorités locales et les invités aux fêtes de son vingt-neuvième anniversaire [...]. La révolution irakienne semble devoir accentuer les tendances antimonarchistes d'une large fraction de l'opinion. Le secrétaire général de la province, M. Bouamrani, dont j'ai signalé à plusieurs reprises les convictions républicaines, s'est dit certain de voir sombrer bientôt la dynastie alaouite. Fanatique du panarabisme, il se réjouit des événements de Bagdad et souhaite le renversement de toutes les monarchies de l'islam[3]. »

---

1. Notons au passage que le déplacement à Rabat du plus aimé des anciens résidents généraux fournit l'occasion à Allal el-Fassi de se montrer, une fois n'est pas coutume, indulgent à l'égard des Français : « Pour être impartial, citons la présence actuelle d'un hôte dont on connaît l'objectivité, la franchise et son inclination pour la solution pacifique des problèmes. »

2. Télégramme de Rome du 18 novembre 1957, Archives du Quai.

3. Télégramme du 17 juillet 1958 de Pierre Bouffanais, ministre plénipotentiaire chargé du consulat général de France à Tanger, à Alexandre Parodi, ambassadeur de France, envoyé spécial de la France au Maroc.

Dans *Le Défi*, publié en 1976 peu après le triomphe de la Marche verte, Hassan II fournit quelques précisions sur les conditions dans lesquelles le Maroc a accédé à l'indépendance. Après avoir rappelé que, pour Mohammed V, « l'indépendance n'était pas une fin, mais un moyen, le moyen de jeter les bases de la nation moderne marocaine », il déplore que le protectorat français ait rendu pratiquement impossible « cette tâche immense et magnifique » à laquelle son père a bien voulu l'associer : « Nous rentrions en effet, dit-il, dans un pays jeune où les protecteurs démocratiques avaient imposé des vieillards, suppôts d'une réaction et d'une féodalité de combat farouchement opposées à tout réformisme en matière religieuse et à toute émancipation de la femme marocaine. Cette docile gérontocratie [...] avait fait de la figuration profitable à son clan, sans se préoccuper de l'avenir du pays[1] ».

Est-ce en raison de cette « impossibilité » que Mohammed V et son fils renoncèrent rapidement à « jeter les bases d'une nation moderne » et décidèrent de s'appuyer notamment sur le monde rural, représenté par les féodaux ? Curieusement, ni dans *Le Défi*, ni dans ses entretiens avec Éric Laurent, une quinzaine d'années plus tard[2], Hassan II ne s'étend sur les années qui ont suivi l'indépendance officielle, si ce n'est pour dire qu'il n'avait jamais « pensé régner » et que sa « seule ambition », compte tenu de la différence d'âge limitée – vingt ans – entre son père et lui, était d'être « un brillant second »[3]. Mauvais souvenir d'une époque où il lui fallait encore composer avec de véritables adversaires politiques ? Souci de ne pas rendre publiques les divergences qui l'opposaient à son père ? Il lui tardait certainement d'assumer pleinement le pouvoir.

Il fournit néanmoins quelques informations. L'Algérie était alors au centre des préoccupations de la famille royale : « La seule chose que nous nous sommes absolument interdite, c'était d'intervenir directement et ouvertement dans les affaires franco-algériennes. Autrement dit, chaque fois que nous pouvions passer des armes en douce, on le faisait. Mais les charger dans un camion, sous le nez des autorités françaises, c'eût été de la provocation. »

---

1. Hassan II, *Le défi, op. cit.*, p. 66.
2. Hassan II, *Mémoires d'un roi, op. cit.*
3. *Ibid.*, p. 25.

À la fin de 1956, le détournement de l'avion de Ben Bella, sur ordre de Max Lejeune, ministre de la Défense, et apparemment à l'insu de Guy Mollet, président du Conseil, donne l'occasion à Hassan II de porter un jugement lapidaire : « En somme, l'équipe de Max Lejeune et les généraux d'Alger ont été les premiers pirates de l'air. Ce sont eux, et non les Palestiniens, qui ont lancé cette pratique odieuse. »

Dans le même ouvrage, Hassan II livre le fond de sa pensée sur la gauche de l'Istiqlal. Il est cependant difficile de dire s'il nourrissait déjà, à l'époque des faits, les mêmes réserves à l'égard de ce courant du Mouvement national que celles qu'il exprime dans ses entretiens avec Éric Laurent. Si tel était néanmoins le cas, de graves conflits s'annonçaient. Selon lui, ce ne sont pas deux forces rivales qui « émergeaient de la lutte pour l'indépendance, mais deux courants. L'un, patient, était représenté par mon Père, qui pensait que le meilleur moyen d'arriver à de bons résultats était de prendre un peu de temps ; l'autre courant était celui de l'impatience, et l'impatience poussée à bout devient de l'agitation ».

Hassan II se plaint ensuite des conditions dans lesquelles se déroulaient les discussions pour la formation des gouvernements successifs. Il affirme en être revenu « quelquefois assez écœuré », et que cela lui « a servi de leçon pour l'avenir ». De ses interlocuteurs il affirme qu'ils avaient « une propension naturelle à conférer des dimensions éléphantesques à des détails microscopiques. Ils voyaient l'accessoire avant l'essentiel. Très vite, le dialogue ne se déroulait plus sur la même longueur d'onde. On ne volait plus à la même altitude. Ce fut le drame du Maroc »[1].

L'affaire Addi Ou Bihi

L'affaire Addi Ou Bihi fournit le premier véritable exemple de l'habileté ou du machiavélisme de la monarchie alaouite dans le combat permanent qu'elle mène, avant et après l'indépendance, pour

---

1. *Ibid.*, p. 48.

empêcher l'Istiqlal et le Mouvement national de s'imposer sur la scène politique marocaine.

Le 17 janvier 1957, après des mois de tension avec le pouvoir central, un vieux chef berbère, caricature de la féodalité locale, mais qui n'en avait pas moins été nommé gouverneur du Tafilalet après l'indépendance, prend les armes contre le gouvernement. Avant d'en arriver à cette extrémité, l'homme, qui n'a pas supporté l'arrivée, quelques mois plus tôt, de l'istiqlalien Driss M'hammedi au poste de ministre de l'Intérieur en remplacement de son ami Lahcen Lyoussi, participe à tous les meetings anti-istiqlaliens dans le Moyen-Atlas, réunions organisées précisément par Lyoussi. Il empêche aussi un certain nombre d'agents d'autorité et de fonctionnaires de remplir leur tâche. Mais, lâché par des troupes excédées par ses méthodes brutales, sa révolte tourne court.

En quarante-huit heures, les Forces armées royales, commandées par Moulay Hassan, mettent fin à la rébellion. Dans les principaux centres du Tafilalet, les Berbères viennent acclamer le prince, qu'accompagnent les ministres de la Défense, Mohammed Zeghari, et de l'Intérieur, M'hammedi, le ministre de l'Information, Ahmed Réda Guédira, ainsi que Lahcen Lyoussi et le directeur général de la Sûreté, Mohammed Laghzaoui.

À Rich, à quelques kilomètres du tristement célèbre bagne de Tazmamart, Hocine Ou Bihi, fils d'Addi, reçoit Moulay Hassan. Les salutations sont très froides, et le prince refuse même la collation qui lui est offerte. À Erfoud, un peu plus au sud, l'héritier du trône est accueilli par deux jeunes filles enveloppées l'une d'un drapeau chérifien, l'autre d'un drapeau algérien. Les rues sont d'ailleurs pavoisées aux couleurs algériennes, de même que la tribune officielle. Il est tard, le prince n'est pas content et décide de reporter au lendemain matin son entrée officielle. Entre-temps, les emblèmes algériens ont disparu[1].

Ainsi le particularisme berbère, bien réel, ne prévaut pas contre le sentiment de fidélité au trône. Moulay Hassan, qui gère toute l'affaire en l'absence de son père, curieusement parti en Italie à la veille du coup de force d'Addi Ou Bihi, se montre habile :

---

1. Éléments d'informations empruntés au télégramme du 13 avril 1957 de Roger Lalouette, chargé d'affaires.

« Nous sommes tous égaux devant Dieu, dit-il à Ksar es-Souk. Seule la différence de foi peut nous rendre inégaux. Il n'y a aucune différence entre Arabes et Berbères unis par la foi en Dieu, en notre pays, en son avenir. Dieu nous a déclarés frères en une même religion et nous n'avons qu'un seul roi, Sa Majesté Mohammed V. »

À Rissani, près du tombeau de son ancêtre Moulay Ali Chérif, il souligne qu'aucun membre de la famille royale ne s'était rendu depuis longtemps dans la région, puis précise : « Vous venez de vivre une crise lourde qui n'a été qu'un faible nuage que vous avez su dissiper grâce à votre sang-froid et à votre loyalisme… »

Ce que, en revanche, le prince, comme les télégrammes de l'ambassade de France, se garde bien d'évoquer publiquement, c'est le rôle joué par Paris dans cette affaire. Des centaines d'armes ont en effet été livrées aux rebelles par l'armée française qui cherchait à couper les nationalistes algériens de leurs bases de repli au Maroc.

C'est surtout la monarchie qui tire le principal bénéfice de toute l'opération. Elle ne manque pas cette magnifique occasion de montrer qu'elle est la seule garante de l'unité nationale.

Au reste, sans même aller jusqu'à accuser le Palais d'avoir inspiré Addi Ou Bihi, on peut se poser un certain nombre de questions comme le fait, par exemple, l'historien Maati Monjib :

« Lyoussi, très proche collaborateur de Mohammed V et ministre-conseiller de la Couronne, pouvait-il, à l'insu de ce dernier, organiser ces rassemblements houleux où la milice d'Addi Ou Bihi tenait lieu de force de l'ordre public[1] ? »

Tout aussi étonnants sont les propos tenus par Hassan II dans *Le Défi* :

« Addi Ou Bihi était un brave et vieux baroudeur, rusé et retors, que les Français avaient arrêté et déporté. Les prétentions et exactions d'une tendance extrémiste de l'Istiqlal l'avaient exaspéré. Il s'était révolté, devait-il m'affirmer, pour que l'autorité royale fût respectée. »

---

1. Maati Monjib, *La Monarchie marocaine et la lutte pour le pouvoir, op. cit.*, p. 103.

VI

Les supplétifs du Palais

Si les principaux animateurs du Mouvement national connaissent des fortunes diverses après l'indépendance, deux hommes qui n'en ont jamais fait partie mais qui, sur le tard, ont opté pour le bon camp vont jouer un rôle essentiel dans le renforcement de la monarchie et l'affaiblissement de l'Istiqlal : Mahjoubi Ahardane et Abdelkrim Khatib, dont la fidélité au trône, qu'ils ont souvent su servir efficacement, ne s'est jamais démentie. En septembre 1957, ils créent ensemble le Mouvement populaire dont ils vont faire un redoutable instrument au service du Palais. Il y aura certes quelques tâtonnements et du tirage avec le pouvoir, mais leur formation est définitivement reconnue en janvier 1959, après toute une série de graves événements qui modifient profondément le paysage politique.

Depuis des mois, la question était sur toutes les lèvres. Le 27 juin 1957, à l'envoyé spécial du Centre d'informations du Proche-Orient qui lui dit : « On parle beaucoup de la création d'un nouveau parti qui serait, dit-on, plus rural que les autres. Cela vous paraît-il souhaitable ? », Moulay Hassan répond : « Je n'en vois pas l'utilité. Pourquoi compliquer le jeu politique marocain ? Le PI, le

PDI et les Indépendants forment un éventail politique correspondant aux réalités actuelles. La formation d'un autre mouvement risquerait d'être artificielle. »

Et pourtant, trois mois plus tard, le 28 septembre, la presse étrangère et les journaux nationaux reçoivent un communiqué annonçant la création d'une nouvelle formation politique marocaine : le Mouvement populaire. Entendant promouvoir « un socialisme islamique », les fondateurs du parti le définissent ainsi :

« C'est le mouvement du paysan et de l'éleveur, mais c'est aussi celui de l'ouvrier et du commerçant. Nous voulons réaliser l'égalité dans toutes les couches de la société, et mettre fin aux graves différences de niveau de vie que nous voyons actuellement. Nous voulons mettre fin à toute féodalité, sous quelque visage qu'elle se présente. Nous porterons en particulier notre effort sur les campagnes qui se trouvent à la base de la production marocaine. Nous voulons que les terres spoliées, aussi bien par des Marocains que par des étrangers au cours de la période révolue, soient redistribuées à qui de droit[1]. »

Sur le plan politique, le Mouvement populaire, qui affirme soutenir la monarchie, souhaite mettre fin au favoritisme, garantir la liberté et la justice aux individus, accorder à la femme la place à laquelle elle a droit, et épurer l'administration. Enfin, en politique étrangère, le nouveau parti se fixe pour objectif premier de « réaliser l'union de l'Afrique du Nord sous l'imamat de Mohammed V […], premier pas vers l'union de tout le continent africain », tout cela passant d'abord naturellement par la libération du peuple algérien.

Mais les bons sentiments des pères fondateurs du Mouvement populaire ne peuvent faire oublier qu'ils sont avant tout connus pour soutenir inconditionnellement le trône, et pour leur hostilité à l'Istiqlal.

Curieux attelage que le couple Ahardane-Khatib ! Le premier, aujourd'hui octogénaire, un peu plus jeune que Mohammed V, un peu plus âgé que Hassan II, est une des figures de la classe politique marocaine dont il n'a guère contribué à rehausser le prestige. Malingre, le visage émacié, le crâne dégarni, la repartie et l'œil vifs,

---

1. Dépêche AFP, 28 septembre 1957.

cet ancien capitaine de l'armée française vaut pourtant sans doute mieux que ce que ses détracteurs disent de lui. Même si son caractère imprévisible, son comportement autoritaire et brouillon, son peu de goût pour l'organisation ont été autant de handicaps pour sa carrière et son parti, il a probablement raison de déplorer qu'on ait fait de lui « un ignare et un sectaire[1] ». L'homme, en effet, a des convictions. Les dérapages racistes d'un certain commandant Defournel et un sentiment patriotique croissant le conduisent à refuser de partir en Indochine, puis à quitter l'armée française. Un séjour antérieur en Algérie l'a également marqué :

« Sur le plan politique, j'ai ouvert les yeux quand j'étais jeune officier indigène. Je me suis rendu à Sétif, dans l'est de l'Algérie, et j'ai découvert le spectacle de paysans misérables. Je me suis dit que si le Maroc devait être comme cela au bout de cent ans, alors non[2] ! »

C'est donc tout naturellement que Mahjoubi Ahardane refuse de suivre le pacha Glaoui après la déposition de Ben Youssef par les Français.

Cependant, il est surtout connu pour être un défenseur acharné des Berbères. Même les plus opposés au régime parmi ces derniers lui reconnaissent un certain courage en ce domaine. Écoutons-le :

« Depuis l'indépendance, je suis inquiet. Je n'ai eu que des problèmes. Perdre notre culture, c'est un véritable drame. L'Istiqlal a joué un grand rôle pour arabiser. Nous sommes chez nous. Moi, je défends le *tamazight* sans jeter l'arabe. Malheureusement, la majorité des gens au pouvoir tournent le dos au pays. Ils ne connaissent pas le monde *amazigh*. En ce qui concerne la langue berbère telle qu'elle est parlée dans les différentes régions, j'essaie de gommer les différences. C'est la même langue avec des prononciations différentes. Il faut que les diverses composantes marocaines se retrouvent, s'acceptent les unes les autres. Une fois, il y a eu un dîner à l'occasion d'une promotion de l'ENA. Hassan II était là. J'étais ministre de la Défense nationale et Mohammed el-Fassi, ministre de l'Éducation

---

1. Entretien avec l'auteur.
2. *Id.*

nationale, a fait un discours dans lequel il a dit qu'il n'y avait pas de civilisation berbère[1].

« Puis, à table, il m' a demandé la *harira*. Je lui ai dit non, et lui ai rappelé ce qu'il venait de dire. On s'est presque battus. El-Fassi m'a alors dit qu'en prison il avait voulu apprendre le berbère et qu'un *fqih* lui avait dit : "Mais pourquoi veux-tu l'apprendre, ça n'est pas une langue ! Dieu a oublié de donner une langue aux Berbères." Hassan II est alors intervenu et a dit : "De quoi parlez-vous ?" El-Fassi s'en est tiré en disant : "Majesté, le berbère est-il oui ou non une langue de culture ?"[2] »

Obsédé par le monde berbère, Ahardane est un peintre de talent qui a exposé un peu partout. Il peint « pour se libérer, se soulager, se délasser, pour reprendre pied, ne plus penser à rien d'autre. Ma hargne, ma rogne, ma colère, mes idées, mes souvenirs passent alors dans le tableau. Je m'en dégage et quand je peins, je n'ai plus envie d'écrire ». Il est également poète à ses heures : « Nous, Berbères, nous parlons par images ! Le dernier des bergers peut enseigner, chez nous ! »

Il y a longtemps, alors qu'il était ministre, il fit un discours resté célèbre sur les lions, ces lions qui ont longtemps peuplé l'Atlas. Il regrettait que « les lions aient tellement vécu avec les moutons qu'ils soient devenus moutons eux-mêmes[3]... ».

Plus discret, moins flamboyant mais tout aussi important, Abdelkrim Khatib, dont la formation, le Parti de la justice et du développement (PJD), fait beaucoup parler de lui depuis les attentats islamistes du 17 mai 2003 – attentats que Khatib et le PJD ont condamnés catégoriquement –, est un personnage de roman. Pratiquement du même âge qu'Ahardane, il est né à El-Jadida dans une famille aisée. D'origine

---

1. Érudit sans doute, Mohammed el-Fassi n'en était pas moins un curieux ministre de l'Éducation nationale. En 1970, voici ce qu'il confie à *Jeune Afrique* (numéro du 3 février) : « Si nous voulons apprendre à nos enfants à parler correctement deux langues, nous ne pourrons y arriver sans augmenter les horaires : quarante heures par semaine. C'est, me paraît-il, le minimum. En effet, je ne crois absolument pas au surmenage. C'est une option importée qui n'a jamais existé chez nous. À la Qaraouiyine, autrefois, les gens travaillaient de l'aube à la nuit tombée. Les étudiants de ma génération ont fait de même. »
2. Entretien avec l'auteur.
3. *Lamalif*, n° 31, juillet-août 1969, p. 53.

algérienne, son père a épousé une fille Guebbas, appartenant à une famille makhzénienne. Mohammed V et Hassan II lui vouaient une affection telle qu'elle fut enterrée dans le caveau de la famille royale. Son épouse, née Boujibar, nièce d'Abdelkrim, lui a permis de bénéficier du soutien politique du Rif, bien qu'il ne soit pas berbère. Né avec une cuillère en or dans la bouche, Khatib est le premier Marocain à avoir obtenu un diplôme de chirurgien en France. Interne des hôpitaux de Paris, il a travaillé plusieurs années à l'hôpital franco-musulman avant de rentrer au Maroc.

C'est en 1952 que débutent ses rapports avec la Résistance : « Je suis toujours resté en contact avec les amis de la Résistance, même si j'ai dû quitter le Maroc et venir en Europe, entre la France et l'Espagne. Des ouvriers émigrés collecteurs me rapportaient les fonds de nos compatriotes établis en Europe. C'est comme cela que j'ai pris, par la suite, mes fonctions à la demande d'Allal el-Fassi[1]. »

Engagé dans la Résistance, il n'adhère cependant pas à l'Istiqlal : « Bien avant le retour de Mohammed V, je me suis interdit de travailler pour un parti politique. Mes amis le savaient très bien ; je leur avais dit que je voulais travailler pour le pays. "C'est tout ce que nous voulons", m'ont-ils dit. Je n'ai donc jamais été membre du parti de l'Istiqlal[2]. »

Khatib justifie a posteriori ses réticences à l'égard du PI : « J'avais des raisons d'être méfiant à l'égard de l'Istiqlal. Après l'exil de Mohammed V, les leaders du PI restés au Maroc étaient contre la lutte armée. C'était des réformateurs et ils ont mis des entraves à l'Armée de libération, sauf Allal el-Fassi qui a accepté dès le début d'appuyer le mouvement de libération avec son cousin Abdelkébir[3]. » En mai 1956, Khatib, présenté alors par l'Istiqlal comme le chef d'état-major de l'Armée de libération du Maroc, explique aux journalistes pourquoi celle-ci n'a pas défilé dans Rabat avec l'armée royale : « Elle n'a pas achevé sa mission, souligne-t-il, et son combat ne se terminera que par l'indépendance complète de l'Afrique du Nord, y compris celle de l'Algérie[4]. »

---

1. Entretien avec l'auteur.
2. Id.
3. Id.
4. Dépêche AFP, 14 mai 1956.

Soumis aux pressions de l'Istiqlal, et notamment d'Allal el-Fassi aux côtés duquel il a assisté au défilé, Khatib entend ménager l'avenir et ne pas prendre de front ses troupes. Mais sa fidélité au trône chérifien est totale. Six semaines plus tôt, le 30 mars, il a d'ailleurs eu l'occasion de l'exprimer une nouvelle fois. Reçu au palais par Mohammed V en compagnie des autres chefs de l'Armée de libération, il a offert à Moulay Hassan une épée et une mitraillette symboliques.

Plus de quarante ans plus tard, Abdelkrim Khatib justifie son revirement auprès de l'auteur de ces lignes par l'assassinat, le 14 juillet 1956, d'Abbas Messaadi :

« Après l'assassinat d'Abbas, il y a eu une révolte dans l'Armée de libération et nous avons pensé avec Mohammed V qu'il valait mieux intégrer tous ces éléments dans l'armée et la police. Pendant six mois, jusqu'à la fin de 1956, je me suis occupé de cette réinsertion. »

Effectivement, fin décembre 1956, une dépêche[1] annonce que le Dr Khatib vient de reprendre son activité de chirurgien à Casablanca et qu'il quittera le 14 janvier le royaume pour Stockholm où, grâce à une bourse, il effectuera dans une clinique de la capitale suédoise un stage de chirurgien pneumo-thoracique. Commentant ce « stage » en Scandinavie, le journal *Le Monde* écrit alors :

« Après un ralliement de ses troupes qui n'alla pas sans difficultés, le docteur Khatib s'installa à Rabat. Son rôle et son influence demeuraient imprécis. Les déclarations qu'il fit à plusieurs journalistes français invités au Maroc lors des trois journées de fête du 16 au 18 novembre donnèrent à penser que l'ancien chef d'une "armée" officiellement disparue ne renonçait pas à une action débordant les préoccupations nationales marocaines. La reprise de son activité professionnelle, son départ pour la Suède paraissent mettre fin à une action politique que ni le Sultan, ni l'Istiqlal ne désiraient sans doute voir se poursuivre, quelle que soit l'estime qu'ils aient eu pour lui en raison de son attachement à sa patrie d'adoption[2]. »

Ses origines algériennes, la difficulté de convaincre des troupes entièrement acquises à la lutte des « frères » algériens de cesser le combat expliquent sans doute qu'Abdelkrim Khatib ait préféré

---

1. Dépêche AFP, 24 décembre 1956.
2. *Le Monde*, 25 décembre 1956.

prendre un peu de champ et se recycler en Suède. L'homme ne s'est jamais livré complètement sur cette période de sa vie. Ses adversaires ou ceux qui ne l'aiment pas y ont vu un nouvel exemple de sa « tartufferie ». Voyons ce qu'en pense Belkassem Belouchi :

« Solennel, grave, l'œil voilé, la voix profonde, quelle tête admirable ! Sa barbe blanche lui donne l'aspect d'un prophète des temps anciens. Ses traits contrastés sont ceux d'un homme qui souffre, et le sourire hésitant qui flotte sur son visage lui donne une expression pathétique d'une humanité bouleversante. Il est un acteur tout droit sorti d'un drame shakespearien ! Mais drame déguisé en magouilles politiques ! Il ne dit pas ce qu'il pense et ne fait pas ce qu'il dit. Grand amateur d'intrigues, à son intelligence aiguë s'allie toujours je ne sais quelle magouille qui obérait son action. Personnage enveloppé de mystères et d'une réputation de grand résistant, médecin vivant toute sa vie de la médecine sans l'exercer[1], il a vogué à droite et à gauche, parfois il s'est même retrouvé embarqué dans deux partis en même temps [...], mais ce résistant monarchiste aime le roi avec un sens du devoir sans faille, ce qui lui permet de le servir sans états d'âme. Il n'a aucune idéologie, aucune conviction politique Mais la politique avec des pirouettes et la liberté qu'elle lui offre lui conviennent parfaitement[2]... »

Voilà donc les deux hommes qui ont longtemps symbolisé le Mouvement populaire. Il faut croire que les privilèges limités qu'ils avaient acquis du temps du Protectorat – un commandement militaire et un poste de caïd pour l'un, un cabinet de chirurgien pour le second – leur avaient surtout permis de mesurer la vanité de leurs espoirs d'intégration, car ils se dressèrent ensuite avec violence, « mais non peut-être sans un certain déchirement, contre la domination française[3] ». L'épouse d'Ahardane est française, et Khatib, dont les enfants sont bilingues et n'ont rien d'islamiste – l'une de ses filles a même été au Parti communiste –, se fait suivre sur le plan médical à Paris.

---

1. Ce qui semble faux, A. Khatib ayant affirmé à l'auteur que ses dernières interventions chirurgicales remontaient à 1999.

2. Belkassem Belouchi, « Abdelkrim Khatib, le Tartuffe de la politique », *Portraits d'hommes politiques du Maroc, op. cit.*, p. 108.

3. *Maghreb-Machrek*, janvier-février 1967, p. 17.

Si leur fidélité à la monarchie et à Mohammed V les rapproche un moment de l'Istiqlal, un peu comme leur ami Si Bekkaï, le premier chef de gouvernement du Maroc indépendant, les hostilités reprennent vite. Les caciques de l'Istiqlal ne cessent de leur reprocher d'avoir pris en marche le train du nationalisme, et d'avoir trop long-temps collaboré avec le Protectorat. Plus grave, ils estiment que, par leur comportement de 1953 à 1955, ils ont placé en position de faiblesse les négociateurs du parti à Aix-les-Bains :

« Le coup de filet qui s'abattit en 1952 sur les nationalistes ne toucha ni le Dr Khatib, ni Ahardane, qui purent ainsi déployer leur activité dans l'organisation de la lutte armée en milieu rural. Celle-ci influença le déroulement des négociations d'Aix-les-Bains : en refusant de déposer les armes, le Dr Khatib et Mahjoubi Ahardane faisaient du retour de Mohammed V un préalable nécessaire et enlevaient à l'Istiqlal la possibilité de négocier l'indépendance en sacrifiant la monarchie[1]. »

Mais, surtout, les uns et les autres n'ont pas du tout la même vision de l'avenir. Khatib et Ahardane sont totalement opposés à l'idée de parti unique et n'acceptent pas que l'Istiqlal monopolise l'héritage de la Résistance. Avant même d'avoir reçu le « feu vert » du pouvoir, le Mouvement populaire se plaît à rappeler dans ses communiqués qu'il « comprend dans son sein la grande majorité des membres de la Résistance et de l'Armée de libération[2] ». Ce qui est pour le moins excessif...

Le Rif à feu et à sang

Les deux hommes, qui, du fait de leurs origines ou de leurs liens familiaux, entretiennent d'excellentes relations avec les chefs rifains, vont exploiter le profond mécontentement de cette population si fière de ses traditions et de son passé récent, quand, sous la conduite d'Abdelkrim, ils étaient les seuls à lutter les armes à la main contre le Protectorat.

---

1. *Ibid.*
2. Par exemple, communiqué du 24 avril 1958 rapporté par l'AFP.

Or, depuis l'indépendance, le pouvoir central a multiplié les maladresses dans cette région. Bon nombre de ses représentants ne parlent pas un seul mot de berbère, leur attitude est souvent arrogante. Certains sont corrompus. Le retrait de la peseta espagnole nuit à la contrebande, véritable « poumon » dans cette région misérable. Et, comme si tout cela ne suffisait pas, l'administration marocaine s'attaque aux trafiquants de kif et réglemente vigoureusement l'activité pastorale !

La guerre, qui empêche les saisonniers rifains d'aller travailler chaque année dans les exploitations françaises d'Algérie, prive en outre le Rif de revenus importants. Maati Monjib[1] évoque aussi la fin de la guerre d'Indochine et la dissolution des « goums » marocains, qui « portent un coup dur à la population berbère en général. À eux seuls, dit-il, les Beni Ourain ont fourni pendant trente ans les effectifs de deux ou trois régiments de plusieurs goums. Les mandats se seraient élevés parfois jusqu'au montant d'un milliard d'anciens francs par mois ».

C'est dans ce climat particulièrement tendu que Khatib et Ahardane font exhumer le corps de leur camarade de l'Armée de libération Abbas Messaadi, assassiné deux ans plus tôt. Ils veulent inhumer ses restes en terre rifaine. Ce qui est fait à Ajdir. Une violente manifestation anti-istiqlalienne accompagne la cérémonie. Les deux chefs du Mouvement populaire, toujours non autorisé, sont arrêtés et emprisonnés, le 3 octobre 1958, à la prison d'Aïn Qaddous.

Des chefs rifains prennent le maquis, les attentats contre des membres de l'Istiqlal se multiplient. Certains milieux extrémistes français jettent de l'huile sur le feu : « Ainsi, écrit Monjib, comme il y a deux ans [la révolte d'Addi Ou Bihi], une sorte d'alliance voit le jour entre les milieux colonialistes français et les forces conservatrices marocaines. Leur objectif est le même : écarter les nationalistes du pouvoir et les remplacer par un gouvernement fantoche… »

Même si les preuves manquent pour accuser le Palais d'être derrière l'insurrection anti-istiqlalienne, c'est évidemment lui qui tire avantage de ces sanglants événements.

---

1. Les quelques pages qu'il consacre aux événements du Rif constituent un excellent résumé de cette période. Voir Maati Monjib, *La Monarchie marocaine et la lutte pour le pouvoir*, *op. cit.*, p. 127 *sq.*

Au début de l'année 1959, Moulay Hassan décide néanmoins de mettre un terme à la rébellion du Rif. Avec férocité. Les monarchistes en profitent pour rejeter sur l'Istiqlal, ses imprudences et ses fautes, la responsabilité de ces graves événements qui laisseront de profondes séquelles dans la mémoire des Rifains.

Certes, l'Istiqlal sort affaibli de l'épreuve, mais la monarchie, si elle peut une nouvelle fois se présenter comme l'ultime recours, n'en sort pas non plus indemne. Les Rifains n'ont jamais oublié les milliers de morts de cette époque. « Dans les Béni Ouriaghel, 1959 sera une année que l'on n'oubliera pas », déclare Moulay Hassan à des journalistes français[1]. La haine des Rifains à l'égard de Hassan II ne sera pas étrangère aux deux coups d'État manqués de 1972 et 1973.

Interrogé quarante ans plus tard sur cette terrible répression, Mahjoubi Ahardane n'est pas très loquace :

« Les événements du Rif sont nés naturellement du mécontentement populaire. Le parti de l'Istiqlal abusait tellement que les gens ont évidemment réagi. Malheureusement, il y a des gens qui ont essayé d'exploiter la révolte, et cela a évidemment mal tourné [...]. On ne peut pas parler de répression. Il fallait absolument rétablir l'ordre[2]... »

On peut comprendre le « profil bas » de l'ex-capitaine de l'armée française, partagé entre ses amitiés berbères et son loyalisme vis-à-vis de la Couronne. Celle-ci se montre particulièrement indulgente à l'égard des deux rebelles, qui sont remis en liberté provisoire après cinquante-huit jours d'un emprisonnement peu rigoureux.

Presque aussitôt, Ahardane et Khatib donnent une conférence de presse à Rabat en présence de leur ami et complice Si Bekkaï. Au cours de cette intervention, qui coïncide avec la chute du gouvernement Balafrej, le 3 décembre, les deux compères, qui n'ont rien perdu de leur agressivité, abordent la situation générale. Ahardane, qui s'exprime en français, déclare : « Le Maroc est indépendant depuis trois ans et le mécontentement est général dans le pays. C'est l'heure de la vérité. Sa Majesté est maîtresse de la situation. Elle doit prendre la situation du pays en mains et dire la vérité au peuple. » Puis il

---

1. Cité *ibid.*, p. 132.
2. Entretien avec l'auteur.

ajoute : « Nous [le Mouvement populaire] ne voulons pas gouverner le pays. Nous voulons seulement qu'il vive librement. Nous ne sommes pas des féodaux. »

Questionné sur les événements du Rif – les Forces armées royales et Moulay Hassan n'ont pas encore entamé les opérations de répression à grande échelle –, il répond :

« Si nous sommes indépendants, c'est grâce au Rif, car c'est de là qu'est partie l'Armée de libération. Le Rif ne comprend pas pourquoi aujourd'hui il n'a pas de représentants au gouvernement [...]. Nous avons été injustes envers le Rif. Le Rifain, qui ne défend que ses droits, ne comprend pas pourquoi le gouverneur le renvoie, le caïd le pressure, le juge le condamne et le gouvernement ne le reçoit même pas quand il vient se plaindre à Rabat[1]. »

Huit semaines plus tard, alors que le futur Hassan II, aux côtés duquel se trouve le colonel Oufkir, poursuit de manière implacable le nettoyage des zones du Rif en rébellion, Mahjoubi Ahardane annonce, au nom du comité directeur du Mouvement populaire, l'ouverture du siège central du parti à Rabat et la prochaine ouverture de bureaux dans tout le pays. Reconnaissance pour services rendus…

Analysant quelques années plus tard l'évolution du parti, la revue *Maghreb-Machrek* retient de cette période que « leur fidélité au Trône les [Ahardane et Khatib] conduit à participer à des actions qu'ils mènent d'ailleurs à la limite de la légalité, en sachant que la désapprobation officielle du souverain n'aura d'égale que sa satisfaction profonde[2] ».

1. Dépêche AFP, 4 décembre 1958.
2. *Maghreb-Machrek*, janvier-février 1967, p. 17.

VII

Le gouvernement Balafrej

Le 12 mai 1958, Mohammed V charge Ahmed Balafrej de constituer le troisième gouvernement marocain après la démission du second gouvernement Bekkaï. Depuis plusieurs mois, en effet, le climat général, interne et international, est plus favorable à l'Istiqlal. Le rôle joué par Balafrej, secrétaire général du PI, dans la restitution par l'Espagne de Tarfaya, au sud du pays, l'arrivée de personnalités mauritaniennes favorables à l'intégration de leur vaste territoire au Maroc, le départ d'unités françaises constituent autant de succès diplomatiques pour les dirigeants de l'Istiqlal.

Simultanément ou presque, la direction de l'Istiqlal parvient à imposer au souverain la création d'une commission d'enquête destinée à prononcer des sanctions à l'égard des Marocains « ayant, sciemment et délibérément, du 24 décembre 1950 au 16 novembre 1955, soit pris une part déterminante dans la préparation, l'exécution ou la consolidation du coup de force du 20 août 1953, soit commis des actes de violence contre la population ou les résistants[1] ».

---

1. *Dahir*, 27 mars 1958.

L'histoire de cette commission est d'ailleurs symptomatique des pratiques politiques qui vont petit à petit se développer dans le royaume. Elle vaut donc un petit détour.

Mohammed V, qui, pour ne pas s'aliéner sa clientèle traditionnelle, refusait depuis deux ans la création d'une telle commission, commence par désigner cinq membres, tous connus pour leur attachement à sa personne : il s'agit de Moukhtar Soussi, M'hammed Bahnini, Bachir Ben Abbas, Abdellatif Benjelloun et Abdellatif Filali. Les patriotes sont néanmoins satisfaits, car elle répond à leurs vœux. Ils ne comprenaient pas comment tant d'hommes ayant servi le colonialisme français pouvaient en effet continuer à vivre sans être inquiétés outre mesure.

Un certain nombre de Marocains réfugiés en France sont convoqués par la commission d'enquête, mais Paris fait savoir que le gouvernement français, soucieux de défendre ses « amis », n'entend pas répondre à la demande du ministère marocain des Affaires étrangères, et met même ce dernier en garde « contre les risques encourus[1] ».

Le 16 août 1958, la liste des jugements est rendue. Neuf personnes[2] sont condamnées à « la dégradation nationale, entraînant la privation de tous leurs droits civiques et civils pour une durée maximale de quinze ans » ; elles sont aussi condamnées à « la confiscation totale de leurs biens ».

Cent quatre-vingt-deux personnes au total sont condamnées, dont quarante-quatre par défaut. Le plus connu des condamnés, Thami el-Glaoui, ex-pacha de Marrakech, décédé juste après l'indépendance, aura échappé à l'humiliation…

Le Palais, qui, *via* le prince héritier, avait déjà eu l'occasion d'avertir les officiers des Forces armées royales qu'ils étaient, en tant que fils de « féodaux collaborateurs », les véritables cibles de cette commission exigée par l'Istiqlal[3], montre l'année suivante qu'il

---

1. Télégramme du Quai à l'ambassade en date du 26 juin 1958.
2. Thami el-Mokri, ex-délégué aux Finances ; Raho Bougrine el-Ayachi, ex-caïd à Fès ; el-Mokhtar Ben Hazou, ex-pacha de Meknès ; Larbi Ben Abdesslam el-Yazghi, ex-caïd des Béni-Yazghi à el-Mendzel ; Kaddour Ben Hamid el-Bazari, ex-caïd des Oulad Alianes à Tissa ; el-Kbir Ben el-Bsir, ex-caïd des Oulad el-Bhar à Khourigba ; Mohammed Ould Amahroq, ex-caïd de Khenifra ; Ben Addi Ould Moha Ou Hammou, ex-caïd des Aït Bou Haddou à Khenifra ; et Mohammed Chmaou, ex-directeur du journal *El-Widad* à Salé.
3. Voir Maati Monjib, *La Monarchie marocaine et la lutte pour le pouvoir, op. cit.*, p. 110.

n'oublie jamais ses amis. Treize mois plus tard, un *dahir* en date du 25 septembre 1959 ramène de fait à un peu plus de cent – sur cent quatre-vingt-deux – le nombre des personnalités marocaines condamnées en août 1958 à la confiscation totale ou partielle de leurs biens, et qui tombent effectivement sous le coup de ces décisions.

Hormis ses proches, qui se taisent comme à l'habitude, l'indulgence du monarque irrite beaucoup de monde. Elle provoque de vives réactions parmi les « collabos » – pudiquement appelés « réfugiés politiques » par Paris – marocains ayant exercé de hautes fonctions au temps du Protectorat et qui se sont établis en France. Non pas, bien entendu, parce qu'ils estiment que rien ne justifie une telle clémence, mais tout simplement parce qu'eux-mêmes n'en bénéficient pas…

Une lettre d'un haut fonctionnaire du ministère français des Affaires étrangères relève que ces « réfugiés » « remarquent qu'une vingtaine de hauts personnages, parmi les plus compromis, ont été omis ou plus vraisemblablement blanchis par l'effet d'un "pardon impérial" qu'ils estiment chèrement acheté, car les heureux exonérés étaient richement nantis : des Glaoua, des Mokara, des Naciri sont cités parmi les principaux bénéficiaires. À beaucoup de ces personnalités la liste des personnes condamnées apporte la consternation. À certaines autres, une raison d'espérer que la nasse, après avoir laissé s'échapper les plus importants, s'ouvrirait aussi un jour pour les petits[1] ».

L'Istiqlal, qui n'affiche plus la superbe qu'il montrait un an et demi plus tôt, puisqu'il traverse la crise la plus grave de son histoire, avale cette nouvelle couleuvre. La France, elle, se réjouit de voir le Palais « tourner la page[2] ».

Les dirigeants de l'Istiqlal ont d'autres motifs de vouloir constituer un gouvernement homogène. Bien qu'ils aient réussi à placer nombre de leurs partisans dans l'administration, ils s'inquiètent de plus en plus du poids croissant de la monarchie qui, avec l'aide de ses inconditionnels et de tous ceux qu'indispose la puissance du parti,

---

1. Lettre de M. de Basdevant, de la direction générale des Affaires marocaines et tunisiennes, à Alexandre Parodi, ambassadeur de France à Rabat.
2. Télégramme du Quai, 15 octobre 1959.

non seulement réussit à dresser une partie de la population contre lui, mais, surtout, multiplie les obstacles à son développement. La bataille de l'appareil sécuritaire – armée, police, « services » – est d'ores et déjà mal engagée, du fait notamment de l'attitude ambiguë de certains membres de l'Istiqlal.

« Indépendant », Si Bekkaï, Premier ministre sortant et fidèle entre les fidèles, est l'un des meilleurs exécutants de cette politique qui cherche à diviser pour régner. À la mi-avril, il met le feu aux poudres en exprimant sa solidarité avec le Mouvement populaire, dont il vient de recevoir les deux chefs, Ahardane et Khatib, au sein d'une délégation de responsables politiques tous hostiles au PI[1]. Pour les ministres istiqlaliens, haïs par les notables ruraux du MP, il s'agit-là d'un véritable *casus belli*. Le 15 avril 1958, ils présentent tous leur démission. Si Bekkaï, le lendemain, reconnaît d'ailleurs ses torts :

« Je me suis rangé aux côtés de personnalités politiques militantes. Ce faisant, j'ai renoncé moi-même à ma qualité d'indépendant sans parti. Je ne pouvais pas, dès lors, rester à la tête du gouvernement [...]. J'ai quitté le gouvernement afin d'être libre et de mieux défendre les libertés publiques et la démocratie, avec tous ceux qui en sont avides dans ce pays[2]. »

Reçu par Mohammed V, Mehdi Ben Barka souligne la nécessité de constituer « une équipe ministérielle cohérente, compétente, capable d'assumer ses responsabilités et d'appliquer des choix politiques ».

Tandis que Ben Barka réclame des élections, l'ensemble de l'opposition à l'Istiqlal, reçue elle aussi par Mohammed V, se prononce contre « l'organisation d'élections dans des délais rapprochés, en l'absence de garanties réelles pour l'exercice des libertés[3] ».

De son côté, Mohammed Hassan el-Ouazzani, sortant du palais quelques jours plus tard, indique sa préférence pour un gouvernement d'union nationale : « L'échec du gouvernement précédent, qui était pratiquement homogène, a été celui de l'homogénéité. Il faut donc s'orienter vers une autre formule[4]. »

---

1. Le PDI et les libéraux indépendants en sont également.
2. Déclaration à la presse, citée par *Le Monde*, 18 avril 1956.
3. *Ibid.*, 19 avril 1956.
4. *Ibid.*, 24 avril 1956.

Le parti de l'Istiqlal n'a donc plus qu'à réitérer sa demande de constitution d'un gouvernement fort et homogène, fondé sur des réformes constitutionnelles et politiques et destiné à sortir le pays de l'impasse.

Tandis que les discussions se poursuivent entre le roi et les partis pour former le nouveau gouvernement, la Commission politique de l'Istiqlal, qui regroupe les membres du Comité exécutif, les dirigeants de l'Union marocaine du travail (UMT), de la Résistance, ainsi que les ministres du parti, publie un communiqué dans lequel celui-ci se dit prêt à former le gouvernement à condition qu'il soit homogène et responsable. Mécontent de cette démarche, Mohammed V, qui estime que l'Istiqlal marche sur ses plates-bandes, souligne, dans une « proclamation » radiodiffusée, le 8 mai, qu'il détient les pouvoirs législatif et exécutif aussi longtemps que le pays n'a pas de Constitution et que des élections n'ont pas eu lieu. Pour le souverain, garant de la souveraineté nationale, les ministres doivent donc être responsables devant lui. Vis-à-vis de ses sujets qui pourraient s'impatienter devant l'absence d'élections et de Parlement, le roi, paternaliste, gagne encore du temps : « Il vous appartient, dit-il en conclusion, de mériter notre confiance, de faire preuve de maturité politique, de civisme et de sens pratique. »

Pour que tout soit clair, Mohammed V promulgue un pacte royal dans lequel il s'engage à instaurer une monarchie constitutionnelle basée sur un système démocratique inspiré des valeurs de l'islam.

Ainsi, après trois bonnes semaines de discussions, un compromis est trouvé entre le Palais et un parti de l'Istiqlal déjà divisé entre les partisans résolus d'un gouvernement « homogène » à défaut d'être « responsable » et ceux qui n'en font pas une affaire d'État. Mohammed V exprime sa volonté de désigner trois ministres : l'Intérieur, les PTT et la Santé. Mais il assure qu'il s'agira de proches du parti et qu'il demandera l'accord de Balafrej. Cette concession de trop – une de plus, puisque Chiguer, comme son prédécesseur à l'Intérieur M'hammedi, est un inconditionnel du roi dont il était jusqu'ici le directeur de cabinet – pèsera lourd dans la crise de l'Istiqlal qui se profile.

En revanche, peu soucieux d'assumer seul une situation économique désastreuse, le souverain partage largement le fardeau avec l'Istiqlal, Abderrahim Bouabid devenant vice-président du Conseil, ministre de l'Économie nationale et de l'Agriculture.

Mohammed V s'engage également à adhérer au programme élaboré par la commission politique du PI qui accorde de larges pouvoirs au gouvernement. On voit donc que si la Sûreté nationale, qui dépendait du Palais, passe sous l'autorité du ministre de l'Intérieur, il s'agit d'une concession de pure forme. Quant au budget des Forces armées royales (FAR), il relève désormais de la responsabilité du gouvernement et non plus du prince héritier, Moulay Hassan. Mais le nouveau titulaire de la Défense, Ahmed Lyazidi, est lui aussi un proche de Mohammed V.

Le 7 mai 1958, après un long débat au sein de la Commission politique, Allal el-Fassi propose de voter sur la participation ou non de l'Istiqlal au prochain gouvernement. Une large majorité se prononce en faveur de la participation.

Balafrej forme donc un gouvernement abusivement appelé « homogène » : si l'Istiqlal est le seul parti politique représenté dans le cabinet, celui-ci compte aussi quelques « indépendants » totalement… dépendants du Palais !

Pour Kasem Zhiri, la réunion du 7 mai est très importante, car c'est là, selon lui, que « les problèmes ont commencé ». À l'exception de Ben Barka, en déplacement à Tunis, tous les ténors étaient présents. Selon Zhiri, Mahjoub Benseddik, Abdallah Ibrahim et le *fqih* Basri estiment que la Commission politique, en préconisant un gouvernement homogène, n'a pas pris en compte les exigences de Mohammed V concernant les trois portefeuilles de l'Intérieur, de la Santé et des Postes, et qu'il faut donc rediscuter. Pour Abdallah Ibrahim comme pour ses deux camarades, le parti de l'Istiqlal ne peut « vaincre les difficultés et réaliser ses objectifs » en « prenant la responsabilité de laisser l'Intérieur au roi. Il ne pourra appliquer son plan sans contrôler l'Intérieur »[1]. Autrement dit, la Commission politique doit faire part de sa confiance au roi et de son soutien au gouvernement, mais le parti ne doit pas participer au gouvernement. Toujours selon Zhiri, Allal el-Fassi trouve cette attitude très embarrassante pour le monarque, et craint qu'elle ne provoque, entre le Palais et le parti, une crise aux conséquences imprévisibles. Le *zaïm*

---

1. Kasem Zhiri, décédé en mai 2004. Son livre, *Azmat ba'ad oukhra*, (Une crise après l'autre, Casablanca, 2000) constitue un témoignage précieux sur cette période.

propose donc d'accepter les trois ministres choisis par le roi, d'autant plus que deux sont membres du parti et le troisième sympathisant. Puis Allal el-Fassi propose de passer au vote ; 14 voix sur 19 se rangent à son avis.

À partir du 7 mai, raconte Zhiri, Abdallah Ibrahim, Mahjoub Benseddik et le *fqih* Basri ne participent plus aux réunions de la Commission politique. Toutes les tentatives pour les faire changer d'avis échouent, le Palais faisant « beaucoup d'efforts pour convaincre Ibrahim de reprendre les Affaires sociales ». La crise est ouverte et les « frères insatisfaits » ne laissent aucun répit au nouveau gouvernement. Très rapidement, ils s'opposent violemment à Balafrej et à son équipe, notamment par des articles publiés dans *At-Tali'a*, la revue de l'UMT.

Ainsi, le nouveau Premier ministre déchante vite et son succès ressemble à une victoire à la Pyrrhus, car les dés sont pipés dès le départ. Outre les critiques qu'il essuie de l'aile gauche du parti, emmenée par Abdallah Ibrahim et les syndicalistes, on le rendra plus tard injustement responsable des troubles du Rif. Affaibli, Balafrej suggère vainement à Abdallah Ibrahim de convier la puissante UMT (Union marocaine du travail) à participer au gouvernement. Ibrahim exige avant toute chose un congrès dont Balafrej serait bien incapable de maîtriser le sens et l'issue.

Ancien militant d'extrême gauche, très actif aujourd'hui dans le mouvement associatif, Anis Balafrej, le fils d'Ahmed, s'interroge encore, trente-trois ans plus tard, sur le comportement d'Abdallah Ibrahim qui devait rapidement succéder à son père. Après s'être vainement opposé, avec ses amis syndicalistes, à la formation d'un cabinet « homogène » istiqlalien, Ibrahim n'a en effet cessé de critiquer violemment le gouvernement de Balafrej, bien que celui-ci fît partie de la même formation :

« Il semble bien qu'Abdallah Ibrahim et ses amis cultivaient des motifs non avouables derrière leur opposition à la formation du nouveau gouvernement. En adoptant une phraséologie "maximaliste" envers Mohammed V et en poussant le parti de l'Istiqlal dans l'opposition, Ibrahim voulait engager le Comité exécutif dans une épreuve de force avec le Palais et se positionner ainsi comme le véritable arbitre du jeu, en attendant le congrès. Ayant échoué, poursuit Anis Balafrej, Abdallah Ibrahim, Benseddik et le *fqih* Basri, isolés, se retirèrent de la Commission politique. Leur objectif était désormais la chute du gouvernement. Ce qu'ils vont s'employer à faire en actionnant leurs réseaux dans la presse, le syndicat et le parti. Grèves, manifestations, campagnes de presse, insultes et diffamation visant Balafrej, tous les moyens furent mis en action pour précipiter la chute du gouvernement. Devant la montée des périls – soulèvement du Rif, agitation des caïds autour du Mouvement populaire –, mon père proposa, en septembre 1958, à Abdallah Ibrahim une trêve et la tenue du congrès du parti[1]. »

Pourtant, aux yeux d'Anis Balafrej, ce gouvernement si décrié « eut à son actif plusieurs réformes importantes, dont la loi sur les libertés publiques, le Code de la presse, le Code du statut personnel, la confiscation des biens des collaborateurs du Protectorat, l'extension de l'enseignement, la Charte de l'investissement [...]. Hélas, déplore-t-il, le soulèvement du Rif, préparé par l'appareil makhzénien, la sédition d'une frange du parti, accompagnée de la démission de Bouabid, eurent raison du gouvernement Balafrej. Celui-ci démissionna pour tenter d'enrayer les manœuvres scissionnistes[2]. »

L'échec de son père à la tête d'un des gouvernements les plus courts de l'histoire du Maroc, puis sa sortie manquée, lors du congrès de l'Istiqlal « maintenu » en 1960, n'ont pas seulement touché son fils Anis, mais l'ont incité à réfléchir sur les raisons de ces revers qui devaient l'éloigner de la politique politicienne.

Évoquant la personnalité d'Ahmed Balafrej au moment de son investiture, Jean Lacouture écrit : « [Le Maroc] est aussi une nation fière de ses villes où s'est affinée une société cérémonieuse, une bourgeoisie marchande, habile en son métier et se targuant d'origines anciennes. Il s'y est formé un certain type d'hommes dignes, un peu compassés, avares de leurs propos, fiers d'une double culture arabe et française [...], un type d'hommes qui maintiennent des traditions en assimilant patiemment les acquisitions du monde nouveau. Tel est Haj Ahmed Balafrej[3]. »

---

1. Entretien avec l'auteur.
2. *Id.*
3. Jean et Simone Lacouture, *Cinq hommes et la France, op. cit.*, p. 260.

Lui faisant quelque peu écho, Abdelhadi Boutaleb écrit de son côté : « Balafrej a rejoint le premier cabinet Bekkaï après l'indépendance, quand la France a accepté qu'il y ait un ministère des Affaires étrangères. Il tenait à appliquer la diplomatie du XIXᵉ siècle et du début du XXᵉ. En d'autres termes, il utilisait le style élégant et parfois enrobé et implicite pour atteindre son objectif. Il était très attaché aux cérémonies protocolaires et peu friand des déclarations. Il ne ressemblait pas aux autres ministres que nous avons connus dans d'autres pays arabes et qui, pour un oui ou pour un non, accouraient aux stations de radio pour faire des déclarations […]. Balafrej était secrétaire général de l'Istiqlal, et, arrivé au gouvernement au printemps 1956, il n'a pas caché son souhait de le voir se transformer en un gouvernement homogène où le pouvoir serait entre les mains du seul PI. Ainsi, dès les premières semaines, il a entrepris de talonner le roi Mohammed V pour changer le gouvernement. D'ailleurs, il ne semblait pas bien à l'aise avec les autres membres de l'équipe. Quand il a atteint le sommet de la hiérarchie ministérielle en devenant représentant personnel du roi Hassan II, il a cessé d'être homme de parti pour devenir celui du Palais[1]. »

Les rapports de Balafrej avec la monarchie ont fait l'objet d'innombrables interprétations. Ses relations privilégiées avec Mohammed V, puis avec Hassan II dont il fut le ministre des Affaires étrangères ou l'homme de confiance pour des missions délicates, ont pu faire croire qu'il était un inconditionnel du Palais. En réalité, les choses sont beaucoup plus complexes. Écoutons son fils :

« Mon père, comme la plupart des fondateurs du mouvement nationaliste de la fin des années vingt, n'était pas un monarchiste convaincu, mais un monarchiste par intérêt. Dans sa prime jeunesse, il n'était pas monarchiste du tout. Il était pour Abdelkrim el-Khattabi. Rappelons le contexte : une course entre la France et les jeunes nationalistes allait avoir pour enjeu le ralliement du jeune sultan. Les nationalistes étaient alors traités par la France de nihilistes, d'exaltés qui voulaient renverser le sultan pour prendre sa place. Le jeune mouvement national prit donc l'option de rallier Mohammed V à la cause de l'indépendance pour légitimer son combat. Le couronnement de

---

1. A. Boutaleb, *Un demi-siècle dans les arcanes de la politique, op. cit.*

cette stratégie, poursuit Anis Balafrej, aura été marqué par deux événements majeurs : le manifeste de l'indépendance de janvier 1944 et le refus de Mohammed V de signer les *dahirs* [décrets] proposés par le général Juin en 1953, ce qui lui valut la déportation. Dans un cas comme dans l'autre, le travail des dirigeants nationalistes – et en particulier celui de mon père qui, dès son retour d'exil, fin 1941, s'était attelé à édifier le parti – porta ses fruits. Il s'infiltrait souvent le soir, clandestinement, au palais pour y rencontrer Mohammed V afin de le convaincre de la nécessité et de l'urgence de présenter un manifeste réclamant l'indépendance. C'était la première fois que le mot "indépendance" était prononcé. Mohammed V se laissa convaincre et approuva le manifeste. Ce fut un véritable pacte entre le roi et les nationalistes de l'Istiqlal comme Lyazidi, Omar Benabdeljalil, le *fqih* Ghazi, Mohammed Fassi ou mon père. Le soutien des oulémas leur fut apporté par Cheikh Larbi Alaoui et Mokhtar Soussi, notamment. D'un côté, le roi allait mettre tout son poids pour réclamer l'indépendance du Maroc et, sitôt l'indépendance acquise, procéder aux réformes constitutionnelles et politiques. De l'autre, l'Istiqlal s'engageait à défendre le roi et à soutenir le régime monarchique[1]. »

Pour le fils de l'ancien Premier ministre, ce rappel historique « peut éclairer la position de mon père au lendemain de l'indépendance. Pour lui, seule l'unité du parti pouvait convaincre Mohammed V de réaliser le deuxième volet du pacte : les réformes tant attendues. En même temps, il estimait qu'il revenait au parti de respecter l'engagement pris en 1944 vis-à-vis de la monarchie. Ce fut l'objet de la lutte qui s'ensuivit entre les différents courants du parti : d'un côté, Allal el-Fassi, qui n'en ratait pas une pour incommoder Mohammed V et jouer au Bourguiba marocain face au bey de Tunisie ; de l'autre, Ben Barka, qui misait sur les manœuvres anti-istiqlaliennes du prince héritier, Moulay Hassan, pour démontrer qu'il fallait engager l'épreuve de force avec la monarchie afin d'arracher les réformes. Mon père a cru jusqu'au bout devoir unir ces courants au sein d'un même parti et autour d'un programme : prendre le gouvernement et réaliser les réformes. Ce qui semblait à portée de main en mai 1958 avec l'accession au pouvoir d'un

---

1. Entretien avec l'auteur.

gouvernement de l'Istiqlal présidé par son secrétaire général et doté de larges prérogatives. Mais c'était sans compter sur les manœuvres, intérieures et extérieures, hostiles au parti ».

Quinze ans plus tard, quand son fils Anis fut condamné à quinze ans de prison, Ahmed Balafrej ne nourrissait plus d'illusions, sinon sur la monarchie, du moins sur un monarque dont les dérives avaient contribué à faire du Maroc l'exact contraire de ses rêves de jeune patriote.

Mohammed V ayant imposé ses proches à l'Intérieur et à la Défense, le jeu est faussé dès le départ pour le gouvernement Balafrej. L'aile gauche du parti n'est pas contente et Ben Barka le fait savoir d'un ton ferme :

« Notre camarade Balafrej a pu présenter son gouvernement dont les ministres de la Santé, des PTT et de l'Intérieur n'avaient pas été proposés par lui [...]. Notre réalisme et notre patriotisme nous imposent, malgré les réserves que nous pouvons formuler sur la composition du gouvernement, un appui sincère et lucide à l'équipe [...]. Il importe que le nouveau gouvernement traduise sans tarder dans les faits la plénitude de son pouvoir exécutif en mettant notamment un terme à toute velléité tendant à amoindrir ou à entraver son action[1]. »

Mais si Ben Barka veut ménager l'avenir et rester en position de force en préservant l'unité du parti, le courant syndicaliste conduit par Abdallah Ibrahim, qui a perdu son portefeuille de ministre du Travail, et Mahjoub Benseddik, patron de l'UMT, se montre intraitable. Les deux hommes ne manquent pas une occasion de critiquer ou de discréditer le gouvernement Balafrej en dépit de la présence en son sein d'un Bouabid qui entretient des relations correctes avec eux. Ce faisant, ils espèrent faire pression sur le Palais et les conservateurs de l'Istiqlal pour constituer un gouvernement populaire.

L'intransigeance de l'UMT place Ben Barka dans une position difficile. Après avoir critiqué le syndicat, il fait marche arrière et lui donne la parole dans le quotidien du parti. Au mois d'août, il est exclu du journal et remplacé par Mohammed Lyazidi, représentant du courant conservateur. Mais Ben Barka se refuse à franchir la ligne

---

1. *Al-Istiqlal* du 18 mai 1958, cité par Maati Monjib, *La Monarchie marocaine et la lutte pour le pouvoir, op. cit.*, p. 119.

jaune et à couper les ponts avec ce courant. Il ne désespère pas de faire bouger l'ensemble du parti dans un sens favorable à ses thèses. Il se borne à expliquer sa position :

« J'ai été amené à suspendre la parution du journal *Al-Istiqlal* de même que j'ai renoncé à en assumer la direction politique pour des raisons à la fois d'ordre politique et de conscience professionnelle. J'estime en effet que le journal d'un parti, comme le parti lui-même, ne doit pas aliéner leur liberté d'expression ou d'action dès que ce parti est engagé d'une façon ou d'une autre dans des responsabilités gouvernementales, surtout quand il s'agit d'un parti de masse comme l'Istiqlal. Or, je n'ai pas accepté que le journal soit exclusivement le reflet de l'opinion d'une fraction des dirigeants du parti, alors qu'il doit traduire sincèrement la pensée, les aspirations et les préoccupations réelles de l'ensemble du parti et des forces vives organisées qui en constituent les assises populaires, notamment la Résistance et les syndicats de travailleurs[1]. »

Mahjoub Benseddik et Abdallah Ibrahim n'ont pas ce genre de préoccupations : « La tendance syndicaliste est dépourvue de vision politique stratégique à la mesure des défis posés à la nation et de son avenir démocratique. Le "surmoi corporatiste" l'emporte de loin sur l'esprit d'engagement politique collectif. Elle considère que l'éclatement de l'Istiqlal lui conférerait immanquablement une position dominante au sein de la mouvance progressiste marocaine[2]. »

Ainsi, entre un Balafrej partisan de l'économie libérale, un Allal el-Fassi dirigiste et favorable, comme Ben Barka, au maintien de l'unité du PI, mais qui entend en rester le maître incontesté, et les syndicalistes qui jouent leur propre carte, l'Istiqlal perd toute cohérence. Ce qui n'est pas pour déplaire au Palais.

L'insurrection du Rif, à l'automne de cette décisive année 1958, permet au Palais, avec la complicité d'Ahardane et Khatib, d'enfoncer un peu plus l'Istiqlal dans la crise en dressant les populations du Nord contre le parti. Les efforts de Balafrej et de Bouabid – dont la démission est finalement acceptée par Mohammed V le 22 novembre – n'y changent rien : le gouvernement Balafrej chute.

---

1. Dépêche AFP, 10 août 1958.
2. Maati Monjib, *La Monarchie marocaine et la lutte pour le pouvoir, op. cit.*, p. 122.

Les efforts d'Allal el-Fassi pour succéder au secrétaire général de l'Istiqlal, apparemment contrecarrés par le prince héritier qui se méfie d'un gouvernement qui regrouperait les éléments les plus dynamiques et les moins inféodés au Palais, échouent. Dans un livre d'entretiens sur son existence mouvementée[1], le *fqih* Basri livre des informations inédites qui fournissent au moins une partie des raisons qui incitèrent le Palais à refuser de confier à Allal el-Fassi les rênes du gouvernement. Rentré d'un voyage en Tunisie à l'invitation de Bourguiba au cours du second semestre de 1958, le *zaïm* ne cache pas son admiration pour les réalisations du président tunisien. À un certain nombre de dirigeants de l'Istiqlal il déclare ainsi, encore sous le coup de l'enthousiasme : « Je vous donne ma parole que nous ne lui laisserons [à Mohammed V] que les inaugurations de mosquées et que nous ne lui abandonnerons même pas les imams et les muezzins, dont nous ferons d'ailleurs un parti. »

Ces propos iconoclastes parviennent rapidement aux oreilles du roi. Sa colère est grande. Laghzaoui, directeur général de la Sûreté, appelle le *fqih* pour lui dire que le souverain désire lui parler, et lui fixe un rendez-vous.

Mohammed V au *fqih* : « Alors, qu'est-ce que j'apprends, Si Mohammed ? Tu as sacrifié ta vie pour le pays et pour le trône et tu entends parler de complots et de machinations, et tu ne me dis rien ? »

Le *fqih* élude et répond : « Que Votre Majesté ait l'assurance que notre souci numéro un est de préserver l'union nationale grâce à laquelle notre pays a accédé à l'indépendance. Nous avons d'autant plus besoin de cette union pour la construction du pays. »

Mohammed V lui rapporte alors mot pour mot les paroles prononcées par Allal el-Fassi. Le roi l'emmène ensuite déjeuner au Souissi, chez son fils Moulay Hassan, lequel remet le sujet sur le tapis. Le *fqih* affirme qu'il n'y pas de conspiration. Moulay Hassan intervient alors avec solennité :

« Écoute bien ! Un jour, sans te rendre compte de ce qui t'arrive, tu vas découvrir brusquement que tu es noyé dans la boue et la saleté. C'est dommage, pour un homme jeune comme toi. Nous voulons

---

1. Fqih Basri, *Kitab al'ibra wa al wafa'* (Livre de considérations et de fidélité), p. 90 sq.

bien aider ceux qui nous sont fidèles, mais toi, tu t'es placé dans un milieu pourri, et je vais t'en donner la preuve. »

Le prince appelle alors M'hammed Douiri et fait écouter la conversation à tous les présents :

« Ce fou d'Allal, tonne Douiri, est entouré de Mehdi Ben Barka et Mahjoub Benseddik, qui lui ont monté la tête. Il a déjà constitué son gouvernement, m'a mis à la Santé et Balafrej aux Affaires étrangères. Nous avons demandé à vous rencontrer pour vous dire qu'Allal el-Fassi n'a pas à s'occuper de ces choses-là et qu'il y a un secrétaire général, Balafrej, pour ce travail. »

Inquiet de la tournure que prennent les événements, le *fqih* Basri appelle Ben Barka et Benseddik et leur dit qu'il y a maintenant un gros problème, puisque Mohammed V considère qu'Allal el-Fassi n'a pas la légitimité pour former le prochain gouvernement. Les trois hommes conviennent de calmer le jeu et estiment que l'idéal serait d'organiser une rencontre entre le roi et le *zaïm*, en demandant à ce dernier de se montrer plus conciliant et, surtout, d'aller sans liste au palais. Abderrahim Bouabid est chargé de convaincre un Allal très réticent et qui ne comprend pas qu'on lui tienne un tel discours, alors que le pays court à la ruine.

La rencontre avec le roi ne donne rien et el-Fassi en sort profondément déçu, amer, affligé, selon le *fqih*, par l'attitude de Balafrej et de son gendre, Douiri : « J'ai été deux fois exclu, dit-il, d'abord par le résident général, et maintenant par mes amis de l'Istiqlal[1]. »

Maati Monjib cite une autre réaction d'Allal el-Fassi, on ne peut plus éloquente : « Est-ce que notre parti mérite d'être traité de la sorte ? Est-ce ainsi que l'on devrait le récompenser pour son dévouement et sa fidélité [...], ou est-ce que la Patrie devrait rester un champ de spoliation pour les traîtres, les féodaux et les réactionnaires ? Non, mille fois non[2] ! »

À peu près à la même époque, à la fin de novembre, juste après que Mohammed V a accepté la démission d'Abderrahim Bouabid, un diplomate de l'ambassade de France rapporte ce que vient de lui

---

1. A. Belhaj, *Les Partis politiques dans le Maroc indépendant*, thèse d'État, Paris-X, 1976, cité par Maati Monjib, *La Monarchie marocaine et la lutte pour le pouvoir*, op. cit.
2. Voir *Sahara al-Maghrib*, décembre 1958, cité *ibid.*, p. 135.

dire « en confidence » Mehdi Ben Barka : « Nous demandions les pleins pouvoirs pour le gouvernement de l'Istiqlal afin de rendre impossible un coup d'État du prince. Ce coup d'État n'est pas seulement possible, il est aujourd'hui probable[1]. »

L'Istiqlal affaibli, son chef *persona non grata* aux yeux du Palais, l'UMT n'a plus qu'à revendiquer la formation d'un gouvernement acquis à ses idées. La situation politique et sociale n'ayant pas évolué dans un sens qui lui soit favorable, Mohammed V a tout intérêt à calmer le jeu. Il appelle Abdallah Ibrahim, l'ami de Mahjoub Benseddik, patron absolutiste de l'UMT depuis mars 1955 après un véritable coup de force[2]. Cela n'empêchera pas par la suite le *fqih* Basri de critiquer durement Benseddik, notamment dans ses Mémoires où il cite le grand résistant Brahim Roudani, déplorant le choix de Benseddik et déclarant : « Je préfère mettre un âne auquel tu dis "Avance", et il avance, plutôt que quelqu'un qui a d'ores et déjà refusé la démocratie. »

1. Télégramme du 25 novembre 1958.
2. Le 20 mars 1955, une quarantaine de syndicalistes réunis à moitié clandestinement dans la médina de Casablanca fondent l'UMT et élisent comme secrétaire général Taïeb Bouazza. Mais Benseddik avait déjà envoyé un communiqué à la presse dans lequel il figurait comme secrétaire général, et Bouazza comme adjoint. Ce dernier fait alors appel, mais le *fqih* Basri tranche en faveur de Benseddik. Source : René Gallissot, *in* Albert Ayache, *Dictionnaire biographique du mouvement ouvrier. Maghreb, op. cit.*, p. 67.

VIII

Le gouvernement d'Abdallah Ibrahim

Abdallah Ibrahim, qui nous reçoit chez lui en ce printemps 2002, est une des personnalités les plus connues du royaume. Quarante ans avant Abderrahmane Youssoufi, il a été le premier – et donc, pendant quatre décennies, le seul – homme de gauche à diriger un gouvernement marocain. L'expérience a duré un peu plus de seize mois, jusqu'à ce que Mohammed V, sous la pression de son entourage, de la France et, sans doute, de plusieurs autres pays, décide de se passer de ses services.

Né en 1920, Abdallah Ibrahim habite une maison spacieuse mais simple dans un ancien quartier résidentiel de Casablanca. La demeure et le bout de jardin qui l'entoure n'ont rien à voir avec les villas cossues de la plupart des politiciens marocains. Tiré à quatre épingles, courtois, l'ancien Premier ministre, dont la carrière politique s'est pratiquement arrêtée au moment où il a été remercié, vit essentiellement des souvenirs de cette époque. Il s'est d'ailleurs beaucoup exprimé sur le sujet, sans vraiment convaincre. Mais tous les Marocains – le fait mérite d'être signalé dans le milieu politique – lui reconnaissent une honnêteté foncière et un véritable sens du bien public à défaut de sens politique.

Adolescent, il est passionné par l'expérience soviétique, ce qui, on en conviendra, n'est guère courant à l'époque, surtout à cet âge :

« J'ai été, raconte-t-il, très impressionné par la première Constitution de Staline, promulguée dans le milieu des années trente, mais je ne voulais pas faire l'URSS au Maroc où il n'y avait d'ailleurs en ce temps-là pratiquement pas de marxistes. À mes futurs amis de l'Istiqlal j'ai demandé : dans quel sens voulez-vous travailler pour la libération du Maroc ? En effet, le cahier de revendications qui avait été remis à peu près à la même époque aux dirigeants du Front populaire me paraissait à la fois insuffisant et utopique. Je souhaitais définir une politique, un ensemble de principes. Or nous étions disparates. Il y avait des étudiants bornés parmi nous[1]. »

Originaire de Marrakech, Abdallah Ibrahim souligne les différences entre « les deux foyers du nationalisme », Fès et Marrakech :

« Les données ne sont pas les mêmes. Allal el-Fassi donnait des cours publics à la Qaraouiyine, à Fès. Il était adoré. Il était connu parce qu'il s'exprimait beaucoup. Tout le monde parlait de lui, de ses poèmes à la gloire du sultan. C'était un symbole du nationalisme. Le sud du Maroc, Marrakech, c'est autre chose. Son cœur battait jusqu'au milieu de l'Afrique. La ville avait plus d'influence sur le Sud que Fès. Nous y avons créé un autre système. Nous avons mobilisé la classe populaire. Nous avons aidé chaque corps de métier à présenter ses *desiderata*. Nous avons cherché à remédier à la décadence de l'artisanat. Il y avait là près de cent cinquante métiers, dont beaucoup vivaient du désert… L'université Ben Youssef, où j'ai commencé mes études, était le parent pauvre du Mouvement national. Nous avons demandé que l'enseignement y soit comme à la Qaraouiyine. Le nationalisme est venu de Fès, mais il est devenu populaire à Marrakech, disait-on. »

À dix-sept ans, il est expulsé par les Français vers Taroudant avec une condamnation à trois mois de travaux forcés. À sa sortie, il rencontre un pasteur protestant du nom de Nehern, à qui il demande de lui trouver un professeur d'anglais. « Ce sera moi », lui répond le pasteur qui lui remet un livre pour débutant.

En attendant d'être tout à fait à l'aise dans la langue de Shakespeare, il lit tout ce qui lui tombe sous la main, en arabe comme

---

1. Entretien avec l'auteur.

en français. Dans cette dernière langue, il a un faible pour les romantiques. Mais la littérature et la langue arabes le marquent beaucoup plus : « À quartorze ans, j'ai été ébloui par un grand auteur mystique, al-Hatimi, le plus grand philosophe arabe à mes yeux. »

Il poursuit : « Après Staline et sa Constitution, j'ai découvert les Grecs, surtout Platon et Aristote. Je n'avais malheureusement personne avec qui discuter, bien que je fusse en charge d'organiser le Mouvement national à Marrakech et dans le Sud. Puis ce fut Hegel et l'économie, c'est-à-dire les véritables questions qui se posent à l'homme. À cette période de ma vie, j'avais l'impression de perdre inutilement mon temps. J'ai donc pris la décision d'aller étudier en France, mais Boniface, le chef de la police, a refusé de me donner un passeport. J'ai dû attendre. Ce fut une grande déception. »

Malgré tout, il arrive à Paris à la fin des années quarante. Il y passe quatre ans de travail et de bonheur :

« Je me suis lié d'amitié avec de nombreux Français. Pendant ces quatre années, je ne suis pas rentré au Maroc. Je n'avais pas une minute à moi. À la Sorbonne, je travaillais sur la politique étrangère du Maroc au XIXe siècle. Je réfléchissais sur les raisons qui avaient conduit au Protectorat. Parallèlement, j'ai étudié pendant trois ans la philosophie. Je dévorais tout. J'ai fait de l'esthétique avec le professeur Étienne, de la psychologie et de la psychopathologie. Pour comprendre le fonctionnement du cerveau, je devais voir des personnes malades, déréglées. Une fois par semaine, j'allais à l'hôpital. »

Il n'oublie pas le prolétariat marocain dans les banlieues de la capitale française, et l'aide à s'organiser, s'inspirant pour cela de la Jeunesse ouvrière chrétienne.

Délégué de l'Istiqlal à Paris, il participe à de nombreuses conférences et entre en relation avec « de grands personnages » : André Breton, Aragon, Sartre, Gide, etc. « J'étais, dit-il, souvent invité au théâtre. Je suis resté plus longtemps que prévu en France[1]… »

Le très dense parcours de ce patriote de la première heure, signataire du manifeste de l'indépendance, le conduit tout naturellement à participer au premier ministère Bekkaï où le portefeuille de l'Information lui est confié. Dix mois plus tard, Si Bekkaï lui demande de

_____
1. Entretien avec l'auteur.

prendre en charge le ministère des Affaires sociales, ce qui le comble dans la mesure où cela correspond à ses préoccupations anciennes. Il commence alors à collaborer étroitement avec les dirigeants de l'Union marocaine du travail (UMT).

Son opposition au courant conservateur du PI et son refus de voir les ministères de l'Intérieur et de la Défense échapper à sa formation l'empêchent de participer au gouvernement « homogène » de l'Istiqlal dirigé par Balafrej, auquel il s'oppose de plus en plus durement, en liaison étroite avec ses amis de l'UMT.

Le parti de l'Istiqlal disloqué ; création de l'UNFP

Peu d'hommes ont été appelés à prendre la tête d'un gouvernement dans des conditions aussi difficiles que celles qui prévalent à la mi-décembre 1958. En effet, au moment où Mohammed V fait appel à lui[1], l'Istiqlal, où les tensions n'ont pas cessé de s'exacerber pendant toute la durée du gouvernement Balafrej, est déjà en plein psychodrame.

Avant même la prestation de serment, le 25 décembre, du nouveau président du Conseil, *At-Tali'a*, la revue de l'UMT, révèle l'éclatement tout récent de la Commission politique du parti. Le 18 décembre 1958, la réunion mensuelle des inspecteurs du parti a lieu en l'absence de toute l'aile gauche. Jusqu'alors, ces réunions étaient traditionnellement marquées par un exposé politique de Mehdi Ben Barka, animateur du courant progressiste. Essayons d'imaginer le Parti socialiste français invité à diriger le gouvernement tandis que plusieurs de ses courants affichent ouvertement leur opposition au Premier ministre désigné ! C'est exactement ce qui arrive alors à Abdallah Ibrahim…

Pendant toute sa primature, les choses ne font que s'aggraver, et la guerre fait rage entre partisans d'Allal el-Fassi et ceux de Ben Barka.

---

1. Abdallah Ibrahim nous a raconté qu'auparavant Allal el-Fassi, un moment pressenti pour succéder à Balafrej, lui avait demandé de prendre le ministère de l'Intérieur. « J'ai dit à Allal : "Tu me vois sérieusement à ce poste ?" Il m'a répondu : "Il n'y a personne qui peut mieux que toi tranquilliser le pays et les gens." C'est à ce moment-là que Mohammed V m'a appelé. »

Le summum est peut-être atteint le 24 avril 1959, au moment où Allal el-Fassi, président de l'Istiqlal dit « orthodoxe », prononce l'exclusion du parti du président du Conseil ! Allal lui reproche sa « passivité », notamment devant « l'existence de bandes armées perpétrant des agressions en plein jour contre des syndicalistes et des membres du parti […]. Je lui fais assumer devant Dieu, la Patrie, le Roi et l'Histoire la responsabilité du sang des martyrs et des tortures infligées aux patriotes et aux syndicalistes libres », ajoute Allal el-Fassi dans une allusion à l'assassinat d'un de ses proches, Abdelaziz Ben Driss.

Depuis des mois, en effet, le parti, comme l'UMT, est en voie d'éclatement. Officiellement, la scission de l'Istiqlal – peut-être l'événement le plus lourd de conséquences de l'histoire du Maroc indépendant – démarre le 11 janvier 1959 avec l'ajournement *sine die* de son congrès.

Le 26 septembre précédent, le Comité directeur du parti avait désigné une commission préparatoire de quatre membres, et souligné à cette occasion « la nécessité de renforcer l'unité du parti ». Le 9 janvier, les deux membres de l'aile gauche, Mohammed Mansour, un ancien de la Résistance, et Mohammed Abderrazzak, bras droit et complice depuis un demi-siècle de Mahjoub Benseddik à la tête de l'UMT, font savoir que ladite commission « n'est pas parvenue à remplir sa mission en raison de toutes sortes d'entraves et de difficultés » créées par les deux autres membres[1] qui se trouvent « sous l'influence de M. Ahmed Balafrej et de certains membres du Comité exécutif qui ne semblent pas désireux de voir se réunir le congrès du parti ».

Les événements s'accélèrent, le 25 janvier, avec le retrait de Mehdi Ben Barka du Comité exécutif auquel il reproche de ne plus représenter que les partisans du secrétaire général de l'Istiqlal, Ahmed Balafrej. Dans un communiqué, il précise ses raisons : « Le Comité exécutif actuel a perdu de son crédit au sein des masses populaires à cause du comportement de certains de ses membres, de leur intransigeance et de l'obstination qu'ils ont montrée, soit dans le règlement de la crise gouvernementale, soit dans la préparation du congrès national qui devait avoir lieu le 11 janvier dernier. » Ben Barka

---

1. Il s'agit de Kasem Zhiri, directeur de la Radio marocaine depuis 1956, et Mohammed Sennani, membre de la Commission politique du PI.

reproche enfin l'« orientation nouvelle » de la presse du parti dont « certains ont fait une tribune personnelle de dénigrement et de surenchère démagogique et antinationale ».

Allal el-Fassi réagit immédiatement : « Les réunions que tiennent quelques membres de l'Istiqlal procèdent d'une action menée à l'insu du Parti et de ses instances supérieures. En tant que leader et fondateur du Parti, je déclare que ces initiatives constituent des actes d'indiscipline que rien ne justifie, et par conséquent je les désapprouve. Alléguer une prétendue carence à la tête du Parti, faire état de "tentatives faites pour résoudre à la tête la crise de la direction du Parti", sont de faux prétextes pour masquer des intrigues et détourner l'attention de l'opinion publique des conséquences désastreuses de la politique financière actuellement poursuivie. »

Ben Barka et ses amis ont en effet décidé d'en finir. À Casablanca, le 25 janvier, en compagnie du *fqih* Basri, il fait adopter devant douze mille personnes, une résolution d'autonomie. Même scénario à Marrakech où Thami Ben Amar, ministre de l'Agriculture, préside une réunion où sont rassemblées plus de deux mille personnes, et à Meknès où c'est Mahjoub Benseddik qui officie.

Des résolutions de défiance envers la direction du parti sont votées et des commissions administratives créées un peu partout à Agadir, à Beni-Mellal, à Tanger. Toutefois, dans cette dernière ville, fidèles à Allal, les dirigeants locaux de l'Istiqlal n'assistent pas à la réunion organisée dans une section du parti, en médina.

En fin de soirée, le secrétariat général du PI déclare « nuls et non avenus les résultats des réunions organisées par Ben Barka ». Puis il ajoute : « En enregistrant le retrait de M. Ben Barka du Comité exécutif, le secrétaire général déclare que M. Ben Barka n'a plus aucune qualité pour parler et agir au nom du Parti. » La responsabilité du communiqué est assumée par Mohammed Lyazidi, adjoint de Balafrej, en voyage privé à Londres.

Ben Barka réagit aussitôt en rétorquant que « la vague de fond qui vient de renverser les vieilles structures du Parti dépasse de loin les personnes ».

De son côté, *At-Tali'a*, l'organe de l'UMT, soutient vigoureusement Ben Barka et écrit : « C'est un mouvement qui donne à l'indépendance son véritable contenu social […]. Le but est avant tout de vivifier le Mouvement national. Beaucoup, en effet, s'étaient détachés du Parti qui ne constituait plus qu'un moyen de satisfaire des intérêts particuliers. »

Il ne reste plus à Allal el-Fassi qu'à exclure les éléments progressistes les plus durs, qualifiés de « militants anarchiques et destructeurs », pour « action subversive visant à semer la désunion au sein du Parti ».

C'est chose faite le 27 janvier. Ils sont sept au total : outre Ben Barka, il y a Mahjoub Benseddik, Mohammed Basri (le *fqih*), Thami Ben Amar, ministre de l'Agriculture, et d'autres moins connus. Ni le chef du gouvernement, ni le vice-président du Conseil, Abderrahim Bouabid, ne sont sanctionnés. Bouabid a pourtant été élu à la tête d'une commission administrative d'une réunion tenue à Rabat sous la présidence de Ben Barka, mais… il n'assistait pas à cette réunion ! Son cas n'est donc pas tranché.

Aux exclus, le *zaïm*, qui parle des « heures critiques que traverse le parti » tout en annonçant qu'il prend désormais en mains ses destinées en vue de « le protéger contre les menées des comploteurs », reproche une « campagne mensongère » se réclamant de « la lutte des classes, qui suscite des antagonismes entre citoyens ». Interrogé lors d'une conférence de presse sur les moyens qu'il compte prendre pour maintenir l'unité du parti, Si Allal répond : « D'abord l'épuration. Je vais faire une purge au sein du parti ; ensuite nous procéderons à un regroupement des cellules et de toutes les instances, et j'appellerai quelques nouvelles personnalités pour former des comités d'action et de vigilance. »

Le chef des « orthodoxes » attaque également le gouvernement : « Puisque des ministres comme celui de l'Agriculture, dit-il, se sont associés au "truquage", je ne crois pas que le gouvernement soit demeuré dans la ligne de neutralité tracée par Sa Majesté[1]. »

Ainsi, comme le Destour tunisien en 1934, comme le MTLD algérien de Messali Hadj vingt ans plus tard, eux aussi affaiblis par les divisions, l'Istiqlal, qui n'a pas résisté à l'épreuve du pouvoir, se disloque moins de quatre ans après l'indépendance.

Le 30 janvier, on commence à y voir un peu plus clair. Le secrétariat de Ben Barka rend publics les statuts types déposés par ce qu'il appelle les « partis régionaux de l'Istiqlal », ou encore les « comités régionaux

---

1. Dépêche AFP, 27 janvier 1959.

autonomes du parti de l'Istiqlal », créés conformément à la résolution adoptée au cours de différents congrès tenus le 25 janvier.

Allal el-Fassi ayant pris la précaution de déposer, le 9 janvier, les statuts du parti de l'Istiqlal, la situation de ce dernier se présente comme suit sur le plan administratif : d'une part, le *parti de l'Istiqlal*, dirigé par Allal el-Fassi, et, d'autre part, les *partis autonomes de l'Istiqlal* à l'échelon des provinces, au total une quinzaine, créés le 25 janvier par le mouvement animé par Mehdi Ben Barka.

Ces comités régionaux s'érigent un peu plus tard en *Confédération nationale du parti de l'Istiqlal*, qui donnera elle-même naissance, le 6 septembre 1959, lors d'une réunion constitutive dans un cinéma de Casablanca, à l'*Union nationale des forces populaires* (UNFP).

Sans doute pour ne pas rebuter tous ceux qu'a déçus le *hizb*, Ben Barka souligne que l'UNFP n'est pas un parti mais une véritable union nationale. En fait, il s'agit davantage d'un front « fourre-tout » où, à l'exception des communistes, l'on retrouve aussi bien des militants d'extrême gauche que des résistants, des notables et des bourgeois en rupture de ban avec des partis comme le PDI ou le Mouvement populaire.

Les jeunes sont également très nombreux à rallier Ben Barka. Le phénomène n'échappe pas aux diplomates qui soulignent la séduction exercée sur la jeunesse par l'ancien professeur de mathématiques du prince Hassan. Elle tranche sur leur indifférence envers Allal el-Fassi. Futur beau-frère du roi, Mohammed Cherkaoui confie à l'ambassadeur Parodi que la jeune génération prend depuis un bon moment le *zaïm* pour un « radoteur » ou une « potiche sacrée »[1].

Si Bekkaï, l'ancien président du Conseil qui, il est vrai, déteste Si Allal, regrette, lors d'un dîner à la Chancellerie, que ce dernier n'ait « rien appris, rien oublié ».

Il faudra une petite année pour que les choses se décantent et que les nouveaux adhérents qui n'avaient rien à faire aux côtés de Ben Barka le comprennent et rejoignent qui le Palais, qui d'autres fonctions plus conformes à leurs idées ou à leurs ambitions[2]... D'une

---

1. Télégramme du 10 juin 1960.
2. Abdelhadi Boutaleb et Ahmed Bensouda, notamment.

certaine manière, *Al-Alam*, proche d'Allal el-Fassi, n'a pas tout à fait tort d'écrire que « cette union groupe les résidus de certains mouvements qui sentaient leur fin proche ».

Le départ, quelques jours plus tard, pour un long séjour à l'étranger, de Ben Barka, dont les responsabilités internationales ne cessent de croître, n'arrange pas les choses. Composée de troupes hétéroclites, privée d'un véritable organisateur, rapidement pourchassée par l'appareil sécuritaire du régime sans que le gouvernement, pourtant de son bord, y trouve à redire, l'UNFP démarre sur de mauvaises bases. Elle ne s'en remettra jamais.

Le « ministère Chessman »

Une formule heureuse, qui circule à l'époque, résume parfaitement le gouvernement d'Abdallah Ibrahim : « Le ministère Chessman, ou le gouvernement qui ne voulait pas mourir[1] ». Rarement, en effet, un cabinet ministériel aura provoqué autant de réactions négatives, subi autant de camouflets, ou avalé autant de couleuvres !

Ainsi l'aile traditionnelle de l'Istiqlal ou ce qui reste du PDI ne manquent pas une occasion de fustiger le comportement de ce gouvernement. Lors de la session du 4 au 7 avril 1959 de l'Assemblée nationale consultative[2] (ANC), les *chouyoukh*[3] Daoud et Maa el-Ainine, ainsi qu'Abdelaziz Ben Driss – qui va bientôt être assassiné – et Hajj Ahmed Maaninou blâment sévèrement l'indifférence religieuse des ministres, et en voient la preuve dans la faiblesse des crédits affectés au budget des *Habous*[4] et de l'enseignement coranique. Ils trouvent également inadmissible que rien ne soit prévu pour la prière, alors que les membres de l'ANC siègent souvent le vendredi.

Ces interventions leur valent une volée de bois vert de la part d'*At-Tahrir*, le journal du *fqih* Basri, qui écrit : « Le peuple n'oublie en aucune façon que la majorité des membres de l'ANC est simplement

---

1. Allusion à Caryl Chessman, célèbre condamné à mort aux États-Unis, exécuté quelques jours avant la chute du gouvernement Ibrahim, après douze années de procédure.
2. Voir le chapitre sur la Constitution dans la deuxième partie.
3. Sorte de notable en charge de la tribu.
4. Ministère des Affaires religieuses.

désignée et représente l'ancienne et impuissante direction du Parti. Leur attitude réactionnaire ne peut donc être conforme au courant qui anime la base du Parti et la Nation tout entière. La vérité apparaîtra après les élections. »

Autre événement spectaculaire dont on a déjà parlé : l'exclusion du président du Conseil de son propre parti, après des mois de psychodrame opposant l'aile droite à l'aile gauche de l'Istiqlal.

Mais bien d'autres dérapages ou extravagances surviennent. À la mi-août, rapporte une note de la sous-direction du Maroc avec les précautions d'usage, « un individu a été arrêté dans le jardin de la villa du Souissi du Prince héritier. D'après ses aveux, l'Union marocaine du travail (UMT) aurait décidé de le faire assassiner, ainsi que le général Kettani, Mohammed Laghzaoui, Allal el-Fassi, M'hammed Douri, Ahardane et Khatib. Moulay Hassan aurait demandé à son père de faire arrêter Mahjoub Benseddik, Mehdi Ben Barka et Abderrahim Bouabid. Refus du père. Tous les bataillons des FAR sont en état d'alerte[1] ». Vraie ou fausse, l'information témoigne du climat délétère qui règne à l'époque dans le pays.

À la fin du mois d'août, l'Union nationale des étudiants marocains (UNEM, proche de Ben Barka), réunie en congrès à Agadir, vote une motion dans laquelle elle reproche en substance aux Forces armées royales de n'être qu'une armée de parade. Elle demande en outre qu'elles soient épurées des « traîtres » qui s'abritent dans leurs rangs. Presque aussitôt, une délégation d'officiers conduite par le prince héritier se présente le 29 août chez le roi qui condamne sévèrement les « allégations injurieuses » dont l'armée a été la cible.

À Marrakech, le consul de France, qui a reçu à dîner quelques officiers marocains, fait état de leurs réactions : « Ce gouvernement est formé par un groupe de politiciens gauchistes qui entendent s'accrocher au pouvoir en intimidant au besoin le roi. Ils entraîneront le pays vers un régime proche du communisme. Le roi manque d'énergie et de courage, et a tort de ne pas faire face au danger. »

Simultanément, le capitaine Medboh, ministre des PTT, donne sa démission en signe de protestation contre le gouvernement

---

1. Note du ministère des Affaires étrangères du 24 août 1959.

Ibrahim, tandis que des poursuites judiciaires sont engagées contre *At-Tahrir* qui a reproduit les motions du congrès de l'UNEM...

Les 5 et 6 septembre 1959, Mohammed Laghzaoui, directeur général de la Sûreté, conduit une descente de police à l'Assemblée nationale consultative et fouille dans les dossiers de son président, Mehdi Ben Barka, au moment même où celui-ci participe à la création de l'UNFP[1] ! Les scellés sont mis sur la porte de l'ANC, et Ben Barka est prié de rendre sa villa et sa voiture de fonction, le mandat de l'Assemblée étant arrivé à son terme à la fin du mois de mai précédent. Abdallah Ibrahim se tait une fois de plus.

Toujours au mois de septembre, la suspension du Parti communiste accroît l'impopularité du chef du gouvernement dans une bonne partie des milieux de gauche. Ibrahim, qui signe sans sourciller le décret de suspension, aggrave d'ailleurs son cas en restant muet, quelques semaines plus tard, au moment où un tribunal se prévaut d'un passage du dernier discours du trône de Mohammed V pour confirmer la sanction prise à l'encontre du PCM. Dans son intervention, le roi avait en effet déclaré : « Les doctrines matérialistes, incompatibles avec notre foi, nos valeurs morales et notre structure sociale, ne peuvent avoir de place chez nous, car l'Islam, grâce à son esprit de justice et de tolérance, nous suffit[2]. »

Soumis à de multiples pressions du Palais, et sans doute obligé de multiplier les concessions pour faire avancer les dossiers auxquels il tient, Abdallah Ibrahim ne pipe mot devant ce scandale judiciaire et cette confusion grossière entre autorité spirituelle, pouvoir exécutif et pouvoir judiciaire, qui ouvre la voie à tous les arbitraires.

Peut-être aussi Ibrahim pense-t-il avoir le soutien de Ben Barka dans cette affaire. Abdallah Layachi affirme en effet que, convoqué avec ses

---

1. Avec le temps et l'aide de la France, Laghzaoui a pris de l'assurance. Déjà, en mars 1959, il écrit à l'ambassadeur de France une lettre dans laquelle il rend un vibrant hommage au commissaire principal Roger Gavoury, « d'un dévouement sans égal, allié à une compétence étendue. Il a contribué pour une grande part à la réorganisation des services sur la base des concepts les plus modernes ». De part et d'autre, on a d'ailleurs l'air pleinement satisfait de la coopération franco-marocaine en matière de police. Cette dernière, souligne Parodi dans un télégramme de septembre 1959, est « remarquablement organisée par M. Laghzaoui, qui est totalement dévoué au roi et qui se considère comme responsable devant lui seul ».

2. Discours du trône, 18 novembre 1959.

camarades Ali Yata et Hédi Messouak par Ben Barka, celui-ci leur demande de se faire hara-kiri : « Vous êtes un problème pour nous, nous dit-il. Il y a des problèmes plus graves, et le plus simple est donc que vous disparaissiez. Vous serez un parti toléré, mais pas légal ! – Vous avez cristallisé l'idée du pluralisme en créant l'UNFP, rétorque Layachi. Admettez-vous l'union avec votre parti ? – Il y a l'union avec les forces populaires, point final », tranche Ben Barka. Layachi n'est évidemment pas convaincu et, dans une allusion à l'interdiction qui va bientôt suivre, il lui dit : « Nous allons vous précéder, mais vous nous suivrez. » « Les faits devaient malheureusement nous donner rapidement raison avec la chasse aux sorcières dont l'UNFP fut la victime »[1].

Sans mettre en doute les propos d'Abdallah Layachi, il faut néanmoins préciser que l'interdiction du PCM a, en revanche, beaucoup gêné Abderrahim Bouabid, proche de Ben Barka et qui comptait de nombreux communistes parmi ses collaborateurs. C'est d'ailleurs lui qui avait obtenu de Mohammed V le retour d'exil d'Ali Yata.

Trois mois plus tard, comme on l'a vu, c'est l'arrestation et l'incarcération, toujours par Laghzaoui, avec le « feu vert » du roi, du *fqih* Basri et d'Abderrahmane Youssoufi, directeur et rédacteur en chef d'*At-Tahrir*, dont le contenu agace prodigieusement le Palais. Le président du Conseil ne dit mot à l'époque. Abdallah Ibrahim a tenté, beaucoup plus tard, de fournir une explication :

« Certains de leurs amis, soupire-t-il, ont envoyé au palais des anciens de l'Armée de libération qui y ont fait un scandale devant le roi. Ils l'ont insulté, l'ont provoqué. Sa Majesté m'a appelé directement au téléphone pour me parler du comportement de mes "amis". Je lui ai répondu que ce n'étaient pas mes "amis" et que je ne pouvais accepter d'avoir des "amis" comme ceux-là. Ensuite, Youssoufi et le *fqih* ont écrit dans leur journal des choses qui ont fourni le prétexte à Mohammed V pour les faire arrêter[2]. »

Pour sa part, Si Bekkaï, qui dîne avec Alexandre Parodi, considère que cette double arrestation « ouvre une crise majeure » : « Le président Bekkaï, poursuit le diplomate français, a reçu ce matin des délégations de tous les partis, à l'exception bien entendu de l'UNFP. Les

---

1. Entretien avec l'auteur.
2. *Id.*

bureaux des partis doivent publier demain matin des communiqués à peu près identiques qui mettront en demeure Moulay Abdallah Ibrahim de dire s'il se solidarise avec ses amis politiques ou s'il les abandonne. Le président du Conseil se trouve en effet placé dans une position intenable. Il n'a pas prononcé une parole pendant le Conseil des ministres d'hier soir, à l'issue duquel a été publié le communiqué royal. M. Bouabid était également silencieux et s'est contenté de dire au Prince qu'il regrettait les écarts de langage d'*At-Tahrir*. »

Alexandre Parodi termine son télégramme en rapportant l'analyse de Si Bekkaï pour sortir le Maroc de l'impasse dans laquelle il se trouve :

« Les partis, affirme l'ancien président du Conseil, sont totalement discrédités, l'enthousiasme qui a suivi le retour du roi est retombé, et l'heure a sonné d'un gouvernement qui, sans abolir les libertés politiques, renoncerait aux slogans démagogiques et empoignerait les véritables problèmes marocains, à savoir donner du travail au peuple et rétablir la confiance de l'étranger. La première tâche d'un tel gouvernement serait de lancer un programme de grands travaux qui permettrait d'utiliser immédiatement un certain nombre de chômeurs afin d'éviter que la gauche, passant du pouvoir à l'opposition, ne puisse mobiliser les masses ouvrières contre le régime[1]. »

Pour des raisons à peu près inverses de celles de Si Bekkaï, Abderrahim Bouabid vit lui aussi très mal l'arrestation de ses deux camarades : « Pour lui, dit son fils Ali, c'était le signe annonciateur de la fin de Mohammed V, du moins de son emprise sur le pouvoir [...]. L'arrestation, ajoute-t-il, a été très mal vécue par tout le mouvement nationaliste démocrate. Elle a causé en particulier la démission véhémente de Cheikh Moulay Larbi Alaoui[2]. Au sein de l'UNFP, il faisait un contrepoids au moins religieux à Allal el-Fassi. »

---

1. Télégramme du 15 décembre 1959.

2. Dignitaire religieux très respecté, apparenté à la famille royale, lauréat de la Qaraouiyine de Fès comme Allal el-Fassi, et comme lui exégète des instruments de l'islam, il avait été l'un des premiers à s'opposer à la déposition de Mohammed Ben Youssef, et le seul ouléma à refuser de signer la *beïa* (allégeance à Ben Arafa), ce qui lui avait valu un long exil à Ksabi, dans la province de Missour (Sud-Est). On dirait de lui aujourd'hui un islamiste de gauche, au nom d'une *salafia* bien comprise, et non pas de la *salafia* wahabbite qui produit à présent une bonne partie des terroristes islamistes.

À la suite de l'arrestation d'Youssoufi et du *fqih* Basri, le cheikh, en signe de protestation, va habiter sa modeste maison de Fès où il reçoit les militants de gauche qui se sentent déjà dans l'opposition bien que le gouvernement soit toujours présidé par Abdallah Ibrahim. À Bouabid qui lui rend visite de temps à autre le cheikh, qui passe son temps à dénoncer « les passions, les intérêts, le racisme et les appétits[1] », dit un jour : « Ce que tu as essayé de faire en économie et en finance te fait ressembler à celui qui voudrait remplir d'eau une outre trouée. »

Pendant que la classe politique marocaine se déchire, certains diplomates français, obsédés par le « péril rouge », voient des complots partout. Consul général de France à Fès, Pierre de Beaumont, parlant d'« un homme extrêmement bien informé et en contact étroit avec le Palais », écrit à son ambassadeur[2] que, selon cette source, « dans les papiers saisis chez le *fqih* Basri, une correspondance avec une haute autorité égyptienne a été saisie. Cette personnalité l'assure de l'appui du gouvernement égyptien si une république était proclamée au Maroc ».

L'ambassadeur Parodi ne demande sans doute qu'à le croire. À plusieurs reprises, il a déjà évoqué le rôle inquiétant joué par Nasser, cet affidé de Moscou. Au mois de septembre 1959, les choix du gouvernement Ibrahim lui inspirent le passage suivant : « L'influence de l'Égypte est également à signaler : au cours de son voyage au Caire, fin juin 1959, Abdallah Ibrahim paraît avoir été poussé par le président Nasser à raidir son attitude dans le sens de la "non-dépendance"[3]. » Les contacts qui existent entre l'ambassade d'Égypte à Rabat et le néo-Istiqlal ne pouvaient que l'encourager dans cette voie.

Trois mois plus tard, alors que les incohérences se sont multipliées, la confusion est à son comble. L'UMT ayant déclenché une grève générale ouvertement dirigée contre les responsables de l'ordre public, le vice-président du Conseil, Abderrahim Bouabid, et le président du Conseil, Abdallah Ibrahim, adressent à vingt-quatre heures

---

1. Note d'un membre de l'ambassade de France sur Cheikh al-Islam, en date du 26 février 1960.
2. Télégramme du 22 janvier 1960.
3. Télégramme du 14 septembre 1959. Il s'agit d'une allusion à « l'indépendance dans l'interdépendance », chère à Edgar Faure.

d'intervalle à la direction de l'UMT deux télégrammes dans lesquels ils lui expriment leur totale solidarité ! « Tous les hommes épris de liberté, de démocratie et de progrès sauront vous apporter leur soutien agissant pour déjouer toute tentative de division qui, en essayant de s'attaquer à l'unité des travailleurs, vise également le sabotage de notre économie », affirme Bouabid. De son côté, Abdallah Ibrahim dénonce avec force la création, quelques jours plus tôt[1], de l'Union générale des travailleurs marocains (UGTM, affiliée à l'Istiqlal « orthodoxe ») et y voit « un complot fomenté pour diviser les travailleurs et semer la haine dans leurs rangs ».

De telles prises de position mettent en évidence l'ampleur de la désagrégation des structures gouvernementales puisque, au moment même où les deux « hommes forts » du gouvernement prononcent leurs oukases, le secrétaire général de ce même gouvernement publie un communiqué appelant l'attention des fonctionnaires sur « les dispositions légales qui interdisent la cessation concertée du travail » !

« La grève d'aujourd'hui, conclut Parodi, est en fait la première réaction directe et vigoureuse de la gauche marocaine contre les menaces que font peser sur elle l'action de M. Laghzaoui et les intentions présumées du prince Moulay Hassan. Ce mouvement est sans doute destiné avant tout à impressionner le roi, qui sera d'autant moins disposé à rompre avec les dirigeants syndicalistes de l'UMT que ceux-ci auront montré leur emprise sur les masses. En s'y associant, M. Bouabid prend un risque certain : dans l'état où se trouve le gouvernement, il peut sans doute se le permettre. »

Pour leur part, Allal el-Fassi et ses partisans, qui ont bien repris en mains le parti nationaliste, se retrouvent, du 8 au 10 janvier 1960, pour le second congrès de l'Istiqlal « maintenu » ou « orthodoxe ». C'est la première fois depuis décembre 1955 que les « huiles » du parti sont réunies. Manquent évidemment à l'appel, en raison de la création de l'UNFP quatre mois plus tôt, plusieurs des personnalités les plus fortes du Mouvement national. Pour Allal el-Fassi qui n'avait pu s'imposer à l'automne 1955 comme le chef incontesté de toutes les composantes de ce mouvement, l'occasion est belle de prendre un

---

1. Le 20 mars.

début de revanche et d'être désormais l'unique patron du parti, celui-ci fût-il amoindri.

Allal, dans un discours qui dure sept heures, n'y va pas avec le dos de la cuillère : « Leur intention, affirme-t-il à propos de Ben Barka et de ses amis, était de faire de notre parti le moyen de servir leurs intérêts personnels en ayant recours à une collaboration avec les capitalistes étrangers et en exerçant leurs pressions tant sur le gouvernement Balafrej que sur Sa Majesté le roi. C'est ainsi qu'ils ont tenté de constituer une banque nationale avec la participation majoritaire de capitalistes étrangers et sous la direction d'un homme connu pour sa collaboration avec le Protectorat, ceci dans le but de contrôler les activités économiques du pays et de faire de l'Istiqlal un instrument au service du colonialisme et du capital étranger... »

Le peuple, selon le *zaïm*, n'a pas été dupe, il a manifesté sa « réprobation » et témoigné son « attachement » au parti en envoyant des milliers de télégrammes et de nombreuses délégations au siège central à Rabat. Tous expriment ainsi « leurs craintes de voir tomber le parti entre les mains des ennemis de la religion, de la patrie et du trône ».

Allal el-Fassi minimise également les conséquences du « mouvement scissionniste » sur les effectifs du parti. Seize secrétaires de section et deux inspecteurs seulement ont rejoint les scissionnistes, affirme-t-il.

Dans son rapport moral, le secrétaire général, Ahmed Balafrej, souligne que les participants au congrès s'engagent « avec des idées nouvelles et un sang nouveau ». « Le parti, poursuit-il, était auparavant un mouvement de libération qui englobait différentes tendances. Aujourd'hui, il y a lieu de doter le parti d'une structure nouvelle répondant à son évolution actuelle. »

Jeune et dynamique responsable du parti, resté fidèle à el-Fassi, M'hammed Boucetta pèse véritablement pour la première fois sur le fonctionnement de l'Istiqlal en faisant adopter une importante réforme qui transforme de façon sensible et dans un sens apparemment plus démocratique les institutions du *hizb*. À la base, il y a désormais le Congrès. Au sommet, on trouve un président, un Conseil national de 140 personnes, un Comité exécutif de 15 membres, et 17 inspecteurs régionaux. Sans qu'on lui ait demandé son avis, et bien que quelques voix se soient élevées pour réclamer qu'il soit reconduit dans ses fonctions, Balafrej perd son poste de secrétaire général qui disparaît des nouvelles structures. À ceux qui le déplorent Si Allal répond en invoquant le verset coranique suivant : « S'il y avait deux dieux sur Terre, elle serait corrompue. »

En dépit de ces mauvaises manières qui conduisent son père à se tenir dorénavant « à l'écart du parti[1] », Anis Balafrej reconnaît du « génie » à Allal el-Fassi dès lors que le divorce a été consommé entre l'aile radicale et l'aile conservatrice du parti : « C'est là, dit-il, qu'intervient son génie. Il se lance à corps perdu pour sauver ce qui peut l'être du parti. En sept, huit mois, l'aile gauche réalise qu'il n'y a pas d'autre moyen que la création d'un autre parti. »

Anis Balafrej n'en déplore pas moins le comportement autoritaire d'el-Fassi, tranchant sur la conception moderne du pouvoir que défendait selon lui son père : « Il avait une vision extrémiste qu'il voulait imposer aux autres. Dès 1959, le parti s'est entièrement dévoué à lui. La voie défendue par mon père était une voie moderniste et démocratique au sein de l'Istiqlal, voie qui n'a pas pu se développer. »

Comme on peut l'imaginer, cette scission profonde entraîne une série de conséquences importantes dans l'organisation du parti – on compte près de quinze cents cellules locales, des fédérations régionales, des organisations de jeunesse qui sont sommées de choisir leur camp – et dans la gestion de son patrimoine. Directeur de cabinet de Balafrej quand il était président du Conseil, M'hammed Boucetta, qui prend de l'importance au sein de l'Istiqlal « orthodoxe », se rappelle cette période agitée : « Sur le plan immobilier, il y a eu beaucoup de bagarres. Nous [avec Allal el-Fassi] avons pris les locaux de Rabat, Fès et Marrakech. Ils ont eu Casablanca. Pour la presse, ils nous ont attaqués en justice, mais, heureusement, Bouabid a retiré sa demande[2]. »

---

1. « Allal el-Fassi, héraut de l'indépendance marocaine », texte rédigé par A. Balafrej à la fin des années soixante-dix et remis à l'auteur par son fils.
2. Entretien avec l'auteur.

Épargné pendant quelques mois par Allal el-Fassi, Abdallah Ibrahim se démène beaucoup durant cette période relativement calme. Fin janvier, alors que son parti se disloque, il rejoint, en compagnie de Bouabid, le prince héritier qui prépare la mise au pas définitive des rebelles rifains. Une affaire, on l'a vu, qui embarrasse au plus haut point les istiqlaliens, à quelque bord qu'ils appartiennent.

Le 24 mars, dans un premier bilan dressé au micro de la Radio-Télévision marocaine (RTM), Ibrahim se félicite néanmoins du rétablissement du calme dans le nord du pays. Le décrochage du franc, « premier pas dans l'édification de l'indépendance économique » du Maroc, et la prochaine création de l'Institut national d'émission vont également dans le bon sens. Il voyage beaucoup, en Afrique, dans le monde arabe. Faute de pouvoir faire bouger les choses dans son pays et pour oublier l'ingratitude de la classe politique, il suit de près les questions internationales. À la mi-avril, dans le grand amphithéâtre de la faculté des sciences de Rabat, il fait même un exposé sur ce qu'il appelle le *credo* en douze points de la politique étrangère du royaume. Les thèmes qu'il développe – neutralisme, non-ingérence, arabisme, unité du Maghreb, solidarité africaine, etc. – agacent les chancelleries occidentales et sifflent aux oreilles du prince héritier, peu porté sur « les rêveries et les utopies »…

Début avril, Ibrahim est à Beyrouth pour une réunion du Comité politique de la Ligue arabe. Avec le regretté Édouard Saab[1], du quotidien libanais *L'Orient*, il minimise la gravité de la situation et fait même montre d'un certain culot : « Les divergences au sein de l'Istiqlal sont on ne peut plus amplifiées quand elles parviennent jusqu'ici. » La révolte du Rif ne l'émeut pas plus : « Elle a été pacifiée en un temps record », souligne-t-il. À l'égard de Mohammed V, son extrême amabilité a dû surprendre bon nombre de ses camarades de l'aile gauche. Ses « attitudes très révolutionnaires » (le jugement est rapporté par E. Saab) sont « la grande chance du Maroc. Un roi qui, déjà, au temps du Protectorat, s'est posé en défenseur de la classe laborieuse et du droit syndical, en dépit de toutes les mesures répressives qui lui ont

---

1. Édouard Saab a été tué en 1976 lors de la guerre civile au Liban.

valu l'exil et la prison. Cette symbiose du leader et du Souverain a soudé le peuple et Sa Majesté. Il demeure le chef incontesté et le Guide ». Ce qui ne l'empêche pas de se féliciter qu'une prochaine Assemblée législative « servira de contrepoids au pouvoir monarchique ». Malgré ces bonnes dispositions, Allal el-Fassi l'exclut, le 24 avril, du parti.

Les amis du *zaïm* ne restent pas non plus inactifs au sein de l'UMT où une opposition se développe contre la direction autoritaire de Benseddik. À la fin d'avril 1959, la violence des interventions des uns et des autres atteint son paroxysme. *Al-Alam* publie un télégramme adressé au roi par un certain Hachem au nom du Comité de vigilance pour la sauvegarde des ouvriers (syndicat autonome proche d'Allal el-Fassi) :

« Avons dénoncé à plusieurs reprises la terreur exercée par Mahjoub pour imposer sa domination à la classe ouvrière et s'opposer à la liberté syndicale avec l'aide du gouvernement. Douloureusement surpris par la protection accordée par ce gouvernement au pseudo-congrès de l'UMT alors que le ministre de l'Intérieur opprime honteusement les syndicats autonomes malgré la parution du *dahir* sur les libertés, nous protestons contre l'exploitation faite en toute occasion du glorieux nom de Votre Majesté – notamment par la Radio nationale – pour protéger Basri [le *fqih*], Mehdi et Mahjoub et pour tenter d'imposer leur dictature, et nous suggérons à Votre Majesté d'intervenir de manière décisive pour sauver le pays de l'anarchie. Le silence de Votre Majesté après le meurtre d'Abdelaziz Ben Driss, patriote sincère et grand *alem* fidèle à votre Trône, est un encouragement pour les assassins du peuple. »

Le lendemain, dans une note intitulée « Le comble de l'abjection et de l'impertinence », *At-Tahrir*, journal dirigé par le *fqih* Basri, accuse Hachem, « un des guignols des syndicats autonomes », et *Al-Alam* d'avoir reproduit et adressé des propos outrageants pour le roi et le gouvernement. *At-Tahrir* cite notamment la phrase : « Le silence de Votre Majesté [...] est un encouragement pour les assassins[1]... ».

Al-Alam clôt cette série d'amabilités par un titre éloquent : « Les calomniateurs ne réussiront pas aujourd'hui là où le colonialisme a échoué hier[2] ».

---

1. *At-Tahrir*, 28 avril.
2. *Al-Alam*, 29 avril.

De son côté, le ministère de la Justice donne raison à *At-Tahrir* et au gouvernement en publiant un communiqué dans lequel il annonce que les auteurs du télégramme, et *Al-Alam* qui l'a publié, seront poursuivis devant les tribunaux compétents « à la suite de l'envoi et de la publication d'un télégramme dont certains termes constituent une incorrection à l'égard de Sa Majesté le roi ».

Au mois d'août, *Al-Ayyam*, hebdomadaire en langue arabe du syndicat autonome de l'UMT (tendance Allal el-Fassi), franchit une étape de plus – il est vrai qu'entre-temps le président du Conseil a été exclu de l'Istiqlal – et réclame sa démission en se permettant un mot d'esprit plus ou moins subtil : « Nous pensons que la chute du gouvernement doit venir avant celle du franc », écrit-il avant d'ajouter : « C'est, pour M. Abdallah Ibrahim, une question d'honneur que de proclamer la démission de son gouvernement, car cela vaudrait mieux que de décider la dévaluation du franc marocain, ce qui serait la preuve de l'échec de son gouvernement. »

L'Union générale des travailleurs marocains n'est plus très loin de voir le jour…

Dans les milieux diplomatiques français, on s'interroge et on s'inquiète. Si Mohammed V, dont on verra qu'il multiplie les achats immobiliers à l'étranger, est manifestement préoccupé par son avenir, il n'est pas le seul. Dans un télégramme « très secret » du 27 juillet 1959 – le « marxiste » Abdallah Ibrahim est alors au pouvoir depuis sept mois – et intitulé « Évolution de la situation intérieure marocaine et éventualité d'une intervention française », Alexandre Parodi ne cache plus sa vive préoccupation : « Jusqu'à présent, l'Ambassade s'est efforcée de demeurer en dehors des luttes intérieures et de "jouer le jeu" avec les interlocuteurs marocains, quels qu'ils soient. Mais si une épreuve de force intervenait avec, par exemple, l'Union marocaine du travail (UMT), tentée de provoquer une émeute de bidonvilles et, par contagion, une révolution de type irakien, *une intervention française pourrait devenir nécessaire et ne jouer qu'au profit du Prince*[1]. »

Parodi estime qu'il y aurait au moins quatre bonnes raisons pour la France d'intervenir :

---

1. Ce dernier membre de phrase est souligné.

« a) Parce que ses adversaires [de la monarchie] sont, en raison même de la structure de nos intérêts économiques au Maroc, nos adversaires naturels.

« b) Parce qu'une révolution ou même une évolution de type irakien au Maroc ferait courir un grave danger à nos positions stratégiques en Afrique du Nord, et ouvrirait au flanc de l'Algérie une plaie purulente.

« c) Parce que le Prince est de formation française et les FAR, formées par la France, très attachées à la monarchie.

« d) Parce qu'un gouvernement d'officiers et de techniciens est le seul qui puisse imposer un semblant d'ordre à un pays arabe [sic]. »

Inquiet de la maladie et des absences de Mohammed V, Alexandre Parodi déplore la désagrégation de l'Istiqlal et l'omniprésence de la gauche et de l'UMT. En attendant le « grand soir », il préconise d'intervenir sous la forme d'un soutien financier à certaines personnalités, ainsi que par le biais d'un appui matériel aux Forces armées royales. Il s'agit, selon lui, « d'éviter au Prince d'être balayé comme Ben Arafa » !

Dix jours plus tard, en août 1959, le consul général de France à Casablanca, Auboyneau, offre un dîner à Si Bekkaï, l'ex-Premier ministre. Celui-ci se flatte d'abord d'avoir servi les desseins du souverain en empêchant le parti de l'Istiqlal de s'imposer comme parti unique. Puis il évoque la « constitution fragile » du roi : il est, dit-il, « vite lassé ; ses entretiens avec son ex-Premier ministre[1] ne durent pas plus de vingt minutes. Il préfère les brefs exposés oraux aux notes écrites dont la lecture le fatigue. Il est sensible aux influences extérieures de personnes désintéressées, qu'il regarde comme ses fidèles amis. Il préfère contourner l'obstacle plutôt que de le franchir. Il est prudent, subtil. Néanmoins, sa manière de louvoyer, de temporiser n'est pas à la mesure des événements présents ».

Pour compléter ce sombre tableau, Si Bekkaï confie aussi au diplomate que la popularité de Moulay Hassan a été affectée par la brutalité de la répression dans le Rif.

---

1. Bekkaï, précisément, de décembre 1955 à avril 1958.

À la mi-août, le consul de France à Gibraltar envoie à son tour à son ministre la missive suivante : « D'après les bruits qui circulent ici, la situation intérieure serait très tendue au Maroc. Lors d'un des derniers Conseils présidés par le prince héritier, celui-ci aurait été malmené par certains des ministres présents et un véritable pugilat aurait suivi. Le roi, qui a rappelé de Guinée le président du Conseil, aurait l'intention de former un nouveau gouvernement présidé par Si Bekkaï et dont feraient partie les généraux Meziane et Kettani. Il aurait d'autre part menacé ses adversaires de faire appel aux troupes françaises dans le cas où des troubles se produiraient. Il serait, dit-on, très inquiet de l'avenir de son pays et décidé à s'appuyer sur la France pour mener à bien la tâche qu'il s'est imposée. Il désire vivement améliorer les relations franco-marocaines et compte sur l'entrevue projetée avec le général de Gaulle pour arriver à ses fins[1]. »

La vie d'ambassadeur d'Alexandre Parodi n'aura pas été de tout repos. Jusqu'au mois d'avril 1960, à quelques semaines de son départ définitif du Maroc et de la chute du gouvernement Ibrahim dont on peut imaginer qu'elle ne l'a pas perturbé outre mesure, il continue à baigner dans le pessimisme :

« L'affaire d'Agadir [le séisme], écrit-il[2], a été une démonstration d'incapacité humiliante. Fait nouveau, le roi est ouvertement critiqué aussi bien par l'intelligentsia des villes que dans le bled. Ceux-là mêmes qui louaient l'habileté du souverain quand il s'agissait de diviser l'Istiqlal lui reprochent aujourd'hui son attentisme et son penchant à fuir les responsabilités. Mohammed V, qui a longtemps vécu dans une euphorie artificielle, paraît avoir pris conscience de cet état d'esprit et de ces critiques. D'où son irritabilité et sa mauvaise humeur, qui se transfèrent sur le plan des relations avec la France [...]. C'est en partie pour masquer l'échec intérieur que le Palais multiplie les initiatives pro-arabes et anti-françaises [...]. La tentation de faire l'union sacrée contre la France est partiellement équilibrée par la crainte de provoquer l'effondrement de l'armée royale et de l'administration marocaine. »

---

1. Télégramme du 13 août 1959.
2. Télégramme du 25 avril 1960.

Cependant, alors que le Palais – du moins le prince héritier, de plus en plus présent – laisse machiavéliquement le mécontentement s'installer dans le pays et chez les principaux partenaires du royaume, Abdallah Ibrahim demeure assez largement indifférent aux critiques, et poursuit son petit bonhomme de chemin avec quelques idées simples et une bonne conscience inébranlable.

En octobre 1959, il a l'occasion de préciser sa pensée dans une longue interview[1] :

Nous entendons, dit-il, « nous occuper en priorité des domaines social et économique, en nous abstenant de bercer les foules de slogans démagogiques et de grands rêves de politique extérieure qui ne servent qu'à masquer des contingences cruciales ». Dans cet entretien, il renouvelle son attachement au souverain, qui « se confond avec les aspirations des masses » et qui est « à la tête de tous ceux qui se battent pour l'indépendance économique ». Il dit aussi – et on peut le croire – son aversion pour les dérives de ceux qui détiennent le pouvoir : « Beaucoup, à ma place, provoqueraient autour de leur action un immense tapage et convoqueraient la presse à tout moment. Ce n'est pas mon système. Je préfère travailler dans un silence propice… »

Écarté de toutes les combinaisons politiques, probablement parce qu'il n'y avait pas place dans le sérail pour cet homme un peu trop simple et honnête, Abdallah Ibrahim, la sagesse venue avec l'âge, renoncera à jouer les potiches et analysera avec lucidité sa brève carrière politique. Quand on l'interroge sur ces cinq années d'après l'indépendance où il fut ministre dans tous les gouvernements, sauf celui de Balafrej, puis président du Conseil, il a l'impression que « tout a été fait en dépit du bon sens ».

Il évoque peu de bons souvenirs. D'abord, son bilan à la tête du ministère des Affaires sociales : « J'ai fait, affirme-t-il, tout ce que j'ai pu sur le plan de la législation sociale internationale, en faisant adhérer le Maroc à plusieurs conventions et traités. » Puis le fait d'avoir remis à sa place Moulay Hassan : « J'ai eu avec lui des rapports d'homme libre. Il s'occupait de l'armée et il a voulu s'occuper du

---

1. Interview de Jean Wolf, *Revue du Liban*, 24 octobre 1959.

gouvernement. Je lui ai dit qu'il y avait une ligne rouge à ne pas franchir ! »

L'évocation de cette période le rend nerveux. Manifestement – il le répète à plusieurs reprises –, il n'aime pas les conflits de personnes, et, malheureusement, le Maroc n'a, selon lui, connu que cela :

« Je n'aime pas les chicanes, je ne me sens pas concerné par elles. Je suis un homme de projet. Il y avait beaucoup de gens qui trichaient. Chacun créait son problème. Chacun menait sa vie, faisait ce qu'il voulait, ne pensait qu'à son propre avenir. Les hommes politiques n'étaient plus rassemblés par des principes. C'était la débandade. C'est ce qui a donné le règne de Hassan II. Tout ce que nous avions gagné, nous l'avons perdu en quelques mois. Chaque fois que je réalisais quelque chose, je trouvais des ennemis sur ma route. »

Revenant sur le cabinet qu'il a présidé, il poursuit : « En réalité, ce gouvernement n'était pas un gouvernement normal. La séparation des pouvoirs n'a pas été respectée. Sans doute à cause des pressions de la France, qui n'ont pas été suffisamment expliquées […]. J'ai toujours été un démocrate, convaincu que toutes les tendances doivent pouvoir s'exprimer. Je suis venu avec un projet de société que j'avais préparé pendant des années, en voyageant beaucoup dans les régimes communistes. Mais on ne peut pas changer un pays avec un doctorat ! En quittant le gouvernement, j'étais complètement épuisé ! »

Si les représentants de la France se sont souvent plaints d'Abdallah Ibrahim, Abraham Serfaty, qui occupait d'importantes fonctions à l'époque, estime au contraire qu'il « n'a cessé de capituler devant les pressions conjointes du Palais et de Moulay Hassan ». Il cite comme exemples la récupération des terres des colons, qui s'est arrêtée « devant la collusion sultano-française », ainsi que l'interdiction du Parti communiste « afin de donner des gages du côté de la réaction incarnée par Moulay Hassan »[1].

Le Maroc qui a suivi la chute de son gouvernement lui répugne : « Les partis étaient achetés, les élections étaient de pure forme. On distribuait des milliards aux hommes. À l'époque où j'étais Premier ministre, il y avait encore une vraie fraternité entre les gens. On a

1. Entretien avec l'auteur.

alors avancé en tant que peuple. Il faut suivre la logique des masses. Elles veulent être utiles. Mais les valeurs de la première période, celles qui ont amené le Maroc à l'indépendance, ont vite disparu et n'ont plus rien valu. Il y a eu de vrais héros, mais pas assez de gens bien formés, avec un bagage suffisant[1]. »

Son ancien complice, Mahjoub Benseddik, n'échappe pas au réquisitoire, même s'il est bref : « Cinquante ans ou presque à la tête de l'UMT, c'est tout simplement la dictature. Il y avait une différence énorme entre nous sur le plan de la pensée et de l'activité. » Puis, évoquant les rapports entre syndicalisme et partis politiques, il ajoute : « J'estime que les syndicalistes ne peuvent pas se battre seuls. S'ils voulaient véritablement défendre la classe ouvrière, ils constitueraient un groupe de poids, mais il s'agit de gens malhonnêtes qui profitent du syndicalisme ! »

Sa conclusion est sombre : « Très vite, les gens se sont rendu compte que la vie humaine ne comptait pas. Oufkir, que j'ai bien connu, qui me respectait, qui était un homme façonné par l'armée, et dont le cerveau ne fonctionnait que par les vertus de l'armée, est descendu trop bas. Il a transformé le Maroc tout entier en centre de renseignement, y compris au sein de l'UNFP. Pas de morale, pas d'éthique. C'est un lourd handicap qui a ouvert la porte à une politique de violence officielle. »

À plus de quatre-vingts ans, Abdallah Ibrahim est resté un homme de principes, un honnête homme. En 1996, il a refusé la liste civile que lui proposait Hassan II. Depuis plus de trente ans, il ne dirige plus qu'un parti fantomatique, l'UNFP, privé, après la scission de l'USFP, de militants et de moyens. Quand ils voient ce qu'il est advenu des formations qui furent les siennes, certains Marocains se demandent si Abdallah Ibrahim, grand amateur de poètes romantiques, n'a pas fait un choix pertinent, celui de Gérard de Nerval :

« Il ne nous restait pour asile que cette tour d'ivoire des poètes où nous montions toujours plus haut pour nous isoler de la foule. À ces points élevés où nous guidaient nos maîtres, nous respirions enfin l'air pur des solitudes… »

---

1. Entretien avec l'auteur.

IX

Les caprices du prince
et les angoisses du roi

Trois ans après l'indépendance, le Maroc offre un étrange spectacle. Un roi souffreteux et indécis, secondé par un prince héritier tiraillé entre les devoirs de sa charge et les plaisirs de la vie, tente de s'imposer à un monde politique profondément désuni. Les règlements de comptes entre l'Istiqlal et les autres formations, le jeu trouble de l'appareil sécuritaire entièrement dévoué au Palais ont laissé des traces. La situation économique et financière du pays est d'autant plus mauvaise que l'ancienne puissance protectrice se montre peu généreuse. Les initiatives de la gauche au pouvoir, même si elles sont tempérées par celles du Palais, inquiètent Paris qui ne voit d'éclaircie à l'horizon que dans un clair soutien à la monarchie animée par Moulay Hassan.

Conseiller à l'ambassade de France à Rabat, Jacques Dupuy résume bien la situation : « Mohammed V souffre de violents maux de tête et de vertiges. Il est cloîtré dans l'obscurité […]. Depuis l'affaire du Rif, Moulay Hassan a repris beaucoup d'autorité et d'influence sur son père. Il représente au palais l'influence favorable à la coopération avec la France, combattue par Bennani, le chef du protocole. »

La place des médecins dans la vie
de Mohammed V et de Hassan II

Comme son fils Hassan II, Mohammed V, de santé fragile, a passé toute sa vie entouré de médecins auxquels il se confiait volontiers et dont la présence attentionnée a contribué à apaiser son âme inquiète. Cette fragilité a eu des conséquences importantes en raison des absences répétées du souverain qui ont amené son fils aîné à occuper très vite une place considérable à la tête du royaume.

En mars 2000, l'un de ceux qui l'ont le mieux connu, le Dr François Cléret, a livré son témoignage sur Mohammed V. Il raconte ainsi avoir édifié à Rabat « une clinique accolée comme une verrue à la muraille du palais » avec lequel elle communiquait par un couloir fermé et gardé, ce qui permettait aux femmes du harem de voir facilement le médecin du roi. Cette clinique, bien aménagée, comportait salles de consultation, de soins, d'opération, de radiographie et quelques lits :

« Je m'entourai, ajoute le Dr Cléret, d'une fidèle équipe des meilleurs médecins de Rabat : le Dr Dubois-Roquebert, déjà chirurgien du Sultan, le Dr Danset, cardiologue, le Dr Mallaret, surdoué de la radiologie, et, pour s'occuper des affections prédominantes du rhino-pharynx, le Dr Messouak, excellent dans sa spécialité, mais fortement teinté d'idéologie communiste, ce qui me causa quelques tracas au début, mais je tins ferme et réussis à l'imposer[1]. » « C'est dans cette clinique qu'en 1956 le prince Moulay Hassan fut délivré d'amygdales très gênantes. Pendant sa convalescence sur la Côte d'Azur, il se lia avec une starlette venue de Slovénie qui nous causa par la suite beaucoup d'ennuis[2]. »

C'est aussi des amygdales que fut opéré trois ans plus tard, dans cette même clinique, Mohammed V. L'état du souverain, qui se plaignait depuis des mois de violents maux de tête et de vertiges, s'était brusquement aggravé au début d'août. Le 7 août 1959, alors que le souverain souffre également d'une infection auriculaire, le Pr Pasteur Vallery-Radot procède à l'ablation des amygdales. Légèrement hypocondriaque, la famille royale, qui s'inquiète des suites de l'opération,

---

1. François Cléret, *Le Cheval du roi, op. cit.*, p. 210.
2. *Ibid.*, p. 211.

prend contact, le 12 août, avec l'ambassadeur des États-Unis à Rabat, Walter Reed, et lui demande de faire venir trois spécialistes des oreilles et de la gorge. Puis elle annule la demande avant de la reformuler, le 22 août…

Hassan II est également très soucieux de sa santé, et ce depuis le début de son règne. En janvier 1964, alors qu'il doit se rendre en visite officielle au Caire, il exige, pour la première fois dans l'histoire de ses déplacements à l'étranger, qu'outre son médecin personnel deux praticiens militaires français – un chirurgien et un anesthésiste détachés à l'hôpital central des Forces armées royales – l'accompagnent. Au mois d'août suivant, pour une conférence de l'Organisation de l'unité africaine, également au Caire, il formule la même exigence. Il redoute un attentat contre sa personne et fait embarquer dans son avion un équipement complet pour une salle d'opération de campagne.

L'ambassadeur de France, Pierre de Leusse, qui fournit ces précisions, se demande si c'est l'assassinat tout récent de John Kennedy qui rend si nerveux Hassan II, et trouve ses inquiétudes « plus ou moins justifiées[1] ».

Le diplomate précise que, depuis la découverte du complot de juillet 1963, Hassan II est accompagné dans tous ses déplacements officiels à Casablanca par un chirurgien militaire français doté du matériel indispensable pour intervenir immédiatement. Même scénario pour la ville de Rabat où un médecin français est « mobilisé » en permanence. « Il est en tout cas remarquable, note de Leusse, que Hassan II préfère avoir à ses côtés un chirurgien militaire français plutôt que de confier sa vie aux soins de médecins marocains ou de praticiens arabes. »

Toute sa vie, Hassan II, qui n'était pas d'une constitution très solide et qui a beaucoup tiré sur la corde – il fumait énormément, a longtemps aimé l'alcool, et sa vie n'était pas réglée sur celle des poules… –, a été entouré de médecins, dont beaucoup de mandarins venus essentiellement de France et des États-Unis et payés à prix d'or. Mais des spécialistes d'autres pays et du Maroc même ont aussi été consultés. Si la plupart de ces médecins sont restés muets sur les relations qu'ils ont pu entretenir avec Mohammed V et Hassan II,

---

1. Télégramme du 5 août 1964.

quelques-uns – et notamment deux Français, le Dr François Cléret et le Dr Henri Dubois-Roquebert – ont raconté, dans des livres très différents, la vie particulière qui fut la leur aux côtés des deux souverains. Les deux praticiens, qui étaient devenus des confidents de la famille et, au moins pour Mohammed V, presque des amis, ont livré des informations intéressantes.

Mohammed V, raconte François Cléret, « avait pris l'habitude, les audiences terminées, de venir au début de la nuit me surprendre à mon bureau. Il entrait furtivement, s'asseyait dans le fauteuil qui lui était réservé, fouillait dans sa djellaba pour en sortir une cigarette Lucky Strike, la deuxième après le réveil, qu'il savourait lentement, avec volupté, la religion et les coutumes lui interdisant de fumer en public. C'est seulement après s'être bien installé dans cet isolement à deux qu'il me parlait, toujours avec humour, de son travail, de ses ministres, de ses problèmes. Je l'écoutais et ne donnais mon avis que lorsqu'il me le demandait. Tout y passait, depuis les petits faits divers, prétextes à se défouler, jusqu'aux affaires les plus sérieuses. La discrétion du lieu, la sérénité de cet instant, la lumière tamisée et comme complice, la présence d'un homme qui avait toute sa confiance l'incitaient à ouvrir son cœur. Le roi n'était plus seul. Il était devant son médecin, le garant de la bonne santé de son corps et de son âme, celui à qui on peut dire la vérité et de qui on est prêt à recevoir des avis. Il semblait se plaire dans ce qui ressemblait à un examen de conscience, et je sentais comme un désir secret que certains pussent être mis au courant de ce qui se disait en cet instant. Je le compris et offris mon service. Il me chargea d'abord d'être, entre lui et les princes, l'intermédiaire privilégié des moments difficiles ; puis de porter discrètement quelques observations à certains chefs de partis politiques ou à des ministres. Enfin, court-circuitant la voie diplomatique, je devins son messager auprès d'ambassadeurs ».

Le médecin français apporte par ailleurs quelques informations sinon inédites, du moins qui en disent long sur les rapports de la famille royale avec l'argent. Mohammed V, ayant en effet appris que son médecin était sans émoluments depuis plus d'un an, décide de le nommer par *dahir* (décret) à son service et demande au Premier ministre de régler sa situation administrative :

« Un temps, note François Cléret, les discussions butèrent sur le montant du salaire. Celui proposé n'était pas élevé. L'on me fit comprendre que le plus important n'était pas la rémunération, mais la fonction, qui permettait de se faire "honorer" ses services. On se mit d'accord pour que je perçusse au moins la solde d'un médecin militaire de mon grade. Alors toute la famille, le prince Moulay Abdallah en tête, s'offrit à me donner des "tuyaux" pour arrondir les fins de mois. La sultane, Lalla Abla, glissait dans l'oreille de ma femme Josette : "Dites au docteur de gratter." Le prince Moulay Hassan s'était réservé le contingentement des automobiles pour le royaume. Les constructeurs lui offraient des ristournes suivant l'importance des quotas accordés, mais toujours importantes, qui, ajoutées à l'exonération des droits de douane, faisaient qu'à la revente chaque véhicule rapportait un joli bénéfice. Le cousin Ali, très introduit, venait chaque jour, au petit déjeuner, retirer, pour services rendus, son bon de commande. Autre exemple : le directeur de la Société des phosphates, principale richesse du pays, distribuait, sur ordre, chaque semaine, une enveloppe à chacun des membres de la famille ou à des amis recommandés. C'était leur façon de "gratter". J'étais horrifié. »

Cependant, sans doute vacciné par tant d'années passées au palais, le sentiment d'horreur finit par s'estomper chez le Dr Cléret qui conclut, philosophe : « Mais je m'aperçus plus tard que ces habitudes existaient dans toutes les administrations de tous les pays dès que l'on atteignait les hauts sommets… »

Mohammed V, sa famille et l'argent

L'argent a toujours été une préoccupation majeure de la famille royale. Avant même que l'indépendance ne soit acquise, le sultan entend être convenablement indemnisé par la France pour les vingt-six mois passés en exil en Corse puis à Madagascar. Il estime ainsi avoir déboursé 70 millions de francs de l'époque lors de son séjour de quelques mois en Corse avec sa suite, soit environ 3 millions de dirhams d'aujourd'hui[1]. Antoine Pinay ne méconnaissant pas « les

---

1. Télégramme d'André-Louis Dubois du 3 janvier 1956.

inconvénients politiques et psychologiques que présenterait une discussion trop poussée des demandes faites par Sidi Mohammed Ben Youssef », la France consent assez rapidement à fixer à 600 millions de francs – soit environ 100 millions de dirhams d'aujourd'hui – « l'indemnité pour préjudice porté aux intérêts matériels de Mohammed V ». Le 4 février 1956, Alain Savary autorise le versement de l'indemnité.

Parallèlement, le résident général est discrètement sondé par le Palais, à la même époque, afin de donner un ordre de grandeur des montants des listes civiles qui « seront attribuées aux princes impériaux chérifiens ». C'est ainsi qu'André-Louis Dubois demande à sa hiérarchie des précisions concernant le montant de la liste civile affectée au prince de Galles, avant la guerre, afin d'avoir « un point de comparaison »[1]. Manque de chance, renseignements pris, on découvre que le prince de Galles n'a pas de liste civile, mais bénéficie de revenus du duché de Cornouailles, soit en moyenne 60 000 livres par an. L'ambassade de France à Londres indique encore qu'en 1956 la reine mère bénéficiait d'annuités échappant à l'impôt de 70 000 livres sterling et le duc d'Édimbourg de 40 000 livres…

En décembre 1957, René Tomasini, secrétaire d'État aux Affaires marocaines et tunisiennes, fait circuler l'information selon laquelle « un certain Sidi Aryski, connu sous le nom d'Abad, d'origine kabyle et agent d'affaires privées de Mohammed V, multiplierait les opérations immobilières. Il achèterait des immeubles et aurait notamment acquis l'hôtel d'Orsay, la maison du Danemark et divers autres immeubles. Certains Français du Maroc tentent aussi de lui vendre leurs immeubles en France comme au Maroc ».

Des Marocains se montrent encore moins indulgents. L'ancien directeur d'une administration publique, qui récupéra au début des années soixante plusieurs serviteurs ou proches de Mohammed V, lesquels rappelaient trop de mauvais souvenirs à Hassan II qui les avait congédiés, affirme, en se basant sur leurs déclarations, que Mohammed V aimait beaucoup l'argent et que c'était un vrai grippe-sou : « Il se faisait inviter par des bourgeois pour qu'ils lui fassent des cadeaux. Mais, à peine arrivé, il téléphonait aussitôt à plusieurs de ses

---

1. Note du 30 janvier 1956.

proches pour qu'ils le rejoignent, et il fallait aussi leur faire des cadeaux. On en était arrivé à un point tel que la plupart des familles bourgeoises essayaient d'éviter à tout prix ce type d'invitations... » Balzac avait sans doute raison en disant que « l'avarice commence là où la pauvreté cesse »...

Après l'indépendance, de nombreux Marocains voulurent créer des écoles libres. Beaucoup d'entre eux cherchaient le parrainage du souverain. Invariablement, le directeur de cabinet de Mohammed V commençait par dire : « J'espère que vous n'êtes pas venus demander de l'argent, car vous n'en aurez pas ! »

Vieux militant de gauche et des droits de l'homme, longtemps proche de la direction de l'UNFP, Smaïn Abdelmoumni évoque ce souvenir : « En 1958, alors qu'il était ministre de l'Économie et des Finances, Abderrahim Bouabid fut invité par Mohammed V à faire acheter par l'État marocain un palais qu'il possédait à Qasr al-Baladiya, à Casablanca. "En tant que roi, disait Mohammed V, je dois être logé par l'État. Vous m'achetez donc le palais, et vous le mettez à ma disposition !" Bouabid a refusé. Mais, par la suite, le rapport de forces n'a plus permis de continuer l'affrontement, et la famille royale s'est peu à peu attribué tout ce qui était rentable, de Fès à Agadir[1]. »

D'autres éléments font penser que l'inquiétude du souverain sur son avenir était bien réelle. En avril 1960[2], une note de l'ambassade rapporte les propos tenus à un diplomate français à Rabat par le Dr François Cléret : « Suite à un Conseil des ministres orageux, vers la mi-avril, le roi aurait décidé d'assurer ses arrières et fait procéder à des placements de capitaux à l'étranger et en particulier en Italie : une propriété au bord du lac de Garde et un grand magasin à Milan pour un montant de 250 millions de francs[3]. Il aurait actuellement pour plus de 1 milliard de francs[4] de capitaux investis à l'étranger. Depuis ce jour, le roi manifesterait, selon Cléret, une grande confiance en soi et se montrerait très "décontracté", alors que, dans les semaines précédentes, il parlait d'abdication. Il aurait également fait savoir à

---

1. Entretien avec l'auteur.
2. Télégramme du 26 avril 1960.
3. Soit presque quatre millions d'euros.
4. Soit 12 millions d'euros.

Abdallah Ibrahim qu'en cas de campagne antimonarchique il n'hésiterait pas à organiser un référendum pour ou contre la monarchie dans l'ensemble du pays, consultation dont l'issue à ses yeux ne serait pas douteuse. Les rapports entre le père et le fils sont actuellement mauvais et le fils reviendrait aux plus mauvaises habitudes d'un passé récent, ce que le roi n'ignore pas. Le prince Moulay Abdallah, de son côté, se livrerait à un trafic éhonté de marchandises par l'intermédiaire de la base américaine de Kénitra. »

Quelques mois plus tard, dans une longue note de la Direction générale des affaires marocaines et tunisiennes sur « Les dispositions prises par Mohammed V pour assurer son avenir en cas de besoin » – on ne peut être plus clair –, l'auteur écrit :

« Depuis sa restauration, il semble établi que Mohammed V ait envisagé l'éventualité d'un départ brusqué [...]. La dégradation accentuée de la situation au Maroc et sa sensible baisse de prestige éclairent d'un jour particulier les mesures de précaution prises par le souverain. On peut aussi formuler l'hypothèse qu'il agit délibérément et sans crainte afin de pouvoir se retirer de son plein gré au moment qu'il jugera opportun. Au moment où il a été déposé, la fortune inventoriée du Sultan s'élevait à 3,5 milliards de francs français, majoritairement en biens immeubles[1]. Depuis deux ans, il a beaucoup vendu : exploitations agricoles, immeubles de rapport, palais personnels, villas et terrains nus. Il a vendu son palais de Casablanca et a essayé de faire acheter par le gouvernement – il en avait demandé 2 milliards de francs marocains – son palais de Dar-es-Salam, à Rabat. L'affaire est toujours à l'étude.

« Récemment, le service marocain des Domaines a été contacté par le Palais en vue du rachat de terrains d'une valeur de 400 à 500 millions de francs marocains dans le quartier du Maarif, à Casablanca. Après Dar-es-Salam et Maarif, le roi aura fait racheter par l'État la presque totalité de ses biens immobiliers personnels.

« Lors de ses déplacements en Italie et aux États-Unis (en 1957), en Suisse et en France (1959), en Suisse (1960), Mohammed V a fait transporter de l'or et des objets précieux et a organisé plusieurs expéditions et convoiements par des familiers du Palais. Il a également

---

1. Soit 42 millions d'euros. Mais les comparaisons sont très difficiles.

transféré des devises pour son compte et celui de Moulay Hassan. Ainsi, le personnel de la Banque d'État du Maroc a passé la nuit du 28 au 29 octobre 1958 à empaqueter une quantité importante d'or et de bijoux appartenant en propre au roi, le tout destiné à une banque de Lausanne.

« Le 7 octobre 1960, lors de son départ pour la Suisse, le souverain a personnellement surveillé l'embarquement dans son avion de nombreuses caisses amenées dans huit camions bâchés. L'attention toute particulière prêtée par le roi à cette opération a surpris de nombreuses personnes qui en ont déduit qu'une partie des richesses du Palais allait être mise à l'abri à l'étranger. Des personnalités marocaines dignes de foi ont confirmé que le roi avait effectivement procédé à l'achat, en Suisse et en Italie, de propriétés sur la situation et l'importance desquelles on ne possède toutefois pas de précisions. Il y a deux grandes villas en Italie, peut-être sur le lac Majeur, un immeuble de rapport à Rome, plusieurs villas en Suisse, dont deux à Lausanne et peut-être des immeubles en Belgique[1]. »

Les caprices du prince héritier

Pendant que son père assure les arrières de la famille royale, Moulay Hassan achève sa formation d'homme d'État sur le terrain. D'une certaine manière, les circonstances le servent. La monarchie doit en effet se battre sur tous les fronts pour résister aux pressions de ceux qui rêvent d'en limiter les pouvoirs ou même de l'abattre. Les énormes difficultés rencontrées par les autorités marocaines pour remettre sur pied une économie à bout de souffle après le départ de dizaines de milliers d'Européens créent des tensions sociales dont se passeraient volontiers le souverain et son fils. Enfin la situation internationale, notamment dans le reste du monde arabe où les dynasties arabes n'ont guère le vent en poupe, et en Algérie où la guerre s'intensifie, ne fait que compliquer les choses. Dans un contexte aussi délicat où la famille royale et en particulier le prince héritier devraient donner l'exemple, le comportement de la dynastie alaouite ne laisse pas

---

1. Note en date du 25 novembre 1960.

de surprendre. L'intensité de la vie politique n'empêche ni le roi de passer un temps considérable à l'étranger pour se reposer ou se faire soigner, ni son fils de goûter aux plaisirs de la vie et d'assouvir toutes sortes de caprices qui auraient peut-être été compréhensibles dans un émirat pétrolier du Golfe, mais qui sont autant de fautes de goût dans un pays pauvre comme le Maroc.

L'aversion que dit éprouver le prince pour le matérialisme ne l'empêche pas, en effet, d'apprécier les beaux cadeaux. À peine remis d'une opération d'urgence par suite d'appendicite, le 31 juillet 1956, il accepte avec empressement un hélicoptère offert par le gouvernement français, engin qu'il réclamait depuis un certain temps.

Trois années plus tard, un conseiller de l'ambassade de France à Rabat revient sur cette période, alors que Moulay Hassan doit être prochainement reçu par de Gaulle : « Le Général risque fort d'être agacé par les côtés déplaisants du personnage plus qu'il ne sera sensible à son brio », écrit-il. Le diplomate rappelle alors « le désastreux passage » du prince à Paris juste avant l'affaire Ben Bella. Un passage marqué par une « activité assez malencontreuse » de sa part dans la capitale française[1].

Moulay Hassan multiplie en effet les caprices. Sans doute trop inconfortable, l'hélicoptère ne suffit pas à son bonheur. Le 30 octobre 1956, il envoie un émissaire au conseiller financier de l'ambassade de France pour lui demander confidentiellement 120 000 dollars afin d'acheter deux avions Beechcraft aux prix respectifs de 21 000 et 75 000 dollars. Maurice Faure, alors secrétaire d'État aux Affaires étrangères, après être resté muet quelque temps, fait répondre qu'il est – comme ses collègues ministres de la Défense et des Finances – « défavorable » à cette idée : « Dites-lui que nous n'avons pas de dollars disponibles », câble-t-il.

Maurice Faure n'est pas le seul à rechigner. Ministre de l'Économie et des Finances, Abderrahim Bouabid refuse à plusieurs reprises de donner une suite favorable aux multiples appels du prince héritier pour que l'État satisfasse ses besoins personnels. Bouabid estime que l'État marocain, démuni, a des dossiers plus urgents à traiter. Il

---

1. Lettre de Jacques Dupuy à Jean Basdevant, directeur général des Affaires marocaines et tunisiennes, en date du 17 mars 1959.

considérait en outre, selon un de ses proches, que « le train de vie de la monarchie était budgétisé et devait donc, par là même, obéir à des règles ». Plus tard, un gouverneur de la Banque du Maroc sera même limogé pour avoir refusé de se soumettre aux exigences du prince.

Cependant, l'aviation privée occupe une bonne partie du temps du chef d'état-major général. Le 15 novembre 1956, Roger Lalouette demande conseil à sa hiérarchie, Moulay Hassan ayant commandé en juin précédent à la compagnie de Havilland un avion de type Héron au prix de 54 000 livres sterling. Pour 14 000 livres supplémentaires, il a fait aménager somptueusement l'appareil destiné à son usage personnel. Or, le ministre marocain des Finances, incapable de trouver l'argent pour régler la facture, demande à la France de débloquer 71 589 livres. La désinvolture du prince, qui a fait cette commande contre l'avis du commandant en chef de l'armée de l'air française au Maroc, irrite les autorités françaises :

« Il y aurait intérêt à ce qu'une démarche officielle fût faite auprès du Prince Moulay Hassan pour appeler son attention sur l'impossibilité dans laquelle se trouvent les services financiers de couvrir en devises les engagements qu'il prend en dehors de la réglementation officielle. »

Mais, sans doute conscientes de tenir avec lui l'une des meilleures cartes de la France, ces mêmes autorités finissent par céder au bout de trois mois de tergiversations.

Cet appareil sera à l'origine d'un incident peu connu des Marocains et qui montre que, bien avant les deux coups d'État manqués de 1971 et 1972, le futur Hassan II avait déjà eu beaucoup de chance. Pour piloter le Héron, les Français avaient fait appel à un équipage espagnol commandé par le capitaine Pedro Fernandes Grande. Pilote de chasse émérite, mais peu habitué aux quadrimoteurs, Pedro Grande donne, lors du premier vol, de vives émotions aux passagers, parmi lesquels figure Moulay Hassan. Il vire en effet trop près du terrain, provoquant de violentes secousses qui l'obligent à remettre les gaz. À la deuxième tentative d'atterrissage, il se présente trop loin de la piste et doit à nouveau reprendre de l'altitude au tout dernier moment. Dans l'affolement général, le prince Hassan crie : « Il va nous tuer ! » Le général Kettani, qui relate l'incident à Roger Lalouette, commente en riant : « Le Prince exigeant un équipage français, nous allons avoir un problème diplomatique avec Madrid ! »

Le 12 septembre 1957, alors que, depuis moins d'un mois, le titre officiel du souverain marocain est « roi » et non plus « sultan », Moulay Hassan se trouve en Grande-Bretagne. Il insiste beaucoup pour voir la reine. Impossible, lui dit-on, elle est à Balmoral. C'est peut-être sa déception qui le conduit à commettre alors quelques impairs. Les diplomates européens qui l'observent relèvent qu'il n'est « pas toujours à l'aise » et commet « quelques gestes maladroits ». Il refuse ainsi d'assister à une démonstration et part une heure et demie avant l'heure prévue. Il se fait néanmoins expliquer le rôle d'une monarchie constitutionnelle dans un pays démocratique et se montre ravi d'apprendre que la reine est toujours chef de l'Église anglaise… Au passage, il se fait offrir par l'armée marocaine une Bentley « grand sport »[1].

En mars 1959, Hassan Ben Mohammed el-Alaoui est assigné à comparaître devant le tribunal de la Seine pour n'avoir pas réglé à M. Armand Langnas une somme de 40 350 485 francs que lui-même et Mme Jeannine Verret, dite Etchika Choureau, lui devaient. « La plus grosse partie des dépenses avait été faite par Mme Verret avec la caution de Son Altesse impériale. Il est clair que Son Altesse impériale et Mme Verret ont profité de leur situation personnelle pour ne pas payer à M. Langnas des sommes qu'ils ne peuvent pas contester devoir », relève notamment l'assignation. Une solution à l'amiable sera discrètement trouvée…

En mai 1959, le futur roi, passionné par les belles voitures, passe commande d'une Facel Vega Excellence qu'il paie comptant 4 025 937 francs. Dans un télégramme du 22 mai 1959, l'ambassade de France déplore que « le vendeur ait relevé indûment ses prix ».

Le 22 juillet suivant, un Argentin, ami de Peron, *el señor* M. S. Tricerri, offre au prince, juste après son arrivée à Montreux (Suisse), une Bentley. Elle viendra rejoindre le début d'une collection qui comptera plusieurs centaines d'exemplaires à la mort de Hassan II.

Quand il ne s'amuse pas ou ne s'occupe pas de ses collections, le prince se penche sur les affaires de l'État. Non sans lucidité, si l'on en croit Alexandre Parodi qui note : « Moulay Hassan se rend

---

1. Télégramme du 12 septembre 1957 de l'ambassade de France à Londres.

parfaitement compte de la dégradation de la situation marocaine depuis le départ du roi, un mois plus tôt, à Montreux [...]. Il est vraisemblable, conclut Parodi de sa discussion avec le prince, que Mohammed V, fidèle à son tempérament, laissera passer la bourrasque et attendra que le gouvernement d'Abdallah Ibrahim soit définitivement déconsidéré par son incapacité à résoudre aucun problème pour s'en débarrasser. »

Au printemps 1958, ambassadeur du Maroc en Égypte, Abdelkhalek Torrès est au Caire pour accueillir Moulay Hassan qui prépare un voyage de son père. Gamal Abdel Nasser, mieux disposé à l'égard du prince que celui-ci ne l'est à l'égard de son régime[1], ne tarit pas d'éloges à son sujet : « Ce jeune homme, confie-t-il à Benoist-Méchin, possède une intelligence hors du commun, une perception très aiguë des hommes et des événements. C'est un des espoirs du monde arabe. Vous verrez qu'il deviendra un des personnages clés de notre renaissance. »

Les rapports de Mohammed V avec Moulay Hassan

« J'idolâtrais mon Père à un point que vous ne pouvez imaginer, affirme Hassan II au cours de ses entretiens avec Éric Laurent[2]. Je lui avais véritablement fait don de ma personne en lui disant (et ce n'était pas une métaphore) : "Sire, ce qui est lourd pour vous sera léger pour moi." Quand il m'a désigné comme Prince héritier, nous avons tenu le coup pendant toute la durée de la cérémonie, mais, ensuite, lorsque je l'ai rejoint, nous nous sommes mis à sangloter tous les deux. » Cette confidence est certes très émouvante, mais la réalité est sans doute plus complexe si l'on se réfère à de nombreux témoignages, ainsi qu'à d'autres confidences du fils aîné de Mohammed V. Bien des choses ont en effet été dites ou écrites sur les rapports entre les deux hommes. Se complétaient-ils, se partageaient-ils les rôles ou, au contraire, étaient-ils comme l'eau et le feu ? À défaut de répondre précisément à ces questions, on peut utilement se référer aux

1. Voir *supra*, chapitre IV.
2. Hassan II, *Mémoires d'un roi, op. cit.*, p. 25.

témoignages ou aux confidences de personnalités étrangères ou marocaines, serviteurs zélés du trône ou adversaires déclarés. Le moins qu'on puisse dire, c'est que les relations entre le roi et le prince n'ont pas toujours été faciles, même si Hassan II, fidèle en cela à la tradition qui veut qu'en terre d'islam on laisse les morts reposer en paix, n'a cessé toute sa vie d'encenser la mémoire de son père.

Le Dr Cléret fait dans son livre[1] de rapides allusions aux tensions familiales en évoquant son rôle pour rapprocher le père et le fils à la suite de conflits ou de malentendus. De son côté, le Dr Dubois-Roquebert, avec une infinie gentillesse, a rappelé dans un livre de souvenirs qui vient seulement d'être publié, une trentaine d'années après sa mort tragique au palais de Skhirat[2], que « l'éducation représentait pour Sa Majesté Mohammed V une question primordiale, dont l'importance dominait les autres ». Ainsi, nous révèle le bon docteur, le sultan se glissait souvent discrètement au dernier rang de la classe de son fils pour écouter les maîtres et les élèves. Il se transformait alors en un « véritable inspecteur général ». « Bien que les encouragements, à l'occasion, ne lui fussent pas ménagés, le Prince héritier fur élevé durement. Plus souvent qu'à son tour il connut la discipline qu'il arrivait à son Auguste Père d'appliquer lui-même et… sans ménagement ! »

En veine de confidences, Hassan II a confirmé le caractère spartiate de son éducation, fournissant même à ce propos des éléments biographiques étonnants :

« Jusqu'à l'âge de dix, douze ans, j'ai reçu des coups de bâton et j'étais heureux que ce soit mon Père qui me les donne plutôt qu'un autre. Vous savez, aujourd'hui encore, dans les écoles coraniques, le *fqih* possède toujours un bâton. On l'applique de préférence sur les poignets. J'ai fait preuve de la même sévérité parentale envers mes propres enfants et, grâce à Dieu, je n'ai pas eu avec eux de problèmes d'éducation[3]. »

---

1. François Cléret, *Le Cheval du roi, op. cit.*
2. Henri Dubois-Roquebert, *Mohammed V, Hassan II, tels que je les ai connus,* Casablanca, Tarik, 2004. En juillet 1971, Hassan II échappe miraculeusement à la mort lors d'une tentative de coup d'État militaire. Une centaine de ses invités sont tués par les mutins, dont le Dr Dubois-Roquebert.
3. Hassan II, *Mémoires d'un roi, op. cit.*

Autre confidence, faite plus tôt : « Le Prince héritier a eu la chance de jouer au football pendant cinq ans durant toutes les vacances scolaires, sur la plage d'Ain Diab. Il a donné des coups de pied dans les tibias des garçons avec lesquels il jouait, et en a reçu beaucoup de leur part[1]. »

Si l'on en croit toujours ses Mémoires, les rapports de Hassan II avec son père devaient parfois être orageux. À Éric Laurent, qui lui demande d'évoquer ses « points faibles » alors qu'il était encore prince héritier, il répond : « Mon Père avait coutume de me dire : "Lorsque je fais ma prière cinq fois par jour face à La Mecque, je prie Dieu de limiter vos emportements." J'avais, c'est vrai, des emportements terribles, qui ont brusquement disparu. Du jour au lendemain. »

Ce qui n'empêche pas le fils, un peu plus loin, de retourner le compliment à son père en évoquant son caractère versatile : « J'étais son seul confident. Nous prenions tous nos repas ensemble. Quand il était de bonne humeur, mon Père était l'homme le plus charmant et le plus charmeur que la Terre ait jamais créé. Mais, lorsqu'il décidait d'être de mauvaise humeur, il devenait, respectueusement, impossible. »

Ambassadeur de France à la fin des années cinquante, à une période cruciale, Alexandre Parodi, qui semble avoir entretenu des relations confiantes avec le prince, évoque, le 14 août 1959, un long entretien avec celui-ci. Il rapporte ainsi une autre appréciation du fils sur le père : « Mon Père et moi avons deux tempéraments très différents, m'a-t-il dit, et nous ne réagissons pas de la même manière devant les événements. »

Les diplomates, surtout français, ont appris beaucoup de petits secrets d'interlocuteurs marocains qui, à cette époque, s'interrogeaient encore sur l'avenir de la monarchie et sur la différence de tempérament entre le roi et son successeur désigné. Ce qui est nouveau, si l'on recoupe les témoignages de plusieurs personnes ayant vécu à proximité de Mohammed V, c'est le côté manipulateur du personnage. L'un de ses bouffons, remercié par Hassan II, raconte ainsi que le souverain lui demandait de temps à autre de provoquer ses fils et de les dresser l'un

---

1. Conférence de presse au sujet de la Constitution, 13 décembre 1962.

191

contre l'autre. Hassan II détestait ces pratiques, ce qui l'a conduit à se débarrasser, à la mort de son père, de ce curieux entourage.

En politique également, Mohammed V pouvait provoquer son fils, mais, au fur et à mesure que Moulay Hassan prenait de plus en plus d'importance, ces manœuvres marchaient de moins en moins.

Personnalité ambiguë, complexe, Mohammed V a autant séduit qu'irrité. Mais les iconoclastes ont pratiquement disparu du Maroc avec le début des années de plomb et l'impossibilité de toucher au mythe du Père de l'indépendance. Cependant, à côté d'un de Gaulle charmé par le personnage, ou d'un François Cléret subjugué, beaucoup d'autres sont plus réservés, s'interrogent ou s'agacent.

Ministre plénipotentiaire chargé du consulat général de France à Tanger, Pierre Bouffanais s'étonne, pendant l'été 1958, du « tribut à la purge administrative » payé par Ahmed Tazi, *mendoub* (délégué) du sultan à Tanger de 1948 à 1956, et qui vient d'être « frappé », par une commission *ad hoc*, de neuf années d'indignité, ainsi que de la confiscation de la moitié de ses biens : « Le roi du Maroc est blâmé. Pour les uns, écrit Bouffanais[1], Sidi Mohammed est le personnage sournois et rancunier qui, en juillet 1956, a nommé Ahmed Tazi ministre honoraire et lui a remis le grand cordon du Ouissam alaouite, et qui, en août 1958, est revenu sur le pardon accordé au temporaire représentant de Ben Arafa. Pour les autres, Mohammed V est un homme sans caractère, définitivement tombé au pouvoir de l'Istiqlal et de la "Résistance", et impuissant à défendre les serviteurs traditionnels de sa dynastie, les représentants des grandes familles *makhzen* parmi lesquelles s'illustrèrent les Tazis, dont un *dahir* spécial, remis en juillet 1956 à l'ancien *mendoub*, vantait naguère encore "la fidélité jamais démentie au Trône alaouite". Nos prédécesseurs ont parfois déploré la cupidité et la pusillanimité de Si Ahmed Tazi, ils ont toujours rendu hommage à sa loyauté ; à travers le *mendoub*, figure essentielle de l'ancien statut de Tanger, c'est le Protectorat français qu'une fois de plus on a voulu condamner à Rabat. »

Autre reproche fréquemment fait à Mohammed V par les diplomates français : son caractère indécis. Le 29 septembre 1958[2],

---

1. Télégramme du 27 août 1958 à l'ambassadeur Alexandre Parodi.
2. Télégramme au ministère.

Alexandre Parodi s'inquiète du « temps perdu en tergiversations et en mesures dilatoires », mais estime que le souverain reste malgré tout « le maître du jeu politique. Chef religieux, ajoute-t-il, et héros national, il dispose d'un ascendant sur les masses qui lui permet d'arbitrer la vie politique marocaine sans jeter dans la balance le poids de la police et de l'armée ».

Quinze jours plus tard, se référant à une « source sûre », le même Parodi met, une fois de plus, en évidence l'opposition de style entre le roi et le prince héritier. Il écrit qu'un « véritable conseil de famille s'est réuni au palais – Mohammed V, Moulay Hassan, Moulay Abdallah, le pacha de Meknès, Lalla Aïcha et Moulay Hassan, le frère du roi. La discussion a duré trois heures. Mohammed V prend acte avec tristesse de l'état de décomposition intérieure : les hommes du parti de l'Istiqlal avec qui je collabore depuis trente ans me placent aujourd'hui dans une situation impossible et présentent des exigences inadmissibles, comme la demande de pleins pouvoirs ; mais qu'arrivera-t-il si je romps avec le seul parti organisé qui a pratiquement en main les cadres de l'administration ? Pourrais-je gouverner sans les fonctionnaires istiqlaliens ? D'autre part, Moulay Hassan, appuyé par tous les autres, encourage le roi à accepter l'épreuve de force avec l'Istiqlal. Le prince aurait proposé la dissolution des partis et la constitution d'un gouvernement de techniciens dans lequel entreraient certains jeunes cadres de l'Istiqlal. Une délégation d'officiers des FAR aurait aussi supplié Mohammed V de ne pas accepter la demande de pleins pouvoirs, car si le parti de l'Istiqlal contrôle l'armée royale, la carrière et la vie des officiers monarchistes seraient en danger[1] ».

Jusqu'au terme de son ambassade, Parodi ne changera pas d'avis. Dans son compte rendu de fin de mission[2], il relève le côté inconstant et lunatique de Mohammed V et de son entourage : « Les réactions marocaines témoignent d'une impulsivité, d'une violence et souvent d'une versatilité déconcertantes. Elles évoquent l'image de la fantasia : les cavaliers s'élancent au galop en déchargeant les *moukalas*, puis reviennent au petit pas. Revenons-nous à chaque fois à la ligne de

---

1. Télégramme du 15 octobre 1958.
2. Note à l'administration centrale en date du 23 septembre 1960.

départ ? Je ne le crois pas. "Patience, présence, tel est le résumé de votre mission au Maroc", me disait en juillet 1958 le général de Gaulle. »

Puis il tente d'affiner le portrait du souverain dont il dit que Moulay Hassan aime le comparer à Louis XI : « Il répugne à trancher les grands problèmes et ceux du Palais, contrastant en cela avec son fils. Il est ouvert aux idées de progrès, mais il vit comme un féodal et en musulman traditionnel, avide de popularité et facilement effrayé par les mouvements de foule, diplomate subtil à l'orientale et capable d'accès de colère froide qui terrorisent son entourage, lisant peu mais informé de tout, incontestablement patriote, Mohammed V s'identifie à la lutte pour l'indépendance et il a conscience de pouvoir seul incarner à la fois le Maroc traditionnel et le Maroc moderne [...]. Au cours des trois dernières années, on l'a cependant vu souvent inquiet et découragé, notamment après la chute de la monarchie irakienne, pendant sa maladie en octobre 1959, et au moment de la chute du gouvernement Ibrahim. Mais le roi est trop jaloux de son autorité de monarque absolu pour le déléguer complètement au prince auquel il ne fait pas totalement confiance. »

En revanche, le représentant de la France se montre particulièrement bien disposé à l'égard de l'héritier du trône chérifien : « L'influence de plus en plus grande du prince a, dans une certaine mesure, assaini la situation intérieure marocaine [...]. Les rapports avec lui sont plus simples qu'avec son père. Moulay Hassan joint à une vive intelligence le don de commander, sinon celui de plaire [...]. Pour la première fois peut-être depuis l'indépendance, poursuit Parodi, on sent une impulsion gouvernementale appliquée aux vrais problèmes marocains. L'objectif du prince est double : rétablir l'autorité de l'État et remettre le pays au travail. » Au diplomate français Moulay Hassan parle d'« hydre à trois têtes : Mehdi Ben Barka, Abderrahim Bouabid et Mahjoub Benseddik ».

Mais revenons à l'année 1958, alors qu'Alexandre Parodi vient juste d'arriver à Rabat. Il reçoit l'ancien Premier ministre Si Bekkaï qui confirme partiellement les craintes de l'ambassadeur. Il lui affirme en effet que Mohammed V est « chambré » par certains éléments istiqlaliens du Palais et qu'il serait en train de « céder aux activistes »[1].

---

1. Télégramme du 16 novembre 1958.

Alexandre Parodi n'est cependant pas vraiment convaincu et affirme ne pas « exclure que Mohammed V manœuvre et s'emploie à user les uns après les autres les hommes du parti de l'Istiqlal » avant d'arriver à un gouvernement d'Union nationale ou de techniciens sans appartenance politique.

Manifestement, le souverain ne sait trop sur quel pied danser. Après une longue conversation avec Moulay Hassan, frère et confident du roi, Parodi câble à sa hiérarchie qu'Abdallah Ibrahim – qui vient d'être désigné à la tête du gouvernement – et ses amis « sont beaucoup plus violents en paroles qu'en actes, et moins proches qu'on ne pouvait le craindre du FLN algérien[1] ».

Deux jours plus tard, un ami français de Mohammed V fait état à Alexandre Parodi de l'échange qu'il a eu avec le souverain :

Mohammed V : « Êtes-vous inquiet ? »

L'ami : « Tous les Français le sont et ne comprennent pas où l'on va, avec Abdallah Ibrahim ! »

Mohammed V : « Les Français n'ont aucune raison de s'inquiéter. C'est auprès de la nouvelle équipe qu'a été trouvé en fin de compte le plus de compréhension, beaucoup plus que dans l'autre fraction de l'Istiqlal. C'est elle qui paraît maintenant la plus disposée à aider le roi. »

Le sultan, précise Parodi, a donné son accord à son ami français pour que ses propos soient rapportés à l'ambassadeur de France.

Les diplomates français et le prince ne sont pas les seuls à émettre des réserves ou à s'interroger sur Mohammed V, sur ses convictions profondes et sur la véritable nature des relations entre le père et le fils. Dans son livre d'entretiens[2], le *fqih* Basri, en mentionnant la chute du gouvernement Ibrahim, évoque les pressions du « mouvement sioniste » et celles des services de renseignements américains : « Le moment n'est pas encore venu pour dire certaines choses. Mohammed V commençait à être contesté. Tout cela pose beaucoup de points d'interrogation sur sa mort et sur d'autres morts comme celle de Lumumba... »

Questions qui se poseront à nouveau, quatre ans et demi plus tard, avec la disparition de Ben Barka qui, pour certains, ne gênait pas

---

1. Télégramme du 16 décembre 1958.
2. *Kitab al'ibra wa al wafa'* (Livre de considérations et de fidélité), Casablanca, 2002.

seulement des officines marocaines et françaises, mais d'autres services qui se méfiaient de ce brillant militant internationaliste.

Selon le *fqih*, des contacts avancés avaient été pris avec le monarque, parti en Suisse pour se faire soigner, l'objectif étant de ramener la gauche au pouvoir et de poursuivre l'expérience entamée en décembre 1958. La disparition soudaine de Mohammed V change complètement la donne.

X

Le gouvernement de Mohammed V

La crise politique qui conduit Mohammed V à renvoyer le cabinet Ibrahim est directement liée à la situation économique et financière du Maroc.

Déjà, au mois d'août 1959, le souverain est contraint de renoncer à se faire opérer en Europe et de regagner le Maroc sur un appel pressant de son fils, inquiet de la tournure que prennent les événements. Le cabinet Ibrahim paraît en effet vouloir repenser complètement les liens économiques et financiers du Maroc avec la France. Ce retour a également pour conséquence l'ajournement *sine die* d'une rencontre du roi avec le général de Gaulle, rencontre préparée dans le plus grand secret lors d'un passage à Paris du prince héritier, le 2 juin[1].

---

1. En recevant Moulay Hassan, de Gaulle lui demande de quoi Mohammed V souhaite parler. Réponse du Prince : "Des troupes françaises au Maroc, des frontières avec la Mauritanie et l'Algérie, du gaz du Sahara beaucoup moins cher, du fer de Tindouf." "L'Algérie, dit alors de Gaulle à Moulay Hassan, est une poussière d'hommes, n'a jamais été et n'est pas un État. Ferhat Abbas n'est pas le gouvernement de l'Algérie." Le Prince demande alors si, néanmoins, on n'assiste pas à l'éveil d'un sentiment national algérien. De Gaulle répond : "L'évolution de l'Algérie, c'est l'égalité des droits. Les Algériens pourront dire librement ce qu'ils veulent. C'est là une révolution. Si je donnais l'Algérie à Ferhat Abbas, on verrait s'instaurer un épouvantable désordre." » (Note du ministère des Affaires étrangères.)

Les premières escarmouches apparaissent en décembre 1958, au moment où le gouvernement marocain refuse d'aligner sa monnaie sur celle de la France qui vient de dévaluer le franc de 17,50 %. Les Marocains craignent en effet à juste titre qu'une telle dévaluation n'entraîne une hausse des prix qui pénaliserait une grande majorité de leurs concitoyens aux revenus très limités. La France, elle, ne veut y voir qu'une attitude « pour une bonne part motivée par des considérations de prestige politique[1] ».

Pour pallier le décrochage du franc marocain et sa surévaluation, différentes mesures sont prises par Abderrahim Bouabid et son équipe : taxe de 10 % sur les règlements financiers à destination de la zone franc, détaxes appliquées à certains produits d'exportation, etc. Mais cela n'empêche pas l'économie marocaine d'être sérieusement affectée : évasion de capitaux, stagnation du commerce extérieur, récession de l'activité économique (production industrielle en baisse, augmentation du chômage, diminution de l'emploi, etc.).

Au mois de juin 1959, la création d'une Banque du Maroc, en faveur de laquelle l'ancienne Banque d'État du Maroc renonce à son privilège d'émission, entraîne de nouvelles difficultés pour le gouvernement marocain. En effet, l'opération intervenue a pour conséquence la fermeture du « compte d'opérations » ouvert au nom de la Banque d'État auprès de la Banque de France. Considérant cette mesure comme inamicale, le gouvernement marocain riposte en édictant certaines mesures provisoires qui correspondent, en fait, à une sortie du royaume de la zone franc : contrôle des transferts financiers vers la zone franc alors que la liberté de transfert est la règle, rapatriement obligatoire des devises provenant des exportations marocaines, etc.

En dépit de multiples pressions, la France ne parvient pas à convaincre Rabat de normaliser ses rapports financiers avec elle. C'est précisément cet « aventurisme » économique et financier qui inquiète tant Moulay Hassan et qui le pousse à demander à son père de revenir d'urgence. Effectivement, le souverain, une fois rentré, suspend toute décision relative aux nouvelles mesures envisagées par le gouvernement Ibrahim et qui comportent notamment le contrôle

---

1. Sous-direction du Maroc, note sur la situation politique en date du 14 septembre 1959.

des avoirs étrangers par l'Office des changes, une stricte limitation des transferts financiers vers la France, l'interdiction du transfert des valeurs mobilières vers la France, l'obligation pour les succursales des sociétés étrangères de se transformer en sociétés marocaines, etc.

Pour les autorités françaises, intéressées au premier chef, la question est désormais simple : « Le gouvernement marocain reviendra-t-il au sein de la zone franc à des pratiques commerciales libérales et se résoudra-t-il enfin à la dévaluation qui, seule, lui permettrait un redressement sur le plan économique ? Ou bien décidera-t-il au contraire, dans un souci démagogique de "non-dépendance", de rompre définitivement avec la zone franc et de se lancer dans une politique étroitement dirigiste qui ne tardera pas à ruiner son économie, à acculer sa population à la misère et à l'amener tôt ou tard à solliciter l'aide des pays de l'Est[1] ? »

Dans cette perspective, la diplomatie française estime que, en septembre 1959, « la constitution de l'UNFP vise essentiellement à faire pression sur le roi pour qu'il donne son approbation au programme financier de MM. Ibrahim et Bouabid ».

Les mêmes diplomates voudraient bien se consoler en pensant qu'une coalition regroupant l'Istiqlal traditionnel, le PDI, les libéraux indépendants, les amis du Palais et, surtout, le Mouvement populaire, pourrait faire obstacle aux angoissants objectifs de l'aile marxiste. Mais ils n'y croient qu'à demi, compte tenu à la fois du « dynamisme » de l'UNFP, emmenée par un Ben Barka « intelligent et ambitieux », du « déclin » de l'Istiqlal traditionnel et de l'incapacité du MP à « assumer avec succès les charges du pouvoir, du fait de son manque de cadres, de l'absence de programme et de son esprit d'improvisation qui constituent autant de handicaps très lourds ».

Et la note de se terminer sur ce jugement définitif : « La grande faiblesse des Berbères réside toujours dans cet esprit d'anarchie qui n'a cessé, au cours des siècles, de les diviser entre eux »[2].

Dans un livre très fouillé sur l'échec de la politique économique marocaine dans les années qui suivirent l'indépendance, en dépit des efforts considérables d'Abderrahim Bouabid pour faire bouger les

_____

1. Sous-direction du Maroc, note sur la situation politique en date du 14 septembre 1959.
2. *Ibid.*

structures administratives et sociales, Abdelaziz Belal écrit justement : « La constitution d'une bourgeoisie "artificielle" sur la base de
l'appareil d'État et d'une marocanisation formelle de certaines sociétés étrangères renforce les tendances négatives dans le comportement
économique de la bourgeoisie autochtone. Ce comportement est
dominé par les perspectives à court terme et l'anticipation de profits
immédiats et importants comme conséquence de tout investissement, parce qu'il est tributaire de l'étroitesse du marché intérieur, de
l'importance de la base agricole de l'activité économique, de l'insuffisance des capitaux et des compétences dont peuvent disposer les
milieux d'affaires nationaux, des "facilités" que procurent les relations familiales et les contacts avec les représentants du pouvoir, et
également de la crainte de bouleversements sociaux pouvant être suscités par des mouvements de masse à caractère radical[1]. »

Sans jamais pointer du doigt les véritables responsables du changement de cap de la politique économique[2], Abdelaziz Belal n'en
montre pas moins clairement que la plupart des projets finalisés par
l'équipe Bouabid ont été ou abandonnés, ou détournés, ou n'ont pas
trouvé d'application une fois le gouvernement Ibrahim renversé.
Cela est vrai aussi bien du Plan quinquennal 1960-1964, de l'Opé-
ration-Labour[3], sabotée par les grands propriétaires, que de la Promotion nationale, transformée en opération de charité publique.

À la même époque, Robert Barrat, très lié à la gauche marocaine,
écrit dans *Témoignage chrétien* que « la nomination des directeurs des
grands offices marocains fait partie des attributions du Conseil des
ministres. Certains de ces offices – phosphates, thé, BEPI [Bureau
d'études et de participation industrielle] – brassent un volume d'affaires
considérable et le Palais aimerait pouvoir les offrir en prébendes à de
nouveaux "fermiers généraux" qui deviendraient plus ou moins ses
créatures. Il tente d'obtenir que ces directeurs soient désormais nommés
par *dahir*. Mais, jusqu'à présent, Ibrahim et Bouabid ont tenu bon[4]. »

---

1. Abdelaziz Belal, *L'investissement au Maroc, op. cit.*, p. 235.
2. L'auteur, qui a publié son livre au Maroc en 1976, était sans doute tenu à la plus
grande prudence.
3. L'État aide les petits agriculteurs à labourer leurs champs. Un million d'hectares
sont concernés à la fin des années cinquante.
4. *Témoignage chrétien*, 4 mars 1960.

Si Mohammed V, qui a appris à louvoyer durant le Protectorat, ménage depuis l'indépendance tout un chacun « pour mieux dominer son monde », s'il « ménage les choix de tous pour mieux imposer ses propres choix », une telle politique finit par atteindre ses limites. Comme il est incapable de trancher pour des raisons de caractère, de santé et peut-être aussi du fait de ses convictions, son fils le fait à sa place. Monjib résume bien la situation :

« Se cachant derrière l'autorité de son père, le manipulant à l'occasion, le futur Hassan II mène la seule politique possible, selon lui, dans un pays dont l'âge sociologique et le niveau socio-économique rendent le pouvoir impartageable : neutraliser les adversaires, éliminer les ennemis politiques pour pouvoir se consacrer à la consolidation des bases de l'ordre monarchique menacé par les apports du XXe siècle[1]. »

Stephen Hughes, qui déjeune avec le prince en ce début d'année 1960, apporte quelques précisions intéressantes sur l'homme qui va monter sur le trône un an plus tard : « Bien qu'âgé de moins de trente ans, sa connaissance des affaires internationales était excellente et étendue. La seconde impression qu'il m'avait laissée était celle d'une personne suprêmement sûre d'elle-même, décontractée et affable sans être condescendante. L'homme jeune ne semblait pas avoir tant l'arrogance du pouvoir ou de la naissance qu'un sens de sa supériorité intellectuelle. Sa conversation enfin m'apparut brillante. Il me fit penser immédiatement à Mehdi Ben Barka. Tous les deux étaient de petite taille, nerveux et énergiques. Ils semblaient être sortis du même moule [...]. L'un et l'autre étaient de grands communicateurs, rayonnants d'enthousiasme, quoique irradiant dans des directions divergentes, mais leurs enthousiasmes étaient contagieux[2]. »

En juin 1960, Parodi se rend au palais pour féliciter Moulay Hassan de la formation du nouveau gouvernement présidé par Mohammed V. « Vous n'y croyiez plus ! » lui dit en souriant le prince avant de rapporter à l'ambassadeur de France l'échange de vues on ne peut plus clair qu'il a eu avec son père : « "Vous avez le choix, lui dit-il, entre deux solutions : soit gouverner vous-même,

---

1. Maatti Monjib, *La Monarchie marocaine et la lutte pour le pouvoir, op. cit.*, p. 198.
2. Stephen O. Hughes, *Le Maroc de Hassan II, op. cit.*, p. 137.

soit charger un petit nombre d'hommes énergiques de gouverner à votre place." Mais il n'était pas possible de persévérer plus longtemps dans la voie actuelle. L'Histoire jugerait sûrement Mohammed V pour n'avoir pas su se décider, et mieux valait alors se retirer à l'étranger avec la famille royale […]. Il n'y a rien de plus redoutable que la résolution d'un homme doux. Le roi a le dos au mur et ne reviendra pas en arrière »[1].

Apparemment, Abdallah Ibrahim n'a jamais vraiment pris conscience de la place de plus en plus prépondérante occupée par le prince héritier au cœur du pouvoir. C'est ce qui explique sans doute pourquoi, d'une manière presque pathétique, il n'a cessé, comme Premier ministre, d'exprimer sa fidélité à un Mohammed V qui était de moins en moins le maître du jeu.

Pour affaiblir la gauche, Moulay Hassan ne se contente pas d'utiliser la police et l'armée, qui lui sont dévouées, ou de harceler ses dirigeants, soumis à toutes sortes de pressions, il met en œuvre une pratique à laquelle il recourra toute sa vie : l'achat des consciences. Il propose ainsi au *fqih* Basri de devenir le *khalifa* du roi – sorte de viceroi – pour le sud du Maroc[2]. Certes, il fait chou blanc avec ce patriote intraitable à l'époque, mais que le prince héritier ait pensé qu'il pourrait compromettre ou acheter ce fort symbole de la résistance au colonialisme montre dans quelle piètre estime il tenait déjà les meilleurs de ses compatriotes !

La situation est si ubuesque et le climat se dégrade tellement entre le Palais et la gauche qu'Abderrahim Bouabid, pourtant numéro deux du gouvernement, dénonce violemment « le régime actuel d'inefficacité et de désordre établi » qui a cours au Maroc. Dans un entretien au *New York Times*, donné peu avant la chute du cabinet Ibrahim et qui irrite encore plus un Palais déjà très remonté, Bouabid, qui admet lui aussi que, pour la gauche, Mohammed V « reste une base d'espoir », estime que le roi et le pays se trouvent « devant trois voies possibles » : « Soit une monarchie absolue traditionnelle et féodale, solution préconisée par certains milieux bourgeois qui pensent y trouver leur intérêt ; soit une monarchie constitutionnelle

---

1. Télégramme de Parodi, archives du Quai.
2. Voir article du *fqih* Basri in *Al-Ikhtiyar al-thaouri*, 1981, p. 80 *sq*.

ou démocratique, solution conforme aux sentiments et au tempérament du roi, mais dont son entourage dit que le pays n'est pas prêt à l'adopter ; soit une variante de la monarchie absolue qui, fondée sur un renforcement de l'islam et la suppression de tout groupement progressiste sous prétexte de communisme, engagerait la responsabilité personnelle du roi, conduirait à la dictature et forcerait la gauche à entrer dans la clandestinité »[1].

La goutte d'eau qui fait déborder le vase intervient au lendemain du 8 mai, après des élections consulaires (chambres de commerce et d'industrie) qui constituent un triomphe pour la gauche. Grisé par le succès, Abdallah Ibrahim annonce que les policiers français qui travaillent encore pour la Sûreté marocaine quitteront le Maroc le 1er juillet suivant. Même s'ils sont à peine plus de trois cents, l'initiative du président du Conseil, qui a mis le prince héritier devant le fait accompli, est vécue par ce dernier comme un véritable affront. Alexandre Parodi, qui est aussitôt reçu par Laghzaoui, directeur général de la Sûreté, câble à sa hiérarchie que le chef de la police « sort nettement affaibli » par cette décision, et que « des rumeurs insistantes sur son départ courent ».

L'ambassadeur de France, qui voit à plusieurs reprises à cette époque Abdallah Ibrahim, ne cache pas le peu de sympathie que lui inspire le personnage. À Alexandre Parodi, qui lui demande d'empêcher l'attaque de postes français à la frontière algéro-marocaine par des éléments du FLN repliés au Maroc, Ibrahim répond, selon le diplomate, « de la manière à la fois courtoise, modérée et peu convaincante qui est la sienne », et, de surcroît, « en mentionnant les incursions de l'aviation française au-dessus du Maroc » !

Toujours indécis, parce que tiraillé entre ses amitiés politiques et les pressions de son fils dont il subit de plus en plus l'ascendant, Mohammed V renvoie le cabinet Ibrahim, non sans lui rendre un hommage remarqué. On touche là à un des mystères ou secrets, enfouis pour toujours, de l'histoire du Maroc indépendant : le souverain, fatigué et inquiet, s'est-il laissé forcer la main par tous ceux qu'insupportaient les velléités d'indépendance de l'équipe Ibrahim,

---

1. *New York Times*, 6 avril 1960.

ou bien a-t-il été réellement convaincu par les mêmes que son trône était en danger s'il ne réagissait fermement ?

Pour leur part, c'est sans le moindre déplaisir que les dirigeants français, laissant Mohammed V à ses tourments, voient arriver la famille royale à la tête du gouvernement. Ils n'ont négligé aucun effort pour éloigner discrètement Abdallah Ibrahim du pouvoir, et ont choisi depuis longtemps le camp du prince héritier, même si ses frasques et ses fautes de goût en agacent plus d'un à Paris. Leur satisfaction est cependant tempérée par la composition du gouvernement :

« Parmi les nouveaux ministres, plusieurs n'ont pas caché naguère leurs sentiments d'hostilité à la France : la nomination de M'hammedi [Affaires étrangères], favorable à la rébellion algérienne et, surtout, celle de Khatib [Travail et Questions sociales], président du Mouvement populaire et lui-même algérien, ne laissent pas d'être inquiétantes. »

L'arrivée à la Justice d'Abdelkhaleq Torrès, considéré comme « violemment antifrançais et un des hommes forts du nouveau régime », est également mal perçue, tout comme celle, à l'Information, de Moulay Ahmed Alaoui, « intrigant, opportuniste et qui fait preuve d'un grand zèle pour mettre au pas la presse française et les journaux d'opposition ». Néanmoins, la note du Quai d'Orsay reconnaît que cet « antifrançais sait être aimable avec nous quand le roi le lui demande ».

Curieusement, sur le plan économique, la France ne se réjouit pas du départ d'Abderrahim Bouabid, en dépit de ses choix peu favorables à l'Hexagone. La note le qualifie de « personnage de valeur et expérimenté » dont le départ « peut, dans une certaine mesure, paraître regrettable »[1].

Outre le roi et, plus encore, son fils, les motifs de satisfaction portent sur Si Bekkaï, ministre de l'Intérieur, « esprit indépendant et intransigeant, fidèle au roi mais étranger aux coteries du Palais » ; Douiri, ministre de l'Économie nationale et des Finances, « personnalité de valeur dont la réputation d'économiste libéral est de nature à inspirer confiance aux capitaux étrangers qu'effrayait le dirigisme de Bouabid » ; Boucetta, trente-deux ans, « membre influent du PI, dont

---

1. Note de la sous-direction Maroc du Quai d'Orsay sur le gouvernement marocain, 26 mai 1960.

il est le "réformateur" et qui est considéré comme "relativement modéré" » ; enfin, Mohammed Cherkaoui, aux PTT, « homme pondéré et ouvert », et Abdelkrim Benjelloun, à l'Éducation nationale, « esprit très modéré et conciliant », semblent parfaitement convenir à Paris.

Mais, pour l'heure, les soucis des nouveaux président et vice-président du Conseil ne sont pas dus aux réactions de la France, mais à celles de la gauche marocaine. Dans une déclaration faite au *Monde* le 27 mai 1960, Mehdi Ben Barka, qui réside depuis plusieurs mois à Paris pour éviter la répression subie par nombre de ses proches, n'y va pas avec le dos de la cuillère :

« La situation présente n'est que l'aboutissement et la manifestation au grand jour et sans masques de l'affrontement qui se développe, depuis le lendemain de l'indépendance du Maroc, entre deux conceptions relatives au pouvoir et à la politique économique et sociale. Nous avons quant à nous la conception d'un État moderne, démocratique et progressiste [...]. Mais nous nous trouvons en face d'une autre conception, celle d'un régime théocratique et féodal qui tendrait à maintenir ou à ressusciter les structures médiévales de la société traditionnelle marocaine pour conserver d'anciens privilèges et contrecarrer les processus d'évolution et de progrès. Cette conception est celle d'une minorité féodale, terrienne, mercantile ou religieuse, qui, naguère unie partiellement aux forces populaires dans la lutte pour l'indépendance, entend maintenant opérer à son profit le transfert des privilèges politiques ou économiques attachés au régime de Protectorat, derrière le paravent du vocabulaire et de l'administration modernes hérités de ce même Protectorat [...]. Ce qui comptera de plus en plus, c'est l'attitude et le comportement des hommes et des groupements devant les problèmes de libération et d'édification du Maroc, et non les déclarations d'intention contredites par les faits. »

Dans cette déclaration, Mehdi Ben Barka ne se contente pas de relever la « confusion » créée par le nouveau ministre de l'Économie, M'hammed Douiri, qui, après avoir tiré à boulets rouges sur la politique économique du gouvernement Ibrahim, est chargé par le roi de poursuivre cette même politique, il fournit aussi une autre explication du « renvoi injustifié » du cabinet Ibrahim. Plus encore que l'ordre donné aux policiers français de quitter le Maroc, il estime que ce sont des « mobiles internes », liés aux élections des chambres de commerce, triomphales pour la gauche, qui sont à l'origine de la décision du roi : « Un tel événement a dû déclencher inévitablement un réflexe de peur et une réaction de sauvegarde. Mais cette attitude compréhensible ne saurait constituer un système de gouvernement. Elle ne peut que conduire aux pires aventures, que nous souhaitons éviter à notre pays »[1].

Alexandre Parodi, qui a demandé audience à Moulay Hassan, est reçu le 30 mai par ce dernier et son directeur de cabinet, Ahmed Réda Guédira. Moulay Hassan est furieux et évoque d'entrée de jeu les nombreux articles de la presse française parus ces derniers jours et qui ont présenté la constitution du nouveau gouvernement « sous un jour le plus propre à lui compliquer la tâche ».

Le prince et Moulay Ahmed Alaoui, qui a été invité à se joindre à la conversation, visent particulièrement l'interview donnée au *Monde* par Ben Barka. Il s'agit, disent-ils, d'« une manifestation d'opinion directement dirigée contre le gouvernement et d'autant plus surprenante qu'elle intervient avant toute action de ce gouvernement. C'est un procès d'intention[2] ».

Parodi indique qu'il n'a eu aucune peine à faire comprendre à ses interlocuteurs que ni les autorités françaises ni lui ne sont responsables de ces articles qui, au demeurant, « n'en sont pas moins gênants, pour lui-même et pour l'application de la politique française, qu'ils ne le sont pour le gouvernement marocain ».

Parallèlement, Alexandre Parodi note combien le prince héritier est obsédé par son ancien professeur de mathématiques : « Moulay Hassan donne l'impression d'être grisé par le pouvoir et obnubilé par les faits et gestes de Ben Barka. Au sein du gouvernement, sa tendance à vouloir contrôler personnellement un certain nombre de services [...] ou à se réserver des nominations de fonctionnaires d'autorité est déjà une cause de frictions sérieuses. Avec Si Bekkaï [alors ministre de l'Intérieur] notamment »[3].

---

1. *Le Monde*, 27 mai 1960.
2. Télégramme du 30 mai 1960.
3. Télégramme du 10 juin 1960.

L'ambiance qui règne au sommet de l'État, en ces moments si particuliers où le roi et son fils aîné, pas vraiment sur la même longueur d'onde, tentent de reprendre la main, est lourde : « Mohammed V, qui a pris le risque d'abandonner sa position d'arbitre, est devenu plus dur, plus méfiant et moins communicatif. Signes évidents de lassitude. Il a lassé beaucoup de ses partisans par ses finasseries orientales un peu dépassées face aux méthodes d'action marxistes de Mehdi Ben Barka. Il se méfie presque autant du prince héritier que de certains politiciens. »

Quant à Mohammed Oufkir, patron de la police, son importance croissante n'échappe pas au diplomate français qui n'hésite pas à ajouter une petite perfidie sur les rapports du couple avec le monarque : « Oufkir est maintenant au summum de sa puissance au Palais. Son épouse serait la maîtresse du roi. À diverses reprises, on l'a vu sortir du harem royal. Il fermerait les yeux complaisamment sur son infortune[1]. »

Les jérémiades de Moulay Hassan n'empêchent pas Parodi de déplorer que « l'action menée depuis plusieurs mois à Paris par Ben Barka ne soit pas contrôlée ou contrebattue par l'ambassade du Maroc à Paris », qui est la mieux placée « pour faire comprendre les vraies données de la politique marocaine ». Néanmoins, pour mettre un peu de baume au cœur du prince, l'ambassadeur termine l'entretien en confirmant ce qu'il a annoncé deux jours plus tôt à Driss M'hammedi, ministre des Affaires étrangères : Paris est disposé à aborder immédiatement la question des bases militaires françaises au Maroc.

La gauche marocaine ne se contente pas de confier ses impressions à la presse étrangère. Deux jours avant les élections communales du 30 mai, le chef du gouvernement évincé, Abdallah Ibrahim, qui est accompagné d'Abderrahim Bouabid, déclare, lors d'un meeting dans un quartier populaire de Rabat, qu'« il faut aujourd'hui choisir entre la démocratie et le fascisme que l'on veut instaurer dans le pays ». La suite du propos n'est pas moins intéressante :

« Cette force populaire qui s'est battue contre le colonialisme nous servira maintenant à poursuivre notre lutte, et cette lutte sera la plus grande que nous ayons jamais menée depuis notre indépendance, car

---

1. *Ibid.*

nous ne voulons pas changer des contrôleurs civils colonialistes contre des contrôleurs civils féodaux. Nous ne voulons pas changer de seigneurs, mais nous voulons un pays où tous les citoyens seront égaux en droit et où le peuple aura le dernier mot [...]. Ceux qui parlent d'instaurer un régime de dictature se trompent lourdement, car ils s'imaginent qu'avant d'en arriver au plein exercice de la démocratie, le Maroc a besoin d'une période de dictature. C'est faux ! La démocratie se prouve par son exercice même, et ces élections communales constituent le premier pas vers un régime démocratique. Il faut que le peuple sorte vainqueur de cette consultation[1]. »

En dépit du mode de scrutin – uninominal, qui favorise les notables inorganisés, et non de liste, réclamé par l'Istiqlal, l'UNFP et le PDI – imposé par Ahmed Réda Guédira, l'homme qui monte, l'Istiqlal et l'UNFP obtiennent 63 % de sièges, dont 40 % pour la formation d'Allal el-Fassi. Casablanca, Kénitra et Rabat sont gagnées par la gauche, largement en tête dans les grandes agglomérations urbaines. L'UNFP demeure cependant très faible dans les campagnes, contrairement à l'Istiqlal, beaucoup mieux implanté. À Marrakech, M'hammed Boucetta, trente-deux ans, devient président du conseil municipal grâce à l'un des vingt élus de l'UNFP qui vote pour lui, le PI, son parti, n'ayant obtenu que dix-neuf élus.

Rémy Leveau[2] tempère cependant cette analyse du scrutin favorable aux partis : « L'appartenance politique réelle ou supposée des élus a souvent moins d'importance que les rivalités parfois intenses entre ces Capulet et Montaigu dont l'un occupe les fonctions de cheikh et l'autre celles de président du conseil communal. Elles créent plus de problèmes aux autorités administratives que les affiliations partisanes. Mais elles leur permettent aussi d'utiliser ces divisions pour mieux contrôler les élites locales et ne pas dépendre d'un seul réseau dans leurs contacts avec la population. »

Rémy Leveau analyse également en détail les conditions dans lesquelles le rôle de surveillance politique de la population marocaine n'a fait que s'accroître depuis l'indépendance. Le pouvoir nomme des caïds proches du Palais ou de l'Istiqlal, qui continuent à utiliser

---

1. Dépêche AFP, 28 mai 1960.
2. Rémy Leveau, *Le Fellah marocain défenseur du trône*, *op. cit.*, p. 53.

comme relais des cheikhs et des *moqaddems* n'ayant pas ou guère collaboré avec l'occupant français. Les caïds, agents du *makhzen*, changeant fréquemment d'affectation, et l'administration étant très dirigiste, cheikhs et *moqaddems* voient leur importance grandir, « contrairement à l'hypothèse que l'on pouvait généralement faire au début de l'indépendance[1] ».

Pour Leveau, la seule solution de rechange efficace à la reconstitution d'un réseau administratif local dévoué au *makhzen* aurait été « un parti unique disposant de cellules organisées sur tout le territoire et vivant en symbiose avec l'administration ». Ben Barka l'avait bien compris, qui voulait s'orienter vers cette formule mais se heurta à l'incompétence des hommes, à leurs maladresses et, on l'a vu, aux provocations du Palais et de ses affidés, bien décidés à affaiblir l'Istiqlal.

Avant même les premières élections communales, souligne Rémy Leveau, le gouvernement marocain a « reconstitué un réseau administratif de base remplissant une large part du rôle social et politique qui devait appartenir aux élus ». Mais, la gauche ayant été écartée du pouvoir, le cabinet présidé par Mohammed V peut tout à loisir renforcer l'emprise des élites locales sur l'administration « pour combattre l'influence jugée pernicieuse des partis ». À la fin de l'année 1960, sous l'impulsion de Si Bekkaï, l'ancien président du Conseil devenu ministre de l'Intérieur, les caïds voient leur pouvoir renforcé. Tous ceux qui pouvaient avoir des sympathies partisanes sont systématiquement évincés. Parallèlement, note Leveau, « le cadre juridique mis en place, les tutelles et les obligations sont faites pour ôter toute initiative politique aux conseils communaux élus le 29 mai 1960 »[2].

Ainsi le président d'un conseil communal n'a ni pouvoir de police, ni pouvoir réglementaire – celui-ci reste entre les mains du caïd ou du pacha –, ni même la possibilité d'élaborer son budget. Son rôle, dit Leveau, « se réduit à celui d'un conseil consultatif chargé d'aider le caïd à établir un budget communal ».

Dans cette période particulièrement sensible pour lui, le Palais peut compter sur le soutien sinon inconditionnel, du moins ferme de l'Istiqlal traditionnel. Dans la coalition de forces et d'intérêts qui

---

1. *Ibid.*, p. 46.
2. *Ibid.*, p. 54.

appuient la monarchie, l'Istiqlal version Allal el-Fassi joue un rôle prépondérant.

C'est au lendemain du 25 janvier 1959, date du début de la scission, que le PI entame une révision sinon déchirante, du moins douloureuse et souvent incompréhensible pour nombre de ceux qui sont restés fidèles au *zaïm*. Il s'agit en effet de tenter de regagner une partie du terrain perdu face à Ben Barka et ses amis, très populaires dans les villes et chez les jeunes. Ainsi le chantre du « Grand Maroc » se prononce-t-il en faveur de la dissolution de l'Armée de libération, pourtant engagée dans un combat pour la libération du Sahara. Parallèlement, le parti multiplie les encouragements aux FAR dont on rappelle qu'elles sont garantes de la sécurité du pays. Maati Monjib relève justement : « Ainsi l'Istiqlal épouse les opinions du Prince héritier concernant le domaine sécuritaire, l'armée royale et l'Armée de libération. C'est un véritable revers politique pour les forces marocaines démocratiques et anti-absolutistes. C'est un tournant qui marquera l'histoire postérieure du Maroc. Les nouvelles prises de position font de l'Istiqlal un membre à part entière du camp monarchiste conservateur[1]. »

On ne dira jamais assez combien l'appui apporté à ce moment précis par l'Istiqlal à la politique sécuritaire orchestrée par Moulay Hassan a contribué à la mise en place d'un régime autoritaire. Allal el-Fassi et ses amis ont apporté la crédibilité et la légitimité de l'Istiqlal à un courant sécuritaire qui en manquait cruellement.

Bien avant le congrès de janvier 1960 qui consacre la primauté absolue d'un Allal el-Fassi désormais sans rival et délivré des affronts de la gauche comme des humeurs de Balafrej, l'Istiqlal confirme sa nouvelle orientation et sonne l'hallali du gouvernement Ibrahim. Tout est bon pour démolir l'ennemi : « L'arrestation de Basri a provoqué un soulagement indéniable au sein de l'écrasante majorité de la population », ose écrire *Al-Istiqlal*[2] en évoquant le sort de celui qui fut un des résistants les plus glorieux du pays ! La même presse raille Ben Barka qui s'est mis au vert quelques mois à l'étranger après avoir reçu de nombreuses menaces de mort. Elle l'accuse d'avoir touché de

---

1. Maati Monjib, *La Monarchie marocaine et la lutte pour le pouvoir*, *op. cit.*, p. 193.
2. Le 1er janvier 1960.

l'argent d'origine douteuse. La création de l'Union générale des travailleurs du Maroc, affiliée à l'Istiqlal, intervient à cette date et ajoute à la confusion.

Devant tant de bonne volonté, Mohammed V et son fils ne pouvaient que renvoyer la balle à la formation de Si Allal. Deux portefeuilles sur dix-sept lui sont attribués, ce qui n'est d'ailleurs pas très généreux, compte tenu du poids du parti. Les élections communales ne changent rien à cet état de choses, bien qu'elles aient amplement confirmé la place tenue par l'Istiqlal dans le pays. Néanmoins, el-Fassi et ses proches adoptent un profil d'autant plus bas que les président et vice-président du Conseil prennent toute une série de mesures qui vont assez largement dans le sens des idées qu'ils défendent. Sur le plan économique comme sur le plan diplomatique – départ des troupes étrangères –, le gouvernement s'efforce de « coller » au peuple. Début novembre, un Conseil constitutionnel chargé de rédiger un projet de Constitution est créé, présidé par Allal el-Fassi. L'Office national de l'irrigation (ONI) est également dirigé par un membre éminent de l'Istiqlal, Mohammed Tahiri. M'hammed Douiri, premier polytechnicien marocain et ministre de l'Économie, place d'autres amis politiques à d'importants postes de responsabilité, sans oublier d'écarter ceux qui sont restés fidèles à la gauche.

L'épuration ne se limite pas au secteur économique, mais touche d'abord les cadres UNFP de l'administration qui sont débarqués par dizaines. Le mouvement s'accélérera après la mort de Mohammed V en février 1961. Enfin la politique anticoloniale du souverain, qui fait aussi siennes les revendications istiqlaliennes sur la Mauritanie, comble d'aise les dirigeants du PI.

Si ces derniers boivent du petit-lait, ceux de l'UNFP ne digèrent toujours pas l'affront subi au mois de mai. Pour Ben Barka qui s'exprime en novembre 1960 devant des délégués du tiers-monde, « l'opposition à l'action de libération nationale du gouvernement Ibrahim/Bouabid n'a cessé d'être menée à l'intérieur du gouvernement par Moulay Hassan, qui s'appuyait sur une armée et une police inspirées par les conseillers français et, plus discrètement, par de nombreux conseillers américains. Mohammed V se méfiait du caractère hasardeux et aventurier de la politique antipopulaire et antinationale préconisée par son entourage et le prince héritier. D'où l'action psychologique de ce dernier et les opérations de police contre de soi-disant complots[1] ».

Dans son compte rendu de « fin de mission », Alexandre Parodi écrit que l'atmosphère générale est « alourdie par l'affaire algérienne ». « Les déchirements intérieurs et les tensions franco-marocaines, ajoute-t-il, se sont enchevêtrés, rendant à peu près vaine toute tentative de stabiliser nos relations sur un plan moins chaotique et de régler dans une atmosphère dépassionnée le contentieux franco-marocain : bases militaires, terres de colons, frontières. »

Les « instructions » données par sa hiérarchie au nouvel ambassadeur de France, Roger Seydoux, en octobre 1960, donnent également une bonne idée de la manière dont Paris analyse alors la situation au Maroc. Il convient, lit-on, « d'éviter que le Maroc bascule vers l'Est, de sauvegarder notre capital d'influence politique et intellectuel, ainsi que nos importants intérêts matériels, non pas dans un conservatisme étroit, mais avec le souci de s'orienter vers de fructueuses perspectives d'avenir [...]. Il faut aussi conduire le gouvernement marocain à mener dans tous les domaines une politique en harmonie avec celle de la France ».

La suite est un modèle du genre : « L'ambassade de France trouvera dans les dirigeants marocains des interlocuteurs versatiles, impulsifs et souvent décevants, encore très sensibilisés par le nationalisme et l'anticolonialisme. C'est par la patience, la persévérance et le sang-froid qu'il faudra leur répondre. Faciliter la tâche du Souverain et du Prince, tout en observant la réserve et la prudence souhaitées par le Palais lui-même [...]. Il faut maintenir des contacts aussi étroits que possible avec les FAR qui constituent l'armature du régime et dont les liens avec l'armée française sont solides et précieux[2]. »

Il est vrai que si l'on se place du côté de la France, à cette époque où elle est encore puissance coloniale, le comportement du souverain marocain a de quoi étonner. À la fin de l'été 1960, Mohammed V reçoit en grandes pompes le Premier ministre congolais, Patrice Lumumba, vivante incarnation du mouvement anticolonialiste. Le

---

1. Rapport de Ben Barka, en novembre 1960, devant le Comité exécutif du Mouvement de solidarité des peuples afro-asiatiques, réuni à Beyrouth.
2. Télégramme du 1er octobre 1960.

souverain chérifien ne se contente pas de belles paroles, mais envoie également au Congo, dans un cadre onusien, plus de trois mille soldats qui ont pour mission d'assister les forces légales. On n'est pas loin des premières Brigades internationales sur le continent africain… L'Istiqlal est ravi : un Maroc anti-impérialiste émerge qui, de surcroît, concurrence efficacement le rival nassérien dont on s'est toujours méfié. La naissance, dans les premiers jours de janvier 1961, du « groupe de Casablanca » et de la Charte du même nom qui l'accompagne constitue le point culminant d'une période euphorique pour les nationalistes marocains, version Istiqlal.

Les autres, tendance USFP, encore assommés par les coups reçus, commencent à croire que, décidément, rien ne va plus entre le père et le fils. Quarante ans plus tard, le *fqih* Basri en sera encore intimement convaincu :

« Quand on parle du Palais, il faut distinguer entre Mohammed V et son fils. Au moment de l'indépendance, on estimait que le futur Hassan II regardait d'un mauvais œil et n'était pas heureux de la relation qui existait entre Mohammed V et le Mouvement national. Hassan II croyait me tenir à l'époque à ses côtés alors que, avec les camarades du Mouvement national, notre seule préoccupation était d'agir de façon positive avec son père. Moulay Hassan ne cessait de dire à son père que s'il continuait à agir comme il le faisait, il allait perdre son trône. Pendant le gouvernement d'Abdallah Ibrahim, alors qu'en présence de son père qui présidait un Conseil des ministres nous réclamions le départ des troupes étrangères, le Prince s'est levé, furieux, et a crié à son père : "C'est comme cela que tu perdras ton trône et que la dynastie alaouite disparaîtra !" »

Quatre fois condamné à mort sous le règne de Hassan II, Mohammed Basri, est intarissable sur le rôle joué par Moulay Hassan à cette époque :

« Le Prince n'a pas cessé de dresser des obstacles entre Mohammed V et le Mouvement national, ou entre l'Armée de libération nationale et le Roi, afin qu'il n'y ait pas de complémentarité entre eux. C'est dans ces conditions qu'il a monté l'affaire du complot contre lui. »

Le *fqih*, décédé en octobre 2003, faisait aussi partie des gens convaincus que Mohammed V, s'il avait vécu, aurait rappelé la gauche au gouvernement :

« En 1960, après l'indépendance de l'État mauritanien [le 28 novembre 1960], Mohammed V a envoyé auprès des principaux dirigeants de l'UNFP Moulay Hassan Ben Driss, mari d'une de ses sœurs, qui nous a transmis le message suivant du souverain : "Je suis convaincu que j'ai commis une erreur en renvoyant le gouvernement d'Abdallah Ibrahim. Maintenant, je veux conclure un accord avec vous et je ne vous pose qu'une seule condition : vous me donnez votre parole que vous acceptez, en tant que direction de l'UNFP, le régime monarchique. En contrepartie, je m'engage à faire revenir au pouvoir le cabinet Ibrahim ou un autre cabinet dirigé par l'UNFP. Vous aurez également carte blanche pour les institutions, et notamment une monarchie constitutionnelle." Après cette visite, j'ai convoqué une réunion avec Abdallah Ibrahim, Mahjoub Benseddik, Mohammed Abderrazzak, Abderrahmane Youssoufi. Tous, à l'exception de Benseddik, étaient prêts à signer un tel accord. Benseddik ne voulait pas s'engager. Il se moquait du Prince héritier qu'il qualifiait de "petit chevreau voulant liquider son père. Laissons-le finir avec cette statue, qu'on en finisse avec eux !"[1]. »

Mais l'histoire n'est pas terminée :

« Youssoufi a été délégué en Suisse. Il a d'abord vu Ben Barka qui était également en Suisse, comme le Roi, et qui a donné son accord à l'offre royale. Puis il a rencontré Mohammed V en présence de son directeur de cabinet, Aouad. Ils ont été d'accord sur tout. Nous allions rentrer dans l'ère des institutions. À cette époque, l'armée marocaine, sous la direction du futur Hassan II, prenait de plus en plus de poids. Le Mossad jouait aussi un rôle important de conseiller. Ils lui ont conseillé d'éloigner Laghzaoui et de prendre Oufkir. C'est à cette époque aussi que Lumumba a été assassiné [le 17 janvier 1961]. Nous avons sollicité dans notre presse *[At-Tahrir]* le jugement du général Kettani, chef des troupes marocaines au Congo. Il nous a fait remettre par un autre général, Bouali, le message suivant : "Vous demandez mon jugement, mais je ne suis qu'un exécutant. Je tiens à

---

1. Entretien avec l'auteur, fin 2002.

votre disposition les télex de Moulay Hassan, chef d'état-major. Je dirai tout devant les juridictions." Mohammed V était d'accord avec cette démarche. Mais il est décédé peu après, dans des circonstances étranges, lors d'une opération bénigne[1]. »

Le décès, au cours d'une opération jugée *a priori* sans danger, de Mohammed V, bouleverse totalement la donne politique du royaume. Le prince héritier, qui, depuis des mois, rongeait son frein en comprenant de moins en moins l'attitude de son père, prend immédiatement en main la direction des affaires du pays. Le règne sans partage de Hassan II commence.

---

1. Entretien avec l'auteur.

DEUXIÈME PARTIE

Hassan II, monarque absolu

*

La monarchie agressive

« *Le gouvernement a un bras long et un bras court ; le long sert à prendre et arrive partout, le bras court sert à donner mais il arrive seulement à ceux qui sont tout près.* »

Ignazio SILONE.

I

Une disparition déconcertante

La disparition aussi brutale qu'inattendue de Mohammed V jette la consternation dans l'ensemble du royaume. Anis Balafrej résume bien le sentiment général en évoquant ce souvenir personnel : « Je n'ai vu pleurer mon père qu'une seule fois : à la mort de Mohammed V. "Pourquoi ? lui ai-je demandé. – Parce que ce qui nous attend n'est pas brillant", m'a-t-il répondu. »

Même si ses faiblesses et ses limites étaient connues d'un petit cercle d'initiés, sa popularité demeurait grande chez les Marocains qui ne voyaient que le côté avenant du personnage et en ignoraient les zones d'ombre.

Un décès incompréhensible

Dès les premières heures, les rumeurs les plus folles circulent. Beaucoup de gens ne croient pas la version officielle. Dans le meilleur des cas, on parle de négligence grave du corps médical chargé de veiller sur la santé du monarque. C'est cette version que répercute l'ambassade de France dans un télégramme envoyé deux jours après la mort de Mohammed V :

« Le Dr François Cléret est considéré comme responsable de la mort de son illustre patient, la clinique privée du Palais étant insuffisamment équipée et Cléret ayant suggéré de faire appel au chirurgien suisse[1]. »

Ami de Mohammed V, le médecin militaire français s'est pourtant employé à dégager sa responsabilité dans cette mort dramatique. Le Dr Cléret indique ainsi que c'est à la suite d'une nouvelle crise de vertiges que le roi, sentant « le vide se faire autour de lui » et « le pouvoir lui échapper », consulte toute une série de spécialistes et décide de suivre les conseils d'un professeur suisse préconisant une opération de la cloison nasale.

Tandis que Lalla 'Abla, épouse du roi et mère de Moulay Hassan, va même jusqu'à « susurrer » au médecin d'user de son influence pour amener Mohammed V à abdiquer en faveur de son fils, le roi, en piètre état, éprouve le besoin « de régler vite, avec le prince Hassan, un grave différend qui venait de surgir et qui l'affectait beaucoup » : « C'était la starlette qui, soudainement ambitieuse, voulait s'imposer dans la famille royale », affirme le Dr Cléret avant de poursuivre : « Il me chargea de porter ses observations au prince héritier, mission délicate et combien périlleuse. La succession au trône fut même remise en cause ».

Mohammed V convoque alors le médecin suisse avec lequel il règle les modalités de l'intervention. François Cléret n'est pas d'accord : « J'essayai de m'y opposer, sachant fort bien que ce geste chirurgical n'aurait aucune incidence sur ce type de vertiges. J'amenai le praticien à mettre ses conclusions sur un écrit qu'il signa de bonne grâce[2] ».

Le 25 février, peu avant minuit, Mohammed V, qui attend dans une chambre spécialement préparée d'être opéré le lendemain, rompt légèrement le jeûne prescrit. L'anesthésiste, prévenu par Cléret, « ne parut pas troublé ».

Dimanche 26 à 11 heures du matin, l'intervention est terminée. Le chirurgien, accompagné de Cléret, se dirige vers le patio et annonce à Moulay Hassan, entouré d'une douzaine de médecins, dont Abdelkrim Khatib et le Dr Dubois-Roquebert, autre ami de la famille royale,

---

1. Télégramme du 2 mars 1961.
2. François Cléret, *Le Cheval du roi*, op. cit., p. 254-260.

que tout s'est bien passé. Le soulagement ne dure qu'une petite demi-heure, l'anesthésiste ayant échoué à réanimer le souverain.

En début d'après-midi, le Dr Mallaret, envoyé aux nouvelles, revient et déclare à Moulay Hassan : « Monseigneur, les responsabilités du royaume reposent désormais sur vos épaules. »

François Cléret observe les deux fils de Mohammed V :

« Le grand corps de Moulay Abdallah, secoué de sanglots, s'affaissa, genoux pliés. Moulay Hassan, un moment désemparé, se raidit. Puis, s'étant ressaisi, il arracha au passage les fils téléphoniques et disparut, entraînant le Dr Khatib. Je sus, plus tard, qu'il était parti pour préparer le peuple marocain au malheur qui le frappait. »

La version de Hassan II est différente. À Éric Laurent qui lui demande comment il a appris le décès de son père il précise : « J'étais là. Les médecins sont sortis en se lavant les mains et nous ont rejoints au salon, très satisfaits. Tout s'était bien passé. Nous avons pris le thé et des rafraîchissements. Puis, tout à coup, l'anesthésiste, qui était resté à son chevet, est arrivé, le visage décomposé, en annonçant : "Il a un arrêt cardiaque." Pendant près d'une heure, tout, absolument tout a été tenté. Pour moi, le monde s'effondrait. J'étais comme une balle à l'intérieur d'une grande sphère qui me renvoyait de gauche à droite, de haut en bas[1]. »

Autre version puisée aux « meilleures sources », celle de l'ambassade de France : « Dès que Moulay Hassan fut convaincu que Mohammed V ne pourrait être sauvé – vers 12 h 15 –, il demanda aux personnes présentes de garder le secret, le temps de prendre les dispositions nécessaires. Pour plus de sûreté, il interdit aux médecins de quitter la salle d'opération, fit couper les communications téléphoniques, rassura les femmes présentes dans une pièce voisine et qui se lamentaient déjà, fit transporter son père dans ses appartements, le visage couvert du masque opératoire, comme si l'intervention avait réussi, et isola le palais de tout contact avec l'extérieur. Il donna également des instructions à Kettani et Oufkir de maintenir l'ordre dans le royaume[2]. »

---

1. Hassan II, *Mémoires d'un roi*, *op. cit.*, p. 69.
2. Télégramme du 2 mars 1961.

« Sauvé » d'une meute que la douleur a rendue folle[1], François Cléret évoque les questions que ce décès souleva : « Cette mort si inattendue n'alla évidemment pas sans soulever des interrogations et faire naître des suspicions qui nous atteignaient tous. Certains évoquèrent la nécessité d'une autopsie, chose impensable dans le monde de l'islam. Le lendemain, c'est dans des blindés qu'il fallut conduire l'équipe chirurgicale à l'aéroport. Moi-même, je fus amené à produire le document du chirurgien suisse qui relatait que le roi avait choisi de son plein gré l'opération déconseillée par nous. J'avais vécu si intensément ce drame dont je ne pouvais ni ne peux expliquer aujourd'hui encore l'issue que, plusieurs années après, c'est en anesthésie-réanimation que je choisis de me spécialiser... »

Le Dr Cléret fait également état d'un incident qui l'opposa à Abdelkrim Khatib juste avant les funérailles de Mohammed V. Ayant été pris d'un léger malaise, Hassan II demande au médecin français de lui administrer en intraveineuse un remontant. Alors qu'il commence à s'exécuter et charge sa seringue, Khatib se jette sur lui en criant : « Arrêtez, avec un roi, cela suffit ! » Stupeur générale, mais le jeune roi se fait piquer[2].

Bien des années plus tard, un ponte de la chirurgie française, habitué du Maroc où il comptait de nombreux et célèbres patients, ne s'explique toujours pas ce qui a pu se produire : « Quelques semaines avant l'opération, raconte-t-il à un de ses amis marocains[3], j'ai été contacté par le Palais pour procéder à l'intervention chirurgicale à Rabat. J'ai décliné l'offre en précisant que je préférais opérer dans mon bloc opératoire et avec mon équipe habituelle pour être tout à fait à l'aise. La partie marocaine a insisté et m'a envoyé l'ensemble du

---

1. C'est du moins ce qu'écrit Cléret : « En fin d'après-midi, alors que la nuit tombe, la clinique fut submergée par des flots de furies brisant tout sur leur passage, à la recherche de responsables à déchirer. J'entendis le Dr Djebli murmurer : "Notre dernière heure est arrivée !" [...] Alors Moulay Abdallah bondit, vociférant. Frappant à bras raccourcis sur la cohue en délire, il l'arrêta net. Puis il alla vers les soldats qui gardaient la porte. Sur son intervention, ils nous laissèrent sortir. Moulay Abdallah, qui, jusque-là, lentement éteint par la forte personnalité de son frère, s'était réfugié dans la vie facile d'un homme désœuvré, indifférent, se révélait tout à coup sensible à de grandes émotions, capable de grandes initiatives » *(Le Cheval du roi, op. cit.,* p. 258).
2. *Ibid.,* p. 259.
3. Qui a requis l'anonymat.

dossier médical. J'y ai jeté un coup d'œil et ai estimé que l'intervention ne présentait aucun caractère d'urgence. J'ai donc suggéré à mes interlocuteurs de profiter d'un prochain séjour à Paris du souverain pour intervenir. Autant vous dire que je n'ai toujours pas compris pourquoi il y avait eu tant de précipitation, et comment cette affaire avait pu se terminer aussi tragiquement. »

Autre version relatée par B… D…, apparentée au Dr Dubois-Roquevert, qui affirmait tenir de ce dernier – présent au palais royal le jour de la funeste intervention – que Moulay Hassan s'était rendu au chevet de son père sitôt après la déclaration rassurante du chirurgien, en exigeant d'être seul. Que s'était-il passé à ce moment-là ? Inconditionnel de la famille royale, Dubois-Roquebert s'était contenté de signifier à sa parente son « immense étonnement » devant la tournure prise par les événements.

Mais des rares personnes qui ont voulu ou osé faire part de leurs doutes, sinon de leurs certitudes, sur les conditions dans lesquelles est mort Mohammed V, le *fqih* Basri est sans conteste celui qui a été le plus explicite et le plus affirmatif. Dans une interview accordée à la télévision d'Abou Dhabi en l'an 2000[1], le *fqih* ne tourne pas autour du pot :

« Aux obsèques de Mohammed V, tout le monde disait qu'il [son fils Moulay Hassan] l'avait tué. Par exemple, Laghzaoui[2] ne cachait pas qu'il l'avait tué ; Driss M'hammedi, directeur du Cabinet royal, disait la même chose ; la sœur du souverain ne comprenait rien et émettait des doutes. Tous les amis de Mohammed V disaient qu'il l'avait tué. »

À la journaliste qui lui demande alors ce qui aurait pu pousser le fils à se débarrasser du père le *fqih* répond :

« Les conditions étaient réunies pour cela […]. Quand la question du retrait des troupes françaises du Maroc a été posée en Conseil des ministres, peu avant sa mort, Mohammed V a donné son accord. Le fils est alors intervenu en criant : "Est-ce que ce ne sont pas les Français qui protègent la monarchie ? S'ils s'en vont, la monarchie sera

---

1. Interrogé par Leïla Ckhili pour l'émission *Moujarrad Soual* (Une simple question) sur Qanat Abou Dhabi.
2. Patron de l'OCP, ex-directeur général de la Sûreté.

menacée." […] Il y a eu ensuite la conférence de Casablanca, avec la participation de Nasser[1]. Le moins qu'on puisse dire, affirme encore Mohammed el-Basri, est que les conditions dans lesquelles s'est déroulée l'opération sont louches. Il n'y avait pas de cardiologue au palais, il jouait au tennis quand on l'a appelé ; il n'y a pas eu d'examen de sang, l'intervention a eu lieu un dimanche, jour férié […]. Tous les médecins avaient averti que l'opération n'était pas nécessaire […]. Qui a décidé ? Il n'y avait que son fils qui supervisait toute l'affaire. Il aurait fallu ouvrir une enquête. »

À la journaliste qui lui fait remarquer que « c'est dur pour un fils [il s'agit de Mohammed VI] d'entendre de tels propos » et de recevoir pour conseil « d'écouter son grand-père », le *fqih* rétorque : « Je ne lui demande pas de couper les liens avec son père. Mais les Marocains ont souffert avec Hassan II, et il faut que cela soit dit pour qu'il puisse en tirer la leçon ! »

Passés inaperçus du grand public, ces propos iconoclastes n'ont étrangement valu aucun ennui à leur auteur. Il est vrai que, dans la même interview, le *fqih*, qui se démarque de Ben Barka, affirme ne pas être contre la monarchie et multiplie les déclarations favorables à Mohammed VI.

Interrogé par l'auteur sur les graves accusations proférées par le *fqih* Basri, Abdallah Layachi affirme avoir posé un jour la question au Dr Hédi Messouak, médecin du roi et oto-rhino-laryngologiste de grande valeur. À sa « grande surprise », celui-ci lui a répondu : « Je crois qu'il l'a tué, et tout est venu de l'anesthésiste. »

On ne saura probablement jamais ce qui s'est vraiment passé ce jour-là. D'autres pontes de la médecine française, qui n'ont pas souhaité être cités, ne croient pas à « cette histoire invraisemblable ». Deux d'entre eux, familiers de Hassan II, ont parlé de la « santé fragile » de Mohammed V et de l'« incompétence » du chirurgien suisse et de son équipe. Ces deux médecins, comme les autres, semblent en tout cas convaincus que l'opération était inutile, qu'elle ne revêtait aucun caractère d'urgence et qu'elle aurait dû être beaucoup mieux préparée.

---

1. Moulay Hassan, que son père n'avait pas convié et qu'il avait remplacé par son frère Moulay Abdallah, était très hostile à la politique de Nasser, qu'il estimait alignée sur Moscou et anti-occidentale.

Néanmoins, que la possibilité d'un parricide puisse être envisagée devant de nombreux Marocains en ne suscitant que rarement des protestations indignées donne une bonne idée de l'image dont jouissaient auprès de leurs sujets Mohammed V et Hassan II : le bon roi et le méchant prince… S'il est vrai que, dans un régime autoritaire et policier, les rumeurs circulent d'autant plus facilement, les Marocains n'en étaient pas moins conscients des différences de sensibilité, pour ne pas parler des graves divergences entre le souverain et son héritier. Dès lors, tout devenait possible…

Le 26 février 1961, par un dimanche ensoleillé du mois de Ramadan, M'hammed Boucetta, jeune ministre, attend devant l'entrée du palais royal de Rabat, avec quelques autres membres du gouvernement, qu'on vienne leur donner des nouvelles de l'intervention chirurgicale :

« Moulay Hassan, se remémore-t-il, est sorti et m'a fait signe de le rejoindre dans sa voiture qu'il conduisait lui-même. Nous étions deux. Il m'a dit : *"Oualidna sidna m'cha 'and Allah"* [« Notre père s'en est allé à Dieu »]. J'étais à la fois effondré et effrayé. Le prince était très maître de lui. Tout cela était tellement subit ! Je ne savais plus quoi dire. Nous nous sommes arrêtés devant l'état-major. Il y a donné quatre ou cinq coups de téléphone, à Casablanca, Rabat, Oujda, Fès et Marrakech. Il appelait les commandants militaires des régions pour leur dire de prendre toutes les dispositions nécessaires. Puis nous nous sommes rendus à la Radio où il a enregistré un message. Il était toujours aussi calme. Il est rentré ensuite au palais. Le soir même, il était très mécontent parce que certaines personnes, y compris des ministres, exprimaient des réticences à faire allégeance à sa personne. Il m'a dit : "S'ils ne viennent pas, j'enverrai un bataillon pour les chercher !" Cela commençait bien ! Il était donc extrêmement décidé et savait parfaitement où il mettait les pieds. À ses yeux, il était évident que chacun devait lui faire allégeance[1]. »

Les relations sont alors si médiocres avec la France que celle-ci n'est représentée aux obsèques que par un conseiller de De Gaulle, Xavier de La Chevalerie. M'hammed Boucetta, qui marche au côté de Hassan II, se souvient :

---

1. Entretien avec l'auteur.

« Aux obsèques de Mohammed V étaient venus Bourguiba, le prince héritier de Libye, Réda, et de nombreux ambassadeurs. Il y avait aussi un conseiller de De Gaulle, La Chevalerie. À cette époque, la guerre d'Algérie n'était pas terminée et de fortes tensions marquaient les relations franco-marocaines. Paris avait fait le service minimum. Tout à coup, alors que nous nous dirigions à pied vers la tour Hassan, Hassan II s'est penché vers moi et m'a dit :

« – C'est bien La Chevalerie qui représente la France ?

« – Oui, Majesté.

« – Eh bien, tu vas aller le voir après la cérémonie et lui dire ceci : si le Général veut rendre service au fils de son compagnon de la Libération, qu'il annonce donc l'évacuation des bases françaises !

« – Bien, Majesté.

« Au retour des obsèques, le palais s'était complètement transformé. J'ai entendu de la musique, comme si de rien n'était. Une page était tournée, une nouvelle ère commençait. »

Le soir même, Boucetta retrouve La Chevalerie à l'ambassade de France :

« Je lui ai transmis le message du souverain. Comme il me l'avait promis, il a pris contact aussitôt que possible avec le Général. À minuit, La Chevalerie m'a rappelé pour me dire : "Le général de Gaulle est d'accord. Nous allons voir comment sortir un communiqué en ce sens dans les prochains jours." »

« Déjà, prince héritier ou tout jeune roi, conclut M'hammed Boucetta, Hassan II était un animal à sang froid, très rapide, même s'il pouvait avoir longuement mijoté ses coups »[1].

---

1. Entretien avec l'auteur.

II

Hassan II prend la totalité du pouvoir

Alors que les Marocains sont encore sous le coup de l'émotion, Hassan II, qui a déjà une solide expérience du pouvoir, installe progressivement ses fidèles aux postes clés et prend les mesures qui s'imposent pour éviter de mauvaises surprises. Le coup de pouce de De Gaulle comble d'aise le nouveau roi. Le 7 mars, dans une interview donnée à 2 heures du matin passées à Jean Lacouture, du *Monde*, Hassan II se montre presque lyrique en évoquant l'accord intervenu sur l'évacuation des bases françaises du Maroc :

« Ce soir, mon père est heureux. Entre nos deux pays, une tache est effacée. Tout redevient possible ou, plutôt, tout devient possible. Avec la France, le Maroc prend un nouveau départ. »

L'accueil que le peuple marocain lui a réservé le ravit : « Le Maroc est en état de grâce. Cette ferveur du peuple m'émeut et m'encourage. C'est ma chance devant la tâche immense qui m'attend. »

Précisément, pour accomplir celle-ci, rien de mieux que d'exercer le pouvoir dans toute sa plénitude. Le successeur de Mohammed V entend bien conserver, comme celui-ci, le « cumul de l'autorité royale et des charges de président du Conseil » : « Dans cette période d'incertitude, de lutte contre le sous-développement, de formation des cadres, le peuple a besoin d'un homme en qui il ait confiance. Je ne veux pas parler là du pouvoir personnel, mais de la responsabilité d'une équipe qui doit se grouper autour d'un chef capable de donner la puissante impulsion qui sera seule de nature à lancer ce peuple dans la lutte pour le progrès et contre la misère. »

À tous ceux qui attendent depuis l'indépendance une Constitution, des élections législatives et une véritable vie parlementaire, Hassan II rappelle sa conception très particulière de la démocratie : « La démocratie, dit-il, ce n'est pas le parlementarisme, c'est la liberté des individus et l'efficacité de l'État. À notre époque, et surtout dans les pays qui doivent lutter contre un retard dans leur développement, la véritable démocratie, c'est la démocratie sociale. Elle ne s'exerce pas forcément par des bulletins de vote, mais par l'adhésion populaire. »

Face à Lacouture, qui retire l'impression que les pays de l'Est, « si présents et si actifs ces derniers mois, viennent brusquement de s'effacer, et que s'est substitué à eux un monde occidental très dynamique », Hassan II ne prend pas même la peine de démentir : « Je crois que vous systématisez un peu. Il n'y a pas eu substitution, renversement. Il y a simplement ceci : l'Occident était voilé, il réapparaît, retrouvant naturellement la place qui est la sienne. »

Dans l'euphorie générale, il y a bien quelques empêcheurs de tourner en rond qui appartiennent tous à l'UNFP. Aucun des dirigeants de la formation n'assiste en effet aux cérémonies d'intronisation. La gauche marocaine pose comme préalable à tout rapprochement avec le pouvoir l'élection d'une Assemblée constituante à laquelle s'oppose obstinément le souverain. De surcroît, depuis plus d'une année, le torchon brûle entre le fils de Mohammed V et les principaux responsables de la gauche qui lui reprochent d'être à l'origine de la répression dont beaucoup d'entre eux ont été l'objet, et, surtout, de prendre le contre-pied de toutes les décisions positives de son père.

Dès le 4 mars 1961, Abderrahim Bouabid définit le rôle du roi non pas comme celui d'un « chef responsable », mais comme un « arbitre au-dessus des partis ». Il rejette également toute idée de gouvernement d'union nationale : « Certaines organisations politiques, déclare-t-il, estiment que cette union doit se faire autour du roi et avec lui, ce qui revient à une sorte de fusion entre les partis politiques qui représentent les différentes tendances de l'opinion publique et le roi qui détient tous les leviers de commande de l'État. Or nous estimons que cette conception est non seulement fausse, mais qu'elle est contraire aux règles de la démocratie, et ne convient pas au rôle exceptionnel qu'assume un chef d'État dans n'importe quel régime, en particulier dans celui d'une monarchie constitutionnelle. »

Néanmoins, le 9 mars, Abderrahim Bouabid est reçu en audience par Hassan II. Il en rend compte aussitôt à ses camarades. Le roi, dit-il en substance, n'a « aucune hostilité à notre égard ». Il est favorable à une Assemblée nationale, mais d'ici une année peut-être, le temps que « le peuple ait développé le sens de ses responsabilités ». En attendant, précise Bouabid, l'UNFP, selon le roi, « doit continuer à éduquer le peuple ».

Mahjoub Benseddik et Mohammed Abderrazzak, les deux principaux dirigeants de l'UMT, se montrent sceptiques et disent n'avoir aucune confiance dans la personne du roi. Ils accusent Bouabid de « naïveté »[1].

Quelques jours plus tard, Bouabid confie à un ami français qu'il est résolu à soutenir le monarque « aussi longtemps que celui-ci continuera à placer les intérêts du royaume au-dessus des siens propres et de ses penchants personnels[2] ». À la même personne, Abdallah Ibrahim, autre cacique de la gauche, affirme qu'une semaine avant sa mort Mohammed V a reconnu avoir fait une erreur en assumant la charge du gouvernement.

L'opposition de gauche ne se limite pas à exprimer son inquiétude dans le domaine politique. Pour bien montrer que tout est lié et qu'un pays ne peut se développer sans une équipe honnête et dotée d'un véritable programme, sa presse s'en donne à cœur joie pour stigmatiser « les nombreuses irrégularités » dans le dossier du complexe pétrochimique de Safi. Selon *At-Tahrir*, le conseil d'administration du BEPI n'est plus réuni et il n'est plus question de cahier des charges. Le projet est passé de 12 à 16 milliards de francs. Pour le journal, ces irrégularités « sont dues aux tractations menées entre sociétés bénéficiaires et certains intermédiaires agissant pour le

---

1. Communication du service de renseignement britannique à l'ambassade de France en date du 23 mars 1961.
2. Archives du Quai.

231

compte de hautes personnalités marocaines et d'un certain parti politique » qu'*At-Tahrir* ne cite pas[1].

Rappelons pour le lecteur que trois sociétés avaient été choisies au printemps 1961 pour cet important projet : Dorr Oliver (USA) pour l'acide phosphorique, Lurgi (RFA) pour l'acide sulfurique, et Kreps (France) pour les superphosphates. Selon l'ambassade de France qui consacre un long papier aux dessous de cette affaire, « c'est Dorr Oliver qui a mis le feu aux poudres dans un rapport déposé à la présidence du Conseil, dans lequel la compagnie américaine s'étonnait de voir Lurgi retenue alors que ses prix excèdent de 50 % les siens. Un certain Steinrachs, intermédiaire allemand choisi par les Marocains, aurait déclaré : "L'appel d'offres international était destiné à rester sur le carreau. Que voulez-vous, nous sommes en Orient, le bakchich existe. Ces personnalités, de toute façon, combattent le communisme et il est de notre intérêt de les aider ! – Et que faites-vous de l'opposition ?" a-t-on demandé à Steinrachs. Réponse : "Le gouvernement est décidé à la mater ; bientôt, seul l'Istiqlal aura droit de cité !" Finalement, un arrangement est conclu aux termes duquel cinq personnalités marocaines recevront chacune 1,5 % du marché, soit 240 millions de francs, et 10 % iront à Steinrachs, soit 1,6 milliard de francs. »

Le 12 mai[2], Hassan II a beau parler de mettre fin énergiquement à la corruption et de châtier les coupables, le renvoi du cabinet Ibrahim et la mise à l'écart de Bouabid et de son équipe n'auront pas été perdus pour tout le monde…

Les compromissions de l'Istiqlal

« Le courage est une chose qui s'organise, qui vit et qui meurt, qu'il faut entretenir comme les fusils », dit André Malraux dans *L'Espoir*. Cette remarque s'applique assez bien à la plupart des dirigeants de l'Istiqlal qui, de la chute du gouvernement Ibrahim, en mai

---

1. L'Istiqlal, selon l'ambassade.
2. Devant le conseil municipal de Meknès. Cf. *Discours et Interviews, op. cit.*, t. II, p. 52.

1960, à leur mise à l'écart du gouvernement de Hassan II, trente mois plus tard, ont multiplié les concessions et les compromissions avec Hassan II, permettant à celui-ci d'établir rapidement un pouvoir quasi absolu. Qu'un Allal el-Fassi, qui avait fait preuve jusqu'à l'indépendance de caractère et de courage, ait pu se soumettre aussi facilement aux oukases ou aux manœuvres d'un jeune monarque décidé à régner sans entraves reste largement incompréhensible.

En janvier 1962, lors du congrès de l'Istiqlal, et alors que le parti commence à se poser beaucoup de questions sur la gestion de Hassan II, Allal el-Fassi justifie en ces termes sa participation et celle de son parti au cabinet présidé par le souverain : « Notre présence au gouvernement nous a été dictée par la nécessité de concourir avec notre jeune souverain à assurer la marche de l'État[1]. »

À l'époque, « assurer la marche de l'État », c'est, pour l'Istiqlal, collaborer étroitement avec le Palais afin de tenir à distance une UNFP qui attire à elle l'intelligentsia, les jeunes éduqués, une partie de la classe ouvrière et de la classe moyenne. Certes, dans un pays où près de 80 % de la population vit à la campagne sous l'influence de notables ruraux très attachés à la Couronne, la séduction exercée par l'UNFP ne représente qu'un faible danger. Plus des trois quarts des Marocains sont encore illettrés et sans véritable conscience politique. Les blessures de la scission n'étant pas refermées, les deux parties, PI et Palais, ont besoin l'une de l'autre.

Habilement, et sans qu'Allal, trop heureux de l'aubaine, trouve à y redire, Hassan II remanie profondément son gouvernement en juin 1961. Apparemment, le cabinet sortant l'a beaucoup irrité : « Quinze jours à peine après la mort de notre auguste père, relate-t-il une vingtaine d'années plus tard, seuls restaient à mes côtés 13 membres des 27 ou 28 que comptait le gouvernement ; les autres, comme des rats, avaient fui le navire, ayant cru d'emblée qu'il allait sombrer[2]. »

---

1. Cité par Maati Monjib, *La Monarchie marocaine et la lutte pour le pouvoir, op. cit.*, p. 256.
2. Discours du roi à son peuple, le 21 mai 1980. Pour ceux qui souhaiteraient en savoir plus sur « les rats », il suffit de consulter la liste du gouvernement présidé par Mohammed V et d'enlever les noms suivants, auxquels Hassan II rend hommage : Bekkaï, M'hammedi, Chiguer, Zeghari, Guédira, Allal el-Fassi, Balafrej, el-Yazidi, Benabdeljalil, el-Ouazzani.

Le *zaïm* est nommé ministre des Affaires islamiques. Ce faisant, le roi donne à son gouvernement la dimension spirituelle qui lui manquait cruellement, compte tenu de la réputation sulfureuse qui était la sienne alors qu'il n'était encore qu'héritier de la Couronne. Voyons à ce propos ce qu'en dit Roger Seydoux au moment où le prince devient roi :

« Moulay Hassan était impopulaire, comme les autres membres de la famille royale, hormis Mohammed V. Il a rendu la tâche facile à ses ennemis par sa manière de vivre, et ses coûteuses fantaisies choquaient d'autant plus l'opinion que la misère s'accroissait dans le pays. Sa liaison, qui remonte maintenant à plusieurs années, avec une jeune femme française qui vient souvent faire des séjours à Rabat fournit à ses ennemis un argument concret à l'appui de l'accusation, et l'on va même jusqu'à dire qu'il est sous notre influence[1]. »

Entre-temps, dans les trois mois qui ont suivi sa montée sur le trône, l'Istiqlal et son chef ont eu le temps de s'irriter du changement de cap de la politique étrangère, ou des trop bonnes manières faites à la France ou à la communauté juive marocaine dont un grand nombre de membres quitte le pays[2]. Ainsi, les conditions dans lesquelles s'opère le transfert des cendres du maréchal Lyautey agacent prodigieusement el-Fassi[3].

Afin de réduire les tensions, Hassan II constitue le 2 juin un nouveau gouvernement où tous les partis, à l'exception de l'UNFP, et toutes les personnalités, à l'exception de celles de gauche, sont représentés. Ces grandes figures du nationalisme marocain – el-Fassi, Ouazzani, Ahardane, Khatib, Mouline… – n'impressionnent nullement le roi qui n'abandonne aucune de ses prérogatives, bien au contraire. Le poste de vice-président du Conseil disparaît. Il devient commandant en chef des FAR, mais reste chef d'état-major. Son ami Guédira détient le portefeuille le plus sensible, celui de l'Intérieur.

---

1. Télégramme du 3 mars 1961.
2. Dans des conditions étranges qui ont été évoquées dans plusieurs ouvrages faisant tous état de taxes perçues au plus haut niveau de l'État marocain sur chaque départ d'un membre de la communauté : au minimum 50 dollars de l'époque.
3. Allal el-Fassi le traite de « criminel de guerre, de tortionnaire et de tueur des résistants marocains » devant un Conseil national du PI tenu en avril 1961.

Mohammed Hassan el-Ouazzani, qui n'aime pas qu'on le prenne pour une potiche, se rend vite compte du caractère formel de ce gouvernement et le quitte au bout de quelques semaines. Déjà bien compromise, sa carrière politique est terminée.

Celle d'Abdelkhaleq Torrès pas tout à fait, mais les désillusions vont se succéder. Très attaché à Mohammed V, il vit mal la disparition du « Père de l'Indépendance » auquel le liaient tant de beaux souvenirs, comme la visite officielle que le roi effectua en janvier 1960 en Égypte, quarante-huit heures avant l'inauguration du barrage d'Assouan. Ses remarquables qualités de diplomate, sa culture encyclopédique – il s'était lié d'amitié avec Louis Massignon avec qui il aimait évoquer en arabe classique la spiritualité musulmane –, le réseau très étendu de ses relations, sa connaissance des langues étrangères, tout cela aurait pu, aurait dû en faire un excellent ministre des Affaires étrangères. Mais, rentré en août 1960, il a été nommé par Mohammed V à la tête de la Justice dans le gouvernement qui a succédé à celui d'Abdallah Ibrahim, remercié trois mois plus tôt. Dans ses nouvelles fonctions, Torrès s'est efforcé de rendre plus cohérentes et complémentaires les diverses législations marocaines. À sa manière, il a ainsi poursuivi sur le plan judiciaire l'unification du pays à laquelle il avait contribué sur le plan politique. Fait unique dans l'histoire du Maroc indépendant, il a assuré pendant quelques jours, en octobre 1960, l'intérim du pouvoir, Mohammed V se soignant en Suisse et Moulay Hassan étant à New York pour défendre devant l'Assemblée générale des Nations unies les ambitions de son pays sur le Sahara. La mort de Mohammed V a beaucoup affecté Torrès qui confie : « Il a été l'irremplaçable trait d'union entre le passé et l'avenir, entre le Protectorat et la liberté, entre le *makhzen* et les formes modernes du pouvoir, entre l'isolement du Maroc et ses retrouvailles avec l'Afrique et le monde arabe, tout en esquissant déjà un rapprochement avec l'Europe et l'Amérique, fidèle à cette formule heureuse qu'il aimait répéter : nous sommes un trait d'union entre l'Orient et l'Occident. »

En tant que ministre de la Justice, Abdelkhaleq Torrès a rédigé à la hâte la *bai'a* – l'allégeance – au nouveau roi et l'a fait signer par tous ses collègues ministres. Mais la mort de Mohammed V a marqué pour lui le début du désenchantement. Deux mois après cette disparition, il démissionne de son poste pour « raisons de santé ».

Dans le cabinet complètement remanié que forme Hassan II le 2 juin 1961, un seul ministre, celui des PTT, Mohammed Abdesslam el-Fassi, représente le nord du pays. Tant de désinvolture de la part du jeune monarque à l'égard des « nordistes » – qui sera d'ailleurs un des traits caractéristiques du règne de Hassan II – peut s'expliquer par les événements du Rif qui ont profondément marqué le futur Hassan II. Elle peut aussi trouver son origine dans l'agacement que suscitent chez tout souverain marocain de potentiels rivaux en popularité. Ainsi Mohammed V a toujours eu des relations compliquées avec Allal el-Fassi, dont le prestige l'irritait. Mais, fidèle au trône et soucieux des intérêts du pays, Torrès surmonte ses réticences et parvient à organiser en juillet 1962 une rencontre au Caire entre le vieil émir Abdelkrim et Hassan II, de passage dans la capitale égyptienne. En dépit des assurances données, l'éternel rebelle rifain mourra, en janvier 1963, sans avoir revu le Maroc.

L'excellent tribun qu'est Torrès se donne également à fond dans les deux campagnes électorales qui précèdent le référendum sur la première Constitution, en décembre 1962, et les premières élections législatives, l'automne suivant. Il est confortablement élu à Tétouan, mais son parti, l'Istiqlal, en dépit d'un score plus qu'honorable, et l'UNFP, l'autre parti historique, sont battus par une coalition de notables et de libéraux proches du Palais. L'opposition à laquelle il appartient crie au trucage !

L'inauguration du premier Parlement a lieu le 18 novembre 1963. Trois semaines plus tard, dégoûté par l'ambiance qui règne dans cette assemblée, Torrès présente sa démission à Allal el-Fassi, qui la refuse. Cette « corvée » – selon ses propres termes – se prolonge dix-huit mois, jusqu'en juin 1965, au moment où Hassan II dissout le Parlement et proclame l'état d'exception. La vie publique d'Abdelkhaleq Torrès est alors pratiquement achevée.

Mais, en ce début de 1961, Allal el-Fassi est un personnage autrement plus coriace. Pour se concilier les bonnes grâces du *zaïm*, Hassan II, outre les Affaires islamiques, n'hésite pas à créer deux autres nouveaux ministères : des « Affaires de la Mauritanie » et des « Affaires africaines ». Ces deux ministères, supposés répondre aux exigences de l'Istiqlal, travaillent si peu qu'Abdelkrim Khatib, en charge de l'Afrique, réclame un poste « plus actif » et obtient la Santé[1].

En réalité, comme le note Monjib avec une pointe d'humour, « le bouillant leader du PI est confiné par le nouveau Commandeur des croyants dans le rôle de rédacteur en chef de publications religieuses. En effet, le jeune souverain a plus besoin que son père d'un service de propagande théo-idéologique[2] ».

Autre faux-semblant trouvé par Hassan II : la publication, au mois de juin également, d'une « Loi fondamentale » du royaume destinée à jouer le rôle de Constitution provisoire en attendant celle à laquelle rêvent tous les leaders nationalistes depuis des années. Beaucoup de Marocains reprocheront à l'Istiqlal d'avoir accepté sans broncher un texte élaboré à la seule initiative du roi et qui conforte le caractère absolu de son pouvoir. Il n'est pas étonnant, dans ces conditions, que Hassan II ait cru un peu plus tard pouvoir rédiger seul, ou avec l'aide de constitutionnalistes français, la première Constitution du Maroc indépendant…

Les diplomates français, pourtant bien disposés à l'égard du jeune souverain, ne nourrissent aucune illusion sur ce texte : « Ce document frappe par l'accumulation des déclarations d'intention et par l'absence de toute précision concernant l'organisation de pouvoirs dans l'attente d'une Constitution. Programme de gouvernement plus que loi organique, ce texte laisse les mains libres à Hassan II pour diriger et organiser l'État à sa guise […]. En retrait par rapport aux promesses faites par Mohammed V de doter le Maroc d'institutions démocratiques, il confirme l'orientation autoritaire et personnelle que Hassan II entend donner à son gouvernement et à son règne. Interprétés strictement, les passages suivants peuvent permettre au roi de museler toute opposition : "L'État doit préserver l'unité de la Nation et s'opposer à tout ce qui est susceptible de semer la division au sein de la communauté nationale […]. L'État doit sévir contre toute atteinte aux fondements institutionnels du royaume". »

1. Selon Maati Monjib, *La Monarchie marocaine et la lutte pour le pouvoir*, op. cit., p. 239.
2. *Ibid.*

Si l'UNFP, qui parle d'« une mystification organisée par des diri-geants à la mentalité médiévale », pense la même chose que la diplo-matie française, le ton agressif en plus, le ministre de l'Information, Moulay Ahmed Alaoui, qui sert déjà avec dévotion et zèle son maître, paraît comblé : ce texte, dit-il, « ménage une étape essentielle pen-dant laquelle l'État conduira le peuple marocain de la démocratie fonctionnelle à la démocratie organique […]. Le Maroc, en atten-dant, vit dans un régime effectif de liberté et de justice assuré par l'organisation judiciaire et la Charte des libertés publiques. […] La preuve que cette liberté existe, conclut-il finement, c'est qu'il est pos-sible d'écrire qu'elle n'existe pas[1] ».

Allal el-Fassi, qui est tout sauf stupide, a tôt fait de réaliser que le Palais se sert de lui sans vraiment lui renvoyer l'ascenseur. Embarrassée et réservée, la presse istiqlalienne se borne à souligner le « caractère provisoire » de la loi. Le *zaïm* comprend que son parti n'est qu'un pion utilisé sans vergogne par le monarque dans un jeu qui déborde large-ment le cadre marocain. Les relations avec la France, que Hassan II souhaite sereines – il l'a dit avec insistance à Roger Seydoux[2] –, priment sur tout le reste, et la guerre d'Algérie, dont on entrevoit la fin, va permettre au régime marocain de normaliser ses relations avec Paris. Dans ces conditions, l'Istiqlal, qui, au demeurant, se montre très revendicatif quant au tracé des frontières avec le grand voisin, ne pré-sente plus le même intérêt aux yeux du souverain.

Lors de son VIe Congrès, réuni en janvier 1962, le PI adresse quelques mises en garde au pouvoir, mais sans franchir la « ligne rouge ». Il s'attaque surtout à l'administration, accusée de maltraiter les élus et les militants du parti, et réclame qu'elle soit épurée des « traîtres » et des « collaborateurs ». Dans la perspective des futures législatives, le Congrès demande également, comme d'ailleurs l'UNFP, que le scrutin uninominal, qui favorise les notables, soit abandonné.

Hormis une brève période précédant au début de l'été un nouveau remaniement ministériel, l'Istiqlal se montre de plus en plus agressif tout au long de l'année 1962. L'opportunisme qui a conduit le parti

---

1. Conférence de presse du 7 juin 1961.
2. Télégramme du 2 mars 1961.

à mettre la pédale douce à ses critiques dans l'espoir de gagner quelques portefeuilles supplémentaires n'aura eu aucun effet, puisque, bien au contraire, ce sont trois proches du Palais qui entrent alors au gouvernement. La presse istiqlalienne affirme en février que « le Maroc est sur le point de devenir un État policier ». En juillet, après le remaniement, elle affirme que les Marocains vivent « sous un régime de pouvoir absolu[1] ».

Le PI a de quoi être mécontent et inquiet. Le Conseil constitutionnel, présidé par Allal el-Fassi et qui devait préparer la Constitution, avait jusqu'alors fonctionné tant bien que mal, en butte à l'hostilité des autres formations, mécontentes du poids des istiqlaliens dans sa composition. Il ne fait plus rien depuis la disparition de Mohammed V.

La répression se développe contre les militants et les cadres du parti. Parmi ces derniers, beaucoup, qui se sont enrichis de façon douteuse, avec la bénédiction du Palais, prennent leurs distances vis-à-vis du PI et rejoignent les gros bataillons de profiteurs et d'opportunistes déjà dénoncés par Ben Barka en 1957.

Comme toujours et comme il ne cessera de le faire, sauf rarissimes exceptions, du moins en public, l'Istiqlal épargne le souverain et s'attaque à certains membres du gouvernement, notamment à Ahmed Réda Guédira qui coiffe l'Intérieur et l'Agriculture, en liaison directe avec le souverain. Les « vieux » istiqlaliens sont unanimes à son propos : « Guédira, nous a affirmé M'hammed Boucetta[2], a véritablement été l'âme damnée de Hassan II. Il a contribué à la fois à détruire la démocratie et la monarchie [...]. Mohammed V aimait tellement peu Guédira et ses idées qu'il refusait que son fils Moulay Hassan se présente au palais en sa compagnie. »

En janvier 1963, lors d'une conférence de presse conjointe avec Allal el-Fassi, M'hammed Douiri, qui vient d'être écarté du gouvernement, s'en prend violemment à Guédira : « M. Guédira a systématiquement et toujours écarté les projets que je présentais en Conseil des ministres. M. Guédira, qui ne partage aucun des points de vue du Parti, va donc fatalement donner une nouvelle orientation,

---

1. *Al-Alam*, 28 juillet 1962.
2. Entretien avec l'auteur en décembre 2002.

puisqu'il n'a plus d'obstacles devant lui. La politique de M. Guédira va à l'encontre du protectionnisme et de l'austérité nécessaire. Il a mis par terre tous les projets du BEPI. Je pourrais vous donner pendant des heures des exemples de l'obstruction systématique de M. Guédira qui veut le retour au pacte colonial[1]. »

Il est vrai que Guédira ne prend guère de gants avec ses adversaires politiques. La revue épisodique qu'il a créée, *Les Phares* – par référence aux FAR (Forces armées royales) –, et qu'il ressort quand les circonstances l'exigent, lui sert d'exutoire. En ce début des années soixante, la fameuse carte des « frontières naturelles et historiques du Maroc » – qui, selon Si Allal, englobe toute la Mauritanie, les trois quarts de l'Algérie et une bonne partie du Mali et du Niger d'aujourd'hui –, que reproduit régulièrement la presse du PI, excite la verve d'Ahmed Réda Guédira dans un article intitulé « La ruée vers l'est » :

« Une première constatation s'impose, qui ne peut manquer d'ébranler les âmes insuffisamment cuirassées : le Mali a disparu sans laisser de trace... Où est-il ? Troublante énigme que l'ONU résoudra peut-être quelque jour ! Les manches de Baba Allal, malgré leur ampleur, ne nous paraissant pas une cachette suffisante, nous suggérons une explication provisoire née d'un examen méticuleux des documents en question : le *zaïm* l'a donné au Sénégal (après avoir pris au passage une honnête commission en nature) pour le punir de sa mauvaise conduite [...]. Autre constatation à peine moins troublante : l'Algérie, du moins celle que le président Ben Bella croyait gouverner, se trouve désormais amputée des trois quarts de sa superficie... »

Conséquence logique de ces railleries, mal vécues par l'Istiqlal : l'ambassadeur de France, Pierre de Leusse, apprend de « très bonne source » qu'« Allal el-Fassi et Douiri sont allés voir le roi afin que Guédira cesse d'assumer en fait les fonctions de président du Conseil et d'intervenir dans toutes les affaires importantes de l'État. Hassan II leur a répondu qu'ayant toute confiance en lui, il ne lui retirera aucune des responsabilités qu'il lui a confiées. Les ministres, très déçus, auraient présenté leur démission ».

---

1. 14 janvier 1963. À l'occasion du dix-neuvième anniversaire du manifeste pour l'indépendance, le PI publie un manifeste pour la libération économique et sociale du Maroc.

Le télégramme est daté du 29 décembre 1962. Les ministres istiq-laliens quitteront le gouvernement cinq jours plus tard.

Les ambassadeurs de France sont partagés sur ce personnage que de Gaulle, on l'a vu, n'aimait pas. En avril 1962, Roger Seydoux croit savoir que « la position de Guédira auprès du souverain ne serait plus ce qu'elle a été. L'homme ne s'appuie sur aucun parti. Son tempéra-ment impulsif et autoritaire lui vaut de nombreux ennemis. L'affaire du 11 novembre [sac de l'ambassade de France, alors qu'il était ministre de l'Intérieur] et les échecs de la Promotion nationale ont fortement atteint son crédit ».

Quelques mois plus tard, le même Seydoux nuance son propos en notant que Guédira, « en dépit de disputes fréquentes, suivies de réconciliations rapides, demeure le conseiller le plus écouté de Hassan II ».

Successeur de Seydoux, Pierre de Leusse est nettement plus posi-tif : « Les relations que nous entretenons avec Guédira doivent nous conduire à nous féliciter de son entrée aux Affaires étrangères [dans le gouvernement formé le 17 novembre 1963]. Nous sommes assurés de trouver en lui un interlocuteur intelligent, actif et compétent, ce qui ne veut pas dire toujours complaisant. Un "homme du roi" avant tout[1]. »

« Quiconque ne sait pas dévorer un affront / Ni de fausses couleurs se déguiser le front / Loin de l'aspect des rois qu'il s'écarte, qu'il fuie / Il est des contretemps qu'il faut qu'un sage essuie... » Ces vers de Racine[2], Allal el-Fassi aurait pu les méditer, en novembre 1962, quand il renonce, la mort dans l'âme, à l'une de ses revendications essentielles : la compétence du Conseil constitutionnel – qu'il pré-side – pour l'élaboration de la nouvelle Constitution. Il déclare alors que son parti accepte que le projet de Constitution soit préparé par une commission, sous réserve que celle-ci soit formée uniquement de Marocains. Hassan II n'en a cure et termine le travail avec l'aide notamment de Maurice Duverger.

Presque aussitôt après, le roi annonce l'organisation prochaine d'un référendum sur le texte de la Loi fondamentale. L'humiliation

---

1. Télégramme du 21 novembre 1963.
2. Une scène d'*Esther*.

est complète pour le PI et son chef qui ne trouvent rien de mieux que de mettre en sourdine leurs attaques contre la gauche afin, sans doute, de ménager l'avenir…

Ces déboires n'empêchent pas l'Istiqlal d'applaudir des deux mains aux résultats du référendum sur la Constitution qui a lieu le 7 décembre. Le parti insiste également sur le rôle qu'il a joué dans cet éclatant succès : 97 % de « oui » et plus de 85 % de participation…

Hassan II, qui n'a aucune envie de voir le PI tirer profit de ce vote, ne prête aucune attention à ses simagrées et le pousse vers la sortie. Pour accélérer son départ, quelques provocations font l'affaire, qui témoignent aussi de la profondeur des divergences entre le Palais et le parti.

Mohammed Tahiri, l'intraitable

Le cas de Mohammed Tahiri, proche du parti de l'Istiqlal dont il a démissionné en 1960, sa direction ayant accepté que Mohammed V soit aussi président du Conseil, mérite un bref détour. Premier Marocain diplômé de l'Institut agronomique en 1954, spécialiste en pédologie de l'Orsthom[1], Mohammed Tahiri est un nationaliste intransigeant. Déjà, en classe préparatoire à Louis-le-Grand, il fait partie de la section du PI du lycée. En 1955, il est membre de la Commission politique du parti qui est alors créée. En 1958, il entre au Comité exécutif. Dès l'indépendance, il s'oppose à Ben Barka à qui il reproche d'avoir pris parti pour Benseddik contre Bouazza. Il n'a guère plus d'atomes crochus avec Allal el-Fassi, si l'on en croit une anecdote qu'il a racontée à l'auteur : « Au début des années soixante, j'avais réuni à la maison le *fqih* Basri et Allal el-Fassi. J'ai entendu Allal dire au *fqih* : "Je suis avec le souverain, nous défendons cette monarchie." Il n'a pas dit : "Nous défendons le pays." Vous savez, Allal el-Fassi, c'était le *makhzen*. »

Son caractère entier ne l'empêche pas d'obtenir l'appui aussi bien de l'Istiqlal que de l'UNFP pour prendre la tête de l'Office national d'irrigation (ONI) en septembre 1960. Pendant plus de deux années

---

1. Devenu IRD (Institut de recherche pour le développement).

avec Raymond Aubrac[1] comme secrétaire général, il va y accomplir un travail remarquable.

« Devant une croissance démographique qui dépassait 3 % par an, il était indispensable de donner priorité au développement de la production agricole », souligne Aubrac. Celui-ci s'attelle à cette tâche, rendue plus facile par la politique de grands barrages engagée par l'administration du Protectorat et qui était conforme à la fois aux intérêts du Maroc et à ceux des « protecteurs ». Mais si le Maroc est doté à l'indépendance de réserves d'eau assez importantes, le développement des zones irriguées, qui peut apporter un multiplicateur rapide aux rendements de la terre et donc aux revenus des paysans, a pris un grand retard. Les barrages, affirme Aubrac, auraient permis d'irriguer un demi-million d'hectares, mais n'en irriguaient en réalité que la moitié. Conscient que le cloisonnement administratif vient « s'ajouter à celui des mentalités et des motivations », Aubrac propose à Bouabid de « réunir tous les services en un seul ensemble, sous une même autorité, et de les faire travailler aux priorités arrêtées par le pays ». Mais si la décision de principe est prise dès juillet 1958, la hiérarchie administrative et politique – gouverneurs et ministres, notamment –, qui craint de perdre et autorité et fonds à gérer, traîne les pieds. Bouabid mettra deux années à arrondir les angles, et quand il quitte le gouvernement, l'ONI n'est toujours pas créé.

Tout se règle à l'automne 1960, l'ONI dépendant alors directement de la présidence du Conseil. De Tahiri, qui est nommé directeur général, Raymond Aubrac dresse un portrait flatteur, mais sans flagornerie : « C'était un personnage exceptionnel. De famille modeste, il avait été choisi avec quelques jeunes Marocains pour faire ses études secondaires avec le Prince héritier Moulay Hassan [...]. Ingénieur agronome, intelligent, intègre, très travailleur et très énergique, c'était aussi un anxieux dont la sensibilité et la susceptibilité

---

1. Dans ses Mémoires, R. Aubrac évoque une lettre en date du 14 mars 1958 d'Alexandre Parodi, ambassadeur de France, opposé à sa venue au Maroc en raison des positions politiques connues du grand résistant qui « pourrait marquer l'Assistance technique française à qui l'on reproche déjà dans les milieux parlementaires de la métropole certaines attaches ». Aubrac, qui se demande « quels services ont fait pression sur Parodi », ne tient aucun compte de la lettre et commence aussitôt à travailler aux côtés de Bouabid ; *Où la mémoire s'attarde*, Odile Jacob, 2000, p. 224.

étaient constamment exposées. Nos relations personnelles furent vite très confiantes. Mon activité dans la Résistance, mes opinions assez radicales l'aidèrent à effacer entre nous ses réactions anticolonialistes, dont il se préservait mal avec certains collègues français [...]. La première décision de Tahiri fut de me nommer secrétaire général, chargé de coordonner les actions des services centraux, d'établir les programmes et d'en surveiller l'exécution. »

Quand il prend en main l'ONI, l'objectif de Mohammed Tahiri est donc de valoriser les barrages déjà construits et les terres irriguées. À l'époque, un tiers de ces terres appartient aux colons, un autre tiers à des personnes privées marocaines, et le dernier est constitué de terres collectives. Mais, très vite, la politique favorable aux paysans marocains, qu'il entend développer, indispose le pouvoir : « Comment pouvais-je agir alors que Guédira et Hassan II s'opposaient à mes idées ? J'avais créé la Maison des Paysans, maison des syndicats de producteurs. Pour chaque tonne livrée à l'usine, ils donnaient dix dirhams à leur syndicat. Il s'agissait d'avoir une structure face à l'État ou à l'usine. Déjà, au temps du Protectorat, Jacques Berque et Couleau[1] avaient proposé de développer le monde paysan *via* une organisation communale intégrée. Mais le Protectorat les avait virés, car ils représentaient un danger. Même chose pour nous : le régime se sentait menacé par ce type de paysannerie[2]. »

Tahiri et Aubrac forment alors un duo absolument inimaginable dans le Maroc d'aujourd'hui. Ainsi, en décembre 1960, raconte Aubrac, Tahiri a l'idée de faire venir son ancien professeur, René Dumont, dont il sollicite l'avis sur un certain nombre de questions. Un jour, le directeur général de l'ONI et son secrétaire général acceptent, à la demande de jeunes collègues marocains, de laisser Dumont faire une conférence sur le thème du développement. Toujours aussi provocateur, le célèbre agronome déclare : « Pour que les paysans acceptent d'investir leur travail dans l'amélioration des terres, pour obtenir non pas des richesses immédiates, mais un progrès à moyen et long termes, il faut que les efforts soient partagés par tous.

---

1. Administrateurs civils au temps du Protectorat. L'œuvre de Berque sur le monde arabo-musulman est considérable.
2. Entretien avec l'auteur.

Or, on me dit que les garages du palais royal abritent des dizaines de belles voitures neuves. S'il en est ainsi, pas de progrès pour le Maroc ! »

Les applaudissements devinrent tonnerre, commente Aubrac, et fort heureusement, on put installer Dumont dans le premier avion pour Paris…

Passionné par son sujet, Mohammed Tahiri, qui a aujourd'hui abandonné l'agriculture pour la culture – il dirige depuis une quinzaine d'années une librairie à Lagdal, quartier résidentiel de Rabat, où il refait le monde avec de nombreux amis ou connaissances –, est intarissable sur les ratés du régime dans le secteur primaire :

« Notre devoir était de créer ou de développer des cultures fondamentales pour le pays : blé, huile à partir d'oliviers, sucre à partir de la betterave, cultures fourragères, lait, produits laitiers, cultures maraîchères, etc. L'olivier est un très bon exemple du fonctionnement de ce régime. Nous avions conscience que le Maroc était un pays d'oliviers, que nous aurions pu nous inspirer d'une des réussites de l'Espagne, l'agriculture en Andalousie. Mais un arbre met six années avant de pousser et de produire. Les spéculateurs ne peuvent pas attendre aussi longtemps. Le profit à court terme, c'est comme la corruption. J'ai dit à Moulay Hasan que le Maroc pouvait nourrir tout le Maghreb. À cette époque, juste après mon arrivée à l'ONI, j'avais encore des appuis avec Bouabid et le PI pour qui il fallait que les gens se prennent en charge *via* des usines et des coopératives. Hassan II, lui, craignait le pouvoir populaire, que le peuple se prenne en charge. Il était d'ailleurs soutenu par son ami Guédira qui écrivit dans *Les Phares* que nous étions en train de "créer le polygone rouge" dans le Tadla… »

L'absence de politique de l'eau l'irrite profondément : « Une politique de l'eau, dit-il, c'est choisir entre irriguer vingt hectares de céréales ou un hectare d'orangers. Quel est le meilleur usage de l'eau ? Dans quelle mesure peut-on assurer pour un certain pourcentage l'alimentation du pays ? Voilà une politique de l'État. Les barrages, c'est pareil. C'est une question d'argent. Qui les construit, au profit de qui ? C'est la question qu'il faut se poser. Pour les barrages, on a longtemps dit : Bouygues est Dieu, et Hassan II est son Prophète ! »

La production de sucre, qu'il a voulu développer afin d'assurer l'autonomie du pays, l'a conduit à d'autres désillusions qui ne sont pas sans rappeler les dérives liées au complexe de Safi :

« Nous avons lancé un projet d'usine de sucre. Trois pays ont répondu à l'appel d'offres : la Pologne, la France et la Tchécoslovaquie. Tous les trois avaient leurs "parrains". Les Polonais étaient les mieux-disants. Le Marocain qui les représentait est venu me voir et m'a dit : "C'est la fortune pour vous et vos enfants. Donnez-moi votre compte en Suisse !" Je lui ai répondu que j'étais un haut fonctionnaire bien payé et que je ne voulais pas entendre parler de ces magouilles. Pour que tout soit bien clair, j'ai lu devant tout l'encadrement de l'ONI le contrat que me proposait le "parrain" des Polonais, et j'ai faxé le tout au ministère de l'Économie. Eh bien, tenez-vous bien, je n'ai rien pu faire : trois ou quatre jours plus tard, notre homme a emporté le morceau ! Hajj Omar Benabdeljalil, spécialiste de l'agriculture et homme parfaitement intègre, qui est mort presque sans le sou, n'a rien pu faire non plus. Le système était déjà trop fort[1]. »

Usine pilote de l'industrie coloniale, la Cosuma (Compagnie sucrière marocaine) excitait également les convoitises. Tahiri souhaitait qu'elle passât sous le contrôle de l'ONI. Réaction du roi :

« Hassan II ne m'a pas répondu et a pris son cousin Moulay Ali comme président du Conseil. Il a fait également de Noguès, ancien résident général, proche de son père, un administrateur de la Cosuma. Finalement, Guédira m'a accusé de laisser les fonctionnaires de l'État faire de la propagande pour l'UNFP. Je lui ai dit de me donner des preuves, s'il en avait, mais son seul souci, c'était de virer ces gens-là ! »

Deux mois avant de mourir, Mohammed V lui propose le ministère de l'Agriculture avec, en prime, la gestion des terres de colonisation. Tahiri décline en disant au roi : « Votre fils ne me laissera pas faire. »

Aubrac et Tahiri se brouillent au moment où celui-ci est écarté de son poste. Estimant être tenu au devoir de réserve du fait de sa qualité d'étranger, Aubrac refuse, au grand dam de Tahiri, de lui apporter un soutien public. Mais, quarante ans plus tard, Raymond Aubrac sait parfaitement que ce sont des considérations politiques qui ont été à l'origine du départ de Mohammed Tahiri :

---

1. Les noms des « parrains » et de leurs complices ont ici été volontairement omis. En attendant une *Histoire de la corruption au Maroc*…

« C'était une crise politique. Quand on arrive à toucher aux structures foncières, un domaine irrigué vaut dix fois plus cher, et il faut faire payer l'eau. Si vous posez ce problème, vous posez celui des grands propriétaires terriens. On a fini par être contraints à poser des problèmes de nature politique[1]. »

Mi-amusé, mi-consterné, Raymond Aubrac se rappelle cette époque où la modernité côtoyait la tradition : « Il y avait deux gouvernements : celui des ministres, qui travaillait comme en France, et puis, quand on allait au palais, on découvrait qu'il y avait un autre pouvoir, le cabinet royal, où se prenaient les décisions fondamentales. Quand un *dahir* touchait aux intérêts des féodaux, les tensions étaient immédiates. Modernisme et tradition ! Tenez, j'ai assisté un jour à l'inauguration d'un barrage avec le roi comme invité d'honneur. Tout le monde était venu en train. Cinq voitures au total. Les deux premières étaient pleines d'ingénieurs, de cadres et de techniciens. La troisième était occupée par le roi et ses conseillers. Les deux dernières par toutes ses femmes que l'on a fait ensuite monter dans des limousines aux vitres teintées. Tout est là… »

Aujourd'hui, Mohammed Tahiri n'est pas très optimiste : « L'armature administrative arrive jusqu'au douar. La culture marocaine, c'est l'amour du Prophète et de ses enfants. Quand ils prient pour Lui, ils prient aussi pour Mohammed VI. Il y a aussi la culture *makhzen* : au moins, disent les gens, nous avons un descendant du Prophète ! Avec cette armature administrative et spirituelle, comment voulez-vous entamer un progrès politique ? *Na'am Ya sidi !*[2] Puis trois génuflexions ! Lyautey avait compris que la seule façon de gouverner, c'est à travers le roi. En réalité, si nous voulons nous en sortir, il faut que les paysans soient libres. Une éducation civique est indispensable. Il faut leur donner le sens de leur qualité de nationaux. Il n'y a pas d'encadrement du monde paysan. La mentalité est paysanne jusqu'autour de Rabat et de Casablanca. »

Mohammed Tahiri donne un dernier conseil avant de nous quitter : « Si vous voulez comprendre ce pays, allez regarder de près qui sont les directeurs des Douanes, des Domaines, de la Conservation

---

1. Entretien avec l'auteur.
2. « Oui, monsieur. » Expression attribuée aux béni-oui-oui et aux courtisans.

foncière ou de l'Office des changes. Regardez de quelles familles ils sont issus. Tous sont là pour conserver les secrets de la monarchie. Il est impossible, par exemple, de demander les titres de propriété de la famille royale. »

L'affaire des bahaïs

Un autre événement exacerbe les tensions entre l'Istiqlal et les amis du Palais : ce sont les condamnations à mort de membres des bahaïs[1]...

Le 31 octobre 1962, un arrêt de renvoi devant le tribunal criminel de Nador est rendu par la chambre des mises en accusation de la cour d'appel de Tanger. Le 10 décembre de la même année, le tribunal de Nador juge quatorze adeptes de la foi bahaïe, inculpés de « rébellion, désordre, atteinte aux convictions religieuses, constitution d'association de malfaiteurs ». Trois des adeptes sont condamnés à mort, cinq autres à la prison à perpétuité. Le 15 décembre, *Al-Alam*, organe de l'Istiqlal, affirme que le groupe en question « est financé par une main étrangère qui le pousse à se dresser contre les musulmans et la religion musulmane orthodoxe ». Deux jours plus tard, *Maroc-Informations*, quotidien indépendant de Casablanca, réplique : « Il est impossible de ne pas ressentir un sentiment de malaise devant cet embryon d'inquisition qui frappe aux portes du royaume [...]. Nous ne pouvons nous empêcher d'écrire que si Dieu n'est pas divisible, la tolérance ne l'est pas non plus. »

Fidèle à sa ligne libérale, *Maroc-Informations* ouvre alors ses colonnes à Mohammed Berrada, directeur de cabinet du ministre des Affaires islamiques Allal el-Fassi, qui écrit :

« De nos jours, le bahaïsme fait cause commune avec le sionisme. Son "Vatican" se trouve en Israël et constitue un instrument dans le jeu du sionisme pour détruire le monde arabe et les Lieux saints [...]. Il n'est pas dans la nature d'un État musulman comme le Maroc de

---

1. Le bahaïsme est une religion indépendante née en Perse au milieu du XIXe siècle. Elle prône notamment la tolérance et l'égalité entre hommes et femmes. Ils seraient six millions dans le monde et ont été l'objet de persécutions dans de nombreux pays.

tolérer ou de protéger une action comme celle des bahaïs, ayant pour mission première de détruire l'État marocain, sa religion officielle et tout État musulman, et de détruire finalement les Lieux saints. »

D'autres réactions, cette fois favorables aux condamnés, sont publiées dans *Maroc-Informations* (« Nous sommes toujours les hérétiques de quelqu'un », ou bien : « La liberté de culte est ou n'est pas ! »), ou dans le journal de Guédira, *Les Phares*, qui se demande « quelle est au Maroc la loi écrite prévoyant et punissant de mort l'atteinte à la foi religieuse ».

Président du conseil municipal de Casablanca, Maati Bouabid fait remarquer à quelques amis que les condamnations ont été prononcées le jour même où était promulguée la Constitution garantissant la liberté de culte[1]…

L'affaire fait grand bruit, y compris aux États-Unis où Hassan II se rend en visite officielle au mois d'avril 1963. Prié de préciser sa position, il répond : « Je ne suis pas personnellement d'accord sur la condamnation à mort des bahaïs du Maroc. Si, après la cassation, le jugement d'appel confirmait la première sentence, je peux dire que j'userais de mon droit de grâce ! »

Le 11 décembre 1963, la Cour suprême de Rabat examine le pourvoi des bahaïs, casse le jugement du tribunal de Nador et ordonne la libération immédiate des détenus.

Même si l'Istiqlal n'a plus, depuis une année, de ministres au gouvernement, la réaction des proches de Guédira est une gifle pour la justice marocaine, dont le ministre, M'hammed Boucetta, est un des principaux responsables de l'Istiqlal. On a rarement vu un tel manque de solidarité gouvernementale.

Les dés ont donc roulé. L'Istiqlal, qui a eu la bonne idée d'approuver sans réserves la première Constitution du Maroc indépendant et qui ne peut donc accuser le pouvoir d'absolutisme, n'a plus d'utilité pour l'instant. Le parti est même embarrassant à bien des égards : présence encombrante dans l'administration, ultranationalisme qui ne peut que gêner les relations avec l'Algérie, indépendante depuis peu, ou l'Espagne, excessivement susceptible dès qu'on parle de ses possessions au nord ou au sud.

---

1. Selon Jacques Tine, diplomate français, le 26 décembre 1962.

Enfin, Hassan II a une approche beaucoup plus pragmatique et nuancée que l'Istiqlal des rapports du Maroc avec la France. Remerciée de manière cavalière, la direction de l'Istiqlal, impuissante et frustrée, entre dans l'opposition. Elle y restera une quinzaine d'années.

Le roi et l'UNFP : un conflit frontal

Si les dirigeants du PI peuvent à bon droit se sentir floués et bien mal récompensés après leurs multiples concessions, ceux de l'UNFP ne sont pas en meilleure posture. Le conflit qui les oppose au Palais n'est pas à fleurets mouchetés, mais frontal. Hassan II sait que c'est dans ses rangs que se trouvent ses véritables adversaires, dont certains d'ailleurs se débarrasseraient volontiers d'une monarchie qu'ils jugent anachronique.

Si Abderrahim Bouabid, qui, en l'absence de Ben Barka, s'impose comme la meilleure tête politique de la gauche, est disposé, comme on l'a vu au lendemain du décès de Mohammed V, à donner sa chance au nouveau roi, ses bonnes dispositions ne durent pas longtemps. En avril 1961, un entretien qu'il accorde à Robert Barrat pour *Afrique-Action*, l'ancêtre de *Jeune Afrique*, permet de mieux comprendre l'état d'esprit qui règne dans la grande formation de gauche.

Bouabid commence par tordre le cou aux informations qui ont circulé sur le refus de son parti d'entrer dans un gouvernement d'union nationale : « Le nouveau roi, dit-il, n'a pas pris d'initiative en ce sens. » Puis il évoque longuement la réflexion des membres de la commission administrative de l'UNFP au lendemain de la mort de Mohammed V. Pour eux, affirme-t-il, la priorité demeure la mise en place d'institutions démocratiques, et non pas de discuter avec les autres partis d'un plan quinquennal, de la diplomatie marocaine en Afrique ou ailleurs, ou encore de la lutte contre le chômage.

« Quel organisme sera chargé de mettre cette politique à exécution et quels seront ses pouvoirs ? s'interroge Bouabid. Allons-nous demeurer éternellement en régime de pouvoir personnel ? Ou bien le Maroc sera-t-il enfin doté d'une Constitution et d'un gouvernement responsable devant un Parlement élu ? C'est la réponse à une question aussi essentielle pour l'avenir du Maroc qui doit conditionner notre attitude sur le problème du gouvernement d'unité nationale.

« Mohammed V, poursuit Abderrahim Bouabid, a fait l'expérience d'un gouvernement présidé directement par lui-même. Après huit mois, le malaise et la désagrégation ont atteint un degré tel qu'il dut reconnaître en Conseil des ministres, tenu quelques jours avant sa mort, l'échec de cette expérience. Il s'apprêtait, disent ses proches collaborateurs, à y mettre un terme dès la fin du mois de Ramadan. Le Maroc était peut-être sur le point de s'engager dans la voie véritable de l'édification de ses institutions, seule façon pour nous de mettre fin à l'arbitraire, à l'appréciation personnelle et à cette perpétuelle incertitude dans laquelle vit le pays quant à son avenir. »

L'homme fort de l'UNFP explique que son parti a alors fait une série de propositions, notamment à l'Istiqlal, la principale consistant à fixer une date pour l'élection d'une Assemblée constituante, précédée par la formation d'un gouvernement de transition destiné précisément à préparer ce scrutin. Mais « la gêne évidente que nos propositions provoquèrent chez les dirigeants de l'Istiqlal et des autres groupements politiques nous donna d'emblée l'impression que leur idée d'union n'était finalement qu'une manœuvre, et qu'il ne s'agissait pour les partis gouvernementaux que d'obtenir la caution de la gauche sur des bases fort vagues. L'union, c'était, si vous voulez, une simple négociation pour une nouvelle répartition des portefeuilles avec le report des élections à trois ou quatre ans »[1].

Bouabid aborde ensuite l'attitude de l'UNFP à l'égard de la monarchie : « Ce n'est pas, dit-il, notre position qui fait courir des risques à l'institution monarchique, mais la situation dans laquelle nous nous trouvons. On nous taxe d'antimonarchisme, mais notre programme est le seul de nature à sauver la royauté marocaine, si implantée qu'elle soit pour le moment dans les cœurs. Votre père, avons-nous dit à Hassan II, n'a pas été intronisé le jour où il a reçu l'investiture des oulémas, mais celui où les politiciens français l'ont embarqué de force dans un avion. Depuis ce jour, sa photo a pénétré dans les plus humbles foyers, et il est réellement devenu le sultan des Carrières centrales[2], car le peuple l'a considéré comme le premier militant du Maroc. La royauté ne sera sauvegardée que dans la

---

1. *Afrique-Action*, 3 avril 1961.
2. Quartier très pauvre de Casablanca.

mesure où les monarques à venir continueront à incarner les aspirations populaires [...]. Dans un État moderne, un roi ne peut pas impunément être un chef responsable de tous les gestes politiques de son gouvernement. Il risque d'y perdre rapidement le prestige qui s'attache à sa fonction d'arbitre et de symbole de l'unité nationale. »

Au passage, Bouabid fustige l'inefficacité et l'incompétence d'un gouvernement incapable d'utiliser les fonds prévus pour le budget d'équipement, et qui laisse aller à la dérive un budget de fonctionnement largement déficitaire. Il réclame une réorganisation complète de l'État et que soit mis fin « au règne du bakchich et de la concussion ». À ses yeux, cela sera d'autant plus difficile que « les équipes actuelles n'osent pas ou ne peuvent pas mobiliser les masses dont elles sont coupées ». Pour lui, les choses sont claires : ou bien Hassan II se résigne « à accepter la règle du jeu démocratique, et il y aura alors une nouvelle chance pour le Maroc de redémarrer ; ou bien le Palais commettra l'erreur de vouloir s'attaquer à la gauche et d'emprisonner ses leaders. Notre organisation sera alors contrainte de passer à la clandestinité [...]. Mais, conclut-il, l'édifice féodal ne résistera pas longtemps au choc de l'installation probable en Algérie d'un pouvoir révolutionnaire qui voudra sortir ce pays du sous-développement ».

La fermeté courtoise et l'optimisme tout à fait relatif dont fait montre Bouabid dans cet entretien ne résistent pas aux faits. L'obstination de Hassan II à ne rien lâcher qui puisse réduire son pouvoir, et la campagne de répression qui se développe contre la gauche ne font qu'accroître son dépit.

À la fin d'octobre 1961, Roger Seydoux s'entretient longuement avec lui. Même si Bouabid, contrairement à Ben Barka ou Omar Benjelloun, évite de critiquer Hassan II devant ses interlocuteurs, l'ambassadeur de France le trouve irrité : « J'ai senti constamment chez mon interlocuteur de l'hostilité et de la rancune envers la personne de Hassan II. Je l'ai trouvé désenchanté parce qu'il a sans doute le sentiment que l'opposition, pour le moment, n'est pas de force à lutter ouvertement avec le pouvoir[1]. »

Est-ce la mauvaise passe traversée par une gauche marocaine qui n'a jamais été vraiment en odeur de sainteté auprès des responsables

---

1. Télégramme du 23 octobre 1961.

français, mais Seydoux est soudain plein d'indulgence pour le parti de Ben Barka. Il se félicite ainsi des contacts qu'il entretient avec la direction de l'UNFP qui, note-t-il ingénument, « comprend des hommes d'une réelle valeur : Bouabid, Ben Barka et Benseddik… L'opposition, ajoute-t-il, prend soin de rester en contact avec nous et à nous mettre en garde contre une aide trop substantielle au régime ». Au passage, l'ambassadeur relève « l'extrême sensibilité de Hassan II devant tout appui à l'opposition des fonctionnaires français travaillant comme assistants techniques ».

Roger Seydoux a sans doute d'autres raisons de se montrer satisfait du courant progressiste. Les contacts de son ambassade avec lui ne se limitent pas, en effet, au seul Bouabid. Il existe également des contacts secrets du *fqih* Basri avec des diplomates français en poste à Rabat. Ces contacts ont débuté à la fin du règne de Mohammed V :

« Des indices de plus en plus nombreux permettent de penser que le pouvoir royal se dégrade très rapidement. La combinaison ministérielle actuelle sous la vice-présidence du Prince héritier se montre de plus en plus inefficace et est contrainte à une surenchère telle que les mesures qu'elle a été amenée à prendre vont plus loin que les programmes de l'opposition. L'UNFP, en la personne du *fqih* Basri, directeur général d'*At-Tahrir*, a choisi de faire des ouvertures discrètes auprès de l'ambassade afin de prendre des contacts destinés à déblayer le terrain. Le commandant Bachir vient de m'exprimer ce désir au nom de Basri. Ce Bachir, suspendu de l'armée royale depuis trois ans, estimait au début de 1960 que l'UNFP était le seul parti à pouvoir arrêter la dégradation générale actuelle. Il y a trois mois, Bachir nous avait déjà fait savoir le souhait de Basri d'avoir des conversations extrêmement discrètes avec un représentant qualifié de l'ambassade. »

Dans cette note de service du ministère des Affaires étrangères[1], l'auteur indique que le *fqih* Basri est arrivé aux conclusions suivantes :

– Le Maroc ne peut se passer de la France, et notamment une ville comme Casablanca sans Français est impensable.

---

1. Rédigée par le numéro deux de l'ambassade et réceptionnée par le futur ministre des Affaires étrangères (sous la présidence de Valéry Giscard d'Estaing), Louis de Guiringaud, le 9 février 1961.

– L'UNFP est foncièrement attachée à l'Occident et à l'Europe, dont le chef de file tout désigné est le général de Gaulle.

– L'orientation anticommuniste de l'UNFP est fondamentale.

« J'ai informé mon ambassadeur, poursuit le numéro deux, pour lui dire que cette conversation est "particulièrement importante". On peut se poser des questions sur les relations réelles entre l'UNFP et les pays de l'Est, on peut aussi s'interroger sur l'étiquette de "franco-phobe" et de "progressiste" attachée à la personne de Basri. Selon moi, l'objectif de ce dernier est de ne pas laisser Mehdi Ben Barka multiplier les contacts en France. Pour Basri, Ben Barka est un rival, un dangereux concurrent pour l'avenir. Il est probable que, pour le *fqih*, l'échéance de la prise du pouvoir approchant, il est important que son parti s'assure des appuis. »

Quelles que soient les arrière-pensées du *fqih* Basri – et toute son existence témoigne d'un activisme débridé qui rend tout à fait plausible de tels contacts –, l'UNFP apparaît déjà comme une entité peu cohérente, peu solidaire, contrairement à l'Istiqlal où la figure légendaire du *zaïm* s'impose à tous.

L'UMT et l'UNFP : premiers désaccords

Certes, à l'époque, Bouabid croit encore ou fait encore semblant de croire que tout va pour le mieux entre l'Union marocaine du travail et l'UNFP. De tous les dirigeants progressistes, il est aussi celui qui s'efforce le plus – et s'efforcera toujours – de rassembler et de rapprocher, persuadé que les divisions affaiblissent son camp et ne servent qu'à renforcer ses adversaires : « Je ne crois pas mentir en affirmant, dit-il, que nous sommes les seuls, avec l'UMT qui marche la main dans la main avec nous, à jouir de la confiance des cadres populaires et des militants jeunes[1]. »

Mais le ver est déjà dans le fruit. Porté à la tête de l'UMT grâce au coup de pouce du *fqih* Basri qui l'a préféré à Bouazza, sans doute trop honnête dans un monde politique où l'arrivisme et l'opportu-

---

1. Voir Maati Monjib, *La Monarchie marocaine et la lutte pour le pouvoir*, op. cit., p. 206.

nisme fleurissent déjà, Mahjoub Benseddik et son ami Abdallah Ibrahim, après avoir largement contribué à la chute du gouvernement Balafrej, paraissent triompher sur toute la ligne avec la désignation d'Ibrahim à la tête du gouvernement par Mohammed V en décembre 1958. Cependant, en acceptant, sous la pression de l'UMT, d'assumer alors les responsabilités gouvernementales, l'aile progressiste de l'Istiqlal n'obtient aucune garantie politique ni en ce qui concerne ses pouvoirs réels, ni en ce qui concerne les perspectives de démocratisation du régime. Avec le résultat qu'on a pu voir.

« Cette amère expérience, écrit Monjib, rend crédible la thèse de Ben Barka selon laquelle ce qui prime n'est pas le contrôle d'un cabinet qui reste à la merci du Palais, mais la limitation des pouvoirs du souverain, et donc l'élargissement de ceux du gouvernement[1]. »

Ben Barka s'est d'ailleurs tenu éloigné de ce gouvernement et ses amis ont été victimes de la répression policière sans que le président du Conseil y trouve à redire.

Après le renvoi d'Abdallah Ibrahim et les attaques frontales de Ben Barka et de ses proches contre le pouvoir, les dirigeants de l'UMT adoptent un profil bas. Certes, le discours reste souvent revendicatif, mais Benseddik, qui se réfère déjà au travaillisme britannique, entend préserver par-dessus tout l'indépendance et l'autonomie de son syndicat, qui ne saurait être une courroie de transmission pour l'UNFP. Les avantages matériels et les acquis obtenus par l'UMT durant la présidence Ibrahim ne l'incitent pas non plus à attaquer de front un pouvoir qui peut rendre autant de services. Enfin, un syndicalisme révolutionnaire risquerait de remettre en cause le *leadership* du syndicat.

Comme le note Maati Monjib, « la *révolutionnarisation* du monde ouvrier aboutira inévitablement à la contestation de la légitimité du directoire oligarchique de l'UMT, basé sur un système bureaucratique de cooptation. Une éventuelle *benbarkisation* de l'UMT sonnerait le glas de la toute-puissance de sa direction[2] ».

Aussi intelligent que machiavélique, Benseddik, qui a une conscience aiguë des rapports de forces, n'a aucune envie d'affronter directement

---

1. *Ibid.*, p. 271.
2. *Ibid.*, p. 272.

le pouvoir. Il se méfie comme de la peste du comportement aventurier du *fqih* Basri et/ou des doctrinaires de l'UNFP. Dans une longue étude sur l'UMT élaborée à partir de la thèse d'Abdellatif Manouni sur « le syndicalisme au Maroc », Zakya Daoud note que les dirigeants du syndicat « passent leur temps à faire des compromis entre les directives de la centrale et les exigences des autorités et du patronat [...]. Leur faible formation idéologique et politique et leur peu d'intérêt pour l'action ne leur permettent pas de se poser beaucoup de problèmes [...]. L'insuffisance de la formation syndicale et politique, ajoute-t-elle, a accru le développement de la bureaucratie syndicale [...]. Le contrôle de la base est quasiment nul, et les militants sans fonction sont aussi sans influence. Née par le sommet, comme l'avait dit Mahjoub Benseddik, l'UMT ne s'en est jamais guérie[1] ».

On ne saurait certes nier que, de l'indépendance jusqu'à la chute du gouvernement d'Abdallah Ibrahim, l'UMT a largement contribué à établir une législation sociale sans équivalent en Afrique. Hélas, ces belles années seront sans lendemain. Concurrencée – avec la bénédiction du Palais – par d'autres organisations comme l'UGTM istiqlalienne, limitée dans ses actions par un pouvoir qui ne veut pas entendre parler d'une classe ouvrière puissamment organisée, pourchassée à l'occasion, l'UMT restreint les ambitions politiques qu'elle avait nourries en devenant le principal élément constituant de l'UNFP :

« L'UMT voulait un répit, conserver ses acquis en attendant des jours meilleurs. Le pouvoir voulait en premier lieu l'isoler des autres forces de la gauche. On passait donc de la coopération pour une politique de réformes à l'ère des compromis pour la survie de l'organisation », explique Zakya Daoud.

Lors du deuxième congrès de l'UNFP, en 1962, l'UMT, dont beaucoup de membres sont pourtant très présents au sein du parti, se distingue de celui-ci en préconisant le « non » au prochain référendum sur la Constitution, alors que Mehdi Ben Barka entend boycotter la consultation. Pour Fouad Benseddik, neveu de Mahjoub[2],

---

1. « Autopsie de l'UMT », *Lamalif*, nᵒˢ 87 et 88, avril-mai 1977.
2. Entretien avec l'auteur. Au moment de l'entretien, Fouad Benseddik était en train de quitter l'UMT pour rejoindre Vigeo, l'agence de notation sociale et environnementale fondée par Nicole Notat.

l'UMT est alors « opposée aux conditions d'élaboration du projet de Constitution », et voter « non » lui paraît l'attitude la plus logique, tandis que Ben Barka est convaincu qu'un boycottage du scrutin constituera un « facteur de délégitimation ». Fouad Benseddik estime par ailleurs que l'UNFP a fait preuve d'incohérence puisque, dit-il, « les mêmes qui ont boycotté le référendum ont participé, quelques mois plus tard, aux législatives ».

Faute de culture politique, de formation adéquate, de claire vision des enjeux, l'UMT se soumet progressivement aux diktats du pouvoir. Le comportement sectaire et brutal de sa direction à l'égard de certains militants dévoués et intègres, comme Omar Benjelloun, secrétaire de la puissante fédération des PTT, n'arrange rien et entraîne le départ de très nombreux adhérents. En août 1964, un éditorial de *La Voix du postier*, organe de la Fédération nationale du personnel des PTT, dirigée précisément par Omar Benjelloun, va droit au but :

« Depuis maintenant près de six années, l'activité syndicale se dégrade dans notre pays de jour en jour, à tel point que l'on peut dire aujourd'hui que les masses sont presque complètement démobilisées. Que reste-t-il de l'enthousiasme de 1956 à 1959 ? Rien ou presque. La raison de cette décadence, il nous faut malheureusement la trouver dans l'inconscience de nos jeunes responsables syndicaux à qui revient, depuis sa création, la direction de notre grande centrale UMT. »

Pour *La Voix du postier*, cette décadence était « certaine », en raison notamment « du manque de formation idéologique de tous nos cadres syndicaux, de l'embourgeoisement progressif de tous les responsables de la centrale sans exception, et de la politique de collaboration avec le pouvoir réactionnaire entreprise sous l'impulsion de Mahjoub Benseddik ». Exigeant « la liquidation des éléments pourris et des opportunistes », la Fédération des PTT affirme que « les élections pour le renouvellement des bureaux des différentes unions locales ont montré que la clique soumise à Mahjoub est balayée progressivement et que la classe ouvrière imposera sa volonté d'être dirigée par des responsables intègres et convaincus du rôle historique que doit jouer l'UMT ».

Dès le mois de juin 1961, Roger Seydoux n'a plus guère d'illusions sur le patron de l'UMT : « On voit apparaître des conflits de personnes entre des dirigeants de l'UNFP et des dirigeants de l'UMT, notamment Mahjoub Benseddik dont les palinodies et, peut-être, les contacts avec le Palais, pourraient bien, pour une part, expliquer la tournure des événements. »

Deux années plus tard, juste après le « complot » éventé de juillet 1963, le journal de Guédira, *Les Phares*, affirme qu'outre le roi trois personnalités – Guédira lui-même, Oufkir et Benseddik – avaient été désignées par les « comploteurs ». Voilà donc le patron de l'UMT ravalé par la presse du régime au rang de cible privilégiée des « comploteurs » au même titre que les adversaires les plus acharnés de l'UNFP et de l'Istiqlal !

« Que ce soit vrai ou non, relève un télégramme de l'ambassade de France, il est clair que le gouvernement entend jouer de la rivalité entre Mahjoub Benseddik et Mehdi Ben Barka[1]. »

Ces dérives prévisibles ne feront que s'accentuer tout au long des décennies suivantes. Jusqu'au 12 mars 2004, date historique à laquelle le grand patron de l'UMT, Mahjoub Benseddik, est contraint de se débarrasser, lors d'un Conseil national de la centrale, de Mohammed Abderrazzak, celui qui, pendant cinquante ans, fut son bras droit, les deux hommes dirigeant toujours d'une main de fer l'UMT. Ce demi-siècle de pouvoir sans partage constitue sans doute un record du monde dans l'histoire du syndicalisme... même si le neveu de Benseddik, Fouad, affirme que, depuis une quinzaine d'années, son oncle a cherché vainement à passer la main[2].

Pourquoi Benseddik en est-il arrivé là ? *La Vie économique*[3] estime que cette décision est liée aux « malheurs » du Comité des œuvres sociales (COS) de l'Office national de l'électricité (ONE), et de la SIMOS, bras immobilier du COS, deux structures présidées par Abderrazzak, numéro deux de l'UMT et également président de la Fédération des travailleurs de l'énergie. Or, le COS s'est lancé dans un certain nombre de projets immobiliers luxueux qui ont capoté. À

---

1. Télégramme de X. de La Chevalerie en date du 16 août 1963.
2. Entretien avec l'auteur.
3. Voir son numéro du 2 avril 2004.

la fin de l'année 2003, le COS, qui construit des villas et des appartements dans un quartier résidentiel de Casablanca, laisse une ardoise de 670 millions de dirhams. Abderrazzak, qui habite lui-même une somptueuse villa dans les beaux quartiers de Casablanca, sent depuis très longtemps le soufre. Depuis des décennies, il était chargé par son patron, qui ne voulait pas trop se salir les mains, des contacts avec le ministère de l'Intérieur. On peut imaginer ce que signifient de telles responsabilités au temps des « années de plomb »…

En réalité, bien avant de mettre au pas la classe politique, le pouvoir marocain récupère, dès le début des années soixante, la direction de l'UMT qui se montre depuis lors une alliée fidèle du trône. Durant l'été 1966, s'interrogeant sur la question de « l'unité des forces vives de la Nation » préconisée par Mahjoub Benseddik et Abdallah Ibrahim lors de la précédente fête du Travail, l'UNFP s'inquiète de leur « phraséologie confusionniste » et des connivences qui existent alors entre les deux hommes et le parti de l'Istiqlal[1] : « Des questions précises s'imposent à tout observateur attentif, souligne l'auteur de l'article. Dans quelle mesure l'"unification des forces vives" n'est pas une opération visant un double but : d'une part, à venir en aide au régime qui, malgré ses crâneries, est sérieusement ébranlé par les conséquences intérieures et extérieures de l'affaire Ben Barka, et, d'autre part, à permettre le retour au pouvoir de certains politiciens à qui l'opposition prolongée ne réussit pas et qui sont avant tout attachés à sauvergarder, grâce à un salutaire remaniement ministériel, leurs privilèges de caste ou de classe ? »

L'UNFP se demande également si la main de Washington – où se trouve précisément à l'époque Benseddik – n'est pas derrière ces manœuvres politiques. C'est dire combien la méfiance de la majorité du parti à l'égard de l'« aile syndicale » est déjà grande au milieu des années soixante. Le divorce est consommé quelques années plus tard et conduit à la création de la Confédération démocratique du travail (CDT) à la fin des années soixante-dix. Mais l'USFP ne sera guère plus heureuse avec la CDT que l'UNFP ne le fut avec l'UMT[2]…

---

1. In *Bulletin d'information du Maroc*, juin-juillet 1966.
2. En 2001, Noubir Amaoui, patron de la CDT, quittera le navire USFP et créera son propre parti.

Il ne faut cependant pas confondre les membres de la direction confédérale avec les responsables des unions locales dont certains se sont toujours comportés en véritables militants ouvriers. La défiance de ces responsables à l'égard du secrétaire général, Benseddik, est de notoriété publique. Sans nier sa « vive intelligence », ils lui reprochent son cynisme, son mépris de la classe ouvrière, qui transpire dans les conversations qu'il peut avoir en tête-à-tête – « En public, il fait attention », nous a confié un de ces responsables. Ils déplorent encore plus l'opacité du fonctionnement de la centrale ouvrière – l'impossibilité, par exemple, d'avoir un état précis de la situation financière et des comptes –, des pratiques extrêmement autoritaires qui laissent ouvertes toutes les interprétations, y compris les plus malveillantes. Une histoire du syndicalisme marocain reste ainsi à écrire, qui montrerait comment les dirigeants de l'UMT, après avoir contribué à de « véritables avancées sociales », selon l'expression de Zakya Daoud, spécialiste de l'histoire sociale du Maroc[1], ont petit à petit écarté les militants les plus exemplaires ou les ont marginalisés. Une situation qui n'est pas sans rappeler celle de la classe politique elle-même.

Dans les premières années qui suivent la disparition de son père, Hassan II fait donc le ménage. Les sympathiques utopies de Mohammed V ne sont plus qu'un vieux souvenir. Les alliances contre nature avec les régimes progressistes africains, ébauchées dans la foulée de la conférence de Casablanca, sont abandonnées. Les idées de gauche dont s'était assez bien accommodé Mohammed V, au point de songer à rééditer l'expérience du cabinet Ibrahim, sont vivement combattues, et leurs inspirateurs pourchassés ou neutralisés. Mais un tel changement de cap, même assorti des précautions d'usage, ne peut tromper longtemps. Le malaise s'accentue. D'où qu'ils proviennent, tous les témoignages de l'époque sont unanimes à constater une dégradation de la situation :

« À quelque échelon que ce soit, les décisions ne sont plus prises, les affaires ne sont pas traitées et les conséquences ne peuvent tarder à se faire sentir. Rêvant de dépolitiser un pays qu'il estime n'être pas mûr pour la démocratie, le roi souhaiterait sans doute gouverner en dehors des partis constitués, avec l'aide de techniciens apolitiques. Le

---

1. Entretien avec l'auteur.

Maroc en djellaba… », ironise Roger Seydoux qui, après avoir noté « l'indifférence de la population » à la fête du Trône, estime que « jamais l'écart n'est apparu avec autant d'évidence entre les paroles et la réalité. Absence de conviction du roi. Rien de ce qu'il annonce n'est réalisé (marocanisation, etc.) »[1].

Au début de 1962, un certain Franco, président de l'Alliance israélite de New York, qui est de passage à Mexico, raconte à Jean de Lagarde, ambassadeur de France au Mexique, son récent séjour au Maroc « à la demande de Hassan II ». Il indique avoir demandé au souverain d'arrêter la "marocanisation" des écoles de l'Alliance israélite, « ce que Hassan II a accepté ». Puis il ajoute « avoir été frappé par la détérioration de l'économie marocaine en une année, la désorganisation de l'administration. Le roi n'aurait pas de ministres, mais de simples secrétaires tremblant devant lui et attendant pour agir l'impulsion royale. M. Franco se montre extrêmement pessimiste sur l'avenir de la dynastie dont l'opposition guette la chute »[2].

À peu près à la même époque, le consul général de France à Meknès parle de « malaise grandissant dans les milieux populaires accablés par la misère et le chômage. Des rassemblements d'oisifs tournent souvent mal. Selon l'administration municipale, 75 000 personnes sont sans ressources[3] ».

Intraitable avec ses opposants, voire même ses partisans, sur le plan politique où il n'abandonne aucune de ses prérogatives, Hassan II est néanmoins prudent. Fin septembre 1961, des déserteurs allemands de la Légion étrangère venus d'Algérie se réfugient au Maroc après avoir volé un char EBR. Les Marocains refusent de rendre cet engin utilisé contre les « frères arabes ». Guédira déclare à Roger Seydoux qu'il ne veut pas prendre de « risques politiques ». Seydoux se rend alors chez le roi : « Hassan II était perplexe, mais sa réponse n'a pas été négative. Il redoute seulement les critiques qu'une restitution pourrait entraîner »[4].

---

1. Télégramme du 6 mars 1962.
2. Télégramme de Mexico, le 10 janvier 1962.
3. Télégramme du 10 avril 1962.
4. Télégramme du 30 septembre 1961.

261

En mars 1962, six ans après l'indépendance, Roger Seydoux est encore plus explicite : « Le gouvernement est donc forcé de camoufler l'union inévitable et étroite avec la France par des démonstrations qui visent à donner l'impression que le Maroc s'est libéré de sa dépendance à l'égard de notre pays, qu'il est un État leader de l'Afrique, en mesure de choisir ses alliés et ses adversaires. Tout cela ne trompe personne, à commencer par les Marocains eux-mêmes »[1].

Pour calmer le jeu, il reste au jeune souverain une belle carte à jouer : l'élaboration de la Constitution promise par son père. Il s'y emploie activement dès 1962. Son adoption par référendum lui permet d'installer, quelques mois plus tard, un Parlement qui doit à ses yeux conforter son image de monarque moderne.

---

1. Télégramme du 4 mars 1962.

III

La première Constitution marocaine

La mise en place d'institutions démocratiques au Maroc au lendemain de l'indépendance a sans doute été l'exigence première des principaux interlocuteurs marocains de la monarchie. Malheureusement pour ces derniers, l'idée qu'ils se faisaient des conditions dans lesquelles le pouvoir royal allait s'exercer était loin de coïncider avec la conception défendue par la monarchie alaouite et, en particulier, par le plus imposant de ses représentants, Hassan II.

Dès son retour d'exil à la fin de novembre 1955, Mohammed V fait savoir que son « objectif premier » est « la constitution d'un gouvernement marocain responsable et représentatif » qui aura notamment pour mission de « créer des institutions démocratiques issues d'élections libres, fondées sur la séparation des pouvoirs dans le cadre d'une monarchie constitutionnelle reconnaissant aux Marocains de toutes confessions les droits du citoyen et l'exercice des libertés publiques et syndicales ».

Sans doute sous l'influence de son fils Moulay Hassan, juriste de formation et, surtout, peu enclin à partager le pouvoir, Mohammed V infléchit peu à peu son discours. Ainsi, le 8 mai 1958, après avoir affirmé que « la souveraineté nationale est incarnée par le roi

263

qui en est le fidèle dépositaire », le souverain, souligne Abdellatif Aguenouch, met en garde tous ceux qui auraient tendance à « considérer comme réalisables au Maroc des mécanismes démocratiques modernes qui supposent une maturité politique à laquelle la masse n'est pas encore parvenue[1] ».

Quelques mois plus tard, en novembre, il précise sa pensée : « Doter le pays d'institutions solides et saines, c'est éviter toute improvisation et toute précipitation. Le véritable danger n'est pas dans l'absence d'institutions représentatives, mais réside dans l'établissement d'un régime parlementaire purement formel, facteur de désordre et de destruction, alors qu'une démocratie authentique doit être facteur de stabilité et de construction. »

En réalité, depuis l'indépendance, la monarchie a tout fait pour éviter l'élection d'une Assemblée constituante réclamée depuis toujours par la gauche de l'Istiqlal – devenue UNFP – mais aussi par le PDI d'Ouazzani et le Mouvement populaire. La position du roi est une fois de plus clairement expliquée par Ahmed Réda Guédira devant la presse, peu avant le référendum sur la Constitution : « L'instauration d'une Constituante, affirme-t-il, aurait été une absurdité. Par définition, la Constituante est détentrice du pouvoir suprême et, au Maroc, seul le roi a le pouvoir suprême. »

Pour Allal el-Fassi et l'Istiqlal orthodoxe, peu importe le flacon pourvu qu'on ait l'ivresse… En d'autres termes, ce qui compte, ce sont les textes constitutionnels et non la manière d'y parvenir. M'hammed Boucetta le rappelle volontiers : « Il y avait un conflit au sein de l'Istiqlal entre ceux qui, comme Allal el-Fassi, ne s'intéressaient qu'au contenu de la Constitution, et non pas à ceux qui la faisaient, et les autres, qui, comme Ben Barka, ne voulaient pas d'une Constitution octroyée, mais d'un texte confectionné par une Assemblée constituante. »

Avec le recul, on peut penser que Ben Barka et la gauche marocaine avaient bien compris qu'une Constitution octroyée ne pouvait

1. Abdellatif Aguenouch, *Contribution à l'étude des stratégies de légitimation du pouvoir autour de l'institution califienne*, thèse d'État en sciences politiques, Casablanca, 1985, chapitre « La réactivation de la tradition califienne dans le cadre de l'État moderne », p. 310.

qu'exposer le courant progressiste à de gros risques. Mais la monarchie pouvait-elle accepter de se faire hara-kiri ? Certainement pas, répond Abdellatif Aguenouch : « Une Assemblée constituante aurait constitué un grand danger pour le devenir même de l'institution monarchique. Le moins qu'une telle Assemblée eût tentée eût été de contenir cette dernière dans des rôles purement honorifiques. Mais il ne faut pas déborder d'imagination pour comprendre qu'une telle formule aurait vraisemblablement suscité de graves problèmes dans un État qui arrive mal à se constituer en une nation unifiée durablement, dans une société multi-ethnique et profondément segmentaire. »

Même Driss Basri, évidemment en accord avec la monarchie, reconnaît qu'il y avait un problème : « Pour Hassan II, l'institution monarchique personnifiait la légitimité nationale et la souveraineté et, en voulant imposer une Constituante, on créait un vide institutionnel. Or, il n'y avait pas de vide, puisque le roi était là et que tout le monde le reconnaissait comme tel. Cela ne faisait cependant pas disparaître la revendication des forces vives de la Nation. Sur le plan de la logique, c'était satisfaisant, mais sur le plan de la revendication nationale populaire ainsi que de l'espace à revendiquer à la monarchie, cette réponse n'était pas satisfaisante[1]. »

L'Assemblée nationale consultative

Déjà, dans la seconde moitié de 1956 et sans doute pour calmer les ardeurs de ceux qui voulaient donner rapidement une armature institutionnelle au royaume, Mohammed V avait créé l'Assemblée nationale consultative. Cette institution[2], créée par un *dahir* en date du 3 août, est sans doute le premier et le meilleur exemple, après l'indépendance, du caractère ambigu et indécis de Mohammed V. Celui-ci, tiraillé entre ses amitiés au sein du Mouvement national et les fortes pressions de son fils et de son entourage, obsédés par l'avenir

---

1. Entretien avec l'auteur.
2. Son véritable nom était « Conseil national consultatif ».

de la Couronne, est incapable sinon de tenir ses promesses, du moins de se montrer à la hauteur des attentes qu'il a suscitées.

Bien sûr, au lendemain de l'indépendance, il était impossible de constituer une Assemblée élue dans un pays qui n'avait jamais connu d'élections, n'avait ni listes, ni circonscriptions électorales, pas d'état civil, encore moins de mode de scrutin. Les quelques partis existants le comprennent d'ailleurs fort bien. Ils comprennent aussi que l'Istiqlal n'a pas suffisamment la situation en main pour contrôler des élections, mais qu'il est déjà assez puissant pour que les autres formations redoutent son poids électoral. Au fond, comme l'écrit Pierre Ebrard, « personne n'a finalement intérêt à recourir à l'élection[1] ».

Le Palais impose donc sans difficulté son point de vue : « Il est nécessaire de procéder par étapes pour asseoir la démocratie que nous voulons instaurer sur les bases de la maturité politique, de l'éducation civique et de la promotion sociale », déclare Mohammed V dans son discours inaugural[2]. En acceptant la présidence de l'Assemblée, Ben Barka montre lui aussi qu'il est prêt à jouer le jeu.

Faisant usage de ses pouvoirs, Mohammed V désigne lui-même les membres de l'Assemblée, mais affirme aussitôt qu'il n'aime pas la méthode retenue et que, de son point de vue, des élections libres sont le meilleur fondement d'une démocratie saine.

Ainsi, dès le départ, l'Assemblée consultative, dans laquelle les trois partis alors dans la course – PI, PDI et Indépendants – ne comptent que 22 sièges sur 76, a beaucoup plus l'air d'un « Conseil économique et social » que d'une institution politique. Malheureusement pour elle, du fait de la surreprésentation des forces économiques du passé, cette Assemblée, note encore Pierre Ebrard, « ignore la majeure partie des forces productives du Maroc, ce qui la rend complètement étrangère à tout débat économique sérieux[3] ».

En réalité, cette Assemblée non parlementaire est un Conseil consultatif – *majliss istichari* – institué auprès du souverain chérifien et censé lui fournir une expression aussi large que possible de l'opinion nationale. Hélas, les dés sont pipés dès le départ, puisqu'elle est

---

1. « L'Assemblée nationale consultative », *Annuaire de l'Afrique du Nord*, 1960, p. 35 *sq.*
2. Le 12 novembre 1956.
3. « L'Assemblée nationale consultative », art. cit., p. 44.

largement dominée par le trône aussi bien sur le plan juridique que sur le plan moral : c'est le souverain qui la convoque, c'est lui qui en nomme la totalité des membres, les révoque, lève leur immunité, fixe une limite à leur liberté d'expression, leur donne ses directives, *via* un président élu (étrangement, par une Assemblée nommée !...) – un président « qui apparaît comme l'intermédiaire nécessaire entre les membres de l'Assemblée et le gouvernement ou le Palais », et qui est aussi « le maître apparent de ce Conseil consultatif dont le maître éminent est le souverain[1] ». En effet, ce président n'est pas du tout libre et ne peut qu'exécuter fidèlement les décisions du roi.

La présence et le poids politique du trône se manifestent à tout instant. L'imprégnation religieuse est aussi très forte : le roi se souvient qu'il est imam et que son pouvoir est aussi spirituel. Un climat paternaliste prévaut. En juillet 1957, Mohammed V, après avoir souligné que « le conseil sincère est un acte religieux », rappelle à l'opposition qu'elle doit « être honnête, de bonne foi, désintéressée et éviter les critiques négatives ne conduisant qu'à la confusion »[2]. En outre, qu'il soit occupé ou non, la présence effective du trône royal, dominant le Bureau et l'Assemblée et surmonté d'un large velours rouge timbré d'une grande couronne dorée, est là pour rappeler constamment aux membres de l'Assemblée « qu'ils dépendent de la Monarchie à laquelle ils doivent tout, y compris leur mandat[3] ».

Absolutisme et paternalisme se conjuguent déjà pour donner une bonne idée du Maroc institutionnel de demain... Mohammed V, on le voit, ne lâche rien ; l'on est bien loin de cette Assemblée consultative à compétences générales dont rêvait l'Istiqlal en décembre 1955 et qui aurait eu le droit de donner son avis sur tous les projets de loi et toutes les réformes étudiés par le gouvernement, sans compter les recommandations... Pierre Ebrard, à qui l'occasion est donnée d'assister à l'une ou l'autre séance de l'Assemblée, est sévère : « L'observateur politique qui assiste à une séance de l'Assemblée marocaine ne peut pas ne pas être frappé par le faible prestige de chacun de ses membres, par leur incompétence assez visible, et, fina-

---

1. *Annuaire de l'Afrique du Nord*, art. cit., p. 45.
2. Pierre Ebrard, « L'Assemblée nationale consultative », art. cit., p. 50.
3. *Ibid.*, p. 49.

lement, par le caractère éducatif de l'institution […]. Les nationalistes les plus brillants, les plus ardents et les plus efficaces, poursuit-il, sont au gouvernement ou dans des postes diplomatiques. L'Assemblée ne saurait les tenter. Pour toutes ces raisons, les membres de l'Assemblée, à quelques exceptions près, sont des inconnus, des gens modestes n'ayant que peu d'expérience politique. »

C'est également l'opinion de Stephen Hughes : « J'ai pu constater qu'ils [les membres de l'Assemblée] se distinguaient par leurs débats chaotiques sur la révolution, les soi-disant féodaux, les traîtres et les collaborateurs, les "aspirations légitimes des masses", avec, bien sûr, le "droit inaliénable à la liberté d'expression". On avait pourtant l'impression que ce dernier droit était une exclusivité de l'Istiqlal[1]. »

Hormis la présidence, détenue les trois premières années par Ben Barka, et quelques autres postes au Bureau, l'Assemblée se ressent de cette pauvreté en cadres politiques. D'ailleurs, du 12 novembre 1956 au 5 juin 1957, durant sa première année de fonctionnement, elle ne vote que quatre motions, manifestant un manque d'enthousiasme et un absentéisme croissant face à des problèmes de technique budgétaire incompréhensibles pour bon nombre de ses membres[2]…

En fait, même si cette lutte n'est que le pâle reflet de la bataille politique engagée pour le pouvoir, et même si l'Assemblée se caractérise surtout par sa faiblesse et son impuissance, l'âpre compétition qui oppose certains partis se retrouve. Pour les partis marocains largement inexpérimentés, tout appui, fût-il symbolique, est bon à prendre. En définitive, ce qu'il faut retenir de ce vrai-faux parlement à la botte du roi, c'est qu'il aura peut-être fourni la possibilité à certains d'apprendre le *b a ba* du métier de parlementaire…

La Loi fondamentale, ébauche de Constitution

Les élections communales de 1960, qui devaient être la pièce maîtresse de l'œuvre accomplie par le gouvernement Ibrahim, et la Loi fondamentale du 2 juin 1961 constituent les deux autres étapes

---

1. Stephen O. Hughes, *Le Maroc de Hassan II, op. cit.*, p. 113.
2. *AAN*, 1960, art. cit.

essentielles de la vie politique institutionnelle du royaume avant la Constitution de 1962. Même si elles sont un succès pour les deux grands partis nationalistes – succès qui ne se reproduira jamais plus –, ces élections communales ont déjà mis en évidence les travers et les premières dérives du régime en ce domaine. Le mode de scrutin retenu est un mauvais coup porté aux formations issues du Mouvement national et un encouragement aux conservateurs et féodaux de tout poil. Plus grave, le rôle de l'appareil sécuritaire qui s'emploie avec zèle à limiter ou réduire à néant les conséquences des bons résultats de l'Istiqlal et de l'UNFP. Le *makhzen* n'a jamais aimé les deux grands partis nationalistes et ne supporte vraiment que les partis qu'il a créés…

Quant à la Loi fondamentale du 2 juin 1961, dont le caractère autoritaire, pour ne pas dire absolutiste, n'échappe à personne, elle donne un avant-goût de ce qu'offrira la première Constitution.

Par ailleurs, plusieurs articles de la Loi en question mettent l'accent sur le caractère arabe et musulman du royaume dont l'islam est la religion officielle d'État. L'article 14 oblige ce dernier à « dispenser l'instruction suivant une orientation arabe et islamique ». L'article 4, lui, souligne que « le Maroc est une entité une et indivisible. Œuvrer en vue de recouvrer l'intégralité et l'unité du territoire est un devoir national ».

« Ainsi, note Abdellatif Aguenouch, par l'énoncé de ces principes, le destin politique de l'institution monarchique et celui de l'islam se trouvent définitivement liés […]. Ils le seront encore plus au niveau de la Constitution du 7 décembre 1962. En outre, ces principes semblent laisser la voie ouverte pour le pouvoir de faire appel à une stratégie dualiste de légitimation : l'utilisation de la tradition musulmane, parfaitement adaptée à un régime monarchique chérifien, et la manipulation du sentiment national autour d'une éventuelle récupération des territoires spoliés seront largement exploitées dans l'avenir[1]. »

Le 18 novembre 1962, deux bonnes semaines avant le référendum, Hassan II dissipe les derniers doutes sur son implication personnelle dans l'élaboration du projet de Constitution : « C'est dominé par la grande ombre de celui qui nous a tant aimés, pénétré

---

1. *Contribution à l'étude des stratégies de légitimation du pouvoir…, op. cit.*, p. 314.

de ses pensées et de son souvenir, que j'ai conçu et établi personnellement le projet de Constitution du royaume que je vais maintenant soumettre à ton approbation [...]. La Constitution que j'ai construite de mes mains est avant tout le renouvellement du pacte sacré qui a toujours uni le peuple et le roi, et qui est la condition même de nos succès[1]. »

Le 30 novembre 1962, le professeur Maurice Duverger, dans un article retentissant publié par *Le Monde*, apporte sa caution à l'entreprise hassanienne. Comme d'autres constitutionnalistes ou juristes français le feront par la suite, mais sans avoir l'excuse de l'époque, Duverger trouve mille vertus à ce texte fondateur. Il est vrai que son avis ayant été largement sollicité, le contraire eût été surprenant.

« Jusqu'ici, nous dit Duverger, le Maroc était une monarchie absolue et libérale : absolue, car tout dépendait du roi qui gouvernait par des ministères responsables devant lui seul, sans contrôle d'assemblées élues ; libérale, car l'opposition pouvait se manifester malgré certaines restrictions. » Deux sortes d'évolutions étaient donc possibles, selon lui : « Ou bien, l'absolutisme l'emportant sur le libéralisme, on aurait abouti à une dictature royale ; ou bien, poursuivant la voie du libéralisme, on aurait évolué vers une monarchie constitutionnelle. » Pour le célèbre professeur, les choses coulent de source : « La Constitution que propose Hassan II à l'approbation du peuple marocain par voie de référendum manifeste que le jeune souverain a choisi la seconde route. »

L'analyse affinée qu'il développe ensuite nous apprend que la Constitution française de 1958 « a finalement inspiré pas mal de dispositions » de la Constitution marocaine, avec des prérogatives très importantes accordées au chef de l'État (en fait beaucoup plus étendues pour Hassan II que pour de Gaulle). Mais il y a aussi de nombreux éléments originaux ou spécifiques, comme la composition de la seconde Assemblée, la durée et le nombre de sessions.

Même l'article 35 – la version marocaine de notre fameux article 16 – trouve grâce aux yeux de Duverger. Certes, il « permet des interprétations plus larges encore que notre article 16 », et autorise le monarque à « reprendre la totalité des pouvoirs chaque fois que

---

1. Message radiodiffusé à la Nation.

la situation lui paraît le justifier », mais « la France pratique le suffrage universel depuis 1848, et la démocratie depuis 1875 ». Ainsi, pour les Français, estime Duverger, le système gaulliste (la Constitution de 1958) traduit « un certain recul par rapport aux institutions antérieures ». Au contraire, pour le Maroc qui n'a jamais connu d'élections nationales, de Parlement élu, d'assemblées limitant la puissance royale, et qui vit depuis des siècles sous une monarchie absolue, cette Constitution proposée « correspond évidemment à un grand progrès vers la démocratie ». « Celui-ci, poursuit-il, se situe dans la ligne générale de l'évolution suivie depuis l'indépendance, et notamment dans le cadre de ce pluralisme politique, authentique, réel, qui fait l'originalité la plus profonde du système marocain par rapport aux régimes d'autres nations nouvelles. »

Le constitutionnaliste français termine son analyse en rendant hommage au « roi-juriste » qui a eu le courage de ne pas s'abandonner « au mirage des mots » et de « renoncer à des proclamations solennelles et utopiques au profit d'un texte honnête et assez réaliste pour entrer dans les faits ».

Il est sans doute facile, quarante ans plus tard, de railler l'analyse de Maurice Duverger. Peu de gens, au début des années soixante, imaginaient en effet la tournure que prendraient les événements, et que le successeur de Mohammed V dirigerait son pays en monarque absolu. Manifestement, Duverger n'a pas pu ou pas voulu s'informer de l'attitude de Hassan II – avant et après sa montée sur le trône – à l'égard des partis ou de l'opposition marocains.

Considéré à l'époque comme un « progressiste », Duverger aurait pourtant pu s'inquiéter de la campagne extrêmement agressive dont Mehdi Ben Barka et Abderrahim Bouabid étaient l'objet de la part de la presse proche du régime. Sous le titre « Ôte-toi de là que je m'y mette », *Les Phares* de Guédira accusent l'UNFP de vouloir réduire le roi « au rôle de roitelet » : « Telle est la pièce du beau B. B. qu'il ne faut pas confondre avec Brigitte dont on connaît tous les charmes[1]. »

Deux jours plus tard, le même journal remet ça. Sous le titre : « Des mathématiques transcendantes à la politique décadente », l'ex-professeur de maths est épinglé : « L'on a vu aussi son profond amour

---

1. *Les Phares*, le 26 novembre 1962.

pour les courbes, y compris les virages qu'il ne sait malheureusement plus prendre, d'où sa préférence pour la tangente. » Allusion ô combien subtile à un grave accident d'auto que vient d'avoir Ben Barka, accident provoqué par les services marocains qui ont essayé de l'éliminer ! La presse du régime se moquera aussi de la « lâcheté » de Ben Barka qui, craignant pour sa vie, s'est éloigné du Maroc.

Avec Bouabid, lui aussi très critique envers le projet de Constitution, *Les Phares* ne font pas non plus dans la dentelle : « Nous ne croyions pas l'homme, si insensé, si égaré, si perdu fût-il, capable d'un tel reniement, d'un tel avilissement ! »

Cependant, si Guédira s'était donné la peine de sonder ou faire sonder Ben Barka, sa presse se serait peut-être montrée moins agressive. Un diplomate français qui le rencontre à la fin d'octobre le trouve « inquiet de la stagnation des partis ». « Il craint, écrit-il, que, comme son père, Hassan II veuille aussi laisser pourrir les formations politiques, et suggère la formation d'un gouvernement de large union nationale qui reprendrait à son compte l'élaboration de la Constitution promise pour la fin de l'année 1962. Il se déclare prêt à faire, sur l'étendue des pouvoirs du roi, de très larges concessions, et cherche à prendre contact avec M. Guédira, conseiller le plus écouté du roi, pour lui exposer ses nouvelles conceptions politiques. » Pour le diplomate, le changement d'attitude de Ben Barka « peut avoir été dicté par l'étude des différentes expériences des pays d'Afrique noire et par la crainte de voir la France se désintéresser du Maroc, laissant celui-ci isolé en Afrique ». Mais il semble que le secrétaire général de l'UNFP soit « surtout guidé par son désir d'entrer au gouvernement pour retrouver les moyens matériels et financiers indispensables à une opposition efficace »[1].

En admettant même que le parti l'eût suivi, la suite des événements devait rapidement dissuader Mehdi Ben Barka de reprendre langue avec le Palais…

Quant à Maurice Duverger, il eût été également bien inspiré de s'entretenir avec de bons juristes de l'opposition. C'est de ses rangs, effectivement, que sont venues les critiques les plus étayées.

---

1. Télégramme non signé du 25 octobre 1962.

Rédacteur en chef d'*At-Tahrir*, Abderrahmane Youssoufi déclare devant le Conseil national de l'UNFP que « la méthode employée par le pouvoir pour imposer sa Constitution a, comme la préparation de la Constitution elle-même, un caractère arbitraire et secret[1] ».

Bouabid est à peine plus aimable : « La question qui se pose maintenant est la suivante : resterons-nous à la merci d'un pouvoir féodal disposant entièrement des affaires du peuple, du pays et de l'État en vertu d'un féodalisme pur ? Ou bien la Constitution sortira-t-elle réellement le pays de la situation actuelle ? Allons-nous aborder un nouveau formalisme qui laissera au pouvoir toute son influence et toutes ses prérogatives actuelles ? Aurons-nous un Parlement folklorique qui ne changera rien à la situation ? C'est sur cette base que nous devons étudier la Constitution. »

Bras droit et homme de confiance d'Abderrahim Bouabid, Mohammed Lahbabi, professeur d'économie, mais aussi juriste de formation, est sans doute l'un de ceux qui ont le mieux résumé le sentiment des opposants marocains. Dans ce qui constitue une réponse à l'article de Maurice Duverger, Lahbabi note en premier lieu qu'une Chambre des conseillers, non élue au suffrage universel, est accolée à la Chambre des représentants, élue, elle, au suffrage universel. L'existence de cette Chambre des conseillers, qui a les mêmes pouvoirs que l'autre, limite donc singulièrement le caractère démocratique du Parlement marocain. Ensuite, le souverain peut modifier et moduler comme il l'entend la loi électorale, *via* la Chambre constitutionnelle de la Cour suprême dont la majorité des membres lui doivent leur poste. Toujours par le biais de cette Chambre constitutionnelle qui doit approuver toutes les lois organiques, le roi peut paralyser la volonté du Parlement et empêcher, par exemple, l'exercice du droit de grève, le vote du budget ou l'adoption du système électoral.

Vis-à-vis du gouvernement, l'autorité du Parlement est faible. Le gouvernement ne doit pas forcément être le reflet de la Chambre des représentants et peut donc, « corps étranger au Parlement », gouverner sans l'accord exprès de ce dernier.

---

1. *At-Tahrir* du 26 novembre 1962.

On pourrait, comme le fait Mohammed Lahbabi, entrer dans le détail et montrer à quel point les pouvoirs de cette nouvelle institution sont limités et dépendants du bon vouloir du souverain. Pour ne pas ennuyer le lecteur qui, depuis longtemps, n'entretient plus beaucoup d'illusions sur le Parlement marocain, nous nous bornerons, en hommage à sa lucidité, à citer la conclusion de Lahbabi :

« Dans notre recherche du Parlement, de ses droits, de l'étendue de l'exercice de ses droits, nous avons partout rencontré le roi. Au bout du compte, le Parlement peut légiférer si le roi le permet et dans les limites où il le permet. Notre recherche de la démocratie nous fait déboucher sur les institutions d'une "démocratie du bon plaisir", sur la catégorie des "Constitutions-Mon-Bon-Plaisir"[1]. »

Successeur d'Allal el-Fassi à la tête de l'Istiqlal, M'hammed Boucetta persiste à croire que cette Constitution était une bonne chose : « Il faut relire dans *Le Monde* ce que Duverger a écrit sur cette Constitution, l'une des plus progressistes qu'ait jamais connues l'Afrique. Toutes les autres modifications, jusqu'en 1996, ajoute-t-il, ont été des régressions. Allal el-Fassi et l'ensemble de l'Istiqlal étaient attachés à une chose fondamentale et essentielle : sortir de l'inconstitutionnalité en élaborant une Constitution qui nous permettait également de nous débarrasser de cette chose archaïque qu'était le *makhzen*. À l'époque, nous estimions avoir fait un grand pas[2]. »

En 1970, 1972, 1992 et 1996, Hassan II procède à des réformes ou à des amendements plus ou moins importants de la Constitution, avec toute la solennité qu'il met toujours en ce genre de circonstances. Ces modifications ne changent d'ailleurs strictement rien à sa manière de gouverner ni à son exercice de plus en plus solitaire du pouvoir. Mais elles paraissent le combler. Dans les recueils de ses discours et interviews, les questions constitutionnelles occupent une place considérable. Certes, Hassan II aimait l'étiquette, le protocole, les formes, mais un tel comportement est d'autant plus mystérieux que sa pratique du pouvoir a toujours été en rupture avec les textes sur lesquels elle aurait dû s'appuyer – en tout cas au moins jusqu'au

---

1. *Maroc-Informations*, 4 décembre 1962, cité *in* Mohammed Lahbabi, *Positions et Propositions au fil des jours*, Casablanca, Les Éditions maghrébines, 1982.
2. Entretien avec l'auteur.

début des années quatre-vingt-dix, au moment où la réforme constitutionnelle de 1992 intègre le concept des droits de l'homme. Fatigué ou apaisé, le souverain lâche alors un peu de lest…

Aussi attaché à la Constitution marocaine qu'à la prunelle de ses yeux, du moins quand cela l'arrange, Hassan II est capable de colères froides quand certains parlementaires ne respectent plus les règles du jeu établies par ses soins. En 1981, un certain nombre de députés de l'USFP – dont les relations avec le pouvoir sont à l'époque franchement mauvaises – font savoir au président de la Chambre qu'ils ont décidé de ne plus siéger au-delà de juin 1981, puisque leur parti conteste l'application à la législature d'alors de l'allongement du mandat parlementaire approuvé par un référendum de mai 1980. Que n'ont-ils pas fait ! Intervenant à l'ouverture de la nouvelle session parlementaire, Hassan II indique d'emblée qu'il a l'intention d'entretenir les représentants du peuple du thème de la légitimité, et de leur indiquer « où elle commence et finit, et quelles en sont les implications morales et politiques ».

Pourquoi avoir choisi ce thème ?

Eh bien, « parce qu'un événement vient de se produire et que nous avons estimé de notre devoir de le commenter […]. De ce sujet que nous considérons comme extrêmement grave, plus grave pour nous que la perte du Sahara ou l'abandon de Sebta et Melilla, nous allons vous parler ainsi qu'à notre cher peuple : il s'agit du dédain dont on vient de faire preuve à l'égard des suffrages de la majorité populaire et de l'ignorance de la volonté de la collectivité, la collectivité de l'*Oumma* islamique […]. Quelles sont les conséquences de cette attitude ? Tout d'abord, cette position est contraire à la Constitution et constitue un geste d'hostilité à l'endroit de la communauté musulmane. Elle nous met, en notre qualité de Souverain de ce pays, de Commandeur des croyants, de garant intellectuel et moral de l'intégrité du territoire national et du fonctionnement normal des institutions constitutionnelles […], dans l'obligation d'assurer coûte que coûte la bonne marche de nos institutions et de rechercher les moyens de mettre un terme à des agissements d'une telle désinvolture, d'une telle légèreté »[1].

La suite est encore plus étonnante :

---

1. Hassan II, *Discours et Interviews*, *op. cit.*, t. VII, 9 octobre 1981, p. 182.

« Voyons l'aspect juridique de la question. Nous sommes personnellement très sensibles au caractère honteux que revêt la position
prise par des Marocains qui auront été les premiers à avoir posé ce
problème d'ordre constitutionnel, qui ne s'est jamais présenté nulle
part à l'Est, à l'Ouest, en Afrique, en Asie, en Europe, en Amérique.
Le destin aura ainsi voulu que notre pays soit le premier qui offre
pour les études de droit constitutionnel cet exemple qui traduit en
définitive le mépris et la désinvolture avec lesquels un groupe s'est
permis de traiter l'ensemble de la communauté et de considérer l'avis
de l'ensemble des Musulmans. Si nous passons sous silence cette
affaire, cela voudra dire que nous acceptons d'ouvrir la voie à l'anarchie, laissant ainsi toute latitude aux Marocains pour se prévaloir des
lois qui leur sont favorables et pour rejeter les dispositions qui ne leur
conviennent pas. Or, cela est très grave et risque de frayer la voie à la
sédition qui, selon le Coran, est pire que le meurtre[1]... »

On passera sur l'appel un tantinet grotesque lancé ensuite par
Hassan II aux socialistes « à travers le monde », invités à se pencher
sur l'« épreuve » que constitue, pour le Maroc et son roi, le comportement de cette variété de socialistes « égarés, désinvoltes et mysti-
ficateurs ». On peut bien sûr jouer les exégètes et s'efforcer de trouver
une explication à un tel délire. Mais cette poussée de fièvre, intervenant après des années de transgression de la Loi fondamentale par les
plus hautes autorités de l'État chérifien, est à la fois ridicule et insupportable. On ne peut truquer à longueur d'année les élections, créer
des partis politiques bidon, pourchasser l'opposition et souvent la
liquider, et, tout à coup, piquer une grosse colère parce que quelques
députés de gauche ont manifesté un moment de courage !

On verra plus tard qu'à l'exception d'un ou deux parlementaires,
la plupart des « égarés » sont rapidement revenus à de meilleurs
sentiments et ont réoccupé leur siège sous un prétexte fallacieux[2]. De
ce point de vue, Hassan II, qui n'a jamais aimé les têtes qui dépassent,
a eu gain de cause. Le Parlement, lui, s'est enfoncé un peu plus dans
l'indignité.

---

1. *Ibid.*
2. La Patrie en danger...

IV

Les premières élections législatives

Ambassadeur de France au Maroc de l'automne 1960 à l'automne 1962, Roger Seydoux a vu Hassan II monter sur le trône et a été le témoin privilégié de ses dix-huit premiers mois de règne. À l'exception de deux ou trois ténors de la gauche dont il salue volontiers le sens de l'État, Seydoux trouve que la classe politique brille surtout par son absence : « Rares sont les Marocains qui ont des idées claires sur leur propre pays ou même qui font effort pour le connaître. Cela est sans doute dû au caractère insulaire du pays […]. On vit naturellement ici dans le repli sur soi-même, dans un monde limité à de petites cellules sociales, le clan familial ou la tribu, sans communication avec les autres Marocains, encore moins avec les étrangers. »

Ce manque de vision, ajouté à la répression, conduit la monarchie à dominer tout : « Elle est absolue et a un caractère féodal. Hassan II gouverne sans contrôle », écrit Roger Seydoux pour qui le roi « joue systématiquement la carte du Maroc traditionnel à l'égard duquel il a sans doute plus de complexes que son père. Il maintient ou ressuscite de vieilles coutumes marocaines. Il y a un véritable mimétisme chez lui. Géographiquement et ethniquement, ce pays est une mosaïque qui fait le bonheur du chercheur, mais non celui du diplomate [...]. Hassan II exploite au maximum les possibilités que lui donne l'institution qu'il incarne. Il observe strictement la règle religieuse et la fait observer autour de lui. Mais il s'efforce en même temps de moderniser le régime et de lui donner un caractère libéral tout en conservant l'essentiel des libertés publiques »[1].

Quelques mois plus tôt, en mars, Seydoux estimait déjà[2] que la mort de Mohammed V avait « aidé Hassan II, qui ne juge pas le peuple marocain mûr pour la démocratie, à opter pour un sorte de despotisme éclairé de caractère paternaliste ». « Les communications de cette ambassade, poursuivait-il, ont noté combien le tableau était flatté et l'écart important entre les paroles du souverain et les réalités marocaines [...]. Pouvait-il en être autrement dès lors que le roi, monarque de droit divin dont aucune institution écrite ne limite le pouvoir, détient entre ses mains tous les leviers de commande, et qu'il est, de ce fait, directement responsable de tout acte, comme de toute carence de l'autorité ? »

Le prochain référendum sur la Constitution, dont il a été informé avant l'annonce officielle, rassure-t-il Seydoux avant son départ ? Toujours est-il qu'au moment de quitter Rabat, à l'été 1962, il se montre plutôt positif à l'égard de Hassan II : « On a parfois l'impression qu'il joue constamment au despote éclairé. Il est très autoritaire dans sa conception du pouvoir, mais reste ouvert au progrès et est finalement modéré sur le plan intérieur comme en politique étrangère. Il a aussi montré qu'il n'ignorait pas la rusticité et le défaut de maturité politique de son peuple [...], mais son idéal demeure l'exercice du pouvoir selon les traditions courtoises des vieilles nations de l'Europe occidentale. Il est cependant possible que Hassan II soit moins sincèrement démocrate que Mohammed V qui aurait vraisemblablement créé le mouvement constitutionnel, alors que la crainte d'avoir à partager le pouvoir en empêchera peut-être le souverain actuel [...]. Toutes les décisions importantes remontent au roi qui n'est en mesure d'en prendre qu'un petit nombre, faute de temps, de conseillers qualifiés et surtout de méthode[3]... »

---

1. Rapport de fin de mission, 15 juillet 1962.
2. Télégramme du 28 mars 1962.
3. Rapport de fin de mission, 15 juillet 1962.

L'ambassadeur est sévère pour l'administration où, dit-il, « la corruption existe à tous les niveaux ». Il n'est pas plus tendre pour la police, « elle aussi corrompue et en général peu efficace », et pour son chef, le colonel Oufkir, un officier dont « les qualités et le caractère sont médiocres ». Seule l'armée, « dans son ensemble solide », trouve grâce à ses yeux. Ce qui n'empêche pas le diplomate de conclure : « Au terme de dix-huit mois de règne, mon jugement sera positif, le mérite essentiel du roi ayant été jusqu'ici d'avoir maintenu avec intelligence l'équilibre le moins instable entre la tradition et le progrès. »

Premières élections et colère des grands partis

Fort du succès obtenu au référendum, Hassan II entend donc poursuivre le plus rapidement possible la mise en place des institutions prévues par la première Constitution du royaume.

Le moins qu'on puisse dire est que le climat politique général laisse alors à désirer. Les trois ministres de l'Istiqlal – Allal el-Fassi, Douiri et Boucetta – quittent le gouvernement, le 2 janvier 1963, pour protester contre le poids excessif, selon eux, de Guédira dans les affaires de l'État. Le souverain n'en a cure et forme le 4 janvier un nouveau gouvernement où Guédira – ministre de l'Intérieur, mais toujours directeur du cabinet royal – et ses amis prennent de plus en plus de place. D'une intelligence brillante et subtile, Guédira est sans doute, à l'époque, l'homme politique le plus détesté par les deux grands partis issus du Mouvement national. Sa francophilie, son libéralisme, ses sympathies pour le monde occidental, son humour ravageur et, surtout, sa proximité avec Hassan II en font la cible privilégiée des nationalistes et de la gauche.

Abdelkrim Khatib est l'un des rares à le défendre encore aujourd'hui : « Guédira était un homme d'une grande capacité intellectuelle, aux idées précises sur la direction que devait prendre le Maroc. C'était un conseiller très écouté de Hassan II. Si ce dernier voulait prendre une décision qui semblait improvisée, Guédira demandait aussitôt une suspension de séance et il arrivait à le faire changer d'opinion. Mais cela n'a pas toujours

279

duré. Plus tard, Hassan II a pris confiance en lui et n'écoutait plus personne. Guédira est le seul à avoir eu une certaine influence sur Hassan II[1]. »

Pour agacer un peu plus le vieux parti nationaliste, Hassan II fait appel à d'anciens membres éminents du PI comme Ahmed Balafrej et Bensalem Guessous dont l'histoire du royaume retiendra peut-être qu'il fut la première personnalité marocaine à visiter Israël dans la plus grande discrétion[2].

Jusqu'ici soutien inconditionnel du trône, l'Istiqlal, après un Conseil national tenu du 5 au 7 janvier, passe dans l'opposition sans toutefois remettre en cause la monarchie. Le 14 janvier, Allal el-Fassi annonce dans une conférence de presse qu'il ne s'oppose pas à une coopération avec l'UNFP, à condition que la formation de gauche affirme clairement son respect pour la devise du Maroc : « Dieu, la Patrie, le Roi » *(Allah, al-Watan, al-Malik)*. Entretemps, Ben Barka est rentré au Maroc. L'amertume aidant, les événements, on le voit, se précipitent.

Alors que des rumeurs insistantes font état de contacts entre le PI, l'Istiqlal et le PDC pour constituer un bloc politique, Ahmed Réda Guédira éprouve le besoin de regrouper tous ceux qui soutiennent sans états d'âme le monarque. Il annonce ainsi, le 20 mars, la création d'un Front national pour la défense des institutions constitutionnelles (FDIC), où se retrouvent le Mouvement populaire d'Ahardane, le PDC de Hassan el-Ouazzani, et, bien sûr, les libéraux indépendants de Guédira. Cela permettra aux masses populaires, dit ce dernier, toujours aussi provocant, de « faire le bilan de l'action négative passée d'un certain parti, et le bilan positif présent de ce que nous accomplissons ».

---

1. Entretien avec l'auteur, janvier 2003.

2. « Au mois de septembre 1961, Bensalem Guessous, qui est gouverneur de la province de Fès, s'entretient à Florence avec le consul général de France. Il lui exprime ses sentiments de tolérance à l'égard des juifs et lui confie avoir même effectué un séjour en Israël en 1960. L'ambassade d'Israël confirme les dires de Guessous qui a demandé aux autorités israéliennes de garder le secret. Il s'est notamment intéressé aux questions de médecine et de pharmacie. On lui a fait "constater le bon niveau de vie" des Arabes de Palestine. Guessous a rendu compte à Moulay Hassan de son voyage. Moulay Hassan lui aurait déclaré que si B.G. lui avait demandé l'autorisation il la lui aurait refusée, mais qu'il se réjouissait qu'il y fût allé de lui-même, et s'est montré vivement intéressé » (télégramme du 30 septembre 1961 du consul de France à Florence, copie à Rabat).

Afin de parfaire la communication gouvernementale, Guédira lance également un quotidien en langue française, *Clarté*.

Le 17 avril, le roi annonce que les élections législatives auront lieu exactement un mois plus tard. Le scrutin revêt une grande importance pour la majorité au pouvoir comme pour l'opposition, les deux camps ayant pour la première fois l'occasion de mesurer leurs poids respectifs dans le pays. Mais, en mettant en garde les électeurs contre deux risques, l'instabilité gouvernementale et le non-respect du « régime de liberté et de démocratie que nous nous sommes choisi », Hassan II prend clairement position contre l'Istiqlal et l'UNFP.

Entre cette dernière et le monarque, les relations n'ont sans doute jamais été aussi mauvaises. Au mois d'avril 1963, Mehdi Ben Barka et Abderrahim Bouabid, interviewés par *Jeune Afrique*, se déchaînent contre le régime. Au journal qui leur demande d'abord s'ils voient en Guédira leur « adversaire » ils répondent :

« Nous sommes des hommes sérieux à la tête d'une organisation sérieuse, et il est impensable que notre adversaire principal soit un homme aussi inconsistant et aussi dépourvu d'arrières que M. Guédira. Non, il ne faut pas laisser planer la confusion. Notre adversaire réel est celui qui refuse de remplir la tâche qui était naturellement la sienne, c'est-à-dire l'arbitre qui aurait dû se situer au-dessus des partis et qui s'est transformé en chef d'une coalition d'intérêts. Nous voulons parler du roi. Guédira n'est que son ombre. Il n'a aucune existence politique propre, si ce n'est pour exprimer très fidèlement les vues de son maître. Si demain le roi décidait de s'en séparer, il redeviendrait sans doute ce qu'il était, c'est-à-dire rien [...]. Guédira n'est que l'instrument d'une certaine politique du Palais, et ce n'est pas l'instrument qui nous préoccupe, mais la politique. »

Puis les deux hommes précisent ce qu'est à leurs yeux cette politique :

« Elle paraît à peu près évidente. Il s'agit de poursuivre l'entreprise que le Palais a, depuis l'indépendance, menée : c'est-à-dire l'émiettement du Mouvement national en une série de partis, de manière à ne pas se trouver face à un adversaire puissant. Le front qui vient d'être créé a évidemment pour objectif de rassembler un certain nombre d'hommes qui dépendent du pouvoir. Ce rassemblement peut se faire soit par des promesses de postes ou d'avancement, qu'une faction au pouvoir peut facilement faire et peut-être même tenir, soit carrément par la menace. En somme, ce régime qui prétend, dans la Constitution qu'il s'est donnée, interdire le parti unique est en réalité en train d'essayer d'installer son parti unique, c'est-à-dire le parti de l'administration, de la police, etc. Il y arrivera ou il n'y arrivera pas. Tout ce que je sais, c'est que, s'il y arrivait, ce serait le début d'un véritable régime fasciste. »

Ben Barka et Bouabid affirment ensuite que c'est le Mouvement national qui a restitué sa crédibilité à une monarchie « complètement déconsidérée » après le traité du Protectorat. Mais, selon eux, ce soutien à la monarchie était lié à « une condition expresse, claire dans l'esprit de tous : créer nous-mêmes une monarchie constitutionnelle où le roi aurait été le symbole de la continuité des institutions et où un gouvernement responsable aurait exercé le pouvoir ».

Or, pour les deux hommes, rien de tout cela ne s'est produit : « En fait, à quoi avons-nous abouti ? À ce que la Constitution soit octroyée. Elle laisse au roi toute la réalité du pouvoir. Cela peut amener le pire. » Pour Ben Barka et Bouabid, « la question n'est pas de savoir si le chef de l'État sera roi ou président [...], le plus important est de faire sortir le pays du sous-développement [...]. Mais il faut vraiment vouloir s'y engager, et non pas créer des institutions moyenâgeuses, avec tout un faste coûteux, une corruption à tous les échelons, un chef d'État et de gouvernement qui se considère comme le propriétaire. Il faut bien se dire une chose : le Maroc n'appartient à personne ! ».

Enfin, pour que les choses soient tout à fait claires, les deux compères concluent, tranchants : « On ne peut pas être plus royaliste que le roi. S'il y a un homme qui sabote la monarchie, c'est bien le roi lui-même »[1].

À l'époque, les deux grands partis issus du Mouvement national, sentant les menaces qui pèsent sur eux, éprouvent le besoin d'améliorer leurs relations, exécrables depuis quatre ans. M'hammed Boucetta se souvient :

---

1. Interview à *Jeune Afrique*, n° 129, 8-14 avril 1963. Dans son chapeau de présentation, le journal précise que les réponses ont été faites par Ben Barka ou Bouabid sans que cela soit précisé dans le texte : « Leur pensée est si proche qu'il est bien difficile de les distinguer... »

« Il y avait un désir réel, à cette époque, à l'Istiqlal et à l'UNFP, de se rapprocher. Entre le moment de la constitution du FDIC et l'annonce de la date des législatives, Allal el-Fassi, qui voulait des candidats uniques, a décidé à cet effet la création d'une commission avec deux membres du côté du PI, Tahar Ghallab et moi-même, et deux autres du côté de l'UNFP, Mehdi Ben Barka et Mohammed Mansour. Nous avons tenu entre huit et dix réunions à Rabat et Casablanca, cartes du pays en main. Dans une ambiance correcte. Ben Barka était une dynamo, mais c'était un ami. Ici ce devait être le PI, là l'UNFP. À d'autres endroits, comme el-Jadida, Ben Barka nous a dit : "Oubliez cette ville ! C'est comme le royaume hachémite, le gouverneur Mohammed Meknassi y fait ce qu'il veut !" Nous n'avons pas abouti, mais nous nous sommes séparés en nous disant qu'on se retrouverait après les élections[1]. »

La campagne électorale n'apporte aucune amélioration dans le quotidien des opposants marocains. Bien au contraire. Sous prétexte de ne pas troubler la sérénité du scrutin en diffusant des propos polémiques, la radio d'État prive d'antenne leurs représentants. Trois jours avant le vote, Allal el-Fassi déclare que « le truquage des élections prépare les conditions d'une révolution[2] ». Le PI est si mécontent qu'il publie un petit *Livre blanc* de quatre-vingt-dix-sept pages sur la répression au Maroc à l'occasion des législatives.

À peu près au même moment, mais cette fois dans une interview à Guy Sitbon, de *Jeune Afrique*, Allal el-Fassi va encore plus loin : « Pour moi, le roi est le chef de la communauté dans le sens musulman, c'est-à-dire qu'il peut se tromper et, surtout, qu'il peut être trompé. Aujourd'hui, il a choisi comme conseiller principal un homme de l'ambassade de France, je veux parler de Guédira. Cet homme est le représentant de la France au sein du gouvernement. » Et tout cela va mener où ? lui demande G. Sitbon. Réponse : « À la révolution, bien sûr. Oh, pas avec moi, mais peut-être avec des gens autour de moi »[3].

---

1. Entretien avec l'auteur.
2. Conférence de presse d'Allal el-Fassi, citée par l'*Annuaire d'Afrique du Nord, op. cit.*
3. Interview à *Jeune Afrique*, le 5 mai 1963.

Deux semaines plus tard, *Jeune Afrique* fait état de la campagne de Moulay Mehdi Alaoui pour l'UNFP. Elle est d'une incroyable violence verbale, mais aussi d'une courageuse lucidité quant aux conséquences à envisager pour ceux qui voteraient pour lui : « "Il ne s'agit pas de composer, d'améliorer ou d'amender le régime, mais de l'abolir", dit-il avant de poursuivre : "Nous sommes contre le gouvernement, contre le régime, et il ne nous donnera rien, il ne vous donnera rien si vous me suivez ! Ce que nous voulons, c'est mettre fin à cette mendicité camouflée que sont les distributions de vivres, à la corruption et aux pressions de l'administration déguisée"[1]. »

De son côté, l'Union marocaine du travail ne se décide qu'une semaine avant le scrutin à appuyer les candidats « nationaux et progressistes », non sans faire entendre sa petite musique : « Seule l'action organisée des masses et non pas une activité au sein d'un Parlement impuissant et sans pouvoir rendrait possibles des changements radicaux dans les structures actuelles » qui, seuls, permettraient « la réalisation des objectifs nationaux et l'édification d'une démocratie réelle ».

144 sièges sont en jeu. En dépit d'un pourcentage de voix très inférieur à celui des deux grands partis de l'opposition réunis – 36,5 % contre 56,5 % –, le FDIC et ses alliés en remportent 69, le PI 41, l'UNFP 28. Ces sièges, auxquels il faut ajouter 6 élus sans étiquette, vont permettre au FDIC de gouverner. L'Istiqlal crie immédiatement au scandale, parle d'élections truquées, et son chef réclame une dissolution immédiate. Guédira se félicite, au contraire, « de la maturité du peuple marocain, définitivement et sincèrement entré dans la voie de la démocratie ». En fait, pour le cabinet encore présidé par Hassan II, c'est un véritable camouflet : non seulement les scores sont mauvais, mais 6 des 8 ministres candidats ont été battus par des membres de l'opposition. Le scrutin lui-même s'est parfois déroulé dans des conditions douteuses. C'est que, dès cette époque, le pouvoir a pris de mauvaises habitudes. Écoutons M'hammed Boucetta, président du conseil municipal de Marrakech depuis 1960 et candidat du PI dans cette ville :

---

1. *Ibid.*, n° 134, 13-19 mai 1963.

« Il y avait des instructions très claires du FDIC, du Premier ministre Ahmed Bahnini et d'Oufkir pour que je ne sois pas élu. Avant le scrutin, je suis allé voir le gouverneur Tahar Ouassou, ancien membre du Conseil du trône – certains l'appelaient Tahar Oulatour, par allusion au nom du général de La Tour[1], dont on prétendait qu'il aurait pu être le fils. Je lui ai dit que j'étais candidat. J'ai été le saluer. Il a fait dresser une haie en mon honneur et est venu me chercher à la descente de ma petite voiture ; il a ouvert la portière, puis m'a dit : "Je te jure par tous les dieux que cette ville peut chercher longtemps un candidat honnête et sérieux comme toi. (Je connaissais Ouassou à travers Bekkaï dont, à Paris, j'assurais le secrétariat.) Malheureusement, tu ne seras pas élu. Ce sont les instructions. S'il ne s'était agi que de Guédira, Bahnini ou Oufkir, je n'en aurais tenu aucun compte, mais il s'agit de la voix la plus autorisée et la plus haute... Tu ne seras pas élu !" Puis il m'a tendu une enveloppe avec de l'argent pour m'"aider dans la campagne électorale". Là, je me suis mis en colère. Je lui ai dit : "Tu es humiliant. Je ne veux pas de ton argent." Il s'est excusé et m'a dit qu'il avait cru bien faire. Je lui ai seulement demandé de ne pas s'attaquer à mes colleurs d'affiches. J'ai aussi protesté publiquement, et nous avons fait un *Livre blanc* sur ces dérapages. Des amis sûrs m'ont affirmé avoir entendu Guédira dire : "Untel ne passera pas, c'est celui-là qui passera." Il y a eu près de cinq mille arrestations. Hassan II voulait être monarque absolu. Allal el-Fassi et Abdelkhaleq Torrès ne devaient pas être non plus élus. Mais le roi a changé d'avis pour ce qui les concernait. Il a eu peur des conséquences[2]. »

Élu député de Rabat à la même époque, Mohammed Lahbabi est un peu plus positif : « Ce furent les dernières élections à peu près honnêtes. À l'époque, précise-t-il, je faisais campagne à bord d'une Aronde. Les gens disaient : "Il vient pour nous défendre et il n'a qu'une petite voiture..." Aujourd'hui, ils disent exactement le contraire ! »

Le 5 juin, un léger remaniement ministériel a lieu. Guédira, le grand vaincu des élections, quoi qu'il dise, abandonne l'Intérieur au

---

1. Le général Boyer de La Tour succéda à la fin de l'été 1955 à Gilbert Grandval comme résident général au Maroc, juste avant l'indépendance.
2. Entretien avec l'auteur.

profit d'Ahmed el-Hamiani, président de la Cour suprême et intime du Palais. Il récupère l'Agriculture.

La guerre de tranchées entre le pouvoir et une opposition jugée de plus en plus menaçante se poursuit néanmoins. Avec vigueur contre l'Istiqlal, avec ampleur et acharnement contre l'UNFP. Des poursuites judiciaires sont engagées, le 31 mai, contre trois journaux de l'opposition, *Al-Alam*, *At-Tahrir* et *La Nation africaine*. Quatre membres de l'Istiqlal sont arrêtés et inculpés d'atteinte à la sécurité extérieure de l'État.

Le 16 juillet, la répression prend une autre dimension avec l'arrestation à Casablanca de toute la direction de l'UNFP, inculpée de complot contre le régime. Des milliers d'autres arrestations sont opérées dans le pays. Tous les responsables sans exception sont torturés, y compris les députés et le *fqih* Basri. Les syndicalistes, qui ne mentionneront même pas dans leurs journaux l'arrestation de la direction de l'UNFP, sont épargnés. La formation progressiste annonce aussitôt qu'elle retire tous ses candidats aux élections communales prévues pour le 28 juillet. Les « agissements du pouvoir absolu et de ses auxiliaires » sont dénoncés, et Ben Barka, réfugié à l'étranger, déclare à la presse égyptienne : « La démonstration est aujourd'hui faite que le pouvoir féodal et personnel n'est qu'une dictature policière cherchant à asseoir sa domination derrière le paravent d'élections truquées[1]. »

Le 24 juillet, le PI décide à son tour de boycotter le scrutin. Ses dirigeants parlent d'un « bond de dix ans en arrière » et affirment que, depuis avril 1963, le pays vit dans un climat de terreur qui rappelle la période précédant l'indépendance. L'Istiqlal dénonce notamment « les atteintes à la liberté d'expression, les pressions et intimidations, les agissements des caïds qui sont un excellent exemple de tout ce qui va se faire pendant trente ans […]. Il parle de la corruption entretenue par le FDIC qui a distribué au nom de ses candidats du thé et de la farine, a fait des promesses d'embauche, délivré des licences d'importation. Sans compter les truquages, les irrégularités, les licenciements, les pertes d'emploi, les arrestations et les voies de fait… »[2]

---

1. Cité par l'*Annuaire d'Afrique du Nord*, 1963, p. 231.
2. Télégramme d'août 1963.

De son côté, Mahjoub Benseddik demande aux parlementaires « nationaux progressistes » de démissionner du Parlement pour protester contre cette « fausse démocratie ».

Après le succès « triomphal » et guère étonnant du FDIC – 85 % des voix et près de 90 % des sièges –, c'est au tour de l'Union nationale des étudiants marocains de réclamer, lors de son congrès annuel, l'abolition du régime actuel, « condition préalable, selon elle, pour sortir le pays de la crise ouverte ou latente dans laquelle il ne cesse de se débattre depuis l'indépendance ». Le 6 août, Hamid Berrada, président de l'UNEM, est arrêté mais remis en liberté quatre jours plus tard sans avoir été inculpé.

Le « complot »

Le 14 août, Ahmed Bahnini, ministre de la Justice, affirme, au cours d'une conférence de presse sur le « complot » découvert le 16 juillet, que ses auteurs projetaient d'assassiner le roi. Le ministre met également en cause « des pays étrangers », qu'il ne cite pas. Compte tenu du climat répressif qui règne au Maroc – l'Istiqlal parle même de 6 assassinats pendant la dernière campagne électorale, et de plus de 1 600 arrestations –, l'annonce de la découverte d'un « complot » suscite un fort scepticisme au Maroc et ailleurs. Les doutes de l'opposition sont d'autant plus grands que les autorités marocaines refusent à des avocats étrangers, notamment français et algériens, le droit de défendre les inculpés. L'avocat Maati Bouabid démontre avec autorité que la police a grossièrement manipulé des armes pour enfoncer un peu plus les inculpés. Même Ahmed Réda Guédira, il est vrai en délicatesse avec le pouvoir, affirme dans son journal que l'UNFP n'est pas compromise dans ce complot qui est l'œuvre, selon lui, « d'une minorité d'agitateurs professionnels téléguidés par eux-mêmes[1] ».

Cependant, Abdelkrim Khatib, à l'époque membre du gouvernement, est, lui, formel : « Je suis absolument certain qu'il y a eu complot. J'étais alors ministre du Travail et je connaissais un Syrien,

---

1. *Les Phares*, 3 août 1963.

un responsable du parti Ba'ath, un certain Atef Daniel, qui a demandé à me voir : "Il faut que je te parle, il en va de ta sécurité et de celle du régime." Je préviens le roi et me rends aussitôt en Suisse. Il me reçoit à Genève et me dit : "La sécurité de Hassan II et de son régime est en danger ! – Comment le savez-vous ? – Parce que le Ba'ath a participé à un complot. Je veux 250 000 francs suisses pour vous donner les détails, et si Hassan II ne me croit pas, donnez-lui comme preuve que nous savons qu'il a changé il y a exactement un mois le système de sécurité de sa chambre à coucher." Hassan II a confirmé la chose. Nous sommes donc repartis en Suisse. Oufkir et Dlimi se sont installés dans une chambre voisine et ont tout écouté, tandis que Ben Messaoud, secrétaire particulier du roi, qui était venu avec une valise de billets, remettait la somme convenue à Atef Daniel. Celui-ci m'a donné les détails et les noms : "Il y a une seule chose que je vais vous demander : promettez-moi de ne pas faire de mal à Youssoufi !" J'ai transmis les informations. Il y a eu des arrestations. Puis les aveux du *fqih* Basri, retranscrits. Le malheur, c'est que Oufkir en a profité pour élargir les arrestations et mettre la main sur tous ceux auxquels il voulait régler un compte. Il y a donc eu plein d'innocents arrêtés. J'ai aussi demandé à Atef Daniel pourquoi il faisait tout cela : "Parce que, m'a-t-il dit, notre courant au Ba'ath a été mis à l'écart et que je ne veux pas travailler pour la nouvelle direction…"[1]. »

Par ailleurs, dans une lettre qu'il fait parvenir à la mi-août aux responsables de la sous-direction du Maroc au Quai d'Orsay, Xavier de La Chevalerie fait état d'une conversation qu'il a eue avec un certain el-Jaf, conseiller de l'ambassade d'Irak, mais aussi Kurde « opposé à son gouvernement », lequel lui a donné des précisions sur les relations du Ba'ath avec l'UNFP. Selon el-Jaf, « le *fqih* Basri et Youssoufi ont été invités en mars 1963 à Bagdad avec les billets d'avion payés. Ils ont rencontré là-bas Michel Aflak[2]. El-Jaf est convaincu que ces contacts ne se sont pas réduits à un échange d'idées, mais ne pouvaient avoir d'autre objet que les conditions de la prise du pouvoir au Maroc par l'UNFP et la contribution que le Ba'ath était susceptible d'y apporter. Néanmoins, il ne peut fournir

---

1. Entretien avec l'auteur en 2003.
2. Fondateur du Ba'ath avec Salaheddine Bitar.

de preuve. En revanche, il affirme que Mehdi Ben Barka a reçu une "somme importante" du gouvernement irakien. »

Cependant, si l'on en croit l'ambassadeur de Leusse qui reçoit ses confidences, Abderrahim Bouabid n'est manifestement pas concerné par cette aventure : « Bouabid est sombre et très découragé par l'opération dirigée contre l'UNFP que le roi et le gouvernement paraissent avoir décidé de décapiter. Il y a eu cinq mille arrestations. Bouabid considère que le pouvoir pousse ainsi l'opposition vers la subversion. Il pense que Mehdi Ben Barka ne peut pas revenir maintenant, car il serait arrêté. Ahmed Benkirane, patron de *Maroc-Infos*, a été tabassé par Belkacem[1]. Il s'agit là d'un petit avertissement, parce qu'il traduisait trop d'articles d'*At-Tahrir*[2]. »

Cependant, si l'opposition, en particulier celle de gauche, ne cache pas son aversion pour le régime, les Marocains semblent demeurer fidèles, dans leur ensemble, à la monarchie. Pierre de Leusse, en est convaincu :

« Si l'on admet qu'une large partie de l'opinion est hostile, réservée ou indifférente vis-à-vis du gouvernement, il n'en reste pas moins que la population marocaine paraît toujours attachée à celui qui en est le chef, c'est-à-dire le roi. Pour confondus qu'ils soient dans la personne de Hassan II, régime et gouvernement demeurent ainsi distincts aux yeux de beaucoup de Marocains. La fidélité à la dynastie, à la tradition qu'elle symbolise et au jeune souverain qui l'incarne, ne se limite pas, comme on serait tenté de le croire, aux populations du *bled*. Parfois moins évidente dans ses manifestations, elle semble toujours vivace chez bon nombre de citadins. La naissance du prince héritier, le 21 août, lui a donné l'occasion de s'exprimer, notamment à Casablanca et Tanger, avec une ampleur et une spontanéité telles qu'il n'est pas permis de mettre en doute l'authenticité du sentiment populaire[3]. »

Pour l'ambassadeur de France, Hassan II, chef d'État et de gouvernement, demeure le personnage central de la scène politique marocaine. Mais le « prince frivole » est devenu « un homme d'État

---

1. Un commissaire connu pour sa brutalité.
2. Télégramme de De Leusse du 25 juillet 1963.
3. Télégramme du 24 septembre 1963 intitulé « Malaise politique – le roi et son gouvernement ».

conscient de ses devoirs ». Selon de Leusse, « il a pris en main les rênes du pouvoir, décidé à ne plus les confier à un autre. Telle fut sans doute, au-delà des vaines querelles d'idées, la vraie raison du rejet dans l'opposition des deux grandes formations politiques [...]. Se méfiant des hommes de partis, de leurs ambitions ou de leur cupidité, le roi avait espéré réduire leur influence ou leurs prétentions en s'assurant, dans le cadre des institutions nouvelles, le concours d'un Parlement dévoué à sa personne. L'insuccès de l'opération électorale de mai – un premier "test", peut-être appelé à demeurer unique, selon le diplomate – a été relatif, mais grave ».

De Leusse retire également de ses conversations avec les ministres les plus importants la conviction que « dans la mesure où il doit faire face à une menace idéologique et militaire, le gouvernement marocain est, par instinct, porté à se rapprocher de l'Occident[1] ».

L'ambassadeur fournit aussi quelques éléments d'information sur l'entourage du monarque : « Des principaux personnages qui entourent le roi, bien peu sont désormais en mesure de faire prévaloir leur avis. On parle assez souvent d'une prochaine retraite de M. Balafrej. Quoi qu'il en soit, Hassan II, me dit-on, traiterait parfois avec quelque désinvolture son ministre des Affaires étrangères. D'autres que celui-ci, plus proches du souverain, ont aussi sujet de se plaindre de l'attitude du roi à leur égard. Un des éléments les plus valables et les plus énergiques de l'équipe gouvernementale, M. Laghzaoui, coordinateur du secteur public de l'Économie, ne cache pas une certaine amertume. Il déplore de voir ses avis négligés, ses efforts privés de l'encouragement royal à défaut duquel toute réforme est condamnée à se perdre dans les méandres d'une administration irresponsable. »

Si l'on en croit les informateurs de De Leusse, Ahmed Réda Guédira lui-même subirait les foucades d'un souverain de plus en plus imbu de sa personne et peu enclin à prendre en compte l'opinion d'autrui :

« Est-il toujours le conseiller écouté et omniprésent qu'il était naguère ? Depuis le semi-échec aux élections du FDIC, dont il est le fondateur, certains ont pu parler de disgrâce. Pour le moment, il paraît plus juste de dire que son influence, toujours réelle, s'est un peu affaiblie,

---

1. Télégramme de De Leusse du 4 novembre 1963.

ou qu'en dépit de sa position, parfois assimilée à celle d'un président du Conseil, ses avis ne sont pas nécessairement retenus. Il est apparu en tout cas qu'il désapprouvait parfois sinon le cours pris par la politique marocaine au cours des derniers mois, du moins certaines décisions arrêtées contre son gré. En ce qui concerne le "complot", par exemple, il est remarquable que M. Guédira, par le truchement de son hebdomadaire *Les Phares*, ait critiqué le refus opposé aux avocats français qui avaient demandé à défendre certains inculpés. J'ai moi-même été témoin, lors d'une de mes conversations au palais au sujet des lots de colonisation, d'un désaccord entre le roi et son collaborateur à propos du maintien éventuel sur leurs terres de certains colons expropriés. Dans les deux cas précités, le directeur du cabinet royal, auquel ses adversaires reprochent le plus communément de "penser français", s'efforçait en effet de faire prévaloir un point de vue "trop occidental" qui n'a pu l'emporter sur d'autres considérations. »

Dans cette analyse du comportement royal qui a surtout le mérite de remonter au début des années soixante, Pierre de Leusse est sans doute l'un des premiers – sinon le premier – à signaler le manque de rigueur de Hassan II :

« S'il entend assumer sans partage sa très lourde tâche, il faudrait que le roi y apporte le sérieux dont il a su donner la preuve au lendemain de son accession au trône. Plus que d'autres chefs d'État qui disposent d'un alibi idéologique plus ou moins "révolutionnaire", le souverain marocain doit en effet donner l'exemple d'une rigueur, d'une assiduité et d'une discipline dans le travail qui soient toujours à la hauteur de ses fonctions. En est-il toujours ainsi ? Bien qu'il ait dit avoir assisté à l'"enterrement du prince héritier" le jour des obsèques de son père, il arrive à Hassan II de se conduire parfois plus en prince qu'en roi, et de ne pas accorder suffisamment de temps aux affaires de l'État [...]. Il convient aussi de noter que les services du Palais n'aident pas toujours le souverain – qui a d'autres qualités que l'exactitude – à bien organiser son emploi du temps. Un certain manque de méthode et de coordination est sans doute à l'origine de défaillances qui, dans l'accomplissement des obligations du souverain, n'affectent peut-être pas l'essentiel, mais ne contribuent pas non plus à améliorer l'expédition des affaires et laissent en tout cas une fâcheuse impression de désordre et d'improvisation. »

De Leusse est aussi le premier à remarquer que Hassan II est souvent brouillé avec les chiffres. Il lui arrive, dit-il, de tenir des propos qui « pourraient témoigner d'une certaine légèreté ». Ainsi, très récemment, devant un visiteur étranger, « il a donné au sujet du budget du Maroc des chiffres très fantaisistes ». Il a également cru pouvoir dire que « l'inquiétant déséquilibre budgétaire pouvait se réduire à de simples difficultés de trésorerie ».

Dans cette longue analyse, l'ambassadeur se plaint aussi d'avoir vainement attendu, en compagnie d'une mission parlementaire, une audience fixée à 15 heures par le Protocole. « Sans doute, note-t-il, personne n'a fait ou osé faire ce qu'il fallait pour l'informer de ce rendez-vous ou le lui rappeler. »

Les goûts de luxe du jeune souverain n'échappent pas non plus aux critiques de Pierre de Leusse : « Bien qu'elles n'entament pas nécessairement son prestige auprès des masses, d'autres maladresses pourraient également être évitées, qui, dans un pays dont la situation financière invite à l'austérité, donnent à l'opposition des armes superflues, et à l'étranger une opinion déplorable du Maroc. Les dépenses somptuaires dénoncées lors du voyage aux États-Unis en sont un exemple. »

Le diplomate exprime encore l'espoir que le « manque de constance » manifesté par Hassan II dans l'exercice du pouvoir s'atténuera avec la mise en place des institutions, et qu'au lieu de continuer à donner à son autorité un caractère plus personnel, il se montrera capable de renforcer celle de ses meilleurs collaborateurs.

En l'occurrence, le moins qu'on puisse dire est que Pierre de Leusse fait fausse route. Le gouvernement que Hassan II forme le 13 novembre 1963 constitue un exemple parfait du mépris dans lequel le jeune roi tient la classe politique. Certes, il renonce à présider le cabinet, ayant apparemment écouté le général de Gaulle qui, lors de leur dernière rencontre, lui conseillait « de nommer un Premier ministre et de ne pas prendre la responsabilité de la politique intérieure[1] ». Mais le reste n'est que provocation. Ainsi les six ministres battus lors du scrutin du 17 mai précédent sont tous

---

1. Dans une lettre en date du 16 juillet 1963 à Robert Gillet, directeur de cabinet du ministre des Affaires étrangères, Pierre de Leusse précise que Hassan II a proposé le poste à Laghzaoui qui a tout fait pour qu'il ne lui revienne pas.

reconduits, certains, comme Bahnini, Premier ministre, avec une belle promotion.

Le choix d'Ahmed Bahnini, une semaine avant la promulgation d'un *dahir* amnistiant et réhabilitant des « collaborateurs » notoires au grand dam des nationalistes, est un autre défi lancé à ces derniers. Le passé de cet homme est en effet peu glorieux. Il n'a rien dit au moment de la déposition de Mohammed V et, pis encore, il est allé se prosterner devant Ben Arafa, le sultan créé de toutes pièces par le colonisateur français[1].

Les antécédents du nouveau ministre de l'Intérieur, Abderrahmane Khatib, ne sont guère plus brillants, lui qui se flattait d'avoir un passeport français et refusait de défendre des résistants qu'il qualifiait de « criminels »[2] !

Le dédain affiché par le souverain envers l'institution parlementaire – où les représentants de la majorité gouvernementale, pour l'essentiel des notables presque illettrés venus de zones rurales, font pâle figure à côté d'une opposition souvent de qualité – irrite même le président de la Chambre, Abdelkrim Khatib, pourtant fidèle entre les fidèles de la monarchie. Celui-ci, qui, à l'époque, n'a pas encore renoncé à voir le Parlement jouer un véritable rôle, se plaint auprès du roi de l'attitude absentéiste du gouvernement. Quelques mois plus tard, avant de rentrer définitivement dans le rang, Khatib critiquera très fermement l'instauration de l'état d'exception.

Pierre de Leusse a donc de bonnes raisons de se demander, en concluant, si la monarchie marocaine réussira à trouver son « second souffle » : « Il faut espérer, dit-il, qu'elle maîtrise et ordonne mieux son action, et souhaiter qu'elle ne se contente pas de faire appel à la démagogie ou de polariser autour d'elle le sentiment national en recourant à un irrédentisme aussi débridé que périlleux à l'encontre du voisin algérien. »

C'est pourtant en jouant sur le sentiment national à propos des frontières sahariennes entre l'Algérie et le Maroc que Hassan II va refaire provisoirement l'union sacrée autour de sa personne. Ce sera la fameuse « guerre des Sables ».

---

1. Cf. Maati Monjib, *La Monarchie marocaine et la lutte pour le pouvoir, op. cit.*, p. 316.
2. *Ibid.*, p. 316.

V

La guerre des Sables

L'histoire contemporaine du Maroc est à peu près incompréhensible si l'on fait abstraction du grand voisin algérien. On pourrait bien sûr en dire autant de toute l'histoire qui a précédé l'indépendance du Maghreb, tant les destins de l'Algérie et du Maroc ont été souvent liés. Des centaines de milliers de Marocains et d'Algériens ont ainsi de la famille dans l'autre pays. Les douloureux différends des dernières décennies ont d'ailleurs conduit les dirigeants des deux pays à prendre des mesures de rétorsion souvent indignes dont les principales victimes ont précisément été ces familles mixtes.

Sans entrer dans le détail de l'histoire des relations bilatérales qui a déjà fait l'objet de nombreux travaux, on a vu que la guerre d'Algérie a eu des conséquences importantes : d'abord sur les relations franco-marocaines, qui en ont pâti ; puis sur la carte régionale, qui n'a pu être fixée, Rabat ne voulant pas gêner les dirigeants algériens ; enfin et surtout, sur les rapports entre Marocains, la monarchie et les partis n'ayant pas la même approche de la lutte pour la libération engagée par les « frères » algériens.

La France, évidemment intéressée au premier chef, suit de près l'évolution des relations entre les deux pays. En mars 1962, dans une note intitulée « Le fait algérien au Maroc », Roger Seydoux estime que « si les relations sont en surface étroites et cordiales, en profondeur des failles sont apparues ou se sont élargies ». De même, si des personnalités comme Ferhat Abbas, maître Chérif[1], Khattab et Krim Belkacem sont appréciées dans le royaume, d'autres, comme Ben Khedda, ne sont guère aimées. Néanmoins, relève justement Seydoux, « il est aussi difficile pour la rébellion algérienne, qui a tant à attendre de l'aide de Rabat, d'ignorer ou de combattre le gouvernement marocain qu'il est impossible à ce dernier de se désolidariser de la cause algérienne. [...] Le contentieux algéro-marocain, sur les frontières notamment, note encore Seydoux, n'a pas progressé. Dans l'Oriental, on compte dix mille combattants, plus des dizaines de milliers de réfugiés endoctrinés par le FLN, plus une "vieille colonie" algérienne à Oujda. Tout cela crée un État dans l'État, ce qui est très préoccupant. Si l'on ajoute à cela des cadres compétents et une armée aguerrie, on peut dire que cela fait de l'Algérie un futur redoutable voisin ». Selon lui, le poids de l'Algérie « se fait déjà sentir sur la politique intérieure marocaine et sur la diplomatie chérifienne ».

Le diplomate croit aussi pouvoir écrire que « les rapports personnels entre Marocains et Algériens sont, selon tous les témoignages recueillis, peu cordiaux ». Les Marocains parlent d'« intrus », les taxent souvent d'« irréligieux », leur reprochent d'avoir « un complexe de supériorité ». « Le secrétaire général du ministère de la Justice, rapporte-t-il, a déclaré à un de nos consuls généraux que le Maroc gagnerait à être débarrassé de la plupart des Algériens. » Quant à ces derniers, ils reprochent aux Marocains « leur incompétence et leur laisser-aller », ainsi que « leurs abus de pouvoir et des pratiques discriminatoires ».

Au mois d'août 1962, peu après l'indépendance de l'Algérie, de Leusse s'entretient de l'Algérie avec Ahmed Balafrej. Le ministre

---

1. Père de Mourad Chérif, ancien ministre, ancien patron de l'OCP et personnalité proche du Palais.

marocain des Affaires étrangères se montre très pessimiste et craint que Ben Bella ne subisse l'« influence pernicieuse » de Nasser, qui viendrait se répandre jusqu'aux frontières du royaume. Il craint aussi de voir l'Algérie sombrer dans un chaos qualifié de « castriste ». Il se plaint encore de l'attitude « froide et méfiante » des dirigeants algériens à l'égard des responsables marocains.

En septembre 1962, c'est au tour du colonel Touya, un officier supérieur français proche de Hassan II, de rapporter à Pierre de Leusse les confidences du roi au cours d'une tournée qu'il vient d'effectuer avec lui dans l'Oriental : « Le souverain ne craint ni le communisme, ni le fascisme, mais un désordre prolongé suivi de règlements de comptes effroyables. Cette situation risque de se prolonger et devrait aboutir à une sorte de fédéralisme. L'intérêt du Maroc, selon Hassan II, est de ne pas se mêler des affaires intérieures algériennes[1]. »

Le 5 janvier 1963, Louis de Guiringaud rapporte l'opinion du ministre algérien des Affaires étrangères Khemisti sur l'avenir de Hassan II : « Hassan II est assuré de se maintenir au pouvoir pendant dix ou vingt ans. L'opposition de gauche n'a aucune chance : son activité n'est que théorie et verbiage ! »

De leur côté, les militaires français suivent de près l'état d'esprit des populations de Tindouf. Dans un numéro de 1962 du bulletin de l'état-major général de la Défense nationale[2], le colonel Chevallier-Chantepie, chef du centre d'exploitation des renseignements, écrit à propos de Tindouf que les populations reguibat et tadjakant de ce centre « ont déjà fait leur choix, qui est incontestablement marocain ».

D'autres anecdotes témoignent du désir du Maroc de tenir à distance l'encombrant voisin, mais aussi d'essayer de le séduire. En février 1963, le chargé d'affaires algérien à Rabat, Bousselham, raconte à un collaborateur de De Leusse que, suite à une demande des autorités marocaines, Alger a accepté de ne plus diffuser, à partir de Tlemcen, des émissions de radio qui évoquaient régulièrement la réforme agraire. Depuis lors, la radio algérienne a reçu de très nombreuses lettres du Rif lui demandant de reprendre ses programmes agricoles[3]…

---

1. Archives du Quai d'Orsay.
2. Daté de juin 1962.
3. Télégramme du 6 février 1963.

Quelques jours plus tard, Saad Dahlab présente ses lettres de créance au roi Hassan II. Dans sa réponse, ce dernier exprime d'abord sa conviction que le Maghreb arabe sera prochainement « une réalité concrète », puis il invite le nouvel ambassadeur à assister aux délibérations du cabinet chérifien chaque fois que les relations bilatérales seront au menu. Inutile de dire qu'avec le conflit frontalier qui se profile les apparitions du diplomate algérien en Conseil des ministres se feront rares !…

Tel est donc le climat général qui règne dans le royaume en ce début d'année 1963. Mohammed V, qui réclamait avec insistance la libération de Ben Bella, a disparu. Son fils – que certains sont même allés jusqu'à accuser de n'être pas étranger au kidnapping du futur président algérien commis par la France – lui a succédé. En dépit de ses précautions oratoires et de petits gestes à l'égard du voisin, Hassan II n'éprouve ni sympathie, ni attirance pour un régime qui entretient les meilleures relations avec l'Égypte de Nasser et les quelques chefs d'État progressistes d'Afrique noire. Les accords d'Évian du 18 mars 1962 ont été accueillis à Rabat avec soulagement et satisfaction, mais sans grand enthousiasme. La confusion et le désordre qui s'installent en Algérie n'ont pratiquement aucune répercussion au Maroc où, si la gauche affiche ouvertement ses sympathies pour Ben Bella, le gouvernement – auquel participe encore l'Istiqlal – se cantonne dans une prudente réserve. Le roi déplore sans aucun doute la montée en puissance de Ben Bella et la mise à l'écart de Ben Khedda.

Hassan II et Ben Bella

Dans un premier temps, pour éviter un « flirt » de l'UNFP avec le FLN, Hassan II prend l'initiative de se rapprocher du gouvernement de Ben Bella dans la perspective d'un grand Maghreb arabe. Sourd aux protestations d'Allal el-Fassi, il met en veilleuse les revendications frontalières marocaines, pourtant au cœur du contentieux entre les deux pays.

Le Maroc, qui contribue efficacement à apaiser le différend entre Alger et Tunis en janvier et février 1963, estime alors que toutes les questions importantes en suspens vont pouvoir être réglées dans un cadre maghrébin. C'est dans cet esprit que Hassan II se rend en visite officielle à Alger du 13 au 15 mars.

Dans *Le Défi*, Hassan II évoque en ces termes ses entretiens avec Ben Bella : « Je demande à Votre Majesté de me laisser le temps de mettre en place en Algérie les nouvelles institutions. Lorsque, en septembre ou octobre, cela sera fait, alors nous ouvrirons ensemble ce dossier des frontières. Il va sans dire que l'Algérie indépendante ne saurait être l'héritière de la France en ce qui concerne les frontières algériennes[1]. »

Hélas, la suite des événements fait bien vite apparaître que l'affirmation de la fraternité et de la solidarité maghrébines dissimule mal l'incompatibilité profonde entre les régimes respectifs du royaume chérifien et de la république démocratique algérienne. Le souverain est déçu par son voyage. L'accueil est poli mais sans chaleur, les accords signés concernent des domaines secondaires. Un accord commercial signé à Rabat le 23 avril suivant est également décevant et conduit à une diminution considérable des échanges commerciaux entre les deux pays. Dans une note d'un conseiller économique français à Alger, on peut lire que les dirigeants algériens considèrent que les économies des deux pays sont « plus concurrentes que complémentaires », et que le gouvernement de Ben Bella n'envisagerait aucunement de « tenir compte, dans l'élaboration de son plan d'équipement, des réalisations ou des projets marocains »[2].

Des divergences plus graves se manifestent entre les deux pays sur la question de l'unité politique du Maghreb. Ben Bella rejette la thèse marocaine selon laquelle l'édification du Maghreb ne saurait être sacrifiée à l'unification du monde arabe, mais devrait constituer l'objectif immédiat et essentiel des peuples de l'Afrique du Nord. Il se déclare opposé à toute construction maghrébine qui ne serait qu'une version corrigée du « Croissant fertile[3] ».

Au début du mois de mai, Ben Bella, qui ne cache pas ses amitiés nassériennes et sa volonté d'engager son pays dans la voie du socia-

_____

1. Hassan II, *Le Défi*, *op. cit.*, p. 91.
2. Cité dans une note de mai 1963 de l'ambassade de France au Maroc sur les relations entre Alger et Rabat.
3. Idéologie défendue à l'époque par certains, au Proche-Orient, et qui préconisait l'union de la Syrie, de l'Irak, du Liban, de la Palestine et même de Chypre.

lisme révolutionnaire, provoque l'ajournement de la conférence de Marrakech qui devait rassembler les chefs d'État des pays du groupe de Casablanca[1]. L'affront est vivement ressenti à Rabat, d'autant plus qu'on est alors en pleine campagne électorale et que l'opposition de gauche en profite pour affirmer qu'il s'agit là d'une condamnation de la politique marocaine. Dans les milieux proches du Palais, on redoute le « caractère messianique » du système révolutionnaire algérien. On estime également qu'une collusion accrue entre le FLN et l'UNFP ferait courir de graves dangers au trône alaouite. L'hostilité algérienne à l'endroit du Maroc est fort embarrassante, car Alger a encore le vent en poupe dans le monde arabe, et Rabat se retrouve placée dans une situation d'isolement. L'opposition de Sa Majesté s'en donne aussi à cœur joie pour dénoncer la soumission au néocolonialisme et l'immobilisme du gouvernement.

Il ne faut cependant rien exagérer. L'UNFP, lors des premières et sans doute seules élections législatives marocaines à peu près honnêtes de cette seconde moitié du XXe siècle, n'obtient que 28 sièges sur 144, et 22,28 % des suffrages. Un succès sans doute, mais on est loin d'un raz de marée ! Néanmoins, pour combattre le risque de contagion révolutionnaire ou réduire la menace de subversion qui pourrait naître des bonnes relations de la gauche marocaine avec le régime de Ben Bella, le meilleur atout dont dispose la monarchie marocaine reste sans doute l'existence d'un vigoureux sentiment national.

Dès le mois d'août, la crise, latente depuis plusieurs mois, s'aggrave. La presse multiplie ses critiques contre le pays voisin. Les incidents de frontière et les expulsions augmentent considérablement. Au début de septembre, Pierre de Leusse signale que des rafles sont effectuées contre des Algériens à Oujda, Ahfir, Saïdia, Boubekar, et qu'un certain nombre d'Algériens ont été refoulés à la frontière. Le 3 septembre, plusieurs cafés tenus par des Algériens, à Oujda notamment, sont fermés par les autorités. Côté algérien, des Marocains sont empêchés d'aller en Algérie et interdiction est faite aux Algériens et aux Marocains qui résident en Algérie de se rendre au

---

1. Cette conférence regroupait un certain nombre de pays « progressistes africains » comme l'Égypte, la Guinée ou l'Algérie. Moulay Hassan était très opposé à la participation du Maroc.

Maroc. Des troupes algériennes auraient pris position près de Zouje Bghal, à la frontière. Le 9 septembre, *El-Moudjahid* donne le ton : « Hassan II a dilapidé le capital de prestige que son père avait su adroitement accumuler. Il n'est plus désormais qu'un pantin entre les mains d'une oligarchie animée par un apprenti Raspoutine : Ahmed Réda Guédira. »

Le 30 septembre, Ben Bella évoque pour la première fois les revendications territoriales marocaines : « Nous ne répondrons jamais, dit-il, à une politique du pire par une politique du pire, comme cela se pratique à Rabat [...]. Nous n'avons pas peur des soldats de Hassan II à cent mètres de nos frontières. Notre pays ne sera pas occupé. » Ben Bella accuse également le Maroc d'avoir partie liée avec les rebelles kabyles. Ces graves accusations n'empêchent pas le « Raspoutine marocain » de rencontrer, le 5 octobre à Tlemcen, Abdelaziz Bouteflika, le jeune ministre algérien des Affaires étrangères. On décide de se retrouver le 10 octobre, toujours à Tlemcen, pour étudier les causes de la tension. Mais, entre-temps, Guédira voit de Leusse, l'ambassadeur de France. Il lui confie qu'il trouve Bouteflika « très jeune, peu expérimenté, beaucoup plus près des principes que des réalités ». « Guédira, ajoute de Leusse, a l'impression que l'Algérie n'est pas encore sortie de "l'illégalité" et que la notion de droit international public ou privé n'a pas de prise sur les dirigeants algériens. » Dans son télégramme, de Leusse mentionne encore un article des *Phares*, le journal de Guédira, qui affirme que le point de vue économique importe plus que « la possession de sables stériles ». Tandis que les Algériens pensent que « la frontière n'est plus entre l'Algérie et le Maroc, mais entre le peuple marocain et ses dirigeants », Balafrej, qui estime, comme Hassan II, que les Algériens sont mieux armés et que le Maroc doit donc se défendre et non attaquer, dit à de Leusse : « Ben Bella cherche son Valmy, il ferait mieux de le trouver en Kabylie[1]. »

Le 8 octobre, l'Armée nationale populaire algérienne attaque les Forces armées royales à Hassi Beida. Les troupes marocaines contre-attaquent et les combats s'étendent, avec des fortunes diverses, jusqu'à Figuig et le saillant d'Ich. Les combats n'interrompent pas le

---

1. Télégramme du 22 octobre 1963.

dialogue et Ben Bella envoie même à Marrakech deux émissaires qui rentrent bredouille, le président algérien ayant violemment attaqué en public Hassan II et son père.

Le 21 octobre, Rabat transmet une demande d'assistance à Paris : 20 Broussard, 12 AML, 12 T-66, 400 parachutes, 1 400 litres de plasma, 280 000 rations, des mortiers, des mitrailleuses et 10 000 casques… Pas vraiment du matériel offensif !

Les offres de médiation se multiplient. Rabat rejette l'arbitrage de la Ligue arabe, tandis qu'Alger fait un accueil réservé aux propositions d'U. Thant, secrétaire général de l'ONU. C'est finalement à Bamako, le 29 octobre, que se retrouvent les deux parties en présence des Éthiopiens et des Maliens. Un accord de cessez-le-feu prévoyant l'arrêt des combats le 2 novembre est signé. L'ANP ayant tenté de prendre Figuig, dont le caractère marocain est pourtant reconnu par un acte international, la convention de Lalla Marnia de 1895, les combats ne cessent que le 4.

Le 15 novembre 1963 se tient à Addis-Abeba la conférence des ministres des Affaires étrangères de l'Organisation de l'unité africaine (OUA). Ahmed Réda Guédira s'efforce d'aller au cœur du problème. Il s'oppose à la thèse algérienne selon laquelle l'intangibilité des frontières doit être formellement reconnue, sous peine de provoquer l'instabilité politique sur le continent africain. Son argumentation se base sur l'absence de frontières définies aux confins sahariens et sur l'existence de l'accord secret du 6 juillet 1961 conclu entre Ferhat Abbas et Hassan II. À l'époque, le gouvernement marocain avait apporté son soutien aux Algériens, opposés au projet français de 1959 de partition entre les treize départements du Nord, promis à l'indépendance, et les territoires du Sud, censés rester sous influence française. En échange, le Gouvernement révolutionnaire provisoire de la République algérienne (GRPRA), présidé par Ferhat Abbas, promettait que l'Algérie indépendante engagerait des négociations avec le Maroc afin de résoudre « le problème territorial posé par la délimitation imposée arbitrairement par la France entre les deux pays ». Réda Guédira ajoute d'ailleurs que cet accord est seul à l'origine de la réserve du Maroc à l'égard de la Charte d'Addis-Abeba. Tout en évitant de citer l'Égypte, Guédira dénonce ensuite violemment les ingérences étrangères : avec un certain succès, de nombreux pays africains n'appréciant que modérément l'activisme de Gamal Abdel Nasser. Mais ce succès d'estime ne sera suivi d'aucune avancée diplomatique, les réunions des commissions d'arbitrage de l'OUA se bornant à prendre connaissance des dossiers qu'Algériens et Marocains leur remettent.

Nous n'exposerons pas ici les fondements historiques et juridiques des revendications marocaines sur cette partie du Sahara, ni l'argumentaire des Algériens. Ce qui est certain, c'est que ce dossier complexe, la qualité des arguments marocains, et le comportement « fraternel » de Mohammed V pendant la guerre d'Algérie – même s'il était peu concevable qu'il en fût autrement – méritaient un traitement plus convenable, moins cavalier et provocateur de la part de l'Algérie. Dans une thèse de doctorat, *Les Nations unies et la question du Sahara occidental*[1], Sophie Jacquin, qui a été porte-parole de la MINURSO (Mission des Nations unies pour le Sahara occidental) et a travaillé deux ans à Laayoune et une année à Tindouf, n'hésite pas à écrire que « le Maroc a été berné par Alger ».

Parmi les raisons qui peuvent permettre de comprendre le raidissement algérien figure sans doute l'entrée dans le gouvernement de Ben Bella de trois anciens officiers de la Wilaya V, le colonel Boumediene et les commandants Slimane et Djemal, ce dernier étant originaire des confins algéro-marocains. Or la Wilaya V n'a pas toujours eu à se féliciter de la coopération des autorités civiles et militaires marocaines. Avant même l'indépendance de l'Algérie, des conflits plus ou moins graves, portant sur des questions de frontières, avaient opposé des maquisards de la Wilaya V à des maquisards de l'ALM et des unités des FAR. On conçoit difficilement, dans ces conditions, qu'un tel gouvernement se montre réceptif aux revendications marocaines…

Pour sa part, Hassan II a eu l'occasion à plusieurs reprises d'énoncer les raisons pour lesquelles son pays a choisi une voie raisonnable. Il explique ainsi, dans *Le Défi*, que le Maroc avait le choix entre raidir son attitude ou s'en tenir au *statu quo* :

« La première attitude, affirme-t-il, faisait courir au Maghreb tout entier le risque d'une immense guerre civile. Nous n'eûmes pas une

---

1. Thèse de géopolitique soutenue en décembre 2000 à l'Université Paris-VIII, sous la direction d'Yves Lacoste.

minute d'hésitation, préférant un voisin fort et amical à un voisinage hostile et rancunier[1]. »

Dans *Mémoires d'un roi*, Hassan II revient aussi sur cette crise dont il rejette l'entière responsabilité sur Ben Bella, « un homme coléreux et outrancier dans ses propos ». À Éric Laurent qui lui demande pourquoi il s'est opposé à la proposition du général Kettani, chef des forces marocaines, qui voulait lancer une vaste offensive à travers le Sahara, Hassan II répond : « J'ai dit à Kettani : "Mon cher ami, cela ne servira à rien." Moi, je pars du principe, peut-être cynique, que lorsque l'on fait la guerre à quelqu'un, c'est pour avoir la paix au moins pendant une génération. Si on n'est pas assuré de la tranquillité pendant trente ans après avoir mis au tapis son adversaire, il vaut mieux éviter de lancer une opération militaire, parce qu'on défigure le présent, on compromet l'avenir, on tue des hommes, on dépense de l'argent pour recommencer quatre ou cinq ans après. »

Dans ce conflit, régional par nature, « mettant en jeu des rivalités naturelles de pouvoir entre les deux États leaders du Maghreb », selon l'analyse de John Damis[2], l'Algérie n'a cessé d'asticoter le Maroc. En 1966, elle se fait reconnaître par les Nation unies la qualité de « partie intéressée » au sort du Sahara occidental. À la même époque, elle encourage la revendication mauritanienne sur le Sahara occidental pour tenter d'affaiblir le Maroc. Ce conflit, qui a coûté et continue à coûter une fortune au Maroc, aurait pourtant pu être évité au moment où, en 1969, Rabat et Alger, puis Rabat et Nouakchott se sont sensiblement rapprochés. La position de l'Espagne, puissance coloniale au Sahara, qui jouait traditionnellement de la rivalité entre les trois pays, est devenue presque intenable, ce qui facilitera d'autant, quelques années plus tard, le jeu diplomatique de Hassan II.

---

1. On peut aussi se référer à l'interview donnée pour la première fois à un journaliste marocain, Hamid Barrada, par Hassan II. À Barrada – qui travaille pour un organe de presse étranger, *Jeune Afrique* – qui lui demande d'expliquer sa retenue à l'époque le roi répond : « J'estimais qu'il ne fallait pas créer entre les deux pays un point de fixation morbide. » Au général Kettani qui lui demande s'il veut prier à Oran prochainement Hassan II répond : « Non ce n'est pas la peine, puisque nous ne pouvons pas y rester » (*Jeune Afrique*, 27 novembre 1985).

2. Cf. son article « The Western Sahara Conflict : Myths and Realities », *The Middle East Journal*, printemps 1983, cité par Sophie Jacquin.

Hassan II, principal bénéficiaire de la crise

Cependant, cette grave crise avec l'Algérie va avoir un certain nombre de conséquences sur le plan intérieur marocain. Elle renforce d'abord le poids de l'armée, avec laquelle Hassan II a collaboré étroitement. Les officiers marocains, moins imprégnés d'idéologie que les civils, apprécient la prudence du souverain et sa volonté de ne pas se lancer dans une aventure aux conséquences incalculables. Elle permet ensuite de réveiller le sentiment national sur le dos d'un voisin algérien maladroit et agressif. Comme l'écrit Rémy Leveau, Hassan II peut se rendre compte, à l'occasion de ce conflit, que « le nationalisme constituait une source formidable de légitimité pour la monarchie et la dispensait, par la même occasion, d'un partage du pouvoir qui ne lui convenait guère[1] ». Accessoirement, l'union renforcée autour du roi se fait au détriment de l'UNFP, dont un certain nombre de responsables, fascinés par l'expérience algérienne et très critiques envers le régime marocain, perdent un peu de vue la dimension patriotique de cette crise, même s'ils ne se prononcent pas sur le fond du problème.

Ben Barka est évidemment le premier visé, lui qui, du Caire, appelle ses compatriotes à « déjouer cette machination néo-colonialiste ». Trois jours plus tard, le 19 octobre 1963, Hassan II saisit la balle au bond et fustige « ces égarés qui ont frappé la nation dans le dos et se sont faits les complices des agresseurs ». « Comment Mehdi a-t-il pu ignorer à ce point le sentiment national de ses compatriotes pourtant si profond ? » se demandent Zakya Daoud et Maati Monjib[2]. Outre l'absurdité d'un tel conflit aux yeux d'un militant internationaliste, Ben Barka, notent Z. Daoud et M. Monjib, n'a jamais perçu l'Algérie comme un pays étranger, mais comme « une nation aux côtés de laquelle la lutte a été pensée, et parfois menée, depuis les années cinquante ».

Plus politique, plus centré sur les questions marocaines, Abderrahim Bouabid a eu, selon ses proches, « une explication orageuse par téléphone » avec son ami Mehdi. Mais ce point de friction, lié aux

---

1. Rémy Leveau et Abdallah Hammoudi (éd.), *Monarchies arabes, transitions et dérives dysnatiques*, La Documentation française, 2002, p. 199.
2. *Ben Barka, une vie, une mort, op. cit.*, p. 301.

idées très différentes qu'ils avaient l'un et l'autre sur le soutien qu'Alger pouvait apporter à la gauche marocaine, n'a pas remis en cause leur amitié et leur proximité, souligne Ali Bouabid, le fils d'Abderrahim : « Je qualifierai la relation de mon père avec Ben Barka, dont il admirait les talents d'organisateur et la capacité de persuasion, de "complicité conflictuelle". Sur le fond, ils partageaient les mêmes convictions et défendaient les mêmes orientations[1]. » À l'époque jeune responsable de l'UNFP, Lahbib Cherkaoui ne dit pas autre chose : « À titre personnel, j'étais contre l'attitude de Ben Barka, et favorable aux thèses marocaines[2]. »

Ben Barka est cependant loin d'être seul. Sans parler de Hamid Barrada, président de l'Union nationale des étudiants marocains, qui, comme Mehdi, va être condamné à mort par contumace pour ses opinions antimarocaines exprimées publiquement à partir d'Alger[3], de nombreux militants de gauche partagent son point de vue sur l'absurdité du conflit algéro-marocain, dû notamment à la volonté de l'impérialisme d'agresser l'Algérie progressiste…

« J'étais résolument du côté de Ben Barka, se souvient un autre Berrada, Abderrahim, l'avocat d'Abraham Serfaty et d'innombrables prisonniers d'opinion. Ayant rangé au placard ma fibre nationaliste depuis que le Maroc a recouvré son indépendance, j'étais partisan de la lutte de tous les peuples opprimés pour leur libération. Depuis, les frontières nationales, ici et ailleurs, ont toujours été regardées par moi comme ne devant jamais constituer un frein pour cette lutte universelle de libération. Dans cet esprit, la "révolution" algérienne devait donc être aidée. Ennemie de mon ennemi, elle était mon amie[4]. »

Même opinion défendue par Ahmed Benjelloun, secrétaire général du Parti d'avant-garde socialiste (PADS, extrême gauche) et frère d'Omar Benjelloun : « Pour un militant révolutionnaire, il n'y avait pas photo entre le régime féodal marocain et l'Algérie socialiste. Nous étions bien sûr derrière Ben Barka, nous étions contre cette guerre qui ne servait que le néo-colonialisme et ses alliés[5]. »

---

1. Entretien avec l'auteur.
2. Entretien avec l'auteur.
3. Il est cependant désavoué, le 6 novembre, par le bureau exécutif de l'UNEM.
4. Entretien avec l'auteur.
5. Entretien avec l'auteur.

VI

1965 : une année noire

Requinqué par la guerre des Sables qui a rassemblé autour de sa personne la grande majorité des Marocains, Hassan II peut aborder l'année 1964 un peu plus détendu. Plus que jamais le Maroc apparaît comme un royaume plutôt que sous les traits d'un État moderne. C'est davantage sur le monarque que sur les institutions que se fonde l'unité du pays. Comme le souverain incarne également la première autorité religieuse, il apparaît comme le symbole incontesté de la Nation. Certes, Hassan II ne jouit pas de la popularité de son père dont l'exil avait fait un héros, mais il ne viendrait à l'idée de personne de nier qu'il est le continuateur d'une vieille dynastie.

Parallèlement aux deux derniers représentants de cette dynastie qui ont su, de façon plus ou moins machiavélique, voire brutale, s'imposer, les représentants ou les héritiers du Mouvement national donnent l'impression d'avoir manqué le coche. Dès les lendemains de l'indépendance, bien loin d'avoir – à de très rares exceptions près – une vision claire de l'avenir, les dirigeants de l'Istiqlal s'entre-déchirent ou se déchirent avec les partisans des autres formations politiques. Certains vont même jusqu'à défendre le parti unique, les mêmes et d'autres entendent écarter les notables ruraux – souvent accusés d'avoir « collaboré » avec l'« occupant » –, provoquant des rébellions dans le Tafilalet et le Rif pour le plus grand plaisir du Palais et de son allié français, certainement pas étrangers à ces troubles.

Décrivant les élites marocaines à cette époque, Jules et Jim Aubin écrivent : « Progressivement, chacun se réfugie dans le conformisme, qu'il soit de "droite" ou de "gauche". La logomachie triomphe, ainsi que les méthodes et les formules des autres. Les uns sont fascinés par les ancêtres, on se replonge dans la tradition : le *makhzen* de papa, la djellaba redeviennent de rigueur. Les autres plagient les hommes du Protectorat, endossent avec délice la livrée administrative coloniale française, son goût des préséances, le tapis, le téléphone, les circuits compliqués, lents et irresponsables. D'autres enfin – ceux qui n'ont pas encore accédé au pouvoir – ont la tête et la bouche remplies de schémas marxistes[1]. »

Le trait est sans doute un peu forcé, mais il ne fait guère de doutes que la première vague de revendications s'est trouvée différée après l'indépendance en donnant des satisfactions immédiates à la bourgeoisie et à la classe moyenne sur qui s'appuient alors le Palais et l'Istiqlal. L'UMT se constitue un patrimoine assez considérable, tandis que le PI place ses cadres et ses militants aux postes administratifs. De 60 000 en 1955, le nombre de fonctionnaires et agents de l'État passe à 145 000 en 1964 (en incluant les forces de l'ordre). Au fond, seuls les paysans ne sont pas contents, mais c'est au gouvernement et non au roi qu'ils en veulent.

Cependant, si la monarchie s'impose comme force dominante, ce n'est pas tant pour promouvoir un projet de développement que pour contrer une opposition qui ne songe qu'à limiter ou rogner ses prérogatives. Le conflit algérien est également très présent dans les arrière-pensées des uns et des autres. Faute de visibilité, les industriels rechignent à investir. Les relations crispées avec la France, encore très influente, ne facilitent pas non plus un essor économique. Cette atmosphère attentiste et routinière se répercute sur le fonctionnement d'une administration où les parasites, les médiocres ou les incapables phagocytent les meilleurs éléments qui commencent à quitter

---

1. *Annuaire de l'Afrique du Nord*, année 1964, *op. cit.*, « Le Maroc en suspens », p. 75.

le pays ou s'orientent vers le secteur privé. « Au bout de quelques années, lit-on dans la chronique annuelle de l'*Annuaire de l'Afrique du Nord*[1], l'appareil administratif n'est plus capable de concevoir ou d'exécuter une politique. Il est tout juste en mesure d'expédier les affaires courantes. Pour les tâches nouvelles, on fait appel à des sociétés d'études ou de travaux qui ont souvent engagé les anciens agents ayant quitté l'administration. Dans maints services, il ne reste que des squelettes paralysés par une législation et une procédure trop formalistes qu'ils ne sont plus en mesure d'appliquer. »

Avec Hassan II, les choses changent. Autoritaire, l'homme n'a aucun goût pour ce qu'il estime être un jeu politique stérile. Néanmoins, conscient de ses faiblesses, il se montre prudent. Dans un premier temps, il conforte son pouvoir en conservant des représentants de l'Istiqlal dans son gouvernement. Puis il élabore en secret un projet de Constitution dont il ne révèle le contenu qu'au dernier moment, pour ne pas avoir à en partager la responsabilité avec les formations politiques. Cette attitude et la date du référendum sur ce texte, choisie par lui seul, sont mal vécues par les partis qui y voient une rupture du pacte tacite en vigueur jusqu'alors. Soumis aux pressions contraires des partis et des Forces armées royales qui s'impatientent de tout ce qui peut contribuer à diviser ou affaiblir le pays et qui s'accommoderaient d'une monarchie ferme à défaut d'être absolutiste, Hassan II navigue à vue. Dans les partis comme dans les syndicats ou même au sein de l'armée, tout le monde peut constater avoir été tour à tour ménagé ou écarté, appuyé ou désavoué, compromis ou évincé. Mais l'espoir d'un portefeuille, la perspective d'une promotion ou l'adoption d'une idée par le pouvoir suffisent souvent à calmer les esprits. La monarchie, en définitive, est le seul élément permanent à sortir renforcé de ces interminables et fastidieuses péripéties.

« Le compromis, le dosage, l'atermoiement sont davantage utilisés que la voie d'autorité. Les tentations de brusquerie, les bouffées de colère et d'autoritarisme sont rapidement surmontées, la répression est vite suivie de rémission. Les pires accusations sont lavées dans la grâce, de même qu'un fidèle disgracié s'élimine d'une décoration. Ce

---

1. *Ibid.*, p. 78.

régime ne tranche ni les têtes ni les problèmes », peuvent encore écrire Jules et Jim Aubin au début de 1965.

Mais, ainsi, la vie publique perd progressivement toute consistance. Ce jeu de bascule va bientôt montrer ses terribles limites. L'année 1965 sera l'une des pires dans l'histoire du royaume.

En matière de politique politicienne, l'année 1964 reflète parfaitement le climat décrit ci-dessus. Rien qui puisse inciter les Marocains à s'intéresser aux affaires publiques. Le 12 avril, un nouveau parti, le Parti socialiste démocrate (PSD), est créé. En réalité, ce parti n'a de nouveau que le nom et se borne à regrouper à partir du 10 mai – date de son congrès constitutif – les éléments de la majorité, pour l'essentiel issus du FDIC, n'appartenant pas au Mouvement populaire. Présidé par le Premier ministre Ahmed Bahnini, il est animé par Ahmed Réda Guédira qui en est le secrétaire général. Pourquoi un libéral comme Guédira a-t-il tenu à mettre le mot « socialiste » dans l'intitulé de ce parti ? « Le mot "socialiste" pour désigner ce nouveau parti peut étonner, alors que ses principaux dirigeants sont acquis au libéralisme, explique-t-il dans une conférence de presse, mais nous estimons en effet que l'intervention de l'État dans certains secteurs clefs est indispensable. Il doit cependant agir en animateur, en moteur et non pas dans tous les domaines, sans discernement [...]. Le PSD ne mettra pas fin pour autant à l'initiative privée ; au contraire, il l'encouragera et la provoquera chaque fois que cela est possible. » Des analystes politiques[1] ont avancé une autre explication moins honorable : pour attirer les jeunes Marocains dans sa formation, Guédira estimait que le vocable « socialiste » était incontournable en raison du prestige des idées de gauche…

Dès le départ, le PSD compte 33 membres à la Chambre des représentants, contre 43 pour le Mouvement populaire. Lassé par le manque de rigueur d'Ahardane et fort éloigné de sa clientèle électorale, Guédira n'est pas loin de partager l'opinion des diplomates français sur ses ex-alliés :

« Mahjoubi Ahardane et Abdelkrim Khatib, écrivait Alexandre Parodi dans sa note de départ, sont des personnages dynamiques, capables de remuer une foule et de prendre des risques, mais inaptes

---

1. Maati Monjib notamment.

à une action méthodique dont les moyens financiers leur font d'ailleurs défaut[1]. »

Six mois plus tard, Roger Seydoux, son successeur, ne dit pas autre chose : « Le Mouvement populaire, mal organisé, est plus un état d'esprit qu'un parti politique. Il polarise le mécontentement des montagnards berbérophones du Moyen-Atlas, du Rif et de l'Oriental, attachés à leurs traditions et hostiles à l'Istiqlal. Si ce mouvement peut difficilement prétendre être un parti de gouvernement, son association au pouvoir fait obstacle aux tendances naturelles à la dissidence de sa clientèle[2]. »

L'autre « événement » de 1964 est le remaniement ministériel du 19 août. Depuis quelques semaines déjà, la presse marocaine s'attendait à des changements significatifs dans l'équipe gouvernementale constituée le 13 novembre 1963 et présidée par Ahmed Bahnini. Outre Ahardane, qui passe de la Défense à l'Agriculture, ce nouveau gouvernement est marqué par les nominations à l'Intérieur et à la Défense des généraux Oufkir et Meziane, ainsi que par celle de Mohammed Cherkaoui, beau-frère du roi, précédemment ambassadeur à Paris, aux Affaires économiques.

Plus encore que l'arrivée d'Oufkir, qui passe relativement inaperçue à l'époque – cela ne durera guère –, c'est la suppression du département de la Mauritanie et du Sahara de la liste officielle du gouvernement qui fait grand bruit. Le quotidien istiqlalien *La Nation africaine* manifeste un vif mécontentement et écrit : « La décision d'abandonner les revendications légitimes n'appartient à personne : en tout cas, le gouvernement n'est nullement habilité à prendre cette grave décision qui relève de la seule souveraineté du peuple, ce peuple qui a dit une fois pour toutes son mot qui signifie la libération de tout le Maroc avec son Sahara, sa Mauritanie, ses frontières de l'Est et ses villes de Ceuta et Melilla[3]. »

En fait, l'agressivité de sa presse est proportionnelle à l'impuissance de l'opposition. La personne du roi étant intouchable en raison de son caractère sacré, Istiqlal et UNFP se déchaînent contre les

---

1. Télégramme du 23 septembre 1960.
2. Télégramme du 28 mars 1961.
3. *La Nation africaine*, 21 août 1964.

gouvernements successifs dont les membres, du Premier ministre au dernier secrétaire d'État, sont pourtant soigneusement choisis par le souverain. *Al-Alam*, quotidien en langue arabe de l'Istiqlal, écrit ainsi : « S'il nous est demandé une fois de plus de juger à travers leurs actions ces gouvernements fantoches qui se sont succédé, nous pouvons dire qu'un temps précieux a été perdu à attendre d'eux une œuvre quelque peu profitable. Il en est de même du gouvernement actuel, étant donné qu'il est la continuation de la même mystification. Nous sommes donc en droit de dire que la nouvelle équipe ministérielle n'est pas celle qui pourrait réaliser les objectifs supérieurs de la nation[1]. »

Même son de cloche de la part de *L'Avant-Garde*, hebdomadaire de l'UMT : « Encore un remaniement qui ne remanie pratiquement rien dans la mesure où il se limite à un changement d'hommes fatigués ou usés par d'autres hommes plus frais et dispos. Ce n'est certes pas le premier ; il ne sera pas le dernier, et il n'aura même pas eu le mérite d'avoir provoqué un choc psychologique quelconque, car sa composition était connue de longue date[2]. »

Il est également difficile de parler de l'année 1964 sans mentionner la mort, le 4 juin, de Sidi Mohammed Ben Larbi el-Alaoui. Proche parent du roi, docteur de l'université traditionnelle de Fès, Ben Larbi, bien que n'ayant jamais figuré dans les états-majors officiels des partis nationalistes, a exercé une grande influence sur ses compatriotes, en particulier sur Allal el-Fassi. Incapable d'admettre qu'une communauté musulmane soit soumise à l'autorité de non-musulmans, ce patriote intransigeant, doublé d'un religieux strict mais ouvert aux idées nouvelles – il a vulgarisé au Maroc les idées des réformistes Jamaleddine el-Afghani et Mohammed Abdou[3] –, est entré en conflit avec sa famille d'origine après l'indépendance. Nommé membre du Conseil de la Couronne en 1956, il en démissionne en 1960 pour protester contre les mesures de répression prises par le régime à l'encontre d'anciens résistants accusés d'avoir

---

1. *Al-Alam*, 21 août 1964.
2. *L'Avant-Garde*, 30 août 1964.
3. Célèbres réformateurs musulmans du XIXᵉ siècle d'origine persane et égyptienne.

comploté contre Moulay Hassan. Proche de l'UNFP, il a dénoncé jusqu'à sa mort les injustices et la corruption.

Quelques mesures importantes comme l'arabisation et l'unification de la justice, dont le projet est adopté à l'unanimité par les députés le 2 juin, ou l'interdiction, en juin également, de la presse MAS, du nom du propriétaire français[1] de journaux d'expression française publiés au Maroc, sont favorablement accueillies par l'opposition. Pour M'hammed Boucetta, elles ne sont pas étrangères à l'état d'exception proclamé un an plus tard par Hassan II : « L'arabisation de la justice, la nationalisation de la presse MAS et une motion de censure qui échoue de peu, tout cela était devenu insupportable pour Hassan II et des gens de son entourage comme Guédira. Ça débordait, il fallait cesser ce jeu[2] ! »

L'Istiqlal est toujours très remonté contre le gouvernement : « La politique du gouvernement actuel, déclare Allal el-Fassi, rappelle celle de l'ex-résidence générale. Comme elle, les responsables actuels cueilleront les fruits de ce comportement, car méconnaître la réalité populaire, c'est pousser le peuple à exploser[3]. » Le *zaïm* reste souvent fasciné par le passé. Lors d'une conférence à Tanger, un peu plus tard, il préconise une stricte limitation des voyages : « Le Marocain, dit-il, ne devrait sortir qu'une fois dans sa vie et subir soins et cures dans les innombrables stations thermales marocaines. » Dans la même intervention, il déclare que « l'étranger, ainsi que l'exige la religion musulmane, sera exclu du droit de posséder des terres marocaines ».

Ces propos n'ayant pas eu l'heur de plaire aux diplomates français, ceux-ci rapportent avec perfidie les bruits qui courent à Tanger au sujet de Si Allal : « On lui reproche de n'avoir jeté que 7 francs dans la sébile des quêteuses tangéroises du Croissant rouge marocain… » On s'amuse comme on peut !

Le patronat marocain, si embryonnaire soit-il encore, s'inquiète. Répondant à la fin de 1964 à une allocution de Mohammed Cherkaoui, ministre de l'Économie et des Finances, Ahmed

---

1. Yves Mas, à la tête du groupe du même nom, était un des principaux patrons de presse au temps du Protectorat. À partir de 1956, ses journaux appuient le Palais. Le groupe disparaît définitivement en 1971 avec la marocanisation.
2. Entretien avec l'auteur.
3. Lors du Conseil national du PI des 16 et 17 mai 1964.

313

Benkirane, influent patron marocain, déclare : « Il faudrait, à notre sens, que l'État précise clairement ses options dans le cadre économique, et qu'à travers ces options il définisse le rôle de chacun dans le système mis en place. Ainsi, il sera possible de connaître le rôle respectif du capital privé et du capital étatique, celui du capital national et celui du capital étranger, la politique agricole, la doctrine en matière de marocanisation, de politique fiscale, etc. Les investisseurs privés sauront alors de manière bien précise les limites de leur action et choisiront en conséquence de s'adapter ou de s'abstenir. Il faudrait aussi qu'une fois définie, la règle du jeu soit respectée par tous, l'État se devant de donner l'exemple. Il ne faudrait pas qu'une telle politique puisse être remise en cause par le moindre commis qui, obéissant à son humeur du moment, puisse contrecarrer n'importe quelle entreprise[1]. »

Même si rien de saillant n'est à signaler dans les premiers mois de 1965, toute une série de menus événements tend à montrer que le pays ne va pas bien. La presse connaît ainsi une vie agitée, avec de nombreuses créations – *At-Talib*, organe de l'UNEM, *Al-Haraka*, du MP, *Al-Kifah al-Watani*, hebdomadaire du PCM, *L'Opinion*, destinée clairement à remplacer *La Nation africaine*, interdite un peu plus tôt[2], et *Maroc-Espoir*, hebdomadaire gouvernemental – qui vont de pair avec presque autant d'interdictions ou de suspensions.

Parallèlement, sur intervention au plus haut niveau, les sanctions contre ceux qui rompent le jeûne en public sont aggravées. Le 20 janvier, 600 personnes sont arrêtées (chiffre inconcevable aujourd'hui) pour ce motif et une trentaine d'entre elles sont condamnées trois jours plus tard à des peines de prison avec sursis et à des amendes. Mais le procureur du roi, pour la première fois, fait appel *a minima* et plusieurs des peines avec sursis sont transformées en peines de prison ferme. *Al-Anba*, journal officieux, écrit que « cette mesure [la prison ferme] fait suite aux ordres supérieurs donnés par le Commandeur des croyants, défenseur de la religion et protecteur de la

---

1. Cité dans l'*Annuaire de l'Afrique du Nord, op. cit.*, année 1964, p. 637.
2. « Un peuple peut vivre sans roi, mais un roi ne peut vivre sans peuple », a cru pouvoir écrire *La Nation africaine* en citant Jamal el-Afghani. Le 16 février 1965, le journal a été suspendu.

Constitution, S.M. Hassan II. L'application des instructions royales, ajoute le journal, a fait une excellente impression dans tous les milieux marocains et met le Maroc à l'avant-garde de l'islam maghrébin[1] ». C'est également à cette époque que le port de la djellaba devient de rigueur dans les cérémonies officielles. Le Palais flatte clairement les courants conservateurs et traditionnels sur lesquels il sait pouvoir compter. Il n'entend pas non plus se laisser déborder sur ce terrain par l'Istiqlal qui intervient également dans le débat :

« On a offert à des milliers de touristes, à Meknès, le spectacle d'énergumènes qui dévorent de la viande crue et se fendent le crâne », relève ainsi *Al-Alam*, organe du PI[2]. Allal el-Fassi en profite pour révéler son allergie à John Lennon et dénoncer « le charlatanisme sous son double aspect, traditionnel, avec le retour aux pratiques des Hamadcha et Aissaoua[3], et moderne, avec les futilités de ce siècle, jazz et autres Beatles… ».

Du 12 au 14 février, l'Istiqlal tient son VIIe Congrès. C'est l'occasion, pour le *zaïm*, d'exprimer un profond mécontentement. L'Istiqlal, dit-il à *Jeune Afrique* quelques jours avant l'ouverture de la réunion, entend lutter jusqu'à la réalisation complète de l'indépendance, ce qui, à ses yeux, « signifie jusqu'à l'avènement d'une démocratie authentique, économique et sociale », avec notamment l'instauration d'une société sans classes, une véritable réforme agraire, la nationalisation du commerce extérieur et des ressources minières et énergétiques, et, enfin, une réforme de l'enseignement « conforme à notre civilisation arabe musulmane, à notre personnalité, à notre histoire et à notre vocation africaine ». Ce congrès, conclut-il, fournira l'occasion « de dénoncer une fois de plus l'entreprise de falsification et de truquage menée par le pouvoir depuis que le peuple a adopté la Constitution » – que le chef du PI n'entend pas voir réviser, mais tout simplement appliquer.

Dans sa longue intervention à l'ouverture du congrès, Si Allal reprend tous les thèmes abordés avec *Jeune Afrique* et termine en

---

1. *Al-Anba*, 29 janvier 1965.
2. *Al-Alam*, 21 juillet 1965.
3. Confréries dont les pratiques jugées par eux superstitieuses sont condamnées par les musulmans stricts, comme Allal el-Fassi, mais que le Palais a sinon encouragées, du moins laissées fonctionner.

affirmant haut et fort que son parti a pour objectif une monarchie constitutionnelle « au sens plein du terme ».

Pas plus que le congrès du PI, le discours du trône n'apporte d'éléments réellement nouveaux. Quant au souverain, l'UNFP continue à le battre froid tandis que l'UMT se montre franchement hostile.

La boucherie du mois de mars

Sur ces entrefaites, une circulaire du ministère de l'Éducation nationale met le feu aux poudres. Le document fixe l'âge limite auquel les élèves de l'enseignement secondaire pourront être admis dans le second cycle. La plupart des élèves, trop âgés, sont condamnés à s'orienter vers l'enseignement technique, parent pauvre d'un système éducatif déjà mal en point. À la décharge du ministre, il faut dire – ce que tout le monde a oublié – que la circulaire prévoyait la possibilité, pour les chefs d'établissement, d'accorder une dispense d'âge aux éléments réellement méritants n'ayant jamais redoublé de classe. Mais ce point et quelques autres n'ont manifestement pas été clairement portés à la connaissance des élèves. Ces derniers, du moins ceux de Casablanca, se mettent en grève, le 22 mars, suivis par ceux de Fès et de Rabat et, dans la foulée, par le syndicat des enseignants, proche de l'UMT, et par l'UNEM. Le 23, la grève se transforme en véritable émeute à Casablanca. Des jeunes non scolarisés rejoignent les grévistes, mais également des adultes venus des quartiers pauvres, pour lesquels le mouvement des étudiants joue le rôle de boutefeu. Pour des milliers de Marocains sans travail et sans perspective, c'est l'occasion ou jamais de se défouler après des années de frustrations et de rancœurs. Tout le monde est pris de court, le gouvernement comme les partis et les syndicats. Les autorités font appel à la troupe pour ramener le calme. Les manifestations se poursuivant le 24, le général Oufkir « met le paquet » et réprime sauvagement les émeutiers. Officiellement, on dénombre pour la seule ville de Casablanca 7 morts, 69 blessés et 168 arrestations. La réalité est, hélas, infiniment plus tragique. Dans ses télégrammes à Paris, l'ambassade de France parle, dès le 26 mars, de 57 cadavres autopsiés à la morgue du dispensaire d'El-Hank, à Casablanca. À l'hôpital Averroès, on a vu passer au moins 300 blessés et 20 personnes y sont encore décédées le 26. À Ain Chok, plus de 400 blessés ont été dénombrés. « Contrairement aux déclarations officielles, note l'ambassadeur Robert Gillet, il y a un nombre relativement élevé de femmes et d'enfants parmi les victimes. » Un mois plus tard, le 20 avril, Gillet termine son télégramme en écrivant : « D'après des témoignages dignes de foi, le bilan s'élèverait à au moins 400 morts. »

Pour sa part, Mohammed el-Yazghi, dans un petit livre de souvenirs, parle de plus de 600 morts rien qu'à Casablanca après que les manifestants eurent « malheureusement été réprimés d'une manière sauvage[1] ».

Sous-secrétaire d'État aux Affaires étrangères, un certain Chorfi confie à un collaborateur de l'ambassade que « des professeurs irakiens ont encouragé en sous-main les étudiants marocains à manifester ». On a retrouvé, dit-il, des tracts rédigés en arabe du Moyen-Orient. Les Algériens, en revanche, n'ont pas cherché, d'après lui, à tirer avantage de la situation.

Autre petite information : le ministre de l'Intérieur, Oufkir, a pris soin d'assister le 23 mars aux exercices du *Clemenceau* – au large de Casablanca – avant de prendre en main la répression.

Quelques jours plus tard, les condamnations pleuvent par centaines. Le 30 mars, le roi reconnaît cependant qu'une situation économique très difficile explique en grande partie cette explosion de colère, « même si rares sont les pays où les dirigeants et le pouvoir suprême veillent autant à assurer des lendemains meilleurs pour le peuple ». Hassan II s'en prend particulièrement aux enseignants à qui il reproche d'avoir « fermé les écoles et ordonné aux élèves de descendre dans les rues pour manifester ». Puis, recourant à une de ces formules chocs qui assoiront sa réputation, il ajoute à leur intention : « Permettez-moi de vous dire qu'il n'y a pas de danger aussi grave pour l'État que celui représenté par un prétendu intellectuel. Il aurait mieux valu que vous soyez des illettrés[2]. »

1. Mohammed el-Yazghi, *Dhakirat Mounadel* (Mémoires d'un militant), Casablanca, Manchourat az-Zaman, 2002, p. 25.
2. Hassan II, *Discours et Interviews, op. cit.*, 1965, p. 570.

Deux pas en arrière, un pas en avant : le roi fait libérer rapidement les étudiants arrêtés.

Sans véritable importance en soi, la circulaire ministérielle, note Roger Le Tourneau[1], a donné libre cours à « l'expression d'une profonde détresse populaire qu'il ne suffirait certainement pas de réprimer sans pitié, mais à laquelle il devient urgent de remédier au plus tôt[2] ».

Hassan II continue à pratiquer la politique du balancier. Il met d'abord la presse au pas et fait saisir *Al-Alam* et *L'Opinion* le 24 mars. Le 5 avril, le directeur de *La Nation africaine* est condamné à dix mois de prison ferme. Mais le 13 avril, changement de cap : il accorde une amnistie générale à presque tous les détenus politiques et déclare en l'annonçant que « le temps des complots et des troubles est révolu ». Sérieusement impliqué dans le complot de 1963, le *fqih* Basri se trouve ainsi libéré. Des exilés commencent à revenir. Le lendemain, Moulay Ahmed Alaoui, commentant ces mesures de grâce, affirme qu'elles pourraient être suivies par la formation d'un gouvernement d'union nationale.

De fait, les 21 et 22 avril, Abdelkhaleq Torrès pour le PI, Ahardane pour le MP, Ouazzani pour le PDC, Bouabid et Benseddik pour l'UNFP et l'UMT, Bahnini et Guédira pour le PSD sont reçus par le roi. Celui-ci leur remet le plan d'action qu'il leur propose en guise de plate-forme d'un gouvernement d'union nationale. Notons au passage que, pour la première fois, Hassan II mentionne la limitation des naissances parmi les « orientations » susceptibles de contribuer à l'effort de redressement économique et social…

Mais, priés de donner leur réponse avant le 28 avril, les formations de l'opposition et l'UMT s'en tiennent à leurs programmes respectifs et n'envisagent absolument pas de les modifier pour parvenir à l'union. Hassan II en est profondément agacé. Il riposte avec des formules vagues, mais aussi par une menace voilée en déclarant qu'il est « impensable » que les institutions démocratiques du pays « puissent

---

1. Ancien proviseur du lycée Moulay-Idriss, spécialiste de Fès et des dynasties saadienne et mérinide, Le Tourneau a beaucoup écrit sur le Maroc, avec intelligence, érudition et doigté, grâce notamment à sa connaissance de l'arabe classique et du dialectal marocain.

2. *Annuaire de l'Afrique du Nord*, *op. cit.*, année 1965, p. 184.

être déviées de leur saine voie et détournées de la mission pour laquelle elles ont été créées »[1].

Le PSD et le Mouvement populaire, qui forment la colonne vertébrale du gouvernement, sont en pleine désagrégation après des mois et des mois de vaudeville où l'on a pu voir d'éminents représentants de ces partis critiquer avec force un gouvernement où sont représentés leurs amis. Les motivations personnelles et les intérêts privés se conjuguent aux raisons politiques dans une cacophonie totale. Khatib, en désaccord profond avec la manière dont fonctionnent les institutions, s'éloigne d'Ahardane, inconditionnel du souverain et apparemment peu perturbé par le désordre qui règne à la Chambre et dans son parti, lequel traverse sa première grande crise mais en connaîtra bien d'autres. Guédira est à peu près sur la même longueur d'onde que Khatib et n'hésite pas à critiquer à plusieurs reprises un gouvernement conduit par le président de son propre parti ! On nage en plein délire…

L'état d'exception

Le 7 juin, quelques heures après l'adoption par la Chambre d'une proposition de loi présentée par l'Istiqlal, selon laquelle serait interdite au Maroc la publication de tout journal étranger, Hassan II publie dans la soirée un décret proclamant l'état d'exception, conformément à l'article 35 de la Constitution. « Devant la double impossibilité, dit-il, de constituer un gouvernement d'union nationale et de dégager une majorité parlementaire, nous nous sommes trouvé en présence de deux options : rester fidèle aux vertus de la démocratie que nous avons toujours considérée comme la voie la meilleure et la plus efficace, ou nous résigner au maintien d'un système parlementaire qui n'a donné lieu qu'à des discussions stériles et qui, s'il se perpétuait, porterait atteinte à cette démocratie même, à nos valeurs morales, à notre dignité et à notre génie créateur. »

Hassan II explique également pourquoi il n'envisage pas de procéder à de nouvelles élections : il craint tout simplement qu'elles

---

1. Discours du 30 avril lors de l'ouverture de la seconde session parlementaire.

n'aboutissent qu'à une Assemblée aussi divisée que la première. En outre, la Constitution en vigueur lui semble imparfaite, et il entend la réviser. Cette révision, il s'engage à la soumettre à référendum. En attendant, il prendra les mesures législatives et réglementaires qu'il jugera nécessaires.

En réalité, Hassan II est exaspéré depuis un bon moment par le comportement des parlementaires, même si les discours qu'il tient à quelques semaines d'intervalle se contredisent totalement. Ainsi, le 3 mars, dans son discours du trône, il déclare que « l'activité déployée par nos parlementaires au cours de l'année écoulée a été remarquable, bien que ce fût pour notre jeune Parlement une année expérimentale. Représentants et conseillers ont montré dans l'accomplissement de leur tâche le sens élevé qu'ils ont de leur mission et la juste appréciation de leurs responsabilités[1] ». Puis sont venus les événements du 22 mars et des jours suivants. Veut-il détourner l'indignation populaire contre les élus du peuple ? Toujours est-il que, dans le discours à la Nation qu'il prononce le 30 mars, la « remarquable activité » des représentants du peuple passe aux oubliettes : « À tous les députés je dis : je doute de votre foi en la démocratie, comme j'y crois fermement, parce que si vous étiez vraiment conscients de la démocratie, vous n'auriez pas eu l'occasion de perdre du temps dans des banalités, et si vous aviez vraiment une foi ferme en la démocratie, vous auriez pu facilement et depuis longtemps nous doter de lois et donner l'exemple. Peuple, depuis leur arrivée [des députés] au Parlement, le service de la législation se trouve paralysé, ainsi que l'Imprimerie officielle. Quant au *Bulletin officiel,* il n'a publié que trois lois alors que nous sommes déjà dans notre troisième année d'expérience constitutionnelle. Qui est donc responsable ? Est-ce celui qui a élaboré la Constitution ? Est-ce celui qui l'a adoptée ? Non et non ! C'est plutôt celui qui l'applique ! »[2]

Le 7 juin, dans le discours qu'il prononce pour expliquer sa décision, Hassan II enfonce le clou. Il évoque tour à tour « un système parlementaire qui n'a donné lieu qu'à des discussions stériles », « la paralysie [du Parlement] due à la futilité des débats », « l'enlisement

---

1. *Discours et Interviews, op. cit.,* t. II, p. 554.
2. *Ibid.,* p. 572.

320

dans la voie négative », la nécessité d'« épargner au peuple une série d'expériences stériles », etc.

Dès le 8 juin, les conseils de De Gaulle oubliés, il dirige à nouveau le cabinet, entouré de fidèles comme Balafrej, M'hammedi, Mammeri et Ahmed Alaoui. Et surtout Oufkir, toujours ministre de l'Intérieur. Proches collaborateurs de Mohammed V, Zeghari et Laghzaoui sont rappelés. L'opposition reste tenue à l'écart.

L'Istiqlal et son chef, Allal el-Fassi, se montrent beaucoup plus clairvoyants que leurs rivaux de l'UNFP. Ils désapprouvent l'état d'exception et réclament le retour à la légalité « grâce à des élections libres et saines ». Ils estiment que le nouveau gouvernement viole la Constitution, puisque celle-ci prévoit un Premier ministre distinct du souverain. Deux générations, deux tempéraments s'opposent, note justement Roger Le Tourneau : d'une part, un jeune roi qui n'accepte pas « le rôle de souverain purement constitutionnel dans un Maroc à la dérive » ; de l'autre, Allal el-Fassi, « pétri de principes et de droit islamique », qui se résigne mal à voir le monarque faire aussi peu de cas d'une Constitution dont il est en grande partie responsable[1].

Selon certains, les critiques du PI ne sont pas partagées par l'UNFP qui a été avertie de la décision du roi dès le 19 mai[2]. La formation socialiste voit dans la proclamation de l'état d'exception la confirmation de la justesse des analyses qui étaient les siennes en novembre-décembre 1962. *Al-Ahdaf*, revue proche du parti, estime que c'est « le combat du peuple » qui a contraint le Palais à faire marche arrière. Comme le note Maati Monjib, « l'UNFP s'imagine déjà au gouvernement ». Question de temps, simplement…

Ali Bouabid, le fils d'Abderrahim, conteste totalement cette inter-prétation. Se référant à un document officiel et public du parti inti-tulé *Bulletin national de l'UNFP*, daté du mois d'août 1965 et relatif à la position du parti après les événements de mars 1965, il souligne que l'UNFP a d'abord été l'objet « d'une manœuvre d'intoxication de la part d'une presse manipulée par le pouvoir, notamment *Akhbar Dounia* ». Selon ces journaux, l'UNFP aurait accepté de participer à

---

1. *Annuaire de l'Afrique du Nord*, *op. cit.*, année 1965, p. 187.
2. Selon Zakya Daoud et Maati Monjib, *Ben Barka, une vie, une mort, op. cit.*, p. 328.

un gouvernement d'union nationale à l'issue de plusieurs entretiens avec Hassan II (notamment en octobre 1964 et en avril 1965) en échange de la libération des prisonniers politiques. Or, selon Ali Bouabid, un démenti formel a été publié par l'UNFP, dissociant clairement la libération des prisonniers de la participation à un gouvernement. Pour Ali Bouabid, « si la libération des prisonniers a contribué à détendre les rapports entre la monarchie et l'UNFP, elle doit être dissociée de l'idée de participation au gouvernement. Cette libération n'aurait d'ailleurs pas suffi à justifier une entrée au gouvernement ». Se basant ensuite sur des entretiens avec son père, Ali Bouabid précise que « le roi, après les événements de mars, était politiquement isolé. C'est pourquoi il a consenti à libérer les prisonniers politiques en échange d'un gouvernement d'union nationale immédiat. L'idée d'inaugurer une nouvelle ère et de tourner la page était d'ailleurs présente, comme les contacts avec Mehdi Ben Barka, à l'étranger, l'attestent. Cependant, mon père a conditionné toute participation à une réforme de la Constitution et à la tenue préalable d'élections. Le roi aurait répondu qu'il devait participer à un sommet arabe durant l'été et que des élections étaient impossibles avant la rentrée. Rendez-vous fut donc pris pour la rentrée, mais l'enlèvement de Mehdi a tout bouleversé par la suite[1] ».

Quoi qu'il en soit, un peu embarrassé par la tournure des événements, Hassan II éprouve le besoin de se justifier : « Je n'ai pas commis une illégalité [...]. L'aspect négatif des débats parlementaires n'était plus à prouver [...]. La désaffection du peuple marocain à l'égard de ses institutions représentatives était un véritable danger pour la démocratie[2]. »

Pas plus le discours radiodiffusé du roi que l'interview au *Figaro* ne parviennent à convaincre Abdelkrim Khatib, le très monarchiste président de la Chambre, qui déclare à *Jeune Afrique* : « Il y a interprétation abusive et anticonstitutionnelle de l'article 35 par les autorités chargées d'appliquer les décisions du roi. Aucune des conditions mentionnées dans cet article n'est réalisée. Nous sommes mis devant le fait accompli [...]. Il s'agit d'un coup de force qui risque d'être

---

1. Entretien avec l'auteur.
2. Interview au *Figaro*, le 18 juin.

mortel pour la démocratie [...]. C'est un précédent fâcheux, la porte ouverte aux abus. Nous vivions une expérience exaltante qui était un exemple pour le tiers-monde. Nous nous refusons à désespérer. S'il n'y a pas de majorité valable, comme le dit le roi – point de vue que je ne partage pas –, il reste le recours aux urnes[1]. » C'est dire si le choc est profond dans la classe politique.

La disparition de Ben Barka

L'enlèvement, le 29 octobre, de Mehdi Ben Barka, dans des conditions toujours mal connues et dont on peut se demander si elles seront un jour totalement élucidées, vient clore une année accablante. Au cours de celle-ci, le régime a montré, en massacrant des centaines de personnes, qu'il ne reculait devant rien pour se maintenir au pouvoir, et le roi, par sa désinvolture à l'égard des institutions, a conforté l'analyse de ceux qui avaient rejeté la première Constitution, qualifiée par eux de « Mon-Bon-Plaisir ».

De nombreux livres et d'innombrables articles ont été écrits sur une affaire qui a eu des répercussions considérables. Une affaire qui, selon le mot de Zakya Daoud, donne l'impression de « plonger dans un monde ambigu et interlope, dans un marécage nauséabond, celle de lever une pierre sous laquelle grouillent des insectes, celle aussi d'une surabondance de détails qui dissimulent l'essentiel, comme si on assistait à un maquillage rocambolesque, assez proche de la vérité pour paraître plausible mais qui reste néanmoins, jusqu'au bout, improuvable[2] ».

Les « révélations » d'Ahmed Boukhari en 2001 dans son livre[3] confortent les propos et réserves de Mme Daoud. On sort de cette lecture encore plus perplexe. D'où ce « standardiste » (à l'époque des faits) tient-il pareille montagne de documents et d'informations ? Malheureusement pour Ahmed Boukhari, ce livre, si l'on se fie à

---

1. Interview à *Jeune Afrique*, n° 237, 20 juin 1965.
2. Zahya Daoud et Maati Monjib, *Ben Barka, une vie, une mort, op. cit.*, page V.
3. Début 2002, Ahmed Boukhari publie *Le Secret* chez Michel Lafon, dans laquelle il donne sa propre version de l'affaire Ben Barka.

quelques bons connaisseurs des officines marocaines, comporte un certain nombre d'erreurs ou d'inexactitudes grossières qui le rendent peu crédible. Par conséquent, aussi longtemps que les archives marocaines et françaises – voire américaines et israéliennes – n'auront pas livré leurs secrets, il sera impossible de connaître toute la vérité, et l'on continuera à échafauder des hypothèses plus ou moins fantaisistes. Voulait-on éliminer la personnalité la plus forte de l'opposition marocaine ? Était-ce au militant internationaliste, qui préparait la conférence de la Tricontinentale, qu'on s'attaquait de crainte de le voir faire des émules un peu partout dans le monde en développement ? Ou bien encore voulait-on embarrasser le général de Gaulle qui n'a jamais manqué d'ennemis prêts à tout et qui préparait sa réélection ? Les autorités et les services marocains sont évidemment mouillés jusqu'au cou dans ce drame. Certains « services » et truands français également.

Plutôt que d'épiloguer indéfiniment sur cette disparition tragique, renvoyons le lecteur curieux au beau livre de Z. Daoud et M. Monjib dont nous extrayons ce dernier passage :

« Comme ils sont vieux, les assassins, dans leur box d'éternels accusés ! Beaucoup ont disparu, d'ailleurs. Ils n'existent plus que par le rôle qu'ils ont joué dans la disparition de Mehdi Ben Barka. Lui seul demeure vivant, lui seul n'a pas vieilli. Ce mort sans sépulture ne porte aucune ride. Il est resté à jamais l'éternel adolescent du vieux Rabat, acharné à construire un Maroc moderne. Comme l'avait bien perçu Daniel Guérin : "Ce mort aura la vie dure, ce mort aura le dernier mot"[1]. »

L'UNFP réagit dès le lendemain en mettant les autorités françaises devant leurs responsabilités ; l'UNEM lance une grève de protestation ; l'UMT publie un communiqué très « langue de bois », appelant notamment les travailleurs à « renforcer leur vigilance » ! Cependant, comme le note justement Roger Le Tourneau, « ce qui frappe dans ces réactions, c'est leur caractère impersonnel : aucune indignation qui parte du cœur, aucun mouvement de douleur comme en provoque normalement la disparition – peut-être à jamais – d'un être cher. On dirait des réflexes de routine[2] ».

---

1. Zakya Daoud et Maati Monjib, *Ben Barka, une vie, une mort, op.cit.*, p. 19.
2. *Annuaire de l'Afrique du Nord, op. cit.*, année 1965, p. 189.

Quant aux autorités marocaines, elles réagissent avec leur tact coutumier. Le 5 novembre, le ministère de l'Information met en garde la population contre toute exploitation qui pourrait être faite de cet enlèvement contre le Maroc, et souligne que le disparu a entretenu des relations avec beaucoup d'organisations étrangères « de toutes sortes ». Rapidement, les journaux qui se laissent aller sont sanctionnés : saisies du *Petit Marocain*, d'*Al-Muharrir*, de *Maroc-Informations* et *Libération*, obligés de suspendre leur parution…

Convenons que ces mesures ont limité l'ampleur des réactions. Mais convenons aussi que Ben Barka, souvent absent du Maroc, plongé dans les affaires du tiers-monde, critique à l'égard du régime marocain pendant la guerre des Sables, sans parler d'une forte personnalité qui lui valait maintes inimitiés, n'exerçait plus le même ascendant que pendant le règne de Mohammed V.

Pour sa part, Mahjoubi Ahardane, dans son rôle, déclare que « le roi est bien la dernière personne à pouvoir tirer avantage de l'élimination de Mehdi Ben Barka ». Enfin Oufkir exprime devant quelques journalistes français sa déception d'être mêlé à cette affaire : « J'attends, dit-il, que la justice atteigne la vérité. »

VII

Le Maroc sous l'état d'exception

Les émeutes de mars, la proclamation de l'état d'exception en juin et l'enlèvement de Mehdi Ben Barka au mois d'octobre sont autant de coups de tonnerre qui surviennent non pas dans un ciel sans nuages, mais dans un Maroc qui va de moins en moins bien.

Si le renvoi à la maison des parlementaires préoccupe légitimement les états-majors des partis politiques, il laisse largement indifférents les Marocains. Depuis un bon moment, les partis rencontrent en effet de graves difficultés de recrutement dues à la dépolitisation des populations. Les anciens partis s'essoufflent et les nouveaux ont bien de la peine à attirer le chaland. Les réunions de cellule ou de section sont de plus en plus espacées, quand elles ont encore lieu. L'opportunisme de ceux qui ont été récupérés par le pouvoir et qui occupent désormais des postes intéressants dans l'administration, ainsi que les perpétuelles divisions et querelles qui agitent les partis, à l'exception peut-être de l'Istiqlal, mieux organisé et plus discipliné, rebutent les nouveaux venus à la politique, qui hésitent à franchir le pas. À quoi s'ajoute un conflit de générations, les plus jeunes aspirant à jouer un rôle plus important. Ainsi, au PI, même si la personne du *zaïm* n'est toujours pas mise en cause ni contestée, il n'en reste pas moins qu'il est mis en minorité à plusieurs reprises au Conseil national du parti, ce qui eût été impensable quelques années plus tôt, juste après la scission de 1959. Ses méthodes traditionnelles, incarnées par Boubkeur Qadiri, sont de plus en plus sérieusement critiquées[1].

L'Istiqlal n'est pas seul concerné. Au Mouvement populaire, les méthodes de travail de Mahjoubi Ahardane, à la fois autoritaires et brouillonnes, agacent de plus en plus des responsables comme el-Kohen, Haddou Chiguer ou Boukharta, sans parler des divergences de fond entre Ahardane et Khatib sur ce que doivent être les rapports entre Parlement et gouvernement.

Mais c'est à l'UNFP – divisée entre les « exilés », qui ne croient pas à la possibilité de lutter que leur offrirait un retour au pays, les « orthodoxes », qui agissent au Maroc en se refusant aux compromis et accusent volontiers l'UMT de trahison, et les « syndicalistes », prêts à payer leur participation au pouvoir de la mise en sommeil de leurs revendications, et qui sont en contact avec le Palais – que la situation est la plus préoccupante. Durement frappé par la répression, le parti a particulièrement mal vécu aussi bien l'affaire du complot de juillet 1963 que le conflit plus ou moins larvé qui oppose depuis longtemps l'aile syndicale, inféodée à l'UMT, et l'aile politique. On sait qu'au congrès de 1962, l'UNFP fait une dernière tentative pour convaincre la direction de l'UMT de travailler la main dans la main avec le parti. La moitié des places dans les organes centraux de l'UNFP est confiée à des membres du syndicat. En vain. L'UMT n'en poursuit pas moins sa dépolitisation, et son chef, Mahjoub Benseddik, souligne de plus en plus fréquemment les avantages de l'indépendance syndicale. Bien avant même la disparition de Ben Barka – qui a laissé de glace les dirigeants de l'UMT, au grand dam de l'aile politique de l'UNFP –, Benseddik passe pour un traître aux yeux d'un grand nombre de militants unfpéistes.

Déjà, à la fin de 1962, le parti et le syndicat ont une approche différente de l'attitude à adopter à l'égard du référendum sur la Constitution, le premier préconisant le boycottage, le second le « non ». Puis,

_____

1. Selon *Maghreb-Machrek*, mars-avril 1965, « Où en sont les partis politiques marocains ? », p. 19 à 24.

en janvier, au moment du congrès de l'UMT, l'enlèvement et le tabassage d'Omar Benjelloun, l'un des dirigeants les plus remarquables de l'UNFP, par des nervis de la centrale syndicale sont très mal perçus par l'ensemble des « politiques » du parti. Benjelloun, qui venait représenter la puissante fédération des postiers, était en désaccord total avec Benseddik sur le rôle du syndicat. À l'instar de Ben Barka, il aurait souhaité en faire une courroie de transmission du parti. Comme le note Moussaoui Ajlaoui, « l'aile politique réalise alors que ce IIIᵉ Congrès est l'illustration même du début de dérive de l'appareil syndical ». La chasse aux sorcières va alors s'accentuer à l'UMT et, en 1964, un certain nombre de militants de l'aile politique se trouvent licenciés ou écartés de plusieurs institutions et groupes liés au syndicat, notamment dans les domaines de l'Éducation nationale ou de l'Office de l'électricité. Après la mort de Ben Barka, un cadre de l'UMT ira même jusqu'à dire, lors d'un meeting au port de Casablanca, que l'enlèvement du fondateur de l'UNFP était lié à son implication dans une affaire de drogue[1] !

Hassan II seul maître à bord

Doté de tous les pouvoirs que lui confère une Constitution taillée à ses mesures, Hassan II, qui incarne depuis longtemps la principale force politique du pays, peut désormais agir à sa guise sans être contrecarré ou contredit par une classe politique qui ne s'est pas montrée digne des institutions nationales. Cette dernière paraît d'ailleurs complètement anesthésiée par le traitement de choc – ou, selon le mot de certains, le « coup d'État légal » – que vient de lui infliger le monarque. Pour éviter l'immobilisme du précédent gouvernement, Hassan II multiplie les déclarations susceptibles de gagner la sympathie populaire. Il lui suffit d'attaquer les députés, les fonctionnaires, d'effectuer quelques visites matinales dans les ministères, ou encore d'affecter les crédits prévus pour le Parlement à une « opération

---

1. Cf. « Moussaoui Ajlaoui in Thounaiya fi al-houdour an-naqabi wa as-siyassi fi attarikh al-watani », publié en janvier 2003 dans *Al-Ahdath al-Maghribiya* (Dualité de la présence syndicale et politique dans l'histoire nationale).

école ». Mais il en faudrait davantage pour emporter l'adhésion de l'élite qui hésite à s'engager dans une expérience technocratique. En réalité, il n'y a que l'institution militaire, aux niveaux les plus élevés de sa hiérarchie, pour approuver le recours à l'article 35. Elle estime toutefois qu'il ne peut produire son plein effet que si la politique actuelle est poursuivie pendant plusieurs années.

Le gouvernement constitué le 8 juin et que préside à nouveau Hassan II n'est pas sans rappeler celui qui a été mis en place pendant les deux premières années du régime hassanien, les ministres dépendant directement du roi au sein d'un cabinet de type présidentiel. Comme Ahmed Réda Guédira auparavant, le directeur du cabinet royal, Driss M'hammedi, se voit confier par délégation une part des pouvoirs de Premier ministre. Il exerce ces prérogatives sous le contrôle du roi, mais sans avoir autorité sur les autres ministres. Par nature, cet ancien istiqlalien a tendance à préconiser un programme dirigiste assez proche de celui de l'UNFP, peut-être dans le secret espoir sinon de neutraliser ce parti, à défaut de l'inciter à entrer au gouvernement.

En réalité, comme le rappelle Stephen Hughes, pendant les cinq années que dure l'état d'exception, Hassan II revient « au vieux style du gouvernement autocratique, gouvernant désormais par décret par le seul truchement du cabinet royal, dirigeant un groupe de soi-disant indépendants avec le soutien du grand rival de l'Istiqlal, le Mouvement populaire, associés en une vague alliance de royalistes[1] ».

La nationalisation partielle du commerce extérieur entrent également dans le cadre d'une politique destinée à séduire les composantes les plus exigeantes sur la plan du patriotisme. Jusqu'au 1er juillet 1965, la majorité des exportateurs étaient des étrangers résidant au Maroc, souvent liés à des réseaux commerciaux ayant leur tête en Europe. Pour Hassan II, nationaliser le commerce extérieur – constitué pour moitié de produits alimentaires –, c'est d'abord protéger l'agriculteur face à l'intermédiaire, c'est ensuite assurer le rapatriement de devises fortes gagnées à l'exportation ; c'est donc favoriser ainsi le développement du pays. L'idée qu'on puisse empêcher un étranger, avec un petit bureau, une secrétaire et un télex, de s'en mettre plein les poches, alors que tant

---

1. Stephen O. Hughes, *Le Maroc de Hassan II, p. cit.*, p. 163.

de paysans marocains triment dur pour peu de choses, ne pouvait évidemment que séduire. L'UNFP s'est jusqu'alors toujours montrée sceptique, voire hostile, convaincue qu'une procédure de marocanisation ne serait qu'un coup d'épée dans l'eau qui ne servirait qu'à remplacer des parasites européens par des profiteurs marocains, et qu'il faut d'abord modifier les structures et les circuits du commerce extérieur. Mais, brisée par la répression, privée de tribune au Parlement, et sa presse souvent suspendue, l'UNFP, comme d'ailleurs l'Istiqlal, n'est plus en mesure de s'opposer à une décision que le roi entend exploiter de la meilleure façon.

Inutile de dire que les craintes de la gauche sont fondées : les petits agriculteurs, qui constituent la grande majorité du monde paysan, n'ont pas plus tiré avantage de la nationalisation du commerce extérieur qu'ils ne l'ont fait de la récupération des terres coloniales. Dans les deux cas, ce sont quelques centaines de familles de notables qui ont profité de l'opération.

À la différence du quinquennat de Mohammed V, qui est d'une densité extraordinaire et dont les effets se font encore sentir aujourd'hui, celui durant lequel le royaume vit sous l'état d'exception manque cruellement de sel. C'est sans doute, dira-t-on, reculer pour mieux sauter, puisque les années soixante-dix seront particulièrement fiévreuses et mouvementées. Les deux seuls partis qui auraient pu troubler la quiétude du monarque sont fatigués de poursuivre un combat inégal avec un pouvoir qui s'appuie sans vergogne sur un appareil sécuritaire brutal et de plus en plus efficace.

En mars 1966, un décret annonce que la garde royale est renforcée et qu'elle comprend désormais, outre ses éléments de cavalerie, d'infanterie et d'artillerie, une formation aéroportée. Héritière du *guich* (armée) des Abid Bokhari, créé au XVIIe siècle par Moulay Ismaïl, cette garde, composée à l'origine de soldats noirs, était appelée jusqu'à l'indépendance « garde noire », et le peuple marocain a longtemps parlé de *bokhari* pour désigner un soldat du palais royal. En ces temps de tensions, au Maroc comme en Afrique, le souverain prend donc ses précautions…

À gauche, son principal animateur ayant disparu, l'UNFP apparaît isolée, divisée, vulnérable. « Il serait sans doute inexact de penser qu'il a suffi de la disparition d'un de ses chefs pour affaiblir ce mouvement politique », souligne l'ambassade de France[1] avant d'ajouter : « Il est vraisemblable que la situation délicate du Trône, soupçonné d'avoir couvert cet acte criminel, l'a conduit à multiplier les mesures de précaution vis-à-vis du parti le plus susceptible de diffuser au Maroc une version de l'affaire peu conforme aux intérêts de la monarchie. Les tracasseries du pouvoir et la tiédeur des autres formations progressistes ont abouti à une sorte d'étouffement de l'Union. Sa presse, en butte à des saisies répétées, a dû cesser de paraître dès novembre 1965. »

Au cours d'une rencontre avec des diplomates français[2], plusieurs dirigeants de la formation progressiste font part une nouvelle fois de leur amertume : « L'UMT a provoqué la déception la plus vive des unionistes, ses réactions à l'enlèvement de Ben Barka, jugées "timides et lentes", s'étant limitées à la grève du 12 novembre 1965 », rapporte un télégramme de l'ambassade qui précise : « L'UNFP insinue même que *L'Avant-Garde*, journal du syndicat, n'a jamais fait allusion à l'affaire Ben Barka. "Le silence sur cette affaire est un crime abominable", disent les unionistes. Seule l'UNEM a réagi et il n'y a qu'à l'étranger qu'on écoute l'UNFP, déplorent-ils. Quant à l'UMT, elle parle des "éternels diviseurs de la classe ouvrière", et notamment d'Omar Benjelloun[3]. »

À peu près au même moment, M'hammed Douiri, ancien ministre de l'Économie, s'entretient avec un collaborateur de Xavier Daufresne de La Chevalerie, chargé d'affaires français à Rabat. Conversation à bâtons rompus qui met bien en évidence les préoccupations de l'époque. Extraits de ce qu'en a retenu l'ambassade :

« Ce sont surtout ses conceptions en économie qui séparent le PI du pouvoir, qui est entre les mains de "féodaux", dont les intérêts

---

1. Télégramme de mars 1966.
2. Télégramme du 20 mars 1966.
3. Accusé de faire de l'agitation en milieu étudiant, O. Benjelloun est d'ailleurs arrêté une nouvelle fois, le 15 mars 1966.

personnels sont incompatibles avec les options istiqlaliennes, surtout en matière de réforme agraire (…). L'Université au Maroc est un luxe, il vaudrait mieux la supprimer, sauf peut-être pour certaines disciplines juridiques, et envoyer les étudiants en France. L'arabisation doit être un objectif à long terme, mais cela ne signifie nullement l'abandon de la langue et de la culture françaises. Pendant plusieurs générations, le Maroc restera lié à l'Université française. Il est impensable qu'il en soit autrement, et c'est la force de la France. M. Douiri enverra ses enfants dans les facultés françaises, et M. Allal el-Fassi aussi. Il estime cependant que l'idée du bilinguisme est fallacieuse, puisque, quand deux langues coexistent, l'une "dévore" l'autre. Le projet de Benhima [alors ministre de l'Éducation nationale], c'est la francisation, or cela n'est pas acceptable. Il y va de la personnalité marocaine. On lui fait remarquer qu'il est un bon exemple de bilinguisme. Il répond : "Non, je pense en français. Le seul véritable bilingue, c'est peut-être le roi." Douiri regrette la démagogie, les excès de langage, les prises de position extrémistes peu sérieuses dans les campagnes menées par l'Istiqlal. Il trouve le journal *L'Opinion* mal contrôlé. Il qualifie l'affaire Ben Barka de "malheureuse". »

L'institution du service militaire obligatoire qui, en dix-huit mois, doit permettre de remettre dans le rang les récalcitrants, est sans doute la mesure la plus spectaculaire qu'il convient de retenir de cette période. « Outre une formation de base, nos citoyens astreints à ce service pourront acquérir les connaissances techniques susceptibles d'élever leur niveau social, et de les préparer à participer activement au développement économique du pays », déclare le souverain qui voit aussi dans le service militaire l'occasion de « développer un esprit de discipline et un sens aigu des responsabilités et des devoirs envers la Patrie[1]. »

Mais c'est la question de l'enseignement qui, sans nul doute, préoccupe le plus les autorités. Le 6 avril 1966, le Dr Benhima, ministre de l'Éducation nationale, affirme non sans courage, au cours d'une conférence de presse, qu'il faut bien admettre que l'arabisation immédiate conduit à une impasse et qu'une sélection sévère est inévitable pour les élèves désireux d'entrer dans l'enseignement secondaire,

---

1. Discours du trône, le 3 mars 1966.

compte tenu de leur grand nombre. Les protestations fusent aussitôt de partout, de l'Istiqlal comme de l'UMT, des oulémas comme des parents d'élèves. Après des mois de tergiversations, la seule réponse trouvée par le pouvoir consiste à rendre obligatoires la prière et l'enseignement religieux dans les établissements scolaires. En décembre 1966, lors d'une causerie religieuse, Hassan II annonce qu'en raison du « dédain » affiché par une partie de la jeunesse envers les enseignements de l'islam, les prières rituelles seront désormais récitées officiellement dans tous les établissements d'enseignement, et que la civilisation islamique sera introduite comme matière principale dans les facultés. Pour achever de séduire les conservateurs de tout poil, le souverain fustige également les femmes portant minijupe, car « l'islam interdit de s'adonner à ce qui est révoltant et scandaleux d'une manière ouverte et devant tout le monde[1] ». En avril 1968, le troisième congrès des oulémas, réuni à Fès, réclame la ségrégation sexuelle sur les plages et dans les écoles, l'interdiction des minijupes et des « danses immorales », ainsi que de nouvelles dénominations pour les vins qui portent des noms de saints (Sidi Larbi, notamment)[2].

Parallèlement au discours royal, *Al-Massa*, proche du pouvoir, dénonce violemment « le comportement insensé de ces jeunes filles qui épousent des non-musulmans, ce qui traduit leur immoralité, leur impiété et leur manque de sens social[3] ».

Enfin, tandis que le parti de l'Istiqlal continue à dénoncer les « menaces d'évangélisation », son chef, Allal el-Fassi, publie un long article élogieux sur l'Égyptien Sayyed Qotb, « le grand apôtre de l'islam », dont se réclameront quelques années plus tard les assassins d'Anouar el-Sadate[4]. En 1970, le *zaïm* accuse l'Université marocaine d'être « une université catholique », c'est-à-dire une université enseignant la culture française et donc imprégnée de catholicisme. Il préconise l'école libre pour combler le vide existant[5].

---

1. Voir *Annuaire de l'Afrique du Nord, op. cit.*, année 1966, « Chronique culturelle », p. 328.
2. Voir *ibid.*, année 1968, « Chronique culturelle », p. 286.
3. *Al-Massa*, 17 août 1966.
4. *Al-Alam*, 2 septembre 1966.
5. *Annuaire de l'Afrique du Nord, op. cit.*, année 1970, p. 374.

Au niveau politique, le remaniement ministériel qui intervient le 23 février ne présente aucun intérêt particulier sur le plan intérieur, mais traduit clairement le souci du roi de calmer le jeu avec Paris et d'établir des relations étroites avec Madrid. Hassan II nomme en effet son beau-frère, Mohammed Cherkaoui, ancien ambassadeur à Paris, aux Affaires étrangères. La nomination de cet homme qui compte beaucoup d'amis à Paris contrebalance le maintien au gouvernement de Mohammed Oufkir contre lequel un mandat d'arrêt a été lancé trois jours plus tôt par le parquet de la Seine[1]. Quant au général Meziane, qui passe du ministère de la Défense à l'ambassade du Maroc à Madrid, il a pour tâche de faire avancer le dossier des possessions espagnoles au Maroc. Cet ancien compagnon de Franco, ex-gouverneur de Galice et des Canaries, a tous les atouts pour réussir.

Pour sa part, Allal el-Fassi, fidèle à ses principes, réclame le 7 juin, jour anniversaire de la proclamation de l'état d'exception, la constitution d'un gouvernement homogène s'appuyant sur une Assemblée législative élue librement, « seul moyen, selon lui, de sauver le Maroc ». L'UGTM, syndicat satellite du PI, ne dit pas autre chose. Mais les critiques que le *zaïm* peut émettre à l'égard du pouvoir ne l'empêchent pas d'accompagner Hassan II aux États-Unis lors du voyage que ce dernier y effectue en février 1967[2].

De leur côté, les grandes voix de l'UNFP se taisent, hormis celle d'Abdallah Ibrahim qui, l'agressivité en moins, continue à dire la même chose que son compère de l'UMT, Mahjoub Benseddik. Les deux hommes proposent aux « forces nationales progressistes » un programme en trois points : formation d'un gouvernement jouissant de la confiance populaire, établissement par ce gouvernement d'un programme clair et fondamental *(sic)* intégrant une modification de la Constitution, et mise en place d'institutions nouvelles. Hormis le journal communiste *Al-Kifah al-Watani*, qui les approuve, ces vœux pieux laissent totalement indifférents le Palais et le reste de la classe politique. Abderrahim Bouabid, qui a de l'estime pour Ibrahim dont il admire

---

1. En outre, le général de Gaulle a repris à son compte, le 21 février, les accusations portées contre Oufkir et Dlimi. Un mandat d'arrêt a également été délivré contre Ahmed Dlimi.

2. Voir *Jeune Afrique*, n° 317.

l'érudition, déplore en revanche son absence totale de sens politique. Il est, par contre, beaucoup plus intrigué par Benseddik, qu'il juge intelligent et perspicace, mais il perçoit mal ce qu'il pourrait faire avec lui. Bouabid, qui ne néglige aucun effort pour reconstruire une alliance solide face à la monarchie, continue à penser que Mahjoub Benseddik est incontournable. L'UNFP, isolée et qui subit la répression de plein fouet, ne peut se permettre de faire cavalier seul. Ce choix tactique de l'alliance avec le patron de l'UMT pour faire pièce à l'hégémonie du *makhzen* irrite certains de ses amis, comme Omar Benjelloun, qui n'ont aucune confiance dans le leader syndical. L'arrestation de Benseddik, au moment de la guerre de juin 1967, lui donne l'occasion de recoller les morceaux. Quelques années plus tard, les faits donneront en définitive raison à Benjelloun : les idées de Benseddik et son attitude étaient incompatibles avec celles des principaux dirigeants du parti. Dans les années soixante-dix, Bouabid, excédé par les « coups tordus » du *fqih* Basri, le reconnaîtra volontiers en déclarant à quelques proches : « J'ai été cocufié une fois par Mahjoub, je ne le serai pas une seconde fois par quelqu'un d'autre... »

Mais, à l'époque, avec la hauteur de vues qui l'a souvent caractérisé, Abderrahim Bouabid s'occupe de choses plus graves. Le secrétaire général de l'UNFP sort en effet de son silence, au début de septembre, pour expliquer la position de sa formation au moment où s'ouvre le procès Ben Barka devant la cour d'assises de la Seine. Il prend nettement le contre-pied du roi qui a déclaré à un groupe de journalistes américains : « Jusqu'à présent, nous sommes convaincus que si nous sommes engagés dans cette affaire, c'est uniquement à cause de la nationalité de la victime. L'événement ne s'est pas produit au Maroc, L'enquête judiciaire n'a pas été menée par des magistrats marocains. Au fil des jours, des non-Marocains sont arrêtés et soupçonnés. Maintenant, on veut vous démontrer que plus il y avait de Français arrêtés et soupçonnés, plus le Maroc paraissait coupable[1]. » Le 11 mars, prononçant une allocution à l'occasion de l'inauguration de l'Académie royale de police de Meknès, Hassan II rend un vibrant hommage à Oufkir qui, dit-il, « a saisi les problèmes sociaux et

---

1. Interview accordée à un groupe de la National Newspaper Association, le 26 janvier 1966.

humains de ce pays », même s'il est « comme tous les êtres humains qui parfois réussissent, parfois échouent »[1]. Dans la foulée, le commandant Ahmed Dlimi a droit à un beau compliment. Le moins qu'on puisse dire, c'est que ni la boucherie de Casablanca, ni la disparition de Ben Barka n'ont apparemment altéré la relation du monarque avec ces deux zélés serviteurs du trône. Un autre fidèle monarchiste, Mahjoubi Ahardane, va plus loin encore en estimant non seulement que l'affaire Ben Barka « est une affaire intérieure française », mais que ce devrait être aux Marocains de « demander des comptes à la France »[2].

Bouabid pense, lui, exactement le contraire, à savoir que « l'affaire concerne le Maroc et le gouvernement marocain au premier plan, ne serait-ce que parce qu'il s'agit d'un citoyen marocain qui a fait l'objet d'un rapt sur le territoire français. (…) La thèse qui consiste à dire que cette affaire purement française ne nous regarde pas, ajoute-t-il, me paraît un moyen de défense absolument dérisoire. L'opinion internationale est témoin de cette attitude du gouvernement marocain qui manque à l'un de ses devoirs les plus élémentaires ».

Soulignant que « sa préoccupation essentielle est de connaître toute la vérité », Abderrahim Bouabid estime que cette attitude n'est pas partagée par les autorités marocaines : « Si les responsables marocains, qui ne cessent de proclamer leur innocence en évoquant des moyens de défense dérisoires et inacceptables, avaient des révélations à faire, c'est le moment pour eux d'en faire état avec précision. (…) De toute manière, conclut-il de manière prémonitoire, l'opinion mondiale jugera le Maroc à travers leur attitude[3]. »

Scission au sein du Mouvement populaire

La fin de l'année 1966 et le début de l'année suivante sont également marqués par une scission au sein du Mouvement populaire qui, pour grave qu'elle soit, n'aura strictement aucune conséquence sur la

---

1. Cf. Hassan II, *Discours et Interviews, op. cit.*, t. III, p. 38.
2. Déclaration au *Monde*, le 8 septembre 1966.
3. Interview, *ibid.*

vie du pays, si ce n'est de conforter Hassan II dans sa conviction que la classe politique est décidément incorrigible.

Le Mouvement populaire, dont on a sans doute beaucoup plus parlé dans les dix années qui ont suivi l'indépendance que durant la période ultérieure, compte tenu notamment de ses scissions successives, est une curieuse formation. À la fin des années cinquante, il disait lui-même être la représentation la plus fidèle du peuple marocain alors que la très grande majorité de ses partisans habitait la campagne et travaillait la terre. Émanation du particularisme berbère ? Mouvement « caïdal » reprenant des thèses comparables à celles du Glaoui au temps du Protectorat ? Bastion de l'aristocratie foncière ? Rien de cela n'est inexact. Mais ce qui a longtemps fait la particularité du MP et qui a justifié sa création, c'est à la fois la fidélité au roi et l'hostilité à l'Istiqlal. Le souci de donner priorité à l'agriculture en matière de développement constitue un autre trait marquant d'un parti dont les membres se sentent peu à l'aise dans les villes et n'ont pas le délié de leurs collègues de l'Istiqlal ou de l'UNFP. La grande faiblesse du parti réside d'ailleurs dans l'insuffisance de ses structures, due sans doute à un manque de cadres compétents capables d'organiser efficacement le parti. Dans une modeste étude sur le Mouvement populaire, datée de 1965, *Maghreb-Machrek* affirmait que lors du remaniement ministériel du mois d'août 1964, le MP avait été incapable de proposer au roi cinq « ministrables » issus de ses rangs, et qu'il avait dû en débaucher un à l'extérieur[1]...

À cela s'ajoute la personnalité originale et brouillonne du chef du MP. Peintre de talent, poète, orateur très influent en milieu rural, Ahardane, patriote irréprochable jusqu'à l'indépendance, est aussi impulsif et imprévisible. On peut comprendre, dans ces conditions, que son vieux compagnon de lutte, Abdelkrim Khatib, doté également d'une forte personnalité, ait fini par se lasser de ses foucades. Le divorce est d'autant plus inévitable que les aléas de la vie politique ont conduit Khatib, au ministère du Travail comme à celui de la Santé, à s'intéresser de près aux affaires sociales et à entretenir, un temps, de bonnes relations avec l'UNFP ou l'UMT. Cependant

---

1. *Maghreb-Machrek*, mars-avril 1965, pp. 21-22.

qu'Ahardane restait immergé dans le monde rural et que sa proximité avec le trône ne se démentait pas.

À partir de 1962, les divergences entre les deux hommes s'accroissent. Khatib, proche de l'Istiqlal sur ce plan, est consulté sur la future Constitution et se montre soucieux de renforcer le caractère de « prince musulman » du roi, tout en limitant ses pouvoirs. Ahardane reste, lui, dans la tradition du « chérif couronné » et ne souhaite pas lier les mains du souverain. Khatib est élu en 1963 à Aknoul ; Ahardane, lui, est battu à Khénifra et doit se rabattre sur un siège à la Chambre des conseillers. Élu président de la Chambre des représentants, Khatib s'efforce de jouer le rôle d'arbitre au-dessus des partis, n'hésite pas à critiquer un gouvernement où siège Ahardane, bref semble miser sur une évolution démocratique des institutions. Aux formules d'union défendues par Khatib, Ahardane préfère des équipes limitées s'appuyant sur l'autorité du roi et sur l'armée. « Cette attitude, écrit *Maghreb-Machrek*, l'amène à se rapprocher du général Oufkir qui facilite son action politique dans les provinces, et, en retour, il soutient celui-ci avec énergie lors de l'affaire Ben Barka[1]. » Vingt-cinq ans plus tard, Ahardane et ses proches, fidèles en amitié, feront partie des rares familles marocaines qui ne craindront pas d'accueillir ces « pestiférés » que seront devenus Mme Oufkir et ses enfants, à l'issue de leur très longue détention.

En juin 1965, la proclamation de l'état d'exception est approuvée par Ahardane et condamnée par Khatib. En outre, ce dernier, sur le plan scolaire, n'est pas loin de partager les vues de l'Istiqlal. Au mois d'octobre, la rupture est consommée. Le 4, Ahardane réunit un congrès du parti à Kénitra, avec cinq mille participants qui lui accordent leur confiance, contre Khatib. Le 18, ce dernier fait savoir au roi que les délégués provinciaux du MP lui ont confié la charge de secrétaire général après en avoir évincé Mahjoubi Ahardane. Le 20, celui-ci annonce l'exclusion de Khatib pour usurpation de titre…

Compte tenu des bonnes sinon excellentes relations que les deux hommes entretiennent avec le roi, ces différends publics n'ont vraisemblablement pu avoir lieu sans l'aval du Palais. Nouvelle version

---

1. *Ibid.*, janvier-février 1967, p. 17-18.

du classique jeu de bascule de la politique chérifienne qui n'entend pas se priver de tels atouts…

Le conflit trouve son épilogue, le 30 janvier 1967, avec la fondation par Abdelkrim Khatib du Mouvement populaire constitutionnel et démocratique (MPDC). Quelques mois plus tard, le 25 août, les anciens combattants marocains réaffirment leur attachement au trône et, surtout, leur confiance absolue en leur président, Ahardane, qui semble donc toujours bénéficier de solides appuis. Le 5 novembre, le « MP maintenu » demande la levée de l'état d'exception, des élections libres, conformément à la Constitution, et l'enseignement du berbère qui est « la langue de nos aïeux ».

La guerre de juin 1967, le Palais et l'opposition

Dans une année 1967 marquée au mois de juin par l'humiliante défaite des armées arabes face à Israël, la vie politique du royaume continue à tourner au ralenti, avec ses tensions rémanentes et son lot habituel de saisies de journaux. L'UNFP retient l'attention du public au moment où sa commission administrative décide de créer, le 11 août, un Bureau politique de trois membres, MM. Abdallah Ibrahim, Abderrahim Bouabid et Mahjoub Benseddik (ce dernier d'ailleurs incarcéré pour avoir fait parvenir au roi un télégramme jugé insultant). L'UNFP, toujours mal remise de l'élimination de son animateur, affirme ainsi son désir de se réorganiser afin de reprendre un rôle actif en s'appuyant sur un mouvement syndicaliste que le conflit avec Israël semble avoir réveillé. En fait, beaucoup se demandent si Benseddik, dont la crédibilité était sérieusement atteinte, n'a pas cherché à redorer son blason à l'occasion de la guerre des Six Jours.

Il est vrai que le secrétaire général de l'UMT fait fort : « L'UMT, peut-on lire dans le texte adressé au cabinet royal, dénonce énergiquement l'appui constant et inconditionnel accordé par le gouvernement à une poignée de provocateurs sionistes contre l'ensemble de l'Office chérifien d'exportation [OCE]. Une telle attitude du gouvernement, dans les circonstances tragiques que traverse actuellement le monde arabe, constitue un défi aux sentiments du peuple marocain et est susceptible d'engendrer de graves conséquences au sein de la classe ouvrière qui ressent avec indignation le poids écrasant de l'impérialisme sur le pays et la domination du sionisme sur les centres névralgiques de l'appareil de l'État marocain. » Un mois plus tard, le 8 juillet, Benseddik est arrêté et condamné aussitôt à dix-huit mois de prison.

Les rapports de l'UMT et du Palais ont toujours été complexes et ambigus. Si le syndicat fait figure de force d'opposition, on a vu qu'il y a toujours eu une sorte de complicité ou à tout le moins un pacte de non-agression entre les deux parties. Le pouvoir évite de s'attaquer aux militants investis de responsabilités, et les dirigeants de la centrale bénéficient de nombreux avantages matériels. En échange, l'UMT se contente d'attaques purement verbales et se garde bien de jeter de l'huile sur le feu. Comme l'écrit *Maghreb-Machrek*, « l'extrémisme des positions s'accommode des contacts au niveau des cabinets ministériels. Les grèves politiques sont rares et les revendications professionnelles prennent rarement une grande ampleur[1] ».

Il ne faudrait toutefois pas que l'UMT en prenne trop à son aise ni que ses dirigeants se refassent une santé sur le dos du pouvoir. Conscient de sa vulnérabilité en tant que dernière force d'opposition organisée, Benseddik a pris contact avec l'Istiqlal, au début de 1967, pour renforcer le front d'opposition. En vain, car le PI n'a pas oublié les mauvaises manières du patron de l'UMT et n'entend pas sacrifier l'UGTM, le syndicat qui lui est affilié, à une alliance conjoncturelle. C'est alors seulement que Mahjoub se tourne vers l'UNFP avec laquelle les discussions aboutissent, le 12 août, un mois après son incarcération. Détention supportable, puisque Benseddik est assez vite transféré de la prison de Kénitra à l'hôpital Avicenne où il reçoit qui il veut…

Pour sa part, Hassan II, en dehors d'un voyage aux États-Unis au mois de février, s'occupe essentiellement de gérer les conséquences de la défaite arabe du mois de juin, qui dépassent largement les écarts de langage de Benseddik. Devant l'émotion ressentie par ses compatriotes, Hassan II fait montre de lucidité et analyse froidement la triste réalité. Dès le 11 juin, dans une forme très politico-religieuse, il déclare

---

1. « La situation politique au Maroc », *Maghreb-Machrek*, novembre-décembre 1967.

dans un discours à la Nation, destiné à promouvoir une souscription en faveur des « victimes de l'agression sioniste » : « Il faut que nous sachions, nous musulmans, que Dieu nous a punis pour nos fautes et nos péchés. Il nous a enjoints de ne pas nous désunir, nous nous sommes désunis, et l'échec s'est ensuivi. Dieu nous a ordonné de ne pas nous calomnier les uns les autres, et nous nous sommes injuriés verbalement et par écrit. Dieu nous a invités à ne pas désobéir à Ses enseignements, et nous avons désobéi. Certains d'entre nous sont même allés jusqu'à penser qu'il était possible de gouverner un pays en séparant le temporel du spirituel. Nous nous sommes détournés de Dieu et Dieu S'est détourné de nous. »

Le 8 juillet, à l'occasion de la fête de le Jeunesse, il est plus terre à terre et s'interroge sur les conditions dans lesquelles cette guerre a été lancée. Il parle de conjoncture internationale des plus précaires : « Nombreuses, en effet, étaient les divergences séparant les chefs d'État arabes. Bien plus, privé de ses membres principaux, le Commandement arabe unifié en était arrivé à ne plus tenir ses assises (…). À la lumière de ce qui précède, l'heure d'intervenir n'a pas été choisie de façon judicieuse par les États arabes. »

Si le souverain marocain dénonce la « lâche agression » dont a été victime l'Égypte, Allal el-Fassi, qui n'a jamais porté dans son cœur les militaires au pouvoir – et qui n'est pas, il est vrai, au gouvernement –, ne ménage pas ses critiques : « Une révolution qui s'est maintenue au pouvoir pendant dix-sept ans pour aboutir à cette déroute ne mérite pas de survivre[1]. »

Contrairement à l'Istiqlal qui accuse l'Union soviétique de « chercher à sortir les pays arabes de l'orbite occidentale pour les satelliser à son profit[2] », Hassan II se paie même le luxe de défendre l'URSS qui, dit-il, n'a pas trahi les Arabes, puisqu'elle ne leur avait fait aucune promesse. Mais, inquiet des débordements toujours possibles – deux jeunes juifs marocains sont assassinés à Meknès dans la nuit du 10 au 11 juin –, le roi fait montre à la fois de fermeté et de prudence. Des consignes très strictes sont données aux forces de

---

1. Discours devant les membres du Conseil national de l'Istiqlal, le 8 octobre 1965.
2. Déclaration de Mohammed Ghallab au nom du Comité exécutif de l'Istiqlal, le 10 juin.

l'ordre, et aucun meeting n'est autorisé. Cependant, le 15 juin, le gouvernement rappelle que « si les Marocains israélites sont des citoyens à part entière dont l'ensemble des droits est garanti par la Constitution, il n'hésitera pas à faire appliquer dans toute sa rigueur la loi contre ceux qui auront été convaincus de connivence avec le sionisme, une telle connivence entraînant la déchéance du droit à la nationalité[1] ».

Les 2 et 4 juillet, *L'Opinion* et *Al-Alam* sont saisis pour avoir prôné le boycottage des commerçants juifs. Au sein de la communauté juive, le malaise est au moins aussi profond que dans le reste de la population qui vit mal l'humiliation de la défaite. Hormis une minorité antisioniste[2], la solidarité avec Israël et/ou la peur du présent et de l'avenir poussent au départ beaucoup d'israélites. Ces milliers de départs priveront le pays de nombreux cadres appréciés.

Le 6 juillet, Hassan II abandonne les fonctions de chef du gouvernement et confie le poste de Premier ministre à Mohammed Benhima, jusqu'ici ministre des Travaux publics. L'Istiqlal, dont on attendait la participation, devra encore patienter un peu. En revanche, le général Oufkir, condamné par contumace, le 5 juin, à Paris, à la réclusion criminelle, reste à l'Intérieur et voit même ses attributions élargies, puisque la direction de l'Urbanisme et de l'Habitat est rattachée à son ministère. C'est sans doute la raison pour laquelle Hassan II, un peu plus tard, fait l'éloge du général, qui « possède une parfaite connaissance des questions de développement et de relance économique et sociale[3] ». Le 17 janvier 1968, Hassan II, en pleine confiance, le charge en outre du contrôle des anciens combattants et des anciens résistants. Enfin, le 18 novembre, le célèbre « contumace » est élevé au grade de lieutenant général. En fait, tant d'honneurs et de responsabilités ne s'expliquent que par les tensions qui règnent dans le pays et par les rapports médiocres que le royaume entretient

---

1. Communiqué publié à l'issue du Conseil des ministres.
2. Le 17 août, un certain nombre d'intellectuels juifs marocains publient un communiqué dans lequel ils réaffirment que « le sionisme ne saurait être leur idéologie, pas plus qu'Israël ne saurait être considéré comme la patrie des juifs ou même comme leur seconde patrie. Le devoir de tout Marocain juif éclairé est de se solidariser par tous les moyens avec son peuple et de combattre l'idéologie et la politique sionistes ».
3. À l'occasion de l'Aïd el-Fitr, le 2 janvier 1968.

avec l'Algérie. Tout cela incite le souverain à conforter dans son poste le redoutable et si efficace Oufkir.

L'éloignement de Mohammed Cherkaoui, ministre des Affaires étrangères, s'expliquerait à la fois par ses (trop ?) bons rapports avec la France et par ses amitiés arabes. Le *fqih* Basri affirmait qu'au moment de la guerre de juin 1967 Cherkaoui, bouleversé par l'événement, avait suggéré à son beau-frère Hassan II d'intervenir solennellement pour exprimer son soutien aux Arabes et rassurer les Marocains. L'initiative avait fortement déplu à Hassan II, qui lui avait signifié sèchement qu'il n'avait nul besoin de ses conseils[1].

Une atmosphère irrespirable

L'atmosphère générale au Maroc, alors que les étudiants français vont bientôt « refaire le monde », en mai 1968, n'est pas loin d'être irrespirable. Membre du Comité directeur de l'UNFP, Mohammed Lahbabi donne le 23 janvier une conférence au Pavillon du Maroc. Il qualifie de « désastreuse » la situation économique, et stigmatise « la mascarade que constitue l'aide économique des pays capitalistes aux pays en voie de développement, notamment celle des États-Unis et même celle de la France ». Il qualifie de « pillage » leurs investissements dans le tiers-monde. Il dénonce aussi la situation de l'enseignement qui, selon lui, continuera à se dégrader jusqu'en 1980, quand le pays comptera 23 millions d'habitants. Il fait enfin l'éloge de Cuba et des dirigeants de La Havane qui ont su se libérer de l'emprise américaine.

Cet exposé, très dur chez un homme qui ne passe pas pour un extrémiste, traduit l'exaspération des dirigeants de la gauche marocaine devant les réalités de leur pays. Une note de la préfecture de police de Paris, dont les services sondent régulièrement les exilés politiques marocains établis dans la capitale française, indique qu'Abderrahim Bouabid a l'intention de s'y fixer : « Il aurait pris cette décision pour se soustraire à une surveillance policière implacable dont il est l'objet au Maroc. Il rejoindrait ainsi en exil d'autres leaders de

---

1. Entretien avec l'auteur.

l'UNFP comme Youssoufi et Mehdi Alaoui. Son futur domicile n'est pas encore connu[1]. »

Le 13 octobre, le Comité central de l'UNFP adopte un *Manifeste politique* qui constitue la démarche la plus importante du grand parti de gauche depuis la proclamation de l'état d'exception : « Le Maroc n'a toujours pas choisi la voie de la libération. Son option en faveur de la "dépendance" s'explique par l'intérêt que trouvent les classes parasitaires (féodalité, bourgeoisie mercantile et mandarins modernes) à détourner à leur profit les privilèges de l'économie coloniale et à piller les ressources nationales », souligne notamment le *Manifeste* qui voit là « le résultat de la démocratie falsifiée et de la Constitution octroyée ».

Sans illusions sur l'attitude ambiguë de l'Istiqlal qui, en dépit de son opposition à l'état d'exception, a laissé certains de ses hauts responsables comme Kasem Zhiri[2] et Mohammed el-Fassi, membre du Comité exécutif[3], rejoindre le gouvernement, l'UNFP ne se prive pas d'épingler le PI : « L'opposition bourgeoise [parti de l'Istiqlal] se préoccupe surtout de défendre ses propres intérêts et entend rétablir son influence sur l'appareil d'État comme moyen de garantir l'extension de ses privilèges au nom de la marocanisation de l'économie. »

Les critiques d'Allal el-Fassi, qui, à l'occasion d'un congrès de la Jeunesse istiqlalienne[4], s'en prend violemment aux « néo-colonialistes à tendance marxiste qui cherchent à attiser la lutte des classes » au Maroc, ne sont peut-être pas non plus étrangères à l'attitude de l'UNFP.

Pour d'autres analystes, la vigueur retrouvée de l'UNFP s'explique tout simplement par l'agrément donné le 18 juillet par le gouvernement à la création du Parti de la libération et du socialisme (PLS), dernière mouture du parti communiste marocain, qui pourrait empiéter sur les terres du parti de Ben Barka…

---

1. Note de la préfecture de police, transmise au Quai d'Orsay, en date du 12 avril 1968.
2. Depuis le 17 juin à l'Éducation nationale.
3. Depuis le 9 juillet aux Affaires culturelles.
4. Le 27 septembre.

Plus imperméable que jamais aux pressions de son opposition, Hassan II continue à creuser le sillon dans lequel il sème les idées susceptibles de conforter son régime. Parmi elles, la religion musulmane occupe une place prépondérante. Dès les premiers instants de son règne, Hassan II s'est référé à la piété et à la sollicitude de son père pour l'islam. C'est dans cet esprit qu'il fait durant trois semaines, au mois d'avril 1968, un voyage à dominante islamique qui le conduit d'Ankara à Riyad, où il retrouve le roi de Jordanie, en passant par Téhéran. Dans ces trois pays, il se fait l'avocat de l'unité islamique. Au mois d'octobre, pour la rentrée scolaire, il lance une opération « Écoles coraniques ». L'initiative du roi vise à encourager à la fois l'arabisation et l'enracinement dans la tradition musulmane. Elle s'accompagne de directives à l'intention des *fqihs* et des écoles coraniques, ces dernières dépendant du ministère des Habous et des Affaires musulmanes. Ces directives insistent sur la double intention traditionaliste et moderniste de l'initiative. Le premier objectif – traditionaliste – de ces écoles est la mémorisation du Coran. Dans son discours, Hassan II explique d'ailleurs comment le « génie marocain » est capable d'assimiler et de digérer des éléments très variés, étrangers à sa mentalité première. « Ainsi en fut-il du Coran, ainsi en sera-t-il ! » déclare-t-il. L'objectif du Palais est aussi de détourner les petits Marocains des écoles étrangères et de la langue française comme langue d'usage.

Cependant, soucieux de ne pas revenir aux seules méthodes traditionnelles, Hassan II, qui, décidément, ne néglige aucun détail, souligne que le maître devra à la fois enseigner et éduquer. Il devra donc pratiquer le culte, mais aussi éduquer les enfants et ne plus se comporter avec eux de manière cruelle : les châtiments corporels ne sont plus admissibles[1].

Un autre élément, l'éducation civique, fait son apparition, incitant aux sentiments suivants : amour de la patrie, du roi, du prince

---

1. Hassan II va même jusqu'à parler, dans son discours, de « jardinière d'enfants » pour seconder le *fqih*. Les directives, elles, n'en parlent plus ! Voir « L'opération "Écoles coraniques" », *Maghreb-Machrek*, novembre 1969.

héritier, respect du drapeau, tandis que les vertus de ponctualité, de persévérance, d'obéissance aux parents et de politesse sont exaltées. Ainsi, comme le souligne la Radio-Télévision marocaine, l'école coranique « n'aura plus rien à voir avec la situation misérable que les *msids* ont connue autrefois et qui est révolue puisque, par une organisation méthodique, elle formera la personnalité du citoyen marocain, fier de sa religion, de son Coran et de sa patrie[1] ».

Dressant une année plus tard le bilan de l'opération « Écoles coraniques », la revue *Maghreb-Machrek* notait qu'aucun des manuels d'enseignement religieux, de morale et de civisme, dont l'édition avait été promise, n'avait vu le jour. Elle relevait également que, dans les villes, les parents n'avaient pas changé leurs habitudes. Les riches, en particulier, avaient continué d'envoyer leurs enfants dans les écoles maternelles étrangères, ne se sentant pas concernés par l'obligation de leur faire fréquenter les écoles coraniques puisque d'autres écoles privées leur étaient accessibles après la maternelle. Chargé d'affaires de France à l'époque, Jean-Claude Winckler, qui suit de près l'opération, évoque une anecdote significative qui souligne l'ambiguïté de la politique de Hassan II en ce domaine : « Deux jours après que le roi eut assuré *urbi et orbi* que le prince héritier, âgé de cinq ans, commencerait immédiatement, pour donner l'exemple, à suivre l'enseignement du *fqih* "de son quartier", notre conseiller culturel recevait la visite du précepteur royal. Celui-ci venait lui demander une liste de livres français susceptibles de convenir à l'éducation d'un enfant de cinq ans, et s'enquérir du nom de quelques enfants avec lesquels le petit prince pourrait jouer "en français"[2]. »

L'arabisation de l'enseignement – pour le commun des mortels – est tout bénéfice pour le pouvoir. Il satisfait la plus grande partie des Marocains, qu'il s'agisse des nationalistes proches de l'Istiqlal ou du courant conservateur et religieux. « Rappelle-toi que le Coran a été révélé en arabe, langue claire par excellence. Tu dois être fier de ta langue arabe (…). Rappelle-toi qu'en parlant à tes enfants et à tes petits-enfants une autre langue que ta langue arabe, tu jettes le

---

1. RTM, le 12 octobre 1968.
2. Télégramme du 17 octobre 1968 sur l'opération « Écoles coraniques ».

trouble dans leur esprit, tu crées en eux des complexes », lit-on dans un quotidien officieux de langue arabe[1].

L'idéologie conservatrice, inspirée par une vision traditionaliste, imprègne parallèlement la plupart des manuels de religion de langue arabe depuis les années soixante. Ce qui frappe, à la lecture de ces ouvrages, c'est le caractère traditionnel de ce qui y est enseigné. On n'y retrouve aucune influence des idées réformistes d'un Mohammed Abdou, en Égypte, ou d'un Abdel Hamid Ben Badis, en Algérie. Dieu est omniprésent dans ces livres et le thème réformiste de l'homme, « lieutenant de Dieu sur terre », est inexistant, comme c'est le cas à la même époque en Égypte. La fonction sociale du Prophète est passée sous silence, et on n'y fait allusion qu'en termes traditionnels. Voilà donc une pratique et un enseignement religieux qui n'ont d'autre but que de développer le sens du devoir, de l'ordre, de l'obéissance. Il n'y a pas de lien entre prière et vertus civiques. L'aumône *(zakat)* est interprétée comme un devoir envers Dieu, et non pas des riches envers les pauvres. On évite soigneusement toute allusion qui verrait en elle le principe d'une sorte de socialisme musulman avec droit à l'expropriation, à l'étatisation, à la redistribution des richesses excessives des puissants, à l'impôt sur le revenu, etc., toutes idées qui ont été monnaie courante en d'autres pays arabes ou musulmans.

La guerre de juin 1967, perdue par les Arabes, fournit le prétexte à Hassan II d'exploiter à fond le thème de la solidarité islamique. À l'occasion du quatorzième centenaire de la révélation du Coran, le roi affirme, le 2 janvier 1968, que « le drame palestinien et l'occupation d'al-Qods ne sont qu'une conséquence directe, logique et prévisible des haines et des querelles qui agitent le monde arabe, ainsi que des injures qui sont devenues monnaie courante entre États arabes ». Pour retrouver la confiance divine, condition du succès, il importe donc de fonder les relations entre États frères sur les valeurs authentiques de l'islam et de reconstituer l'unité de l'*Oumma*. « Nous voudrions, dit le roi à une bonne centaine d'oulémas venus pour l'occasion de dix-huit pays différents, voir les musulmans s'unir sur

---

1. *Al-Anba*, 13 octobre 1968.

un même plan, se soutenir mutuellement, discuter ensemble et défi-nir pour leurs relations futures un cadre et une charte[1] ».

Quelques semaines plus tard, dans son discours du trône, il met sur le même plan bien-être spirituel et bien-être matériel : « Notre souci de sauvegarder les valeurs islamiques et de répandre les pré-ceptes religieux est égal à l'intérêt que nous portons à généraliser la prospérité et la quiétude parmi notre peuple. (...) Nous n'avons cessé, ajoute-t-il, d'inciter le ministère des Habous et des Affaires islamiques à construire des mosquées et à assurer leur entretien et leur équipement afin que les maisons de Dieu connaissent toujours la même affluence de croyants. »

Hassan II se félicite ensuite que treize nouvelles mosquées aient été construites en 1967, que plus de cent autres aient été rénovées et que la construction de vingt et une autres ait commencé. Il est évidemment plus facile de construire des mosquées que de créer des emplois, d'autant plus que ceux qui seraient tentés de critiquer de telles initiatives risqueraient d'être aussitôt sanctionnés par la justice...

Au mois d'avril 1968, c'est au tour des oulémas de tenir à Fès leur troisième congrès. Leurs conclusions, publiées le 26 dans leur revue *Al-Mithaq*, sont tellement conservatrices et traduisent un état d'esprit si peu conforme à l'évolution du pays que la jeune revue *Lamalif* s'empare du sujet et intitule un de ses articles « Le Moyen Âge est à nos portes[2] ».

Ainsi, douze ans après l'indépendance, oulémas et confréries reli-gieuses, dont beaucoup de membres avaient joué un rôle important sous les protectorats français et espagnol en collaborant avec les auto-rités de Paris et de Madrid, contrebalançant de ce fait l'influence des nationalistes et du Palais, reprennent du poil de la bête ou retrouvent de l'influence. Vivement combattus dans les premières années de l'indépendance par l'Istiqlal qui considérait les uns et les autres comme des « traîtres réactionnaires ou superstitieux », les oulémas et les chefs de confréries ont su attendre que le vent tourne.

---

1. Hassan II, *Discours et Interviews*, op. cit., t. III, p. 243.
2. *Annuaire de l'Afrique du Nord*, op. cit., année 1968, par Roger Le Tourneau, p. 199.

En septembre 1960, une visite rendue à l'université Qaraouiyine par le ministre de l'Instruction publique, Abdelkrim Benjelloun, pour introniser officiellement le nouveau recteur, Kacem Benabdeljalil, tourne presque à l'émeute : cent quatre-vingts oulémas, tenants de la vieille école, reprochent au ministre, en termes extrêmement vifs, de vouloir modifier les études à l'université, basées sur une tradition millénaire dans le respect des préceptes du Coran et des *hadiths*, et donc, selon eux, intangibles. Excédé, le ministre leur rappelle qu'ils sont mal venus d'invoquer la tradition, eux qui, quelques années plus tôt, ont fait allégeance au sultan fantoche Ben Arafa.

De tels incidents se font de plus en plus rares. Le parti de l'Istiqlal, qui accusait les confréries de double félonie, en raison de leurs pratiques en marge de l'orthodoxie et de l'appui qu'elles fournissaient aux occupants étrangers, va, bon gré mal gré, notamment après la scission, évoluer considérablement. Le PI, comme d'ailleurs l'UNFP, réalise au tout début des années soixante que les ruraux, déçus ou profondément irrités par les promesses non tenues, se retournent vers leurs élites traditionnelles, trop heureuses de l'aubaine. Les responsables marocains accordent de plus en plus d'autorisations pour la tenue de *moussems*[1] qui rassemblent parfois des dizaines de milliers de personnes. Dès septembre 1958, Allal el-Fassi en personne se rend au *moussem* des Alamiyen (ceux qui portent l'étendard du Prophète). En août 1959, il est à Oued Loukkos lors de la commémoration de la bataille des Trois Rois[2] – pour l'essentiel une victoire des confréries –, et il prononce son discours devant les étendards des confréries victorieuses. À l'automne 1960, le *zaïm* déclame un long poème de sa composition à la gloire de l'islam et de la dynastie alaouite, devant le tombeau de Moulay Idriss et en présence de Mohammed V, entouré de la Maison royale et du gouvernement. Certes, il n'y est pas question officiellement des confréries, mais il n'en demeure pas moins qu'elles n'ont pu être moralement absentes sur les lieux mêmes du fameux *moussem* de Moulay Idriss, dont les foules ont gardé un

---

1. Pèlerinages collectifs sur le tombeau d'un saint ou marabout.
2. La bataille des Trois Rois oppose en 1578, près de Larache (Nord), Sébastien, roi du Portugal, allié à Mohammed al Moutawakkil, neveu entré en dissidence du souverain Saadien Moulay Abdelmalik. Les Trois Rois meurent au cours de cette bataille perdue par les Portugais.

impressionnant souvenir. Allal el-Fassi peut aussi se prévaloir d'avoir contribué à interdire les pratiques idolâtres de certaines confréries, telles que celles des Aissaoua[1] de Meknès, et de les avoir ainsi rendues « fréquentables ».

En somme, devant la menace – réelle ou supposée – représentée par la laïcisation de l'État et l'évolution de formations ou de puissants groupements comme l'UNFP, l'UMT, le Parti communiste ou le PDI, les partisans du socialisme islamique ou de l'« égalitarisme », selon le concept créé par Allal el-Fassi, n'ont eu d'autre issue que de ménager les mêmes confréries qu'ils avaient dénoncées pour les besoins de la cause nationaliste. Ce phénomène correspond, au début des années soixante, à l'amorce d'un ample mouvement de défense des valeurs spirituelles qui ne cessera de se développer par la suite sous l'impulsion et avec les encouragements d'un Hassan II allergique aux idées progressistes et laïques.

Cependant, la piété n'exclut pas la prudence ni le réalisme. Le 8 avril 1969, un décret renforce le contrôle exercé par le roi sur les forces armées, dont il est le chef, en instituant une Maison militaire dirigée par le général Medboh. Cette Maison est tenue de l'informer « de toutes les questions relatives à la défense et au maintien de l'ordre, et de communiquer ses directives aux organes chargés de leur exécution ».

Hormis cinq remaniements ministériels, dont le plus important est lié en février 1969 au départ de Driss M'hammedi, directeur du cabinet royal, très malade et qui meurt à Paris le 9 mars, la « grande affaire » politique de l'année est le renouvellement des assemblées communales et municipales, le 3 octobre. C'est l'occasion, pour l'UNFP et l'Istiqlal, de dénoncer de graves irrégularités dans la préparation de ce scrutin. L'UNFP décide même, le 5 septembre, de ne pas y participer. La campagne électorale se déroule dans un climat détestable, avec multiplication de saisies de journaux, interdiction du VIIe Congrès de l'Union générale des étudiants marocains (UGEM, proche de l'Istiqlal), du PLS accusé de reconstitution d'association

---

1. La confrérie des Aissaoua a été fondée par Sidi el-Hadi ben Aïssa à Mekmis au XVIe siècle. Leur rituel se caractérise par de la poésie et des chants mystiques ainsi que des danses extatiques et des transes spectaculaires.

dissoute un an après avoir été autorisé – on se demande bien pourquoi –, et condamnation de son secrétaire général, Ali Yata, à dix mois de prison.

Les mauvaises habitudes étant désormais bien ancrées, les élections sont truquées et les résultats ne revêtent aucune signification particulière. Cinquante mois après la proclamation de l'état d'exception, la politique au Maroc est toujours aussi malade.

VIII

Un monarque aveuglé

1970 et les cinq années qui vont suivre constituent sans aucun doute la période clé du règne de Hassan II. Bien que la brutalité de son régime et l'inefficacité de ses dirigeants, dont beaucoup sont déjà corrompus, désespèrent de plus en plus de Marocains, le roi, qui vient d'imposer à son « cher peuple » l'état d'exception pendant cinq années, est assez content de lui. Dans son discours du trône, le 3 mars, il se félicite de ce que l'année écoulée ait été, « comme celle qui l'a précédée, riche en projets et réalisations, une année pendant laquelle nous avons préféré au repos et à la facilité le labeur continu et la réflexion constructive ». Estimant « superflu d'entrer dans les détails », il résume en une phrase sa conception du développement : « L'agriculture et l'irrigation constituent le fondement de la relance de notre économie et de notre production industrielle[1]. »

Mais, beaucoup plus que l'« intendance » qui l'amène souvent à se brouiller avec les chiffres, c'est la place du royaume sur la scène internationale qui le motive et le stimule. La conférence islamique au sommet, première conférence d'États musulmans de l'Histoire, qui se tient

---

1. Hassan II, *Discours et Interviews, op. cit.*, t. IV, p. 41.

à Rabat en septembre 1969, et le sommet arabe réuni deux mois plus tard, également à Rabat, permettent à Hassan II de donner à son règne la dimension internationale qui lui manque. Moins glorieux, mais certainement aussi important, le rétablissement de relations au plus haut niveau avec la France conforte un monarque auquel le général de Gaulle, remplacé en juin 1969 par Georges Pompidou, n'a jamais pardonné l'affaire Ben Barka. « Nous avons décidé de part et d'autre, spontanément et sans accord préalable, non de tourner, mais de déchirer une page d'un volume, parce qu'elle n'était pas digne d'y figurer », déclare au *Monde* Hassan II, manifestement soulagé. « De la déchirer entièrement ? » lui demande le journal. Réponse : « De l'arracher. Le volume était trop grand. La page était piquée et inrestaurable *(sic)* »[1].

Comme, en outre, la récolte agricole s'annonce bonne et que l'Office chérifien des phosphates (OCP) a battu ses records de production et de vente[2], le Palais estime le moment venu de sortir le pays de l'impasse politique dans laquelle il se trouve depuis presque cinq ans. Une fois encore, avec le tact qui le caractérise, c'est à la presse étrangère – à Jean Daniel, directeur du *Nouvel Observateur* – que le monarque annonce son intention de soumettre à référendum une nouvelle Constitution. Il s'en explique longuement :

« Sans doute la monarchie n'est en rien incompatible avec une vraie démocratie. À la condition que l'opposition joue le jeu, le seul jeu valable dans un pays qui doit sortir du sous-développement. J'ai proclamé l'état d'exception en 1965 parce que l'opposition était davantage préoccupée de conquérir le pouvoir que d'infléchir la politique du gouvernement. Et même il y a eu complot contre l'institution monarchique elle-même. Au profit de qui et de quoi ? Ce ne pouvait être que l'aventure. Quel modèle étranger, soviétique ou américain, peut-on nous offrir, qui s'adapte aux réalités marocaines ? Je n'ai pas, moi, l'obsession de la réélection ni le souci du septennat. Je suis le garant d'une tradition et d'un progrès. Mais, pour que le progrès puisse s'accomplir rapidement, j'ai besoin d'une opposition

---

1. *Le Monde*, 9 février 1970. Un nouvel ambassadeur de France, Claude Lebel, arrive effectivement à Rabat le 4 janvier.

2. Respectivement 11 300 000 et 10 740 000 tonnes selon le directeur général de l'OCP, Karim Lamrani.

constructive. J'ai besoin d'être contrôlé par des hommes qui m'indiquent que je peux faire parfois fausse route. J'ai besoin d'un Parlement associé à la construction d'un nouveau Maroc. J'ai dit ailleurs que les Marocains auxquels je pensais étaient les fils des opposants actuels, qui sont aujourd'hui amers, isolés et dépassés. »

Dans le même entretien, Hassan II se montre satisfait de l'évolution de la classe ouvrière : « Les ouvriers ont été encadrés par un parti d'opposition qui, comme je vous l'ai dit, ne se préoccupait que de la conquête du pouvoir. Aujourd'hui, ce n'est plus le cas. […] On pourra vous dire le contraire, mais, à mon avis, la grande majorité des ouvriers fait la différence entre la lutte contre le sous-développement, qui les concerne directement, et l'exploitation de leurs revendications par une opposition aventurière. »

Il n'y a pas que l'attitude des ouvriers qui comble le souverain. L'enrichissement du peuple marocain, bien loin de souffrir d'inégalités scandaleuses – « c'est une calomnie dont on nous accable sans cesse », s'insurge le roi –, le satisfait. Encore faut-il ouvrir les yeux : « En vous promenant dans les quartiers les plus modestes, je vous invite à remarquer deux choses sur les toits et les terrasses : les antennes de télévision et un linge étendu de bonne qualité. Or, il y a seulement douze ans, les pauvres n'avaient pas, ne savaient pas ce qu'étaient les sous-vêtements. »

Enfin, à Jean Daniel, bien inspiré à une année de la première tentative de coup d'État, qui lui dit : « On a parlé d'agitation dans l'armée », Hassan II répond : « C'est absolument faux ! Ces rumeurs viennent du Proche-Orient, des pays "frères", hélas ! »

Ainsi donc, après soixante mois d'état d'exception, Hassan II, aveuglé par une vision de la vie politique qui se réduit à quelques textes constitutionnels taillés sur mesure, semble n'avoir aucune idée du mécontentement profond qui règne dans le pays.

La Constitution de juillet 1970

Néanmoins, dans ce Maroc qui ne lui apporte que satisfactions et où l'opposition semble pétrifiée, on n'est jamais trop prudent. Alors que les deux grands partis issus du Mouvement national et les centrales syndicales attendent, après plus de cinq années d'état d'exception, une véritable démocratisation de la vie politique, le monarque, sans consulter les partis, amende la Constitution de 1962 dans un sens qui renforce encore les pouvoirs considérables qui sont les siens. Driss Basri a une formule heureuse : « La Constitution de 1970, on peut le dire, cristallisait, figeait l'état d'exception [...]. Le roi redevenait un monarque absolu[1]. »

Ce qui frappe d'abord, dans cette affaire, c'est la désinvolture dont fait preuve Hassan II à l'égard des textes constitutionnels. Selon la Loi fondamentale de 1962, l'initiative de la révision appartient en effet au Premier ministre et au Parlement, et non au roi. De plus, le projet de révision doit être arrêté en Conseil des ministres et, surtout, faire l'objet d'une délibération des deux Chambres. « Il est évident, commente Jacques Robert, professeur de droit à Paris-Assas, que le roi n'a point respecté cette procédure, puisqu'il a soumis lui-même à son peuple, pour qu'il l'approuve, un texte qui n'avait point fait au préalable l'objet d'une délibération parlementaire[2]. »

Les arguments fournis le 22 juillet par Driss Slaoui, directeur général du cabinet royal, à la télévision marocaine ne convainquent pas davantage le professeur Robert qui estime qu'aucun d'eux « ne peut être retenu ». En revanche, le constitutionnaliste français note que le souverain a choisi un moment « particulièrement propice » pour agir : « Pays bien tenu en main, étudiants en congé universitaire, absence de plusieurs personnalités de l'opposition en voyage à l'étranger, conjoncture internationale favorable, etc. »

Si, sur 101 articles de la nouvelle Constitution, 79 sont empruntés pour tout ou partie au texte de 1962, il y a néanmoins quelques changements majeurs. Le roi régnant peut désormais désigner n'importe lequel de ses fils pour lui succéder, et non plus l'aîné. Déjà, la Constitution de 1962, en adoptant le principe de la succession héréditaire par les mâles, avait rompu avec la tradition musulmane la plus ancienne. Il est vrai que Mohammed V, en désignant de son vivant Moulay Hassan comme son successeur, avait préparé les esprits...

---

1. Entretien avec l'auteur.
2. Jacques Robert, « La Constitution marocaine du 31 juillet 1970 », *Maghreb-Machrek*, novembre-décembre 1970, p. 30 *sq.*

Autre innovation importante : la réduction du Parlement de deux Chambres à une seule. Dans la Chambre unique, 90 membres seulement sur 240 sont élus au suffrage universel. C'est dire que Sa Majesté entend ne prendre aucun risque. Ultérieurement, le pourcentage d'élus au suffrage universel augmentera, mais le ministère de l'Intérieur veillera soigneusement à ce qu'aucune majorité hostile ou tout simplement libre d'attaches ne puisse se dégager !

Le souci des rédacteurs de la Constitution de 1970 de renforcer encore les pouvoirs du roi apparaît également dans les articles qui diminuent la position politique du Premier ministre. Ainsi, les nouveaux textes attribuent-ils exclusivement au roi le pouvoir réglementaire, qui, dans le texte de 1962, était partagé entre le monarque et le Premier ministre. D'autres prérogatives nouvelles sont conférées au roi, comme celle d'adresser un message à la Nation ou à la Chambre des députés sans que le contenu du message fasse l'objet d'un débat, comme c'était le cas jusqu'ici. Ou celle de déclarer la guerre par un simple communiqué au Parlement, alors que l'ancienne Constitution exigeait une « autorisation » de celui-ci.

Mais c'est sans doute dans le domaine de la révision constitutionnelle que le renforcement des pouvoirs du roi est le plus spectaculaire. Désormais, l'initiative de la révision relève de lui seul – d'ailleurs dispensé de tout débat préalable à la Chambre – et non plus du Premier ministre ou du Parlement.

Plus tard, Hassan II apportera un éclairage intéressant sur la manière dont il conçoit la place du Premier ministre dans la vie publique. Invité à tirer les conclusions de son expérience de chef de gouvernement à partir de 1960, après la chute du cabinet Ibrahim, il répond : « J'ai su quel est le poids réel du stylo entre les mains d'un Premier ministre. Si le stylo est employé de façon inopportune, cela peut mener loin. C'est d'ailleurs une des raisons qui m'ont poussé à faire une Constitution. Je me suis dit : "Tu ne pourras pas toujours surveiller ton Premier ministre, mais s'ils sont deux ou trois cents à le surveiller, au moins il ne risque pas de faire trop de bêtises." En fait, cette expérience m'a montré le pouvoir que pourrait détenir un Premier ministre non contrôlé[1]. »

---

1. Hassan II, *Mémoires d'un roi, op. cit.*, p. 51.

Comme le relève avec un brin d'humour *Maghreb-Machrek*, « dans ces conditions, il n'étonnera point qu'à ce roi qui nomme et révoque les ministres, exerce seul l'intégralité du pouvoir réglementaire, dissout la Chambre, peut seul réviser sans partage la Constitution, le texte de 1970 n'ait point hésité à donner le titre nouveau de "Représentant suprême de la Nation"[1] ».

Sans illusions sur l'élaboration du texte et son utilisation future, Jacques Robert, ménageant l'avenir, s'en tire par une pirouette : « Peut-on appeler régime parlementaire un système politique qui, concentrant les pouvoirs entre les mains d'un monarque, retire la compétence réglementaire de droit commun et, pour les actes les plus importants, le droit de contreseing à un Premier ministre qui n'est plus qu'un "brillant second" ? Qu'importe, après tout ? Le vrai problème est-il de juger un régime en le comparant aux types les plus évolués, ou plutôt de se demander quelles formes politiques conviennent le mieux à un pays comme le Maroc, qui n'est ni l'Angleterre ni la France ? [...] Une démocratie réelle ne peut-elle point être établie dans un pays comme le Maroc par des voies en partie différentes de celles pratiquées en Occident ? Qu'y a-t-il dans la nouvelle Constitution marocaine ? Le roi ! Et si, dans ses profondeurs, c'était bien cela que voulait la Nation[2] ? »

Inspirée par les événements de 1971 et de 1972, la réforme constitutionnelle de 1972 n'enlève pratiquement rien aux pouvoirs du monarque, même si elle rend une partie du pouvoir réglementaire au Premier ministre. Mais ce dernier étant totalement soumis aux caprices du Prince, cette modification reste purement formelle. Sa Majesté, sur ce plan, peut dormir tranquille. Driss Basri n'en estime pas moins qu'elle rétablit « le lien avec la Constitution de 1962, qu'elle ferme la parenthèse de l'état d'exception et qu'on reprend le chemin des réformes constitutionnelles[3] ».

---

1. Article d'Elizabeth Stemer, novembre 1972.
2. Jacques Robert, « La Constitution marocaine du 31 juillet 1970 », art. cité, p. 38.
3. Entretien avec l'auteur.

Les dernières dérives absolutistes de Hassan II ont-elles précipité la fin d'Abdelkhaleq Torrès ? On ne le saura jamais, mais la disparition de ce ténor de la vie politique marocaine, à qui le pays doit d'avoir parachevé son unité, est un des événements importants de cette année 1970.

Torrès, diabétique et malade depuis de longues années, meurt le 26 mai. Fidèle au trône, mais peu disposé à certaines compromissions, il fait partie de ces hommes politiques marocains qui, l'indépendance venue, n'ont pas vraiment pu donner la pleine mesure de leurs capacités. Très vite ignoré par Hassan II et le Palais, plus ou moins en froid avec l'Istiqlal qu'il trouve, dans les dernières années de sa vie, intransigeante et figée, il prend du recul. Le gouvernement le satisfait encore moins : « Il y a trop d'arrivistes et pas assez de nationalistes dans le gouvernement actuel[1] », confie-t-il.

Plus grave encore à ses yeux est l'abandon du nord du pays par tous les responsables marocains. Il ne comprend pas qu'on puisse laisser vivre cette région dans un tel marasme, alors que ses habitants ont fait preuve d'un patriotisme qu'il juge irréprochable et n'ont cessé de manifester leur désir d'unité avec le reste du royaume. Il constate que Tanger s'anémie et que les investissements portuaires ne profitent pratiquement qu'à Casablanca. L'état du réseau routier est déplorable, la réforme agraire se fait attendre, et l'ostracisme à l'égard des fonctionnaires du Nord, souvent de formation hispanique, est à ses yeux inacceptable. Il déplore aussi que la plupart des gouverneurs nommés dans le Nord viennent d'autres régions et ignorent le plus souvent les traditions locales.

À cela s'ajoutent des difficultés financières. Torrès, grand admirateur de l'écrivain cubain Reinaldo Arenas, aimait à le citer : « Ou l'on vit selon ses désirs, ou alors il vaut mieux cesser de vivre. » Sa fortune personnelle, il l'a mise au service de son combat pour l'indépendance et de son Parti de la Réforme *(al-Islah)*. Sans jamais compter : « Torrès était le type même du grand seigneur [...]. Il se conduisait instinctivement en seigneur, depuis sa prime jeunesse, dans sa vie privée

---

1. À Jean Wolf, *op. cit.*, p. 352.

comme dans sa vie publique. Il pouvait se permettre ces gestes larges, fastueux, qui, chez d'autres, auraient paru ridicules ou ostentatoires, mais qui, venant de cet homme supérieur, semblaient tout naturels[1] », raconte Kasem Zhiri, un de ses meilleurs amis.

Dès 1969, sa santé, fragile, décline rapidement. Les crises de diabète se multiplient. Il souffre d'artériosclérose. Il prend ses médicaments quand il y pense, comme s'il n'avait plus vraiment l'envie de vivre. Il meurt dans une chambre d'hôtel à Tétouan.

Lors de ses funérailles, Allal el-Fassi prononce devant des milliers de personnes un discours resté dans les annales du Maroc. Le *zaïm*, qui a toujours crié avec force que l'admission à l'ONU de la Mauritanie était « une atteinte aux droits imprescriptibles du Maroc, une manœuvre dirigée contre l'unité de l'Empire chérifien », fait en effet scandale – du moins aux oreilles des courtisans – en déclarant : « Tu ne sais pas, Abdelkhaleq, combien je donnerais pour être aujourd'hui à ta place, sous terre, tant ma honte est grande après notre abandon de la Mauritanie ! »

Plusieurs témoins de la scène affirment que Moulay Ahmed Alaoui, cousin éloigné mais très proche de Hassan II, entendant ces propos, manque s'étouffer de rage. Il téléphone aussitôt au Palais pour relater l'incident et s'enquérir de la suite à y donner. Le général Oufkir aurait suggéré d'arrêter Allal el-Fassi mais Hassan II s'y serait opposé.

Les élections législatives des 21 et 28 août

Moins d'un mois après le référendum constitutionnel du 24 juillet où le « oui » recueille 98,7 % des suffrages exprimés, avec une participation électorale de 93,1 %, a lieu le premier tour des élections législatives qui désigne les 150 députés élus au suffrage indirect, puis, le 28 août, celui qui élit les 90 députés désignés au suffrage universel. À l'issue des deux scrutins, la composition de la Chambre des représentants est la suivante : 159 « indépendants » – dépendant en réalité étroitement du souverain –, 60 du Mouvement populaire, 8 de

---

1. Témoignage recueilli par Jean Wolf.

l'Istiqlal, 2 du Parti démocrate constitutionnel, 1 UNFP et 10 issus d'une « liste de salariés » intitulée « Progrès social ».

De par son bon vouloir, le roi a proposé, le 8 juillet, le référendum constitutionnel. Le *deal* est clair : l'état d'urgence, qui dure depuis cinq ans, sera levé si le peuple approuve la nouvelle Constitution. Monarque de droit divin, Hassan II, souligne *Maghreb-Machrek*, s'appuie sur le Coran : « De même que le Très-Haut eut la délicatesse de changer, au cours de la mission de Mahomet, les versets coraniques devenus caducs, de même le souverain alaouite – de légitimité prophétique – octroie à son peuple un changement de Constitution. Qui plus est, les modifications proposées ont pour but de créer "une intimité plus grande entre le roi et le Parlement" grâce au pouvoir réglementaire dont le roi disposera désormais entièrement et grâce, surtout, au monocamérisme[1]. »

Dans la foulée, radio-télévision et presse gouvernementales offrent aux Marocains une véritable hagiographie de Hassan II, dépeint comme « studieux, courageux, démocrate, fidèle en tous points au serment d'allégeance prêté à son père[2] ». Parallèlement, le Premier ministre Ahmed Laraki fait longuement l'éloge de l'état d'exception qui, dit-il, a permis d'édifier des barrages, de mettre en valeur un million d'hectares et…de réunir la Conférence islamique !

En d'autres temps, l'Istiqlal et son chef auraient pu fermer les yeux sur le caractère illégal de l'initiative de la réforme constitutionnelle, et admettre tant bien que mal les changements intervenus, mais la désinvolture royale, dans un climat général aussi malsain, leur est inacceptable. Ainsi, et bien que l'esprit du nouveau texte ne soit pas en rupture avec la sensibilité islamique et marocaine, Allal el-Fassi se pose beaucoup de questions sur l'homme qui règne. Le renoncement discret mais réel aux revendications marocaines sur la Mauritanie, la réforme agraire jugée totalement insuffisante, l'entourage corrompu ou trop occidentalisé du roi irritent profondément le *zaïm* qui s'interroge sur le nationalisme, voire l'indépendance réels de Hassan II.

---

1. « Le référendum et les élections législatives au Maroc », *Maghreb-Machrek*, novembre-décembre 1970.
2. *Ibid.*, p. 12.

À l'UNFP où l'on n'a jamais accepté la Constitution « octroyée » de 1962, on rejette sans ambiguïté ce « régime de monarchie théocratique ». Les deux partis sont tellement remontés que l'Istiqlal ouvre ses colonnes à l'UNFP dans la semaine qui précède le référendum, et voit ainsi ses ventes quadrupler !

Les résultats du référendum comme ceux des législatives provoquent la colère de l'opposition. Allal el-Fassi hausse le ton : « La démocratie, comme l'indépendance, ne s'octroie pas. Elle s'arrache par une lutte sans merci ! » Quant au Parlement, le président de l'Istiqlal n'y voit qu'« une Chambre d'enregistrement », tandis que Ali Yata parle d' « une revue de figurants de l'administration ».

En cette fin d'année 1970, Hassan II peut sans doute se réjouir d'avoir réactivé la vie constitutionnelle et d'avoir un Parlement à sa botte ; il n'en reste pas moins que, s'il demeure sans rival, l'isolement politique dont il voulait sortir subsiste. Surtout, en traitant par le mépris les principales formations démocratiques, en encourageant plus ou moins consciemment la corruption et la concussion, il est en train de s'aliéner des pans entiers de la société marocaine qui vont du monde universitaire et étudiant aux Forces armées royales, en passant par les classes moyenne et ouvrière.

La charte d'al-Koutlah al-Wataniah (le Bloc national), signée le 27 juillet 1970 par l'Istiqlal et l'UNFP et approuvée par Ali Yata, témoigne de la profondeur du malaise. Même si les revendications de l'opposition vont un peu dans tous les sens, on n'a aucune peine à comprendre que ses chefs ne sauraient se contenter d'un simple changement de style. En appelant leurs militants à lutter pour l'instauration d'une démocratie politique, économique et sociale, pour l'émancipation de l'économie du capitalisme, pour une véritable réforme agraire, pour la libération des territoires encore dominés par l'étranger, pour la solidarité avec les peuples en lutte « contre l'impérialisme », les signataires de la charte préconisent une politique qui n'a pas grand-chose à voir avec celle que suit depuis dix ans Hassan II.

IX

Un roi en danger

Des élections législatives d'août 1970 à la première tentative de coup d'État, le pouvoir marocain ne manque pas une occasion de provoquer l'opposition. Le 27 septembre, un meeting de solidarité avec la Résistance palestinienne, organisé à Casablanca, est interdit. Le même jour, Ali Yata est empêché de quitter le pays. Le lendemain, maître Berrada, directeur du quotidien istiqlalien *L'Opinion*, est arrêté et inculpé d'atteinte au moral de l'armée à la suite d'un article faisant état des mesures d'épuration de services de l'armée touchés par la corruption. À la mi-octobre, les autorités ferment l'École normale supérieure. Le 25 octobre, maître Berrada est condamné à six mois de prison ferme. Le 20 novembre, l'UNFP signale la disparition de Mohammed el-Yazghi, membre de la Commission centrale du parti. On apprend le 7 décembre qu'il a été arrêté sur ordre du juge d'instruction du tribunal militaire de Rabat. Dans ses Mémoires, M. Yazghi raconte qu'après avoir été incarcéré à Salé, il est transporté à Dar el-Mokri, à Casablanca ; il ne réapparaîtra qu'après plusieurs mois. Le 28 novembre, cinq paysans qui s'opposent à des labours de terres cédées récemment à des propriétaires fonciers sont tués par les forces auxiliaires à Souk et-Tleta du Gharb. Le 15 décembre, la peine frappant maître Berrada est portée de six mois à un an de prison. En janvier 1971, l'agitation se développe dans les lycées et les universités : nombreuses exclusions, peines de prison ferme, amendes, bourses bloquées et surtout, selon l'UNEM, deux morts et des centaines d'arrestations à Casablanca le 29 janvier. Du 15 février au 15 mars, *Al-Alam* et *L'Opinion* interrompent leur parution. En avril, les deux quotidiens istiqlaliens sont interdits à six reprises. *Al-Alam* l'est à nouveau quatre fois au mois de mai. Les 10 et 11 juin, de violents affrontements entre la police et les étudiants, qui exigent le report à septembre des examens, font de nombreux blessés.

Dans la seconde quinzaine de juin s'ouvre à Marrakech le procès de près de deux cents militants ou sympathisants de l'UNFP qui ont été arrêtés, enlevés et torturés avant d'être inculpés d'atteinte à la sûreté de l'État. En réalité, ces militants ont déjà comparu en juillet 1970 à Kénitra devant le tribunal militaire. L'instruction porte alors sur l'atteinte à la sûreté extérieure de l'État. Une ambiance de terreur règne. Les interrogatoires se passent en présence de militaires armés ; les inculpés, contrairement à toutes les règles, sont présentés au juge les yeux bandés et la tête couverte d'un capuchon. À la fin de 1970, le juge d'instruction rend une ordonnance d'incompétence au profit de la justice civile. En mars 1971, le juge d'instruction de Marrakech commence son travail, tandis que la Cour suprême rejette tous les pourvois interjetés par la défense contre l'arrêt de renvoi. C'est à cette occasion qu'elle déclare que la garde à vue peut être illimitée en matière d'atteinte à la sûreté de l'État ! Commencé le 14 juin, le procès se termine le 17 septembre dans le climat qu'on peut imaginer, puisque, entre-temps, a eu lieu le premier coup d'État militaire de Skhirat. Les deux défenseurs, Abderrahim Bouabid et Abderrahim Berrada, qui ont dû s'installer à Marrakech, récusent le président du tribunal et finissent par refuser de plaider. Le procureur, M. Mejboud, a la main particulièrement lourde, puisqu'il réclame 48 condamnations à mort, dont 32 par contumace, et la réclusion à vie pour tous les autres (122) ! La Cour se montre fort heureusement plus mesurée et prononce 5 condamnations à mort, dont 4 par contumace, et 6 emprisonnements à perpétuité. Parmi les personnes acquittées figurent Mohammed el-Yazghi, Abderrahmane Youssoufi et Mehdi Alaoui. Sans doute le roi, qui commence à prendre conscience que le royaume ne tourne pas rond et qui cherche à se rapprocher de l'opposition, est-il intervenu pour apaiser celle-ci. Mais ses bonnes dispositions ne dureront pas.

Le complot de Skhirat

Fils de Moulay Abdallah, frère de Hassan II, Moulay Hicham a huit ans à l'époque. Trente ans plus tard, il se souvient de Habib Bourguiba, le président tunisien, disant à son père : « Dis-lui [à Hassan II] que cela ne peut plus continuer. Dis-lui qu'il faut que tout cela cesse ! » Puis Moulay Hicham ajoute : « On a arrêté la voiture pour me faire descendre, et ils ont poursuivi leur conversation. Il y avait une atmosphère délétère, une ambiance de fin de règne »[1].

Effectivement, un climat exécrable de répression généralisée, doublée d'une corruption qui se développe au grand jour et touche ministres et hauts fonctionnaires, règne à l'époque. En août 1970, Hassan II, histoire de donner un exemple, renvoie deux ministres, Mohammed Imani, en charge des Travaux publics, et Mohammed Benhima, en charge de l'Agriculture. Sans explications. L'histoire de la magnifique villa d'Imani, dans le beau quartier du Souissi, à Rabat, est restée célèbre. Alors que le ministre donne une fête somptueuse pour son premier million de dollars, le roi arrive à l'improviste et lui demande le coût des travaux. Imani sort un chiffre dérisoire. Le roi lui en propose le double et oblige Imani à lui vendre la villa[2]…

Hassan II, qui déplore que « l'intégrité soit devenue une vertu rare[3] », prend d'autres mesures au printemps 1971, quelques semaines avant les événements de Skhirat. Au retour d'un voyage aux États-Unis du général Medbouh, un de ses proches collaborateurs, rentré ulcéré et humilié d'y avoir appris que de hautes personnalités marocaines s'étaient rendues coupables de concussion, le roi limoge quatre autres ministres : Mamoun Tahiri, Mohammed Jaïdi, Abdelhamid Kriem et Abdelkrim Lazrak. Trois mois après Skhirat, les

---

1. Entretien avec l'auteur.
2. Cf. Stephen O. Hughes, *Le Maroc de Hassan II, op. cit.*, p. 279.
3. Discours du 20 août 1970.

quatre hommes sont arrêtés et seront jugés un an plus tard par un tribunal spécial en compagnie de deux anciens ministres, Imani et Yahya Chefchaouni, ainsi que quelques hauts fonctionnaires. Mais le procès, selon l'un des avocats, Abderrahim Berrada, « sombra dans le dérisoire [...]. Les Marocains, souligne-t-il, voulaient que la justice démonte le système de corruption, dévoile ses ressorts pour en éradiquer les causes profondes. Limiter un tel procès à la seule préoccupation de savoir qui a donné quoi et qui a reçu quoi n'avait d'intérêt que strictement judiciaire[1] ». Les condamnations sont lourdes pour quelques accusés mais, trois années plus tard, du fait de grâces royales, tout ce petit monde est dehors. Tous sont redevenus aujourd'hui des hommes d'affaires prospères.

Cependant, pour Stephen Hughes, « il ne fait aucun doute que le fait de ne pas avoir déféré immédiatement les coupables à la justice a renforcé la motivation d'au moins quelques-uns des conspirateurs militaires qui envahirent le palais de Skhirat[2] ». À commencer naturellement par le général Medbouh.

Au mois de juillet 1971, un quarteron d'officiers supérieurs décide d'en finir avec Hassan II. L'exécution de la tâche est confiée au colonel Ababou, chef de l'École militaire d'Ahermoumou, qui entraîne dans l'opération quelques dizaines d'officiers subalternes et plus de mille cadets répartis en deux colonnes. Sa Majesté, qui reçoit somptueusement, pour son quarante-deuxième anniversaire, mille deux cents invités, échappe miraculeusement à la mort. Ce n'est malheureusement pas le cas d'une centaine de ses hôtes qui perdent la vie, tandis que deux cents autres sont blessés durant un carnage qui dure plus d'une demi-heure. Le général Medbouh[3], chef de la conjuration, qui ne supportait plus les dérives du régime et qui, semble-t-il, ne souhaitait que l'abdication de Hassan II, est effaré par la tournure que prennent les événements. Ababou donne l'ordre de le liquider. Mal préparé, mal exécuté par un aventurier brutal, le complot échoue lamentablement.

---

1. Entretien avec l'auteur.
2. Stephen O. Hughes, *Le Maroc de Hassan II*, *op. cit.*, p. 280.
3. Littéralement, « l'Égorgé », parce que le père de Medbouh, un Rifain, qui collaborait avec les Français, eut une altercation avec des partisans d'Abdelkrim, au cours de laquelle il eut la gorge tranchée, mais survécut... D'où le sobriquet qu'il transmit à son fils.

Les détails du coup d'État de Skhirat sont suffisamment connus pour qu'on ne s'y attarde pas[1]. Il est néanmoins intéressant de rappeler l'interprétation que donne des événements, à l'époque, le premier concerné, Hassan II. Dans une interview accordée à une radio française, le roi commence par écarter d'un revers de la main l'implication supposée ou réelle de la Libye, qui ne cessait d'appeler les Marocains à rejoindre les rebelles : « Personnellement, de la Libye, je vais vous dire le plus vulgairement possible que je m'en fous le plus royalement possible[2] ! »

Le même jour, dans un message à la Nation, Hassan II précise sa pensée : « Nous nous adressons maintenant aux leaders politiques et aux dirigeants syndicaux en leur disant que nous n'avons récolté que les fruits de ce qu'ils ont semé à force d'écrire dans leur presse et d'insinuer que le Maroc est sur la voie de l'effondrement, que la situation est mauvaise, que l'économie n'est pas saine et que la féodalité bat son plein[3]... »

Le roi ironise ensuite sur les personnalités de l'opposition qui se trouvaient au palais et qui ont failli mourir ou ont été malmenées. Parmi elles figurent Allal el-Fassi et le Dr Hédi Messouak dont, dit-il, « on connaît les opinions ». « Nous avons vu ce dernier, ajoute-t-il perfidement, couché par terre et tremblant ».

Deux jours plus tard, face aux questions de Jean Mauriac, il est moins agressif : « Je ne changerai pas de politique, mais, bien sûr, je vais changer quelque chose dans la façon de gouverner mon pays, à commencer par moi-même. Il est certain que ces événements ne sont pas des événements spontanés. Ils ne sont que la stratification, d'une part, d'un certain nombre de conjonctures, et, d'autre part, d'un certain nombre d'erreurs d'appréciation. Dans cette part d'erreurs figurent les miennes. Vous en dire la nature et le volume est à mon avis prématuré, car tout cela nécessite une introspection extrêmement scientifique[4]. »

---

1. Voir notamment les ouvrages d'Ahmed Marzouki et Mohammed Raïss.
2. Interview à Europe n° 1, le 10 juillet 1971.
3. Message à la Nation, le 11 juillet 1971.
4. Interview recueillie par Jean Mauriac, de l'AFP, le 13 juillet 1971.

Le 4 août, Hassan II entend tourner la page. Il minimise les récents événements tout en annonçant des changements non pas dans « les principes » qui fondent sa politique, mais dans « les moyens d'action et de travail » : « … De notre côté, nous avons analysé la situation sur le plan philosophique pour savoir dans quelle mesure le peuple, l'État et la nation du Maroc ont été en sécurité, sains et purs. Au terme de cette analyse, nous nous sommes aperçu du parfait état de ces entités [...]. En notre qualité de roi et, donc, de responsable des valeurs sacrées de ce pays, nous devons reconnaître que nous sommes parvenu à un excellent résultat. Les rangs de la Nation sont davantage serrés et solides. Les auteurs des événements du 10 juillet n'avaient pas d'alliés dans le passé et ne pouvaient en trouver pour l'avenir [...]. Il faut maintenant cesser de vivre dans le climat du 10 juillet 1971 et regarder devant soi, et non constamment derrière. Le chauffeur qui a les yeux fixés sur le rétroviseur provoque infailliblement des accidents[1]. »

Hassan II annonce ensuite les mesures qu'il compte prendre. Le poste de directeur général du cabinet royal – il s'agit de Driss Slaoui, qui y a remplacé Ahmed Réda Guédira – est supprimé et ses tâches sont confiées au prochain gouvernement qui devra s'employer à « tout mettre en œuvre pour une répartition plus équitable du revenu national ».

Si l'on se fie aux quatre principaux objectifs fixés au futur cabinet, le monarque paraît avoir compris que l'enseignement fonctionne mal et n'assure pas suffisamment de débouchés aux jeunes. L'administration, dont il semble découvrir « la corruption et les abus de pouvoir », sera réformée, même si, prudent, Hassan II affirme n'avoir « ni l'ambition, ni les moyens de changer la nature humaine ». Mêmes observations pour l'appareil judiciaire qui sera réorganisé afin de permettre au peuple marocain de vivre « uniquement sous le règne d'une justice saine ». Enfin, dans le paradis terrestre qui se profile, l'accent sera également mis sur le développement économique qui permettra à « tout Marocain travailleur et actif d'atteindre un haut niveau de vie »[2].

---

1. Discours radiodiffusé de Hassan II.
2. *Ibid.*

Dans la même intervention, le souverain déplore, « pour des raisons sur lesquelles il est inutile de revenir », d'avoir dû constater que sa politique économico-sociale, qui avait pour objectif d'« enrichir le pauvre sans appauvrir le riche », a abouti exactement à l'inverse.

Enfin, alors que la conquête de l'espace triomphe[1], Hassan II, qui s'est toujours piqué d'être au courant des dernières découvertes scientifiques, livre aux auditeurs son ultime objectif : « Nous voulons que le Maroc puisse lui aussi contribuer à la conquête de l'espace et non pas seulement voir ses enfants partir à bord des vaisseaux spatiaux ; mais nous ne pourrons atteindre un tel objectif que si nous sommes à même de préparer valablement l'avenir des jeunes générations… »

Quelles qu'aient pu être l'incurie et l'incompétence des putschistes, et quoi qu'ait pu dire Hassan II au lendemain de cette tragique et humiliante journée, les Marocains découvrent brusquement que leur souverain est vulnérable. Comme l'écrit Jean-Claude Santucci, « cette désacralisation aura fait dans l'esprit [des Marocains] plus de chemin que toutes les critiques de l'opposition, contribuant sans doute à modifier la conscience politique des masses populaires[2] ».

Chez les jeunes, étudiants ou lycéens, souvent privés de perspectives, l'annonce de la mise en échec de l'absolutisme est accueillie avec joie, fût-elle de très courte durée. Dans le reste de la population, hors quelques bastions inconditionnels qui profitent avec impudence du régime, presque tout le monde se pose des questions. La fameuse lettre du *fqih* Basri, dont nous parlerons un peu plus loin, les révélations d'Omar el-Khattabi, le livre-enquête de Mehdi Bennouna, *Héros sans gloire*, les précisions apportées par *Le Journal*, voire par Raouf Oufkir, montrent clairement qu'une grande partie des élites marocaines ne supportait plus l'absolutisme de Hassan II et pensait soit à renverser la monarchie, soit, plus vraisemblablement, à déposer un monarque discrédité et à lui trouver un successeur au sein de la famille alaouite. Les dénégations de l'USFP, trente ans plus tard, n'y changent rien. Comme le dit justement Mehdi Bennouna, « les insurrections qui réussissent s'appellent Révolution avec un "R"

---

1. Neil Armstrong et ses camarades ont débarqué sur la Lune deux ans plus tôt.
2. Jean-Claude Santucci, *Chroniques politiques marocaines (1971-1982)*, CNRS, 1985, chronique de 1971, p. 35.

majuscule ; celles qui échouent, une révolte avec un "r" minuscule. Le crédit des premières est âprement disputé, tandis que les secondes sont orphelines[1]. »

Dans un premier temps, Hassan II fait appel, le 6 août, à Karim Lamrani pour diriger une équipe gouvernementale réduite à 15 membres (contre 19 auparavant), mais disposant de pouvoirs plus étendus. Par délégation, et avant même que la Constitution de 1970 ne soit à nouveau amendée, le Premier ministre se voit doté du pouvoir réglementaire que s'était arrogé le roi.

Les fausses avances de Hassan II

Mais Hassan II sent bien que ce gouvernement de technocrates, auquel il a donné de douze à dix-huit mois pour mettre en œuvre un certain nombre de réformes, n'a rien pour séduire les Marocains. Il s'efforce donc de reprendre le dialogue avec son opposition. Les discussions démarrent en novembre 1971 et durent jusqu'à la mi-février. Selon Mohammed Lahbabi qui a raconté très précisément cette période[2], les conversations du roi et de la *koutla*[3] aboutissent à une entente générale comportant :

– Un accord global, politique, institutionnel, permettant, « par la symbiose entre le roi et les forces vives du pays, de faire sortir celui-ci de la très grave crise générale dans laquelle il est plongé ». Cet accord global comporte en particulier l'annonce de la préparation d'une nouvelle Constitution « organisant une monarchie démocratique ».

– L'annonce de cet accord global sera accompagnée de l'annonce d'une amnistie générale « qui aurait créé le climat politique nécessaire à l'application de l'accord global ». Le roi « en parlait d'ailleurs comme d'un fait acquis », selon Lahbabi.

Pour ce dernier, « l'accord global a créé beaucoup d'espoir dans l'ensemble des composantes de la *koutla* et, en particulier, une ferme

---

1. Interview au *Journal* des 6-12 juillet 2002.
2. Intervention à la Fondation A. Bouabid à l'occasion du 9e anniversaire de la mort d'Abderrahim Bouabid.
3. Koutla, « bloc » en arabe, regroupe les partis historiques, Istliqlal et UNFP ainsi que les communistes.

volonté de s'atteler à des tâches considérables, afin de sortir le pays du gouffre dans lequel il s'était précipité depuis une dizaine d'années ».

Mais, le 17 février 1972, la *koutla*, dont beaucoup de responsables se trouvent chez M'hammed Boucetta, subit un véritable choc en écoutant le discours télévisé de Hassan II. Ce dernier annonce en effet un référendum sur une nouvelle Constitution, avec une campagne commençant le lendemain et devant durer une dizaine de jours. Puis il menace les étudiants et les lycéens en affirmant que l'ordre doit être maintenu et appliqué par tout gouvernement, quel qu'il soit !

Tout cela n'est en rien conforme aux termes des discussions qui ont eu lieu. Comme les deux autres, même si Hassan II a atténué les excès du texte de 1970, la Constitution de 1972 est octroyée sans que les deux grands partis aient eu leur mot à dire. Quant à l'amnistie générale destinée à créer un climat politique propice, elle n'est plus à l'ordre du jour, le roi menaçant au contraire d'accentuer la répression à la veille d'élections et de changements politiques dans le pays.

Le soir même, un dîner auquel ont été conviés par le roi en personne les trois principaux délégués de la *koutla* – Allal el-Fassi, Abdallah Ibrahim et Abderrahim Bouabid, alors à Paris – a lieu chez Ahmed Osman, beau-frère de Hassan II. L'atmosphère est tendue. Osman essaye d'expliquer que, sur le fond, rien n'a changé. Il ne convainc personne. À la fin du repas, Moulay Abdallah, le frère du roi, arrive, « un peu parti », comme le relève Lahbabi. Il semble bouleversé, évoque, plein d'émotion, le passé avec le *zaïm*, accuse avec violence Driss Slaoui et Ahmed Bahnini, deux proches du souverain, d'être responsables de la dégradation de la situation. « C'était une véritable ambiance de désolation et de désespoir », rapporte Mohammed Lahbabi.

Contacté en fin de soirée par téléphone à Paris, Bouabid attire l'attention de ses interlocuteurs sur ce qu'il y a de positif, à ses yeux, dans le projet de nouvelle Constitution. Le vendredi 18 février, la *koutla* se réunit, très remontée au départ et bien décidée à rédiger un « communiqué définitif » après ce « véritable coup de force ». Mais, rapidement, on décide d'adopter une position d'attente et d'éviter toute précipitation débouchant sur une rupture. Le 22 février, à moitié convaincue par les arguments du Palais, la *koutla* recommande l'abstention au référendum, refusant de « cautionner de vaines et fausses solutions qui réduisent les dimensions de la crise à un simple problème de révision constitutionnelle[1] ». L'opposition constate néanmoins que le fossé entre ses options et celles du roi « n'est pas définitif ».

À partir du 11 mars, les discussions entre Hassan II et la *koutla* reprennent pour « préciser le contenu concret de l'accord global mis en péril par le discours royal du 17 février ». Le 22 mars, le roi accepte la formule suivante, proposée par l'opposition : « Un gouvernement de transition de courte durée, de six à huit mois, avec une mission déterminée : veiller au bon déroulement des élections. Aucun membre du Comité central de la *koutla* ne fera partie de ce gouvernement qui sera présidé par une personnalité agréée par les deux parties. » Aux côtés du ministre de l'Intérieur, désigné par le roi, se trouveront deux sous-secrétaires d'État désignés par la *koutla*. À l'exception de quelques ministères – Défense, PTT, Intérieur, Justice, Finances –, les portefeuilles seront détenus par des jeunes de la *koutla*.

Le 24 mars, « une nouvelle étape », comme le dit pudiquement Lahbabi, commence. Driss Slaoui reçoit dans l'après-midi les dirigeants de la *koutla* auxquels il suggère de « prendre toutes leurs responsabilités ». Vers 19 heures, un nouveau venu, Driss Basri, ainsi que Dlimi téléphonent : ils veulent une rencontre pour le soir même. À minuit, les deux hommes se présentent au siège de la *koutla*. La discussion va durer plus de cinq heures :

« Sa Majesté tient, contrairement à ce qui peut être dit, à ce que la *koutla* s'engage en entier, avec ses ténors, dans le gouvernement. [...] La solution d'un gouvernement présidé par Moulay Abdallah Ibrahim est celle qui convient le mieux. Vous avez tout à y gagner, car si vous êtes tout démantelés dans le pays, vous avez une certaine audience et un certain prestige. Transformez ce prestige en force politique en vous engageant à fond dans le gouvernement avec vos leaders. Ne ratez pas le train, et travaillons tous, la main dans la main, à sauver le pays ! »

Puis les deux hommes se font mystérieux et inquiétants : « La situation est très grave, plus grave que vous ne croyez : tout n'est pas

---

1. Communiqué publié par *L'Opinion* du 24 février 1972.

très clair dans les événements du 10 juillet. Il y a certainement des complicités, mais, comme les deux principaux auteurs sont morts, ces complicités courent les rues dans l'obscurité. N'oubliez jamais la possibilité d'un accident, d'un coup de feu isolé qui vous mettrait dans une situation nouvelle et aventurée… Les Oswald peuvent exister même chez nous… »

Au moment même où ces informations, qualifiées de « capitales », sont transmises à Bouabid, le général Oufkir prend contact avec Allal el-Fassi.

Les dirigeants de la *koutla* ont rendez-vous le 30 mars à 19 heures avec Hassan II. Ils préparent toute la journée la rencontre et comptent proposer la charte de la *koutla* comme programme de gouvernement. « Coup de théâtre ! » note Lahbabi : le roi accepte la proposition et demande à la *koutla* de lui envoyer cette charte. Il rendra sa réponse définitive le lendemain, 31 mars.

L'entretien, qui commence bien, devient tendu, selon Lahbabi, après une déclaration d'Abdallah Ibrahim dans laquelle celui-ci indique à Hassan II que « la *koutla* a décidé de [vous] laisser dans le gouvernement deux postes ministériels : la Défense et les PTT ». Avec un humour glacial, le roi répond : « Je vous remercie de votre générosité. »

« Manifestement, Sa Majesté s'éloignait de plus en plus », relève Lahbabi, avant de rapporter ses derniers propos : « Non, non, je ne suis plus en mesure de discuter. Je ne vois plus clair. J'ai besoin du week-end pour réfléchir. Il ne faut pas perdre le capital politique accumulé par cinq mois de discussions. Si c'est cela, je préfère l'autre formule. Je vous donnerai la réponse après le week-end. »

Le 4 avril, Ahmed Osman annonce à la *koutla* que Hassan II a chargé Karim Lamrani de constituer le prochain gouvernement. L'espoir d'enrayer la dégradation générale entamée depuis dix ans, amplifiée par le déluge de juillet 1971, et d'engager le pays dans la voie du redressement disparaît.

Lahbabi ne croit pas que la « maladresse » d'Abdallah Ibrahim soit à l'origine de cet échec : « Cela aurait été une cause ridicule et dérisoire », dit-il. Il se demande plutôt si l'opposition conjuguée des Algériens – inquiets d'une possible remise en cause de leurs frontières –, des Français – attentifs à leurs intérêts économiques –, des Espagnols et des Américains, tous méfiants à l'égard d'un tel gouvernement, n'a pas été déterminante.

Mais, finalement, Lahbabi estime qu'« un voile commence à être levé sur l'incompréhensible ratage » de ce « rendez-vous avec l'Histoire », grâce aux « révélations » de Hassan II à Éric Laurent, qui rejettent sur Oufkir la responsabilité de cet échec :

« En mai-juin 1972, j'ai envisagé de rappeler au pouvoir tous les partis politiques pour essayer de former une Union nationale et repartir avec une nouvelle Constitution. Un jour, j'ai confié à Oufkir : "Nous aurons el-Fassi, je lui ai demandé s'il aimerait participer au gouvernement." La réponse d'Oufkir a fusé : "Ah bon ! Dans ce cas, Sire, pourquoi ne pas l'avoir dit plus tôt, pour que nous puissions préparer nos valises ?"[1] »

Un seul homme n'accepte pas, à l'époque, de rentrer dans le jeu cynique du monarque : c'est Omar Benjelloun. Il demande ainsi à ses amis de l'UNFP d'exiger qu'un greffier assiste aux rencontres entre Hassan II et la *koutla* afin que chacun puisse clairement constater que les promesses faites par le roi ne sont pas tenues, ou qu'il ne cesse de dire tout et son contraire. Personne évidemment n'a le courage ou l'inconscience de transmettre cette suggestion, mais le roi en est informé et son hostilité à l'encontre du grand militant croît encore[2].

Entre-temps, la nouvelle Constitution est approuvée, le 1er mars, par 98,75 % des votants, avec une participation de 92,92 % des électeurs inscrits, ce qui montre, compte tenu des directives d'abstention de la *koutla*, combien la fraude électorale est désormais bien ancrée dans les mœurs.

Mais ce qui frappe surtout dans le nouveau texte, c'est qu'il désavoue largement celui de 1970, le Parlement et le gouvernement retrouvant, au moins sur le plan juridique, les moyens qui étaient les leurs en 1962. Le pouvoir réglementaire est confié dans sa totalité au Premier ministre. En raison du dévouement total au monarque des chefs de gouvernement qui vont se succéder, cette concession, il est vrai, est sans grande importance. Plus intéressante est la meilleure représentativité de la Chambre où les deux tiers des sièges sont désor-

---

1. Hassan II, *Mémoires d'un roi, op. cit.*, p. 120.
2. Témoignage de ses amis à l'auteur.

mais pourvus au suffrage universel direct. Mais, là encore, comme on le verra plus tard, l'étroit contrôle exercé sur les urnes par le ministère de l'Intérieur réduit à néant le risque de « mauvaises surprises ».

Dans une analyse de la Constitution de 1972, Jean Dupont voit dans ces diverses améliorations « le résultat des confrontations du souverain et des représentants d'al-Koutlah al-Wataniah. Mais, ajoute-t-il, le problème fondamental n'est évidemment pas tranché par ce texte : il s'agit en effet de savoir qui va utiliser ce nouvel instrument constitutionnel et pour mettre en œuvre quelle politique[1] ».

Cette nouvelle mascarade, dénoncée avec vigueur par l'opposition, trouve néanmoins ses thuriféraires. Le correspondant particulier du *Matin* dans les provinces du Sud (Agadir et Tarfaya) rapporte ainsi que la pluie ayant fait son apparition, la population en arrive à dire que « la nouvelle Constitution est bonne, puisqu'elle s'accompagne d'ondées bienfaisantes[2] ».

Une fois Karim Lamrani nommé, Hassan II ne fait rien pour calmer les inquiétudes d'une opposition qui n'a pas encore digéré l'affront subi. Il affirme en effet que le nouveau gouvernement devra poursuivre la politique actuellement menée, et qui ne saurait être contestée. La *koutla* réplique aussitôt qu'un gouvernement « appelé à appliquer la politique suivie jusqu'à ce jour, dans le cadre de décisions engageant le pays pour plusieurs années, ne peut que préjuger des options qui relèvent, dans tout régime démocratique, de la volonté populaire ». Comme le dit Jean Dupont, « la position respective du Palais et de l'opposition évoque beaucoup plus l'affrontement de deux lutteurs que le dialogue de futurs associés [...]. Les données du problème n'ont pas changé, puisqu'il s'agit toujours de savoir quelle politique et quelles forces seront capables de faire progresser le pays vers le développement. La gravité du problème seule a changé, car ce sont aujourd'hui quinze millions de Marocains et non plus douze qui sont concernés[3] ».

---

1. Jean Dupont, « Maroc 1972 : l'impasse ou l'aventure », *Maghreb-Machrek*, novembre-décembre 1972.

2. *Le Matin* du 1er mars 1972.

3. Jean Dupont, « Maroc 1972 : l'impasse ou l'aventure », art. cité, p. 43.

Ainsi donc, dans l'année qui suit le coup de tonnerre de Skhirat, Hassan II, en dépit de moments de lucidité qui laissent espérer de profonds changements dans sa manière de conduire le pays, reste un monarque absolu, incapable de partager le pouvoir ou de le déléguer. Son mépris des hommes n'a d'égal que la certitude qu'il a d'avoir toujours raison. La vie politique paraît glisser chaque jour un peu plus au tête-à-tête entre le souverain et son armée, autrefois pilier du régime. Treize mois après Skhirat, en effet, des officiers aviateurs attaquent au-dessus de Tétouan le Boeing royal qui rentre de Paris. Hassan II échappe une nouvelle fois miraculeusement à la mort tandis qu'Oufkir, ministre de la Défense et major-général des FAR, « se suicide » la nuit suivante. Pour son fils Raouf, Oufkir a en fait été tué de cinq balles, la nuit suivante, au cours d'une violente explication, en présence de Hassan II.

Pendant cette seconde et énorme crise, le Premier ministre Karim Lamrani est quasiment absent, et c'est le ministre de l'Intérieur, Mohammed Benhima, qui fournit à la presse la première version des événements. Composée de technocrates, l'équipe de Lamrani apparaît pour ce qu'elle est, à savoir un petit groupe de courtisans chargés exclusivement de gérer les biens de l'État et ceux de la famille royale. « Le maintien à la tête de la première entreprise d'État, l'Office chérifien des phosphates, de M. Lamrani, note justement Elizabeth Stemer, symbolise bien le rôle d'hommes d'affaires et non de politiciens dévolu aux membres du gouvernement[1] ».

Qu'Oufkir ait été l'âme du complot, comme l'écrit son fils, ou non, l'événement n'en traduit pas moins un ras-le-bol général des Marocains envers Hassan II et sa pratique du pouvoir. Déjà les généraux rebelles impliqués dans la tentative de coup d'État de Skhirat et rapidement exécutés étaient des hommes respectés et respectables qui, à l'instar de Mohammed Medbouh, ne supportaient plus la corruption qui touchait l'armée et le pays. Cette fois-ci, si l'on met de côté la personnalité complexe et sulfureuse d'un Oufkir au lourd

---

1. « Les partis d'opposition devant la crise marocaine », *Maghreb-Machrek*, novembre-décembre 1972.

passé, deux des principaux comploteurs, Amokrane et Koueira, sont également des hommes de grande qualité, certainement pas des pantins manipulés par Oufkir, comme a tenté de le faire croire le pouvoir. Respectés par leurs hommes, leur objectif n'était pas d'accéder au pouvoir, mais d'obtenir un changement de régime. Amokrane, très malade, sait d'ailleurs qu'il est alors en fin de vie[1].

Mais ce qui est désormais avéré par les témoignages de plus en plus nombreux qui circulent, c'est que la seconde tentative de coup d'État n'a pas été le fait de quelques militaires incorruptibles en quête d'un *pronunciamiento*, mais le résultat d'un mouvement aux larges ramifications, dont les aviateurs ne furent que le bras armé.

Un document – une lettre manuscrite envoyée en 1974 par le *fqih* Basri à Abderrahmane Youssoufi et Abderrahim Bouabid, et publiée le 25 novembre 2000 par l'hebdomadaire *Le Journal* – fait alors l'effet d'une bombe dans le Landerneau marocain, car il traduit de manière explicite la volonté des leaders de la gauche marocaine, en ce début des années soixante-dix, de renverser la monarchie avec l'aide du général Oufkir :

« Au début de l'année 1972 ou à la fin de 1971, écrit Mohammed Basri dans cette lettre, le camarade Abderrahim Bouabid est venu exposer son projet de prise de pouvoir à Abderrahmane Youssoufi, Mehdi Alaoui et moi-même. Ce projet a été ficelé à la suite d'un accord avec le général Oufkir et Driss Slaoui. Il prévoyait également la participation du Parti à la constitution du nouveau régime à travers Abderrahim Bouabid, Abderrahmane Youssoufi et Hassan Laaraj, après le coup d'État. L'accord fait part du rôle principal d'Abderrahim Bouabid. Si le général Oufkir fait montre d'une certaine crainte, le premier rôle sera affecté à Driss Slaoui… »

Le *fqih* Basri précise ensuite avoir insisté, au cours de cette rencontre, sur « la difficulté de traiter avec Oufkir, sachant que cette personne a eu un rôle important auprès de Hassan II dans l'affaire du martyr Ben Barka ». Le *fqih* estime en effet qu'il est « impossible, pour une personne habituée à défendre la légitimité du Trône, de

---

1. Selon *Jeune Afrique* (janvier 1975), les Anglais, qui livrent ignominieusement au Maroc Amokrane, lequel a fui à Gibraltar après l'échec du coup d'État, offrent 37 500 livres sterling à son épouse d'origine allemande pour qu'elle retire sa plainte.

prendre l'initiative de sa démolition ». Puis il affirme que les jeunes officiers avec lesquels la gauche était en contact et dont Oufkir voulait « exploiter l'enthousiasme » étaient « déterminés à l'utiliser [Oufkir] avant de le liquider après le succès de l'opération ».

L'embarras des vieux dirigeants de l'USFP, à commencer par Youssoufi qui est à la tête du gouvernement d'alternance au moment de la publication du brûlot, est considérable. Sa colère également. L'USFP publie une mise au point très « langue de bois » et tout à fait dans le style des partis administratifs à la solde du *makhzen* :

« L'objectif recherché est de jeter le doute sur la fidélité du Parti et de ses dirigeants aux valeurs nationales, son loyalisme constant au Trône et au Roi, Commandeur des croyants, Commandant suprême des Forces armées royales, garant de la Constitution, de l'unité du pays et de sa stabilité[1]. »

Manifestement, Abderrahmane Youssoufi a la mémoire courte et oublié la description au vitriol qu'il faisait, quatre mois après l'attaque du Boeing, de l'institution monarchique. Dans une conférence donnée à Paris à la fin de l'année 1972, « Les institutions de la République du Rif », Youssoufi donne en effet quelques définitions dont le moins qu'on puisse dire est qu'elles ne traduisent pas un penchant immodéré pour le type de monarchie incarné en ces temps difficiles par Hassan II :

« La clé de voûte du système *makhzen*, affirme le célèbre exilé, qui a organisé cette soirée en compagnie du *fqih* Basri et de Mehdi Alaoui, est le sultan, monocrate dynastique héréditaire de fait, dont l'intronisation s'accompagne d'un simulacre de cérémonie d'allégeance à laquelle participent les dignitaires tout à fait domestiqués. Ce pouvoir absolu, aggravé par la pseudo-fonction de "représentant de Dieu sur Terre", forgée et transmise par des générations de despotes orientaux mais qui ne repose en fait sur aucun fondement religieux ou légal, ce pouvoir s'appuie sur deux instruments d'intervention : a) la *mehalla*, sorte d'armée mercenaire attachée au service du sultan soit par des privilèges, soit par l'esclavage ; b) le *makhzen* proprement dit, corps d'agents généralement recrutés parmi les

---

1. Communiqué du Bureau politique de l'USFP, publié le 28 novembre 2000.

notables ruraux et urbains, dont la caractéristique permanente est la corruption. »

Un peu plus loin, Youssoufi déclare à propos du principe héréditaire : « On sait que l'institution de l'héritier présomptif est absolument incompatible avec les normes de l'islam. Lorsque le Prophète rendit l'âme à Dieu, il n'a point institué comme héritier quelque membre de sa famille. Son exemple fut suivi par le premier et le second Califes [...]. En islam, l'Imam est élu par les représentants qualifiés remplissant les conditions de probité et de piété. Ils élisent le meilleur d'entre eux à condition qu'il réponde aux conditions prescrites par la loi musulmane. »

Sans préjuger de ses futures positions, penser que, sur le plan idéologique, Abderrahmane Youssoufi, à cette époque, n'était pas vraiment monarchiste ne paraît pas abusif...

Sa mémoire défaillante explique sans doute la décision qu'il prend, le 2 décembre 2000, d'interdire définitivement trois hebdomadaires, *le Journal*, *As-Sahifa* et *Demain*, pour avoir « porté atteinte à la stabilité de l'État ».

Le 19 décembre, dans une interview accordée à *El País*, il déclare que la publication de la lettre attribuée au *fqih* Basri n'a plus rien à voir avec l'interdiction des trois journaux : « La lettre, excusez l'expression, je m'en fous ! » dit-il avant de préciser qu'il a dû prendre cette décision « en raison de l'action concertée menée depuis des mois par ces trois publications qui en sont venues à s'en prendre à la monarchie et à l'armée [...]. Nous, Marocains, poursuit-il, avons opté presque unanimement pour une transition douce et une réconciliation générale. Nous ne voulons pas de règlements de comptes, nous ne pouvons pas nous permettre qu'un groupuscule de journalistes immatures mettent en danger la transition. »

Directeur du *Journal*, Aboubakr Jamaï qualifie cette interdiction de manifestation de « terrorisme intellectuel à l'encontre de tous ceux qui se battent pour la liberté d'expression [...]. Le plus important, ajoute-t-il, est que nous avons démontré que ce gouvernement est antidémocratique et incompétent ». Aboubakr, qui déplore qu'on « interdise au peuple marocain de connaître son passé », trouve également « incohérent » le Premier ministre qui a utilisé, pour interdire les trois journaux, l'article 77 du Code de la presse – adopté en 1960 pour museler la presse de gauche – qu'il avait combattu alors qu'il était dans l'opposition[1]…

Quant au principal intéressé, le *fqih* Basri, il ne dément ni ne confirme être l'auteur de la lettre, et souhaite que les questions soulevées par son contenu puissent être discutées par le prochain congrès de l'USFP, prévu pour mars 2001.

Dans les milieux de l'USFP qui militaient déjà au sein des instances dirigeantes du parti au début des années soixante-dix, on se refuse à rentrer dans un tel débat, affirmant que le simple fait de penser que des responsables socialistes aient pu « comploter avec l'assassin de Ben Barka pour renverser Hassan II n'est pas seulement odieux, il est absurde[2] ».

En février 2003, le plus âgé des deux fils du général Oufkir, Raouf, affirme dans un livre que son père a associé les principaux chefs de l'opposition, des conseillers et des proches du roi, et de hauts gradés de l'armée à la préparation du coup d'État manqué du mois d'août 1972[3] :

« Allal el-Fassi, Abderrahim Bouabid et Oufkir, principaux architectes de ce pacte de salut public, ont eu de nombreuses réunions secrètes, à Rabat, Casablanca, Fès et Tanger, au cours desquelles ils se sont mis d'accord sur une plate-forme de gouvernement possible après l'éviction d'Hassan II », écrit l'auteur qui précise que l'objectif était d'« éliminer politiquement et non physiquement le souverain […]. Beaucoup de ceux qui ont participé à cette coalition, ajoute-t-il, ne l'ont créée ou rejointe que parce qu'on leur garantissait une révolution de l'État dans la continuité de l'institution royale ».

Dans les mois précédant le coup d'État, indique encore Raouf Oufkir, son père a également eu des entretiens avec les deux principaux conseillers du roi, Ahmed Réda Guédira et Driss Slaoui, ce dernier étant qualifié de « cheville ouvrière du coup et porte-parole d'Oufkir auprès des partis politiques ».

L'auteur indique encore avoir vu à cette époque arriver « en catimini » au domicile familial des membres de la famille royale : les

---

1. Conférence de presse à Madrid, le 20 décembre 2000.
2. Deux responsables ayant cependant requis l'anonymat…
3. Raouf Oufkir, *Les Invités. Vingt ans dans les prisons du roi*, Flammarion, 2003.

princes Moulay Hassan, cousin du roi, et Moulay Ali, beau-frère du roi, tout comme Mohammed Cherkaoui. Moulay Abdallah, frère de Hassan II, aurait aussi été dans le secret et aurait occupé une place importante dans le Conseil de régence prévu.

Interrogé par l'auteur trois décennies plus tard sur les affirmations de Raouf Oufkir, Moulay Hicham, le fils de Moulay Abdallah, trouve le scénario quelque peu extraordinaire, mais ne l'écarte pas totalement : « J'ai vécu tout cela. C'était très grave. Oufkir parlait très librement à mon père. Ce qui est sûr, c'est que beaucoup de gens étaient dans la combine, plus qu'on ne l'a dit. »

Tout en affirmant ne « décharger en rien » son père « des responsabilités qu'il a eues dans le système répressif, dès lors qu'on les situe objectivement », Raouf Oufkir estime que son père, dont les relations, depuis l'affaire Ben Barka, n'avaient cessé, selon lui, de se dégrader avec un Hassan II de plus en plus méfiant à son égard, a servi de bouc émissaire.

Pour être tout à fait complet, il faut aussi rappeler que lors de sa déposition, lors du second procès de Kénitra, ouvert le 17 octobre 1972, Amokrane affirme qu'une « liste des membres du Conseil de la révolution », sur laquelle figure le nom d'Abderrahim Bouabid, lui a été remise, lors de son hospitalisation à Paris, par le *fqih* Basri et son frère. Outre Bouabid, qui dément catégoriquement ces allégations en rappelant les griefs de son parti à l'encontre d'Oufkir, figurent sur cette liste Driss Slaoui, les généraux Benomar, Sefrioui, Ben Amar et Belarbi, ainsi que sept colonels, dont Ahmed Dlimi.

Il y a une personne, en tout cas, qu'Oufkir n'a certainement pas contactée, c'est Abdelhadi Boutaleb qui, apparemment, n'a strictement rien à reprocher au souverain, à l'exception de la confiance qu'il continue d'accorder au général Oufkir. Dans ses Mémoires[1], Boutaleb, à l'époque président de la Chambre, affirme que dans les jours qui suivent les événements de Skhirat, il fait part, lors d'un déjeuner auquel Hassan II l'a convié à Skhirat, de ses soupçons sur Oufkir. Un témoignage qui, au passage, en dit long sur la crainte qu'inspire Hassan II à ses collaborateurs, et sur le climat général de l'époque :

---

1. *Un demi-siècle dans les arcanes de la politique, op. cit.*, p. 236 *sq.*

« Je lui parlais avec mille et une précautions, parfois en usant d'un style formel, d'autres fois en allant droit au but et en mettant les points sur les "i", espérant constamment qu'il ne s'offusque pas de mes propos et qu'il n'en prenne pas ombrage. Finalement, j'ai pris mon courage à deux mains et décidé de lui révéler mes appréhensions et la conviction que j'avais désormais qu'Oufkir tramait peut-être quelque chose… Je lui ai déclaré : "Majesté, je porte en moi un secret qui me donne des insomnies. Pardon, ce n'est pas un secret, mais une obsession, car je peux avoir raison comme je peux me tromper. C'est une obsession qui m'habite depuis des mois. L'objet de ma hantise est une personne qui vous est proche ; je suis incapable de vous dire comment s'est formée cette obsession. Cependant, j'ai à l'égard de cette personne des doutes qui n'ont cessé de me tarauder. N'insistez pas, Sire, pour que je vous en explique les raisons, car je veux rester vivant et père de trois enfants." Il m'a alors dit : "À ce point ?" Je lui ait dit : "Je voudrais commencer par vous poser la question suivante : faites-vous confiance au général Oufkir ?" Il a répondu : "Comment, que dites-vous là ? Oufkir ne dit de vous que du bien. Vous êtes resté prisonnier d'une époque révolue, quand il était à l'Intérieur et vous à la Justice !" »

Un an plus tard, après la seconde tentative de coup d'État, Abdel-hadi Boutaleb est à nouveau invité à déjeuner par Hassan II : « J'ai compris qu'il s'est souvenu de la discussion que j'avais eue avec lui. Il a donc voulu m'inviter pour me rendre hommage et me laisser entendre, mais sans le dire et sans évoquer franchement le sujet, qu'il avait compris que j'avais raison. Nous n'en avons plus jamais parlé[1]. »

Enfin, interrogé par nos soins sur cette affaire, Mohammed Lahbabi – un des principaux responsables de l'UNFP, et proche de Bouabid – reste prudent : « Nous nous doutions des deux coups d'État. Pour le premier, nous avions eu des informations par le géné-ral Medbouh, qui était revenu scandalisé d'un séjour aux États-Unis. Il avait en horreur certaines méthodes du *makhzen.* C'était une sorte d'intégriste. Hassan II avait pour habitude, pour neutraliser les gens, de donner des enveloppes. Medbouh mettait toutes ces enveloppes dans un coffre. Il n'y touchait pas. On les a d'ailleurs retrouvées après

---

1. A. Boutaleb, *op. cit.*, pp. 237 *sq.*

sa mort. Par ailleurs, Driss Slaoui, mon frère de lait, m'avait dit : "J'ai très peur, je viens de recevoir une délégation de militaires avec le gouverneur d'Oujda qui a traité le cabinet royal avec une arrogance incroyable. J'ai très peur." J'en ai parlé à Bouabid. On en a déduit qu'il y avait un profond malaise. Quant au second coup d'État, nous avions appris par Boucetta qu'Oufkir, qui avait fait exécuter des camarades, était fou furieux, qu'il avait piqué une grosse colère en Conseil des ministres. Il fallait nous méfier… »

Lahbabi n'en dira pas plus.

X

Un souverain implacable

Interrogé une vingtaine d'années plus tard sur cette tragique période et notamment sur les changements qu'il a « apportés dans sa manière de régner et de gouverner », Hassan II répond : « Ce n'est pas moi qui ai changé, mais la climatologie. Dieu nous a purifiés en l'espace de deux ans. Ces tornades effroyables auraient pu tout balayer mais, en définitive, elles ont été comme un grand coup de lessive. Le Maroc en est ressorti plus propre, plus sain. Il s'est retrouvé confronté à ses responsabilités avec des hommes nouveaux[1]. »

Minimisant également le phénomène de la corruption, Hassan II se refuse à toute autocritique. Dans son discours à la Nation du 20 août, puis dans les nombreuses interviews qu'il donne après avoir échappé miraculeusement à la mort, il adopte une attitude systématique de refus à l'égard des partis politiques. Une fois encore, il les accuse d'être à l'origine de la détérioration de la situation, et donc de la tentative de coup d'État : « Où sont les causes de nos maux ? Elles résident dans le fait que ceux qui détiennent un pouvoir moral, les mouvements politiques, par exemple, font des faux pas et ne cherchent pas à se

---

1. *Mémoires d'un roi, op. cit.*, p. 177.

redresser[1]. » C'est donc aux partis et non à lui de faire des concessions pour que reprenne le dialogue, affirme-t-il en se demandant « si ces messieurs des partis politiques veulent apporter un changement quelconque à leurs exigences de mars et d'avril derniers[2] ».

Au journal *Le Monde* il confie qu'il lui faudra « ne plus jamais accorder sa confiance à qui que ce soit [...]. C'est un traumatisme, ajoute-t-il, que je me fais à moi-même en prenant cette décision, mais il ne s'agit pas de moi. Il s'agit de millions de personnes dont je dirige le destin, après Dieu. Mes considérations personnelles ne doivent pas peser auprès de tels impératifs[3] ».

Le 31 août, il se montre encore plus cassant : « Si les partis boycottent les élections générales marocaines, ils signeront leur propre condamnation[4]. »

L'opposition affaiblie

De leur côté, les formations politiques marocaines de l'opposition ont été tellement flouées au cours des dernières années que toute avance ou proposition du monarque ne pourrait être accueillie qu'avec la plus grande défiance. Le précédent de Skhirat leur a appris qu'une fois la tempête calmée, Hassan II ne tarde pas à revenir sur les concessions faites et à reprendre d'une main ce qu'il a lâché de l'autre. Les saisies de leurs journaux les confortent dans leur réserve.

L'UNFP, qui rend « le pouvoir absolu seul responsable de la situation actuelle », dresse un véritable réquisitoire. Selon elle, la crise marocaine remonte à la période où « le pouvoir a opté pour une politique réactionnaire caractérisée par la dépendance vis-à-vis du néocolonialisme, par l'instauration d'un pouvoir antipopulaire, par le renforcement de l'appareil répressif en vue de la liquidation du mouvement de libération nationale, et par l'utilisation de toutes les méthodes de falsification et de truquage de la volonté populaire [...].

1. Discours à la Nation, le 20 août.
2. Conférence de presse du 21 août.
3. *Le Monde*, 25 août 1972.
4. Interview à la revue libanaise *Al-Hawadith*.

L'appauvrissement, poursuit le communiqué de la Commission administrative, la paupérisation des masses populaires à la faveur de l'enrichissement d'une minorité de féodaux, de capitalistes alliés aux intérêts étrangers, a par ailleurs conduit à la généralisation de la crise sociale qui a provoqué une série d'événements sanglants ». Pour en sortir, « la seule issue, estime le parti de Ben Barka, consiste dans la consécration de la souveraineté du peuple, qui doit être la source du pouvoir par l'instauration d'une véritable démocratie d'où sont bannies les méthodes de truquage et de falsification »[1].

De son côté, Abderrahim Bouabid, l'homme fort du parti, juge la situation « beaucoup plus grave qu'au lendemain de Skhirat ». Il réaffirme que « le vide politique devant lequel se trouve l'ensemble du pays exige la convocation d'une Assemblée constituante issue d'élections libres sous le contrôle d'un gouvernement jouissant de l'appui et de la confiance des masses populaires[2] ».

L'intransigeance ou pour le moins la condescendance royales sont aussi facilitées par les graves ennuis de santé du *zaïm* Allal el-Fassi. Victime, le 8 mai, d'une crise cardiaque, il a dû s'éloigner du Maroc, puisqu'il est allé se faire soigner en France et en Suisse, en partie d'ailleurs grâce à la sollicitude du Palais. Se considérant donc comme l'hôte de Hassan II, il se défend de pouvoir prendre position sur les événements d'août... M'hammed Douiri, un des seconds du *zaïm*, fait cependant savoir que « tant que le Parti n'est pas assuré que le peuple a les moyens et les conditions d'exercer effectivement le pouvoir, il ne peut pas jouer le jeu[3] ».

La situation à l'UNFP est encore pire, car un événement grave est intervenu à la fin de juillet : rompue en 1961, reconstituée en 1967 à la suite de la défaite arabe de juin et grâce aux talents de négociateur d'Abderrahim Bouabid, l'alliance du parti et de l'UMT vole à nouveau en éclats le 30 juillet. Depuis longtemps les privilèges des responsables du syndicat rendaient difficile leur présence au sein du parti.

Parallèlement, certains jeunes du parti connus sous le nom de « frontistes » sont influencés par les thèses radicales défendues notam-

---

1. Communiqué en date du 23 août 1972.
2. Interview à Danièle Eyquem de l'AFP, le 27 août 1972.
3. Communiqué à la presse, le 28 août 1972.

ment par la revue *Souffles*, mais aussi par un Parti communiste qui n'est pas encore rentré dans le rang. En 1972, ces « frontistes » s'assurent le contrôle de l'UNEM et, plus encore, prennent le contre-pied de l'UMT en critiquant ouvertement son attitude collaborationniste avec le pouvoir. L'intervention de Mahjoub Benseddik lors du congrès de l'UMT, en mars, dans laquelle il développe longuement des idées proches de celles de Hassan II sur le rôle politique du syndicat, achève de rendre suspect un homme dont le comportement avait déjà été dénoncé au début des années soixante par Omar Benjelloun et qui n'avait dû qu'à son incarcération en 1967 – dans des conditions tout à fait supportables – de retrouver une certaine crédibilité…

Devant toutes ces divergences, des militants de l'UNFP convoquent à Rabat, le 30 juillet, ceux des membres de la Commission administrative qui n'ont pas « dévié » : 19 sur 25. Après une autocritique de Bouabid, responsable de l'accord d'août 1967, la Commission se livre à un long historique des douze années de collaboration avec l'UMT, révélant les « manœuvres » des leaders travaillistes pour mettre la main sur l'appareil du parti – sans oublier ses locaux et son mobilier – et paralyser ses activités. La Commission s'adjoint une dizaine de nouveaux membres tout en excluant naturellement les leaders de l'UMT. Elle vote enfin une motion dont voici quelques passages significatifs :

> « La Commission administrative nationale :
> « – enregistre avec regret la carence à laquelle les instances du Parti sont actuellement réduites en raison des agissements de certains éléments qui, tout en se réclamant du Parti, n'ont cherché, en fait, qu'à entraver son développement et à le vouer à l'inertie ;
> « – constate avec regret la carence du Bureau politique qui a purement et simplement ignoré les responsabilités et les tâches qui lui ont été imparties par la Commission administrative[1]. »

La Commission administrative décide également d'exercer désormais l'ensemble des prérogatives qui lui reviennent de droit en tant

---

1. En août 1967, le parti avait été doté d'une direction tripartite avec Bouabid, Benseddik et Ibrahim. Ce sont ces deux derniers qui sont visés.

qu'organe suprême du parti, et de veiller à la convocation du IIIᵉ Congrès national de l'UNFP.

Par ce coup de force, la Commission administrative clarifie donc la situation en poussant sans ménagements vers la porte l'UMT et ses proches, et en invitant Bouabid à se ranger sans ambiguïté aux côtés des « Jeunes Turcs » du parti, comme les anciens présidents de l'UNEM, Bennani et Lakhsassi, les valeurs sûres comme Omar Benjelloun ou Mohammed el-Yazghi, et les leaders exilés, comme Basri et Youssoufi.

L'UMT n'entend pas se laisser faire et crée dès le début d'août un nouvel hebdomadaire, *Al-Ittihad al-Watani*, qui se présente comme « l'organe de l'UNFP ». Ce même hebdomadaire publie le 26 août une lettre d'Abdallah Ibrahim à Allal el-Fassi lui signifiant la suspension provisoire de la participation de l'UNFP à al-Koutlah al-Wataniah du fait de « l'action scissionniste de certains éléments du Parti ». Sitôt après, Abdallah Ibrahim est suspendu de toute responsabilité au sein de l'UNFP « pour violation du principe de la direction collective ». Même si les deux courants du parti, le « frontiste » et le « syndical », plus connus peut-être sous les noms de « groupe de Rabat » et « groupe de Casablanca », sont en guerre ouverte, leurs analyses de la situation restent proches, et tous deux condamnent énergiquement « la répression, la fraude, les truquages, les expédients et les structures en place ».

C'est en janvier 1975, lors du congrès constitutif de l'USFP, que sera définitivement tranché le différend entre les deux tendances de l'UNFP, le groupe de Rabat devenant l'Union socialiste des forces populaires (USFP). La très grande majorité des militants rejoint la nouvelle formation. La carrière politique d'Abdallah Ibrahim, littéralement piégé par la bureaucratie syndicale et l'opportunisme des dirigeants de l'UMT, est pratiquement close.

Le deuxième coup d'État manqué ouvre une période particulièrement sombre pour le royaume. Le 2 novembre 1972 à Kénitra, devant un tribunal militaire épuré[1], la plaidoirie en faveur des aviateurs comploteurs d'Ahmed Réda Guédira, pourtant proche du souverain, traduit bien la profondeur du malaise qui règne dans le pays.

---

1. Contrairement au tribunal qui avait jugé les comploteurs de Skhirat, celui-ci est entièrement à la botte du *makhzen*.

Le brillant avocat, qui ne rêve, lui, ni de conquérir la Lune, ni de châteaux en Espagne, imaginait sans doute une monarchie plus moderne et plus ouverte. Il a déjà perdu bon nombre de ses illusions. Non sans courage – un courage qui lui manquera plus tard quand il servira de nouveau le roi en fermant les yeux sur les sanglants dérapages de l'appareil sécuritaire hassanien –, Guédira se rappelle sans détour au bon souvenir du monarque en estimant que l'absence de vie démocratique a faussé le jeu politique :

« Tout jeu politique, dit-il, implique, suppose et admet une certaine violence. Mais, pour que les règles du jeu politique puissent continuer d'être observées, il faut qu'il y ait des forces politiques authentiques et qu'il y ait un Parlement authentique. Or le Maroc n'avait plus ni les uns, ni l'autre[1]. »

Le procès lui-même permet de mesurer l'étendue du mal qui touche aussi bien la haute hiérarchie militaire que les milieux politiques.

Pour tenter malgré tout de sortir de l'impasse, Hassan II adresse, fin septembre 1972, des lettres manuscrites à Allal el-Fassi pour l'Istiqlal, Abderrahim Bouabid et Abdallah Ibrahim pour l'UNFP, Ahardane et Khatib pour le Mouvement populaire et le Mouvement populaire et démocratique, et Ouazzani pour le Parti démocratique constitutionnel. Dans ces missives, le roi demande à ces dirigeants leur avis sur la situation présente et les moyens d'y remédier.

Les réponses de l'UNFP et de l'Istiqlal sont tout simplement inacceptables par le souverain. La première réclame l'élection d'une Assemblée constituante et des « réformes radicales » ; le second, un partage du pouvoir législatif entre le roi et ses ministres, jusqu'à l'élection d'une Chambre au suffrage universel. En fait, les deux formations n'ont aucune envie de se compromettre dans un gouvernement de coalition, et elles placent en conséquence la barre très haut. Elles sont par ailleurs affaiblies par la répression subie depuis des années, tandis que leurs divisions n'arrangent rien.

Ayant compris qu'il n'y avait rien à attendre pour l'instant de l'opposition, le monarque s'adresse à la Nation, le 18 novembre, pour lui annoncer la formation d'un nouveau gouvernement présidé

---

1. « Le roi, l'armée et les partis politiques au Maroc », *Maghreb-Machrek*, novembre-décembre 1972.

par son beau-frère, Ahmed Osman, qui succède à Karim Lamrani. Les coups d'État manqués ont beau se succéder et la répression se poursuivre, Hassan II n'en est pas moins serein : « Qu'il nous soit permis tout d'abord, dit-il, de constater avec une très grande satisfaction que nous vivons véritablement sous un régime démocratique. » Puis il rappelle son opposition catégorique au parti unique, « jurant » au passage que « si une personne quelconque ou une organisation politique déterminée avait eu l'intention de dominer les Marocains, ces derniers auraient pris les armes ou gagné les montagnes pour rester ce qu'ils ont toujours été, un peuple libre refusant d'être assujetti et préférant décider lui-même ses options »[1].

Évoquant ses contacts récents avec les partis politiques, il estime qu'« une autre occasion pour la réconciliation nationale a été manquée » et déplore que « le champ libre soit laissé à la drogue morale, cette drogue qui agit sur les esprits et pousse les Marocains à se demander où ils vont et avec qui ils vont ». Il dénonce également un « second danger », constitué par le fait que « certains veulent le pouvoir pour le pouvoir, alors qu'[il a] l'ambition de faire aimer le pouvoir en vue de mobiliser toutes les énergies pour édifier et redresser le pays ».

Jamais à court d'idées en matière de pratique gouvernementale, il indique que jusqu'aux prochaines élections, il garde « vacants de multiples ministères d'État » à la disposition de tous ceux qui voudront rejoindre le gouvernement et sans qu'ils aient d'autres responsabilités que celle de contrôler la sincérité des opérations électorales. En attendant de fournir des ministres d'État, les partis sont priés « d'opérer leur reconversion et de faire de leurs membres des cadres, des enseignants, des moniteurs et des guides, afin de colmater les brèches et de se constituer en défenseurs du peuple et des valeurs sacrées ».

Au rédacteur en chef de *La Voix du Nord* qui lui demande s'il est au courant que d'aucuns disent que le régime ne profite qu'à un petit nombre de privilégiés « dont les privilèges s'accroissent sans cesse », Sa Majesté répond avec l'assurance tranquille du sage éloigné des contingences matérielles mais bien obligé de prendre en compte les faiblesses humaines :

---

1. Hassan II, *Discours et Interviews, op. cit.*, t. IV, p. 312 *sq.*

« Il n'y a pas que du faux dans ce que vous dites, en ce sens que je ne saurais prétendre être au courant de tout ce qui se passe [...]. Néanmoins, je n'ignore pas tout. Il est certain que nous n'avons rien fait pour rendre gorge à ceux qui ont de l'argent parce que la nature humaine est ainsi faite et qu'il est difficile de dire aux gens : "Tu vas rendre ce que tu as pris !" En particulier lorsque, pour la plupart, ils sont très proches, soit par le sang, soit par les amitiés, soit par les alliances, de ceux-là mêmes qui écrivent qu'il y a de plus en plus de misère[1]. »

Enfin, le 14 janvier 1973, à Édouard Sablier, de *France-Inter*, qui lui demande si les prochaines élections « pourront être libres », le souverain apporte une réponse qui aurait dû mettre la puce à l'oreille des dirigeants de l'opposition :

« Monsieur Sablier, rétorque Hassan II, le parti, chez vous en France, pour lequel j'ai le plus de considération et pour lequel j'ai le plus de respect pour sa patience et son obstination, c'est le Parti communiste français. Voyez ce parti qui a cinq millions d'électeurs qui vont aux urnes à chaque consultation populaire [...]. Chaque fois, ils savent que la loi électorale sera faite en sorte qu'ils ne puissent réussir, que le découpage sera fait de telle façon qu'ils n'aient pas la majorité. Eh bien, malgré tout, dix fois sur le métier remettez votre ouvrage... Ils y reviennent ! Ils n'ont jamais contesté une élection. Ils n'ont jamais contesté quoi que ce soit. Ils ont accepté les lois qui leur cassaient la tête, sachant parfaitement que cette loi a été votée dans des conditions légales *(sic)*. Alors je dis à ces messieurs qui sont ici : prenez un petit peu exemple sur le Parti communiste français ! »

Ahmed Osman, le beau-frère chef du gouvernement

Avec Ahmed Osman, qui fait partie de la famille[2], Hassan II peut être tranquille. Aujourd'hui encore, il détient le record de durée à la tête d'un gouvernement marocain : six ans et quatre mois.

---

1. Interview de Hassan II à Robert Décout, rédacteur en chef de *La Voix du Nord*, le 16 décembre 1972, *ibid.*, p. 326.
2. Son épouse, la princesse Lalla Nezha, sœur de Hassan II, a été tuée en 1977 dans un accident de voiture.

Quand M. Osman reçoit l'auteur de ces lignes dans son immense villa, en juin 2002, son abord est glacial. Il se demande pour quelles raisons il répondrait aux questions d'un journaliste qui a fait état, dans un livre précédent, des accusations portées à l'égard de son parti, le Rassemblement national des indépendants (RNI,) par maître Mohammed Ziane, avocat provocateur et étrange ministre des Droits de l'homme[1]. Maître Ziane a en effet affirmé que le parti de M. Osman avait été créé « grâce à l'argent de la drogue[2] ». Nous lui faisons remarquer que nous n'avons rien inventé et que Belkassem Belouchi, qui dresse de lui un portrait plutôt flatteur, lui reproche de « recruter ses pires ennemis dans son parti » et de compter parmi ses recrues « des professionnels de l'affairisme et de l'arrivisme ne voyant dans le RNI qu'un moyen d'accès aux profits du pouvoir », ou « des braillards ambitieux et opportunistes obéissant surtout aux ordres du ministre de l'Intérieur »[3]. L'entretien peut commencer.

Issu d'une famille modeste d'Oujda, il est invité à rejoindre le Collège royal après la première partie du baccalauréat : « Lorsque le prince héritier [Moulay Hassan] est arrivé à la seconde partie du baccalauréat, Mohammed V a dit : "Enlevez-moi ces fils de notables qui sont avec lui, et choisissez les cinq meilleurs élèves du royaume." C'est ainsi que je me suis retrouvé au Collège royal [...]. Comme les autres meilleurs élèves, j'appartenais à l'Istiqlal. »

Le jeune Osman poursuit avec le futur roi des études de licence et de doctorat en droit public et privé. Quand Mohammed V rentre d'exil, Osman habite « une petite piaule près de la Bastille ». Voyant l'état des lieux, Moulay Hassan lui dit de faire sa valise et de rejoindre la famille royale à Saint-Germain-en-Laye. Le séjour y est bref :

« Je suis rentré dans le même avion que celui de la famille royale. Je faisais déjà partie des membres du cabinet royal, de la première cellule constituée à Saint-Germain-en-Laye. »

---

1. Avant de prendre en charge les Droits de l'homme, cet inconditionnel de Hassan II a défendu en 1992 le gouvernement dans le procès opposant celui-ci à Noubir Amaoui, secrétaire général de la Confédération démocratique du travail. Ce curieux ministre a souvent dérapé verbalement, se montrant, par exemple, extrêmement agressif avec les survivants du bagne de Tazmamart. En réalité, il parait plus doué pour défendre le régime que ses victimes.

2. Cf. rapport de l'OGD de 1997.

3. Belouchi Belkassem, *Portraits d'hommes politiques du Maroc, op. cit.*, p. 115.

En 1957, il rejoint le ministère de Affaires étrangères et devient rapidement chef de la division Europe/Amérique. En 1959, il est secrétaire général du ministère de la Défense. En 1961, à trente et un ans, il est ambassadeur du Maroc en République fédérale d'Allemagne. Il n'y reste qu'une année, avant de rentrer au gouvernement comme sous-secrétaire d'État chargé du Commerce et de l'Industrie. Puis il passe trois années dans l'industrie comme PDG de la Compagnie marocaine de navigation avant d'être nommé à trente-sept ans ambassadeur aux États-Unis, Canada et Mexique. En octobre 1970, il est ministre des Affaires administratives, puis directeur du cabinet royal en 1971, avant sa nomination à la présidence du Conseil. En octobre 1978, il crée le RNI avant de demander à Hassan II de le décharger de ses fonctions pour s'occuper du parti qu'il préside.

Tant d'honneurs et tant de responsabilités en une quinzaine d'années, sans véritable purgatoire, ne peuvent être que la marque d'un serviteur fidèle et entièrement dévoué à la monarchie. Cette dernière, note justement le Dr Belouchi, « est pour lui une philosophie, une culture, une histoire, une civilisation ».

Moins aimable et fort caustique, Stephen Hughes, qui a eu toute latitude de l'observer, écrit : « Osman était le type même du courtisan sans états d'âme gravitant autour du Trône, dépourvu de tout charisme. D'anciens partenaires disaient à son sujet qu'en dehors des discours tout prêts qu'il lisait laborieusement en des occasions officielles, il était rare qu'il exprimât quelque chose, car il n'avait rien à dire, et la seule fois où il ait jamais dit "non" au roi, c'est quand celui-ci lui a demandé s'il avait cessé de prendre des comprimés tonifiants ou des stimulants[1]. »

Ayant assuré ses arrières avec Osman à la tête du gouvernement, le roi lui confie pour mission principale le soin de préparer les élections. En réalité, le gouvernement expédie les affaires courantes pendant que l'appareil sécuritaire continue à s'attaquer à ce qui reste de l'opposition. Le durcissement du régime, qui ne semble plus tolérer aucune contestation, s'exprime de multiples façons. À l'université où l'agitation est importante, de nombreux étudiants sont exclus, d'autres arrêtés, tandis que l'UNEM est dissoute. Moins d'un mois

---

1. Stephen O. Hughes, *Le Maroc de Hassan II, op. cit.*, p. 294.

après avoir souligné le caractère « libéral » de son régime où, s'est-il félicité, quatre mois après l'attentat perpétré contre son avion, « les accusés sont toujours en vie » – « Allez voir dans les pays de gauche si quatre mois après un attentat contre le chef de l'État, les accusés seraient toujours en vie ! » dit-il au journaliste[1] qui l'interviewe –, il fait exécuter, le 13 janvier, à la veille de l'Aïd el-Kébir, les onze officiers condamnés à mort le 7 novembre à Kénitra pour l'attentat du 16 août. La veille, trois dirigeants de l'opposition ont reçu un colis piégé. Si le paquet destiné à Omar Benjelloun n'explose pas, Mohammed el-Yazghi, responsable de la Commission administrative du groupe de Rabat de l'UNFP, est gravement blessé. C'est également le 12 janvier que le colonel Ahmed Dlimi, débarrassé de la tutelle pesante d'Oufkir, prend la tête de la Direction générale d'études et de documentation (DGED) qui vient d'être créée. Le même jour, un certain Driss Basri est nommé à la tête de la Direction générale de la surveillance du territoire (DGST) rattachée au ministère de l'Intérieur. C'est également là une création nouvelle. Enfin, les suspensions et interdictions de journaux se poursuivent. Des journalistes comme Khaled Jamaï et Hassan Laoufir, collaborateurs de *L'Opinion*, sont arrêtés et incarcérés.

---

1. L'envoyé spécial de *La Voix du Nord*.

XI

Le complot du 3 mars 1973

Mais tout cela est, si l'on peut dire, peu de chose, comparé aux incidents qui éclatent dans l'Atlas au moment des réjouissances populaires organisées à l'occasion de la fête du Trône. Même si, dans un premier temps, il dément catégoriquement et avec indignation les informations diffusées par la presse étrangère, le pouvoir riposte sur-le-champ et massivement. En quelques semaines, les bandes armées qui ont opéré à Moulay-Bouazza et Goulmina sont décimées. Mehdi Bennouna, fils de leur chef Mohammed Bennouna, dit « Mahmoud », a raconté en détail, dans un beau livre[1], l'histoire de ces jeunes Marocains, idéalistes déçus par tout ce qui a suivi l'indépendance, fidèles de Mehdi Ben Barka dont ils n'ont pas accepté la disparition tragique, et qui, après deux tentatives de coup d'État ratées, essaient à leur tour d'abattre un régime abhorré. L'aventure de ces *desperados* mal préparés, mal équipés et mal dirigés se termine de façon catastrophique : trahis par des camarades récupérés par le *makhzen*, abandonnés ensuite par les dirigeants de l'UNFP, ces

---

1. *Héros sans gloire. Échec d'une révolution, 1963-1973*, Casablanca, Tarik, 2002.

hommes, quand ils ne meurent pas en embuscade, tombent sous les balles des pelotons d'exécution.

Les autorités marocaines ne se contentent pas de frapper ces anciens de la Résistance ou de l'Armée de libération, elles s'attaquent aussi, dans la foulée, aux dirigeants de l'UNFP. Directeur d'*Al-Mouharrir* et membre de la Commission administrative de l'UNFP, Omar Benjelloun est arrêté, tout comme Mustapha el-Karchaoui, responsable du parti à Casablanca, et trois membres du Comité central, Bennani, Lahlaoui et Belkadi[1]. À peine remis de ses blessures et du choc provoqués par le colis piégé reçu en janvier, Mohammed el-Yazghi est lui aussi à nouveau arrêté. L'UNFP-Rabat, accusée d'« avoir servi de couverture à une activité clandestine, subversive et illégale », est suspendue le 2 avril par le gouvernement pour deux semaines. Mais, dix jours plus tard, cette suspension est prolongée de quatre mois. Pour Abderrahim Bouabid, une telle décision « peut être le prélude à une ère de domestication des autres organisations politiques et syndicales ». L'autre branche de l'UNFP proteste énergiquement contre « le caractère répressif évident » de la mesure, tandis que l'Istiqlal, sans doute très hostile au comportement violent et aventurier des marginaux de l'UNFP, se contente de molles protestations.

Très discret pendant toute cette période, le Premier ministre Ahmed Osman indique dans une interview au *Maine libre* – mais oui ! – que les élections ne sont plus une priorité pour son gouvernement, et que, de toute façon, elles ne pourraient avoir lieu que dans un climat politique « normalisé et serein ».

Sans doute lassé ou excédé par le désordre chronique qui règne dans le pays, chacune des trois dernières années ayant été marquée par une sombre conjuration, Hassan II se montre beaucoup moins prolifique sur ces derniers événements. À vrai dire, il ne les évoque publiquement qu'une seule fois, le 26 mars, en inaugurant le congrès constitutif des anciens résistants et membres de l'Armée de libération :

« Des gens qui appartenaient à votre famille et à la nôtre, leur dit-il, ont renié cette appartenance, ont tendu la main à l'étranger, lui ont

---

1. Voir *Annuaire de l'Afrique du Nord, op. cit.*, année 1973.

donné leurs idées et ont quémandé les deniers. Ils se sont mis à tuer ou à essayer d'occire leurs frères marocains, mus uniquement par des mobiles de mercenaires ou d'individus qui veulent précipiter ce pays dans la plus grande catastrophe qu'il ait connue depuis treize siècles […]. Ce qui est encore plus grave, c'est que ces renégats ont trouvé refuge dans la capitale d'un pays qui était précisément notre occupant et qui a dispersé, martyrisé, tué et exilé beaucoup d'entre vous. »

Le profil bas adopté par Hassan II ne l'empêche pas d'avoir la main lourde. Le 25 juin s'ouvre en effet, devant le Tribunal permanent des forces armées, le procès de 157 inculpés ayant à répondre du crime d'atteinte à la sûreté de l'État. La Libye, la Syrie et l'Algérie, qui auraient offert des camps d'entraînement et des bases de repli aux conjurés et à leurs chefs, sont mises en cause, ainsi que le *fqih* Basri. Cité comme témoin par le ministère public, Abderrahim Bouabid ne peut pas plaider, mais ce petit coup tordu des autorités ne le gêne guère. Dans une intervention très remarquée, il récuse l'image subversive que le pouvoir tente de donner de l'UNFP – on le lui reprochera, d'ailleurs – et lance surtout un vibrant appel à la démocratisation du régime : « Je reconnais, dit-il, qu'il en est parmi nous qui se sont demandé si la voie légale n'était pas une erreur et si à la violence il n'y avait pas à imposer une contre-violence. Ceci explique qu'il en est qui sont allés s'établir à l'étranger en se réclamant de l'idéologie de l'UNFP. Quant aux tracts[1], ils ont été rédigés à Safi, immédiatement après les arrestations, au mois de mars, de plusieurs membres de la Commission administrative de l'UNFP. C'était une réaction locale spontanée, avec des expressions violentes. Elle se manifesta sans l'assentiment des responsables de l'UNFP. Lorsque nous en avons eu connaissance, nous avons interdit la diffusion de ces tracts. » Puis, avec solennité, Abderrahim Bouabid déclare : « Nous voulons une démocratie vraie […]. Nous voulons des élections libres. Si nos élus sont en majorité, nous serons prêts à assumer nos responsabilités au niveau du gouvernement. Nous ne voulons pas nous imposer d'en haut. L'UNFP est pour la monarchie constitutionnelle et pour une démocratie où les jeunes seront écoutés »[2].

---

1. Ceux dont le contenu est violemment dénoncé par les autorités.
2. *Le Monde* du 11 août 1973.

Le 30 août, le verdict, s'il est clément pour les « politiques » du parti, est extrêmement dur pour les autres : 16 peines capitales sur 25 requises, 15 condamnations à perpétuité sur 30 requises. 15 des 16 condamnés à mort sont exécutés le 1er novembre, trois semaines après le rejet de leur pourvoi en cassation. Hassan II refuse de les gracier, en dépit des multiples appels, nationaux et internationaux, à la clémence. C'est dire l'importance qu'il attache à cette affaire.

Le roi a parfaitement compris qu'il pouvait tirer avantage de la situation pour le moins épineuse dans laquelle s'est placée la gauche marocaine du fait de l'étroitesse de vues de certains de ses dirigeants en exil, comme le *fqih* Basri. Si l'UNFP veut continuer à jouer un rôle dans la vie politique nationale, elle doit absolument se démarquer de ceux qui se réclament d'elle tout en étant partisans de la lutte armée. Responsable à Khenifra, au cœur du Moyen-Atlas, de l'UNFP-Rabat, Mohammed Qasmi, un marchand de tissus, répond clairement aux accusations portées par la justice contre son parti : « L'assassinat n'a jamais été un moyen préconisé par notre parti. Toutes les réunions que j'ai provoquées ne visaient pas à une action subversive, mais à la réorganisation du parti, l'élargissement de son champ d'action, la préparation de son congrès et l'aide à apporter à l'association marocaine pour le soutien de la lutte des Palestiniens[1]. »

À quelques exceptions près, comme Omar Benjelloun qui affirme que ses « aveux » lui « ont été arrachés », et surtout le Dr Omar Khattabi, neveu d'Abdelkrim et libre de toute attache politique[2], la plupart des inculpés de l'UNFP prennent leurs distances avec les « guérilleros ». Ils condamnent l'utilisation de la violence, dénoncent les émissions de Radio-Tripoli, désavouent l'action subversive de Mohammed Basri et présentent leur parti comme une formation honorable, respectueuse de la légalité. On peut comprendre que Mehdi Bennouna, fils d'un « héros sans gloire » révolté par un régime

---

1. Cité par le correspondant du *Monde*, 20 juillet 1973.
2. Invité par le procureur à émettre son opinion sur le régime monarchique, le médecin, mal remis de terribles tortures infligées une année plus tôt, a cette réponse : « C'est bien la première fois que cette question m'est posée dans ce pays. Par respect pour cette cour et par égards pour ma dignité, je n'y répondrai pas. » Propos recueillis par Mehdi Bennouna.

qui, à ses yeux, violait allégrement la loi, n'apprécie guère le comportement des responsables de l'UNFP :

« Défaits et humiliés, nombre de prévenus, à commencer par les cadres de l'UNFP, ne se font pas prier pour tourner le dos aux révolutionnaires. Désespérant d'une cause qu'ils considèrent comme irrémédiablement perdue, ils clament leur allégeance au pouvoir royal dans l'espoir d'un verdict clément[1]. »

Les révolutionnaires inculpés, dit encore Mehdi Bennouna, savent « désormais ce que la pérennité de la tyrannie doit à la servilité d'hommes sans convictions ». Jugement impitoyable, sans doute trop sévère : dans l'entourage d'Abderrahim Bouabid, on affirme que, contrairement à ce que prétend Mehdi Bennouna, « aucune coordination n'a précédé les événements de 1973 […]. C'est, ajoute-t-on sèchement, une action conçue par le seul *fqih*, mais sans lui, naturellement […]. Il faut avoir à l'esprit, dit-on encore, qu'il y avait l'UNFP, connue de tous, et le *tandhim as-sirri* [organisation secrète] que pilotait le *fqih* de l'étranger ». Pour les anciens amis de Bouabid, les « politiques » de l'UNFP « ne se sont pas détournés des "révolutionnaires", mais n'étaient tout simplement pas au courant » !

Si personne ne met en doute le courage et le patriotisme de Mohammed Basri avant et juste après l'indépendance, il n'est pas loin de faire l'unanimité contre lui pour toute la période qui va du début des années soixante jusqu'à la fin des années soixante-dix. Certains, comme Mohammed Aït Kaddour – un ingénieur des Travaux publics impliqué dans le complot de 1973 et qui l'a vénéré durant des années –, n'ont pas aujourd'hui de mots assez durs pour fustiger son comportement : « J'ai cessé de croire en lui quand il m'a dit, le 3 mars 1973 : Ce n'est pas moi ! Ce jour-là fait date dans ma tête : le masque était tombé ; derrière le masque, du marbre. Un bonhomme livide, froid, calculateur, qui va au guichet se faire payer[2]. »

Secrétaire général du Parti de l'avant-garde démocrate et socialiste (PADS) et frère d'Omar Benjelloun, Ahmed Benjelloun, qui est sans doute l'un des responsables politiques marocains à avoir passé le plus de temps en prison où il a connu nombre de tortionnaires locaux,

---

1. Mehdi Bennouna, *Héros sans gloire, op. cit.*, p. 309.
2. Interview à *Maroc Hebdo international* du 21 au 27 mars 2003.

partage l'opinion de Mehdi Bennouna : « Non seulement je suis d'accord avec les critiques sévères et néanmoins tempérées de Mehdi Bennouna, mais je dois ajouter que les militants qui ont vécu cette période observent toujours une sorte de "devoir de réserve" à ce propos. Basri était non seulement un amateur, que ce soit en matière d'action armée ou en matière politique, mais, pis encore, c'était un pragmatique et un opportuniste au sens le plus vulgaire, c'est-à-dire sans vision politique, sans bases théoriques. Pour assouvir sa soif de pouvoir, il voulait se rallier tout le spectre politique : anges et démons, islamistes et hommes de gauche, suppôts du pouvoir, féodaux et paysans pauvres, capitalistes et travailleurs […] Ce fut l'une des causes essentielles de ses échecs successifs dans ses tentatives de renverser le régime. Après la fin du Protectorat, il a été incapable de se mettre au diapason de l'évolution de la société et de ses exigences – en l'occurrence la formation d'un grand parti de masse, armé d'une vraie théorie révolutionnaire […]. Ce serait lui faire trop d'honneur que de le taxer de blanquisme, c'était un putschiste, un aventurier qui changeait de discours selon la nature et l'identité de ses interlocuteurs […]. Ce manipulateur affirmait à qui voulait l'entendre qu'il n'y a pas de morale en politique, et il a fait de ce principe machiavélique sa ligne de conduite. Rien d'étonnant donc à ce qu'il ait été en contact avec Oufkir et Dlimi, les tueurs de Ben Barka, les tortionnaires de tant et tant de militants. Le plus grave est qu'il a fait courir mille dangers à de nombreux militants qui ont cru à ses lubies et autres balivernes. Beaucoup y ont laissé la vie[1]. »

Un autre bon connaisseur du dossier, qui a souhaité garder l'anonymat, se montre à peine moins désagréable : « La thèse de la trahison, distillée de l'étranger, fut longtemps l'un des thèmes forts du *fqih*. Il faut la resituer dans le contexte des rapports de forces au sein de l'UNFP et des échecs successifs du *fqih*, qui s'est retrouvé isolé en 1974. Tous ses amis l'ont quitté, ne voulant plus payer le prix d'un aventurisme dont il était en définitive le seul à profiter, puisque ses initiatives et ses lubies lui ont procuré, ne l'oublions pas, de sérieux avantages, notamment chez les pays "frères". » Notre interlocuteur conclut en évoquant une phrase qui l'a choqué, prononcée par le *fqih*

---

1. Entretien avec l'auteur.

juste après que Yazghi et Omar Benjelloun eurent reçu un colis piégé en 1973 : « C'est normal que la Révolution dévore et avale ses enfants ! »

Aït Kaddour, dans l'interview citée plus haut, accuse lui aussi le *fqih* de s'être constitué un patrimoine consistant en Europe et dans le reste du monde arabe grâce à « ses projets de révolution aventuristes et fantaisistes ». Ces assertions sont cependant à prendre avec réserve. L'auteur de ces lignes peut ainsi témoigner du train de vie modeste de Mohammed Basri à Casablanca. Il y vivait dans une petite villa très « classe moyenne », et se déplaçait à bord d'une voiture qui n'avait rien à voir avec les grosses limousines ouest-allemandes qu'affectionne une grande partie de la classe politique marocaine.

L'hebdomadaire *Le Journal*[1] a bien montré les enjeux dramatiques de cette période et ceux du procès : « Trahison ? Le mot est-il trop fort ? Peut-on en vouloir à Abderrahim Bouabid, à Abderrahmane Youssoufi et à leurs amis d'essayer de sauver le Parti et ses militants d'une répression aveugle, même au prix du lâchage d'hommes qui ont accepté, au péril de leur vie, de servir leur dessein révolution-naire ? Difficile de répondre à cette question. »

C'est aussi l'époque où les sbires du régime s'en donnent à cœur joie avec la bénédiction d'un souverain que les sanglants événements des trois dernières années ont, de l'avis unanime, changé. Sa con-fiance dans les hommes, déjà limitée, est réduite au strict minimum indispensable à la marche des affaires publiques. Le roi se montre désormais sous son jour le plus défavorable : cruel et rancunier. Les appareils sécuritaire et judiciaire ne laissent plus rien passer, et la gauche et l'extrême gauche en sont les premières victimes. Petit aperçu : le 2 septembre 1973, quarante-huit heures après le verdict, un certain nombre des 72 personnes acquittées et libérées dispa-raissent ; on apprend deux semaines plus tard qu'elles ont été à nouveau « appréhendées dans le cadre d'une enquête préliminaire concernant d'autres infractions à la loi ».

Mais il y a beaucoup plus grave. Quelques semaines auparavant, le 7 août précisément, 58 officiers et sous-officiers impliqués dans les

1. En juillet 2002, dans un dossier très complet intitulé « Quand la gauche voulait abattre Hassan II ».

deux coups d'État de 1971 et 1972 et condamnés pour la plupart à des peines relativement légères sont extraits de leur prison, à Kénitra, et conduits clandestinement à Tazmamart où 30 d'entre eux mourront dans des conditions atroces. Il semble aujourd'hui établi que Sa Majesté, jugeant leurs peines trop légères, a décidé de les faire mourir à petit feu. Le sort réservé à la famille Oufkir relève de la même justice expéditive qui condamne à une mort lente des innocents ou des personnes ayant payé leur dette à la société, pour tenter d'apaiser l'inextinguible soif de vengeance du monarque. Une anecdote racontée par M'hammed Boucetta est à cet égard révélatrice :

« Hassan II n'avait aucune pitié quand il se sentait humilié. Un jour, après Skhirat, il m'a dit : "Ces gens-là m'ont humilié ; ils doivent payer, non pas d'un coup de revolver, c'est vite fait, mais lentement, comme un sucre dans l'eau glacée"[1]. »

---

1. Entretien avec l'auteur.

XII

La carotte et le bâton

Impopulaire et isolé, Hassan II n'a guère d'autres choix que de « récupérer » une armée dans laquelle – hormis les 3 500 hommes de la brigade légère de sécurité et la garde royale – il n'a plus confiance. Mais, détenant désormais le portefeuille de la Défense nationale, il prend ses précautions. La gestion des dépôts de munitions est transférée aux autorités civiles, les mutations sont systématiques, les unités fractionnées.

Parallèlement, il fait preuve d'une certaine indulgence. Bon nombre d'officiers supérieurs font allégeance. Hassan II saura petit à petit compromettre quantité d'entre eux dans des affaires douteuses. Depuis cette époque, un certain nombre de militaires ont bâti de véritables fortunes et comptent parmi les hommes les plus riches du royaume. La confusion des genres devient monnaie courante. En 2003, si l'on en croit *Le Journal*, jamais démenti, les généraux Kadiri et Benslimane ont revendu à une société espagnole la société de pêche Kaben, qu'ils avaient montée ensemble. Il est vrai que certaines pratiques de hauts responsables, militaires ou non, commençaient à faire jaser… Outre les licences de pêche, le pouvoir distribue les patentes pour les taxis ou les transports en commun, et ferme les yeux sur les trafics en tout genre, qu'il s'agisse de contrebande à partir des îles Canaries ou des présides espagnols, de carrières de sable ou de drogue. Quand le régime n'intimide pas ou ne liquide pas, il achète et corrompt.

Mais menacer ou soudoyer ne suffit pas toujours. Il faut donc aussi séduire. Dès l'automne 1972, Hassan II annonce la distribution avant la fin de l'année de 90 000 hectares de terres, soit autant que depuis l'indépendance, et, par la suite, la récupération d'environ 260 000 autres hectares encore aux mains de quelque 2 000 Français. Un *dahir* resté célèbre, en date du 2 mars 1973, et portant sur la marocanisation, sert de base légale à cette sorte de nationalisation qui ne sera assortie d'aucune indemnité, « un sursis de dix-sept ans constituant une indemnité suffisante[1] », selon le mot de Moulay Ahmed Alaoui dans *Maroc-Soir*. Seuls 187 vieux colons exploitant moins de 4,5 hectares échappent à l'expropriation, à la grande colère de *L'Opinion* qui voulait incorporer leurs terres à celles récupérées et qui réagit violemment : « Nous voudrions que messieurs les colons sachent que le Maroc a chèrement payé ces terres qu'ils exploitent[2]. »

Non seulement le roi renforce ainsi son assise en milieu rural, qui constitue sa meilleure clientèle, mais il dame le pion à l'opposition qui réclame depuis longtemps de telles mesures.

La marocanisation

Autre serpent de mer : la marocanisation qui doit permettre aux Marocains de développer leurs affaires en devenant véritablement maîtres chez eux, mais sans se priver de l'apport de capitaux étrangers. Commentant deux décrets pris en ce sens, celui du 2 mars et celui du 7 mai, qui le modifie dans un sens plus favorable aux particuliers fortunés, le Premier ministre, Ahmed Osman, explique qu'« il ne s'agit ni de nationalisation, ni d'étatisation, mais d'ouvrir au contraire la voie à l'association dans une optique de progrès et de dynamisme, et de permettre aux transactions de garder leur caractère libre[3] ». L'idée d'un système autarcique est donc écartée : le Maroc

---

1. Dix-sept ans : de 1956 à 1973.
2. *L'Opinion*, le 31 août 1973.
3. Conférence de presse du 14 mai 1973.

veut rester ouvert aux investissements étrangers. Mais si les étrangers et notamment les Français se montrent peu enthousiastes, les Marocains, eux, sont partagés. On entend des réflexions désabusées allant jusqu'à qualifier cette opération de « lamranisation » ou quelquefois de « larakisation », du nom de deux anciens Premiers ministres issus de très riches familles fassies[1].

Effectivement, les conditions posées pour bénéficier d'un crédit de contribution à la marocanisation font que les gros investisseurs – en d'autres termes les riches – tirent leur épingle du jeu. La valeur des biens des candidats ne doit pas être inférieure à 500 000 dirhams de l'époque[2]. *L'Opinion*, organe de l'Istiqlal, écrit que l'on ouvre ainsi à la grande bourgeoisie nationale « la possibilité de s'enrichir encore plus ». Quant à la revue *Lamalif*, elle estime que la marocanisation va se traduire « par une substitution de Marocains aux étrangers dans le même cadre et pour les mêmes objectifs, et profiter à ceux qui dominent déjà la haute administration et les affaires marocaines : une centaine de personnes tout au plus ».

Le bâton

La carotte et le bâton. La carotte pour les riches, le bâton pour les autres… En août 1973 a lieu le procès dit Balafrej, parce que, parmi les dizaines d'inculpés, figure le fils de l'ancien Premier ministre Ahmed Balafrej, Anis. Anis Balafrej et ses camarades, qui ont été incarcérés de février à septembre 1972, sont accusés de complot, attentat contre le régime, trouble à l'ordre public, constitution d'association clandestine subversive, etc. En réalité, il s'agit d'un procès d'opinion à l'état pur, le premier grand procès du genre. Ce qui n'empêchera pas le tribunal de condamner vingt-cinq accusés à la réclusion perpétuelle !… Quelques avocats étrangers, comme Henri Leclerc, sont autorisés à se constituer aux côtés de leurs confrères marocains comme Abderrahim Bouabid, Abderrahim Berrada ou M'hammed Boucetta. Brillants intellectuels pour la plupart, le

---

1. Voir l'article de Claude Blossière in *Maghreb-Machrek*, juillet-août 1973.
2. Pas loin de 3 millions de dirhams d'aujourd'hui.

gros des accusés revendiquent leurs idées et attaquent la manière dont le Maroc est gouverné.

Abderrahim Berrada, qui défend Sion Assidon, un juif marocain d'extrême gauche, se moque du juge d'instruction : « Le juge d'instruction n'a pas compris que j'accepte d'assister le juif marocain Sion Assidon, car celui-ci ne pouvait être à ses yeux qu'un sioniste, espion d'Israël. Le juge se fondait sur ces deux excellentes raisons : d'abord mon client se prénomme Sion, ensuite il parle couramment non seulement sa langue, l'arabe dialectal – comme tous ses concitoyens –, mais aussi, ce qui est étrange pour le juge, l'arabe classique ! J'ai évidemment remercié ce bon juge qui ne me voulait que du bien en me conseillant de ne plus perdre mon temps avec un espion, et j'ai persisté dans mon erreur[1]. »

À côté d'Assidon et de bien d'autres figures de l'intelligentsia marocaine se trouve Anis Balafrej. Cet ancien élève de l'École centrale de Paris, professeur dans une école d'ingénieurs, a été enlevé dix-huit mois plus tôt. Pendant plus d'une semaine – jusqu'à ce qu'un émissaire du Palais finisse par les informer –, ses parents restent sans nouvelles de lui. Il est à Derb Moulay Chérif, isolé dans un cachot exigu, avec pour toute nourriture trois morceaux de pain rassis par jour. Les séances de torture commencent à minuit et s'achèvent à 6 heures du matin. « Le climat de l'époque, se souvient Anis, était surchauffé par les grèves dans tous les secteurs. Les lycéens venaient de créer leur syndicat et manifestaient tous les jours à Casa et dans les grandes villes. À l'université, les étudiants de l'UNEM avaient en majorité rejoint l'extrême gauche. La presse des partis de la *koutla* faisait état des arrestations, mais se taisait ou était censurée sur les mouvements sociaux de l'époque : insurrections paysannes, manifestations, grèves… Ce qui nous décida, avec certains camarades, à l'automne 1971, de créer une agence de presse qui publierait des bulletins d'information quotidiens clandestinement[2]. »

L'arrestation puis le procès de son fils et des camarades de celui-ci portent un coup fatal aux rapports déjà distendus d'Ahmed Balafrej avec le monarque :

---

1. Entretien avec l'auteur.
2. Entretien avec l'auteur.

« Notre procès, poursuit Anis, eut lieu en août 1973 et dura un mois. Mon père, qui avait quitté son poste officiel dès mon arrestation, resta sourd aux demandes de Hassan II de ne pas démissionner. Et pour cause : celui-ci voulait que mon père se désolidarise officiellement de moi ! Je me souviens que mon père répétait inlassablement que j'avais le droit d'avoir les opinions que je voulais, qu'il fallait écouter les jeunes parce qu'ils sont les plus concernés par l'avenir de leur pays. Je sentais chez lui une solidarité totale avec notre cause. Hassan II se fâcha et décida de me coller un acte d'accusation qui rendait possible une condamnation à mort. Mon père, comme toute ma famille, fut d'un courage exemplaire. Il devait attendre des heures à la porte de la prison avant de me voir vingt minutes dans un parloir au double grillage, avec un maton qui écoutait au milieu... »

Sion Assidon est condamné à douze ans de prison ; Anis Balafrej, à quinze ans.

Le malaise est d'ailleurs perceptible jusqu'au sein de la famille royale. En février 1974, le prince Moulay Abdallah, frère de Hassan II, est déchargé de ses fonctions de représentant personnel du roi. Si l'on en croit *Jeune Afrique*[1], Moulay Abdallah craint alors l'ascension de Dlimi, à ses yeux « un nouvel Oufkir ». Il pense également que la monarchie et la famille royale ne pourront être sauvées que si elles parviennent à s'entendre avec l'opposition. Il en est si convaincu qu'il se répand partout en disant que la formation d'un gouvernement d'union nationale est imminente.

Curieusement, c'est à ce moment précis, alors que Hassan II va jouer son va-tout avec le Sahara, que Jean Lacouture interroge Charles-André Julien, grand connaisseur du Maghreb, pour *Jeune Afrique* : « Croyez-vous, lui demande-t-il, que la politique pratiquée dans ce pays, et qui a abouti à la division du Mouvement national, a été préméditée dès les premiers jours par le Palais ? – Oui, répond C.-A. Julien, Mohammed V, homme d'une exceptionnelle intelligence, était avant tout un Alaouite, c'est-à-dire un diviseur, un manipulateur. Mais à lui je garde mon respect. »

---

1. N° 685, février 1974.

XIII

Bouleversements à l'Istiqlal et à l'UNFP

Avec le recul du temps, l'année 1974 se caractérise par une montée en puissance de la question du Sahara occidental, la fin de l'année précédente ayant été marquée au Proche-Orient par la guerre d'Octobre où le contingent marocain envoyé sur le Golan s'est battu de façon héroïque. Hassan II ne manque pas d'en tirer profit.

Le 25 mai 1974, Mohammed Echiguer, ministre de l'Intérieur, réaffirme à Tan Tan la volonté marocaine de « récupérer le Sahara occupé ». Le 11 juin, Hassan II reçoit une délégation du Comité exécutif de l'Istiqlal qui lui remet un mémoire appuyant la politique royale de revendication du Sahara espagnol. Le 4 juillet, Hassan II envoie une mise en garde au général Franco : « L'entretien que M. Cortina, ministre des Affaires étrangères, a eu avec notre ambassadeur nous laisse présager que l'Espagne est sur le point d'entreprendre une nouvelle politique au Sahara qu'elle administre. Nous ne pouvons vous cacher que si cela s'avérait exact, il s'ensuivrait une détérioration de nos rapports, chose que nous avons toujours évitée [...]. Toute action unilatérale entreprise par l'Espagne sur le territoire saharien ne manquerait pas de nous mettre dans l'obligation de préserver nos droits légitimes ; notre gouvernement et nous-même nous réservons le droit d'agir en conséquence[1]. »

Puis le monarque lance une offensive diplomatique de grande envergure à laquelle il associe tous les responsables politiques de la majorité comme de l'opposition. Ahardane part en Afrique de l'Est, Khatib au Proche-Orient, Boucetta en Égypte, Bouabid en Extrême-Orient, Ali Yata – on s'en serait douté – dans les pays de l'Est. Oubliés, l'énorme contentieux, les militants torturés et incarcérés, l'absence de réforme constitutionnelle et d'élections honnêtes, la corruption et le reste ! « Que de miracles n'opère point le patriotisme ! » disait Rivarol. Hassan II tient le bon bout.

La mort d'une figure légendaire

Un homme ne connaîtra pas cet immense bonheur : Allal el-Fassi. Fragilisé par ses ennuis cardiaques deux ans plus tôt, usé par quarante années de militantisme et d'innombrables désillusions, le *zaïm* meurt à soixante-quatre ans, le 13 mai 1974, lors d'un voyage en Roumanie. Avec lui disparaît l'un des principaux artisans de l'indépendance marocaine, mais aussi – et peut-être plus encore – l'un des piliers de la monarchie marocaine qu'il a toujours défendue, quelles qu'aient été ses réserves vis-à-vis de Mohammed V et surtout de Hassan II.

« Un guide plus qu'un chef, un promoteur et nullement un organisateur, Allal el-Fassi demeure un témoin incomparable à la frontière de deux temps et presque de deux mondes, aux limites du rêve exaltant et de la désespérante réalité. Il meurt loin du Maroc où il n'a jamais pu trouver une place à la hauteur de sa légende[2] », écrit Pierre-Albin Martel.

Ahmed el-Kohen Lamghili, spécialiste d'Allal el-Fassi et de l'Istiqlal auquel il a consacré une thèse, note à ce propos que le régime n'a pas donné à sa disparition l'importance qu'elle aurait dû avoir : ni deuil national, ni solennité particulière, mais récupération des

---

1. Hassan II, *Discours et Interviews, op. cit.*, t. V, p. 80.
2. *Jeune Afrique*, 25 mai 1974.

fragments de ses discours ou de ses idées qui « visaient la consécration du pouvoir et de son édifice idéologique[1] ».

Le Dr Omar el-Khattabi raconte qu'au début des années cinquante, alors qu'il se trouvait au Caire en compagnie de son oncle, le célèbre Abdelkrim, ce dernier dit à Allal el-Fassi : « Laissez donc tranquille ce *makhzen* décadent, soyez vous-même, soyez le porte-étendard du pays ! » Il ajoute : « Allal a refusé catégoriquement. J'ai cru comprendre qu'il ne se sentait pas en mesure de s'adresser et de convaincre l'ensemble du peuple marocain. Allal el-Fassi était un homme intelligent, parfaitement au courant de la situation, mais il a dû avoir la certitude qu'il ne serait pas accepté comme *zaïm* par la totalité du peuple marocain. Cela lui a donné le vertige [...]. C'est vrai, rappelle le médecin avec un sourire, que les tribus berbères ne se sont pas toujours comportées de manière exemplaire... Pauvres bourgeois fassis ! Ils ont préféré créer un symbole et exercer le pouvoir à travers ce symbole »[2].

Sur cet homme charismatique, tiraillé entre ses convictions et sa fidélité au trône, les avis ont beaucoup divergé. Samira Mounir, qui le connaissait bien, affirme qu'il « éprouvait, au soir de sa vie, le sentiment d'un immense échec à peine atténué par les illusions de la fraternité de la *koutla*. [...]. Sur bien des points, ajoute-t-elle, il était désabusé. Il m'a confié que s'il avait su à quoi aurait abouti l'indépendance, il n'aurait sans doute pas mené le type de combat qu'il a poursuivi ». Presque tout, selon elle, le hérissait : la politique étrangère du royaume, l'état d'exception décrété en 1965, les propriétaires absentéistes qui avaient succédé aux colons (alors que certains d'entre eux le soutenaient politiquement), la politique de coopération défendue par des « semi-intellectuels » marocains et destinée à « abattre tout ce qui est marocain, arabe ou musulman ».

Portraitiste de talent et souvent bien informé, le Dr Belkassem Belouchi écrit : « L'Istiqlal n'avait dû sa cohérence qu'au combat rassembleur contre le colonialisme ; l'indépendance acquise, son unité devenait factice. Et Allal el-Fassi apparaîtra de plus en plus comme une figure historique ayant vécu son temps. C'était un nationaliste avec une ou deux idées très simples, il cherchait à entraîner,

---

1. Ahmed Lamghili, « L'Istiqlal après Si Allal », *Lamalif,* n° 64, juillet 1974.
2. Entretien avec l'auteur.

parlait au nom du Maroc ; il croyait à l'indépendance et l'avait incarnée. Mais Allal el-Fassi était un homme de droite qui s'était coulé dans le moule d'une bourgeoisie conservatrice, un salafiste un peu ringard. Très orgueilleux et à la limite rancunier, il n'aimait guère qu'on lui fasse de l'ombre dans son parti. Ce fut le cas avec Ahmed Balafrej depuis qu'il avait été élu secrétaire général de l'Istiqlal en 1944. Ce fut aussi le cas avec Mohammed Hassan Ouazzani, fin diplomate, brillant journaliste aux relations internationales multiples, et surtout homme de double culture, plus ouvert à la démocratie et à la culture. Allal el-Fassi s'arrangea pour faire diffuser la rumeur qu'il était un homme à la solde des Français[1]. »

Fin connaisseur des forces et des faiblesses du personnel politique marocain, le Dr Belouchi affirme encore que les relations du *zaïm* avec Abdelkrim el-Khattabi au Caire se terminèrent fort mal et que le grand chef rifain « finit par refuser résolument de le voir, malgré l'insistance qu'Allal el-Fassi mettait chaque vendredi à lui rendre visite ».

De son côté, Ahmed el-Kohen Lamghili concluait en 1973, un an avant sa mort, un portrait du grand nationaliste par cette amère interrogation : « Que représente Allal dans ce Maroc de 1973 ? Visiblement, il est débordé sur sa droite et sur sa gauche. Il offre l'aspect du chef d'une armée en déroute. Dépassé par la jeunesse, la petite bourgeoisie et la paysannerie dépossédée, Allal ne semble plus pouvoir convaincre personne. Toute sa vie durant, n'aura-t-il finalement pas fait que défendre son statut social et personnel de départ ? »

Cependant, d'autres points de vue lui sont beaucoup plus favorables. Dans sa préface au livre hagiographique que lui a consacré Attilio Gaudio[2], Jacques Berque, après avoir dit qu'il était « le regard de l'histoire islamique au Maghreb », note qu'« Allal ne défendait pas seulement une personnalité marocaine, mais une identité musulmane. Il pensait que seul l'islam éviterait à son pays les dilemmes mortels, selon lui, de l'Europe : cléricalisme ou laïcité, religion ou révolution, spiritualisme ou matérialisme, etc. [...] Allal el-Fassi, poursuit Berque, sentait bien que la culture islamique au Maghreb,

---

1. *Portraits d'hommes politiques du Maroc, op. cit.*
2. Alain Moreau, *Allal el-Fassi ou l'histoire de l'Istiqlal,* 1972.

si chargée qu'elle soit de vieilles gloires, et profondément présente dans la démarche du citoyen, doit innover dans sa propre voie ou se résigner au déclin ».

Quelques années plus tôt, dans son essai sur « l'idéologie arabe contemporaine », Abdallah Laroui dénonce les campagnes de dénigrement dont Allal el-Fassi fut l'objet : « Pas plus que Mohammed Abdou ne fut le porte-parole d'une bourgeoisie égyptienne encore balbutiante, Allal el-Fassi n'a été et n'est aujourd'hui l'expression de la conscience bourgeoise, bien qu'on puisse trouver dans ses écrits des éléments qui ne s'éclairent que par les implications d'une hypothétique croissance bourgeoise. Injustement traité par les Occidentaux pour qui il n'est que le porte-parole de la réaction religieuse, et par la jeune génération qui l'accuse de défendre hypocritement les privilèges bourgeois, dans les deux cas il est victime d'un positivisme superficiel qui fait passer l'analyse sociale avant l'analyse historique. Or l'une ne se justifie que par l'autre, et, dans ce cas, Allal el-Fassi n'est pas l'idéologue d'une classe, mais représente une étape de notre culture moderne et de notre processus de structuration sociale. C'est pour cette raison précisément qu'il fut adoré en tant que symbole, et peu suivi en tant que politique. Du temps même de sa domination spirituelle, il voyait déjà se faufiler derrière lui les porte-parole de la conscience libérale qui prétendaient le cantonner dans la théorie et la propagande pour se consacrer, eux, à la tactique, aux escarmouches quotidiennes contre l'Occident. Avec le temps, ils allaient se trouver dans l'axe même de l'évolution sociale, ils allaient prendre la direction du pays et, à l'heure de l'indépendance, leur domination sera si forte, si actuelle qu'ils pousseront Allal el-Fassi dans une opposition larvée[1]. »

Pour Attilio Gaudio, « Allal el-Fassi a refusé de se laisser entraîner par certains slogans à la mode. Il a vécu et il vit ses idées sans s'en servir pour vivre. Comme lui-même l'a écrit dans le titre d'un de ses livres, son combat d'hier est devenu celui de demain. Il est passé de la lutte pour la libération matérielle du Maroc à celle, plus silencieuse et plus longue, qui passe par le chemin de l'Histoire, en direction d'un nouvel "ordre moral", avec la reconquête du passé islamique et

---

1. Éditions Maspero, 1967, p. 45 ; cité *ibid.*, p. 240.

la restitution au Maghreb de l'"homme musulman global", selon la définition de Jacques Berque ».

Il y a cependant loin de la coupe aux lèvres. Allal el-Fassi, on le sait, a développé, dans une œuvre abondante, une véritable doctrine politique fondée sur l'islam. Sa vision de la démocratie, qu'il veut débarrassée d'une culture occidentale mal digérée par la jeunesse marocaine, laisse parfois perplexe. Quand les bons sentiments affleurent et qu'il affirme que « la démocratie, c'est le respect dû à tous, c'est la foi dans la dignité de l'homme, c'est souhaiter à autrui ce qu'on se souhaite à soi-même, c'est aussi se soumettre aux résultats des élections », on ne peut que l'approuver. Mais quand il ajoute un peu plus loin : « La Nation a besoin d'une pensée saine, apte à la délivrer de ses malheurs, laquelle ne peut certainement pas être la pensée de la rue, fondée sur des origines vulgaires et que nous recevons régulièrement, mais bien celle de la classe éclairée, capable d'études profondes. La démocratie est bonne en tout, sauf dans le domaine de la pensée. Pour diriger une nation, il faut une aristocratie de la pensée » – on ne peut que se demander si l'arrogance du bourgeois fassi n'est pas en train de reprendre le dessus.

Son attitude à l'égard du contrôle des naissances laisse également songeur dans un pays où le taux de croissance démographique crée, au début des années soixante-dix, d'immenses problèmes. Au IXe Congrès du parti de l'Istiqlal, M'hammed Boucetta livre les dernières volontés du *zaïm* : parmi elles, non à la limitation des naissances[1]. Allal el-Fassi a également beaucoup parlé de développement économique, mais en sortant rarement des généralités, voire des banalités. Ainsi, dans *La Pensée économique*, il déclare : « Notre objectif essentiel demeure la libération de l'homme de toutes les formes d'esclavage économique. Il s'agit de donner des chances égales à tous les citoyens et de libérer l'individu de toutes les formes d'exploitation, et notamment de l'emprise du capital. » Il entre parfois dans les détails pour rappeler son opposition à l'usure : « Le but de l'interdiction de l'usure étant d'éviter le stockage, cela entraîne l'interdiction des trusts financiers. L'islam défend que l'argent circule en vase clos entre les seuls riches. »

---

1. *Jeune Afrique*, n° 716, 28 septembre 1974.

Dans son deuxième manifeste, intitulé « Pour la libération économique du peuple marocain », en date du 11 janvier 1963, le parti de l'Istiqlal préconise une troisième voie qu'il appelle l'« égalitarisme ». Trois jours plus tard, Allal apporte quelques précisions : « Il s'agit de réaliser l'égalitarisme économique au sein d'une société sans classes, de rendre effective l'indépendance économique, d'édifier le Maghreb arabe et de développer la coopération du Maroc avec l'extérieur. »

Il entend donner « priorité » aux masses rurales et au développement des campagnes, souligne l'importance d'une réforme agraire, du capital-travail, de l'interventionnisme, des nationalisations, du rôle des coopératives, du contrôle des matières premières.

Mais il faut bien convenir que ses écrits, ses déclarations et interventions sont restés des vœux pieux. Contrairement aux souhaits du chef de l'Istiqlal, le système bancaire s'est considérablement développé au Maroc, faisant la fortune et le bonheur de quelques financiers plus ou moins honnêtes et souvent liés au capital étranger. Quant aux masses rurales, trente ans après la mort du *zaïm*, elles restent les parentes pauvres d'une société où le mot « égalitarisme » n'a strictement aucun sens. Tout cela a ainsi conduit Allal à beaucoup se contredire, à multiplier les concessions et les reculs, contraint à tous ces renoncements aussi bien en raison de sa fidélité au trône que de son aversion pour l'aventure.

Outre sa place dans l'histoire moderne du Maroc, que reste-t-il d'Allal el-Fassi ? Sans doute un système d'organisation « allalien » toujours en vigueur à l'Istiqlal, hypercentralisé autour du *zaïm* et basé sur le clientélisme et le régionalisme.

L'homme qui succède à Allal el-Fassi et qui l'a accompagné dans son ultime voyage est un des derniers dinosaures du paysage politique marocain. On peut ne pas du tout partager ses idées politiques ni *a fortiori* celles de son parti, mais il serait injuste de ne pas lui reconnaître une courtoisie et un sang-froid à toute épreuve, une vive intelligence au service d'une mémoire étonnante, de l'humour et du recul par rapport aux choses de la vie. Peu de Marocains savent, par exemple, que M'hamed Boucetta, ce conservateur bon teint, a toujours été attiré par les extrêmes, ou, pour être tout à fait sérieux, par les deux extrémités de l'axe terrestre, le pôle Nord et le pôle Sud. Ainsi, lors d'une de ses rencontres avec l'auteur de ces lignes, M. Boucetta arrivait d'Argentine, plus précisément de Ushuaia, capitale de la Terre de Feu, ville la plus australe de notre planète. On pardonnera beaucoup à un homme encore capable de rêver après tant d'années de politique politicienne…

Il est vrai que si rien, ou presque, ne lui a été épargné, s'il a beaucoup donné à la politique – sans doute trop –, il en a aussi beaucoup reçu. Après des études de droit et de lettres à Paris, le jeune avocat originaire de Marrakech se retrouve, au lendemain de l'indépendance – aux négociations de laquelle il a d'ailleurs participé –, dans les cabinets ministériels. En juin 1960, à trente-deux ans, il est ministre istiqlalien de la Fonction publique et, l'année suivante, de la Justice. S'il est resté à l'Istiqlal et n'a pas rejoint ses anciens camarades d'études, comme Lahbabi, à l'UNFP, c'est, dit-il, par fidélité à Allal el-Fassi, qu'il vénérait. Comme ministre de la Justice, il a été l'un des premiers dirigeants marocains à lancer l'idée de l'arabisation de l'administration. En 1960 également, lors des premières municipales, il est élu à la présidence du conseil municipal de Marrakech.

Il connaît une première traversée du désert, d'une dizaine d'années, de son départ du gouvernement, avec les autres ministres istiqlaliens, jusqu'à son élection à la tête du parti, après la mort de son maître à penser. Il n'est évidemment pas facile de succéder à son idole, le charismatique *zaïm*, d'autant moins que l'Istiqlal, en dépit du dynamisme de son chef disparu, se porte mal. Comme l'écrit Lamghili, ses « énergies s'usaient alors dans la conquête des portefeuilles ministériels, pendant que le paysan et l'ouvrier s'usaient dans l'attente, écrasés par le poids de leur misère respective […]. Emmurées de tous les côtés, les masses manifestaient leurs espoirs déçus face à la paralysie des organisations politiques nationales et à leur incapacité à venir à leur secours dans des périodes aussi décisives[1] ».

Lamghili liste ainsi les problèmes qui attendent le parti et son nouveau secrétaire général : combler le vide créé par la mort d'Allal et donner un nouveau souffle à l'organisation ; empêcher que les cadres du parti, déjà trop peu nombreux, ne soient récupérés par le pouvoir ; résoudre le conflit récurrent entre jeunes et anciens, responsables de l'immobilisme du parti, et qui vendront chèrement leur peau, etc. Lamghili estime néanmoins que M'hammed Boucetta

---

1. Article cité dans *Lamalif.*

est un bon choix : « Homme habile et intelligent, Boucetta, dit-il, entretient de bons rapports avec la monarchie et avec toutes les autres formations politiques du pays. » De manière prémonitoire, Ahmed Lamghili se demande si Boucetta, profitant de la question du Sahara, ne va pas tout simplement se rapprocher du pouvoir pour sortir l'Istiqlal d'une opposition où il s'est toujours senti mal à l'aise. En définitive, ce sera au roi de trancher et, en cautionnant de nouveau l'Istiqlal, de « mettre fin à cette bâtardise politique que constitue son existence dans "l'opposition" ».

C'est exactement ce qui va se passer.

La naissance de l'USFP

Alors que l'Istiqlal tourne une des pages les plus importantes de son histoire, l'UNFP, divisée depuis plus de deux ans en deux groupes, celui de Rabat et celui de Casablanca, clarifie enfin sa situation. Leader incontesté mais bien seul du groupe de Casablanca, Abdallah Ibrahim conserve la marque d'appellation, mais cesse dès ce moment de jouer un rôle autre que figuratif, ou, à la rigueur, de référence historique sur la scène politique marocaine. Il finit même par prendre ses distances avec son compagnon de toujours, Mahjoub Benseddik, qu'il qualifie aujourd'hui de « dictateur[1] », puisqu'on ne reste pas cinquante ans à la tête d'une organisation syndicale sans l'être peu ou prou...

À l'exception d'Abdallah Ibrahim qui faisait d'ailleurs depuis longtemps cavalier seul avec ses amis syndicalistes, le groupe de Rabat, qui s'est rebaptisé Union socialiste des forces populaires (USFP), rassemble pratiquement toutes les têtes pensantes de l'opposition légale de gauche. Plus de six cents délégués venus de tout le royaume se retrouvent réunis en congrès à Casablanca du 10 au 12 janvier 1975. C'est enfin l'occasion, pour tous ces militants, d'en finir avec la confusion qui règne depuis une dizaine d'années – depuis le compromis boiteux passé avec l'aile syndicale et Abdallah Ibrahim. C'est aussi le moment de clarifier les rapports avec le pouvoir et de renoncer une fois pour toutes à la violence comme moyen d'accéder

---

1. Entretien avec l'auteur.

au pouvoir. « L'expérience de la gauche, souligne Mohammed Lahbabi, a connu une clarification essentielle lors du congrès de 1975. Une décision fondamentale a été prise, aux termes de laquelle l'USFP s'est dit prête à coopérer avec le Palais dans deux directions essentielles : la démocratisation et la lutte pour l'unité nationale, à savoir le Sahara. Sur cette base, la démocratie institutionnelle supposait des élections sincères et libres. Sur ce point, ce fut nettement un échec[1]. »

Dernier tenant important de cette ligne dure, le *fqih* Basri, en exil et qui a été condamné à mort une quatrième fois l'année précédente, est le grand perdant de ce congrès où son point de vue n'est pas même entendu. C'est à cette époque que remonte, selon lui, le début de ses divergences avec Abderrahmane Youssoufi :

« En ce qui concerne les relations sociales et personnelles, je n'ai jamais eu de problèmes, abstraction faite de nos divergences politiques. J'ai connu Youssoufi quand je dirigeais *At-Tahrir* dont il était le rédacteur en chef. J'ai eu des liens intimes avec lui en raison de notre expérience commune d'exilés politiques. Mais, sur le plan politique, les divergences ont commencé en 1975, lors du congrès qui a créé l'USFP. J'ai envoyé un mémorandum qu'ils n'ont pas pris en compte, alors qu'ils ont écouté la cassette audio qu'Youssoufi leur avait fait parvenir. Notre amitié s'est néanmoins poursuivie. Par la suite, je l'ai appuyé en le prévenant toujours de ce que j'allais faire. »

L'envoi de ce mémorandum dont a souvent parlé par la suite le *fqih* Basri est contesté par Mohammed el-Yazghi, auteur du rapport organisationnel, l'un des trois rapports présentés lors de cette réunion exceptionnelle : « Le Congrès, souligne Yazghi, n'a reçu que le message vocal d'Abderrahmane Youssoufi dans lequel, s'exprimant au nom de tous nos frères en exil, il apportait son soutien au congrès et disait sa volonté de participer aux décisions prises par lui. Cela nous a conduits à décider de ne plus proposer à la direction du parti les candidatures de nos frères se trouvant hors du Maroc[2]. »

Quelques semaines plus tard, Yazghi, invité par le parti Ba'ath irakien, retrouve à Bagdad le *fqih* Basri. À la demande de la direction

---

1. Entretien avec l'auteur.
2. Dhakirat Mounadel, *op. cit.*, p. 43.

de l'USFP, il le prie de « s'abstenir de toute activité, de tout travail et de toute déclaration, partant du principe que seul le parti de l'intérieur est habilité à définir les activités des militants ». Le *fqih* « n'a eu aucune réaction. Il est resté muet », précise Yazghi[1].

Tous les observateurs, comme Jean-Claude Santucci, conviennent que ce congrès est marqué « par un sérieux effort, de la part du parti, d'analyse de la situation politique, d'approfondissement de sa ligne idéologique et de définition de sa stratégie ». La volonté d'instaurer un socialisme démocratique apparaît nettement et la fameuse « option révolutionnaire » élaborée par Ben Barka au moment de la création de l'UNFP inspire encore largement la réflexion des uns et des autres, que ce soit Bouabid, en charge du rapport politique, Omar Benjelloun, auteur du rapport idéologique, ou Yazghi. La mise en place d'un système de planification démocratique, la nationalisation des moyens de production, l'instauration d'une démocratie politique réelle dans laquelle l'appareil d'État serait soumis au contrôle du peuple, telles sont les principales orientations retenues par les participants. Au terme des débats, une nouvelle Commission administrative de trente-cinq membres est élue, ainsi qu'un Bureau politique de sept membres (A. Bouabid, O. Benjelloun, M. Mansour, M. Yazghi, A. Benjelloun, M. Lahbabi et A. Jabri). Bouabid est désigné à l'unanimité secrétaire général.

Le pouvoir, lui, se moque bien des idéaux et des revendications de la gauche marocaine. Pour entraîner son adhésion – ce qui n'a curieusement posé aucun problème, compte tenu du lourd contentieux existant entre les deux parties –, il dispose de la « carotte » saharienne dont il va jouer à fond. Pour prévenir tout débordement, toute exigence « déplacée », il peut compter sur un appareil sécuritaire qui fonctionne à plein régime, quels que soient les gestes que peut faire par ailleurs le Palais pour détendre l'atmosphère. Les autorisations données à l'USFP et au PPS (dernière version du Parti communiste marocain), la promesse de la tenue d'élections à moyen terme, l'utilisation des bonnes volontés au sein de l'opposition pour aller prêcher la bonne parole à propos de la question saharienne, sans compter quelques mesurettes économiques destinées à satisfaire l'opposition, témoignent d'une

---

1. *Op. cit.*, p. 44.

certaine libéralisation. Pourtant, celle-ci n'empêche pas le pouvoir de poursuivre les saisies de journaux, les arrestations arbitraires, les tortures et toutes sortes de mesures d'intimidation.

L'année 1975 est d'ailleurs exemplaire de cette attitude contrastée des plus hautes autorités marocaines de l'époque vis-à-vis de l'opposition : on associe cette dernière à l'extraordinaire « Marche verte », supposée rassembler tout un peuple, et, à peine celle-ci terminée, le pouvoir fait assassiner Omar Benjelloun, militant courageux, extrêmement populaire et surtout sourd aux sirènes du régime.

**

La monarchie arrogante

« *Je suis aimé par mon peuple* [...]. *Si chaque fois qu'un parti tient son congrès, je me présentais dans la salle en disant : "Je me propose comme secrétaire général ou président", je serais élu par ovation à l'unanimité.* »

HASSAN II, *Mémoires d'un roi.*

I

La Marche verte
ou le coup de génie de Hassan II

Hassan II n'a pas seulement eu la chance insolente d'échapper à deux attentats, mais l'Histoire ou les hasards du calendrier lui ont aussi souri, au milieu des années soixante-dix, lui fournissant l'occasion de repartir sur de nouvelles bases et de consolider définitivement son trône. « Dans le tumulte des hommes et des événements, la solitude était ma tentation. Maintenant, elle est mon amie. De quelle autre se contenter quand on a rencontré l'Histoire ? » Au lendemain de cette marche historique, le 6 novembre 1975, Hassan II aurait pu faire sienne cette réflexion du général de Gaulle. Trahi par les siens, détesté ou craint par une grande partie de ses sujets, ce monarque autoritaire et cruel, dont beaucoup attendaient que lui soit donnée l'estocade, a suffisamment d'imagination, d'énergie et de culot pour s'emparer du dossier saharien et l'accommoder de telle façon que la quasi-totalité de ses compatriotes, oubliant les années de plomb et les frustrations accumulées, se rangent, enthousiastes, derrière lui.

Les faits sont assez connus pour qu'on ne s'y étende trop. Fidèle à un autre enseignement de De Gaulle selon lequel « seules de grandes causes peuvent rassembler les peuples », Hassan II, on l'a vu, a lancé durant l'été 1974 une vaste campagne pour le « retour à la mère patrie » du Sahara. Le moment choisi est habile, puisque le dernier empire colonial d'Afrique, le portugais, s'effondre. En outre, l'Espagne affronte une situation intérieure difficile, marquée par l'opposition des partisans de l'ouverture aux ultras d'un franquisme sur la fin.

Dans un premier temps, le roi fait souffler un vent qui sent la poudre, puis, intelligemment, il calme le jeu en demandant l'arbitrage de la Cour internationale de La Haye qui lui paraît infiniment préférable au verdict de l'Assemblée générale des Nations unies, acquise d'avance aux pays « progressistes » emmenés par l'Algérie.

Hassan II a vu juste. Il interprète de manière arbitraire l'arrêt, rendu le 16 octobre 1975, de la Cour internationale. Il ne retient en effet que le passage mentionnant l'existence d'« un lien juridique d'allégeance entre le sultan et certaines – mais certaines seulement – des populations nomades du Territoire », et ne tient aucun compte d'un autre passage essentiel du texte selon lequel « ces liens ne sont nullement des liens de souveraineté pouvant modifier l'application du principe de l'auto-détermination ». Mais Hassan II, sans doute convaincu par l'argumentation, développée notamment par Abdallah Laroui, selon laquelle le droit international pratiqué par la Cour, étant largement issu du « droit colonial », affaiblit le Maroc[1], n'hésite pas à mentir avec aplomb en répétant à qui veut l'entendre que « la Cour a donné raison au Maroc ».

Le dernier trimestre de l'année 1975 voit donc se réaliser, selon le mot de Claude Bontemps, « trois coups de force successifs » : un coup de force nationaliste, la Marche verte, un coup de force diplomatique, l'accord de Madrid, et un coup de force militaire, l'occupation du territoire[2].

Le jour même où est rendu l'arrêt, Hassan II prononce son célèbre discours lançant la Marche verte. À Éric Laurent qui lui demande, vingt ans plus tard, « quel était son pari en lançant cette marche », le roi répond : « Il s'agissait d'un pari psychologique sur lequel tout reposait. Je savais que Franco et son entourage étaient des militaires. Mais, s'ils se comportaient comme de vrais militaires, je ne les voyais pas tirer

---

1. *L'Algérie et le Sahara marocain*, Serar, 1976, cité par Sophie Jacquin in *Les Nations unies et la question du Sahara occidental*, *op. cit.*

2. Claude Bontemps, *La Guerre du Sahara occidental*, PUF, 1984.

sur 350 000 civils désarmés. En revanche, s'il s'agissait de bouchers…
C'était en réalité un affreux chantage, mais un chantage licite,
qu'aucune loi ne réprimait. » Dans ces mêmes entretiens avec Éric
Laurent, Hassan II précise que c'est dans la nuit du 19 au 20 août 1975
que lui est venue cette idée de la Marche verte : « Je me suis réveillé
avec une idée qui m'a littéralement transpercé la tête. J'ai songé : "Tu
as pu observer des milliers de personnes qui manifestaient dans toutes
les grandes villes en faveur du Sahara. Alors, pourquoi ne pas organiser
un vaste rassemblement pacifique qui prendrait la forme d'une
marche ? À cet instant, je me suis senti délivré d'un grand poids. »

Pour la petite histoire, signalons la version donnée en 1976 par
Jacques Alain – un pseudonyme – dans *Le Roi*, un travail de fiction
élaboré par un excellent connaisseur du sérail marocain. Alain affirme
que c'est un proche de Henry Kissinger qui a soufflé à Hassan II
l'idée d'une « marche pacifique, irrésistible », après avoir vu à la télévision un reportage sur une grande manifestation de Sud-Africains
hostiles à l'apartheid[1]…

On connaît la suite. Qualifiée par certains de « grandiose comédie
médiatique[2] », la Marche fut un véritable triomphe, même si les
350 000 marcheurs furent soigneusement sélectionnés : très peu
d'étudiants, partis d'opposition tenus à l'écart, villes où le souverain
était moins populaire sous-représentées, etc.[3].

Analysant des années plus tard cet événement, l'historien Abdallah
Laroui, brillant intellectuel devenu l'un des chantres du régime hassanien[4], met en évidence la dimension historique incontestable de

---

1. Publié aux éditions Olivier Orban, le « roman » de Jacques Alain, décédé au début
des années quatre-vingt, se déroule, entre mer et désert, dans le royaume de Malik, gouverné d'une main de fer par le roi Kamar. Remarquablement documenté, le livre – où
toute ressemblance n'est certainement pas fortuite… – a très vite disparu de la circulation, récupéré par les services marocains à la demande du Palais, en raison d'un contenu
peu flatteur pour ce dernier.

2. Claude Le Borgne, « Sahara occidental : miracle ou mirage », CHEAAM,
L'Afrique et l'Asie modernes, hiver 1988-1989.

3. Voir Sophie Jacquin, *Les Nations unies et la question du Sahara occidental*, *op. cit.*,
p. 48.

4. Auteur d'un remarquable travail, *Les Origines sociales et culturelles du nationalisme
marocain* (Casablanca, Centre culturel arabe, 1993), Laroui, comme un certain nombre
d'autres penseurs marocains, a fini par rallier le Palais, ce qui l'a parfois conduit à d'éton-
nantes prises de position.

l'événement, qui a souvent échappé aux adversaires du régime. Il écrit ainsi que « la Marche verte ne fut pas seulement un acte politique ; elle fut autre chose. Quoi donc ? Il n'est pas facile de trouver le qualificatif adéquat. Pour faire bref, utilisons une formule bien familière aux essayistes français depuis Charles Péguy, et disons qu'elle fut aussi un acte mystique […]. La décision d'organiser une marche pacifique des populations marocaines vers le territoire saharien, sans doute inspirée par une profonde méditation sur le présent et le passé du Maroc, fut à la fois une riposte à l'agressivité de nos deux voisins[1] et une réponse à l'expectative de Marocains ».

Fustigeant l'attitude des journalistes étrangers hostiles à la politique marocaine et qui parlaient de la Marche verte comme d'« une opération remarquablement montée », insinuant par là que « les masses et les partis politiques furent subtilement manipulés, sinon outrageusement mystifiés », Laroui estime que la signification populaire et nationale de l'événement leur a totalement échappé. *A contrario*, interroge Laroui, « si l'enthousiasme pouvait être préparé, créé à volonté, comment expliquer l'échec du parti unique algérien lorsqu'il voulut mettre sur pied une "Marche rouge", lui dont la tâche est précisément d'encadrer les masses révolutionnaires ? ».

Pour Abdallah Laroui, les Marocains, qui ont gagné l'indépendance en unissant leurs rangs, ont été ensuite incapables de préserver cette force et ont trop rapidement cédé aux démons de la division. C'est ainsi, dit-il, que, « de scission en scission, nous laissâmes le peuple se démobiliser, nous fîmes passer au second plan le complément nécessaire de l'indépendance, c'est-à-dire l'intégrité territoriale ».

« Des individus que les intérêts, les idéologies, les calculs tactiques séparaient, estime encore Laroui à propos de la Marche verte, se rappelèrent d'un coup le temps où ils travaillaient la main dans la main. L'inconscient travaillait en chacun de nous, la volonté d'union était à l'ordre du jour, elle n'attendait qu'un signal pour se manifester avec éclat. » Le temps était bel et bien venu, pour les Marocains, de taire leurs divisions et de faire entendre raison à leurs voisins.

Le 14 novembre est signé l'accord de Madrid, les partisans espagnols d'un compromis avec le Maroc l'ayant emporté sur ceux qui

---

1. Laroui parle ici de « collusion hispano-algérienne ».

penchaient pour le Polisario et une indépendance du Sahara. Les pressions de la France et des États-Unis, hostiles à un État sahraoui socialiste, ainsi que certaines concessions marocaines concernant les présides de Ceuta et Melilla, qui ne seraient plus revendiqués, ont fait pencher la balance[1]. L'Espagne n'a pas non plus intérêt à une guerre qui pourrait avoir de fâcheuses répercussions sur le plan intérieur. Enfin, la consolidation du Maroc et de l'Espagne, deux pays qui verrouillent à l'ouest la Méditerranée, est, pour la diplomatie occidentale, un facteur de stabilité non négligeable.

L'accord, qui institue une administration tripartite intérimaire hispano-mauritano-marocaine, avec participation de la *djemaa*[2] sahraouie, consacre l'alliance de la Mauritanie et du Maroc, contraints de limiter leurs ambitions et de se partager le Territoire. Sophie Jacquin cite à cet égard un éloquent dicton sahraoui : « La Mauritanie s'efforce de tenir les pieds du Sahara pour aider le Maroc à l'égorger, comme dans la vie courante l'esclave tenait les pattes de la chèvre pour l'empêcher de ruer pendant que le maître la sacrifiait selon les rites. » Est-ce ce rôle peu flatteur qui lui est attribué ou, plus vraisemblablement, l'octroi du « Sahara inutile » (le sud du Sahara occidental, sans ressources ni agglomérations) et le souci de se tirer de ce guêpier ? Toujours est-il que la Mauritanie renoncera à sa présence en 1979… Depuis cette date, le Maroc, qui a envahi la partie mauritanienne, est désormais la seule puissance administrante, la souveraineté derrière laquelle il court depuis lors appartenant aux Sahraouis et ne lui étant toujours pas reconnue par la communauté internationale.

On peut débattre indéfiniment de la question du Sahara et penser par exemple que ce conflit, qui a entraîné des souffrances énormes pour le peuple sahraoui et coûté des milliards de dollars au Maroc, est une absurdité. La sagesse eût voulu que le Sahara occidental trouve sa place dans un ensemble maghrébin intégré. Mais la sagesse est sans doute la vertu qui fait partout le plus défaut par les temps qui courent. Les Marocains sont certainement sincères quand ils évoquent la profon-

---

1. Les annexes de l'accord de Madrid n'ont jamais été rendues publiques. Selon des sources espagnoles, Hassan II se serait engagé à ne pas revendiquer les présides pendant quatre-vingt dix-neuf ans.
2. Assemblée tribale.

deur du lien qui les unit au Sahara, même si la monarchie exploite le filon jusqu'à épuisement depuis plus d'un quart de siècle. L'Algérie, elle, a jeté beaucoup d'huile sur le feu, avec sans doute pour unique préoccupation d'affaiblir le Maroc. « En réalité, le véritable objectif d'Alger, déclare en décembre 1974 le ministre marocain de l'Information, Ahmed Taïbi Benhima, est d'isoler le Maroc en le coupant de la Mauritanie et de l'Afrique noire[1] », Alger voulant être le seul lien entre le nord et le sud du continent africain.

Sans préjuger de ce qu'ils exprimeront peut-être un jour par référendum, les Sahraouis, dont une bonne partie vit misérablement dans les camps de Tindouf et les autres sous l'étroite surveillance d'un appareil répressif marocain pesant et brutal, sont les principales victimes à la fois des ambitions régionales de l'Algérie et de la politique de procrastination du royaume chérifien. Sophie Jacquin, ancien porte-parole de la Minurso[2], remarque pendant son séjour à Laayoune que les Sahraouis n'osent pas exprimer leurs opinions, qu'ils se méfient d'une police secrète omniprésente. Il leur était interdit, au milieu des années quatre-vingt-dix, de longer les murs des bâtiments de l'ONU, de parler aux membres de l'organisation internationale, d'aller dans les hôtels où étaient logés des personnels onusiens. Le prêtre espagnol de Laayoune a failli être expulsé parce qu'il leur parlait. « Mes lettres, dit Sophie Jacquin[3], étaient ouvertes, les trois téléphones de la Minurso écoutés, et, une fois par mois, un de nos techniciens enlevait les micros jusqu'à ce que nous ayons appris qu'un employé latino-américain chargé de les enlever travaillait en réalité pour les services marocains. Il y avait aussi beaucoup d'interprètes d'origine palestinienne qui entretenaient de bons rapports avec les Sahraouis et qui agaçaient beaucoup les autorités marocaines […]. Pendant les opérations d'identification, la télévision marocaine, poursuit-elle, filmait dix heures par jour. Ce n'était évidemment pas pour rendre plus vivant le journal de 20 heures, mais pour les archives des services. Des jeunes filles me glissaient dans l'oreille : "On est pour l'indépendance :

---

1. Déclaration à Paul Balta, du *Monde*, citée par Sophie Jacquin.
2. Mission des Nations unies pour l'organisation d'un référendum au Sahara Occidental.
3. Entretien avec l'auteur.

croyez-vous que nous préférons être les valets des Marocains ou être libres ?" » Inversement, se rappelle Sophie Jacquin, « ceux qui sont dans les camps du Polisario idéalisent le Maroc. Ils me demandaient : "C'est vrai qu'à Laayoune il y a de l'électricité, des voitures ?" » Les critiques adressées au Polisario en 2003 par l'association France-Liberté de Danielle Mitterrand montrent par ailleurs que le dossier était beaucoup plus complexe que ne l'imaginaient certains.

« L'intoxication, les manœuvres douteuses ont été et sont monnaie courante des deux côtés. Aucun camp n'a eu en permanence le monopole du légalisme ou de l'obstruction. Chacun en a joué selon ses intérêts. L'enjeu étant considéré comme vital pour chacun d'eux, tous les moyens ont été bons pour tenter de faire pencher la balance dans le "bon" sens », résume Mme Jacquin.

Pour conclure sur ce point, elle évoque l'hypothèse avancée par Youssef Gemayel, un Libanais membre de la commission d'identification : selon lui, beaucoup de pères de famille sahraouis, avec cette prudence qui caractérise les nomades, ont envoyé une partie des leurs du côté marocain, et une autre du côté de Tindouf afin de tirer leur épingle du jeu, quelle que soit l'issue du conflit[1].

À vrai dire, pas plus qu'il ne touche les responsables algériens qui les manipulent à leur guise depuis trente ans, le sort des Sahraouis n'émeut les dirigeants marocains. Ceux-ci, d'ailleurs, n'aiment pas prononcer le mot « Sahraouis », et lui préfèrent l'expression « cousins égarés » ou « Marocains égarés », à moins qu'emportés par le ressentiment ils n'évoquent les « mercenaires d'Alger ». Quand on est en guerre, le bon sens commande en effet de discuter avec l'ennemi dans l'espoir de parvenir à une « paix des braves ». Or, à de rares exceptions près, les Marocains ont toujours tout fait et font tout pour éviter de rencontrer les représentants du front Polisario. Certes, des pourparlers secrets ont lieu à Bamako, au Mali, en 1978, à Alger en avril 1982, à Lisbonne en 1985, suivis de discussions indirectes à New York en 1986, d'un début de négociation à Taëf, en Arabie saoudite, en juillet 1988. Tout cela ne donne rien. La rencontre la plus spectaculaire et la seule vraiment importante sur le plan formel a lieu à Marrakech les 4 et 5 janvier 1989, au moment où Hassan II reçoit

---

1. Sophie Jacquin, *Les Nations unies et la question du Sahara occidental*, op. cit., p. 425 *sq.*

des émissaires du Polisario. Apparemment, le souverain honore une promesse faite l'année précédente au président algérien Chadli Ben Djedid, après la reprise des relations diplomatiques entre les deux pays. Mais il ne lâche rien, jouant au monarque « clément et miséricordieux » qui invite des « cousins égarés » à rejoindre la mère patrie. Hassan II prend même à part le dirigeant sahraoui Bachir Mustapha Sayed et lui confie : « Je sais que j'ai conquis le territoire du Sahara occidental, mais pas le cœur des Sahraouis. Il faudra au moins quatre générations pour le gagner[1] ! » Comme le remarque Sophie Jacquin, Hassan II peut aussi faire valoir auprès de ses hôtes d'une journée qu'en les recevant il est « le moins nationaliste des Marocains ».

Déjà, en juin 1981, en acceptant au sommet de l'OUA, à Nairobi, l'idée d'un référendum supervisé par la communauté internationale, Hassan II avait irrité bon nombre de ses compatriotes, notamment l'opposition qui estimait « inutile et vaine » cette consultation, le Sahara étant marocain. Soumis aux pressions de Jimmy Carter, Valéry Giscard d'Estaing et Juan Carlos, trois « amis »[2], le roi, qui avait besoin de gagner du temps et de sortir le Maroc de son isolement, avait donc fait mine d'être favorable à ce référendum. Mais il était beaucoup trop avisé pour ne pas savoir que la mise en œuvre d'une telle consultation se révélerait extrêmement complexe. Tant et si bien qu'en 2004 le scrutin n'a toujours pas eu lieu... Pour calmer ses sujets, le roi parlera désormais de « référendum confirmatif », concept nouveau qui n'a pas dû échapper aux spécialistes du droit international...

Près de trente ans après la Marche verte, le dossier saharien demeure au centre de la vie politique marocaine. Habilement géré par Hassan II qui, en dépit des fautes commises par son entourage, a su en tirer remarquablement profit en confortant de manière définitive un pouvoir contesté, sinon menacé, ce dossier a eu et a toujours des répercussions considérables. L'entretien d'une armée de 150 000 hommes dans une région difficile coûte très cher, même si l'arrêt des hostilités avec le Polisario, dans les années quatre-vingt, a réduit sensiblement les dépenses. Tous les services publics, à commencer par l'Éducation

1. *Ibid.*, p. 244.
2. Voir Tony Hodges, *Sahara occidental. Origines et enjeux d'une guerre du désert*, L'Harmattan, 1987.

nationale et la Santé, ont été et demeurent lourdement affectés par cet état de ni guerre, ni paix. Le dossier – on le verra dans notre dernière partie – est également sensible et suppose du doigté dans la gestion des relations internationales, aussi bien avec les voisins algérien et espagnol qu'avec les Nations unies, les États-Unis, la France et l'Union européenne. Le moins qu'on puisse dire est que, de ce point de vue, la disparition de Hassan II se fait cruellement sentir. Mais ceci est une autre histoire, liée au fonctionnement du pouvoir sous le règne de Mohammed VI, et à la personnalité de ce dernier…

Politiquement, l'affaire du Sahara fournit donc à un monarque dont la légitimité a été mise en cause à plusieurs reprises, et qui ne parvient pas à mater son opposition de gauche, une occasion unique de redorer son blason, d'accroître sa popularité et de neutraliser ses opposants. Il contraint en effet ces derniers à se détourner des véritables problèmes intérieurs en les mobilisant pour une affaire qui conditionne l'avenir du Maroc : « Je dirai même – je pèse bien mes mots – que si nous ne récupérons pas notre Sahara, déclare solennellement Hassan II, je serai pessimiste quant à l'avenir du Maroc en tant que communauté et État. En fait, nous estimons, des points de vue stratégique, politique et sentimental, que la récupération du Sahara est une affaire aussi délicate que le recouvrement de l'indépendance[1]. »

On peut pourtant se demander ce qui pousse alors depuis près d'une année une opposition pourchassée par le régime à s'impliquer à ce point dans la stratégie royale. Pour Jean-Claude Santucci[2], « il faut bien admettre en effet qu'au-delà du Sahara proprement dit, ce n'est pas seulement la défense de leur existence en tant que force politique, mais celle de l'État marocain en tant que tel, qui a prévalu dans le comportement des partis d'opposition. Sinon, comment expliquer qu'ils n'aient pas songé que, par leur attitude, ils pouvaient contribuer dans une certaine mesure à renforcer le régime et à servir les intérêts d'un pouvoir longtemps décrié ? ».

Contrairement à l'extrême gauche marxiste-léniniste du groupe Ilal Amam, ou aux partisans du *fqih* Basri, qui ne croient pas une

---

1. Discours prononcé à la séance d'ouverture du Conseil supérieur de la promotion nationale et du Plan, le 17 juin 1975.
2. « Chroniques politiques marocaines », *Annuaire de l'Afrique du Nord, op. cit.*

seconde que « la féodalité puisse assurer la direction d'un mouvement authentique de libération[1] », l'USFP et le PPS estiment qu'en recherchant l'union sacrée et en proposant d'associer l'ensemble des formations politiques à la lutte pour la récupération du Sahara, le pouvoir fait une « ouverture démocratique » à laquelle il convient de répondre de façon positive.

Dans un autre système politique où les parties en présence respectent des règles du jeu clairement établies, le pari de la gauche marocaine eût été compréhensible. Mais, au Maroc, dirigé par un monarque absolu qui n'entend rien céder de ses immenses prérogatives, le pari est perdu d'avance. En cherchant la collaboration des partis d'opposition, écrit justement Omar Bendourou, « le pouvoir choisira la formation la moins coûteuse dans son éventuelle association au gouvernement ». C'est qu'à l'égard de l'USFP, ajoute-t-il, « le souverain voit qu'une véritable collaboration dans la ligne actuelle du parti supposerait un abandon d'une partie importante de ses pouvoirs », l'USFP ayant toujours demandé qu'une participation au cabinet ministériel soit précédée d'une claire définition des attributions de chaque ministre. Et puis, rappelle Bendourou, Hassan II n'a pas oublié l'expérience gouvernementale sous la présidence d'Abdallah Ibrahim, « où celui-ci a failli limiter le pouvoir royal et le réduire à un rôle plus effacé »[2].

En réalité, la doctrine et l'idéologie de l'Istiqlal version Allal el-Fassi, qui n'a jamais cessé de proclamer son attachement à la monarchie, conviennent infiniment mieux au Palais, et c'est avec lui que, progressivement, ce dernier reprendra langue jusqu'à confier à certains de ses dirigeants des postes ministériels. Quant à l'USFP, Sahara ou pas, la répression va se poursuivre. Même si le ton des dirigeants socialistes a changé pour devenir « prudent, modéré, parfois presque plaintif », selon le mot de Claude Palazzoli[3], même si la violence n'est plus à l'ordre du jour, le roi sait bien que leur parti rejette toujours un système inégalitaire, corrompu, antidémocratique et autoritaire, pour ne pas dire dictatorial.

---

1. Voir l'article de Mehdi Yakdhan dans *Afrique-Asie* du 27 janvier 1975.
2. Omar Bendourou, *Le Régime politique marocain*, Rabat, Dar al-Qalam, 2000, p. 172.
3. Claude Palazzoli, *Le Maroc politique, de l'indépendance à 1973*, Sindbad, 1974, p. 238.

II

L'assassinat d'Omar Benjelloun

Dix ans après celui de Ben Barka, l'assassinat, le 18 décembre 1975, d'Omar Benjelloun, au moment où il quitte son domicile, est un nouveau coup dur porté à la gauche marocaine. Le régime, bien sûr, nie toute responsabilité. Écoutons la version de Driss Basri, pas encore ministre de l'Intérieur à l'époque, mais déjà omniprésent dans l'appareil sécuritaire :

« J'étais alors secrétaire d'État. Omar Benjelloun représentait la partie la plus dure de l'USFP. C'était le seul dirigeant radical à être demeuré au Maroc. Il avait un mauvais caractère, comme beaucoup d'Oujdis. Peu auparavant, après sa sortie de prison, il était venu me voir à la campagne, à Benslimane, avec Habib Sinnaceur, frère d'Allal[1], avant d'aller retrouver sa famille.

« "Je suis venu te dire le fond de ma pensée, m'a dit Benjelloun. Je suis un révolutionnaire, c'est vrai. Mais le roi nous a amnistiés. Je vais te charger d'un message pour lui. Nous voulons passer un contrat avec lui. Que Sa Majesté nous donne quatre ou cinq ans pour gouverner, et nous serons comptables devant elle de nos réalisations. Dis-lui bien

---

1. Futur ministre de la Culture dans les années 90.

que nous ne bouleverserons rien du tout, parce que toute la richesse de la nation se trouve entre les mains de l'État à travers ses offices ou son secteur nationalisé, et qu'il suffit de bien les diriger, de bien les conduire. Nous pourrons travailler sur un levier socialiste. L'essentiel, pour nous, est de faire tourner la machine dans le bon sens." Naturellement, Hassan II a refusé. Omar Benjelloun, en fait, a été tué par son ancien copain Motii, un ex-inspecteur de langue arabe, qui était passé sous la coupe de Khatib. Benjelloun voulait un pays laïc, et Motii l'a tué pour cette raison-là. Depuis, les adversaires de l'État ou de la monarchie ont élaboré une théorie sur la mort d'Omar Benjelloun avec toute la propagande qu'on peut imaginer. Voilà comment l'hypothèse des services secrets manipulant Motii a été échafaudée[1] ! »

Mais l'affaire est certainement beaucoup plus complexe que ne le prétend Driss Basri. Outre le fait que la disparition de Benjelloun, responsable politique de gauche très populaire et peu sensible aux séductions du *makhzen*, arrange bien le pouvoir, la personnalité de Motii et de son groupe suscite de nombreuses questions. En mars 2001, une plainte déposée par Abdelkrim Khatib, secrétaire général du Parti de la justice et du développement (PJD), contre Mohammed Ziane, directeur de l'hebdomadaire *Al-Hayat al-Yaoumiya*, est examinée par le tribunal de première instance de Casablanca. Dans un numéro de cette revue d'octobre 1999, Khatib est nommément cité dans un communiqué de la *Chabiba islamiya* (Jeunesse islamiste) envoyé de Norvège par le mouvement interdit d'Abdelkrim Motii. Selon ce communiqué, Khatib aurait hébergé dans sa ferme, située entre Casablanca et el-Jadida, le principal accusé impliqué dans l'assassinat d'Omar Benjelloun, un certain Abdelaziz Noumani. Ce dernier y aurait passé près d'une année avant de disparaître. Estimant qu'il s'agit là d'allégations sans fondement, portant atteinte à sa réputation, Khatib réclame 3 millions de dirhams à Ziane. Fait encore plus curieux, Noumani, arrêté plus tard, est condamné à perpétuité, mais rapidement remis en liberté, ce qui, comme le souligne *Maroc-Hebdo international*, « jette le doute sur les véritables commanditaires du crime[2] ». Dans une interview publiée à l'époque par le quotidien *Ach-Chark al-Awsat*, le

---

1. Entretien avec l'auteur..
2. « Qui a tué Omar Benjelloun ? », *Maroc-Hebdo*, mars 2001.

Dr Khatib jure qu'il ne connaissait pas Abdelaziz Noumani et, par la même occasion, nie avoir à l'époque coopéré avec Driss Basri pour mettre face à face les islamistes et la gauche.

Quant à Mohammed Ziane, il commente cette affaire en précisant qu'il n'a « fait que publier un communiqué du groupe de Motii et que, de toutes les façons, il s'agit là d'une page importante de l'histoire du pays. Khatib n'a pas à faire de procès en diffamation. Tout ce qu'il peut faire, c'est aider à éclairer l'opinion publique marocaine sur une page de son histoire contemporaine » !

De son côté, *Le Journal hebdomadaire* affirme que les sécuritaires du CAB1 – les services secrets marocains – approchent Motii au milieu des années soixante-dix et l'invitent à régler une fois pour toutes le cas d'Omar Benjelloun, « ce communiste et cet impie ». On lui promet de l'argent et l'impunité, ce qui se vérifiera. *Le Journal hebdomadaire*[1] évoque aussi une autre version « tout aussi plausible » sur la planque de Noumani : celui-ci aurait été installé dans une ferme du Gharb, sous le contrôle de la DST qui aurait pris le relais du CAB1.

Mohammed el-Yazghi évoque également dans ses Mémoires l'assassinat de Benjelloun. Alors qu'on lui demande s'il ne faut pas y voir la main du pouvoir, il répond : « L'enquête n'est pas allée dans la direction de cette hypothèse. L'auteur du crime a été arrêté, mais pas les responsables directs. Par voie de conséquence, il n'a pas été possible de découvrir des liens entre l'exécutant et le pouvoir. Le roi Hassan II a informé Abderrahim Bouabid de l'arrestation d'une personne très impliquée dans la préparation de l'assassinat, mais les responsables de la sécurité ont démenti son arrestation et ne l'ont pas présentée à la justice. En fait, il semble qu'on lui ait donné la possibilité de fuir à l'étranger[2]. »

Plus de vingt-cinq ans après la mort de Benjelloun, Yazghi ne tarit pas d'éloges sur l'homme : « C'était un fils exemplaire du peuple marocain, pas tant en raison de l'étendue de ses connaissances, ou de sa générosité, ou même de sa capacité à se mobiliser et à se battre sur tous les fronts – théorie, parti, syndicat ou information –, mais avant tout pour avoir imprimé sa marque dans les questions de société,

---

1. Numéro du 21 au 27 juin 2003.
2. Mohammed el-Yazghi, *Dhakirat Mounadel*, op. cit., p. 46.

notamment dans sa relation avec la classe ouvrière. » Pour Mohammed el-Yazghi, « l'étonnante capacité qu'il avait d'aller à l'essentiel,
de proposer des solutions et des mécanismes pour traiter les sujets, sa
foi profonde dans la démocratie et l'option socialiste ne venaient pas
de sa lecture de la théorie socialiste, mais de sa connaissance profonde
de la société marocaine et de son histoire »[1].

Smaïn Abdelmoumni, militant de gauche et, jusqu'en 1962, responsable UMT au ministère de la Justice, a bien connu Omar Benjelloun qui était deux classes au-dessus de lui au lycée Abdelmoumen
d'Oujda. Ben Barka et Benjelloun se complétaient bien, selon lui :
« Je n'ai gardé que de bons souvenirs des réunions présidées par Ben
Barka. Benjelloun était, lui, plus intégré dans la masse. Ben Barka
avait une grande aura à l'étranger, tandis que Benjelloun parvenait à
faire adhérer les masses. C'était un danger à l'intérieur pour le régime.
Il était aussi très direct. Je me souviens d'un congrès régional à Safi,
où certains réclamaient un peu de respect pour Bouabid à qui
quelques-uns reprochaient une certaine complaisance avec le pouvoir. Benjelloun a répondu : "Quoi, du respect ? Ce n'est pas grand-
mère !" Il pratiquait l'autocritique. C'était un vrai démocrate. Il était
discipliné : il discutait avec la dernière énergie, mais, quand on passait au vote et qu'il était battu, il s'inclinait[2]. »

Abderrahim Berrada, qui fut un de ses amis, estime que « la mort
d'Omar Benjelloun constitue un tournant dans l'histoire de la
gauche marocaine et donc dans l'histoire du Maroc [...]. Il est
certain, ajoute-t-il, que le parti n'aurait jamais connu les dérives qui
ont été les siennes si Omar était resté en vie. Tous les dirigeants de
l'USFP avaient une peur bleue de lui, parce qu'il forçait le respect. Il
avait une vision, un projet. Il avait des idées précises en tête. Il usait
aussi d'un langage très vert. Il était furieux contre l'absence de formation des cadres, dépourvus d'idées. À ses yeux, c'étaient de braves
gens, courageux, mais avec un horizon limité. Lors du IIe Congrès
[en 1962], il m'avait dit : "Je vais leur demander de s'ouvrir à des
gens comme toi"[3] »

1. *Ibid.*
2. Entretien avec l'auteur.
3. Entretien avec l'auteur.

Sous le titre « Il était entré en politique avec un rêve dans la tête », le portraitiste Belkassem Belouchi écrit que Omar Benjelloun avait des traits communs avec les deux autres hautes figures de la gauche marocaine, Mehdi Ben Barka et Abderrahim Bouabid : « Comme Ben Barka, il était brillant et fougueux, et comme Bouabid il avait la vision et la générosité. Ben Barka rêvait de renverser le régime ; Bouabid, plus réformateur, était plus favorable à une évolution lente mais sûre des choses. Omar Benjelloun était un produit des deux tendances[1]. »

Intelligent et dynamique, il intègre à Paris, après des études de droit, l'École supérieure des PTT dont il sort major en 1960. Syndicalisme, engagement pour l'Algérie et la Palestine : les années parisiennes comptent beaucoup dans sa vie. Cet homme de conviction, d'une scrupuleuse honnêteté, militant infatigable, devient à partir de 1961 le responsable du syndicat des PTT de Casablanca. « Ses conceptions de la politique et du syndicalisme, note encore Belouchi, en firent le représentant idéal de cette élite qui soutenait l'UNFP. Il prôna aux syndicats marocains une stratégie d'agitation permanente. En désaccord total avec les dirigeants de l'UMT qu'il considérait comme dépassés et pourris, surtout après l'échec des grèves de mai et décembre 1961, il se décide à entrer en dissidence pour réformer la centrale de l'intérieur, la fédération des PTT étant le fer de lance de ce combat. »

Plus qu'aucun autre dirigeant de l'UNFP, Omar Benjelloun incarne la lutte contre la direction de l'UMT, notamment contre son inamovible secrétaire général, Mahjoub Benseddik. Hors une vive intelligence, tout oppose les deux hommes. Benjelloun, comme Ben Barka, pense que le syndicat doit être la courroie de transmission du parti, alors que Benseddik entend préserver à n'importe quel prix l'indépendance de la centrale syndicale. Cette exigence d'autonomie aurait été beaucoup plus compréhensible si Benseddik avait dirigé son organisation de manière démocratique, et non pas en autocrate refusant tout contrôle. Ainsi, à la fin de 1962, alors que l'UMT prépare son IIIe Congrès, Benjelloun accuse Benseddik de désigner d'autorité une grande partie des délégués afin de les avoir bien à sa main. La réaction de Benseddik et de ses amis est celle d'une bande

---

1. Belkassem Belouchi, *Portrait d'hommes politiques, op. cit.,* p. 149 *sq.*

de mafieux. Écoutons Moussaoui Ajlaoui : juste avant la réunion, Benjelloun « est enlevé et torturé par une milice appartenant à l'appareil syndical. Les cadres [de l'UMT] craignaient sa virulence et considéraient sa position comme un obstacle à leur liberté d'action, à leurs plans et à leurs projets dont le moins qu'on puisse dire est qu'ils étaient aussi trompeurs qu'opportunistes[1] ». Sitôt après avoir été relâché, Omar Benjelloun envoie aux dirigeants de l'UMT une lettre dans laquelle il évoque les raisons de son enlèvement qui s'explique, selon lui, par son opposition aux « manœuvres nuisibles » du syndicat ainsi qu'à « la trahison des principes d'une organisation syndicale »[2]. Sa missive n'a aucun effet et la fédération des PTT est exclue de l'UMT.

Moussaoui Ajlaoui, qui effectue un passionnant travail d'historien sur les années qui ont suivi l'indépendance pour le compte de la Fondation Bouabid, évoque également un manuscrit découvert à la Fondation et dont il est pratiquement avéré qu'Omar Benjelloun est l'auteur. Ce texte, rédigé vraisemblablement en 1963 ou 1964, est un véritable réquisitoire dressé contre le comportement de la direction de l'UMT au début des années soixante. Omar Benjelloun parle de « diktats », de « déviation syndicale », de « revendications des travailleurs détournées par la direction de l'UMT », de « provocations », etc. Moussaoui Ajlaoui rappelle ensuite que Benjelloun a vécu de l'intérieur les évolutions du mouvement syndical marocain depuis le tout début des années soixante, qu'il a découvert les véritables raisons qui ont conduit le syndicat à l'impuissance, à la division, aux « déchirements et à l'apparition d'une bureaucratie syndicale ». Omar Benjelloun rend directement responsable des dérives de l'UMT son secrétaire général, Mahjoub Benseddik. Ce dernier disposait en effet, selon Omar, d'une liberté totale au moment où il a imposé aux deux mouvements – politique et syndical – une option radicale ne prenant absolument pas en compte les idées des autres. Cette domination absolue de Benseddik sur ses camarades qu'il manipulait à souhait le conduisait même, dans des moments d'égarement, à se faire appeler l'« émir des travailleurs », comme si l'UMT était son propre émirat !

---

1. Voir *Al-Ahdath al Maghribiya*, janvier 2001.
2. *Ibid.*

Dès lors, note Benjelloun, le syndicat a commencé à s'ouvrir à toutes sortes d'individus plus ou moins louches. Révolté par cette situation et considérant cette question comme prioritaire, Omar Benjelloun va s'efforcer, par la suite, de corriger les erreurs du mouvement syndical.

Reste à savoir pourquoi ce manuscrit n'a jamais été rendu public. Benjelloun l'aurait remis à Bouabid, lequel l'aurait déposé dans un endroit sûr, estimant que le rendre public risquait de desservir les militants socialistes emprisonnés qu'il s'apprêtait à défendre. Étaler les divisions de la gauche et s'attaquer à un « allié objectif » du Palais ne pouvait, à ses yeux, qu'avoir de fâcheuses conséquences pour ses amis. Apparemment, il n'eut pas trop de peine à en convaincre Omar Benjelloun...

Par la suite, Omar ne cesse de dénoncer la collusion de l'UMT avec le pouvoir, affirmant que ce comportement ne peut se traduire que par l'impuissance et l'inefficacité de la centrale syndicale. Les menaces, les intimidations, qu'elles émanent du syndicat ou du pouvoir, les colis piégés, les multiples arrestations – en mars 1973, il en est à sa cinquième ! –, la prison et la torture, rien de tout cela n'a de prise sur lui.

Ce militant hors pair déçoit cependant une petite frange de militants de gauche au moment de la création de l'USFP. « En 1975, raconte Hayat Berrada-Bousta[1], veuve d'Abdelghani Bousta, nous avons été très mécontents qu'Omar aille avec la nouvelle USFP de Bouabid. » En effet, ces militants rejettent aussi bien l'aventurisme du *fqih* Basri que les orientations « opportunistes et réformistes » du nouveau parti. Instigateur du mouvement *al-Ikhtiyar ath-Thaouri* (Option révolutionnaire) en mai 1975, Abdelghani Bousta, qui s'est exilé à Paris, estime que « l'expérience de mars 1973 a contribué à éclaircir les contradictions internes du parti et à faire apparaître toute sa direction sous son vrai visage : une direction putschiste et aventuriste qui n'hésite pas à sacrifier des dizaines de militants dans une bataille incertaine[2] ». Bousta et ses amis sont en profond désaccord

---

1. Entretien avec l'auteur.
2. Tiré d'un petit opuscule rédigé par les amis d'Abdelghani Bousta après sa disparition.

avec Omar Benjelloun, convaincu qu'on peut changer les choses de l'intérieur sans recourir à la violence armée. Le régime ne lui donnera pas l'occasion d'en administrer la preuve.

En mai 1975, donnant une conférence à Ouezzane sur « la lutte des classes au Maroc », Benjelloun a l'occasion d'exposer précisément ce qu'il pense du régime. Ce dernier, selon lui, ne se préoccupe que d'assurer l'enrichissement « des féodaux et des bourgeois » au détriment « des masses laborieuses ». Le pouvoir, dit-il, a même poussé l'outrecuidance, en 1963, alors qu'il réprimait durement la gauche, de « rendre aux traîtres leurs propriétés ». Dix ans plus tard, en 1973, la marocanisation de l'économie a permis aux riches de devenir encore plus riches. « Depuis la fin du Protectorat, dit-il, le système n'a pas changé. Nous demeurons dans la situation d'un peuple auquel on a imposé un système à modèle colonialiste. Avec une différence : ce système est marocanisé. » Benjelloun regrette également que la lutte des classes ait été vécue isolément par les Marocains : « Le paysan dans son champ contre l'autorité répressive, l'ouvrier dans son usine contre le patron capitaliste, et le fonctionnaire dans son bureau contre le directeur bureaucrate. Cette forme de lutte dispersée fait le jeu de la classe gouvernante [...]. Ni les gouvernants, ni ceux qui se donnent l'étiquette falsifiée de révolutionnaires [une allusion de plus à l'UMT !] ne veulent la lutte collective, coordonnée. »

En conclusion, Omar Benjelloun, qui se demande aussi « au profit de qui le Sahara sera libéré », mais sans rejoindre pour autant les positions de l'extrême gauche, interpelle son auditoire : « Sommes-nous prêts à jouer notre rôle pour empêcher tout cela ? Sommes-nous à la hauteur pour le faire ? Le voulons-nous vraiment[1] ? »

---

1. Document publié par *Lamalif,* janvier-février 1976.

« Partis de circonstance » et partis historiques ou la « démocratie hassanienne »

Le pouvoir marocain ou ses « alliés objectifs » n'ont pas permis à Omar Benjelloun d'obtenir une réponse à ses questions. Débarrassé du militant de gauche le plus populaire et le moins accommodant, le régime, qui a « ratissé large » avec la question du Sahara, peut désormais poursuivre la reprise en main d'une opposition légale qui, ayant renoncé à la violence, n'a plus qu'à subir la loi du plus fort.

La nouvelle farce électorale

Les quelques succès électoraux obtenus lors des élections communales de novembre 1976 n'y changent rien. Driss Basri, encore secrétaire d'État à l'Intérieur, et les adeptes du *statu quo* décident de reprendre les choses en main et de verrouiller le champ politique. On voit alors apparaître les fameux candidats « indépendants » qui accoucheront en 1978, en 1981 et en 1983 des trois principaux « partis administratifs » : le Rassemblement national des indépendants (RNI), le Parti national démocrate (PND, issu d'une scission du RNI) et l'Union constitutionnelle (UC). Pendant une vingtaine d'années, du milieu des années soixante-dix jusqu'à l'alternance, les uns et les autres, sans la moindre expérience historique, sans assises locales, sans traditions, raflent la mise, à chaque élection, à coups de billets de 50 ou 100 dirhams et avec la complicité d'une administration totalement partiale. Parallèlement à ces scrutins grossièrement truqués, une véritable névrose sécuritaire, ponctuée de chasses aux sorcières, s'empare des dirigeants.

Après six années sans consultations électorales – hormis le référendum constitutionnel du 1er mars 1972 –, les Marocains sont appelés à choisir 13 362 conseillers communaux parmi plus de 40 000 candidats, dont une bonne moitié d'« indépendants » en réalité proches du pouvoir. Un bon mois avant le scrutin, Hassan II crée un « Conseil national » qu'il préside et qui est chargé de superviser les opérations électorales. Néanmoins, aucun texte ne fixe ses attributions, sa composition ni son fonctionnement. Il s'agit une fois de plus d'une coquille vide, et l'opposition constate dès le début de la campagne qu'elle est interdite de petit écran et de radio. En revanche, la vingtaine de milliers de candidats « indépendants » peut compter sur l'appui de l'administration. L'argent coule à flots et, de ce point de vue, le Maroc entre de plain-pied dans la modernité : outre les distributions traditionnelles de vivres, de moutons ou de billets de banque, on voit apparaître des tee-shirts, des djellabas et autres badges à la gloire des candidats ou de leurs formations.

Mieux implanté que l'USFP hors des grandes villes, l'Istiqlal demeure le premier parti politique et remporte 2 184 sièges, suivi par le Mouvement populaire (1 045) et l'USFP (874). Les grands « vainqueurs » sont naturellement les « indépendants » avec 8 607 sièges, soit près des deux tiers. Mais, tout en dénonçant les irrégularités, les manœuvres et les pressions du pouvoir – les recours se comptent par centaines et le fameux Conseil national cité plus haut n'y est pour rien puisqu'il ne s'est même pas réuni après le scrutin[1] –, l'opposition n'est pas loin de trouver l'expérience « positive ». Dans le Maroc « utile », l'USFP parvient, en dépit de ses maigres résultats initiaux, à gagner un certain nombre de grandes villes. L'Istiqlal et le Mouve-

---

1. Voir *Annuaire de l'Afrique du Nord*, *op. cit.*, année 1976, p. 125.

ment populaire résistent certes assez bien, mais leurs résultats n'ont rien à voir avec ceux du « courant fidèle au hassanisme », pour reprendre l'expression de Moulay Ahmed Alaoui, directeur du *Matin* et de *Maroc-Soir*, pour qui cette doctrine est « la seule adaptée aux réalités du pays ».

Si elles marquent une petite rupture avec les scrutins précédents – en 1969, le Mouvement populaire avait été le seul parti politique à participer officiellement aux communales –, ces élections, un peu moins frauduleuses, ne bouleversent en rien la vie politique. Les Marocains ont de toute façon compris depuis longtemps que les pouvoirs d'un président de municipalité sont limités et que la bonne gestion d'une ville dépend d'autres facteurs. Néanmoins, le bilan n'est pas totalement négatif, si l'on en croit un bon connaisseur du royaume, Jean-Claude Santucci, qui écrit à l'époque : « Les partis politiques, notamment l'opposition, bien que présentés comme les grands vaincus, sont en fait, eu égard à leur longue et difficile retraite, sortis réhabilités et présents sur la scène politique. À ce niveau donc très formel et limité aux conditions de la consultation, aux règles du jeu électoral et à la participation des acteurs politiques, les perspectives de démocratisation tracées par ces élections laissent entrevoir de solides espoirs pour la suite du processus[1]. »

On passera rapidement sur les élections, en janvier 1977, des conseils des trente-trois assemblées provinciales et préfectorales, soit au total 513 sièges à pourvoir par les quelque 13 000 conseillers communaux et municipaux élus le 12 novembre précédent. Les « indépendants » raflent à nouveau la mise – 369 sièges –, ce qui paraît logique, puisque les deux tiers des 13 000 conseillers sont issus du « courant hassanien », dit « indépendant ». Ce qui est beaucoup plus digne d'intérêt, c'est la réaction de l'Istiqlal (50 sièges) et de l'USFP (27 sièges) qui, par les voix respectives de MM. Boucetta et Yazghi, protestent vivement et dénoncent notamment les « falsifications » et les « interventions directes et manifestes des agents d'autorité », lesquelles compromettent sérieusement, selon eux, la poursuite du processus démocratique et leur propre participation aux prochaines élections. Pour calmer les esprits, Hassan II change de

---

1. *Ibid.*, p. 127.

ministre de l'Intérieur, le 10 février, et rappelle Mohammed Benhima pour remplacer Haddou Chiguer.

Puis, en mars, le roi invite les dirigeants des quatre principaux partis – Boucetta, Bouabid, Ahardane et Khatib – à rejoindre le gouvernement comme ministres d'État sans portefeuille, afin de « veiller au bon déroulement des élections ». Selon un communiqué du ministère de l'Information[1], il n'est pas exclu que les nouveaux ministres puissent également « participer aux délibérations gouvernementales et à la préparation des options de l'État ».

Au sein de l'USFP, les discussions sont vives. Plusieurs fédérations, qui ont la mémoire moins courte que d'autres, refusent de cautionner de nouvelles « mascarades électorales ». Cependant, Abderrahim Bouabid, qui obtient quelques garanties comme une révision des listes électorales et l'établissement d'une carte nationale d'électeur[2], passe outre et accepte l'invitation du monarque.

Ces concessions ne sont apparemment pas payées de retour. Commentant les élections, le 18 mars, des chambres d'artisanat, de commerce et d'industrie où les fameux « indépendants » emportent tout sur leur passage (au total, 602 sièges sur 655 !), M'hammed Boucetta déclare que les résultats ont été « falsifiés à 100 % ». En l'occurrence, il n'est pas inutile de rappeler que ces divers collèges, très largement dominés par les « indépendants », désignent le tiers des députés… On n'est jamais trop prudent !

En dépit – ou, peut-être, du fait – de tout ce qui vient d'être dit, la campagne des élections législatives des 3 et 21 juin, ouverte le 21 mai, suscite un vif engouement. Dans une allocution prononcée à cette occasion, le roi recommande pourtant aux candidats – ils sont plus de 900 – la modération, la rigueur, et il les exhorte à éviter la démagogie et la surenchère. Si la campagne se déroule de manière relativement correcte, les résultats, quoi qu'en dise le ministre de l'Intérieur qui parle « d'honnêteté et de légalité », montrent que les vieux démons ne se sont pas assoupis et que le pouvoir n'est absolument pas préparé à ce qu'un tel scrutin se déroule dans la transparence. Les « indépendants » – on s'en serait douté – remportent 81

---

1. En date du 3 mars 1977.
2. Ce qui a pour conséquence un report des législatives d'avril à juin.

des 176 sièges à pourvoir, suivis du PI (46) et de l'USFP (15). Un seul communiste, le secrétaire général du parti, Ali Yata, est élu à Casablanca.

Mohammed Lahbabi, un des principaux responsables de l'USFP à qui Bouabid avait donné carte blanche pour discuter des élections avec le gouvernement, se souvient de cette farce : « Nous voulions des élections sincères et transparentes, nous voulions présenter des candidats partout. Je suis d'abord allé voir Driss Basri, secrétaire d'État, qui m'a dit : "Vous êtes impatients ! Acceptez d'être minoritaires, demain vous serez majoritaires." Puis il m'a envoyé chez Benhima, le ministre de l'Intérieur. J'ai dit à celui-ci que nous pensions avoir 80 députés. Il m'a répondu : "Vous êtes gourmands ! Vous n'en aurez que 42." J'ai répondu : "Cela ne va pas du tout. J'ai des instructions. Il n'y aura pas de quotas. Nous allons présenter des candidats partout et nous allons leur dire de batailler. Vous imaginez la situation, s'ils apprennent que tout est joué d'avance ?" Quand je suis retourné voir Bouabid, il m'a dit que cela était totalement inacceptable, qu'il ne s'agissait pas d'un gâteau qu'on divise à l'avance… Oui, car Hassan II partageait un gâteau qui lui appartenait !… Les élections ont donc eu lieu. Nous avons eu 15 députés, et encore, choisis parmi les plus modérés ! J'ai appris que j'étais battu. L'Istiqlal, qui avait accepté de jouer le jeu, a eu 45 élus. Plus tard, Boucetta m'a dit qu'il avait amèrement regretté d'être tombé dans ce piège[1]. »

Si, au nom de l'Istiqlal qui va bientôt entrer au gouvernement, Boucetta déclare que « les résultats auraient encore été meilleurs s'il n'y avait pas eu, dans certains secteurs, une intervention intempestive de l'autorité », l'USFP, qui a encore été roulée dans la farine, se montre beaucoup plus dure. Un communiqué du parti qualifie les faits de « graves » et estime que « les résultats ne reflètent nullement la réalité du pays, mais tendent à dénaturer dans des proportions incroyables la volonté et le choix des électeurs ».

Par ailleurs, dans une conférence de presse, Abderrahim Bouabid déplore que les directives officielles aient été « radicalement méconnues et transgressées à d'autres niveaux ». Il explique également son échec personnel à Agadir, et celui de l'USFP dans la région

---

1. Entretien avec l'auteur.

du Sousse, par des irrégularités flagrantes. Effectivement, la grande popularité de Bouabid à Agadir et les bons résultats obtenus six mois plus tôt par son parti aux communales dans cette région rendent incompréhensible ce double échec, sinon par un de ces grossiers trucages qui sont devenus une spécialité du ministère de l'Intérieur marocain. Bouabid quitte aussitôt le gouvernement et les quinze élus du parti songent un moment à renoncer à leur mandat.

« Ce fut un choc pour nous, raconte Mohammed el-Yazghi. [...] Le fait de réduire notre parti à une telle dimension était une décision politique, la décision de quelqu'un qui ne croit pas à la démocratie et qui n'a pas confiance en l'avenir. Il y a alors eu chez nous un débat très vif pour savoir si nous devions ou non participer aux [futures] élections et si nous allions rester ou quitter le Parlement et les autres institutions élues. Sur la base d'un choix stratégique, la majorité du parti a décidé de continuer afin de construire la démocratie, même dans des conditions défavorables[1]. » Quant à introduire des recours, les responsables socialistes n'y songent même plus, ayant perdu toutes leurs illusions sur ce type de procédure...

À ces fraudes massives l'USFP aurait pu ajouter dans son cahier de doléances un découpage électoral favorisant les ruraux sur lesquels s'appuie le régime, et un mode de scrutin – uninominal, majoritaire – qui handicape les grands partis. Le 21 juin, aux élections indirectes du dernier tiers du Parlement, 60 sièges supplémentaires sur 88 tombent dans l'escarcelle des « indépendants » qui dépassent ainsi largement la majorité absolue.

Le 23 septembre, Moulay Ahmed Alaoui triomphe et publie dans ses journaux le « Programme commun des Indépendants », un catalogue de vœux pieux qui préconise notamment « un enseignement national généralisé, une justice saine et efficace, la santé pour tous, une plus grande équité fiscale et une administration plus efficace ». Du fait notamment des lourdes contraintes budgétaires imposées par le dossier saharien[2], c'est exactement le contraire qui se produit : l'enseignement continue à se dégrader et à laisser sur la touche la

---

1. Mohammed el-Yazghi, *Dhakirat Mounadel*, *op. cit.*, p. 51.
2. Le vote à la va-vite de la loi de finances 1978 montre clairement que les budgets de l'État sont désormais placés sous le signe de l'austérité.

moitié des enfants marocains ; la santé publique, jusque-là encore convenable, sombre petit à petit dans la misère[1].

Le 10 octobre, Ahmed Osman est reconduit par Hassan II pour un dernier tour à la tête du gouvernement, avant de créer une structure d'accueil pour ces « indépendants » qui ont tant fait pour conforter la monarchie. L'Istiqlal, avec cinq ministres, dont Boucetta aux Affaires étrangères, et trois secrétaires d'État, entre en force au gouvernement après une éclipse de quinze années durant lesquelles ce parti foncièrement monarchiste a eu le plus grand mal à tenir un rôle d'opposant. Pour sa part, le Mouvement populaire se voit attribuer quatre ministères. Mais l'homme qui a le vent en poupe est incontestablement Maati Bouabid à qui est attribué le ministère de la Justice. Membre du Comité exécutif de l'Union nationale des forces populaires (UNFP), devenue un groupuscule dans lequel se retrouvent les derniers fidèles d'Abdallah Ibrahim, Bouabid est suspendu du parti, sa participation au gouvernement étant considérée comme « un acte d'indiscipline incompatible avec ses engagements antérieurs ». Il ne perdra pas au change puisque, en mars 1979, Hassan II lui confiera les rênes du gouvernement, avant de l'inviter à créer, en 1983, un autre « parti administratif », l'Union constitutionnelle. L'USFP est donc la seule, une fois de plus, à refuser d'entrer au gouvernement, même si elle opte désormais pour une « opposition constructive » au sein du Parlement.

Dans la reprise en main générale qui s'opère, le procès de 177 militants d'extrême gauche – dont 39 par contumace –, qui s'ouvre en janvier, met en évidence les contradictions et ambiguïtés de toute la classe politique marocaine. Le Palais, d'abord, qui ne peut évidemment admettre que des Marocains se prononcent en faveur de l'autodétermination du peuple sahraoui. Depuis le début des arrestations, en novembre 1974, jusqu'au procès, la police fait preuve d'une incroyable brutalité avec les malheureux prisonniers. Mais la gauche n'est guère plus tendre avec ses anciens amis. La gêne des dirigeants socialistes est telle que plusieurs avocats membres de l'USFP refusent d'assister leurs clients au motif qu'ils ne sont pas d'accord avec eux

---

1. Voir Ignace Dalle, *Le Règne de Hassan II (1961-1999). Une espérance brisée*, Maisonneuve et Larose, 2001.

sur l'affaire du Sahara. Quant à la presse marocaine, alors encore entièrement partisane, elle les ignore. Abandonnés de tous, hormis de rares avocats comme Abderrahim Berrada ou Abderrahim Jamaï, les 177 militants marxistes-léninistes sont condamnés à des peines excessivement lourdes : 46 à perpétuité (dont 39 par contumace), 21 à trente ans de prison, 44 à vingt ans, etc. Saïda Menebhi, une jeune femme de vingt-cinq ans, sœur d'un ancien président de l'UNEM, meurt le 11 décembre 1977 après quarante-cinq jours de grève de la faim. Au cœur des années de plomb, les délits d'opinion se paient cher.

Parfois, le ridicule s'ajoute à l'odieux. En septembre 1978, le poète Abdallah Zrika est arrêté, un an après la publication d'écrits jugés insultants pour l'institution monarchique. Ses tortionnaires, incultes, ne comprennent rien à la poésie. Ils tentent désespérément de percer le sens de certains mots. Ils s'emportent devant lui contre leurs chefs qui leur infligent une corvée dont la portée leur échappe. Il se retrouve incarcéré avec les islamistes responsables de l'assassinat d'Omar Benjelloun. Excités par certains gardiens qui le font passer pour un « dangereux athée », les fanatiques le harcèlent en permanence. L'un d'eux, qui tente de le poignarder, est neutralisé au dernier moment[1].

Floués électoralement par le pouvoir, les dirigeants socialistes, qui ont décidé de faire le dos rond dans le cadre d'une stratégie à long terme, ne tiennent manifestement pas à compromettre un processus de démocratisation auquel ils s'accrochent un peu comme le pendu à sa corde ! Ils veulent d'autant moins provoquer une opinion publique fort chatouilleuse sur les questions de souveraineté nationale qu'ils ont le sentiment d'avoir joué un rôle essentiel dans l'élaboration du dossier saharien en étant historiquement les premiers, avec leurs anciens camarades de l'Istiqlal, à avoir inscrit cette revendication à leur programme. Mais de ce compromis historique Hassan II est le seul à tirer profit.

---

1. Entretien avec l'auteur.

Une des conséquences de cette situation est qu'à de rares exceptions près la gauche se montre incapable de lutter pour les libertés publiques les plus élémentaires et qu'elle abandonne à leur sort des hommes qui se sont bornés à défendre par la plume ou la parole des opinions politiques en rupture avec le consensus national.

Il ne faut donc pas s'étonner, dans ce Maroc de la fin des années soixante-dix, de voir Hassan II tenir un discours incantatoire dans lequel, évoquant l'expérience en cours, il n'hésite pas à dire à ses sujets : « Nous avons fait de vous un peuple du juste milieu[1]. » Un tel peuple ne peut, selon lui, exister que par « la concertation » et « la démocratie », cette concertation exigeant elle-même « une organisation égalitaire afin d'empêcher la mainmise de l'un des pouvoirs, exécutif ou législatif, sur l'autre ».

Ainsi donc, quelques mois après des élections grossièrement trafiquées, et alors que la répression s'abat sur toutes les têtes qui dépassent, le souverain, dont le pouvoir quasi absolu a été confirmé par la dernière Constitution de 1972, laisse entendre que le pouvoir législatif est en mesure de contrebalancer la mainmise de l'exécutif. « Je tiens, déclare encore Hassan II, à défier les autres par la liberté de mes concitoyens. Je veux les défier par la multiplication des partis, des organisations et la diversité des avis. » Pour conclure, le roi ressert le plat maintes fois réchauffé du multipartisme, « ce défi à la dictature, au parti unique », que son « cher peuple » a la chance de goûter depuis que le pays a recouvré son indépendance.

Ce goût du formalisme, de l'étiquette, du rituel, des traditions manipulées, est une remarquable constante chez Hassan II, dont on ne peut faire l'économie. En montant sur le trône, il a eu pour premier souci de transformer en « coquilles vides » la plupart des institutions nationales. Tous les éléments constitutifs d'un État de droit sont apparemment réunis : un Parlement, des partis politiques, une opposition, une presse relativement libre, des magistrats, des avocats, une Cour suprême. Mais ces contre-pouvoirs n'ont d'effet que dans les strictes limites que Sa Majesté veut bien leur accorder. Ces spéci-

---

1. Séance d'ouverture, le 14 octobre 1977, à la Chambre des représentants.

ficités marocaines que sont, sous Hassan II, la suspension ou la manipulation du Parlement, les saisies de journaux, les arrestations de militants politiques et de syndicalistes, la corruption, font penser à ce mot de René de Jouvenel : « Ainsi a pu naître un régime curieux : celui du bon plaisir, tempéré par les relations[1]. »

Certes, avec le temps, les illusions des Marocains se dissipent. Le mouvement associatif, y compris les organisations de défense des droits de l'homme, les aide à voir plus clair et représente de plus en plus un substitut à des partis politiques largement décrédibilisés. Certes, Istiqlal, USFP et communistes du PPS retrouvent une certaine marge de manœuvre, mais il ne faut pas oublier que ces partis ont subi une répression féroce et que leurs responsables les plus charismatiques, populaires ou dangereux pour le pouvoir, ont été liquidés (Mehdi Ben Barka, Omar Benjelloun), sont morts (Allal el-Fassi), se trouvent en exil ou en prison (le *fqih* Basri et des centaines de militants d'extrême gauche souvent issus de l'UNFP) ou acceptent depuis janvier 1975 les règles fixées par le Palais (Bouabid et ses amis). À cela s'ajoute une certaine habileté du pouvoir qui sait lâcher la bride quand il le faut et rendre espoir à une opposition qui ne demande que cela. La levée partielle de la censure, les remises de peine accordées à de nombreux condamnés, et de bonnes paroles royales se combinent pour détendre l'atmosphère jusqu'à ce que le couperet tombe à nouveau sitôt que le *makhzen* le décide. Convenons que de telles pratiques de pouvoir sont épuisantes pour ceux qui les subissent !

Les « indépendants » ou monarchistes inconditionnels déguisés en technocrates qui, avec la complicité (jusqu'en 1983) de l'Istiqlal, vont diriger le pays pendant une vingtaine d'années trouvent une situation économique et financière plus que préoccupante. L'affaire du Sahara fait en effet peser une lourde hypothèque sur l'état général du royaume. L'effort de guerre entraîne des dépenses considérables qui pénalisent une forte majorité de Marocains. Un malheur n'arrivant jamais seul, les prix des phosphates, dont le bon niveau a donné, l'espace de quelques années, une bouffée d'oxygène à l'économie marocaine, chutent à partir de 1976. Le déficit de la balance commerciale ne cesse de s'accroître pour atteindre 4 milliards de

---

1. René de Jouvenel, *La République des camarades*, Slatkine, 1979.

dirhams à la fin du premier semestre de 1977, soit les deux tiers du total de 1976. L'indice des prix augmente lui aussi rapidement, alors que les salaires bougent peu. Le taux de natalité, l'un des plus élevés du monde, n'est pas encore maîtrisé, et la moitié des 18 millions de Marocains ont moins de vingt ans. Des dizaines de milliers sont contraints de quitter leur pays, notamment vers l'Europe, pour permettre à leurs familles de vivre.

Cette situation difficile se traduit dans le budget de 1978 par un recul très net (– 42 %) de la part des investissements publics, même si les dépenses de fonctionnement augmentent dans les secteurs de l'Éducation nationale, de la Santé et de la Défense. En réalité, c'est de cette époque – le milieu des années soixante-dix – que date le début du délabrement d'une partie importante du secteur public.

Pour gérer de près une conjoncture aussi délicate, Hassan II modifie sensiblement la composition et le fonctionnement du cabinet royal qui assure la coordination entre le Palais et les instances gouvernementales. Confiée jusqu'alors à Ahmed Bensouda, la direction du cabinet est supprimée, et quatre postes de conseillers sont institués. Outre M. Bensouda, s'y retrouvent trois autres hommes de confiance : Ahmed Réda Guédira, Driss Slaoui et Abdelhadi Boutaleb. Dans ses Mémoires, ce dernier fournit un certain nombre d'informations sur ces fameux conseillers : « Je ne choisis un conseiller que parmi ceux qui ont occupé de hautes fonctions ministérielles et y ont réussi, et ceux qui bénéficient de la formation politique d'un homme d'État, déclare Hassan II au quatuor. Les conseillers sont des collaborateurs dévoués qui me sont proches et me tiennent compagnie. Je ne les choisis donc que parmi ceux qui me connaissent et connaissent mes habitudes, ceux que je peux sans gêne recevoir même dans ma chambre à coucher, quand je suis encore au lit [...]. Votre mission, souligne encore le roi, est de suivre le travail des ministres et d'être un trait d'union entre moi et eux. Vous devez voir tout ce que les ministres envoient au cabinet royal avant de me le transmettre, accompagné de vos observations et de vos propositions, à la lumière de quoi je prendrai des décisions[1]. »

---

1. Abdelhadi Boutaleb, *Un demi-siècle dans les arcanes de la politique*, op. cit., p. 278 sq.

Puis Hassan II leur demande de se répartir les ministères en fonction des postes qu'ils ont déjà occupés dans les gouvernements successifs. « En fait, précise Abdelhadi Boutaleb, le roi tenait quelquefois compte de l'avis des conseillers, mais il ne les consultait pas systématiquement et ne retenait pas toujours leurs avis. » Si ceux-ci ne lui convenaient pas, il les écartait et n'en voulait pas à leur auteur, « sauf dans les dernières années de sa vie [...]. En effet, note l'ancien conseiller, à cause de la maladie qui allait lui être fatale, il a commencé à se vexer dès que quelqu'un le contrariait ».

Interrogé sur ses relations avec ses trois collègues, Boutaleb les qualifie d'« excellentes », tout en indiquant perfidement que Guédira, nostalgique du temps où il était directeur général du cabinet royal, « tenait à se distinguer de l'ensemble des conseillers en s'attribuant les premiers rôles et en élargissant le cercle de ses compétences ». Boutaleb convient cependant que Hassan II « s'isolait plus avec ses deux amis Guédira et Slaoui » qu'avec Bensouda et lui-même.

Aux conseillers du roi il faut ajouter quelques proches qui jouent un rôle plus ou moins important. Le plus connu d'entre eux est certainement Moulay Ahmed Alaoui[1], vaguement apparenté au monarque, tour à tour ministre et directeur de journaux, et qui relaie de temps à autre la bonne parole royale. Chargé d'affaires français à la fin des années soixante, Jean-Claude Winckler a croqué assez justement, pour sa hiérarchie, cet homme au célèbre strabisme : « Personnage brillant, usant et abusant de la magie du verbe, mais impulsif et pas toujours désintéressé, il a plus d'une fois déconcerté, par une gestion fantaisiste, les responsables de l'économie marocaine. L'affaire de la seconde sucrerie de Tadla, concédée aux Belges dans des conditions particulièrement discutables, avait mis le comble à la mesure au point d'attirer sur Moulay Ahmed Alaoui les critiques du Premier ministre lui-même. Fortune faite, si l'on ose dire, il se trouve provisoirement écarté des affaires commerciales[2]. »

Très proche du Premier ministre Ahmed Osman – un homme qu'« on ne peut que respecter, tellement il était doux de caractère et agréable de compagnie » –, Abdelhadi Boutaleb, qui est devenu

---

1. Disparu en 2002 après une longue maladie.
2. Télégramme de juillet 1968.

ministre de l'Information en novembre 1978, ne survit pas à sa disgrâce en mars 1979. Voici sa version : « Suite à certains événements qui se sont produits au Maroc, le gouvernement a pris des dispositions bien précises. Le Premier ministre Ahmed Osman a fait face à ces événements avec le courage, la bravoure et l'honnêteté qu'on lui connaît, et a déclaré, irrité : "Le Maroc n'est pas gouverné, le gouvernement doit prendre son autorité"[1]. »

En réalité, Osman, qui doit affronter une situation sociale difficile en raison des répercussions du conflit saharien sur l'économie marocaine, est profondément irrité par la façon dont son secrétaire d'État à l'Intérieur, Driss Basri, gère les tensions sociales : « Je n'ai eu que des problèmes avec lui, du début jusqu'à la fin. Au départ, avec mon accord, il est devenu secrétaire d'État en 1975. Il m'a toujours traité comme son pire ennemi. Pendant toute la période où j'ai occupé ces fonctions, le Premier ministre était un homme comme tout le monde. Driss Basri, lui, commençait à prendre trop d'importance. C'est une des raisons pour lesquelles j'ai quitté le gouvernement. Basri faisait ce qu'il voulait[2]. »

Les états d'âme de son beau-frère agacent Hassan II. Le 23 mars, il le remplace par Maati Bouabid qui présente l'avantage d'avoir une bonne expérience des questions sociales – il a été ministre du Travail UNFP dans le gouvernement Ibrahim – et conserve des amis à gauche, même s'il a été exclu de la formation d'Abdallah Ibrahim.

Abdelhadi Boutaleb est d'autant plus menacé dans ses fonctions que, loin de se contenter d'appuyer Osman, il prend plusieurs initiatives qui « crispent » le souverain. Ainsi, il croit pouvoir affirmer que ce dernier décidera de ne pas appliquer cette année-là l'obligation du sacrifice du mouton pour épargner de précieuses devises. Il se trompe : en qualité de Commandeur des croyants, Hassan II lui rappelle qu'il est là pour « veiller à l'observance par le Maroc de toutes les obligations imposées par Dieu aux musulmans », et il rejette donc sa proposition. Une pièce de théâtre retransmise à la télévision « fâche » encore plus le souverain : il s'agit d'une famille modeste qui

---

1. Abdelhadi Boutaleb, *Un demi-siècle dans les arcanes de la politique, op. cit.*, p. 277 *sq.*
2. Entretien avec l'auteur.

cherche à tout prix à accomplir le sacrifice de l'Aïd. Hassan II y voit une nouvelle provocation de Boutaleb ; il le lui signifie sèchement au téléphone. Quelques minutes plus tard, précise Abdelhadi Boutaleb, l'électricité est coupée et les téléspectateurs sont privés du même coup du dénouement de la pièce… La démocratie hassanienne, sans doute[1] !

Lâché par son beau-frère, Ahmed Osman peut se consacrer au RNI qui l'a porté à sa présidence quelques mois plus tôt, le 8 octobre 1978. Dans la biographie qu'il a distribuée à la presse, Osman ne revendique d'ailleurs pas la création proprement dite de cette nouvelle formation. Driss Basri, auquel une solide inimitié l'oppose depuis près de trente années, lui, le fait : « Quand j'ai créé le RNI, Osman était content. Les gens du RNI ont eu le temps de se préparer. De 1965 à 1970, puis de 1972 à 1977, il y a eu de nombreux cadres de l'administration qui ont été amenés à gérer le Maroc. Or il fallait donner à cette classe technique, à ces cadres, la possibilité de s'exprimer politiquement. Le RNI a été le forum où tous ces jeunes ont pu s'exprimer. Ahmed Osman, lui, n'était ni libéral, ni rien du tout, mais pro-*makhzen*[2]. »

C'est donc à cet inconditionnel du souverain qu'est confié le soin de mettre en musique le parti initié par Driss Basri. Bien avant le congrès constitutif d'octobre, un colloque, réuni en mars, a permis de dégager les grandes lignes de son programme. L'accent est mis sur « les bases islamiques et nationales de la personnalité marocaine ». « Justice sociale », « développement économique » « voie libérale » constituent autant d'objectifs imprécis et peu compromettants derrière lesquels se retrouvent ces « indépendants » encore privés de structures d'accueil. Les 3 500 délégués au congrès s'engagent à poursuivre et à réussir le processus de démocratisation et à défendre l'intégrité territoriale. Le RNI, qui, sans avoir eu la confirmation des urnes, peut déjà se prévaloir de dominer seul le Parlement, se veut beau joueur et entend cohabiter sereinement avec les autres partis de

---

1. Quant au principal acteur de cette pièce, Hamadi Amor, la police ne trouve rien de mieux que de l'enlever et de le faire disparaître jusqu'à ce que Hassan II, alerté par Boutaleb, le fasse libérer et lui donne un peu d'argent pour « atténuer son chagrin ».

2. Entretien avec l'auteur.

la coalition au pouvoir. Ces bons sentiments ne convainquent pas l'Istiqlal dont l'organe en français, *L'Opinion*, ne voit dans le RNI qu' « un réservoir à portefeuilles ministériels[1] ». L'USFP n'y trouve pour sa part que « l'instrument de l'administration et le défenseur servile de la politique du Palais », tandis que pour les communistes ce regroupement ne peut masquer « son caractère de classe ».

Les débuts de cette formation « hétérogène et invertébrée », qui ne cesse de « se perdre en querelles stériles et de se distinguer par l'absentéisme de ses parlementaires », sont difficiles[2]. En octobre 1980, Osman, violemment contesté par une partie de son état-major qui lui reproche un bilan d'activité très maigre, tente de reprendre la main. Il n'y parvient pas. En décembre, la rupture est consommée et le groupe parlementaire se divise en deux : un groupe plus « rural », plus « social », et l'autre, conduit par Osman, plus « citadin », tourné vers le monde des affaires. De l'avis général, Driss Basri, ministre de l'Intérieur depuis le changement de gouvernement du printemps 1979, n'est pas étranger à ce remue-ménage. La popularité de l'USFP, le manque de dynamisme réel ou supposé d'Ahmed Osman et l'aversion personnelle de Basri pour ce « bras cassé[3] » expliqueraient le comportement de Driss Basri alors que se profilent de nouvelles échéances électorales.

Osman a beau parler de « différends artificiels », soixante et un députés quittent sa formation, le 13 avril 1981, et se constituent en groupe autonome. Ce dernier se veut « le défenseur attentif et efficace du monde rural, l'héritier des musulmans traditionnels et des monarchistes inconditionnels, et se propose de lutter contre la corruption et les privilèges ». Le Palais semble prendre fait et cause pour la nouvelle formation dont le discours populiste lui permet, croit-il, d'accréditer auprès des couches populaires une nouvelle politique d'inspiration réformiste, imposée après l'échec du gouvernement consécutif aux événements de Casablanca[4].

---

1. Voir *Annuaire de l'Afrique du Nord*, *op. cit.*, année 1978, p. 151.
2. *Ibid.*, p. 199 *sq*.
3. C'est ainsi que, lors d'un entretien avec l'auteur, l'ex-ministre de l'Intérieur a qualifié Osman et quelques autres responsables dont nous parlerons plus loin.
4. Voir p. 471.

Ayant refusé une réduction de sa représentation, le RNI est écarté du gouvernement lors du remaniement ministériel de novembre 1981. Jamais à court d'idées, le roi lui confie « la lourde et importante mission » de devenir « une opposition constructive », à la manière du « cabinet fantôme » britannique, et non pas « irrespectueusement », selon les pratiques de l'USFP qui agacent tant Sa Majesté. Enfin, au cas où Osman nourrirait encore quelques illusions sur son beau-frère, il assiste à l'entrée en force au gouvernement de la dernière créature de Driss Basri, le Parti des indépendants démocrates qui deviendra, lors de son premier congrès, en juin 1982, le Parti national démocrate, où se retrouvent tous ceux qui lui ont fait tant de misères au sein du RNI[1].

Pour des raisons incompréhensibles mais qui, en tout état de cause, n'intéressent personne, le PND, qui a sans doute cru un moment qu'il succéderait au parti d'Osman et deviendrait la pièce maîtresse des futures coalitions gouvernementales, ne sera pas en mesure de résister à l'arrivée sur le « marché politique » de l'Union constitutionnelle. Dès le mois de juin 1983, lors des élections communales, le PND, très largement distancé par les autres formations, y compris par le RNI, a l'occasion de réaliser qu'il n'est qu'un pantin manipulé par le pouvoir. Les législatives de 1984 ne feront que le confirmer.

Ahardane, l'ingérable

Mais Ahmed Osman n'est pas le seul politicien marocain fidèle au trône à vivre des moments difficiles en cette fin de décennie. À la tête du Mouvement populaire depuis une vingtaine d'années, Mahjoubi Ahardane, poète et peintre de talent, demeure imprévisible, et les idées politiques qu'il défend sont largement illisibles. Si l'on excepte l'appoint de sa formation à diverses combinaisons gouvernementales, les observateurs politiques seraient bien en peine de parler de l'apport du MP à la vie politique nationale. Certes, Ahardane, qui a du caractère et qui a montré qu'il était un patriote courageux, s'insurge régulièrement contre tous ceux qui font passer leurs propres intérêts

---

1. Le plus connu d'entre eux est Arsalane el-Jadidi.

avant l'intérêt général. En juillet 1968, alors qu'il a démissionné un an plus tôt du gouvernement, il évoque la situation dramatique de la jeunesse rurale, privée d'écoles, de professeurs et donc de perspectives. Il réclame également « une même justice pour tous, et non pas deux poids et deux mesures », déplore qu'en démocratie, « nous l'avons vu, on puisse faire élire n'importe qui », et dit préférer encore « une dictature à une démocratie de façade ».

En fait, Ahardane est partagé entre sa sensibilité, ses amitiés et sa fidélité à la Couronne. En 1965, il défend Oufkir envers et contre tous. En 1972, il se tait, mais on sait qu'il a été l'un des très rares hommes politiques marocains à ne pas laisser tomber la famille d'Oufkir. De tempérament peu courtisan, il n'a jamais caché son antipathie envers Ahmed Réda Guédira : « Il voulait avaler le Mouvement populaire au temps du FDIC[1]. J'ai eu sans arrêt des problèmes avec Hassan II, à cause de Guédira. Il m'a quand même permis, en m'écartant de la vie politique, d'écrire trois romans et de peindre »[2].

Quelques années plus tard, en octobre 1991, il critiquera violemment « certaines personnes de l'entourage du roi » qu'il accusera de « ternir l'image du souverain à l'intérieur et à l'extérieur du pays »[3]. Enfin, en février 1996, il sera la première personnalité importante marocaine à se rendre en Israël, invité par le ministère israélien des Affaires étrangères. Il soulignera alors « le profond désir de paix des Israéliens et la réelle démocratie régnant chez eux[4] ». Il est vrai que la conjoncture internationale le sert, Yitzhak Rabin étant alors à la tête du gouvernement hébreu.

Impulsif, généreux, autoritaire, tel est Ahardane. En septembre 1978, un Conseil national du MP se tient à Rabat. La création du RNI, qui empiète sur ses plates-bandes, est mal vécue par lui et ses

---

1. Front démocratique des Institutions constitutionnelles. Voir chapitre IV, partie II, sur les premières élections législatives.

2. Entretien avec l'auteur.

3. Allocution prononcée le 19 octobre lors de la première réunion du Mouvement populaire national, créé en juillet 1991 à la suite d'une scission au sein du Mouvement populaire. Son aversion pour Guédira, conseiller du roi, était bien connue ; elle remontait au temps du FDIC, au début des années soixante.

4. Voir dépêche AFP du 19 février 1996. Oufkir et Dlimi, pour ne citer qu'eux, avaient fait le voyage, mais secrètement.

amis. Ahardane n'aime pas ces replâtrages politiques, ces greffes artificielles vouées au rejet. Le Conseil critique durement « le monopole à la fois administratif, politique et économique d'une certaine catégorie sociale », et souligne les risques de désintégration sociale liés à l'accumulation ostentatoire de privilèges par cette catégorie.

Mais cet *aggiornamento* tardif ne suffit pas. Le 12 octobre 1979, l'exclusion de quatre membres importants, dont trois députés du parti, met le feu aux poudres. À vrai dire, la mèche était allumée depuis la sortie, quelques jours auparavant, d'un rapport établi par ces quatre responsables du MP et qui constitue un véritable réquisitoire contre Ahardane. Analysant dans le détail le fonctionnement du parti depuis sa création, les auteurs du rapport estiment que le secrétaire général monopolise tous les pouvoirs à la faveur de l'inorganisation chronique du Mouvement, bloque toute possibilité de dialogue, freine toute tentative d'évolution doctrinale ou institutionnelle visant à faire évoluer le parti. Conforme au modèle du dirigeant politique marocain, Ahardane n'en a cure et ne tient aucun compte de ce travail. L'anathème et l'exclusion constituent sa seule réponse. Alors ministre des PTT, il continue à travailler comme si de rien n'était.

En 1981, lors du refus par plusieurs dirigeants de l'USFP de la procédure référendaire sur le Sahara proposée par Hassan II à Nairobi, Ahardane réagit très violemment et qualifie la position des socialistes de « crime de lèse-majesté » et de « trahison ».

En février 1983 se tient le VIIe Congrès du MP à Marrakech. « Les doctrines de base du Mouvement n'ont pas varié, ni même le style, d'aspect turbulent et frondeur, qui témoigne en fait d'un problème de cohésion des troupes et des responsables, note Farida Moha[1]. La vie du MP a été, tout au long de son histoire, étayée par des coups d'éclat, des tensions et des divorces qui ont pu faire penser à une certaine décomposition [...]. Au-delà des réformes urgentes prônées par le MP, que l'on retrouve dans les discours des autres partis, la défense d'une culture berbère reste une revendication majeure. »

Mme Moha résume bien le sentiment général. Avant même la crise la plus grave de son histoire, qui intervient en 1986 au moment

---

1. Qui suit l'événement pour la revue *Lamalif.*

où un congrès extraordinaire le démet de ses fonctions, Ahardane n'est plus pris au sérieux par ses pairs depuis longtemps. La monarchie a su l'utiliser intelligemment, après l'indépendance, en misant sur son aversion pour l'Istiqlal, qui ne s'est d'ailleurs jamais démentie. Le seul domaine où son message passe encore, c'est la défense du monde berbère, dans laquelle il s'est beaucoup impliqué. Même quand ils lui reprochent son comportement antidémocratique et autoritaire ou son monarchisme inconditionnel, les avocats de la culture berbère reconnaissent qu'il a beaucoup fait pour maintenir vivantes une culture, une langue et des traditions qui ont façonné le Maroc. Mais quelques fortes convictions ne font pas un vrai leader politique. Chef du MP, indétrônable à l'instar de tant de ses pairs dans la politique ou le syndicalisme marocains, il n'a rien fait pour rehausser l'image de ce milieu. Son manque de rigueur, ses volte-face, ses sautes d'humeur, son autoritarisme ont découragé nombre de ses amis, qui l'ont quitté, et stérilisé un parti dont les objectifs, hormis la défense des Berbères et la fidélité à la Couronne, n'ont jamais été limpides.

L'USFP, souffre-douleur de la monarchie

À la différence du RNI, créé pour servir les intérêts de la monarchie, et du Mouvement populaire, utilisé à bon escient par le Palais depuis la fin des années cinquante, l'USFP, qui est devenue en 1975 la principale force progressiste, continue d'être surveillée de près par les autorités. Certes, la répression impitoyable dont elle a été l'objet, le consensus autour de la question du Sahara, la conviction de ses dirigeants qu'on peut changer la société de l'intérieur sans recourir à la violence ont contribué à renforcer la monarchie. Mais celle-ci se méfie toujours d'une formation qui ne se fait aucune illusion sur la monarchie constitutionnelle version Hassan II, et qui rêve toujours d'un véritable partage des pouvoirs.

Le IIIe Congrès de l'USFP, qui a lieu du 8 au 10 décembre 1978 à Casablanca sous les portraits géants de Mehdi Ben Barka et Omar Benjelloun, donne l'occasion au parti de faire le point sur un processus de démocratisation qui – c'est le moins qu'on puisse dire – est loin de convaincre l'ensemble des militants. Bien sûr, des dirigeants en exil comme Mehdi Alaoui, qui deviendra quelques années plus tard ambassadeur à l'ONU, viennent de rentrer au pays, et il n'y a plus beaucoup de militants en prison. Certes, le parti peut à nouveau débattre, et la censure préalable de la presse a été supprimée. Enfin une nouvelle centrale syndicale, la Confédération démocratique du travail (CDT), cette fois-ci véritable courroie de transmission du parti, est créée le 25 novembre[1]. Mais ces points positifs, soulignés par la direction, ne peuvent masquer une réalité sociale qui n'incite pas un grand nombre de membres à collaborer avec le pouvoir.

Habilement, Bouabid affirme dans son rapport politique que participer au processus démocratique ne signifie pas cautionner un régime dont il dénonce vigoureusement « les erreurs et les choix antipopulaires ». S'appuyant sur des documents officiels, il indique que l'écart entre les 5 % les plus riches et les 5 % les plus pauvres est passé de 1 à 4 à 1 à 12 en dix ans, et qu'il passera à 1 à 24 à la fin de l'année 1980 et à 1 à 50 à la fin de l'année 1990 ! La dette extérieure s'élève à 4 milliards de dollars. Selon lui, la solution réside dans un véritable socialisme – aussi éloigné que possible de la dictature soviétique que de la social-démocratie européenne –, supposant une réforme agraire, une gestion démocratique du secteur public dans le cadre d'une planification globale. Sur les plans économique et social, la plupart des idées retenues lors du congrès extraordinaire de 1975 sont reprises mais, notent les experts[2], avec moins de dogmatisme, plus de concret. Sur le plan institutionnel, les congressistes réclament une fois de plus une révision de la Constitution qui transformerait « la monarchie présidentialiste » en « une monarchie constitutionnelle, parlementaire et démocratique [...] où le roi exercerait un pouvoir d'arbitrage ». Mais il n'est plus question d'Assemblée constituante. Sur le Sahara, enfin, l'USFP est particulièrement ferme, et critique les dirigeants marocains pour leur attentisme et leurs hésitations. Bouabid refuse toute idée de « peuple » ou d'« État sahraoui », et se montre même assez « va-t'en guerre ». On voit déjà

---

1. Elle regroupe surtout des enseignants, des fédérations venues des PTT, des sucreries et de l'Office chérifien des phosphates. Pour plus de détails, voir la « Chronique sociale » de l'*Annuaire de l'Afrique du Nord* de 1978.

2. *Ibid.*, p. 156.

se profiler le conflit qui opposera en 1981 les dirigeants du parti au roi à propos du référendum.

Les partisans du *fqih* Basri, toujours en exil, ne peuvent imposer leur point de vue, mais rappellent à la direction de l'USFP qu'il y a des lignes rouges à ne pas franchir, ou des compromissions à éviter. Abderrahmane Youssoufi, toujours en France, fait alors son entrée au Bureau politique.

Notons au passage qu'à cette époque un Habib Melki, jeune économiste socialiste, peut encore écrire que « la bourgeoisie marocaine est un magma de groupes d'intérêts qui a un comportement de rapine, procède à l'accumulation de "la terre et la pierre", et dispose d'une cohérence artificielle face aux grands événements que connaît le Maroc. Cette bourgeoisie est aveuglée par le court terme et ne possède aucune perspective[1] ». Pour celui qui, une vingtaine d'années plus tard, détiendra le portefeuille de l'Agriculture, puis celui de l'Éducation et de la Jeunesse, « l'argent existe. Il faut le chercher chez ceux qui ont accumulé des fortunes colossales en quinze-vingt ans, défiant les bourgeoisies européennes dont la richesse s'est constituée à travers plusieurs générations. ». Cet universitaire « en vue » a également une solution pour financer l'effort de guerre au Sahara : puisqu'il s'agit d'« une affaire nationale, pourquoi ne pas instituer un impôt de solidarité nationale touchant les privilégiés » ?

Cependant, comme toujours, Hassan II souffle le chaud et le froid. Le 7 mars 1979, il reçoit Bouabid et évoque avec lui l'aggravation de la situation militaire au Sahara. Répondant à *Jeune Afrique* qui, quelques jours plus tard[2], lui demande si sa présence au Conseil national de sécurité ne l'oblige pas à faire de nouvelles concessions au pouvoir alors que la situation sociale est très tendue, le chef de l'USFP se veut très ferme : « Nos proclamons notre solidarité totale avec la classe ouvrière et l'ensemble des couches sociales exploitées, dit-il. Une politique efficace de défense implique nécessairement la consolidation du front intérieur par la satisfaction des revendications les plus urgentes et les plus vitales. Les moyens financiers d'y faire face existent ou peuvent être mobilisés. On ne saurait demander aux

---

1. *Lamalif*, n° 106, mai 1979.
2. Interview dans le numéro du 28 mars 1979.

classes défavorisées, qui ont vu leur pouvoir d'achat s'amenuiser de plus de 70 %, de consentir seules des sacrifices. Dire que c'est l'effort de guerre qui est responsable de la tension sociale, c'est accréditer l'explication donnée par la classe nantie qui veut ainsi se dérober à ses obligations. Ce sont les hausses vertigineuses des denrées les plus essentielles, la surexploitation exercée par le patronat, le gel des salaires, la spéculation foncière, le gaspillage qui sont à l'origine directe de la misère des travailleurs. »

L'aile la plus dure du parti avait sans doute raison d'être méfiante puisque à peine Bouabid a-t-il livré le fond de sa pensée que le pouvoir, appuyé par l'Istiqlal, réagit brutalement à toute une série de grèves et d'arrêts de travail dans les écoles, les lycées et autres établissements du secteur public. Des milliers de personnes sont interpellées, malmenées et même torturées[1], les sièges de l'USFP et de la CDT sont investis par la police, leurs journaux suspendus. Un demi-millier d'enseignants est radié par le gouvernement.

Dans ces années-charnières – 1979 et 1980 –, les socialistes marocains ont d'autres raisons de se plaindre. Quand elles ne les pourchassent pas, les autorités, estiment-ils[2], ne leur donnent pas les moyens ou, pis encore, grignotent le peu de ressources dont ils disposent pour gérer des villes comme Rabat, Salé et Agadir où ils ont remporté les élections municipales de 1976. De nouveaux textes législatifs et le comportement des agents d'autorité ne font, selon eux, que compliquer les choses. Parallèlement, les gouverneurs, habilités à superviser l'ensemble des services dans les provinces qu'ils dirigent, se permettent de multiples ingérences. Enfin, qualifié de « simple mascarade » par l'USFP, le procès des assassins présumés d'Omar Benjelloun ne contribue en rien à apaiser un parti qui, fidèle à une stratégie à long terme, grogne mais ne rompt pas.

---

1. Voir *Le Monde* du 13 avril 1979.
2. *Libération*, l'hebdomadaire de l'USFP, évoque à plusieurs reprises cette question.

L'année suivante est une nouvelle année noire pour le Maroc, en particulier pour la gauche qui paie au prix fort l'intransigeance du régime et celle de son chef. Mais, avant de parler des émeutes de 1981, il faut une fois de plus évoquer la question du Sahara à l'origine de très fortes tensions entre le Palais et l'USFP. Jusqu'à cette époque, l'idée d'un référendum supervisé par la communauté internationale, comportant l'option de l'indépendance, était inconcevable pour Hassan II. Brusquement, au sommet de l'OUA, réuni en juin 1981 à Nairobi, le roi annonce son intention d'envisager un « référendum contrôlé ». Pour lui, la consultation de la population du Sahara occidental ne saurait être qu'« un référendum confirmatif de l'intégrité territoriale du Maroc, pour conférer à cette unité territoriale une opposabilité à l'égard de tous ». Il assure – et le répète à l'envi, relayé par ses lieutenants – que c'est lui qui propose le référendum, alors que l'ONU le réclame depuis 1966 ! « La ficelle est si grosse, note Sophie Jacquin, que certains diplomates marocains, après avoir entonné l'air du "C'est le roi qui a demandé le référendum" se contredisent quelques phrases plus loin en disant qu'il l'a "accepté"[1]. »

1981 n'en constitue pas moins un tournant considérable dans l'affaire du Sahara. C'est ce qu'on appelle le « compromis de Nairobi ». Dans le cadre de ce référendum qui doit être « confirmatif », l'unique question que le souverain envisage de poser aux Sahraouis est : « Confirmez-vous l'acte d'allégeance qui vous lie à Sa Majesté le roi du Maroc et qui indique que vous êtes partie au royaume du Maroc ? » Il exclut de présenter une option portant sur l'indépendance. Hassan II, en réalité, entend gagner du temps, consolider les positions de ses troupes sur le terrain et profiter de l'affaiblissement du Polisario, plus mollement soutenu par l'Algérie depuis la mort de Boumediene. Le « compromis de Nairobi » est dicté par deux éléments : d'abord, sortir le Maroc de son isolement diplomatique ; ensuite, entraver l'entrée de la République arabe démocratique sahraouie (RASD) au sein de l'OUA. Hassan II semble croire qu'il s'est gagné la loyauté des Sahraouis en raison des investissements

---

1. Sophie Jacquin, *Les Nations unies et la question du Sahara occidental,* op. cit.

importants que le Maroc a consentis au Sahara. Il est sans doute déjà mal informé par Driss Basri.

Cependant, en acceptant un référendum, le roi prend un gros risque : la plupart des référendums organisés par l'ONU et portant sur l'indépendance d'un territoire ont abouti à ce résultat. La contradiction entre les engagements pris par Hassan II auprès de son peuple et ceux qu'il a pris devant la communauté internationale est au cœur des difficultés rencontrées depuis lors par l'ONU pour organiser le référendum. Elle explique les multiples atermoiements du royaume.

Le « gros risque » est immédiatement dénoncé par l'USFP. Son Bureau politique publie un communiqué très critique qui, tout en reconnaissant que l'acceptation du principe d'un référendum a pu désarmer les adversaires du Maroc, juge que le compromis de Nairobi comporte trop « d'incertitudes et de dangers », et que certaines modalités dans l'organisation du scrutin sont contraires à la Constitution. Pis encore, le parti se permet d'inviter le roi à organiser « un référendum populaire et démocratique » sur le contenu des décisions prises à Nairobi. Incorrigible gauche marocaine qui, après vingt-cinq années de répression, n'a toujours pas compris qu'il y a des limites à ne pas franchir ! Cinq des membres du Bureau politique sont aussitôt arrêtés, dont deux députés bénéficiant théoriquement de l'immunité parlementaire. Le 21 septembre, le tribunal de première instance de Rabat condamne trois d'entre eux – Bouabid, Yazghi et Lahbabi – à un an de prison ferme pour avoir incité le peuple au « désarroi » et pour « atteinte aux citoyens dans leur attachement à la personne du souverain »[1].

En mai 2003, Driss Basri affirme contre toute évidence que Bouabid est allé en prison non pas parce qu'il a dit que la position du roi sur le Sahara était erronée, mais parce qu'il a dit que « la proposition du roi était un acte de trahison, que les Marocains connaissent cette trahison depuis douze siècles, et en particulier pendant les quatre derniers siècles du règne de la dynastie des Alaouites. Une trahison qui coule dans les veines et dans l'existence des Alaouites. [...] Cette

_____

1. Selon l'*Annuaire de l'Afrique du Nord*, *op. cit.*, année 1981 p. 215. Le ministère public fonde son réquisitoire sur un *dahir* de 1935 imposé au sultan Sidi Mohammed Ben Youssef à des fins coloniales par le Protectorat...

déclaration, ajoute Driss Basri, a fait l'objet d'un communiqué du bureau de l'USFP. Est-ce que cela pouvait rester sans réponse ? Non[1] ». Le communiqué de l'USFP, largement diffusé, ne parlait absolument pas de « trahison » des Alaouites. Que cherche donc Driss Basri ? Calomniez, calomniez, il en reste toujours quelque chose…

En France, l'incarcération de Bouabid provoque une certaine émotion, notamment à gauche. « J'en ai aussitôt parlé à Bérégovoy[2], se souvient Hubert Védrine. Nous savions que la ligne adoptée par Mitterrand serait de manifester à Hassan II un mécontentement subtilement dosé et de lui faire comprendre que la France trouvait cela choquant, arbitraire et injuste, mais aussi contre-productif en termes d'image. Sans en rajouter inutilement en public. Même si les relations entre Hassan II et Mitterrand ont été en fait bien meilleures que ce que l'on avait pu craindre, il y avait quand même eu, au début, des contentieux, des sujets délicats : il fallait donc doser ! Bérégovoy a donc fait venir l'ambasssadeur du Maroc, Ben Abbes, et lui a dit très clairement que le président pensait que c'était une erreur profonde et qu'on espérait que cela allait durer le moins longtemps possible. »

L'extrême sévérité du Palais à l'égard des trois dirigeants de l'USFP conduit les quinze députés du parti à présenter individuellement leur démission du Parlement, provoquant, comme on l'a vu, la fureur du roi[3]. Jeune frère d'Omar Benjelloun, Ahmed Benjelloun, qui, au début des années quatre-vingt, appartient encore à l'aile gauche de l'USFP, se souvient de cette époque : « Je me rappelle les propos que me tenait Abdelouahad Radi, président du groupe parlementaire. Il était sincère : "Le parti que tu cherches, ce n'est pas l'USFP. L'USFP, c'est un parti bourgeois qui ne se transformera jamais en parti révolutionnaire !"[4] » Puis, Ahmed Benjelloun revient sur cette grave crise : « Le 6 octobre, jour de l'assassinat de Sadate, Bouabid est expédié à Missouri[5]. S'il était resté à Rabat, il n'aurait jamais laissé les

---

1. *Al-Ayyam*, 29 mai-4 juin 2003.
2. Alors secrétaire général de l'Élysée.
3. Voir *supra*, le chapitre sur la Constitution de 1962.
4. Entretien avec l'auteur.
5. Dans le sud-est du Maroc.

parlementaires USFP se dégonfler. D'ailleurs, on n'aurait pas eu cette alternance bidon que nous avons eue quinze ans plus tard… Bouabid avait un certain charisme et une certaine morale. L'un d'eux, député d'une ville côtière du Nord, a été contraint d'écrire un télégramme pour dire qu'il n'était pas d'accord. Un autre, paniqué, a dit : "On va être lapidés." On a eu beau leur dire : "Ne vous laissez pas faire, il ne peut rien contre vous", ils sont allés voir Guédira, à Ifrane, qui leur a soufflé l'idée du retour individuel. Radi m'a raconté comment, à l'exception de Mohammed Mansour et de Mohammed Majdoubi, tous les autres se sont dégonflés. C'était la débandade. Pendant trois jours, il les a calmés. Il a donné une forme un peu moins pitoyable à leur retour. Puis la section de Rabat a publié un communiqué. Hihi et Benamor[1] sont allés voir Youssoufi pour protester contre une telle attitude. Youssoufi a alors convoqué une réunion de la Commission administrative. Nous devions nous mobiliser pour expliquer à la base que nos responsables n'avaient en vue que le bien du parti. Ils ont été traités de tous les noms par presque tout le monde. Il n'y a que Youssef Zouaoui, créateur du train-navette rapide, qui a pris la défense de Youssoufi. Bouabid en a voulu à Youssoufi. Radi a pris la parole comme président du groupe parlementaire et a enfoncé le clou : "Vous pouvez philosopher tant que vous voulez, chacun peut être pour ou contre. La vérité, la voici : nous sommes des poltrons, des lâches, nous avons eu peur de Hassan II. Je suis le fils d'un caïd, d'un féodal !" Douche froide sur l'assistance. Youssoufi a tapé des deux paumes de ses mains et chacun a repris son souffle[2]. »

La complaisance de Youssoufi, rentré au Maroc le 16 octobre 1980, est d'autant plus surprenante que, dans une interview accordée au *Monde*[3] au début de l'été, juste après les événements tragiques de Casablanca, il ne mâche pas ses mots à l'endroit du régime : « Nous constatons, dit-il, qu'une sorte d'état d'exception de fait s'est installé. Dans ces conditions, nous nous demandons si l'émeute du 20 juin ne s'inscrit pas dans un complot prémédité contre l'USFP. Notre

---

1. Qui, plus tard, deviendront présidents respectivement de l'OMDH et de l'AMDH.
2. Entretien de l'auteur avec Ahmed Benjelloun.
3. Numéro du 1er juillet 1981.

parti n'avait-il pas été déjà mis en cause par le roi dans sa conférence de presse du 1er juin de façon inattendue, lorsqu'il avait affirmé que si nos quinze députés se retiraient du Parlement pour protester contre la prolongation [de la législative], ils se mettraient dans l'illégalité[1] ? En sens inverse, trois facteurs militent en notre faveur : tout d'abord, notre innocence fondamentale dans les émeutes du 20 juin, puis l'impact inattendu de la grève du 20 juin, enfin la réprobation internationale face à la répression contre la CDT. Peut-être le pouvoir engagera-t-il enfin le dialogue avec l'opposition et les syndicats qu'il s'est obstinément refusé à ouvrir avant ? Sinon, il faudrait rompre avec le processus de démocratisation engagé depuis 1977. Nous sommes fondamentalement inquiets, nous, opposition, d'avoir été placés dans la position de Sisyphe : chaque fois que nous avons réussi à amener le rocher près du sommet de la montagne, un événement inattendu l'a fait retomber ! »

Mais la rigueur du propos n'empêche pas le parti de se montrer prudent à l'excès. Il est vrai que la pratique de la « démocratie hassanienne », qui n'hésite pas à emprisonner des chefs de parti ou de syndicats, invite à la réflexion…

Ahmed Benjelloun est convaincu que cet épisode a beaucoup marqué Abderrahim Bouabid : « On le sentait désespéré après sa libération, dit-il. Il était méfiant vis-à-vis de ses plus proches collaborateurs. » Benjelloun, qui va quitter l'USFP dans les années quatre-vingt pour fonder, avec quelques proches, le Parti d'avant-garde démocratique et socialiste (PADS, extrême gauche), apporte un éclairage intéressant sur Bouabid, personnalité fascinante mais autoritaire et peu encline à partager le pouvoir : « Au moment où Maati Bouabid, au printemps 1979, a présenté son gouvernement, j'étais, raconte-t-il, le conseiller du groupe USFP dont Radi était le président. Le débat a commencé. Oualalou s'est mis à parler chiffres, taux

---

1. Dans cette conférence de presse, Hassan II, déjà très remonté contre les parlementaires de l'USFP, déclara que si ceux-ci « se retiraient du Parlement, ils se couvriraient de ridicule […]. On est au Parlement pour porter la parole de ceux qui vous ont mandaté. Alors, à partir du moment où on se retire du seul édifice créé par la loi, par la parole, par le référendum, le seul édifice qui dise la loi, qui vive dans la loi et qui édicte la loi, à partir de ce moment-là la loi se doit de méconnaître ceux-là mêmes qui méconnaissent son sanctuaire […]. On pourrait même aller jusqu'au bout dans la logique et fermer leurs bureaux et leurs partis ! » (*Discours et Interviews*, *op. cit.*, t. VII, p. 100).

de chômage. Bouabid a vu cela à la télé. Il n'allait jamais au siège du parti. Tout se passait toujours chez lui. Il venait d'être lessivé à Agadir et se demandait à quoi jouait Oualalou. Il téléphone de chez lui, fait appeler Radi et lui dit : "Après la séance, vous venez tous me voir." Ils avaient peur d'aller chez lui à trois ou quatre. Radi m'a supplié d'aller avec eux. J'y suis allé. "Vous êtes tous des imbéciles", leur a-t-il dit. Même volontaire et bénévole, je me sentais un peu concerné et je suis intervenu. Je lui ait dit que Oualalou avait bien suivi la ligne du parti, qu'il s'agissait bien de son programme. "La retransmission télévisée t'a conduit à mal interpréter." Bouabid ne m'a pas interrompu. "Bon, d'accord, a-t-il dit en se tournant vers eux. Parce que c'est Ahmed, je lui fais confiance." Ils étaient soulagés. Bouabid m'a retenu ensuite. Nous avons parlé. De Hassan II. J'ai senti que c'était une affaire personnelle entre eux deux, un bras de fer permanent[1]. »

Jean Daniel, qui dit avoir eu un « lien particulier » avec Bouabid, qu'il admirait profondément, n'est pas loin de penser la même chose : « Bouabid était très sobre et discret quand on l'interrogeait sur Hassan II. Chaque fois que je lui posais une question en m'étonnant : "Tu as gardé des liens avec ce roi ?", il disait : "Oui, c'est un homme intelligent, c'est un homme qui, de temps en temps, me promet qu'il va jouer le jeu. Il fait des gestes, ensuite il les reprend." Mais j'ai peur de trahir la mémoire de Bouabid. Je vais vous donner une interprétation tout à fait personnelle. Je pense qu'il avait fini par estimer que les réformes arrachées à Hassan II auraient peut-être de meilleurs résultats que les agitations soit des gens de l'Istiqlal nouvelle manière, soit de ce que l'on appelle les extrémistes révolutionnaires. Mais cela, ce n'est qu'une interprétation, et peut-être que son fils ou ses amis diront que je me trompe. C'est possible, mais moi, j'ai eu cette impression, à un moment donné, qu'il ne voulait pas faire la politique du pire. Il disait : "Tout ce que je peux tirer de cet homme intelligent…" Car il jugeait que Hassan II était intelligent. Il y avait complicité d'intelligences, car il estimait que Hassan II était à son niveau. On pouvait parler[2]… »

---

1. Entretien avec l'auteur.
2. *Id.*

En réalité, le très grave conflit social du mois de juin précédent n'est sans doute pas étranger à l'affrontement entre le roi et les socialistes, Hassan II trouvant dans la rupture du consensus sur le Sahara par l'USFP une justification *a posteriori* de la répression qu'il vient de leur imposer. L'annonce par le gouvernement, le 28 mai 1981, d'une hausse des prix des principales denrées alimentaires – de 14 à 77 % – provoque un véritable tollé, non seulement à gauche, mais même au sein de la majorité. Le pouvoir réduit sensiblement les hausses, mais l'opposition continue à exiger leur annulation pure et simple. L'UMT et la CDT appellent à la grève, les 18 et 20 juin. Largement suivies, ces grèves et manifestations tournent à l'émeute à Casablanca où les morts se comptent par centaines : de 600 à 1 000 morts, selon les socialistes et certaines associations[1]. « Casablanca, écrit Jean-Claude Santucci, apparaît, à travers ou à cause de son hyperurbanisation, comme un microcosme de toute la société marocaine, où les contradictions sociales les plus frappantes ont affleuré sous le poids des incohérences, des échecs ou des défaillances accumulés par l'État dans la conduite politique du développement[2]. »

La presse de Moulay Ahmed Alaoui se déchaîne contre « l'esprit et le comportement séditieux » de la CDT et de l'USFP qui, circonstance aggravante, ont manigancé leur mauvais coup à la veille du départ du souverain pour Nairobi[3] afin d'y défendre le dossier saharien. Une bonne centaine de responsables de la CDT sont arrêtés dans un premier temps. Puis c'est le tour de l'USFP. Les mesures habituelles de l'appareil répressif sont prises : procès expédiés, passages à tabac, fermetures de locaux, journaux interdits, harcèlement, intimidation. La mobilisation internationale n'y fait rien. Cinq avocats étrangers sont expulsés. Dans des villes où il ne s'est rien passé, comme à Meknès, des militants CDT sont condamnés à la prison ferme, et leurs peines aggravées après appel ! Tout en assommant « son » opposition de gauche, Hassan II n'en reconnaît pas

---

1. Voir *Le Monde* du 1er juillet 1981.
2. *Annuaire de l'Afrique du Nord, op. cit.*, année 1981, p. 222.
3. Ce qu'on appelle Nairobi I, ou sommet de l'OUA, par rapport à Nairobi II, limité à l'Algérie, au Maroc et à l'ONU.

moins la responsabilité de son régime avec autant de cynisme que de brutale franchise : « Cher peuple, il est de mon devoir de te dire que tu as exagérément manifesté ton mécontentement, ton pessimisme, que tu as trop négligé de louer Dieu […]. Si les incidents de Casablanca ne m'ont guère ébranlé, mon devoir est cependant de les analyser, d'en rechercher les mobiles […]. L'émeute concerne des quartiers où se trouvent des masures contraires à la dignité islamique et que nous avons laissées se construire. En effet, nous avons fermé les yeux au lieu de sanctionner les autorités qui ont permis ces constructions scandaleuses. Depuis quinze ans, nous portons la responsabilité de cette situation. »

Pour remédier à la situation, Hassan II « se promène à cheval » et constate les dégâts – à savoir, par exemple, que la campagne a disparu entre Rabat et Témara. Il indique alors qu'il « faut cesser de développer et d'agrandir de façon anarchique nos villes, et plutôt établir des localités de 40 000 à 50 000 habitants qui seront de véritables petites villes agricoles, agro-industrielles, des villes ou l'on pratiquerait la formation professionnelle, des villes pouvant se suffire à elles-mêmes et évoluer dans un environnement économique et climatique sain ».

Mais le bâton l'inspire apparemment plus que la carotte, et il conclut, menaçant : « Mais que les visages renfrognés et les propos pessimistes ne donnent pas l'occasion aux autres de nous critiquer pour les actes de 2 000 voyous ! Car ni 2 000, ni même 500 000 individus de cette espèce n'effraient un État de 20 millions d'habitants qui dispose de la force armée et de la foi, ou alors il ne resterait plus aux responsables à tous les niveaux qu'à disparaître »[1].

La défaite du « copain »

Le souverain marocain a d'autres raisons d'être crispé. Son « copain » Giscard est battu aux présidentielles de 1981 par François Mitterrand. Lors de la première prise de contact entre Hassan II et le nouveau chef de l'État, ce dernier, raconte Jacques Morizet, alors ambassadeur de France à Rabat, dit au roi : « Je sais que l'annonce

---

1. Discours le 8 juillet 1981 à l'occasion de la fête de la Jeunesse.

de mon gouvernement a été accueillie chez vous avec beaucoup de stupeur. Pouvez-vous m'expliquer pourquoi ? » « Hassan II, poursuit M. Morizet, a répondu que, depuis 1958, il y avait des relations personnelles avec la droite classique ou avec les gaullistes, alors que les liens du Parti socialiste avec les autorités marocaines sont inexistants. Il a ajouté que les orientations pro-algériennes de Claude Cheysson[1] et sa nomination n'ont pas été très bien accueillies, pas plus que le soutien du PS au Polisario »[2].

Hubert Védrine, alors conseiller diplomatique à l'Élysée, confirme le trouble provoqué par la défaite de Giscard : « Cette victoire de François Mitterrand avait perturbé beaucoup de nos partenaires étrangers, et en particulier arabes. Parce que les relations entre Hassan II et Giscard étaient très étroites. D'autre part, les Marocains de gauche étaient aussi nationalistes que Hassan II, et ils étaient donc souvent en porte à faux avec leurs théoriques amis politiques, les socialistes français. D'ailleurs, ils ne se fréquentaient pas beaucoup et ne se connaissaient plus guère, en dehors des gens qui avaient joué un rôle au moment de l'indépendance. Il y avait enfin un fort tropisme pro-algérien au sein du PS, qui se répercutait sur la question du Sahara. Donc, les Marocains, y compris de gauche, n'étaient pas enchantés ni rassurés[3]. »

Selon Jacques Morizet, les contacts entre Giscard et Hassan II étaient fréquents, et l'assistance française importante : « Jusqu'à la fin de son mandat, Giscard, *via* le ministère des Affaires étrangères, a cherché à résoudre le conflit du Sahara. Des conseillers français comme Georges Vedel et Maurice Druon ont joué un rôle important, notamment dans la préparation de projets débordant sur le référendum. À cette époque, les deux chefs d'État se voyaient souvent, notamment dans la propriété de Seine-et-Marne du roi. Ils communiquaient encore plus souvent. »

Sur certains points, le diplomate essaie d'absoudre le monarque. À sa demande, dit-il, « le ministère français de l'Intérieur avait envoyé une mission très importante en vue d'une réforme administrative

---

1. Ministre des Affaires étrangères du gouvernement Mauroy.
2. Entretien avec l'auteur.
3. *Id.*

473

auprès des communes et des gouvernorats. Mais la mission n'a pas réussi parce que les responsables locaux ont tenu ses membres à l'écart, par exemple, en faisant exprès de parler l'arabe. Le roi s'est ainsi trouvé une nouvelle fois bloqué par l'inertie des responsables locaux ».

De son côté, Jean-Yves Haberer, alors directeur du Trésor et très attaché au Maroc où il est né – son père y avait été officier –, s'efforçait de faciliter les choses au niveau financier.

Toujours selon M. Morizet, la France avait également des officiers instructeurs dans l'aviation à Meknès, et la plupart des instructeurs de l'armée de terre marocaine étaient français. « Les contacts militaires, précise-t-il, étaient cependant verrouillés et il y avait des consignes très strictes pour qu'ils n'aient aucun caractère ostentatoire. Claude Lebel, un de mes prédécesseurs, avait été rappelé en 1972 pour avoir eu des contacts de salon avec beaucoup de putschistes, et notamment des généraux. De mon temps, ces derniers avaient pratiquement disparu dans les soirées et les cocktails. Nous avions aussi la consigne formelle de ne pas intervenir dans les affaires sahariennes, ce qui ne m'a pas empêché de dissimuler en 1983 une initiative prise par un de mes collaborateurs qui avait accepté de participer à un voyage organisé par l'armée de l'air au Sahara pour les attachés de l'Air. Cela nous a permis de nous faire une idée sur une zone que nous ne connaissions pas du tout. »

L'ancien ambassadeur se souvient aussi de l'effervescence suscitée par l'arrivée de la gauche au pouvoir en France et des tentatives – maladroites, selon lui – de Washington pour tirer avantage de la situation : « C'est après l'arrivée de Mitterrand au pouvoir que la présence américaine s'est dévoilée. Comme je vous l'ai dit, il y avait beaucoup de changements : la disparition du "copain", l'arrivée d'une équipe inconnue avec des ministres communistes, l'inquiétude provoquée par les propos et les comportements de Cheysson, ses déclarations imprudentes, ses choix malheureux, comme celui de venir directement d'Alger dans un avion du GLAM en expliquant aux journalistes, dans l'avion : "Le Maroc c'est fini", et que tout irait à l'Algérie. Hassan II a d'ailleurs refusé de le recevoir. Devant notre insistance, il l'a fait, mais en refusant le tête à tête.

« Les relations des États-Unis avec la France étaient tendues après les élections. Hassan II partageait leurs inquiétudes. Mais Hassan II a compris plus vite que les Américains, peu subtils, que Mitterrand avait pris les communistes au gouvernement pour mieux les tenir. Les États-Unis ont intensifié leur présence au Maroc. Ils y étaient représentés par un jeune ambassadeur, banquier de son état, mais qui ne connaissait rien aux affaires diplomatiques. Il m'avait dit ingénument que les États-Unis étaient venus pour suppléer la France dans les domaines de la coopération économique et militaire. Ils ont réussi à s'infiltrer dans la formation des pilotes grâce notamment à Kabbaj, celui qui pilotait le Boeing du roi en 1972. Mais Hassan II n'a pas cédé à leurs pressions, parce qu'il avait besoin du soutien des pays africains et arabes à l'OUA et à l'ONU, et parce que les partis marocains ne l'auraient pas accepté. Les bévues d'ordre protocolaire du jeune ambassadeur n'ont pas arrangé les choses. Il essayait de se mettre en avant, bougeait à tort et à travers, et cela agaçait prodigieusement Hassan II, figé sur le protocole. Le roi était très imbu de sa personne et avait réussi à s'inoculer le virus de sa propre divinité. Il faut aussi dire que les membres de la grande bourgeoisie marocaine libérale, comme Karim Lamrani, et des socialistes, comme Bouabid, restaient très attachés à la France. »

Pour Jacques Morizet, dès le voyage de François Mitterrand au Maroc en janvier 1983, les choses ont repris un cours normal. Si, dit-il, les congrès socialistes qui avaient réclamé son rappel – il avait été nommé par Giscard – en « rajoutaient », « il y avait fort heureusement des gens beaucoup plus raisonnables, à commencer par Mitterrand lui-même, qui restait très UDSR[1], comme Edgar Faure ou encore comme Chaban-Delmas, proche de Mitterrand, qui a beaucoup fait pour les relations bilatérales en relançant notamment les liens entre Casablanca et Bordeaux et en soulignant l'importance de garder une certaine équidistance entre Alger et Rabat, ce que Giscard, déçu par l'Algérie, n'avait sans doute pas su faire ».

M. Morizet souligne le rôle essentiel joué par Pierre Bérégovoy qui, comme secrétaire général de l'Élysée, « très modéré, avec un côté

---

1. Union des socialistes résistants, petit parti charnière sous la IVe République.

"père Queuille", a su recalibrer la coopération et maintenir l'aide et la présence française ».

Ce tour d'horizon avec le diplomate français ne serait pas complet si l'on oubliait d'évoquer le premier dîner officiel du roi et du président français, près de Paris : « Nous l'attendions à 20 h 30. Hassan II est arrivé à 22 h 30, se rappelle Jacques Morizet. Même s'il s'est excusé, cela ressemblait furieusement à un monsieur d'essence divine auquel les règles protocolaires ne s'appliquent pas. Mitterrand en a pris son parti[1]. »

Nouvelle crise à l'USFP

La monopolisation par Hassan II de la scène et du jeu politiques, note l'*Annuaire de l'Afrique du Nord*, accentue « deux séries de phénomènes caractéristiques de la vie politique marocaine : d'une part, la marginalisation des rouages institutionnels et l'usure des valeurs démocratiques qu'ils représentent dans l'opinion ; d'autre part, le parcage et l'inhibition au sein de l'institution parlementaire de la plupart des formations partisanes condamnées à l'expectative faute d'exercer une quelconque emprise dans l'élaboration ou le contrôle de la décision politique[2] ».

C'est exactement l'analyse que font quelques militants de l'aile gauche de l'USFP emmenés par Abderrahmane Benamor, avocat, militant des droits de l'homme, et qui, avec ses amis, s'oppose à toutes les décisions du parti visant à entrer dans le « processus démocratique » prétendument initié par Hassan II au milieu des années soixante-dix. Benamor et le courant qu'il incarne se sont opposés à la participation aux élections de 1977, aux colloques d'Ifrane et de Marrakech et à d'autres initiatives royales, estimant qu'il s'agissait de marchés de dupes. Au début d'avril 1982, lui et quelques autres responsables sont suspendus du parti par le Bureau politique qui a récupéré en février ses trois célèbres détenus, libérés au bout de cinq mois,

---

1. Entretien avec l'auteur.
2. *Annuaire de l'Afrique du Nord, op. cit.*, année 1982.

et qui veut éviter à tout prix à l'USFP d'être marginalisée par le pouvoir en versant dans un radicalisme jugé stérile.

Les sanctions qui frappent l'aile gauche ne sont qu'un avant-goût du conflit beaucoup plus grave qui l'oppose, en mai 1983, à la direction du parti. Le 8 mai, de violents affrontements opposent sa majorité à plusieurs dizaines de radicaux qui contestent la légitimité des membres du Bureau et les décisions prises en son sein. Ils estiment que participer aux prochaines élections communales du 10 juin sans avoir obtenu la libération de tous les détenus politiques et l'autorisation de publier à nouveau la presse du parti – le quotidien *Al-Mouharrir*, dirigé par Yazghi, est interdit depuis juin 1981 – est inacceptable.

Majoritaires à la Commission administrative, les contestataires font valoir les règles statutaires du parti contre l'avis du Bureau politique. Qui, au sein de la direction de l'USFP, a fait appel à la police pour expulser les trublions ? Y a-t-il seulement eu quelqu'un ? Mohammed el-Yazghi affirme que non, qu'il n'y a eu aucun contact téléphonique entre le siège du parti et la police, et que cette dernière est intervenue d'elle-même en raison de l'agitation qui prévalait devant le siège[1]. Toujours est-il que le gouverneur de Rabat, Omar Benchemysi, qui se rend sur les lieux, fait intervenir les forces de l'ordre et qu'une vive altercation, restée célèbre, l'oppose à Abderrahmane Benamor. « Le premier, raconte *Maroc-Hebdo*, défend l'ordre public ; le second défend l'ordre interne du parti, qui ne nuit pas au premier[2]. » Déférés devant la justice, une trentaine d'irréductibles, dont Benamor, sont condamnés à des peines de prison – entre six mois et trois ans – pour « troubles à l'ordre public, attroupement armé et violation de domicile ». Onze d'entre eux, membres de la Commission administrative, parmi lesquels Benamor, Ahmed Benjelloun, Taïeb Sassi, bâtonnier d'Agadir, et Larbi Chtouki, avocat à Rabat, sont expulsés du parti. Ils accusent aussitôt les membres du Bureau politique d'être de connivence avec les pouvoirs publics. Désormais, jusqu'à la création du Parti d'avant-garde démocratique et socialiste (PADS, extrême gauche) quelques années plus tard, ils

---

1. Mohammed el-Yazghi, *Dhakirat Mounadel, op. cit.*, p. 74.
2. Noureddine Jouhari, *Maroc-Hebdo*, juin 2003.

ne cessent plus de contester à l'USFP l'héritage du parti et le legs de ses martyrs. Ils ne pardonnent rien à la direction. Des publications clandestines commencent à circuler. Sous couverture rouge, elles dénoncent aussi bien le processus électoral amorcé en 1976 que la direction du parti qui l'a cautionné.

Débarrassée de ces empêcheurs de tourner en rond, l'USFP participe aux élections communales du mois de juin. Sur les 15 502 sièges à pourvoir, elle n'en gagne que 538, soit 3,46 % ! Les « neutres », qui ont succédé aux « indépendants », arrivent en tête avec 3 451 sièges presque tous gagnés dans les communes rurales. Les « indépendants » version Union constitutionnelle (dont le congrès constitutif s'est tenu deux mois plus tôt), obtiennent 2 731 sièges grâce à l'appui massif de l'administration. Les « indépendants » version osmanienne (RNI) prennent la quatrième place avec 2 211 sièges, précédés de peu par l'Istiqlal – 2 605 sièges – dont on ne peut pas encore dire qu'il a rejoint l'opposition. Cette farce électorale est telle que les protestations habituelles n'émanent plus seulement des formations issues du Mouvement national, mais également des créatures du ministre de l'Intérieur. À tel point que Driss Basri doit venir s'expliquer devant le Parlement. Avec le culot qu'on lui connaît, Si Driss suggère à tous ceux qui n'auraient pas été convaincus par la « stricte neutralité » de l'administration et par la « liberté totale » qui a caractérisé le scrutin de présenter des recours judiciaires. L'USFP et le PPS (19 élus, 0,12 %) avalent cette nouvelle couleuvre et, comme le dit élégamment Jean-Claude Santucci, se placent une nouvelle fois « dans une perspective de lutte militante et démocratique à long terme[1] ».

Compte tenu de ce qui vient d'être rapporté et de quelques gestes du Palais – Noubir Amaoui, secrétaire général de la CDT, et Mustapha Karchaoui, rédacteur en chef d'*Al-Mouharrir*, sont relâchés le 19 novembre –, on ne s'étonnera pas de voir Abderrahim Bouabid accepter, comme les chefs des cinq autres principaux partis, un poste de ministre d'État dans le gouvernement dirigé depuis le 19 novembre par Karim Lamrani. Le camouflet de 1977 a, semble-t-il, été oublié. Mohammed el-Yazghi s'en explique dans ses entretiens avec Ali Anouzla : « Il y a eu deux raisons à cela : la première

---

1. *Annuaire de l'Afrique du Nord, op. cit.*, année 1983, p. 820.

est que Hassan II nous a fait savoir que le problème du Sahara traversait une période délicate et que nous devions nous mobiliser à cet effet ; la seconde est liée à la préparation des élections. » Curieusement, Yazghi affirme qu'il n'y a, sur le fond, aucun changement entre 1977 et 1983-1984. Si le ministère de l'Intérieur a ouvertement et grossièrement falsifié les élections en 1977, il s'est borné en 1984, selon lui, à changer ses méthodes de fraude, notamment en préparant d'avance les résultats[1].

Prudent, et pour ne pas être tout à fait le dindon de la farce, Bouabid, sans se désolidariser des décisions du gouvernement, ne participe pas aux Conseils des ministres présidés par le roi. Mais ces coquetteries ne convainquent pas vraiment la base du parti qui continue à chercher vainement les contreparties obtenues du pouvoir par ses dirigeants.

Le scepticisme de la base est d'autant plus fondé que des émeutes, dites un peu rapidement « de la faim », secouent au mois de janvier une bonne vingtaine de villes marocaines, plaçant Bouabid dans une situation inconfortable. La sécheresse au sud, la situation financière catastrophique liée à l'économie de guerre, des mesures maladroites prises à Nador contre les contrebandiers[2] mettent le feu aux poudres. La mobilisation de milliers de policiers pour le sommet islamique de Casablanca, à la mi-janvier, aggrave la situation sur le plan de la sécurité. Si le bilan officiel fait état de seize morts, des chiffres officieux, la plupart d'origine espagnole (les villes du Nord – Tétouan et Nador notamment – ayant été sévèrement réprimées), parlent de centaines de morts.

Le 22 janvier, alors que cessent les troubles, Hassan II affirme dans un discours à la Nation que ces « manœuvres de déstabilisation multipartites » ne visent pas le Maroc, mais le sommet islamique. Premiers dénoncés : les « communistes marxistes-léninistes » qui estiment, selon le roi, que le « véritable Afghanistan » n'est pas présent à la conférence… Seconds coupables, une fois n'est pas coutume, mais les participants au sommet islamique apprécieront : les « services secrets sionistes », gentiment qualifiés de « source de diffi-

---

1. Mohammed el-Yazghi, *Dhakirat Mounadel*, *op. cit.*, p. 72 *sq.*
2. Ce qui, au passage, met en évidence une fois de plus l'importance du « secteur informel » au Maroc.

culté ». Ceux-ci n'auraient pas admis la réintégration de l'Égypte dans la communauté islamique, et veulent faire échouer le sommet. Enfin l'Iran et Ilal Amam, groupe d'extrême gauche décapité dans les années soixante-dix et dont la figure de proue, Abraham Serfaty, purge une condamnation à perpétuité, sont confondus dans le même opprobre, l'un et l'autre souhaitant l'échec du sommet. La chute du discours est très « hassanienne » : « Le dernier mot restera donc à l'autorité et à la loi, et il n'y aura pas d'augmentations. »

Selon *Al-Ittihad al-Ichtirakiya* [1], organe de l'USFP, plus de 700 personnes, en grande majorité proches du parti et de ses organisations, sont condamnées à des peines allant jusqu'à cinq ans de prison. L'agence officielle MAP parle un mois plus tard de 1 800 personnes emprisonnées, dont certaines pour dix ans.

L'*Annuaire de l'Afrique du Nord* indique qu'à l'époque Hassan II « charge le nouveau ministre des Affaires islamiques, Alaoui M'Daghri, d'étudier les nombreux moyens propres à lutter "contre les nombreuses influences destructrices" apparues lors des derniers troubles ». Il fait ainsi adopter par le Haut Conseil des oulémas une série de mesures visant à accroître son emprise idéologique sur le terrain de la religion et lui permettant, du même coup, de dominer le champ politique.

Mais si le pouvoir a la main lourde et frappe tous azimuts – Abdesslam Yassine est condamné à deux ans de prison pour « insultes au gouvernement » –, il se calme alors qu'approchent les élections législatives. Il est inutile, en effet, d'attirer l'attention de la presse internationale sur les dérapages du régime, et les mesures de clémence se succèdent : Abdellatif Derkaoui est libéré en même temps que le mathématicien Sion Assidon et une cinquantaine d'autres militants d'extrême gauche condamnés entre 1972 et 1974.

Preuve que Sa Majesté sait se montrer généreuse : l'USFP obtient 34 sièges sur les 204 élus au suffrage universel direct (deux tiers du Parlement, les 102 autres sièges étant pourvus au suffrage indirect). Cerise sur le gâteau, elle devance largement son vieux rival istiqlalien qui, en dépit des bons et loyaux services qu'il a rendus depuis 1977, doit se contenter de 23 sièges. Néanmoins, les élections indirectes

---

1. Numéro du 28 février 1984.

permettront au parti d'Allal el-Fassi de refaire pratiquement tout son retard en gagnant 11 sièges contre un seul à l'USFP qui totalise donc 35 sièges sur 306. Comme d'habitude, les « indépendants », « neutres » et autres « partis administratifs » raflent la mise et disposent d'une majorité écrasante. Tout le monde est content.

L'Istiqlal mal récompensé

Partagé depuis toujours entre sa fidélité au trône et des convictions qui sont souvent loin d'être celles de la monarchie, en particulier dans le domaine économique et social, l'Istiqlal, en 1977, retrouve donc au gouvernement une place jugée par lui à peu près conforme à son importance. Beaucoup se demandent néanmoins ce que le vieux parti nationaliste, pétri de principes, vient faire dans cette galère d'« indépendants », bien décidés à servir Hassan II sans états d'âme et à faire prévaloir leurs idées libérales. Le Xe Congrès du parti, du 21 au 23 avril 1978, lui fournit l'occasion de clarifier ses positions. Observateur avisé de la scène marocaine, Jean-Claude Santucci n'hésite pas à parler en l'occurrence d'« alignement » sur le pouvoir, voire de « revirement » : « À travers les débats et résolutions, on peut voir, écrit-il, se dessiner dans certains domaines un alignement pur et simple sur les thèses gouvernementales, et dans d'autres, notamment sur le problème des frontières et du Maghreb, un revirement spectaculaire de ses positions. [...] C'est en ce sens, ajoute-t-il, qu'il faut interpréter l'"appel fraternel" lancé au peuple algérien par M'hammed Boucetta pour mettre fin au conflit saharien, et l'attachement au Maghreb arabe unifié au sein duquel nous dépasserions la notion de frontières artificielles pour nous atteler à la tâche de la réalisation de l'unité des peuples sur la base du développement économique... »

Certes, le PI tente de se singulariser par rapport au gouvernement en insistant sur la nécessité d'étendre les nationalisations ou de réduire les inégalités sociales. Il connaît sans doute plus de succès en restant dans l'air du temps, à l'unisson du souverain, en multipliant les références à l'islam et en invitant les Marocains à rejeter les « idéologies importées ». En définitive, au vu des principales résolutions, le nationalisme et l'islam demeurent les deux piliers de la doctrine istiqlalienne, même si la fameuse carte d'Allal el-Fassi[1] n'est plus qu'un vieux souvenir.

De son côté, le secrétaire général du PI, M'hammed Boucetta, apprend à ses dépens qu'il n'est pas toujours facile d'être ministre des Affaires étrangères du royaume. Bien que sa marge de manœuvre soit des plus réduites, puisqu'on l'imagine mal en train de prendre des initiatives qui n'auraient pas reçu l'aval de Sa Majesté, c'est sur lui que retombe la colère de l'opposition quand celle-ci estime que le dossier saharien est mal défendu. En novembre 1979, irrité par certains succès du Polisario dans les instances internationales, Boucetta, prétextant la partialité de pays membres de l'OUA comme la Tanzanie ou le Mali, renonce à participer au Comité des sages de l'OUA, ce que lui reprochent vivement de nombreux pays africains et… l'USFP !

L'Istiqlal est aussi mis sur la sellette au moment où l'on découvre que des fuites ont perturbé l'examen du baccalauréat en 1979. Sous-estimant la gravité de l'affaire, le parti se retrouve isolé au sein du gouvernement, le RNI et le Mouvement populaire étant trop heureux de lui tailler quelques croupières. Ezzedine Laraki, ministre de l'Éducation nationale, est lui aussi épinglé. Il quittera le parti un peu plus tard.

Croire pour autant que les représentants du peuple jouent pleinement leur rôle serait inexact : « En dehors de ces quelques sujets de friction qui éclairent assez bien sur le ton et les limites des débats, note à l'époque l'*Annuaire de l'Afrique du Nord*, le Parlement s'est installé dans un ronron quasi permanent, gaspillant son énergie sur des textes de routine sans rapport avec l'urgence ou la gravité des problèmes nationaux en suspens, et privilégiant le discours attentiste ou rassurant au détriment de l'action cohérente et efficiente. »

Toujours en peine de trouver sa place exacte sur l'échiquier politique, l'Istiqlal accueille en traînant des pieds de plomb la prolongation de deux ans du mandat des députés, décidée en 1980 par Hassan II. Pour M'hammed Boucetta, « les institutions actuellement en place ne reflètent pas la carte politique réelle du pays[2] ». Manière

---

1. Le « grand Maroc ».
2. Déclaration le 15 juin 1980 devant le Conseil national du PI.

de dénoncer une fois de plus le « Parlement mal élu » de 1977, mais aussi la présence de ce Rassemblement national des indépendants qui empiète sur ses plates-bandes. Au nom de la légitimité historique, l'Istiqlal – comme d'ailleurs l'USFP – ne cesse de condamner « ces partis de circonstance » qui sont « les enfants de l'opportunisme et de l'abus de pouvoir ».

Mais, en attendant mieux, le parti de M'hammed Boucetta fait contre mauvaise fortune bon cœur. Lors de son XIᵉ Congrès national, tenu à Casablanca au printemps 1982[1] l'égalitarisme économique, cher au *zaïm* disparu, et la démocratie islamique sont une nouvelle fois valorisés, le retour à l'islam étant perçu comme facteur d'intégration et de promotion sociale, et davantage encore comme fondement de l'identité nationale.

Deux femmes font aussi leur entrée au Comité exécutif, tandis que le rajeunissement et la féminisation des instances dirigeantes se confirment : 60 % des 720 membres du Conseil national ont moins de trente-cinq ans, et 13 % sont des femmes.

Les élections communales de 1983 et les législatives de 1984 sont décevantes pour un parti qui estime avoir joué le jeu et multiplié les preuves de son dévouement à la Couronne. Pour certains observateurs, ce « déclin a vraisemblablement été encouragé par le Palais qui considère, au-delà de son vieux contentieux historico-politique, que ce parti a déjà servi et obtenu largement sa part, et qu'il doit revenir à une plus juste mesure ; d'autant qu'il n'est pas très représentatif du Maroc de l'an 2000[2] ».

L'Union constitutionnelle, petit dernier de Si Driss

Ce serait sans doute déroger à la vérité de dire que nous avons gardé le meilleur « parti de circonstance » pour la fin. Mais le système politique marocain voulu par Hassan II est ainsi fait qu'on ne peut

---

1. À la différence de l'USFP, on notera que l'Istiqlal tient ses congrès avec la régularité d'un métronome. Cela est dû à la bonne organisation du parti, mais aussi aux rapports infiniment meilleurs qu'il entretient avec le pouvoir.

2. *Annuaire de l'Afrique du Nord, op. cit.*, année 1984, p. 910.

faire l'impasse sur une formation politique qui, partie du néant, devient en quelques semaines le groupe politique le plus important du Parlement ! Mieux encore que le RNI qui avait organisé quelques dizaines d'« indépendants » élus en 1977, l'Union constitutionnelle, créée en 1983, fait un véritable tabac aux deux premiers scrutins auxquels elle participe. À tel point que ses adversaires parlent à son propos de parti « cocotte-minute[1] ». Lors des communales de 1983, alors qu'elle vient à peine de voir le jour, la nouvelle formation réussit à présenter 6 953 candidats et fait le meilleur score : 2 731 sièges sur un total de 15 502, soit 17,61 %, nettement devant l'Istiqlal. Dix-sept mois plus tard, aux législatives, le parti de Maati Bouabid confirme sa prépondérance en remportant 24,8 % des voix et plus du quart des sièges !

« Il fallait, nous explique vingt ans plus tard Driss Basri, qu'au début des années quatre-vingt, après le discours de Hassan II sur la privatisation, le courant libéral puisse s'exprimer, et ce fut la création de l'Union constitutionnelle. Cela nous a permis de privatiser[2] ! » C'est donc chose faite. Au départ, le parti, dont l'objectif électoral, cautionné par le Palais, visait à occuper un large créneau centriste dont pâtiraient à droite le RNI et le PI, à gauche l'USFP, devait s'appeler « Parti socialiste des travailleurs »[3]. Mais, même si son fondateur est issu de la gauche, la ficelle est un peu grosse et on se rabat sur cette appellation austère et abstruse d'« Union constitutionnelle ». Les derniers affidés de Driss Basri entendent « combler le vide […], lutter contre le désarroi constaté dans les milieux de la jeunesse […], encadrer et faire participer la génération d'après l'indépendance ». Généralement plus aimable, Jean-Claude Santucci ne mâche pas ses mots et compare cette nouvelle entité au RNI de 1977 (actuellement, dit-il, « en voie de déliquescence »), parlant de la « même tonalité opportuniste et paternaliste » et de la « même inconsistance du programme économique et social »[4]. Trop heureux de fustiger le petit dernier de

---

1. « Dans une cocotte-minute, on fait de la bonne cuisine, contrairement aux vieilles marmites [vieux partis] qui servent une soupe insipide », a rétorqué Maati Bouabid. Voir *Lamalif*, 1986.
2. Entretien avec l'auteur.
3. *Annuaire de l'Afrique du Nord, op. cit.*, année 1983, p. 815.
4. *Ibid.*

Driss Basri, qu'il exècre, Ahmed Osman exprime ses inquiétudes devant cette nouvelle « forme d'atomisation de la vie politique nationale », et prône « une pratique politique plus ordonnée » autour de trois pôles : droite, gauche et centre. Enfin, il n'hésite pas à dénoncer le programme électoral de son jeune rival qui se réduit à la défense de la monarchie et de la Constitution !

Le principal intéressé, Maati Bouabid, a souvent eu l'occasion de justifier la naissance d'un parti qui demeure, vingt ans plus tard, l'un des piliers du Parlement marocain : « Avec des amis, raconte-t-il en 1986 alors qu'il se trouve à la tête du premier parti du Maroc, nous avions constaté que les partis dits traditionnels n'avaient pas atteint leurs buts. Nous sommes tous plus ou moins issus de l'Istiqlal – en 1951-1952 pour ce qui me concerne –, puis de l'UNFP. Puis il y a eu des divisions à n'en plus finir, avec pour conséquence la marginalisation de tout ce qui était jeune. En 1981, 1982 et 1983, les jeunes n'étaient pas intéressés par la politique, par l'État ; plutôt par les indices de la fonction publique et le confort personnel. Quant à l'autre jeunesse, celle qui était délaissée, elle se lançait dans la drogue, dans la fuite en avant. Elle n'était pas canalisée. J'ai fait un tour du Maroc, j'ai vu que la jeunesse était un créneau ; les femmes aussi étaient totalement marginalisées. Nous avons donc essayé d'organiser les jeunes en particulier, alors que, dans les partis traditionnels, règne une gérontocratie inamovible. Il n'y a pas de remplacement, pas de vie, je dirais. C'est la sclérose, les jeunes sont complètement écartés […]. Nous bénéficions de l'engouement de la jeunesse et c'est la raison principale de notre création. »

Comment ne pas sourire devant les prétentions sociales du nouveau parti, résolument tourné vers la jeunesse marocaine ? À qui fera-t-on croire que le plus jeune des « partis de circonstance » doit ses remarquables succès électoraux à sa dimension sociale ?!

Mais Maati Bouabid n'entend pas seulement démontrer que le discours socialiste n'est plus d'actualité. Fort de la jeunesse de ses cadres – quarante-deux ans de moyenne d'âge –, de ses « soixante mille militants » et de leur « haut niveau d'instruction », il est bien décidé à s'attaquer à son véritable adversaire : « Plus que les idées archaïques de la gauche, notre véritable adversaire, c'est justement cette administration tatillonne qui constitue un frein au développement de notre pays. Si nous pouvions enlever à l'administration tous les pouvoirs exorbitants qu'elle détient, nous en finirions avec l'inertie dont elle fait preuve et, du même coup, nous éliminerions la corruption. Vous dites : "parti de l'administration" ? L'UC veut promouvoir la régionalisation, dépasser la décentralisation administrative pour s'orienter vers la création d'organes législatif et exécutif chargés de la gestion autonome des régions et offrir ainsi une alternative aux jeunes[1]. »

Ces jeux politiciens ne peuvent cependant faire oublier la gravité de la situation dans le royaume. La sécheresse persistante, la baisse des prix des phosphates et celle des recettes du tourisme, les prix élevés du pétrole, la réduction de l'aide des pays du Golfe et, surtout, l'effort de guerre considérable, en dépit de l'achèvement du mur de sécurité de 1 200 km au Sahara, contraignent le roi à prendre une initiative qui provoque une vive émotion dans le monde occidental. Le 13 août 1984, sans avoir prévenu personne, Hassan II et Kadhafi signent à Oujda un accord d'unité entre leurs deux pays ! Qualifié d' « accord invraisemblable » par Richard Parker, ancien ambassadeur américain à Rabat, l'accord entre le roi du Maroc et la bête noire des Américains et de leurs amis africains déstabilise complètement l'ensemble du Maghreb. « Jusqu'au milieu de 1984, écrit Richard Parker[2], l'Afrique du Nord paraissait vivre dans un état d'équilibre politique. La Tunisie et le Maroc, stables et modérés, contrebalançaient l'influence d'une Algérie stable mais plus radicale, tandis que la Libye, imprévisible et capricieuse, était isolée et n'aurait pu se lancer dans une aventure contre l'un d'entre eux sans rencontrer l'hostilité des trois autres [...]. Et voilà que, brusquement, son isolement se termine et qu'elle se retrouve avec un allié impressionnant [...]. La Tunisie pourra-t-elle encore compter sur le soutien du Maroc, si la Libye l'agresse ? L'Algérie ne doit-elle pas envisager la menace d'une opération combinée des deux pays contre elle ? »

Pour le diplomate américain, divers précédents, comme la guerre des Sables en 1963 et certains agissements de Kadhafi en Tunisie et au Tchad, montrent que les pays d'Afrique du Nord sont tous prêts à recourir à la force quand leurs intérêts nationaux sont en jeu. Les

---

1. Interview à *Jeune Afrique*, le 23 octobre 1985.
2. « Appointment in Oujda », *Foreign Affairs*, été 1985.

Marocains ne vont-ils pas profiter de l'occasion pour s'attaquer aux sanctuaires du Polisario en Algérie ? Selon Richard Parker, cet accord « a provoqué des réajustements politiques fondamentaux », et les pays du Maghreb ainsi que les États-Unis ont dû « revoir leurs certitudes ».

Interrogé en novembre 1985 par *Jeune Afrique*, Richard Parker souligne que « le Maroc est un État conservateur, comme le sont les États-Unis. Tous deux poursuivent la défense de leurs intérêts dans la stabilité plutôt que dans le changement. Il y a donc une incompatibilité profonde entre Maroc et Libye, mais le Maroc reprendra le dessus ».

Effectivement, en juillet 1986, la rencontre à Ifrane de Hassan II avec Shimon Peres entraîne un mois plus tard la rupture de l'union Maroc-Libye, et rassure les États-Unis.

IV

Le triomphe de la technocratie

Déstabilisé au début des années soixante-dix par deux tentatives de coups d'État, Hassan II ne bénéficie pas seulement d'une chance exceptionnelle qui lui permet de rester sur le trône, mais peut également s'appuyer, pour ce faire, sur une forte croissance économique jusqu'à la Marche verte de l'automne 1975. On estime en effet que le taux de croissance durant la décennie soixante-dix tourne autour de 7,5 % en moyenne annuelle, soit un chiffre largement supérieur au taux de croissance démographique, pourtant à l'époque encore un des plus élevés du monde arabe. Mais le Maroc commet aussi des erreurs en jouant le court ou le moyen terme sans anticiper les tendances à long terme.

Essayant, par exemple, de singer les pays de l'OPEP, il décide en 1973, sous l'impulsion de Karim Lamrani, de faire passer les prix de la tonne de phosphate de 14 à 68 dollars[1]. À court terme, l'opération donne certes de l'oxygène au pouvoir – ce qui était peut-être l'objectif recherché –, mais les effets pervers se font vite sentir. Dès 1975, les exportations chutent de 30 % et les prix sont ramenés à 40 dollars la

---

1. *Problèmes économiques*, n° 2158, janvier 1990.

489

tonne, les États-Unis se montrant intraitables. De sérieux concurrents font en outre leur apparition. Une nouvelle baisse des exportations de phosphates au début des années quatre-vingt, une autre hausse des prix du pétrole en 1979, et, surtout, les dépenses considérables liées au conflit du Sahara accroissent fortement le niveau de la dette extérieure qui franchit le cap de 20 milliards de dollars. Le manque de disponibilités financières provoque dès 1978 de fortes tensions sociales qui culminent en janvier 1981 sans disparaître, bien au contraire, par la suite.

À partir de 1983, le royaume doit donc se résigner à une politique d'ajustement structurel et passer sous la coupe d'institutions internationales comme le FMI ou la Banque mondiale. Alors directeur de l'Office des changes, Ali Amor expliquera quelques années plus tard la finalité de cette politique : « Le plan d'ajustement vise depuis 1983 à rechercher un meilleur équilibre des comptes intérieurs et extérieurs. Le moyen choisi est le libéralisme économique[1]. » Les salaires sont bloqués pendant deux ans, les prix libérés et les subventions aux produits de première nécessité limitées à la farine, à l'huile et au sucre. Elles passent d'ailleurs de 8 % du PIB en 1982 à moins de 2 % en 1990. Parallèlement, les droits de douane sont considérablement allégés, le contrôle des changes devenant, de l'aveu même de M. Amor, « laxiste, voire inexistant ».

Karim Lamrani, l'« homme providentiel »

Pour aborder cette période aussi difficile et délicate, Hassan II se sépare de Maati Bouabid, prié de s'occuper à temps plein de l'Union constitutionnelle, et rappelle Karim Lamrani qui a déjà été Premier ministre durant quinze mois, d'août 1971 à novembre 1972.

Curieux personnage que celui-ci ! Une présence, d'abord : « Cent vingt kilos pour un mètre soixante-dix-huit, un cigare toujours fiché dans cette masse de chair […], ce poids lourd à la tête de boxeur est d'une agilité étonnante et d'une activité débordante. On peut le voir quelquefois somnolent, le menton écrasé sur la poitrine, les joues

---

1. Interview au *Monde*, 4 novembre 1989.

débordant le col et formant un bourrelet sur les épaules, les yeux mi-clos, les mains sur la bedaine ; fatigué, le monstre récupère », écrit Belkassem Belouchi, le cardiologue portraitiste que la surcharge pondérale de son modèle inquiète sans doute…

Né en 1919 un 1er mai – ce qui explique peut-être son acharnement au travail ! –, Mohammed Karim Lamrani est issu d'une famille fassie aisée. Commerçant en soieries, son père était un « chérif » (descendant du Prophète) dont l'ancêtre arriva au Maroc en même temps que Moulay Idriss Ier. Un de ses oncles, Mohammed Mernissi, président de la chambre de commerce et d'industrie de Fès, se charge de son éducation. Il fréquente l'école coranique jusqu'à quatorze ans, apparemment sans grand enthousiasme. Un camarade français l'aide à entrer au collège Moulay-Idriss de Fès où un instituteur, frappé par son intelligence, lui apprend le français et lui permet de rattraper son retard. Mais, une fois le certificat d'études passé, il ne reste plus longtemps à l'école, et son oncle l'initie aux affaires. Très jeune, il devient secrétaire général du groupement des producteurs d'huile d'olive. Il se lie d'amitié avec des Français « libéraux » qui l'aident à compléter sa formation économique. Sa rencontre avec Lorrain Cruse, qui l'introduit au conseil d'administration de la Compagnie privée marocaine (devenue plus tard Compagnie africaine de banque) est décisive. Il crée alors deux établissements : le Comptoir commercial nord-marocain (Conorma) et la Compagnie agricole du Maghreb (Cama).

À l'indépendance, il conserve d'excellents rapports tant avec les leaders marocains qu'avec les Français. « Sa personnalité ouverte et chaleureuse, affirme la revue *Maghreb-Machrek*[1], le désigne à la présidence de l'Amal Club qui, à Casablanca, réunit Français et Marocains, favorisant un contact peu fréquent jusque-là entre les deux communautés. »

Peu de gens savent que Karim Lamrani est l'un des rares bourgeois fassis à participer, pioche et pelle en main, à la réalisation de la « route de l'Unité », un chantier national organisé par l'Istiqlal dans les années cinquante et destiné à relier le centre du pays à l'ex-zone

---

1. Numéro de novembre-décembre 1971.

espagnole. Il y rencontre de nombreux syndicalistes et des militants de gauche avec lesquels il garde généralement de bonnes relations.

À peu près au même moment, il est nommé secrétaire général de l'Office chérifien des phophates dont il devient le directeur en 1958. Hamid Barrada affirme qu'il a été « déniché par Abderrahim Bouabid du temps où ce dernier présidait aux destinées de l'économie nationale[1] ». Sous sa direction, la marocanisation de la plus grosse société du royaume se fait sans douleur, et l'OCP améliore considérablement sa rentabilité.

Il ne reste pourtant pas longtemps à la tête de l'OCP, puisqu'il en démissionne le 12 juillet 1960, trois semaines après la chute du gouvernement Ibrahim. « Ses sympathies pour les revendications du syndicat ouvrier UMT l'amènent à prendre position pour celui-ci, contre le gouvernement, et à démissionner », affirme même *Maghreb-Machrek*[2] pour expliquer ce départ précipité.

Mais, apparemment, la « fibre sociale » de M. Lamrani s'est évanouie avec le temps. Dans les années quatre-vingt-dix, un certain nombre d'élus locaux et de journalistes dénoncent vigoureusement l'indifférence d'une société qu'il contrôle, la Somadir, à l'égard de nombreux habitants d'el-Jadida qui souffrent des nuisances infligées par cette entreprise. Celle-ci suspend même tous ses contrats publicitaires avec l'hebdomadaire *L'Économiste* qui s'est fait l'écho du mécontentement des élus locaux de la ville[3]. La brutalité montrée à l'encontre des ouvriers d'une de ses usines, lors de grèves relativement récentes, n'a pas non plus contribué à rehausser son image.

Déjà, après la marocanisation de 1973, les Marocains parlaient de « lamranisation » ou de « larakisation » « pour dire avec humour, selon le Dr Belouchi, que cette opération n'avait servi en fait qu'à enrichir certains au détriment du patrimoine national »[4]. Même si nul ne nie l'exceptionnel dynamisme et les qualités de gestionnaire de Karim Lamrani, bâtir une fortune au Maroc demeure cependant un exercice périlleux quand on sait à quel point Hassan II et la famille

---

1. *Jeune Afrique*, 30 novembre 1983.
2. Numéro de novembre-décembre 1971.
3. Voir portail du Centre national de documentation (CND) marocain, 24 avril 2003.
4. Belkassem Belouchi, *Portraits d'hommes politiques du Maroc, op. cit.*, p. 124.

royale se sont toujours méfiés du danger que représenterait un pouvoir économique et financier autonome. Sur ce plan, Karim Lamrani, qui n'en pense certainement pas moins, est toujours resté muet comme une tombe.

Pourtant, au début des années soixante, Lamrani ne fait pas encore trop de jaloux. Sept ans durant, il donne la pleine mesure de ses capacités d'homme d'affaires. Administrateur de plusieurs grandes sociétés – Royal Air Maroc, BMCE, UMB –, il est élu vice-président de la chambre de commerce de Casablanca en 1961 avant d'en devenir le président. Cet oiseau rare, apprécié à l'étranger comme au Maroc, est rappelé par le roi en mai 1967 à la tête de l'OCP qui traverse une phase difficile. Sa réputation de compétence et d'intégrité conduit Hassan II à le choisir comme ministre des Finances, le 23 avril 1971, puis comme Premier ministre, en juillet 1971, après les événements de Skhirat. Il a pour mission d'élaborer un programme de transition visant à assainir en dix-huit mois la situation économique et sociale du pays. Néanmoins, seize mois plus tard, il est remercié et remplacé par Ahmed Osman. Il reprend alors ses fonctions à la tête de l'OCP et les garde jusqu'à ce que le roi le rappelle en 1983.

Les trois petites années qu'il passe à la tête du gouvernement sont épuisantes. En fin de mandat, avant d'être remplacé par Ezzedine Laraki, il compare d'ailleurs sa fonction à un « calvaire » et souligne à l'envi l'ingratitude de sa tâche[1].

Proche des milieux financiers américains, il joue le jeu avec les grandes institutions financières internationales – FMI et Banque mondiale – et, dans un pays où l'État est omniprésent, il défend avec vigueur les thèses libérales sur le plan économique, non sans faire grincer des dents. Présentant au printemps 1985 un programme de mise en œuvre d'une politique « hardie » de désétatisation, c'est en ces termes qu'il explique *a posteriori* la philosophie du régime : « La gestion de nombreux secteurs de la vie nationale a été confiée à l'État non par vocation naturelle ou rationnelle, mais parce que, techniquement et financièrement, les nationaux ne se trouvaient pas aptes à l'assurer. Il en est différemment aujourd'hui et il convient dès lors

---

1. Voir l'article de François Soudan, « Karim Lamrani ou l'usure du pouvoir » dans *Jeune Afrique* du 8 octobre 1986.

d'envisager une politique "hardie" de désétatisation et de rendre au privé tout ce que lui revient naturellement et tout ce qui peut être plus utilement, plus efficacement et d'une façon plus profitable pour tous géré par lui[1]. »

Ezzedine Laraki ou la faillite du conformisme

Cependant, dans le système hassanien, le Premier ministre, auquel échappent le contrôle et l'animation des ministères dits de souveraineté – l'Intérieur, les Collectivités locales, l'Information, la diplomatie, la Justice –, a un pouvoir et une influence limités. Le départ des Finances d'Abdellatif Jouahri et celui d'Ezzedine Guessous du Commerce et de l'Industrie – deux hommes de qualité – compliquent encore la tâche de Karim Lamrani. Épuisé, il est contraint d'interrompre ses activités pendant plus de quatre mois, de mars à juillet 1986. Deux mois plus tard, il demande à être déchargé de ses fonctions « pour raisons de santé ». Il est aussitôt remplacé par Ezzedine Laraki, ministre de l'Éducation nationale pendant près de neuf ans et vice-Premier ministre depuis quelques mois.

Hormis le fait d'appartenir à la grande bourgeoisie fassie, tout sépare le nouveau Premier ministre de son prédécesseur. Si Karim Lamrani, personnage flamboyant et imposant, est autodidacte, Ezzedine Laraki, personnalité beaucoup plus discrète, voire terne, est l'un des quatre premiers Marocains agrégés de médecine[2]. Bien qu'appartenant à une famille liée au PDI de Ouazzani, il adhère au parti de l'Istiqlal en 1942 alors qu'il est encore au collège Moulay-Idriss, à Fès. Dès son retour au Maroc, après ses études de médecine en France, il intègre en 1957 le Comité exécutif du parti de l'Istiqlal. Il est alors très lié avec Allal el-Fassi auquel il affirme fournir des notes à caractère scientifique : « Il s'intéressait à tout, c'était un esprit curieux et très ouvert », dit-il. Il a aussi de bons rapports avec Ahmed Balafrej et Mehdi Ben Barka. En fait, il évite soigneusement de prendre parti dans les graves conflits de personnes et d'idées qui agitent la direction du parti, même si sa proxi-

---

1. Dépêche de l'AFP du 14 avril 1985.
2. Avec les Drs Berbiche, Messouak et Tounsi.

mité avec le *zaïm* le conduit tout naturellement à rester à ses côtés au moment de la scission.

Gendre de Mohammed Laghzaoui, directeur général de la Sûreté après l'indépendance, Ezzedine Laraki a des contacts suivis avec la famille royale, essentiellement comme médecin. En 1960, au moment du tremblement de terre d'Agadir, il accompagne sur les lieux Mohammed V. Pneumologue, il est aussi l'un des nombreux spécialistes – étrangers et marocains – que Hassan II consulte régulièrement. Le diagnostic est on ne peut plus rassurant : « Je l'ai bien connu comme médecin. Il me considérait comme son ami. C'était un malade intelligent. Il traitait rationnellement les choses, y compris les petits ennuis de santé[1]. »

Dans les années soixante-dix, alors qu'il est doyen de la faculté de médecine, des propos méprisants qu'il aurait tenus à l'égard d'étudiants non fassis d'origine modeste font le tour du royaume. « Loin de moi de telles idées ! » répond-il avec avec humeur quand on évoque ce sujet. Il affirme qu'il se contentait de « plaisanter » avec ses malades et que ses anciens étudiants peuvent le confirmer.

Sa proximité avec Hassan II conduit ce dernier à suggérer à l'Istiqlal, en 1977, de le proposer comme ministre de l'Éducation nationale : « Ce n'est pas le PI qui m'a présenté. "Si vous voulez ce ministère, leur a dit Hassan II, prenez Laraki !" Ils avaient un autre candidat que Hassan II a refusé. Apparemment, poursuit-il, le roi me prenait pour quelqu'un de sérieux. C'étaient de très grosses responsabilités. Il avait confiance en moi pour ne pas politiser l'Éducation nationale. Je ne pouvais pas politiser ce noble département. La situation était alors dominée par un certain nombre de reliquats de la période coloniale, du Protectorat, à savoir que la langue du pays était toujours marginalisée, les sciences étaient enseignées en français dans le primaire et le secondaire. Le second problème tenait au manque d'enseignants qualifiés. Il n'y avait que onze licenciés en mathématiques qui enseignaient dans les lycées. Chaque année, c'était la croix et la bannière pour recruter du personnel enseignant. On faisait appel à la France, à la Belgique, au Québec, on allait jusqu'à la Roumanie, car cela ne suffisait pas… »

---

1. Entretien avec l'auteur.

Mais le ministre entend voir plus loin : « Sur le plan théorique, il me paraissait normal que le Maroc soit indépendant au niveau linguistique, d'autant que l'arabe est la langue nationale. Les inspecteurs français me disaient d'ailleurs que les élèves ne compreraient rien. Bref, progressivement, on est passé du français à l'arabe, grâce à la France et à ses enseignants qui nous ont aidé à créer des écoles normales supérieures pour former des enseignants. »

À tous ceux – nombreux – qui lui reprochent d'avoir fait le lit des islamistes, Ezzedine Laraki répond qu'à son arrivée l'Université était « totalement entre les mains de l'opposition, avec l'idéologie marxiste-léniniste [...]. J'ai alors créé, dit-il, la filière "Sciences islamiques" avec le roi et le parti de l'Istiqlal [...]. Malheureusement, nous n'en avons pas fait une filière réduite, mais on l'a ouverte à tout le monde. C'est la faute aux doyens qui n'ont pas su doser les choses. Ils ont laissé faire. À l'époque, les besoins étaient énormes. Rappelez-vous quand les problèmes islamiques ont commencé à se poser de par le monde... »

Ezzedine Laraki prend pour le moins quelques libertés avec la vérité. Dans une enquête fouillée, l'hebdomadaire *Tel Quel*[1] a montré comment il avait complètement détourné de ses objectifs la Commission nationale, créée en 1976 par le ministre de la Culture de l'époque, Ahmed Bahnini, pour remettre à niveau l'enseignement de la philosophie : en imposant, à côté de véritables intellectuels comme Noureddine Saïl et Mohamed el-Ayadi, des politiciens bornés liés à l'Istiqlal, dont l'un, par exemple, traitait Hegel de « fou à lier » ; en laissant un autre istiqlalien, Mohammed Belbachir, militer contre la philo à l'Université ; enfin, en permettant à quatre Égyptiens, dont deux *fqihs* venus tout droit d'al-Azhar, participer aux travaux ! Laraki se range résolument du côté de ces gens convaincus que la vérité n'existe pas hors du Coran, et finit par clore sèchement le débat en déclarant à Saïl : « Je n'ai pas envie d'écouter de la philo à jeun ! » En outre, le ministre ne trouve rien de mieux à faire que prendre comme conseiller un président d'association de parents d'élèves, Driss Kettani, connu pour ses positions rétrogrades[2].

---

1. « Comment l'État a tué la pensée », par Driss Ksikes.
2. En septembre 2002, il est à l'origine d'une *fatwa* contre une soirée œcuménique regroupant dans la cathédrale de Rabat musulmans et chrétiens.

En fait, Laraki ne fait qu'exécuter avec zèle la politique de Hassan II. Ayant décidé de faire revenir l'opposition au pouvoir, l'arabisation et ses corollaires apparaissent au souverain « comme le gage fort qu'il peut offrir à peu de frais à l'Istiqlal », écrit Pierre Vermeren[1]. Qu'il le déplore ou non, l'ancien ministre de l'Éducation a donc largement contribué à créer, selon le mot de Driss Ksikes, « un nouveau profil d'étudiants rabâcheurs et sans imagination ». À cela s'ajoute l'islamisation des esprits, qui a conduit des étudiants de plus en plus nombreux à « parler de maths islamiques, d'économie islamique, de médecine du Ramadan ». Mais le plus grave, ce sont ces générations de Marocains « privées du privilège de penser », et « ces tonnes de matière grise définitivement perdues »[2].

Par ailleurs, Ezzedine Laraki affirme qu'il n'y a jamais eu de grève pendant les neuf années où il a été ministre, et que la police n'est pas entrée à l'Université. « Tout le monde me respectait ! » Mais, là encore, les faits sont têtus : en janvier 1979, puis à l'automne 1980, à Oujda où l'université est fermée, et plus encore durant l'hiver 1983-1984, de violents incidents opposent lycéens et étudiants à la police…

L'ancien ministre reconnaît cependant des erreurs : « L'une d'entre elles est de n'avoir pas intégré l'école dans le reste du développement urbain. On va dans un douar, on crée une école, mais l'hiver, faute de pistes, personne ne peut s'y rendre. »

C'est en 1984 que Laraki quitte le PI alors que celui-ci est encore au gouvernement pour préparer les élections. « À l'époque, affirme-t-il, le laxisme était tel qu'un élève passait en moyenne à l'école primaire douze ans au lieu de six. Nos moyens étaient très faibles, le FMI veillait. Il fallait donc réduire les possibilités de redoublement pour que de nouveaux élèves puissent être admis. L'Istiqlal était politiquement contre. Je suis passé outre. La presse du parti a commencé à m'attaquer. Boucetta était sous l'emprise de l'UGTM. J'ai envoyé une lettre de démission, mais on ne s'est jamais brouillés. »

Deux ans plus tard, il succède à Karim Lamrani. Il reste en poste six années, égalant presque le record d'Ahmed Osman, avant de céder

---

1. In *École, élite et pouvoir au Maroc et en Tunisie au XXe siècle*, Tunis, Alizés, 2003.
2. Commentaire d'Ahmed Réda Benchemsi, directeur de *Tel Quel*.

de nouveau la place à Karim Lamrani. Quand on lui demande de dresser le bilan de cette période, c'est un tableau confondant de simplicité et parfois idyllique qu'il brosse :

« Nous avons réussi à gérer ce qui était gérable. Nous n'avons pas fait de fausses dépenses. Une collaboration très étroite s'est établie avec un Parlement très actif. La concertation était excellente. Nous avons obtenu la confiance ; le roi avait dit que la question devait être posée. Mes rapports ont toujours été extrêmement cordiaux avec tout le monde. Pour moi, l'essentiel de cette période a été la consolidation du régime parlementaire, le gouvernement et le Parlement exerçant, chacun de son côté, leurs prérogatives[1]. »

Classe politique muette…

Effectivement, au sein d'un Parlement largement dominé par les « partis administratifs », inconditionnels du Palais et perméables aux pressions du ministère de l'Intérieur – auquel la plupart des députés de ces formations doivent leur carrière –, le Premier ministre peut, sans surprise, se féliciter de sa « collaboration très étroite » avec le Parlement. Les débats de fond dans ce Parlement croupion sont d'autant moins vraisemblables que l'absentéisme fait des ravages. En outre, la classe politique, « largement engagée dans les affaires », redoute, tout autant que le secteur privé, « le contrecoup social de la politique de rigueur »[2], et fait le dos rond…

Vivement irrités par l'absentéisme de leurs collègues, sans doute trop occupés à gérer leurs intérêts, les minoritaires de l'USFP, du PI et du PPS multiplient d'ailleurs les appels à une réanimation du Parlement et à une réhabilitation de l'opposition. Des déclarations faites à cette époque dans *Lamalif* par Abderrahim Bouabid, Abdelhaq Tazi, Ali Yata – et même Ahmed Osman, à la recherche d'un brevet de respectabilité – vont toutes dans ce même sens[3].

---

1. Entretien avec l'auteur.
2. *Annuaire de l'Afrique du Nord*, année 1987, p. 764.
3. *Lamalif*, n°s 184 à 186, février et mars 1987.

Bien loin d'imprimer sa marque sur le cours des événements, comme son prédécesseur, le nouveau Premier ministre adopte un profil bas en réussissant, dans l'ensemble, à se tenir à l'écart des querelles qui agitent la société marocaine. L'arrivée de Mohammed Berrada au ministère de l'Économie est en réalité le seul fait à signaler dans la composition du nouveau gouvernement. Avec son prédécesseur Abdellatif Jouahri, resté en fonctions cinq ans – et coiffé par Karim Lamrani –, ce technicien habile, bien en cour et qui entretient de bonnes relations avec les milieux financiers internationaux, est le véritable maître d'œuvre de la nouvelle politique économique et financière du royaume. Bardé de diplômes – doctorat en sciences économiques, Institut d'études politiques de Paris, ESCAE, DES de droit privé –, il dispose de la durée pour mener à bien sa tâche. Autant Hassan II a pu jouer naguère sur les postes ministériels pour attirer les chalands, multipliant les nominations, les départs, les changements, les mutations, autant il semble avoir compris que la durée était parfois la condition de la réussite. Si le ministère de l'Intérieur, où Driss Basri a sévi plus de vingt ans, en est le meilleur exemple, l'Économie en est un autre, en tout cas dans les périodes les plus sensibles qu'ait traversées le royaume. L'ambassade à Paris – la France est le premier fournisseur et le premier client du Maroc – viendra récompenser en 1994 cette brillante carrière.

Décidée à lutter contre l'apathie de la vie politique, l'opposition accueille favorablement un appel lancé au cours de l'été par le PPS lors de son IVe Congrès national[1] et invitant les « forces démocratiques et progressistes » à s'unir afin de réaliser un programme de salut national. À la fin du même mois, Bouabid donne une suite favorable à cette suggestion devant le Comité central de l'USFP en indiquant que son parti est prêt à rechercher un rapprochement unitaire avec tous les partis démocratiques et nationaux sur la base d'une plate-forme commune minimale. Mais si le pouvoir et ses affidés se félicitent discrètement de l'attitude raisonnable de l'USFP, il ne fait aucun geste significatif pour détendre l'atmosphère. Test significatif : le retour du *fqih* Basri, symbole d'une gauche radicale, ne se traduit pas dans les faits, en dépit des espoirs de ses amis. Quant aux détenus

1. Du 17 au 19 juillet 1987. Voir également *Lamalif,* septembre 1987.

politiques, ils restent croupir en prison. Pour ceux qui l'auraient oubliée, l'évasion manquée[1] des quatre enfants de la famille Oufkir rappelle le caractère implacable du régime. Du côté de la majorité, comme le relève avec humour Jean-Claude Santucci[2], la rentrée politique d'automne « a noyé dans les eaux dormantes de l'immobilisme tout espoir d'une relance ou d'une réorientation du jeu politique. Confinées dans une stérile expectative et quelque peu abusées par le flou et l'imprécision des enjeux, les formations de la majorité semblent traverser une crise d'efficacité politique qui les plonge dans une sorte de malaise existentiel et identitaire ».

C'est particulièrement vrai du Mouvement populaire qui, après avoir « tué le père[3] » l'année précédente, ne parvient pas à se libérer du poids des allégeances à son leader déchu, la nouvelle direction n'ayant pas encore « réussi à se constituer une légitimité de rechange par rapport à la pratique des "petits services" qu'utilisait M. Ahardane dans l'exercice de ses fonctions ministérielles pour défendre le particularisme rural et berbère. Placé à la tête du même ministère, M. Laenser ne dispose pas, depuis la création de l'Office des PTT, d'une marge de manœuvre suffisante pour tenter de supplanter son prédécesseur dans cette logique très utilitariste des responsabilités gouvernementales[4] ».

À l'Union constitutionnelle qui s'estime sous-représentée au gouvernement, on découvre brutalement les indélicatesses du pouvoir. Le ministre du Commerce, Tahar Masmoudi, est grossièrement congédié à la suite d'un différend avec le directeur d'un office d'État, par ailleurs dirigeant du RNI. Le Palais cesse en même temps d'aider financièrement le magazine du parti, *Le Message de la Nation*. Pas assez de lecteurs ? Mauvais perdant, le patron, Maati Bouabid, prend la parole au congrès du PPS et, pis encore, est absent lors de l'élection d'Ahmed Osman à la présidence du Parlement...

---

1. Après le second coup d'État de 1972, Hassan II fait enfermer l'épouse du général Oufkir et ses dix enfants dans des bâtisses à l'écart de tout. Le calvaire de la famille a été raconté par la mère, Fatima, et deux de ses enfants Malika et Raouf.

2. Chroniques politiques marocaines, 1987.

3. Mahjoubi Ahardane a été mis en minorité par ses amis politiques, excédés par son autoritarisme et son fonctionnement antidémocratique.

4. *Annuaire de l'Afrique du Nord*, *op. cit.*, année 1987, p. 613.

Osman, que les déboires de l'UC ne consolent pas vraiment, rêve déjà d'une formule gouvernementale orientée au centre gauche et impliquant de nouvelles alliances avec la gauche. Il lui faudra encore attendre une dizaine d'années pour y parvenir...

Tandis que les petites gens sont frappées de plein fouet par les très fortes augmentations des produits de première nécessité – de 30 à 90 % au cours des deux dernières années pour la farine, l'huile, le gaz butane, le lait –, le gouvernement poursuit sa politique d'ajustements. Le pouvoir se doit d'être d'autant plus intraitable sur le plan sécuritaire que salaires et traitements ne bougent pas, faute de moyens. Le rapport de la Banque du Maghreb sur l'exercice 1987 indique que 6 % des ménages les plus riches consomment autant que la moitié la plus pauvre du pays !

Comme s'il était nécessaire de compliquer davantage encore la tâche des autorités, le FMI et la BIRD poussent dans le même sens que l'opposition en estimant que libéralisation et démocratisation du régime conditionnent le succès des réformes entamées !

C'est à cette même époque que démarrent les travaux de la Grande Mosquée Hassan-II de Casablanca, la plus imposante d'Afrique. Ils permettent au souverain de réoccuper habilement le champ religieux, personne ou presque, au Maroc, n'osant mettre en cause un tel projet. Une vaste souscription, pilotée par l'incontournable Driss Basri, est ouverte le 8 juillet 1988, à laquelle chaque Marocain est invité à apporter son écot. « Quand le roi demande une souscription comme celle-là, souscrire, c'est faire acte de double allégeance : à l'institution monarchique et à la personne du roi, car il ne s'agit pas d'argent », tranche Moulay Ahmed Alaoui, directeur du *Matin*, chargé de diffuser la bonne parole auprès de patrons pas toujours enthousiastes[1].

Tranquille en son pays, le roi – d'ailleurs fort agacé par de telles interpellations – est en revanche fréquemment appelé par la presse étrangère à justifier une initiative jugée excessivement dispendieuse. De fait, la souscription ne se contente pas seulement de ponctionner sévèrement les revenus des Marocains, mais tourne souvent au racket pur et simple afin d'assurer le financement de l'ouvrage.

---

1. Devant les représentants de la Confédération générale économique marocaine (CGEM), Casablanca, 27 juillet 1988.

Début septembre, 3 milliards de dirhams ont ainsi été collectés. Quelques donateurs étrangers – comme Charles Pasqua qui fait don de 50 000 francs – s'associent au projet.

Mais tous les esprits chagrins qui, en France ou ailleurs, ne perçoivent l'événement qu'à travers le prisme de leurs préjugés à l'égard de la monarchie marocaine ne peuvent détourner Hassan II de son noble dessein. Le paradis lui est désormais acquis puisque, selon un *hadith* célèbre, « quiconque a construit une mosquée où est invoqué le nom de Dieu, le Très Haut lui construira une demeure au paradis ».

Une bonne nouvelle ne venant jamais seule, le Maroc connaît en 1988 le plus fort taux de croissance depuis l'indépendance, avec une augmentation de 10 % de son PIB. Les pluies abondantes entraînent d'excellentes récoltes – près de 80 millions de quintaux pour les principales céréales –, tandis que les phosphates, dont les prix sont repartis à la hausse après quelques années de vaches maigres, assurent d'importantes rentrées. À cela s'ajoute la baisse du prix du pétrole qui réduit sensiblement la facture énergétique. Directeur général du FMI, Michel Camdessus envisage « avec optimisme » un avenir qui nécessitera cependant « la poursuite des disciplines que le Maroc a sagement choisi d'adopter »[1].

… et Parlement imaginaire

Le « Parlement imaginaire[2] », lui, ne fait rien, ne dit rien. Devant le groupe parlementaire de l'Istiqlal, l'un de ses plus éminents représentants, Abdelhaq Tazi, pose la question : « Pourquoi vient-on à la Chambre des représentants[3] ? » L'opposition déplore que les propositions de loi ne viennent pratiquement jamais en discussion : une seule loi d'origine parlementaire est votée en 1988, et elle est de caractère technique ! Les grandes questions économiques sont soigneusement évitées, et la politique étrangère relève du domaine réservé de

---

1. Lors d'un passage à Rabat en juillet 1988.
2. L'expression est d'Alain Claisse, *L'Expérience parlementaire au Maroc*, Rabat, Toubkal, 1985.
3. Réunion à Tanger le 11 septembre 1988, cité par l'*Annuaire de l'Afrique du Nord*, *op. cit.*, année 1988, p. 681.

Sa Majesté. Dans un tour d'horizon complet des pratiques parlementaires marocaines de l'époque, Jean-Pierre Bras note que les deux tiers des questions orales restent sans réponse, que c'est pis encore pour les questions écrites, et que les règles procédurales sont allégrement malmenées : absence de convocation du bureau de l'Assemblée qui détermine l'ordre du jour des séances de questions, absentéisme des ministres qui ont sans doute compris l'inanité et la vacuité de cette institution pourtant si prisée du monarque, etc.[1] ! Cela n'empêche pas ce dernier, recevant le 27 décembre 1988 le bureau de la Chambre, de rappeler l'importance qu'il accorde à cette assemblée, censée contrôler le gouvernement dans le cadre d'une Constitution « souple » mais « susceptible d'être améliorée et enrichie ».

La fin des années quatre-vingt voit aussi se développer les associations régionales dirigées par des personnalités toutes proches du pouvoir. Mohammed Mediouri, grand patron de la sécurité royale, a ouvert le bal à Marrakech avec l'association Grand Atlas ; Abdelfettah Freij, directeur du secrétariat particulier du roi, l'a immédiatement suivi à Rabat avec Ribat al-Fath ; Mohammed Aouad, autre conseiller à Salé, avec l'association du Bou Regreg ; Mohammed Kabbaj, à Fès, avec Fès Saïss. Puis sont venus le Grand Casablanca en juillet 1988 ; et Oujda, un mois plus tôt, présidée par Ahmed Osman. Si l'objectif est le développement économique et socioculturel de la région avec l'organisation de colloques, de journées d'études, d'expositions et autres manifestations, nombreux sont ceux qui s'interrogent sur la finalité de ces associations et craignent qu'elles n'empiètent sur l'administration ou les partis. Compte tenu de la personnalité de leurs présidents, elles offrent en effet aux notables des villes concernées un accès direct aux centres de pouvoir. Comme le souligne Jean-Pierre Bras[2], « il est aisé de comprendre que l'apparition des associations régionales puisse inquiéter les acteurs du *makhzen* traditionnel (à dominante rurale) et les partis politiques de l'opposition… et de la majorité. Car ces associations vont venir concurrencer les partis sur un terrain qu'ils ne négligent pas, celui de la clientélisation de la société, mais aussi, le cas échéant, sur la scène

---

1. *Ibid.*, p. 682.
2. *Ibid.*

503

politique nationale en servant de socle à la constitution de nouvelles formations politiques ».

En réalité, les craintes exprimées par certains partis, notamment le Mouvement populaire, toujours prêt à se porter au secours du rural contre le citadin, ne se révèlent qu'à demi fondées. Le pouvoir, qui peut déjà s'appuyer sur de « puissants » partis administratifs, n'a pas vraiment besoin d'en créer d'autres, même si la tentation de diviser ne l'abandonne jamais, comme on le verra plus tard avec, par exemple, les créations, à gauche, du Front des forces démocratiques (FFD) et du Parti social démocratique (PSD), perçues par le PPS et l'OADP comme dès « nids de traîtres » à la solde du ministère de l'Intérieur auquel ils devront leur existence.

En revanche, les associations sont là pour rappeler aux dirigeants des formations politiques, quelles qu'elles soient, que la capacité de récupération du *makhzen* est presque infinie. Toute l'histoire de la monarchie marocaine depuis l'indépendance a tendu à éliminer ou à affaiblir durablement toute opposition, y compris par la violence ou par l'argent quand il n'était pas possible de faire autrement. Mais le pouvoir sait aussi recourir à des moyens plus subtils, susceptibles de séduire l'intelligentsia. La création des associations régionales, avec son cortège de manifestations culturelles et d'activités « nobles », entre dans le cadre d'une politique nouvelle initiée par une monarchie à moitié apaisée, qui a moins besoin de montrer sa force.

Poussé par les grandes institutions financières internationales, par ses amis européens, mais aussi par une société civile – mouvement associatif et partis d'opposition, notamment – qui n'a pas renoncé à voir changer les choses, le Palais est contraint de ravaler une façade fissurée de partout. Mais il ne faut cependant pas rêver. Dans un de ses nombreux éditoriaux du *Matin*[1] supposés exprimer fidèlement la pensée du souverain, Moulay Ahmed Alaoui fixe les limites des concessions auxquelles le pouvoir est disposé en matière de libertés publiques. Selon lui, « les atteintes aux institutions, à la monarchie, à l'islam, à la démocratie et à l'intégrité territoriale » ne peuvent être considérées comme des « délits politiques », mais comme des « délits de droit commun », parce qu'il s'agit de « principes inviolables et

---

1. En date du 8 octobre 1988.

sacrés » consacrés par la Constitution. Pour Hassan II, il n'y a donc pas de prisonniers politiques. Interrogé sur le cas d'Abraham Serfaty, le premier visé par ces remarques, Hassan II répond que ses demandes de libération seront prises en compte le jour où « il dira publiquement et écrira publiquement qu'il a fait une erreur et qu'il est prêt à militer pour le retour du Sahara à la mère patrie[1] ».

En septembre 1989, alors qu'il se rend officiellement pour la première fois en Espagne depuis sa montée sur le trône, Hassan II, après avoir affirmé aux médias espagnols que Serfaty, s'il était relâché, serait « lynché », précise sa pensée, ce qu'un bon connaisseur du royaume appelle « les trois bornes des espaces de liberté[2] » qui sont : l'obligation de neutraliser les opposants quand ils commettent des crimes contre l'islam, la monarchie et le Sahara. « En dehors de ces trois cas, affirme le monarque, je n'ai pas le droit de punir les délits d'opinion[3]. »

Hassan II n'a peut-être pas le droit de punir d'autres délits d'opinion mais son entourage, lui, ne s'en prive pas. Le directeur de *L'Opinion*, Mohammed Idriss Kaïtouni, est ainsi condamné à deux ans de prison pour avoir publié un communiqué commun de deux organisations de défense des droits de l'homme, relatif à des décès intervenus pendant une garde à vue. Sa Majesté estime en effet que « déballer devant tout le monde nos problèmes intérieurs est un péché mortel ». Rendons néanmoins justice au souverain : il fait rapidement libérer le journaliste après intervention des... *chorfa idrissa* auxquels le journaliste est lié par le sang.

C'est également à cette époque que disparaissent deux des meilleures revues francophones du Maroc. *Kalima*, créée trois ans plus tôt, apportait un air frais en traitant les sujets de société avec un courage et une franchise qui ne pouvaient que déplaire aux apparatchiks étriqués du ministère de l'Intérieur. Un peu plus tard, c'est au tour de *Lamalif*, plus austère, de disparaître après avoir nourri avec rigueur pendant plus de vingt ans le débat politique et culturel. Là encore,

---

1. Interview à *France-Inter*, décembre 1988.
2. Jean-Pierre Bras, *Annuaire de l'Afrique du Nord, op. cit.*, année 1989, p. 609.
3. Interview à la presse espagnole, le 24 septembre 1989.

les censeurs du royaume rappellent leur aversion pour les têtes qui dépassent !

Ce bilan pour le moins contrasté conduit Jean-Pierre Bras à écrire justement : « La délimitation des espaces de liberté est donc commandée par ce paradoxe de l'énonciation : énoncer la démocratisation suppose l'ouverture d'espaces de liberté où des contre-pouvoirs vont dénoncer l'absence de démocratisation et donc menacer la crédibilité de l'énoncé […]. Sortir de ce cercle vicieux supposerait une réforme de la législation et de l'appareil répressif[1]. »

Les congrès de l'USFP et de l'Istiqlal (printemps 1989)

En cette fin de décennie, les deux grands partis historiques, l'Istiqlal et l'USFP – seules formations, quoi qu'en disent les thuriféraires du régime, à pouvoir encore peser sur son orientation –, tiennent leur congrès un an avant la date prévue pour les élections législatives.

Le Ve Congrès de l'USFP, réuni du 30 mars au 2 avril à Rabat, se déroule de façon plus paisible que celui de 1984. Leader historique, Abderrahim Bouabid, reconduit à la tête du parti, écrase de sa forte personnalité une formation dont le Bureau politique est élargi à quinze membres ; six nouveaux membres y font leur entrée : Fathallah Oualalou, Noubir Amaoui, Mohammed Guessous, Lahbib Cherkaoui, Abdelmajid Bouzoubaa et Abdelouahad Radi.

Seul trublion notoire, Noubir Amaoui, patron de la CDT, critique vivement le groupe parlementaire et sa ligne électoraliste. Il dénonce aussi les rivalités personnelles qui, selon lui, influent de façon négative sur les orientations du parti. Agacé, Bouabid quitte la salle pendant son intervention. L'analyse d'Amaoui est sans doute juste, mais le parti, en attendant des temps meilleurs, peut-il faire autre chose que se faufiler dans les rares interstices laissés par le pouvoir ? Déjà se font jour les profonds désaccords entre intellectuels et ouvriers, ou entre parti et syndicat, sur la nature des relations avec le pouvoir, conflits qui conduiront aux ruptures de la fin du siècle et

---

1. *Annuaire de l'Afrique du Nord*, *op. cit.*, année 1989, p. 609.

des années suivantes. Pour l'heure, Bouabid tient encore tout ce petit monde…

À vrai dire, les points de convergence entre le pouvoir et un parti qui se « social-démocratise » de plus en plus se multiplient. Même si des modifications sont vivement souhaitées, les institutions ne sont plus mises en cause depuis 1975, la politique étrangère ne fait pas problème ; il n'y a guère que dans le domaine économique où le libéralisme ne passe pas. L'analyse de Rémy Leveau sur le mémorandum de l'USFP remis à Hassan II en octobre 1984 est encore d'actualité[1]. Le parti rejette toujours les politiques d'ajustement préconisées par les institutions financières internationales et déplore que le Maroc soit « peut-être le seul pays à obéir avec une docilité remarquable aux recommandations du FMI et de la Banque mondiale[2] ». La privatisation réclamée par ces mêmes institutions et programmée par les autorités marocaines n'a pas plus de succès. Pour l'USFP, il s'agit d'un « faux débat » et d'une mesure qui ne peut convenir à un pays « encore sous-développé ». Il ne convient pas de réduire le secteur public, mais de le rationaliser. Une véritable réforme fiscale est également réclamée. Tout cela rend évidemment bien peu vraisemblable la participation des socialistes marocains à un gouvernement de coalition.

C'est un peu le même scénario que vit l'Istiqlal lors de son XIIe Congrès, réuni du 19 au 21 mai 1989 à Rabat. M'hammed Boucetta, dirigeant historique, est reconduit à la tête du parti, quinze ans après avoir succédé à Allal el-Fassi. Son *leadership* est cependant discuté, à défaut d'être véritablement contesté par le retour de M'Hammed Douiri, mis en congé du parti depuis 1985 en raison notamment de la non-convocation du congrès à l'échéance statutaire. Sa nomination comme secrétaire général adjoint, lors du Conseil national du mois de juin, ouvre la possibilité de certaines inflexions du parti dans son fonctionnement et ses orientations. Les deux hommes ont des personnalités très différentes. Plus spontané, plus imprévisible, Douiri s'efforce de séduire les jeunes et les femmes ;

---

1. « Stabilité du pouvoir monarchique et financement de la dette », *Maghreb-Machrek*, n° 118, octobre 1987.
2. Rapport du Bureau politique.

il souligne en même temps son attachement à l'islam ; tout cela va un peu dans tous les sens... Sans doute moins brillant, Boucetta, organisateur efficace, a les pieds sur terre et ne rêve pas ; il aime à s'entourer de professionnels ; il entretient aussi – atout considérable ! – de bons rapports avec le Palais qui se méfie de Douiri et de ses sautes d'humeur.

Comme celui de l'USFP, le programme de l'Istiqlal est fort éloigné des thèses défendues par les experts libéraux de la Banque mondiale. L'étranger est suspect, la tentation protectionniste présente. Il n'y a que sur les privatisations que le parti se montre plus ouvert, les divergences avec le pouvoir portant essentiellement sur le choix des entreprises privatisables.

En revanche, l'approche de chacun des deux partis sur le type de société dont le Maroc doit être doté est radicalement différente. Le discours sur l'identité arabo-musulmane du royaume, où le nationalisme se nourrit du religieux, n'est pas vraiment la tasse de thé des socialistes. Or c'est à une véritable surenchère que se livre le PI : création de banques islamiques, choix du vendredi comme jour férié, vente d'alcool aux musulmans prohibée, renforcement des études islamiques, contrôle des médias pour les protéger des influences étrangères, etc.

Ainsi, d'un côté comme de l'autre, l'adhésion au jeu institutionnel s'accompagne de programmes qui restent assez largement fidèles aux orientations des pères fondateurs : du côté socialiste, une économie dirigée et planifiée que n'aurait pas reniée Ben Barka trente ans plus tôt ; du côté du PI, un socialisme égalitariste où la marque de l'islam est omniprésente, et qu'Allal el-Fassi n'aurait pas désapprouvé...

Les tendances dirigistes et étatistes de l'opposition, totalement à contre-courant de la philosophie du gouvernement, conduisent, en mai 1990, les quatre partis d'opposition – outre le PI et l'USFP, le PPS et l'OADP – à présenter, pour la seconde fois dans l'histoire du Parlement marocain, une motion de censure contre la politique du cabinet Laraki. La motion met en cause « l'improvisation et la confusion qui marquent la politique financière et économique du gouvernement, totalement soumis aux recommandations des institutions financières internationales [...], la restriction continue des droits et libertés publics et individuels », ainsi que « l'extension de la corruption, la propagation de la concussion, le népotisme, le trafic d'influence et la multiplication des dépenses ostentatoires ». Sans surprise, le 20 mai 1990, la motion est repoussée par 200 voix contre 82. Mais l'opposition, en quête de crédibilité, est satisfaite : son message « social » est passé et elle commence à songer sérieusement à revenir, unie, au pouvoir. Encore faut-il qu'elle obtienne le départ de ce gouvernement « brutal » qui, selon les communistes locaux, « dénude les masses en haillons pour habiller les bailleurs occidentaux ». Elle entend aussi parvenir à la mise en place d'institutions crédibles, ce qui suppose qu'un terme soit mis à l'existence de ce Parlement « illégitime », et que se tiennent de nouvelles élections.

L'invasion du Koweït par l'Irak et la première guerre du Golfe qui suit ne contribuent pas non plus à améliorer les relations du Palais avec l'opposition. Compte tenu des liens du régime avec le monde occidental, et sans doute aussi par conviction, Hassan II condamne l'invasion du petit émirat par les troupes de Saddam Hussein. Gêné aux entournures, soucieux de ne pas critiquer le monarque, mais aussi partagé entre son hostilité aux régimes militaires arabes et son aversion pour les ingérences de l'Occident dans les affaires arabes, l'Istiqlal privilégie, à travers sa presse, l'information la plus large possible. Une fois de plus, M'hammed Douiri se montre plus tranchant que ses camarades en s'élevant contre « le complot des impérialistes, des sionistes et des croisés[1] ». L'USFP pourrait passer, à l'époque, pour la branche marocaine du Ba'ath irakien : ses responsables et sa presse – sans ostentation, il est vrai – se montrent extrêmement compréhensifs pour le point de vue de Saddam Hussein. On voit mal, en effet, des socialistes arabes venir au secours des cheikhs du Golfe... Mais les manifestations qu'ils programment, notamment pour le 3 septembre, sont interdites.

De leur côté, qu'il s'agisse de politique étrangère, où ils s'alignent totalement sur le Palais, ou de politique économique, les partis de la majorité ignorent les états d'âme : tout à fait dans la ligne libérale, l'Union constitutionnelle condamne, lors de son second congrès, réuni début juin à Casablanca, « la multiplication des établisse-

---

1. Déclaration en date du 30 septembre 1990.

ments publics et le nombre pléthorique de bureaucrates qui s'y rattachent[1] ».

L'UC, qui, quoique premier parti de la majorité, tourne à vide et n'a pratiquement aucune influence sur les orientations du gouvernement, prend quelques libertés avec ce dernier, sans doute dans l'espoir de se donner un minimum de crédibilité. Le projet de budget est critiqué, on refuse de voter un texte portant création de l'Office des ports, et on découvre l'importance du respect des droits de l'homme. Mais, hormis le fait d'avoir rempli les travées du Parlement et ainsi conforté la coalition pro-gouvernementale, ce parti, qui ne sert que les intérêts de ses membres les plus importants (ministres et députés grassement rémunérés), est déjà menacé par une nouvelle formule parlementaire dont il sera le premier à faire les frais.

Dans le même genre, le RNI fait montre de beaucoup plus de culot. Il n'hésite pas à se démarquer du FMI et de la Banque mondiale en condamnant les politiques préconisées par les deux institutions. Il irait presque jusqu'à donner raison à Mahjoubi Ahardane selon qui, « avec le temps, même ces créations artificielles deviennent des réalités[2] ». L'aversion qu'éprouve pour Driss Basri son chef Ahmed Osman contribue également à brouiller les cartes.

Mais, une fois de plus, les règles du jeu politique sont subordonnées à l'autorité monarchique, « toujours susceptible d'activer à son profit le registre légitimatoire par le recours direct au peuple – référendum ou *beïa*[3] ». Prétextant cette fois la difficulté d'organiser des élections incluant ou excluant les provinces sahariennes, le roi annonce, le 22 novembre, l'organisation d'un référendum sur le report de deux ans des élections générales. Pour ne pas briser le consensus sur le Sahara, l'opposition, qui s'est regroupée (PI, USFP, PPS, OADP), approuve ce report tout en soulignant que « cela ne signifie en aucun cas qu'elle accepte de cautionner les assemblées actuelles[4] ».

---

1. Discours de Maati Bouabid, réélu à la tête de l'UC.
2. Entretien avec l'auteur.
3. Jean-Pierre Bras, *Annuaire de l'Afrique du Nord, op. cit.*, année 1989, p. 619.
4. *L'Opinion*, 29 novembre 1989.

V

L'alternance en perspective

L'alternance à la manière de Hassan II – c'est-à-dire une alternance étroitement contrôlée, presque le contraire d'une véritable alternance démocratique – va être au centre de la vie politique marocaine tout au long des années quatre-vingt-dix, du moins jusqu'à ce qu'Abderrahmane Youssoufi accepte, après nombre de péripéties, de devenir Premier ministre en 1998.

Avant d'en arriver là, le Maroc vit un certain nombre d'événements graves qui poussent Hassan II sinon à lâcher du lest, du moins à donner à ses amis et bailleurs de fonds occidentaux le sentiment qu'il est décidé à tourner la page des longues et sombres années que le royaume a connues depuis qu'il est sur le trône. Tout cela ne se fait pas sans pleurs ni grincements de dents. Les pressions d'Amnesty International, celles des associations marocaines de défense des droits de l'homme, au Maroc et en Europe, la parution du livre de Gilles Perrault *Notre ami le roi*, qui provoque un petit séisme au début de la décennie, agacent prodigieusement le pouvoir marocain. Celui-ci, fort de quelques succès dans les domaines économique et financier, ainsi que des encouragements des institutions financières internationales, était prêt à consentir quelques gestes et à donner l'image rassurante d'un pays stable et apaisé. 1990 devait d'ailleurs être l'« année du Maroc ». Malheureusement pour eux, les belles intentions des dirigeants marocains se heurtent à une réalité incontournable : dès le mois de février, Amnesty International, dont une délégation a été reçue peu auparavant par Hassan II, rend public, le 20, un rapport qui constitue un véritable camouflet pour le royaume. L'organisation de défense des droits de l'homme dénonce « le recours systématique à la torture et aux mauvais traitements contre les personnes maintenues en garde à vue au Maroc », et demande au souverain de mettre un terme à ces abus. Amnesty est aussitôt accusée de « falsification », d'« attitude provocatrice », de pratiquer « la subversion et la déstabilisation », et, cerise sur le gâteau, de faire d'Israël un « État tabou et intouchable ». Mais, une fois passé ce coup de sang, le roi, toujours sensible à l'image de son pays à l'étranger, opte pour une autocritique relativement honnête et pour « un traitement "marocanisé" des droits de l'homme[1] ». Il institue ainsi un Conseil consultatif des droits de l'homme « dont la composition et la mission relèvent d'une certaine stratégie néo-makhzénienne de contrôle social et d'intégration politique[2] ». La seule présence dans cette nouvelle instance du ministre de l'Intérieur, Driss Basri, en dit long sur les objectifs du régime et, plus encore, sur le chemin qui reste à parcourir ! Comme le disent Santucci et Benhlal, l'objectif du CCDH « ne saurait excéder les limites explicitement assignées à l'exercice des droits de l'homme et qui tiennent en une sorte de triangle sacré : Dieu, la Patrie et la Monarchie, en d'autres termes le "jardin secret" ou ces "choses" sur lesquelles on ne saurait transiger ».

Gilles Perrault, l'iconoclaste

La sortie, à l'automne, de *Notre ami le roi*, de Gilles Perrault, brise net l'offensive de charme pour le moins prématurée engagée par le Maroc. Parfois volontairement excessif dans sa formulation, mais

---

1. Selon l'expression de Jean-Claude Santucci et Mohammed Benhlal in *Annuaire de l'Afrique du Nord*, *op. cit.*, année 1990, p. 717.
2. *Ibid.*

pour mieux toucher le lecteur, le livre connaît un énorme succès. Quatre ans plus tard, interrogé par Éric Laurent, Hassan II affirme qu'il y a eu « manipulation » de la part des éditions Gallimard. « Les Français, confie-t-il en aparté au journaliste parisien, m'aiment bien. Ils m'ont vu [sur la couverture] en smoking, je suis élégant. Ils ont acheté le livre pour cela. Pour eux, c'était l'histoire d'un roi sympa[1] ! »

Laissons le roi à ses illusions. Ce qui est certain, en revanche, c'est que tout ce que la plupart des Marocains n'ont jamais osé dire se trouve mis sur la place publique avec une franchise aussi brutale que les méthodes du régime. Paradoxalement, et même si la nomenklatura marocaine n'est pas prête à le reconnaître, l'ouvrage, qui pénètre sous le manteau dans le royaume, permet de crever l'abcès. La date retenue pour sa publication est une petite merveille de marketing. Les Marocains, qui n'en peuvent plus de ces années de plomb, de cruauté, d'injustices, de mensonges et de sacrifices, n'osent s'exprimer. D'une certaine manière, le pouvoir souhaite lui aussi tourner la page. L'image que Gilles Perrault donne du régime est si exécrable que celui-ci ne peut se contenter de faire expédier des dizaines de milliers de télégrammes de protestation qui ne trompent personne. L'USFP et l'Istiqlal observent d'ailleurs un silence éloquent. Après s'être braqué – on peut le comprendre ! –, Hassan II a l'intelligence d'écouter de vrais amis du pays, comme Michel Jobert, et de faire les gestes qu'il faut. Si, conscient de l'absurdité de la situation, il renonce à l'« année du Maroc », il prend, dans les mois qui suivent, des mesures aussi fortes que douloureuses pour certains hauts dignitaires du régime pris en flagrant délit de mensonge. Ainsi les bagnards de Tazmamart, qui, selon Driss Basri, n'existaient que « dans l'imagination des ennemis du royaume », font leur réapparition – du moins la moitié d'entre eux, les autres ayant disparu dans des conditions atroces. La famille Oufkir, Abraham Serfaty – dans des conditions aussi grotesques qu'indignes – et bien d'autres détenus politiques sont libérés ou expulsés. Relâchés au milieu des années quatre-vingt après huit années de bagne dans des conditions proches de celles des détenus de Tazmamart, les membres du groupe Banou Hachem[2]

---

1. Entretien de l'auteur avec Éric Laurent.
2. Du nom d'un des jeunes gens enlevés.

révèlent, après cinq années d'un silence obligé, leur effrayante aventure : étudiants ou lycéens contestataires, le régime les a fait enlever en 1977 et mettre au secret dans une prison moyenâgeuse, à Qalaa'at M'gouna, et dans un bagne-mouroir, à Agdz. Après sa mise à l'écart du pouvoir, Driss Basri dira pour sa part du bagne d'Agdz qu'il « faisait partie de ces petites erreurs qui n'avaient rien à voir avec la détention politique[1] ».

En France, *Notre ami le roi* fait aussi grand bruit et n'amuse pas du tout les responsables français : « C'est un souvenir pénible, raconte Hubert Védrine, à l'époque secrétaire général de l'Élysée. Mitterrand s'était employé à avoir les meilleurs rapports simultanés possibles avec le Maroc, l'Algérie et la Tunisie. À chaque fois, cela posait des problèmes particuliers et différents, mais Mitterrand avait une vision claire et essayait d'améliorer chacune de ces trois relations en surmontant les obstacles. Dans le cas du Maroc, il y avait un équilibre subtil à trouver, qui tienne compte du rôle très positif du Maroc sur un certain nombre de sujets internationaux, mais aussi des aspects répréhensibles du régime. Mitterrand était en outre obligé de faire attention à une partie de l'opinion française : la gauche, les médias, etc. Donc, l'irruption du livre, sur le plan de la gestion fine de cette relation, était évidemment perturbante. Cela recréait un énorme contentieux parce que, du point de vue du Palais, et d'ailleurs d'une large fraction de l'opinion, il était impensable que ce livre n'eût pas été cautionné quelque part, n'eût pas été autorisé – ce qui n'était évidemment pas le cas ! Pour le régime marocain, ce livre était une attaque de la gauche, du fait des connexions entre Gilles Perrault, Danielle Mitterrand et d'autres. C'était une manœuvre de déstabilisation de la gauche française. Il était pourtant évident qu'il y avait, à la base de tout cela, des faits réels, et que Gilles Perrault n'avait nul besoin d'être manipulé par qui que ce soit pour faire ce bouquin ; mais ceux qui ne voulaient pas le croire ne le croyaient pas… »

Sur l'impact du livre, Hubert Védrine se montre prudent : « Il est difficile d'apprécier l'impact que cela a pu avoir sur le régime et son évolution. Je pense que beaucoup de Marocains l'ont rejeté violemment, comme une intrusion néo-coloniale française, et ont voulu

---

1. *Le Journal hebdomadaire*, 10-16 mai 2003.

croire que ce n'était qu'un tissu de mensonges. Plus tard, ils ont admis que tout n'était pas faux, qu'il y avait du vrai. D'autres savaient que c'était vrai, mais ne reconnaissaient pas à la France le droit de le dire. Et cela a préparé une partie de l'opinion marocaine, même très liée au régime, à se dire : "Après tout, il faut changer tout cela, le Maroc doit changer." Ils avaient d'ailleurs d'autres raisons de vouloir changer ! Je pense que cela a donc eu un effet en profondeur, chez une partie des Marocains, mais dans un second temps, parce que, dans un premier temps, ceux-ci se braquèrent contre cette "manipulation". Heureusement, tout cela est loin et les esprits ont évolué[1] ! »

L'entrée en guerre contre l'Irak de la coalition conduite par les États-Unis, au début de 1991, ne fait qu'aviver les tensions entre le Palais et son opposition. Comme cette dernière, la grande majorité des Marocains ne comprend pas que le roi ait pu envoyer des troupes soutenir l'« impérialisme occidental » qui ne songe qu'à défendre ses intérêts pétroliers dans la région et se moque bien du sort des populations locales. Que les monarchies du Golfe aient aidé financièrement le Maroc pendant des années dans le conflit saharien, que le royaume ne puisse se passer de l'assistance des institutions financières internationales contrôlées de près par les pays occidentaux – ces données-là échappent à la réflexion du plus grand nombre. À leurs yeux, la guerre que mène Saddam Hussein n'est pas celle d'un tyran mégalomane, mais celle d'un patriote arabe excédé par le train de vie fastueux et la conduite immorale des dirigeants des petites monarchies du Golfe. Le comportement de ces derniers n'est d'ailleurs pas sans rappeler les excès et dérives de la dynastie locale et de ses affidés. Le 3 février 1991, le régime ne peut faire autrement que laisser plusieurs centaines de milliers de Marocains exprimer leur solidarité avec l'Irak et leur profonde hostilité à la plupart des amis et alliés du Maroc : slogans hostiles à l'Arabie saoudite, à l'Égypte et à la Syrie, drapeaux américains, français et britanniques brûlés, etc. À cela s'ajoute aussi, bien sûr, l'amertume d'une population humiliée qui sent qu'elle n'a aucun moyen de peser sur la politique internationale.

Ce jour-là, tout le monde est également frappé par la présence dans le cortège de dix à quinze mille islamistes parfaitement disciplinés. Leur

---

1. Entretien avec l'auteur.

montée en puissance ne se manifeste certes pas à cette date, mais si certains doutaient encore de leur importance, la participation impressionnante des « barbus » n'a pu que leur dessiller les yeux. Avec la marche contre le projet de nouveau statut des femmes, une dizaine d'années plus tard, à Casablanca, cette manifestation hante encore la mémoire de tous les Marocains qu'inquiète l'essor du mouvement islamiste. « La guerre du Golfe, notent J.-C. Santucci et M. Benhlal, a mis à nu les ambiguïtés du jeu politique marocain et la fluidité des lignes de clivage ou de solidarité qui inspirent les comportements politiques selon qu'ils s'inscrivent dans le champ social, historique ou culturel, et qu'ils renvoient à l'échelle nationale, communautaire ou internationale[1]. »

Alors que Hassan II dirige le pays d'une main de fer depuis une trentaine d'années et que la fin du siècle approche, les conditions de vie des Marocains, qui restent difficiles, même si elles se sont quelque peu améliorées, conduisent un certain nombre d'observateurs à penser qu'il serait temps que l'opposition assume sa part du fardeau et soit davantage impliquée dans la gestion des affaires de l'État.

La situation économique et sociale du royaume en ce début de décennie est en effet loin d'être idyllique. Exemple significatif : à la mi-décembre 1990, à la suite d'un mot d'ordre de grève, à Fès éclatent des émeutes qui font cinq morts des source officielle, mais quarante-neuf selon *Al-Ittihad al-Ichtirakiya*, organe de l'USFP. Pour Hassan II, il s'agit là de l'œuvre de « bandes de criminels et de voleurs […], de trafiquants de drogue et de délinquants qui ont saisi l'occasion de la grève pour se venger des forces de l'ordre qui les harcelaient depuis des mois[2] ». Exonérant les « vrais Fassis », il accuse « des populations venues de localités avoisinantes » qui, concède-t-il toutefois, « vivent dans un habitat qui ne leur inspire pas quiétude et qui ne met pas leurs voisins en sécurité ». Cinq cent cinquante personnes sont inculpées et beaucoup d'entre elles condamnées.

Mais si une majorité de Marocains ne rêve que d'exil et de « paradis » en Occident, les progrès en chiffres absolus sont incontestables. En 1991, on ne compte plus que 14 % des ménages (contre 26,4 % vingt ans plus tôt) à être logés « sommairement », en d'autres termes

---

1. *Annuaire de l'Afrique du Nord, op. cit.*, année 1991, p. 778.
2. Dépêche de l'AFP du 3 janvier 1991.

dans des bidonvilles ou des taudis. Neuf citadins sur dix (mais seulement un paysan sur huit) disposent de l'électricité. Les proportions sont à peu près les mêmes pour l'eau courante. Si neuf Marocains sur dix étaient analphabètes au lendemain de l'indépendance, ils ne sont plus que six sur dix en 1991, les différences étant considérables entre citadins et ruraux, et plus encore entre hommes et femmes. Entre 1980 et 1990, le pouvoir d'achat du Marocain a augmenté en moyenne de 5 % par an. Concrètement, cela signifie qu'il se nourrit mieux, mange plus souvent de la viande, s'habille mieux, vit plus vieux, se soigne moins mal[1].

Ces chiffres doivent cependant être relativisés. La plupart des pays arabes ont fait beaucoup mieux sur le plan de la scolarisation. Les inégalités sociales sont aussi beaucoup plus fortes dans le royaume que dans la plupart des autres pays en voie de développement. En outre, si l'on examine les données fournies par l'ONU depuis 1991, les choses ne se sont pas du tout améliorées, comme le montre clairement l'indicateur de développement humain (IDH) : selon celui-ci, le Maroc est passé de la 111e place en 1991 à la 127e en 1999. Les Marocains ne tiennent d'ailleurs le coup que grâce à l'assistance de plus de deux millions des leurs, contraints à l'exil et qui transfèrent des milliards d'euros chaque année.

Pour faire « décoller » économiquement le pays, pour tenter de donner du travail à des dizaines de milliers de diplômés chômeurs, les autorités marocaines s'efforcent, durant toutes les années quatre-vingt-dix, une fois réalisé l'ajustement structurel, de stimuler l'économie par de nouvelles mesures : simplification des procédures administratives, création d'une Agence marocaine pour la promotion de l'investissement, instructions données aux banques de faciliter le travail des investisseurs potentiels, la création d'entreprises ou la mobilisation de l'épargne, formation permanente des cadres et techniciens, amélioration du fonctionnement des tribunaux, etc. Malheureusement, ces louables intentions se heurtent à une réalité incontournable relevée par tous les observateurs lucides du royaume. Faute de volonté politique au plus haut niveau, rien ne bouge vraiment.

---

1. Voir les enquêtes de consommation du ministère du Plan, en collaboration avec la Banque mondiale et le PNUD, notamment en 1984-1985 et 1990-1991.

La disparition d'Abderrahim Bouabid

La mort, le 8 janvier 1992, après cinquante-cinq ans de vie militante, d'Abderrahim Bouabid, dernier des dinosaures de la classe politique, est un événement considérable qui va aussi peser lourdement sur l'avenir du pays. Compte tenu de sa personnalité, de son passé et de son intelligence politique, Bouabid est sans doute le dernier homme politique marocain qui aurait pu négocier l'alternance dans de meilleures conditions pour l'opposition. Sa disparition a, d'une certaine manière, ouvert un boulevard à Hassan II qui a pu imposer toutes ses conditions à la classe politique.

À juste titre, *Jeune Afrique*[1] écrit au lendemain de son décès : « Longtemps il apparut aux yeux de ses concitoyens et dans les chancelleries comme le second personnage du royaume », bien qu'il eût pratiquement toujours été dans l'opposition. « Nul ne conteste, ajoute l'hebdomadaire, que c'est grâce à son obstination, à sa loyauté et à son sens politique que son parti n'a pas disparu dans les tourmentes cycliques de la répression. » Sans doute. Dans l'inégale partie de bras de fer qui l'a opposé toute sa vie à Hassan II, Bouabid a tenté de limiter les dégâts. Mais il faut bien admettre, toujours avec *Jeune Afrique*, qu'en négligeant de doter l'USFP « d'une direction compétente et d'une organisation efficace », il l'a exposée ultérieurement à « des périls autrement graves ». Très conscient de sa valeur, Bouabid, comme la plupart des chefs de parti marocains, n'a pas toujours eu le comportement démocratique qu'on pouvait attendre d'une telle personnalité à la tête de sa formation. On a vu qu'il mettait rarement les pieds au siège du parti et que les réunions importantes avaient lieu chez lui. On sait aussi qu'il pouvait être directif, voire cassant et désagréable avec ses camarades, qui le craignaient. Le poids très lourd des responsabilités, le sentiment d'être souvent le seul à devoir les assumer du fait des relations complexes qu'il entretenait avec Hassan II, les pressions épuisantes du *makhzen* et de l'appareil sécuritaire expliquent en grande partie le caractère parfois difficile de cet homme exceptionnel.

---

1. Numéro des 16-23 janvier 1992.

Néanmoins, comment ne pas être frappé par l'évolution des socia-listes marocains, consécutive aux disparitions successives de Mehdi Ben Barka, d'Omar Benjelloun et d'Abderrahim Bouabid ! Sur la défensive depuis toujours, l'UNFP, devenue USFP, se résigne d'abord à des compromis douloureux, imagine ensuite qu'elle peut changer le système de l'intérieur, et finit, privée de ses ténors, par se perdre dans les jeux douteux du Palais en se « makhzénisant » progressivement. Convenons qu'en dépit de ses contradictions, de ses « accès de secta-risme qui déconcertaient ou décourageaient ses plus proches amis[1] », Bouabid aurait très certainement épargné à la gauche marocaine quelques-unes des pantalonnades de son successeur.

Vieil ami de la famille du disparu, l'ancien ministre des Affaires étrangères Hubert Védrine est persuadé que Hassan II aurait fait la cohabitation avec Bouabid : « Hassan II arrivait à tenir tous les Maroc ensemble, le moderne comme le féodal. Il était arrivé à la conclusion qu'il devait mettre la cohabitation en place avant sa dis-parition. Pour cela, à un moment donné, il a même remonté artifi-ciellement les résultats de la gauche... Avec Bouabid, ç'aurait été très dur, car tout en étant un démocrate, celui-ci avait l'âme d'un "sultan" de la gauche. Il ne se serait pas laissé impressionner par le roi. Mais Hassan II l'aurait fait quand même. Ç'aurait été très bénéfique pour le Maroc[2]. »

Toute sa vie l'économie est restée la grande passion de Bouabid. Pourquoi ce secteur ? « Parce que personne n'en voulait. Je n'y connaissais rien et je me suis mis à l'ouvrage[3] », répondait-il. Il y a là un brin de coquetterie. Bien avant l'indépendance, en fait, l'Istiqlal le charge de décortiquer les budgets du Protectorat et la politique éco-nomique mise en œuvre : « Cela nous a permis de nous initier à l'éco-nomie marocaine[4] », confie-t-il à Zakya Daoud. Les quelques années passées à la tête de l'économie marocaine, durant lesquelles il jeta les bases d'une véritable politique industrielle et financière, furent certai-nement les plus belles de sa vie. Jamais il n'a accepté l'abandon de cette

---

1. Cf. *Jeune Afrique*.
2. Entretien avec l'auteur.
3. In *Jeune Afrique*.
4. In *Lamalif*, février 1987.

politique dirigiste, indépendante et nationale par le Palais et ses alliés, soumis aux pressions de l'extérieur. « Lui, si prudent et si mesuré dans ses termes, devient passionné et ne mâche pas ses mots dès qu'il aborde le chapitre d'une économie nationale qui, selon lui, "n'existe plus". Il était farouchement opposé aux programmes du FMI et de la BIRD, programmes qui, pour lui, "n'entrent même pas dans leurs attributions" », rapporte Zakya Daoud. Il n'est pas plus chaud pour les privatisations qui « détournent l'épargne et l'initiative privées sur des rachats, alors que les portes sont ouvertes pour de nouveaux investissements ».

La fiscalité, quelle qu'elle soit, lui paraît inapplicable, « faute d'un instrument administratif adéquat ». Il est néanmoins convaincu que la machine administrative est perfectible à défaut d'être performante : « Un gouvernement conscient peut arrêter une partie de la dilapidation, peut-être pas tout. On en revient à la démocratie. Il faut en élargir la pratique quotidienne, tendre au plus grand libéralisme politique possible, car il n'y a pas d'autre voie que celle de la démocratie et du sérieux. »

On voit que sur le plan économique un gouffre continue de séparer le pouvoir d'un Bouabid resté fidèle à ses idées de jeunesse. Si l'on y ajoute la réforme constitutionnelle toujours réclamée, on comprend que, sous sa direction, la gauche marocaine ne soit pas disposée à rejoindre une coalition gouvernementale, encore moins à former un gouvernement d'alternance. À la différence d'un Ben Barka, trop enclin à accorder sa confiance à des gens qui ne la méritaient pas toujours, d'un Benjelloun, parfois imprudent dans son expression orale, Bouabid, prudent, réservé, et qui connaissait parfaitement les arcanes du pouvoir marocain, ne s'est jamais laissé aller à des confidences déplacées. Mais il était beaucoup trop intelligent et honnête pour accepter le fonctionnement cynique et cruel du régime. Pour l'un de ses proches[1], cette contradiction était « source de souffrance... Ce n'est pas un hasard si cet homme sensible a abusé de l'alcool. Il lui fallait oublier une réalité sur laquelle il avait trop peu de prise ».

---

1. Qui a requis l'anonymat.

Abderrahim Bouabid disparu, le Maroc a perdu le seul homme dont la notoriété n'était pas loin d'atteindre celle du monarque, mais qui, surtout, bénéficiait d'une image infiniment meilleure. Privé ou débarrassé de cet opposant de marque, Hassan II, fidèle à une pratique désormais bien établie, annonce, dans son discours du trône, qu'un projet de révision de la Constitution sera soumis à référendum. Les esprits les plus rétifs au jeu politique pseudo-démocratique – Bouabid en a longtemps fait partie – finissent par se rallier à cette procédure et par accepter, bon gré mal gré, une Constitution « octroyée » dont ils rejetaient l'idée encore peu auparavant. « L'effondrement des régimes socialistes européens ou, plus près encore, la décrépitude du système étatique algérien ont chassé dans l'opposition de droite comme de gauche tout espoir d'édifier un régime fondé sur le parti unique, et les ont ralliées aux vertus, si limitées soient-elles, du pluralisme de type makhzénien[1] », note Jean-Claude Santucci.

Le Bloc démocratique face au makhzen

Auparavant, au mois de février, par acquit de conscience ou par la force de l'habitude, les quatre partis d'opposition représentés au Parlement – PI, USFP, OADP et PPS – ont demandé la convocation d'une session extraordinaire afin de procéder à une révision des lois électorales. Mais, une fois de plus, ces demandes laissent de glace un Hassan II bien décidé à rester seul maître du calendrier.

Au mois de mai, la « bande des Quatre », rejointe par la groupusculaire UNFP d'Abdallah Ibrahim, décide de se rassembler au sein d'un « Bloc démocratique » *(koutla dimokratiya)* afin de « coordonner leurs positions et de conjuguer leurs efforts ». Les « Cinq » publient une charte précisant leurs objectifs : réforme institutionnelle profonde, démocratisation et modernisation de l'administration, gouvernement représentatif de la volonté populaire, etc. En réalité, Hassan II a répondu par avance, dans le discours du trône du 3 mars, à ces exigences qui lui sont inacceptables : « Pour réussir et

---

1. *Annuaire de l'Afrique du Nord*, *op. cit.*, année 1992, p. 836.

s'implanter, dit-il, la démocratie doit être administrée à des doses minutieusement étudiées et soigneusement adaptées », la Constitution ne pouvant à ses yeux que « consacrer le rôle fondamental dévolu par les traditions séculaires au roi du Maroc » et qui font « du trône la première des institutions, et de la monarchie le régime immuable de la nation ».

Pour l'opposition qui rêve de modernité, l'entêtement de Hassan II, arc-bouté sur ses prérogatives et qui, pas plus à la fin de son règne qu'à ses débuts, ne lâche rien, a quelque chose de désespérant. La réaction de Noubir Amaoui, secrétaire général de la CDT, qui, dans des interviews restées célèbres[1], demande que « le roi règne mais ne gouverne pas », et traite les dirigeants marocains de « groupes de filous sans avenir », voire de « bande de voleurs », traduit bien l'exaspération de certains milieux politico-syndicaux. Quelques jours auparavant, le même Amaoui faisait part à l'auteur[2] de son irritation à voir le gouvernement rejeter constamment sur les conseillers du roi la responsabilité de l'impasse des négociations salariales, tandis que ces derniers recommandaient aux syndicalistes de discuter de ces questions avec le gouvernement « qui est là pour ça ». « Il faudrait savoir, nous avait-il dit : ou Hassan II règne, ou il gouverne ! »

Bien qu'il soit défendu par plusieurs centaines d'avocats, ces fortes paroles valent deux ans de prison au chef de la CDT !

Qu'il s'agisse du projet de révision de la Constitution, confié pour l'essentiel à deux conseillers du roi, Ahmed Guédira et Driss Slaoui, ou de la préparation des lois électorales, l'opposition a l'occasion de mesurer une nouvelle fois la parcimonie du souverain, qui ne lui laisse que des miettes : modifications mineures sur l'âge d'éligibilité, sur l'âge du droit de vote, sur l'attribution de couleurs aux partis, sur la composition des bureaux de vote. Hassan II veut seulement éviter qu'elle boycotte le scrutin. Répondant au nom de la *koutla* à une question sur cette attitude complaisante, M'hammed Boucetta recourt à une formule désormais bien au point : l'attitude du Bloc démocratique entre dans la seule logique qui soit défendable et partagée par

---

1. À *El País*, le 11 mars, et, le 28 février, au bi-mensuel *Hourriyate al-mouwatine*.
2. Lors d'une visite de courtoisie effectuée au siège de la CDT, en février 1992, peu après mon arrivée à Rabat.

l'ensemble des décideurs et acteurs politiques, à savoir « celle qui place le pays sur la voie des institutions librement établies et crédibles ».

Le 11 août, comme il en a pris l'habitude, le souverain forme un cabinet destiné à préparer les prochaines échéances électorales. Karim Lamrani remplace Ezzedine Laraki dont les six années passées à la tête du gouvernement marocain ont été oubliées de presque tous ses compatriotes.

Quelques jours plus tard, le roi, qui s'est beaucoup impliqué dans la rédaction de *sa* dernière Constitution, en réserve la primeur à son « cher peuple ». Celui-ci découvre dans la liesse que la Loi fondamentale s'est enrichie d'un Conseil économique et social qui se substitue au Conseil supérieur de la promotion nationale et du Plan de la Constitution de 1972. Autre motif de satisfaction : la création d'un Conseil constitutionnel dont cinq des neuf membres sont toutefois nommés par le souverain... Enfin et surtout, l'insertion dans le préambule d'une disposition affirmant l'« attachement » du Maroc aux droits de l'homme vient conforter l'image d'un royaume décidé à entrer de plain-pied dans le concert des nations démocratiques. Le Premier ministre voit également ses compétences élargies puisque c'est lui, désormais, qui propose au roi les membres du gouvernement. Le Parlement n'est pas oublié et peut, par exemple, créer des commissions d'enquête. L'illusion est donc totale sur le papier. Il est vrai que dix ans plus tard, les Marocains attendent toujours les premiers résultats probants du travail de ces commissions...

À l'exception de ces étranges politiciens que sont les communistes marocains du PPS, qui se prononcent pour le « oui » au référendum, le reste du Bloc démocratique, poussé par une base très mécontente, décide de ne pas participer au scrutin. On sait pourtant qu'un vote secret du Comité central de l'USFP dégage une majorité favorable à la participation[1]. Driss Basri affirme qu'Abderrahmane Youssoufi, en particulier, était partisan du « oui »[2]. Cela montre à quel point les apparatchiks sont déjà coupés de la base, même si, par crainte de faire éclater le parti, ils se résignent à s'aligner sur elle.

---

1. *Annuaire de l'Afrique du Nord, op. cit.*, année 1992, p. 844.
2. Entretien avec l'auteur.

Les consignes de boycottage du Bloc – on ne s'en étonnera point, puisque le roi a invité son « cher peuple » à voter massivement – ne sont pas suivies : 97,4 % des Marocains participent au scrutin et la révision est adoptée à 99,98 % des voix. Il s'est quand même trouvé deux mille Marocains sur dix millions pour dire « non » à cette avancée constitutionnelle ! Alors que l'opposition qualifie de « ridicules » les résultats, Driss Basri, lui, se réjouit que l'appel du roi ait été « fort bien entendu et compris ».

Ainsi les espoirs de l'opposition de voir la démocratie se renforcer s'évanouissent une nouvelle fois devant ce référendum transformé en grossière manifestation d'allégeance. Mais l'amertume, la résignation, l'incompréhension des opposants marocains ne durent guère : moins de quatre mois plus tard, à l'exception de l'OADP et de l'UNFP, l'opposition, toute honte bue, se mobilise et se précipite pour gagner le plus possible de sièges communaux et municipaux parmi les 22 982 en jeu…

Le seul intérêt de ces élections manipulées sans vergogne par le ministère de l'Intérieur réside peut-être dans l'analyse sociologique des 93 388 candidatures. Les agriculteurs sont moins nombreux – 28,5 % contre 43 % en 1983 –, les enseignants passent de 11 à 15 %, 34 % des candidats ont un niveau d'études secondaire contre 24 % dix ans plus tôt. L'USFP est le parti qui compte le plus de candidats ayant fait des études supérieures (32,5 %), loin devant le PPS (25 %). Enfin, les jeunes ne semblent pas rebutés par les aléas de la politique, le trucage électoral et autres magouilles, puisque 62 % des candidats ont moins de quarante-quatre ans (contre 52 % en 1983).

Les deux grands partis historiques et le PPS obtiennent un peu plus de 20 % des sièges, exactement comme en 1983. Les SAP – « Sans appartenance politique » : c'est la dernière facétie de M. Basri… – terminent juste derrière le vainqueur, le RNI d'Ahmed Osman, avec près de 15 % des voix. Tous comptes faits, partis administratifs, SAP et autres monarchistes inconditionnels remportent 80 % des sièges – façon sans doute pour les Marocains d'exprimer leur profonde reconnaissance pour la politique suivie depuis dix ans par les édiles locaux et le pouvoir… Comme on n'est jamais trop prudent, l'administration intervient de façon spectaculaire dans des quartiers populaires de Casablanca pour empêcher l'élection d'Abderrazzak Afilal, secrétaire général de l'UGTM, proche du PI. Bien d'autres tricheries sont signalées un peu partout. De l'avis général, c'est cependant le rôle de l'argent qui marque le plus les esprits. Les achats de voix (de 50 à 200 dirhams, parfois beaucoup plus), les achats de retrait de candidats gênants (pour plus de 10 000 dirhams) sont légion. Certains trouvent cela préférable à des élections arrangées d'avance, d'autres estiment que la corruption ne fait que s'ajouter à la fraude.

Si l'Istiqlal perd Marrakech, il récupère Fès, son fief historique, que détenait l'USFP. Quant aux socialistes, s'ils gagnent Casablanca, Rabat, Agadir, Taza, outre Fès ils perdent Meknès, Oujda, Tétouan.

Ce scrutin, estime Jean-Claude Santucci, « porte la marque du savoir-faire stratégique du ministre de l'Intérieur et du poids politique central qu'il a semblé avoir recouvré après avoir connu une certaine disgrâce auprès du pouvoir[1] ». De fait, ministre de l'Intérieur et de l'Information, Driss Basri n'a jamais été aussi puissant. Il est sur tous les fronts, intervient sur tous les sujets comme un véritable Premier ministre. Il débauche de nombreux universitaires dont certains deviennent ministres : Hasbi à la Fonction publique ; Serghini, secrétaire d'État à l'Enseignement. Il marque un bon point en obtenant le ralliement de Brahim Hakim, un des principaux dirigeants du Polisario. À la grande fureur de la presse locale qui se sent humiliée, il donne ce « scoop » à l'AFP. Il se rend au siège de l'ONU à New York et s'y entretient avec les dirigeants américains, européens et français.

Comme Hassan II a toujours aimé avoir au moins deux fers au feu, les observateurs notent simultanément le retour en force d'Ahmed Osman, qui n'a jamais caché son aversion pour Driss Basri. Osman, écrit l'*Annuaire de l'Afrique du Nord*, « est pressenti comme futur Premier ministre, après les législatives, dans le cadre d'une alliance avec l'USFP et vraisemblablement sans le parti de l'Istiqlal, ne serait-ce que pour casser le Bloc démocratique et diviser l'opposition. Très impliqué dans la promotion et la spéculation immobilière,

---

1. Au palais et dans l'entourage du roi, certains reprochaient à Driss Basri de ne pas s'être montré à la hauteur lors de la campagne anti-marocaine qui avait suivi la sortie du livre de Gilles Perrault et ses révélations sur les graves atteintes aux droits de l'homme perpétrées au Maroc.

il aurait pris la suite de Moulay Hafid Alaoui[1] dans l'entourage du Palais[2] ». En réalité, nul n'est dupe. Les élections communales mettent en évidence un profond malaise chez les Marocains, à commencer par les jeunes qui en ont assez de ce multipartisme factice et de cette vie démocratique artificielle. « La réalité est plutôt celle d'un profond apolitisme, avec des jugements extraordinairement durs, sceptiques ou le plus souvent cyniques sur la fonction et les hommes politiques, auxquels le roi échappe parfois », écrit J.-C. Santucci. La vie politique n'est plus, au fond, que l'affaire d'une poignée de professionnels, de quelques réseaux ou de quelques grandes villes, le reste du pays assistant impuissant à ces joutes où tout, ou presque, est joué d'avance.

Reportées au 25 juin 1993 après avoir été initialement fixées au 30 avril, les élections législatives – les premières depuis neuf ans – suscitent encore plus d'intérêt dans la classe politique que les communales où l'on recensait en moyenne 4 candidats pour 1 siège. 11,5 millions de Marocains sont en effet appelés à choisir, parmi 2 042 candidats (dont 33 femmes), 222 députés élus au suffrage universel, soit plus de 9 postulants pour 1 siège ! Le dernier tiers doit être élu un peu plus tard au suffrage indirect. Beaucoup plus préoccupée par la sécheresse et la situation économique du royaume, qui subit le contrecoup de la crise mondiale, l'opinion publique n'a montré, durant une campagne courte et tendue, que peu d'intérêt pour les prestations des candidats des onze partis en lice auxquels s'ajoutent les désormais incontournables « SAP ». Enfin, comme ceux de 1977 et de 1984, le scrutin se déroule également au Sahara occidental.

Le manque d'enthousiasme de la population pour l'événement, la multiplication des incidents ou des dérapages dus au comportement de certains candidats ou agents d'autorité poussent même Hassan II à inciter son « cher peuple » à voter massivement et à rappeler aux responsables politiques et administratifs du pays que ces élections ne sont pas une plaisanterie : « Nous ne sommes pas devant un jeu, et

---

1. Considéré comme l'âme damnée de Hassan II auquel il était apparenté, Moulay Hafid était aussi cruel et cupide qu'implacable. Raouf Oufkir en a brossé un portrait saisissant dans son livre.

2. *Annuaire de l'Afrique du Nord*, *op. cit.*, année 1992, p. 849.

mon peuple ne s'adonnera jamais à un jeu », affirme le souverain à la veille du vote.

Les efforts de l'opposition pour redonner un peu de crédibilité à la vie politique – pour la première fois, le PI et l'USFP présentent des listes communes – laissent largement indifférents les Marocains qui voient mal quel changement pourrait sortir des urnes. « Le discrédit qui affecte la classe politique ne nous épargne pas », reconnaît un des dirigeants de l'Istiqlal[1]. Le scepticisme de la population est d'autant plus profond qu'elle ne voit guère de différences entre les programmes – jamais chiffrés – des uns et des autres. En l'absence de sondages politiques, il est impossible d'imaginer, à la veille du scrutin, les contours de la future Assemblée, encore moins les éventuelles alliances qui pourraient se nouer. Néanmoins, quelques semaines avant les élections, Hassan II affirme qu'il pourrait faire appel à un Premier ministre issu des rangs de l'opposition : « C'est plus qu'envisageable », dit-il[2]. À quelques heures du scrutin, il précise encore qu'il sera « heureux de collaborer avec ceux qui l'auront emporté ».

Manifestement, avec l'aide précieuse des « experts » du ministère de l'Intérieur et d'une administration à la botte, Hassan II songe à franchir un pas important et à se tourner vers l'opposition pour entrer dans l'ère de l'alternance.

Débordée au cours des deux dernières décennies par les partis administratifs, l'USFP remporte haut la main les élections au suffrage direct (48 sièges), suivie de peu par l'Istiqlal (43 sièges). Le Mouvement populaire gagne 33 sièges, le RNI et l'UC respectivement 28 et 27. L'alternance, sous haute surveillance et sans risques, est désormais possible. Ahmed Osman, beau-frère du roi, et son parti, le RNI, en dépit de l'opposition d'un courant minoritaire, n'attendent qu'un signal pour lancer l'opération.

Cerise sur le gâteau : Hassan II a donné le feu vert pour que deux femmes, une istiqlalienne, Latifa Bennani-Smires, et une socialiste, Badia Skali, intègrent le Parlement pour la première fois depuis l'indépendance. La démocratie hassanienne s'échafaude à petites doses…

---

1. Cité par l'AFP, dépêche du 24 juin 1993.
2. Interview à Antenne 2.

Mais les élections indirectes qui ont lieu trois mois plus tard, le 17 septembre, rappellent brutalement aux opposants qui l'auraient oublié qu'avec Hassan II rien n'est jamais acquis. L'Union constitutionnelle ne se contente pas de rattraper son retard, elle passe en tête avec 54 députés. Avec le Mouvement populaire (51), le Mouvement national populaire (25) et le Parti national démocrate (24), l'UC constitue une « Entente » *(wifaq)* qui détient 154 sièges, l'opposition historique, cette fois laminée, n'en comptant que 115. Reste le RNI qui fait un score médiocre – 13 des siens sont élus – et dénonce « les véritables opérations de sabotage opérées à son détriment dans de nombreuses circonscriptions [...]. Dans certains bureaux, précise-t-on à la direction du parti, les agents d'autorité militaient ouvertement en faveur des candidats de l'UC ou de l'opposition[1] ». La formation d'Ahmed Osman ne néglige aucun effort pour paraître crédible. Elle remue donc ciel et terre pour jouer dans la cour des grands et devenir le centre officiel, ce parti-charnière qui se révélera si utile au Palais pour tenir en laisse la majorité gouvernementale qu'il imagine pour bientôt.

Ces résultats, en définitive profondément décevants pour elle, n'incitent guère l'opposition à jouer la carte de l'alternance revisitée par Hassan II. Le 22 octobre, reçus par ce dernier à Ifrane, les responsables des quatre formations du Bloc démocratique représentées au Parlement traînent les pieds. Après avoir écouté un long exposé du roi qui leur propose, conformément « aux aspirations au changement du peuple marocain », de participer au prochain gouvernement qu'il compte constituer « incessamment », les chefs de l'opposition développent chacun leurs points de vue avant de solliciter un délai afin de consulter les instances dirigeantes de leurs formations respectives. Difficile de se montrer moins enthousiaste...

Le 3 novembre, soit vingt-quatre heures après avoir fait parvenir au souverain un mémorandum contenant leurs desiderata, les mêmes responsables sont à nouveau reçus par Hassan II qui les assure de son appui total, « afin de permettre au nouveau gouvernement dont ils feront partie une stabilité et une continuité d'au moins trois années ». Le roi n'a sans doute pas pris connaissance du contenu du mémo-

---

1. Dépêche de l'AFP du 18 septembre 1993.

randum, car, quatre jours plus tard, le ton change du tout au tout : « Pourquoi suis-je si amer ? s'interroge Hassan II[1]. Je le suis non parce qu'ils [les partis d'opposition] ont refusé de participer au pouvoir, mais parce qu'ils ont retardé la nouvelle marche que je voulais lancer ce 6 novembre : la marche de l'alternance […]. Mon amertume, ajoute-t-il, est celle du maître qui n'a pas été bien compris de ses élèves. » Se disant « littéralement consterné » par les raisons avancées par l'opposition, il explique que celle-ci entendait se réserver le choix du Premier ministre. Pour le monarque, une telle exigence est irrecevable, car « un Premier ministre doit connaître ses dossiers » – ce qui, selon lui, ne saurait être le cas de l'opposition, en raison de son inexpérience gouvernementale. Notons en passant que cet argument, curieusement, ne sera plus d'actualité en février 1998, au moment où le souverain fera appel à Abderrahmane Youssoufi pour diriger le gouvernement… Quant au ministère des Affaires étrangères, le confier à l'opposition ne pourrait conduire qu'à l'isolement du Maroc après ses prises de position « extrémistes » pendant la guerre du Golfe. Enfin, enfonçant bien le clou, Hassan II affirme le plus sérieusement du monde qu'en ce qui concerne la Justice et l'Intérieur, une formation politique ne peut détenir de tels postes, et qu'il exclut « une fois pour toutes » de les confier à « des membres de partis politiques, quels qu'ils soient » !

En attendant des jours meilleurs et une opposition moins ingrate, Hassan II se console en indiquant qu'il ne désespère pas de parvenir à instaurer la « bipolarisation », car, dit-il, « la démocratie marocaine doit être fondée sur deux plateaux »…

Youssoufi reprend ses distances

Cependant, bien avant que l'opposition ne signifie clairement au roi son refus de l'alternance, un événement qui n'échappe pas à la classe politique et encore moins au Palais laisse prévoir une telle issue : la démission, le 28 septembre, d'Abderrahmane Youssoufi de son

---

1. Dans un discours prononcé à l'occasion du dix-huitième anniversaire de la Marche verte.

poste de premier secrétaire de l'USFP, et, presque aussitôt après, son départ pour Cannes. S'il n'a jamais personnellement rendu publiques les raisons de sa démission, son entourage a fait rapidement savoir que les élections législatives indirectes du 17 septembre, tout comme celles, directes, du 25 juin, s'étaient déroulées, à ses yeux, dans des « conditions inadmissibles ». Quelques esprits frondeurs ajoutent que les conflits internes au parti entre ceux qui étaient prêts à tout pour entrer au gouvernement et les autres ont achevé de convaincre un Youssoufi excédé qu'il valait mieux prendre ses distances.

Quoi qu'il en soit, la démission de Youssoufi, avocat toujours très respecté, provoque à l'époque une vive émotion. Elle est la marque d'un caractère trempé qui sait encore dire non au Palais et refuser l'inacceptable. Interrogé au lendemain de son retour au Maroc, le 10 avril 1995, après dix-neuf mois d'« exil » sur la Côte d'Azur, sur les raisons de ce retour, Abderrahmane Youssoufi – qui avait succédé le 17 janvier 1992 à la tête de l'USFP à Abderrahim Bouabid – se borne à répondre d'une voix enjouée : « Il y a un droit de l'homme qui lui permet de quitter son pays et d'y rentrer quand il le souhaite. »

N'étant toujours pas disposé à prendre son Premier ministre dans les rangs de l'opposition, Hassan II reconduit donc, le 9 novembre, Karim Lamrani dans ses fonctions. Son gouvernement reste constitué pour l'essentiel de techniciens mais – nouvelle Constitution oblige ! – un ministère chargé des Droits de l'homme est créé et confié à Omar Azzimane, homme de bonne réputation. Un représentant de la petite communauté juive du Maroc, Serge Berdugo, est nommé au Tourisme. Même privé des bénéfices que l'alternance lui aurait procurés, le roi entend soigner son image sur la scène internationale. Moins de deux mois après la visite remarquée au palais de Skhirat du Premier ministre israélien, Yitzhak Rabin, et de son ministre des Affaires étrangères, Shimon Peres, au lendemain de la signature de l'accord entre Israël et l'OLP, la nomination d'un ministre israélite met en évidence les bons rapports entretenus par le roi avec le judaïsme, ainsi que son souci de ne rien négliger qui puisse favoriser le dialogue entre Israéliens et Arabes.

Pendant les quatre années qui suivent, Hassan II, qui n'a jamais aimé être bousculé, prend son temps pour préparer une alternance à sa main. La situation économique et sociale, franchement mauvaise, devrait l'inciter à placer devant leurs responsabilités les principaux critiques du gouvernement. Le mécontentement est tel que le 13 février 1994, lors du Conseil national de la CDT, certains responsables syndicaux demandent à leurs représentants au Parlement de renoncer à leur mandat afin de protester contre l'absence totale de dialogue social. Quelques jours plus tard, le Premier ministre, Karim Lamrani, interdit une grève générale dont le mot d'ordre a été lancé par la CDT. L'argumentation du gouvernement est manifestement inspirée par le roi : « Si la Constitution du royaume garantit le droit de grève, écrit Karim Lamrani, elle en lie l'exercice à la promulgation d'une loi organique [...]. D'autre part, le recours à une grève générale dépasse le cadre normal et non abusif du droit syndical. » Ce à quoi le leader de la CDT, Noubir Amaoui, rétorque : « Étant donné le principe de la hiérarchie des normes juridiques, une loi organique ne peut violer un principe constitutionnel. » En réalité, par-delà ce débat, on retrouve là une de ces chausse-trapes typiquement hassaniennes. Si l'article 14 de la Constitution subordonne le droit de grève à la promulgation ultérieure d'une « loi organique qui en précisera les conditions et les formes », force est de constater que la loi en question n'a jamais été promulguée depuis son inscription dans la Constitution de 1962. « Le refus d'achever la rédaction d'un article en attente depuis trente-deux ans, écrit à juste titre Mohammed Benhlal[1], est une manière de considérer un droit dans l'absolu et d'en suspendre indéfiniment l'usage. » Autrement dit, le pouvoir tolère les grèves « syndicales », mais ne veut pas entendre parler de grèves « politiques ». Et il entend naturellement en apprécier seul la nature.

Bien malgré elle, mais consciente que ses adhérents ne font pas le poids face à l'appareil répressif, la CDT reporte la grève à plus tard. Organe de l'USFP, *Al-Ittihad al-Ichtirakiya* en profite pour souligner que cette affaire met en lumière toute la distance qui sépare le discours sur l'État de droit et la réalité des choses. Elle met surtout en évidence la brutale efficacité du régime qui fait à peu près ce qu'il veut et se permet même de laisser ses meilleurs soutiens exprimer leurs états d'âme. C'est ainsi que, dans une intervention au Parlement

---

1. *Annuaire de l'Afrique du Nord, op. cit.*, année 1994, p. 572.

qui laisse pantois tous ceux qui l'écoutent, Mohammed Laenser, député berbériste intervenant au nom du Wifaq, coalition qui soutient le gouvernement sans y participer, dénonce pêle-mêle les violations des droits de l'homme, l'État de droit balbutiant, le chômage massif, le mépris de la culture *amazigh*, les carences de la loi de finances, l'échec du Premier ministre Karim Lamrani et son incapacité à dialoguer avec les formations qui appuient son cabinet, le clientélisme, la bureaucratie et la corruption… Un discours que n'aurait pas renié l'extrême gauche !

À l'Union constitutionnelle, c'est le chef, Maati Bouabid[1], qui est la cible de toutes les critiques. On ne parle que de son remplacement, Mohammed el-Kabbaj partant favori.

Quant à Ahmed Osman qui, selon l'expression de M. Benhlal, a déjà accompli « le circuit complet des charges officielles », il poursuit en silence sa traversée du désert. Apparemment, Driss Basri n'est pas son seul ennemi politique. Le futur ministre des Droits de l'homme, Mohammed Ziane, se montre féroce : « Il a, dit-il, inventé la marocanisation, cette honte qui a mis à mal l'économie nationale et détérioré les rapports du Maroc avec les pays étrangers. Par cette procédure, on a voulu fonder une bourgeoisie nationale […]. C'est aussi M. Osman qui applique les textes de 1963 relatifs à la récupération des terres agricoles en en inversant le principe […]. Avec M. Osman, même les terrains dont la vocation n'est pas agricole furent soumis à la loi en question. On les a "récupérés" gratuitement des mains des étrangers pour les céder à des privilégiés nationaux […]. On a donné naissance à une nouvelle classe de propriétaires fonciers qui, par la suite, s'est livrée à une spéculation outrancière[2]. » Quand les loups se dévorent entre eux…

À l'Istiqlal où M'hammed Boucetta a annoncé qu'il allait passer la main à son éternel second, M'hammed Douiri, l'amertume est grande. Boucetta, qui se bonifie avec l'âge, ne se fait aucune illusion sur le gouvernement d'Abdellatif Filali qui a succédé, le 25 mai, à Karim Lamrani et a conservé la totalité de son équipe de techno-

---

1. Son décès en 1995 mettra un terme à la polémique.
2. Interview dans *Maroc-Hebdo*, 1er-7 octobre 1993, citée dans l'*Annuaire de l'Afrique du Nord*.

crates : « C'est Moussa Hadj et Hadj Moussa », dit-il[1]. Le quotidien francophone de l'USFP, *Libération*, cite un autre dirigeant du PI, désabusé : « Il faudra assumer le coût social de dix années d'ajustements structurels, il faudra introduire une fiscalité digne de ce nom, gérer le référendum sur le Sahara et, si nécessaire, réprimer les islamistes dans les usines et les universités[2]. »

Sur une éventuelle participation au gouvernement, *L'Opinion*, organe du PI, écrit à cette époque que le parti est divisé en trois tendances : l'une prônant la participation, une autre la rejetant, la troisième parlant d'une « participation sous conditions ».

Pour sa part, l'USFP, qui, contrairement à l'Istiqlal, dispose de nombreux jeunes cadres de talent, attend l'hypothétique retour d'Abderrahmane Youssoufi qui n'a pas digéré les dernières magouilles électorales de Driss Basri. En attendant, les rangs socialistes sont partagés entre ceux qui se contenteraient de la mise à l'écart de Driss Basri pour participer à un gouvernement et les autres, plus durs, qui veulent une révision constitutionnelle et un gouvernement qui soit le reflet d'une majorité parlementaire issue d'élections libres. Comme on le sait, ils n'obtiendront ni la première ni les seconds, ce qui ne les empêchera pas de céder aux pressions du roi et d'entrer dans un gouvernement d'alternance dirigé par Abderrahmane Youssoufi.

Le 7 juin 1994, Abdellatif Filali est appelé par Hassan II pour remplacer Karim Lamrani. Âgé de soixante-six ans, père de Fouad, gendre du roi – il a épousé Lalla Mériem –, et patron de l'ONA (premier groupe privé marocain), Filali est un grand commis de l'État et un fidèle du souverain, qui a effectué l'essentiel de sa carrière dans la diplomatie. Docteur en droit de l'université de Paris, il a été en poste auprès des Nations unies en 1958-1959, puis ambassadeur du Maroc au Bénélux en 1962-1963, en Chine de 1965 à 1967, année où il est nommé à Alger. Il n'y reste pas longtemps et entre pour la première fois au gouvernement en 1968 en qualité de ministre de l'Enseignement supérieur, pendant deux ans. Après un court passage à la tête des Affaires étrrangères, il est nommé ambassadeur du Maroc

---

1. Version marocaine du « bonnet blanc et blanc bonnet » ; cité *ibid.*, p. 583.
2. *Libération* du 29 novembre 1994.

à Madrid où, en 1975, il négocie notamment avec le gouvernement espagnol le retrait de ses forces militaires du Sahara occidental. Hassan II le désigne une seconde fois comme représentant du Maroc aux Nations unies en 1978.

À son retour, il est nommé ministre de l'Information. Il est sans doute le seul titulaire de ce poste à avoir laissé un bon souvenir aux journalistes. Un air de liberté souffle alors sur la télévision et la radio d'État. Fatima Loukili, un des esprits les plus libres du journalisme marocain, est la première à le reconnaître[1]. Elle tient à associer à cette libéralisation son fils Fouad qui fonctionnait lui aussi de manière éclairée : « À 2M[2], quand Fouad Filali en était le patron, nous avons vraiment pu travailler pendant un certain temps de façon libre et très professionnelle, en particulier pendant la guerre du Golfe. » Mais la fin de la récréation est assez vite sifflée. En décembre 1985, Abdellatif Filali laisse la place à Driss Basri et prend le portefeuille des Affaires étrangères. Plus tard, 2M est également reprise en main. Et la traversée du désert n'est toujours pas terminée[3]…

Abdellatif Filali sera resté quatorze ans – record absolu – ministre des Affaires étrangères tout en étant, à partir de juin 1994, Premier ministre. Peu prolixe, quoique polyglotte, d'une élégance naturelle, homme de goût et de culture, il paraît parfois un peu perdu dans l'univers impitoyable de la politique. En cela, il n'a rien en commun avec Driss Basri, et le lui fait clairement comprendre en 1996 au moment de la campagne d'« assainissement » à laquelle il s'oppose. Ayant gardé des séquelles d'un grave accident de la circulation survenu en 1992, il quitte, fatigué, la vie politique en 1999. Si sa fidélité à la monarchie ne s'est jamais démentie, le divorce de son fils d'avec Lalla Mériem, peu avant la mort de Hassan II, et les tensions qui ont suivi l'ont conduit à prendre ses distances avec la famille royale. Cet homme aussi discret que remarquablement informé n'a jamais exprimé le fond de sa pensée sur un régime dont beaucoup se demandent comment il a pu le servir si longtemps.

---

1. Entretien avec l'auteur.
2. La deuxième chaîne de télévision.
3. Le ton libre des débuts a disparu, et l'actuelle directrice de l'information, Samira Sitaïl, inconditionnelle du Palais, est très critiquée au Maroc.

Cependant, à peine Filali a-t-il remplacé Lamrani que le roi, les 9 et 20 juillet 1994, reçoit les chefs de l'opposition et les invite à participer avant la fin de l'année à un gouvernement d'union nationale afin que le pays puisse surmonter ses difficultés économiques et sociales. Le 16 octobre suivant, Hassan II fait sa première et dernière « concession » en acceptant finalement que le poste de Premier ministre soit dévolu à une personnalité de l'opposition. Il a sans doute compris qu'une alternance crédible passait par un chef de gouvernement issu des rangs de celle-ci. Le souverain semble à présent tellement acquis à cette idée qu'il fait savoir à la presse étrangère que la nomination interviendra après le « sommet économique » qui doit avoir lieu les 30 octobre et 1er novembre à Casablanca. Mais, à la mi-novembre, irrité par les tergiversations de l'opposition, il préside un Conseil des ministres au cours duquel il précise aux membres du gouvernement que leur « mission constitutionnelle » se poursuit.

Si, pour *Libération,* organe de l'USFP contrôlé de près par Mohammed el-Yazghi – qui tient les rênes en l'absence d'Youssoufi et qui a qualifié d' « historique » l'appel du roi du 16 octobre –, ce sont « les milieux de la réaction », ayant pour objectif de « semer le trouble, de bloquer, de torpiller, en un mot de s'opposer à l'espoir », qui sont à l'origine de ce nouveau report, d'autres socialistes se montrent beaucoup plus regardants. C'est le cas de Mohammed el-Sassi, secrétaire général de la Jeunesse *Ittihadia* – une « jeunesse » arrivée à maturité, puisque lui-même frise la quarantaine ! –, qui déclare que l'alternance ne peut être que « la conséquence d'élections honnêtes ». Regrettant implicitement les concessions faites par la direction de l'USFP, M. el-Sassi juge en outre « contraire aux règles de la démocratie » d'envisager une coalition avec « des partis de l'administration qui ne nous ressemblent en rien »[1].

Moins clairvoyant sur ce point, el-Sassi souligne enfin le besoin de la « nouvelle génération » de voir Youssoufi reprendre sa place à la tête du parti, lui qui a montré « une capacité extraordinaire à comprendre nos aspirations ».

En cette fin d'année 1994, l'opposition a aussi quelques raisons de s'interroger sur les belles déclarations du pouvoir en matière de

_____

1. Dépêche de l'AFP du 18 novembre 1994.

droits de l'homme, domaine qui lui tient à cœur. Comme tous les Marocains, elle découvre en effet que le gouvernement chérifien a inclus dans la délégation officielle qui participe aux débats du Comité contre la torture, à Genève, un certain Kadouri Yousfi, ancien responsable du centre de détention et de torture du tristement célèbre Derb Moulay Chérif ! Comme le dit pudiquement l'OMDH, « cette initiative n'entame pas seulement la crédibilité du gouvernement marocain dans le domaine de la mise en œuvre des dispositions de la Convention contre la torture, mais porte une grave atteinte à la cause des droits de l'homme et inflige une humiliation supplémentaire aux victimes de la torture[1] ».

Décidément, les mauvaises habitudes ont la vie dure… L'omniprésence et les provocations de Driss Basri pèsent lourd dans la décision de l'opposition de ne pas répondre aux appels du pied en provenance du Palais. Pourtant, le 5 janvier 1995, M'hammed Boucetta est officiellement pressenti pour diriger le premier gouvernement de l'alternance. Il l'apprend de la bouche d'Ahmed Réda Guédira, conseiller du roi, en présence de Yazghi et de Bensaïd, chef de l'OADP. Guédira et ses interlocuteurs s'accordent sur divers sujets, notamment sur le principe d'une révision constitutionnelle, sur les moyens de veiller à la transparence des élections et sur une réforme en profondeur de l'action gouvernementale, etc. Reçus à nouveau quelques jours plus tard par le même Guédira, les trois hommes confirment leur adhésion à la décision du souverain, tout en précisant – avec toutes les subtilités de langage que l'on peut imaginer, compte tenu de la susceptibilité royale – qu'ils s'opposent fondamentalement à la présence à leurs côtés de Driss Basri. Comme on pouvait s'y attendre, Hassan II décide de renoncer pour le moment au gouvernement d'alternance, jugeant qu'accéder aux raisons de l'opposition serait nuire gravement aux institutions sacrées du pays…

Faute d'accord, Hassan II procède, le 27 février 1995, à la nomination d'un nouveau gouvernement, toujours dirigé par Abdellatif Filali et dont vingt des trente-cinq membres sont issus de la majorité parlementaire de droite, le reste étant constitué de « technocrates » ou d'« indépendants ». Le 5 mars, Filali obtient la confiance du

---

1. Dépêche de l'AFP du 24 novembre 1994.

Parlement, tandis que l'opposition critique sévèrement son discours d'investiture, qualifié de « creux et vague ».

En ce printemps de 1995, Hassan II a les yeux tournés vers Paris où son ami Jacques Chirac est une nouvelle fois candidat à la présidence de la République. Auteur de *Noir Chirac*[1], François-Xavier Verschave affirme[2] que Hassan II, depuis longtemps très généreux avec Chirac, « aurait apporté l'équivalent de 5 millions d'euros » pour sa campagne présidentielle. Les valises de billets auraient transité par les Galeries Lafayette où le Palais marocain, gros client, serait « comme chez lui ». Des proches du futur président seraient venus récupérer l'argent. Quel que soit le bien-fondé de ces assertions, relevons qu'après son élection la première visite de Jacques Chirac est pour le Maroc où il se rend souvent.

Le succès du candidat de la droite – avec laquelle la monarchie marocaine, hormis durant les années qui suivirent l'enlèvement de Ben Barka, a toujours entretenu des relations étroites – est donc fort bien accueilli à Rabat. Les affaires vont pouvoir continuer à un bon rythme ; les grands gestes et les petites attentions se multiplient de part et d'autre. La France, dont plus de cinq cents entreprises sont présentes au Maroc, n'a cessé d'intervenir depuis un quart de siècle pour aider le royaume dans ses discussions avec la Banque mondiale, le FMI, les Clubs de Londres et de Paris, que ces pourparlers portent sur des prêts ou sur le rééchelonnement de la dette extérieure. En 1999, la France appuie la candidature de Hassan Abouyoub à la tête de l'Organisation mondiale du commerce. Paris y trouve son compte, puisque ce sont de grandes entreprises françaises qui raflent une part conséquente des gros contrats : Bouygues a construit la Grande Mosquée Hassan-II, la Lyonnaise des eaux a pris en charge la distribution d'eau à Casablanca, Lafarge domine le marché du ciment, Accor est très présent dans l'hôtellerie, etc.

Parfois surviennent de petits dérapages et les faveurs accordées tournent au passe-droit. En mars 1999, *Le Parisien* révèle ainsi que plusieurs agents de l'Office national de la chasse vivent en perma-

---

1. Les Arènes, 2002.
2. À notre connaissance, aucune plainte ni aucun démenti public d'aucune sorte ne sont venus contester les éléments d'information avancés par F.-X. Verschave.

nence sur la propriété de 700 hectares que possède Hassan II en Seine-et-Marne, à Gretz-Armainvilliers. Dominique Voynet, ministre de l'Environnement, dont dépend l'ONC, demande aussitôt des explications à l'Office sur la mise à disposition gracieuse de gardes-chasse au roi du Maroc. « Il n'y a pas de raisons, déclare-t-on au ministère, que du personnel public soit à la disposition d'une personne privée. » Si cette somptueuse propriété, où Hassan II a fait faire d'énormes travaux au milieu des années quatre-vingt-dix, servait fort peu au souverain, elle permettait en revanche à certains habitants des environs, selon une source digne de foi, de faire de solides économies en se branchant sur les lignes approvisionnant la propriété en électricité…

Le 20 août, conforté par la victoire de Jacques Chirac, le roi, grand amateur de référendums, invite ses sujets à se prononcer, le 15 septembre, sur un amendement à la Constitution prévoyant l'adoption par la Chambre des représentants de la loi de finances à la session de printemps au lieu de celle d'automne. Soulignant qu'il ne s'agit pas là d'un amendement « technique », il explique que le Maroc se doit d'« inclure les revenus agricoles » dans son budget au moment où sont arrêtées les prévisions, « afin d'éviter de sombrer dans le pessimisme ou, *a contrario*, de pécher par excès d'optimisme ». Apparemment, il convainc les Marocains, puisque le « oui » l'emporte par 99,6 % des suffrages.

Dans la même allocution, Hassan II demande à son « cher peuple » de « bien réfléchir dès à présent » sur une autre consultation à laquelle il sera convié l'année suivante. « Il s'agira, dit-il, d'un référendum d'une très grande importance qui touchera le fond même de la Constitution et du système représentatif marocains. » Les Marocains, ajoute-t-il, seront invités à « approuver un amendement constitutionnel instaurant le système bicaméral. Nous aurons une Chambre des représentants et une sorte de Sénat, une autre Chambre dont nous choisirons le nom le moment venu ». Pour Hassan II, « la deuxième Chambre donnera à la décentralisation sa véritable signification […]. Nous verrons, dit-il, les régions émettre leurs points de vue, rectifier les erreurs, formuler leurs aspirations. Une saine émulation s'instaurera alors entre les deux Chambres ».

De son côté, Driss Basri apporte quelques précisions. Selon lui, Hassan II, recevant les représentants des partis nationaux (la *koutla*), leur dit : « Vous voulez avoir une Chambre élue au suffrage direct ? D'accord, prenez-la. Mais moi, j'ai besoin d'un équilibre, je veux prendre en compte les gens qui travaillent, ceux qui construisent le Maroc, les forces vives, réelles de la Nation, et qui représentent une véritable stabilité. Et, si vous le voulez bien, je vais faire une deuxième Chambre[1]. »

C'est également à cette époque que la scène politique marocaine, déjà passablement encombrée, se prépare à accueillir deux nouvelles formations : le Parti socialiste démocrate (PSD), les 5 et 6 octobre 1996, et le Front des forces démocratiques (FFD), l'été suivant. Issus de deux scissions, respectivement avec l'OADP (extrême gauche) et le PPS (communiste), les deux nouveaux partis traînent la réputation d'être des créatures de Driss Basri. L'entrée dans le gouvernement d'Abderrahmane Youssoufi de certains de leurs responsables, comme Abdallah Saaf ou Thami Khiari, montre en tout cas que les « scissionnistes » n'ont pas été pénalisés, en dépit des affirmations de l'ancien ministre de l'Intérieur selon lesquelles il était opposé à de telles initiatives.

« Avant le référendum sur la dernière réforme constitutionnelle relative au bicaméralisme, tout le monde était prêt à voter "oui", sauf Bensaïd, le chef de l'OADP, qui voulait brûler les étapes, raconte Driss Basri[2]. Je l'ai donc fait venir dans ma villa de Bouznika, avec l'accord de Hassan II. Bensaïd, je le connais depuis longtemps et son parti, c'est moi qui l'ai fabriqué ! En 1975, en désaccord avec les Algériens sur la question du Sahara, Bensaïd, qui est un patriote, a quitté Alger pour Paris. Je l'ai rencontré quelques années plus tard à l'hôtel Intercontinental pour régler les conditions de son retour au Maroc en 1981. Il a voulu alors rejoindre Bouabid et l'USFP, mais il a posé des conditions inacceptables, exigeant notamment la création de courants, ce que Bouabid a rejeté en lui disant : "Ne viens pas m'embêter. Tu me connais, je te connais, et la terre de Dieu est vaste !" Nous avons alors créé l'OADP en 1983 pour éviter qu'ils

---

1. Entretien avec l'auteur.
2. Entretien avec l'auteur.

retournent à la clandestinité. Au moins nous savions où ils se trouvaient, ceux du 23 mars[1] et les autres… Donc, il arrive à la maison et je lui demande de ne pas sortir de la *koutla* – de l'union –, de ne pas quitter la famille. Mais Bensaïd, ce n'est pas un homme politique moderne, c'est un patriote, certes, un résistant, un symbole, mais les nuances politiques et constitutionnelles lui échappent. Bref, il ne m'a pas écouté, et pourtant il n'ignorait pas qu'une fraction importante de son parti était favorable au "oui". »

Selon l'analyse très personnelle de Driss Basri, l'OADP, à la veille du référendum, est partagée en deux : Bensaïd et ses partisans, d'un côté, et une « tendance moderne » incarnée par Aïssa Ouardighi et Abdallah Saaf, « des amis », de l'autre. Ces derniers, affirme-t-il[2], lui ont dit : « Ce garçon-là [Bensaïd] ne pige rien, il va nous empêcher d'accéder à des postes institutionnels et nous entraîner dans un cul-de-sac dont on ne pourra sortir. »

Le scénario est à peu près identique pour le PPS. Là encore, Driss Basri jure ses grands dieux qu'il a tout fait pour éviter la scission. Quelques mois avant le Ve Congrès du PPS, en juillet 1995, Ali Yata vient le voir en compagnie de trois responsables de sa formation : Thami Khiari, Omar el-Fassi et Khalid Naciri. Il lui annonce qu'il veut partir. « Je lui ai demandé de ne pas le faire, et je lui ai dit : "Je te le demande d'autant plus volontiers qu'intellectuellement je me considère comme étant des vôtres, puisque mes meilleurs amis sont avec toi, que nous avons fait l'université et bien d'autres choses ensemble" », se souvient Driss Basri avant d'ajouter : « Ce sont des gens que je respecte, car ils ne manipulent ni fortune, ni richesses, et ne sont pas dépravés. Ce sont des amis. En réalité, j'avais bien compris qu'il s'agissait de manœuvres de la part d'Ali Yata, à la veille du congrès, et que celui-ci finirait par rester. Mais, parmi les responsables du parti qui l'entouraient, il y avait des gens avec des ambitions, ce qui est normal. Sa Majesté et moi souhaitions qu'il demeure à son poste, car il y avait des réformes à faire passer et nous avions

---

1. Le mouvement du 23 mars (en référence aux événements de mars 1965) a été créé en 1970 par des militants proches de l'UNFP. L'OADP en a récupéré un certain nombre.
2. Entretien avec l'auteur.

besoin de gens qui ont la marque… la marque Ali Yata ! Si ce dernier cautionnait des décisions du souverain, cela était bien perçu dans de nombreux pays. »

Ainsi donc, la pesante « amitié » du ministre de l'Intérieur, dont se seraient sans doute dispensés un certain nombre de dirigeants des deux partis, n'a pu empêcher les scissions. Bensaïd, qui n'a peut-être pas le sens des « nuances », mais qui a des convictions et les défend, campe sur ses positions. L'OADP disparaît à la mi-juillet 2002 pour être remplacée par une nouvelle structure, la Gauche socialiste unifiée (GSU), toujours présidée par Bensaïd et qui regroupe les « sortants » de l'OADP ainsi que des militants d'extrême gauche venus d'autres petits mouvements. Tous rêvent de former un vrai « pôle démocratique », loin des compromissions des vieux partis nationalistes dont la crédibilité est en chute libre. D'autres mouvements, comme Fidélité à la démocratie et la Voie démocratique, l'ont rejointe un peu plus tard et les discussions – ardues – se poursuivent afin de présenter une alternative crédible à une gauche classique à bout de souffle.

Quant à Thami Khiari, Ali Yata ayant finalement choisi de demeurer à la tête du PPS, il n'a plus d'autre issue, pour imposer ses vues, que créer sa propre formation, le FFD. Il franchit le pas en juin 1997, quelques semaines avant la mort accidentelle d'Ali Yata, le 13 août 1997. Mais, à la différence de la GSU, ex-OADP, le FFD, dont moins de 10 % des membres viendraient du PPS[1], participe aux divers gouvernements au même titre que le PPS dont il est issu.

Le 13 septembre 1996, 99,56 % de Marocains, presque aussi enthousiastes que pour la loi de finances, disent « oui » à la création d'une seconde Chambre. Ce bicaméralisme ressuscité ne trompe personne. Depuis longtemps l'opposition réclamait la suppression de l'élection d'un tiers des députés au suffrage indirect, estimant qu'elle faussait complètement le jeu démocratique en conférant un poids excessif aux soutiens traditionnels du trône. Hassan II semble lui donner satisfaction en permettant l'élection de tous les membres de la Chambre des députés au suffrage universel. Mohammed el-Yazghi le reconnaît d'ailleurs expressément dans ses Mémoires. Il commence

---

1. Selon Thami Khiari, dans une interview dans *Maroc-Hebdo*.

par faire un sort à l'Assemblée constituante qui, dit-il, n'est plus réclamée par le parti depuis 1975, celui-ci exigeant seulement « des élections libres et propres, ainsi que la non-ingérence de l'administration dans les résultats ». Puis il délivre un véritable satisfecit aux rédacteurs de la dernière mouture constitutionnelle : « Pour nous, les modifications intervenues dans la Constitution de 1996 étaient importantes et apportaient beaucoup d'améliorations que nous avions demandées, surtout en ce qui concerne l'élection directe de tous les membres de la Chambre des députés[1]. » Mais M. Yazghi, qui est passé par l'École nationale d'administration, est beaucoup trop avisé pour ne pas s'être rendu compte que les membres de la deuxième Chambre conservent autant de pouvoirs – certains parlent de « capacités de nuisance » – que ceux qui étaient les leurs quand ils faisaient partie du tiers du Parlement élu au suffrage indirect[2]. Hassan II n'a donc voulu prendre aucun risque et a prévu un garde-fou au cas – fort improbable – où la première Chambre lui serait hostile.

Le monarque n'ayant pratiquement rien lâché sur le plan constitutionnel, contrairement à ce que tente de faire croire M. Yazghi, c'est ailleurs qu'il faut chercher les raisons de la volte-face de l'opposition. Mohammed el-Yazghi le reconnaît d'ailleurs implicitement. Alors que son interlocuteur lui demande si l'état de santé du roi[3] n'a pas pesé sur la décision de l'USFP de voter « oui » au référendum, il répond : « Dans nos analyses, nous prenions en considération tous les scenarii possibles, et notre parti partait du principe qu'il devait envisager tous les développements pouvant se produire dans le pays. »

Pour justifier le ralliement de son parti à l'alternance revisitée par Hassan II, Mohammed el-Yazghi évoque aussi la situation économique et sociale très grave qui prévaut dans le royaume et qu'a mise en évidence un rapport de la Banque mondiale cité par le roi devant le Parlement. La nécessité de contribuer au sauvetage de la patrie est si impérative, aux yeux du numéro deux de l'USFP, que la direction

---

1. Mohammed el-Yazghi, *Dhakirat Mounadel, op. cit.*, p. 99.
2. Curieusement, le journaliste qui interviewe M. Yazghi ne lui pose aucune question sur cette deuxième Chambre, pourtant au cœur du texte remanié et dont le roi a souligné l'importance !
3. À l'automne 1995, lors d'un séjour aux États-Unis, il a eu de très sérieux ennuis pulmonaires.

du parti ferme les yeux sur le trucage des élections législatives de novembre 1997 par le ministère de l'Intérieur. Celui-ci, dit-il, « ne voulait pas que notre représentativité sur la carte politique du pays s'exprime au-delà des lignes rouges qu'il avait lui-même fixées[1] ». Pour la même raison – l'intérêt supérieur du pays –, l'opposition accepte de cohabiter avec Driss Basri au sein du gouvernement d'alternance.

Mohammed el-Yazghi précise enfin qu'Abderrahmane Youssoufi, premier secrétaire, tenait « naturellement » la direction du parti au courant de ses entretiens avec le roi. « Nous avons ensuite convoqué une réunion du Bureau politique, puis du Comité central qui a souligné la nécessité pour le parti d'assumer ses responsabilités et de franchir une étape nouvelle dans l'histoire du Maroc pour sauver le pays », souligne encore Yazghi, pour qui il importait de montrer que l'USFP ne se maintenait pas dans une « opposition éternelle ».

---

1. Mohammed el-Yazghi, *Dhakirat Mounadel, op. cit.*, p. 101.

VI

La campagne d'assainissement
ou la faute de trop de Driss Basri

Parmi les éléments qui conduisent l'opposition à se résigner à la présence de Driss Basri dans le gouvernement d'alternance, il y a peut-être le sentiment que le ministre de l'Intérieur est sorti affaibli de la campagne d'assainissement de 1995-1996.

Au mois de septembre 1995, le ministère des Finances, inquiet de l'état des finances publiques, et alors que le Maroc négocie avec l'Union européenne un accord d'association, demande aux forces de sécurité de s'associer à la lutte contre la contrebande que la direction générale des Douanes vient d'entreprendre. Les Douanes, qui avaient fait appel au publiciste Shems pour montrer à la population les ravages engendrés par la contrebande, n'imaginaient certainement pas la tournure qu'allaient prendre les événements. Directeur général des Douanes, ancien directeur de l'Office des changes, Ali Amor jouit certes d'une bonne réputation mais n'a nulle intention de se lancer dans une chasse aux sorcières. Il est prêt à transiger, mais il y a des limites qu'on ne peut lui demander de franchir. Devant l'incapacité de ses services à mener une lutte efficace contre les contrebandiers, le ministre des Finances fait appel à l'Intérieur. La campagne dite d'assainissement est lancée le 24 décembre 1995. Des commissions interministérielles dirigées en fait par des agents de l'Intérieur constituent le fer de lance de l'appareil répressif mis en branle. Très rapidement, Mohammed Ziane, ministre des Droits de l'homme, dénonce ces commissions, qu'il qualifie d'« illégales ». La surprenante franchise de cet avocat controversé, aux motivations mystérieuses, lui coûte presque aussitôt son poste que récupère Amalou, ministre de la Justice, beaucoup moins regardant... Les descentes de police, les fermetures abusives, les arrestations arbitraires et les procès médiatisés se multiplient. La psychose est telle que, dès le 5 janvier 1996, les commerçants de Casablanca baissent leurs rideaux. Le port s'encombre avant d'être totalement paralysé, les commerçants n'osant plus retirer leurs marchandises. Une soixantaine de personnes, dont quelques notables, se retrouvent sous les verrous. « L'insécurité juridique règne », écrit *L'Économiste* qui publie également, comme au temps des années noires, un éditorial en blanc, en lieu et place d'une vigoureuse protestation qui risquerait de faire l'objet d'une sanction.

Des années plus tard, un proche de la famille royale confiera à l'auteur avoir gagné l'équivalent de trois millions de dollars en six mois en jouant les intermédiaires : « Des patrons venaient me voir. Ils étaient terrorisés à l'idée d'aller en prison. Je savais à quelle porte frapper, et le roi donnait des instructions aux ministres concernés pour que ces patrons soient laissés tranquilles. Je peux vous dire qu'un certain nombre de membres de la famille royale s'en sont mis plein les poches, à cette époque ! »

Le 9 février 1996, les dégâts sont tels que le Premier ministre Abdellatif Filali, personnellement opposé à l'initiative de Driss Basri, son ministre de l'Intérieur, transmet au patronat un message royal dans lequel on lit notamment : « Vous n'êtes pas des contrebandiers. Vous pouvez recommencer à travailler sereinement. » Cette campagne d'assainissement qui frappe aussi bien des innocents que des coupables, des industriels que des hauts fonctionnaires ou des trafiquants de drogue, a un retentissement considérable et ses conséquences négatives se feront sentir pendant plusieurs années. Le directeur général des Douanes, Ali Amor, bien involontairement à l'origine de cette campagne, est lui-même arrêté. Il écope en avril 1996 de deux cette campagne, est lui-même arrêté. Il écope en avril 1996 de deux ans de prison ferme. Un an plus tard, sa peine est confirmée en appel avant que Hassan II ne le gracie, en octobre 1997, avec quelques autres victimes d'une justice aux ordres. Cependant, contrairement aux autres accusés, comme son prédécesseur Jaï Hokaïmi, tout aussi innocent, Ali Amor n'a pas été incarcéré : les protestations de plusieurs ministres et la grogne de nombreux hauts fonctionnaires ont fait reculer l'appareil répressif…

Outre leurs peines de prison parfois très lourdes, les trente principaux accusés sont condamnés à verser deux milliards de dirhams d'amendes. Un pharmacien, directeur de laboratoire, Moncef Benabderrazzak, totalement innocent, est condamné à neuf ans de prison[1].

Si l'arrestation, puis la condamnation de quelques gros bonnets de la drogue, pratiquement tous d'origine modeste, ne font pleurer personne, les dérapages et dérives de nombreux policiers aussi incompétents qu'arrogants, et de juges soumis au pouvoir politique, inquiètent et irritent beaucoup de monde. Mais, comme toujours au Maroc, la peur du gendarme est omniprésente et la crainte d'être « le prochain sur la liste » fait taire la plupart. Hormis quelques rares éditoriaux et un bon mot de l'USFP – « Il faut assainir la campagne d'assainissement ! » –, la presse est étonnamment discrète. Dans les salons casablancais où l'on grogne, et plus encore dans les cocktails diplomatiques, les langues commencent à se délier. Les rumeurs les plus folles courent. Driss Basri est une fois de plus la vedette de cet affligeant scénario. Les uns affirment qu'il « règle ses comptes » avec les réseaux de son ancien rival Ahmed Réda Guédira, conseiller écouté et influent du Palais qui vient de mourir. D'autres prétendent que le Premier ministre Filali, ainsi que les ministres des Finances et du Commerce, Mohammed Kabbaj et Driss Jettou, sont profondément hostiles à cette campagne. Ils ajoutent que Basri aurait menacé les deux derniers de les jeter en prison s'ils ne filaient pas doux.

---

1. L'appui de deux personnalités scientifiques connues pour leur compétence et leur intégrité, les professeurs Hakima Himmich et Nefissa Benchemsi, ne lui servira à rien face à la toute-puissance du système et à la mauvaise foi du ministère de la Santé et de l'Institut Pasteur local.

Selon un des témoins privilégiés, à l'époque membre du gouvernement, ce sont des déclarations de Kabbaj, « insinuant de manière très insistante » que les contrebandiers et autres fauteurs de troubles, parfaitement connus, bénéficient de hautes « protections », qui mettent le feu aux poudres. Selon ce témoin, Driss Basri se sent « directement visé, comme si on en faisait un parrain de l'économie parallèle ». Il se livre alors à une sorte de « *pronunciamiento* administratif », poursuit notre témoin selon lequel « on s'aperçoit rapidement qu'il travaille de façon très ciblée [...]. Les premiers "accusés", dit-il, sont presque tous de Fès et accessoirement du Sousse, c'est-à-dire de régions où la mécanique Basri n'a jamais bien fonctionné ». Pour ce bon connaisseur du monde politique marocain, « Basri, comparé à des personnages "sécuritaires" comme Oufkir et Dlimi, est certainement celui qui a monté les réseaux les plus tentaculaires, mais pas nécessairement les plus efficaces. Cela lui a certes permis d'asservir l'essentiel des institutions démocratiques, l'essentiel des structures partisanes et associatives, mais il y a un domaine où il a systématiquement échoué, c'est celui de la finance et de l'économie, domaine qu'il n'a jamais maîtrisé, faute de culture économique. Cela a toujours été son talon d'Achille [...]. En fait, ajoute-t-il, Driss Basri était une machine à reproduire les conseils dispensés par ses conseillers occultes dont beaucoup venaient de la gauche. La dimension revancharde doit aussi être prise en compte : durant la "campagne d'assainissement", il a pu s'attaquer au "bazar", à cette gauche caviar ou à ces bourgeois sans foi ni loi, à ces spoliateurs qui, à ses yeux, ont toujours mangé à tous les râteliers, avant et après l'indépendance. C'est une théorie qu'il articulait mal, mais qui a toujours été omniprésente dans sa façon d'être. Mais il s'est heurté à plus fort que lui, parce qu'il a mal choisi ses cibles, parce qu'il s'est montré maladroit dans son argumentaire, et parce qu'il a construit une chimère avec un type qui s'est révélé très néfaste : le ministre de la Justice, Amalou [...]. Hassan II, conclut l'ancien ministre, s'est laissé piéger, au moins pendant quelques mois, parce que les arguments pragmatiques de Basri et Amalou l'avaient davantage convaincu que les hésitations ou l'inconsistance de Kabbaj »[1].

---

1. Entretien avec l'auteur de cet ancien ministre qui a requis l'anonymat.

Ce qui est certain, c'est que les milieux industriels sont très mécontents de l'attitude de Mohammed Kabbaj qui, en tant que titulaire des Finances, est le grand patron des Douanes. Ils dénoncent son silence et sa pusillanimité. Le même Kabbaj, fin mai 1996, a une vive altercation avec le ministre de la Justice Amalou, auquel il reproche l'incompétence de ses propres services.

Henri Lachmann, alors PDG français du groupe Strafor-Facon, et très attaché au Maroc, se dit inquiet des excès de l'« assainissement » : « Je suis, confie-t-il à un hebdomadaire marocain, préoccupé par l'excessive brutalité de ce qu'on appelle l'"assainissement" et par l'inadéquation de la Justice à faire face à ses tâches. Ce qui a été fait depuis janvier – le *comment* et pas le *quoi* –, le Maroc n'en avait pas besoin. Il ne sert à rien de mettre des feux rouges si l'on n'a pas l'électricité. Il faut avoir les structures pour accompagner les décisions. Or, actuellement, la Justice marocaine est défaillante[1]. »

Les interventions du patronat – la Confédération générale des entreprises marocaines (CGEM) – auprès du gouvernement, afin de lui montrer les effets pervers de cette campagne, et de multiples protestations débouchent finalement sur une réunion surréaliste, le 21 juin 1996, entre les pouvoirs publics et la CGEM. Au terme de plusieurs heures de discussions dirigées une fois de plus par Driss Basri sans qui rien ne peut décidément se faire dans le royaume, les deux parties conviennent de « mettre en œuvre une politique de normalisation et de fonctionnement de l'activité économique ». Elles décident notamment de « rendre permanente leur concertation, de la renforcer et de déployer leurs efforts en vue de la consolidation d'un climat sain, confiant et favorable à la progression soutenue des investissements »…

Ainsi donc, alors que MM. Basri et Amalou, ministres de l'Intérieur et de la Justice, apposent leurs signatures, au bas du document, à côté de celles des ministres des Finances et du Commerce ainsi que du « patron des patrons », est consacré le droit de regard du premier flic du royaume sur la marche des entreprises et de l'économie nationales ! Non content d'avoir fait fuir les investisseurs et mis sous les verrous, avec la complicité de son collègue de la Justice, de nombreux

---

1. *L'Économiste*, 25 juin 1996.

innocents dont il a pourri l'existence, M. Basri, sans que Hassan II y trouve à redire, officialise par un *gentleman's agreement* – c'est le terme officiellement retenu – le contrôle des entreprises par son ministère !

Pour Mohsen Ayouche, directeur délégué de la CGEM[1], ce qui s'est passé n'a rien de mystérieux : « Il s'agit au départ d'une opération exclusivement politique menée par les Douanes qui estimaient à juste titre qu'il y avait trop de contrebande et de non-respect du droit. Ali Amor, le directeur des Douanes, aurait transigé, mais Basri s'en est mêlé et tout a changé. Au fond, il a voulu dire : "Ne fait pas de la contrebande qui veut !" Il s'agissait aussi d'un message politique du *makhzen* à l'entreprise qui voulait s'émanciper et qui réclamait plus de démocratie et d'État de droit. Il fallait la mettre au pas. Au Maroc, pratiquement tous les riches le sont depuis peu de temps, et s'ils le sont, c'est grâce au *makhzen*. Cette période a été hautement instructive : on y a vu le *makhzen* dans toute sa splendeur ! »

En avril 1996, alors que rien n'est encore réglé, Béatrice Hibou, économiste et chercheuse au Centre d'études et de recherches internationales (CERI), écrit on ne peut plus explicitement : « Les campagnes actuelles d'assainissement ne peuvent être comprises comme l'expression, même rudimentaire, de réformes ou comme le préalable à la définition d'une politique économique. Elles révèlent au contraire une stratégie politique et sociale destinée à mieux contrôler la société. Autrement dit, c'est moins la nécessité de faire des réformes que les nouveaux accords et les nouvelles contraintes extérieures qui ont contribué à révéler l'urgence, pour le Pouvoir, d'éviter l'épanouissement de potentiels de dissidence et de tenter de redéfinir de nouvelles formes d'allégeance. Si elle n'était pas maîtrisée, la nouvelle donne pourrait donner des ailes à ces espaces d'insoumission, pourrait permettre une autonomisation plus achevée de l'économie par rapport au politique. Malgré la concentration des pouvoirs et l'apparente omniprésence de l'État-*makhzen*, on peut lire la réaction actuelle du pouvoir marocain à la fois comme la prise de conscience de l'auto-

---

1. Entretien avec l'auteur. M. Ayouche présente à l'époque la particularité d'être membre du Bureau politique d'une organisation d'extrême gauche. Mais, comme il le dit en souriant : « Je ne suis pas patron, mais employé. »

nomisation croissante de la société et comme une tentative de reprise en main[1]. »

Driss Basri, lui, n'a pas oublié cette période. Il en veut encore à la Terre entière et estime qu'on lui a fait porter le chapeau. Quand il reçoit l'auteur, dans sa belle villa du Souissi, dans un petit salon marocain où il a fait afficher un poème de Maneh Saïd el-Oteiba, l'ancien secrétaire général de l'OPEP, à la gloire de Mme Basri, *Oum Hicham*, « la Perle des perles », l'évocation de cette période l'horripile toujours : « Dans cette affaire, martèle-t-il, sept personnes ont été touchées, et une est allée en taule ! Il y a eu des arrangements fiscaux et douaniers pour les autres. Sur deux à trois mille entreprises concernées, ça n'est vraiment pas grand-chose ! » Il répond à un appel téléphonique puis reprend : « Regardez plutôt d'où vient cette campagne. Je n'avais pas le dixième des pouvoirs de Nicolas Sarkozy[2]. Au Maroc, pendant un bon bout de temps, l'objectif de la presse nationale et étrangère était de salir le régime et notamment le roi. C'est Kabbaj et Jettou qui poussaient à l'"assainissement". Pour moi, ces deux-là ont été des touristes dans le gouvernement ! Moi, je suis un vieux de la vieille. Eux, ce sont des gens qui veulent avoir de l'importance. Je l'ai dit à Hassan II. Ils se présentent toujours en victimes. Ce sont des incapables. Je ne suis pas allé, comme ils le voulaient, dans le nord du pays, mais dans le port de Casablanca où se passaient vraiment les choses. Driss Jettou est un homme d'affaires. Kabbaj est un homme de lobbies dont il est le porte-parole. Mon travail à moi était un travail sérieux. Hassan II était un perfectionniste avec lequel j'ai travaillé trente et un ans ! J'en connais peu qui soient restés plus d'un an avec lui… »

Il en a si gros sur le cœur que la conversation va un peu dans tous les sens : « Regardez, je suis parti il y a trois ans. J'ai déjà eu trois successeurs et un quatrième est en préparation [il rit]. Moi, je n'ai pas profité de mes fonctions pour bénéficier de passe-droits […]. Ces patrons à la noix qui vivent de prébendes et de tout ce qui est parasitaire, qu'ils nous laissent travailler, qu'ils nous foutent la paix ! Finalement, je leur ai dit de venir à la maison, que Sa Majesté leur offrait

---

1. *Les Études du CERI*, n° 15, avril 1996, p. 39.
2. Au moment de l'entretien, Nicolas Sarkozy était ministre de l'Intérieur.

un dîner chez moi, et que nous étions là pour une mise à niveau [...]. Quand on veut taper sur son chien, on l'accuse de mordre[1] ! »

Quelques jours avant cet entretien, l'ex-ministre de l'Intérieur remettait à l'auteur une longue mise au point écrite, en réponse à une question sur le même sujet. En voici les principaux passages : « Une fois que le long et astreignant programme d'ajustement structurel prescrit par le FMI et la Banque mondiale a été mis en œuvre, le Maroc s'est rendu compte que ses ressources budgétaires n'étaient pas en mesure d'honorer ses engagements d'amortissement de sa dette extérieure [...]. Le Club de Paris, pour les bailleurs publics, et celui de Londres, pour les banques privées soutenues par le FMI, ont conseillé au gouvernement marocain de prendre des mesures tendant à améliorer les recettes fiscales, en attendant que les réformes structurelles du système des impôts mis en chantier voient le jour et produisent leurs fruits. » Le Premier ministre Filali, Mohammed Kabbaj et Driss Jettou, « en contact constant avec le FMI, poursuit Driss Basri, ont arrêté alors une politique tendant à lutter contre la contrebande, qui obère les recettes fiscales. Ils avaient exposé les grandes lignes de cette action en Conseil de gouvernement et en Comité interministériel. Ils l'ont soumise à l'appréciation du souverain. En septembre 1995, à l'occasion de la préparation de la loi de finances pour l'exercice suivant, ils ont demandé aux ministres de la Justice et de l'Intérieur de coopérer à cette opération d'assainissement qui consiste, en fin de compte, à réprimer la contrebande de marchandises qui inondent les marchés nationaux sans acquitter bien entendu ni droits de douane, ni TVA, ni impôt sur les sociétés, ni impôt général sur les revenus ».

L'ancien ministre de l'Intérieur, qui parle de lui à la troisième personne, affirme alors que, « conscient des enjeux, et toujours méfiant à l'égard de la politique antipopulaire du FMI, paupériste et malthusienne, il n'a pas caché ses réticences vis-à-vis de cette opération, mais, solidarité gouvernementale oblige, il a demandé au Conseil de gouvernement, et particulièrement à ses collègues des Finances et du Commerce, de présenter la liste exhaustive des produits et articles rentrant en contrebande, et de constituer un Comité interministériel

---

1. Entretien avec l'auteur, décembre 2002.

552

de coordination sous la présidence du Premier ministre. Le ministre de l'Intérieur, vieux routier et en prise permanente avec la réalité du terrain, n'ignorait guère les implications de cette opération, ni les intérêts contradictoires qu'elle allait faire surgir. Mais les ministres des Finances et du Commerce n'ont pas donné suite à cette demande et n'ont pas fourni la liste des produits ni au Premier ministre, ni aux membres concernés du gouvernement. Ils ont malgré tout persisté à réclamer avec insistance la mise en œuvre de l'opération d'assainissement. Ils ont fait le siège de l'entourage du roi… ».

Driss Basri ajoute qu'il a encore eu l'occasion de fournir des précisions à Hassan II qui souhaitait mieux cerner les implications de cette opération. Il en profite pour déplorer l'attitude de MM. Kabbaj et Jettou qui, dit-il, « louvoyaient afin de ne pas s'impliquer directement et loyalement dans ladite opération ». Hassan II invite alors Basri à faire seul le travail, « s'il le faut ». Resté en tête-à-tête avec le roi, le ministre s'adresse à lui en ces termes : « Majesté, c'est une opération difficile, explosive même. L'appui du souverain est indispensable, parce que, en fin de compte, c'est le roi qui sera assailli par les interventions tous azimuts que cette opération soulèvera, et par la campagne de certains lobbies représentant le secteur parasitaire et informel du circuit économique. » Et il note : « Le roi a marqué une grande attention devant l'attitude réservée du ministre de l'Intérieur. Il a bien compris la démarche et l'a assuré de son engagement personnel. »

De l'avis de Driss Basri, quand ses deux collègues ont réalisé que la contrebande n'était pas seulement le fait des gens du Nord, comme ils le pensaient, mais qu'elle sévissait aussi au cœur de Casablanca ou qu'elle était liée aux admissions temporaires[1] en butte à diverses manipulations, ils ont « paniqué ».

Mais suivons sa démonstration : « Dès qu'on a à l'esprit ces données et qu'on mesure l'importance des "poches" de revenus faciles qui profitaient à ceux qui s'adonnaient à ce trafic, on comprend aisément la crainte que suscitent les tribunaux répressifs aux opérateurs indélicats. Comme ceux-ci n'agissaient pas seuls, mais disposaient d'associés plus ou moins occultes, plus ou moins puissants et bien

1. Une façon de payer peu de taxes…

placés dans quelques hiérarchies politico-administratives, on comprend mieux les raisons de la campagne orchestrée par les victimes de cette opération. Les détracteurs de cette campagne ne pouvaient s'attaquer à la décision du roi [...]. IIs ne pouvaient non plus dénoncer les deux ministres à l'origine de cette opération, à savoir les ministres des Finances et du Commerce, qui tenaient un double discours et étaient liés objectivement et naturellement à certains de ces lobbies. Ils ont concentré leurs critiques sur l'action du ministre de la Justice, un professeur d'université enthousiaste mais sans grande expérience politique ni professionnelle. Ils ont fait pression sur lui pour que la Justice aille vite dans l'instruction et que le prononcé des jugements dans les affaires pendantes se fasse dans un délai très court. Les sentences prononcées, certes régulières et conformes en apparence aux règles de procédure [...], ont retenu pour barème commun à toutes les contraventions le maximum de l'amende fixée par le Code des douanes. Ce fut on ne peut plus sévère ! Les montants infligés ont atteint le quadruple ou le quintuple de la valeur nominale de la marchandise saisie. Ce sont des sommes effarantes, qui donnent le vertige [...]. Procès médiatisés et mara-thons, amendes extravagantes, souligne Driss Basri, tout cela a facilité une campagne de presse hostile à l'opération d'assainissement, cam-pagne dont les partisans nourrissaient l'espoir que le roi accordât sa grâce à l'occasion de l'imminente fête du Ramadan. Le ministre de l'Intérieur, conscient des enjeux et des soubassements économiques, politiques, fiscaux et budgétaires de cette opération, a joué en toute conscience et pertinence le rôle de modérateur et d'équilibre dans cette entreprise. Mais, comme ses fonctions et sa proximité avec le souverain l'empêchaient de s'exprimer et l'obligeaient à observer une réserve totale, les contre-vérités et toutes sortes d'inepties se sont propagées. C'est sur lui, malheureusement, comme presque toujours, que tout se cristallisera, vu le rôle central qui lui est nominalement prêté dans la politique du pays. Mais cela est également sûrement dû à son intégrité, à sa grande loyauté à l'égard de Hassan II, à son indé-pendance politique et à sa non-implication dans les lobbies. »

Ainsi donc, n'eussent été la « lâcheté » de ses collègues ministres, les pressions inadmissibles des milieux corrompus sur un ministre de la Justice « enthousiaste » mais inexpérimenté, l'obligation de réserve (totale) que s'imposait Driss Basri, et la haine qu'il cristallisait, cette campagne eut été un succès total…

Dressant en fin de réponse le « constat technique » de « cette très éphémère campagne d'assainissement », Driss Basri relève qu'elle a permis de « mettre à nu l'existence d'un important circuit parallèle illégal, pourvoyant jusqu'à hauteur de 25 % des besoins du marché local », de découvrir qu'il y avait « un manque à gagner pour le Trésor public d'un milliard de dollars par an », que « des complicités objectives et organiques » existaient « entre les services des Douanes et la pratique de la contrebande ». Plusieurs mesures techniques furent rapidement prises, notamment la révision du système des admissions temporaires, et une refonte du Code des douanes. À la suite de quoi, affirme M. Basri, les recettes fiscales augmentèrent « de plus de 20 % ».

Dans ses très longues explications sur cette affaire, comme d'ailleurs dans ses réponses à d'autres questions, l'ancien homme fort du régime tente de se donner une image de politicien issu d'un milieu modeste, resté proche du peuple, et qui s'est construit une belle carrière par son travail acharné. Alors que l'auteur lui demande ce qu'il pense des critiques proférées à son endroit par l'ancien ministre et conseiller du roi Abdelhadi Boutaleb, Driss Basri répond sèchement : « Boutaleb, qui est-il ? Celui qui veut avoir du grade et de la crédibilité, alors il tape sur le ministre de l'Intérieur de Hassan II ! C'est un ancien de la Qaraouiyine de Fès. Moi, je suis de Settat[1] : qu'est-ce que j'ai de commun avec ce monsieur ? Il parle à tort et à travers, alors que nous n'avons jamais travaillé ensemble. Il passait son temps à lire la presse et faisait quelques petits voyages pour Hassan II… »

Driss Basri donne aussi le sentiment de rejeter la responsabilité de sa mise à l'écart sur les grandes familles marocaines : « Cette levée de boucliers, dit-il en parlant des vives réactions à la campagne d'assainissement, s'explique en fin de compte par le fait que c'était la première fois, au Maroc, que les grands négociants et les manufacturiers étaient l'objet de contrôles douaniers et d'interpellations émanant de la Justice ; cela a été ressenti comme un sacrilège, une entorse aux us et coutumes. "Comment ose-t-on toucher aux honorables et respec-

---

1. Petite ville sur la route de Casablanca à Marrakech.

tables capitalistes, fils de grandes familles, fussent-ils trafiquants ou contrebandiers ?" entendait-on dire ici et là sans vergogne. C'est là un des aspects fondamentaux du problème. Les mafieux tous azimuts, protégés ici et là, se croyaient en effet au-dessus des lois dans une société où la pauvreté est explosive et la tentation de concussion assez propagée dans les services publics et semi-publics. »

Son aversion pour la plupart des patrons marocains, notamment pour la CGEM – il est vrai qu'il eut un violent accrochage en 1996 avec Abderrahmane Lahjouji, son président –, est tout aussi significative : « Leurs doléances et autres revendications sont plus fournies en longueur et en largeur que celles de tous les syndicats ouvriers réunis ! [...] Les exonérations fiscales et les passe-droits que certains opérateurs économiques obtiennent dépassent de loin le coût de la facture quinquennale découlant d'une hypothétique amélioration des salaires de la classe laborieuse », précise-t-il[1].

---

1. Entretien avec l'auteur.

VII

Le gouvernement d'alternance

Le 13 juin 1997 ont lieu les élections communales. Le pouvoir crée par décret une Commission nationale de suivi des élections un mois avant ce scrutin. Conduite par le président de la Cour suprême, elle montre vite ses limites et, entre les communales et les législatives, l'USFP et l'Istiqlal ne s'y font plus représenter que par des « seconds couteaux[1] ». Le Bloc démocratique obtient 34 % des suffrages, devançant assez largement le Wifaq – Union constitutionnelle, Mouvement populaire et Parti national démocrate –, qui récolte 28 % des voix, le RNI et deux autres partis qu'on appellera « centristes » par commodité – le Mouvement national populaire et le Mouvement démocratique et social, parti « cocotte-minute » – obtenant 26 % des suffrages.

Ces élections communales demeurent un mystère. Trois mois et demi plus tôt, le 28 février, onze partis politiques, dont cinq d'opposition, ont signé avec le ministre de l'Intérieur, Driss Basri, une charte politique visant à « consolider le régime démocratique fondé sur la

---

1. Voir le livre de Fatiha Layadi et Narjis Rerhaye, *Maroc, chronique d'une démocratie en devenir*, Casablanca, Eddif, 1998, p. 18.

monarchie ». Les signataires se sont engagés à respecter la loi tandis que l'administration veillerait notamment à « sanctionner les pratiques illégales ». La stupéfaction est grande dans le monde politique : depuis quand des partis qui se disent démocrates prennent-ils l'engagement de respecter la loi ? En fait, comme l'écrivent Zakya Daoud et Brahim Oulchelh, cette charte « marque indiscutablement un tournant politique », l'opposition, en particulier l'USFP, rompant avec une longue culture du refus[1].

Comme le dit le proverbe, « promettre et tenir sont deux ». Il est de bon ton, à l'époque, de parler de « neutralité passive » de l'administration, ce qui revient à dire que si elle n'a pas falsifié les résultats – ce qui constitue un progrès –, elle a en revanche fermé les yeux sur le rôle de l'argent dans l'achat des voix, entre autres pratiques immorales – ce qui est un recul.

Contrairement à l'Istiqlal qui se garde bien de faire amende honorable, l'USFP et le PPS battent leur coulpe et reconnaissent que certains candidats « démocrates » présentés par des partis membres de la *koutla* n'ont pas eu le comportement irréprochable qu'on pouvait attendre d'eux. Abderrahmane Youssoufi, dont le parti est arrivé en cinquième position, très loin derrière l'Istiqlal, explique cet « échec » par « la faiblesse de l'organisation du parti » et par « la profondeur des tiraillements » dans les rangs socialistes, à tel point que « des candidats usfpéistes ont été privés de voix usfpéistes »[2]. Mais là n'est pas l'important. Une petite phrase de Driss Basri permet de deviner la suite de l'histoire : « La progression de 10 % réalisée par la *koutla* le 13 juin 1997, déclare le ministre de l'Intérieur, lui permet d'espérer davantage lors des élections législatives[3]. »

Les scrupules de la gauche, l'honnêteté de M. Youssoufi, l'agressivité de l'Istiqlal qui a « le triomphe mauvais », selon l'expression de Mmes Layadi et Rerhaye, importent peu à M. Basri ; seul compte le calendrier que lui a fixé Hassan II. Les prochaines élections législatives déboucheront sur l'alternance ; il faut donc s'y préparer.

1. « Le Maroc prêt pour l'alternance », *Le Monde diplomatique*, juin 1997.
2. Fatiha Layadi et Narjis Rerhaye, *Maroc, chronique d'une démocratie en devenir*, *op. cit.*, p. 71.
3. *Ibid.*, p. 62.

D'une certaine manière, les divisions au sein du Bloc démocratique, où les préjugés entre istiqlaliens et socialistes restent vivaces, n'ont pas grande importance. Dans le scénario voulu par le Palais et mis en musique par l'Intérieur, l'USFP doit l'emporter pour rendre crédible l'alternance. Que le parti de Ben Barka et celui d'Allal el-Fassi ne soient d'accord sur presque rien ne change pas grand-chose à l'affaire. Au contraire, une fois l'alternance en place, ces dissensions, qui d'ailleurs ne tarderont pas à être rendues publiques, faciliteront la tâche de ce véritable « cheval de Troie » qu'est le ministère de l'Intérieur. Les deux grands partis historiques ne font pas que commettre l'erreur d'entrer dans un gouvernement d'alternance aux conditions du Palais, mais ils y entrent affaiblis par leurs vieilles querelles, par une vision de l'avenir profondément différente, et par leur incapacité à élaborer un programme minimal. Avant même le scrutin, l'échec est déjà en vue, ainsi que le relèvent F. Layadi et N. Rerhaye : « Comment imaginer que des partis politiques puissent aller aux élections avec des programmes différents et opposer leurs candidats les uns aux autres tout en promettant à leur électorat que, plus tard, quand on sera aux affaires, on aura le temps de tout faire converger[1] ? »

Les résultats des élections du 14 novembre 1997 ne constituent donc pas une surprise. Le Bloc démocratique, qui n'offre qu'une unité de façade, arrive en tête avec 102 sièges, suivi du Wifaq (100 sièges) et du Centre, emmené par le RNI (97 sièges). Balayée aux communales par l'Istiqlal, l'USFP remporte cinq mois plus tard presque deux fois plus de sièges que le PI : 57 contre 32 ! Le MDS, parti « micro-ondes » [ou « cocotte-minute »] de l'ancien tortionnaire Mohammed Archane, issu d'une récente scission avec le Mouvement populaire, fait aussi bien que l'Istiqlal. Tout cela n'a strictement aucun sens, sauf à prendre les Marocains pour des imbéciles. Ce qui a peut-être un peu plus de pertinence, c'est que le taux de participation est inférieur à 60 % et que les bulletins nuls ont été plus nombreux que ceux des partisans de l'USFP : 1 085 366 contre

---

1. *Ibid.*

884 061, ce qui fait dire à certains que « le premier parti du Maroc est celui des nuls[1] ».

L'Istiqlal, dont seulement deux dirigeants sur onze ont été élus, est ulcéré. Dans une lettre adressée au Premier ministre Abdellatif Filali, M'hammed Boucetta, qui s'était montré beaucoup moins regardant en 1977, demande « l'ouverture d'une enquête nationale sur les irrégularités qui ont entaché les opérations électorales [...], compte tenu de la gravité et des retombées politiques des irrégularités commises, lesquelles ont fait avorter le processus démocratique [...] et porté atteinte à la réputation de notre pays ».

M'hammed Douiri, numéro deux du parti et rival de Boucetta, est le seul à se démarquer de ses amis politiques en demandant aux membres du Comité exécutif de démissionner collectivement. Il réclame aussi la convocation d'un congrès extraordinaire. Mais, soumis aux pressions de ses amis et à la stricte discipline du parti, il fait vite marche arrière et présente ses excuses[2].

Paradoxalement, à l'USFP on est à peine moins mécontent. Deux parlementaires, MM. Mohammed Hafid et Mohammed Adib, tous deux élus à Casablanca, dénoncent à quelques jours d'intervalle leur propre élection, « entachée d'irrégularités ». « En annonçant la victoire de M. Adib, indique *Al-Ittihad al-Ichtirakiya*, organe de l'USFP, l'administration visait la crédibilité de l'USFP et celle de son candidat, ainsi que son implication dans des affrontements aux conséquences imprévisibles. » De son côté, Mohammed Hafid, dans une lettre à Abderrahmane Youssoufi, affirme qu'il refuse d'être un « faux parlementaire ».

Un autre haut responsable socialiste, Mustapha Karchaoui, démissionne du Bureau politique. Il explique qu'il veut « retrouver [sa] liberté perdue de réfléchir, d'évaluer et d'agir. Il est assez triste de dire que, face aux mascarades du 14 novembre, les consultations électorales des années soixante et soixante-dix apparaissent plus saines. Les conditions de déroulement des dernières élections ont balayé les quelques lueurs d'espoir auxquelles nous sommes attachés pour sauver la démocratie et le pays. Le bilan terrible des événements

---

1. *Ibid.*, p. 216.
2. Lettre du 22 novembre 1997 de M. Douiri, citée *ibid.*, p. 219.

impose à l'élite politique dans son ensemble de marquer une pause de réflexion et de remise en cause. Elle doit tirer les leçons nécessaires de cette expérience. Quant aux forces démocratiques authentiques, elles doivent répondre à la question suivante : est-il possible de sauver la démocratie et la crédibilité des élections sans sauver la pratique politique ? [...] Cette dernière nécessite aujourd'hui une purification et une moralisation pour retrouver sa crédibilité[1] ». Youssoufi refuse sa démission.

Cette parodie d'élections, on le sait, n'empêchera pas Abderrahmane Youssoufi d'accepter, trois mois plus tard, de devenir le Premier ministre d'un gouvernement d'« alternance contrôlée ».

De son côté, Driss Basri, avec le recul du temps, minimise ces dérapages : « Concernant les élections [...], j'ai toujours privilégié l'intérêt du trône et du Maroc au détriment de ma personne. Si on a prétendu que j'ai eu à accorder un siège à Untel ou à en retirer un à tel autre, je considère cela comme un détail. Un détail insignifiant. Le plus important pour moi était la réussite du processus [...]. En ce qui me concerne, j'accepte d'être accusé d'avoir arrangé quelques députations. Je n'étais qu'un instrument sans intérêt personnel, neutre. Et si l'objectif était noble et décisif, comme l'alternance, ce genre de petits détails ne compte plus[2]. » Sans commentaire !

Dans leur étude sur « les 400 jours d'une transition annoncée », Fatiha Layadi et Narjis Rerhaye tentent de cerner les raisons qui conduisent une grande majorité de Marocains politisés, y compris à gauche, à rejeter les critiques de « ceux qui ne connaissent de la politique marocaine que ce qu'ils veulent bien voir par le petit bout de la lorgnette ». Dès le début de leur travail, elles donnent le ton en parlant de « la toute petite minorité » des 13 millions de Marocains consciente des enjeux électoraux. Pour la grande majorité du peuple marocain, écrivent-elles, « une élection n'est au mieux qu'une occasion de se faire un peu d'argent et, au pire, une perte de temps et d'énergie. Les maux de la société marocaine – analphabétisme, pauvreté, chômage et absence de culture politique – se sont faits les maîtres du jeu [...]. Une démocratie en devenir, le Maroc ? Il vaut

---

1. *Ibid.*, p. 220.
2. *Le Journal hebdomadaire*, 10-16 mai 2003.

peut-être mieux parler d'un État en transition, en situation pré-démocratique ». Le gouvernement d'alternance, disent-elles encore, c'est comme le futur conducteur dans une auto-école : « C'est lui qui conduit, mais le moniteur peut à tout moment prendre les commandes pour parer à toute manœuvre dangereuse. » Elles citent également un militant de gauche qui affirme : « Nous avons encore besoin d'un État qui contrôle la démocratie »[1].

On n'étonnera pas le lecteur en lui disant qu'après la publication de leur livre, ces deux journalistes ont rejoint, l'une le ministère de la Communication, l'autre *Le Matin du Sahara*, qui traduit fidèlement la pensée du pouvoir marocain. Leur conviction, qu'elles partagent avec la plus grande partie de la classe politique, est que depuis l'indépendance, le vent de la démocratie n'a soufflé que sur les élites du pays, et que la société marocaine, loin d'être démocratisée, doit rester sous contrôle. Elles devraient pourtant méditer cette belle phrase de Valery Larbaud : « Le peuple, c'est tout ce qui n'est pas médiocre. Nous sommes des espèces de castrats, moralement ; eux, ils sont entiers. »

Au début de 2004, dans une chronique publiée par *Le Journal* et intitulée « Non ! », Mohammed Sassi déplore que la classe politique traditionnelle, celle qu'on retrouve sur les bancs de l'Assemblée, ne soit plus capable de dire non. Estimant cette attitude bien peu démocratique, il se demande si « le besoin des élites partisanes de la protection et de la tutelle du pouvoir » ne s'explique pas par la « fragilité » de leurs formations et la faible adhésion populaire que celles-ci suscitent. Pour Sassi, ce qui est inquiétant, c'est que cette classe politique de béni-oui-oui donne à croire que le gouvernant ne se trompe jamais.

Quarante ans ou presque après que Mohammed V eut fait appel à Abdallah Ibrahim pour diriger le gouvernement, un autre dirigeant socialiste, Abderrahmane Youssoufi, est nommé Premier ministre par Hassan II. Cette nomination, qui intervient deux mois et demi après des élections législatives qui ont pourtant donné une large majorité de droite et de centre droit entièrement acquise au Palais, ne surprend personne. La seule « concession » faite par le souverain

---

1. *Ibid.*

est d'accepter un Premier ministre issu des rangs de l'opposition en dépit de son « inexpérience ». Hassan II sait qu'un gouvernement d'alternance conduit par un proche n'aurait aucune crédibilité. Comme les électeurs ont eu la bonne idée de placer l'USFP en tête du scrutin, il est normal que le monarque fasse appel au chef de la plus importante formation politique, même si celle-ci n'a remporté que 18 % des suffrages et 20 % des sièges.

Toutes les autres conditions du roi – notamment les ministères de souveraineté échappant aux partis soutenant la coalition gouvernementale et le maintien de Driss Basri à l'Intérieur – ont été acceptées, et les manœuvres frauduleuses qui ont prévalu lors du scrutin ont été passées par pertes et profits. Si l'on ajoute à cela que le nouveau chef de gouvernement va devoir composer avec des formations qui sont souvent loin de partager les idées des socialistes, on comprend que M. Youssoufi n'a pas choisi la facilité. Mais la nécessité de « sauver la patrie », la santé fragile du souverain, les incertitudes qui pèsent sur l'avenir, ainsi que le désir légitime, pour des hommes politiques, de goûter au pouvoir, ont ôté aux hésitants leurs derniers scrupules.

La soif de changement des Marocains et le respect qu'inspire encore la personnalité de Youssoufi sont tels que tout le monde ou presque ferme les yeux sur les derniers dérapages du pouvoir et sur les concessions du chef de l'USFP. C'est qu'à soixante-quatorze ans toute la vie du chef du gouvernement plaide en sa faveur. Sans avoir l'envergure d'un Ben Barka ou d'un Bouabid, ni le charisme d'un Benjelloun, Abderrahmane Youssoufi a eu, depuis ses débuts en politique, une vie digne et courageuse. Il adhère à l'Istiqlal dès la création du parti alors qu'il n'a pas vingt ans. En 1959, il est aux côtés de Ben Barka quand celui-ci fonde l'UNFP. Il est alors rédacteur en chef du journal *At-Tahrir*, dirigé par le *fqih* Basri. Il est arrêté une première fois pour avoir écrit que « le gouvernement est responsable devant l'opinion publique ». Son camarade socialiste Abdallah Ibrahim, qui est alors au pouvoir, laisse faire… En juillet 1963, il est de nouveau arrêté avec la plupart des membres de la Commission administrative de l'UNFP. Condamné à deux ans de prison, il en sort en mars 1964. À la fin de 1965, après l'enlèvement de Ben Barka, il part en France pour participer à l'organisation du procès des ravisseurs du chef socialiste. Ce déplacement se transforme en séjour prolongé : un exil de quinze ans. Ce qui ne l'empêche pas, en 1971, d'être poursuivi et condamné par contumace pour complot lors du procès de Marrakech intenté par le régime contre des responsables de l'UNFP. Gracié par Hassan II le 20 août 1980, il rentre au Maroc au mois d'octobre suivant. Depuis 1975, il a pris nettement ses distances avec le *fqih* Basri et renoncé à la violence révolutionnaire. Dernière « grosse pointure » du parti, il succède au début de 1992 à Abderrahim Bouabid qui vient de mourir. Avocat de formation, né à Tanger, aussi à l'aise en arabe qu'en français ou en espagnol, ayant tissé des liens dans de nombreux pays arabes et européens, Youssoufi bénéficie donc d'une bonne image, aussi bien chez ses compatriotes qu'à l'étranger.

Dans les minutes qui suivent sa nomination, le 4 février 1998, comme lui-même l'a raconté au *Monde*, il prête serment à Hassan II : « Je revois très bien la scène. Nous étions debout dans son bureau du palais royal de Rabat. C'est Sa Majesté Hassan II qui a suggéré cet engagement, et je l'ai accepté. Devant un Coran posé sur son bureau, il a prononcé une formule qui nous engageait à travailler ensemble pour l'intérêt du pays et à nous apporter une assistance réciproque. J'ai solennellement adhéré à ce serment et ai conclu par ces mots : "Je le jure"[1]. »

Dans le même entretien, Youssoufi précise qu'au moment où il a accepté le poste de Premier ministre « le Maroc frôlait la catastrophe. Conduire l'alternance n'a pas été une chose facile, nous n'avons été aidés en rien, pas même par le climat, puisque, pour la quatrième année, le pays souffre d'une sécheresse terrible ».

Effectivement, il éprouve d'emblée les plus grandes difficultés à former son gouvernement. Une fois de plus, ce sont les partenaires de l'Istiqlal, « grand perdant » des législatives, qui posent problème en se montrant trop gourmands. Partant du principe que le scrutin n'a pas reflété leur véritable poids, ils demandent plus que ce qui leur est proposé. Leur XIIIᵉ Congrès, du 20 au 23 février, avec l'élection du nouveau secrétaire général de l'Istiqlal, Abbas el-Fassi, en remplacement de M'hammed Boucetta, permet de régler le problème. Avec l'appui de Boucetta, el-Fassi parvient à convaincre les trois mille congressistes, dont un tiers s'est prononcé contre toute participation

---

1. Interview accordée à Florence Beaugé, du *Monde*, le 11 octobre 2002.

au gouvernement, de déléguer le Comité exécutif pour négocier la participation du PI au cabinet Youssoufi.

Le 14 mars, après six semaines de palabres qui ne laissent présager rien de bon, Youssoufi annonce enfin la composition de son gouvernement qui, outre lui-même, compte trente ministres et neuf secrétaires d'État, dont deux femmes de l'USFP. Les ministères dits « de souveraineté » sont attribués à Abdellatif Filali (Affaires étrangères), Abdelkader Alaoui M'daghri (Affaires islamiques), Omar Azzimane (Justice) et surtout Driss Basri (Intérieur). Les portefeuilles de l'Économie et des Finances (Fathallah Oualalou), de l'Aménagement du territoire et de l'Urbanisme (el-Yazghi), de l'Agriculture (Habib Malki) et du Développement social (Khalid Alioua) sont attribués à des responsables de l'USFP. Le PPS prend en charge l'Éducation nationale avec Ismaïl Alaoui, et l'Istiqlal se voit attribuer notamment l'Équipement (Benamor Taghouane), la Santé publique (Abdelwahad el-Fassi), la Communication (Larbi Messari) et l'Énergie et les Mines (Youssef Tahiri).

Commentant la composition du cabinet, l'hebdomadaire *La Gazette du Maroc*, sous le titre « Le couple Youssoufi-Basri : la cohabitation ? », observe cruellement que M. Basri gère et contrôle depuis longtemps « les élections, les régions, les communes, les impôts, les affaires du Sahara occidental, les chômeurs diplômés, les émeutes, l'agriculture et (même) le golf » ! Si l'on garde à l'esprit que les autres ministères de souveraineté ont en charge la politique étrangère, les Affaires islamiques et la Justice, on peut se demander sur quoi portera l'action du Premier ministre…

Tout cela n'empêche pas Abbas el-Fassi d'affirmer, sitôt après la nomination du nouveau gouvernement, que celui-ci engagera « les réformes nécessaires » attendues par les Marocains dans les domaines politique, économique, social et culturel. En participant au gouvernement, ajoute le nouveau patron de l'Istiqlal, le PI entend permettre au Maroc de rejoindre la sphère des « pays démocratiques développés »[1].

Dans les jours qui suivent sa nomination, Youssoufi fait savoir que la réforme de l'administration et de la justice constituera la priorité

---

1. Déclaration à la presse, citée par l'AFP, le 14 mars 1998.

de son action. « Sans elles, dit-il, il n'y a pas de développement possible[1]. » Les autres priorités, ajoute-t-il, seront « la croissance pour multiplier les emplois », le contrôle de la natalité, « *via* l'information et l'éducation » la réforme de l'enseignement et des médias. Selon lui, le Maroc se prépare à une « transformation radicale » grâce à « une transition démocratique […]. Les Marocains veulent être sûrs que les changements vont commencer […]. Tous ceux qui ont acquis richesses et pouvoir, ceux-là ne veulent pas de changements ». Mais, s'empresse-t-il d'ajouter, « il n'y aura de revanche contre personne. Nous regardons vers le futur et disons à ceux qui ont mal agi jusqu'à maintenant qu'ils se contentent de ce qu'ils ont déjà acquis ».

Au départ, quelques gestes symboliques du nouveau Premier ministre sont appréciés par les Marocains. Le 25 mars, il demande aux ministres de présenter une déclaration de leurs biens pour donner l'exemple en matière de transparence. « *Min ayna laka hadha ?* » (« D'où tiens-tu cela ? ») : l'expression commence à fleurir partout. Mais le bruit court aussi avec insistance à Rabat que Driss Basri, en Conseil des ministres, ne cèle pas son mécontentement : « Si vous voulez vraiment qu'on dise à tout le monde le montant et l'origine de votre fortune, eh bien, allons-y ! J'aurai beaucoup à dire… » Même si l'on n'a jamais vu la couleur de ces déclarations patrimoniales, l'initiative met en évidence l'honnêteté du Premier ministre qui, sur ce plan, n'a rien à cacher et ne craint personne.

Les mêmes ministres sont invités à faire preuve de « droiture » et d'une « grande capacité d'écoute ». Par ailleurs, à peu près à la même époque, les Marocains apprennent avec ravissement que le chef du gouvernement acquitte le montant du péage de l'autoroute Rabat-Casablanca – une quinzaine de dirhams – et circule discrètement sans gêner ses compatriotes par un déploiement massif de forces de police.

Quelques semaines plus tard, Mohammed el-Yazghi annonce que l'Office chérifien des phosphates, première entreprise publique du Maroc, contribuera au prochain budget de l'État à hauteur de 900 millions de dirhams (90 millions de dollars). Il ne le faisait plus depuis au moins vingt ans. Les arriérés fiscaux de moins de 1 000 dirhams sont annulés. Neuf cent mille Marocains en bénéficient.

---

1. Interview au quotidien catalan *La Vanguardia*.

Mais si toutes ces mesures sont bien accueillies, les premiers couacs commencent à se faire entendre. Au mois de septembre, à la demande de Hassan II, Driss Basri embauche dans son ministère près de 550 jeunes diplômés au chômage qui avaient manifesté jour et nuit pendant près de deux mois dans les rues de Rabat. Qualifiée d'« injuste » par les ministres socialistes, cette mesure fait dire au porte-parole du gouvernement et ministre des Affaires sociales que « des actions ponctuelles ont déjà été essayées au Maroc » et que « c'est à cause de cette politique que nous avons un stock de chômeurs de 200 000 personnes d'un niveau égal ou supérieur à bac + 2 »[1].

De son côté, en dépit de ses efforts et… de ses déclarations, le ministre istiqlalien de la Communication, Larbi Messari, ne parvient pas à remplacer les dirigeants de la radio et de la télévision officielles, mis en place par Driss Basri.

Enfin, toujours au mois de septembre, la nomination de 72 gouverneurs et *walis* [préfets] par Driss Basri sans que le Premier ministre ait été consulté – par surcroît, aucun proche de l'USFP ne figure dans la liste – montre que l'homme lige de Hassan II, véritable cheval de Troie du monarque, continue d'appliquer avec zèle les consignes de ce dernier. Alors que l'hebdomadaire *Le Journal* réclame le départ de Basri pour « sauver l'alternance » et lui reproche d'incarner « l'image d'un passé douloureux », un certain nombre de ministres socialistes, d'une manière assez stupéfiante, prennent sa défense, affirment qu'il « joue le jeu » et qu'il n'est en fait, le plus souvent, qu'« un exécutant ». Ne nous étonnons point, dans ces conditions, que M. Youssoufi ait cru devoir, un an plus tard, organiser une gentille petite cérémonie en hommage à Driss Basri après que Mohammed VI l'eut renvoyé dans ses foyers !

Le 7 mars 1999, Driss Basri – encore lui ! – adresse une circulaire aux préfets leur demandant d'interdire « toute activité de partis politiques et d'associations dans les édifices publics ». *Al-Ittihad al-Ichtirakiya*, le quotidien dirigé par Youssoufi, réagit aussitôt en écrivant

---

1. *Le Journal,* septembre 1998.

567

que le texte qui a été envoyé « vide de sa substance le *dahir* [décret royal] de 1958 régissant les rassemblements publics ». Le journal trouve également surprenant que la circulaire aille « dans le sens contraire » du programme de gouvernement en matière de développement des libertés et des droits de l'homme. Il s'étonne qu'elle soit diffusée au moment où la société civile « réclame avec insistance un élargissement des libertés publiques » et « où le gouvernement s'apprête à déposer devant le Parlement un projet de loi destiné à promouvoir les libertés publiques ». *Al-Ittihad* en profite pour rappeler au passage que l'actuel gouvernement a exprimé à plusieurs reprises sa volonté de revoir les textes relatifs aux libertés civiles et politiques afin de les mettre en conformité avec toutes les conventions internationales signées par le Maroc.

Le ministre de l'Intérieur ne fait décidément aucun effort pour permettre au gouvernement d'alternance de fêter dans la sérénité son premier anniversaire, qui intervient quelques jours plus tard ! Plus que jamais il apparaît comme un Premier ministre *bis*, doté de pouvoirs et d'une influence d'autant plus étendus qu'il relève directement de l'autorité du monarque. Dans la répartition des tâches, Abderrahmane Youssoufi – qui conserve une réelle popularité – et ses amis donnent le sentiment de gérer les affaires courantes, tandis que la sécurité du pays, sous toutes ses formes, et la place du royaume dans le monde restent la chasse gardée du Palais et de ses hommes.

Au sein de l'USFP, le malaise est tangible. Membre du Bureau politique du parti, Mohammed Guessous, professeur de sociologie et l'un des plus brillants intellectuels socialistes, appelle le gouvernement à organiser des élections anticipées pour permettre au Maroc de disposer d'une « véritable majorité »[1]. Selon lui, il y a « trois gouvernements » au Maroc, et Youssoufi n'en dirige qu'un seul : « Le premier gouvernement, dirigé par le Premier ministre, se situe dans un cadre constitutionnel et légal, alors que le deuxième, constitué des services de sécurité, des Renseignements et de l'armée, n'obéit pas aux lois et agit loin de tout contrôle parlementaire ou gouvernemental. » Il y a enfin le gouvernement des mafias qui se sont développées « grâce à la drogue, au marché noir et au secteur informel ».

---

1. Entretien accordé à *Al-Ahdath al-Maghribiya*, le 20 mars 1999.

Pour Mohammed Guessous, l'USFP devrait dire aux Marocains qu'elle s'est trompée en sous-estimant les résistances au changement, ou bien considérer l'actuel gouvernement comme provisoire et donc organiser des élections anticipées. Mais, pas plus que n'est retenue la suggestion, qu'il fait dans le même entretien à Youssoufi et Yazghi, de renoncer à leurs fonctions de directeurs de journaux du parti – *Al-Ittihad al-Ichtirakiya* et *Libération* –, cette idée ne rencontre de succès auprès de ses pairs. « Réaliste », Abderrahmane Youssoufi sait fort bien qu'il n'est absolument pas en mesure d'imposer la tenue de nouvelles élections et encore moins de les gagner largement.

Malaise également parmi les journalistes de l'audiovisuel public qui, un an après les débuts de l'alternance, en ont assez de constater que rien n'a changé et qu'ils n'ont toujours pas de statut, à la télévision comme à la radio. « Nous ne pouvons plus supporter d'être considérés comme des fonctionnaires ! » déclare Sabah Bendaoud, journaliste à la RTM[1]. Pour sa part, Younès Moujahed, secrétaire général du Syndicat national de la presse marocaine (SNPM), estime inacceptable que l'État verse des sommes importantes à « un journal que personne ne lit » – allusion à *Al-Anbaa*, journal en arabe publié par le ministère de la Communication.

D'autres mesures mesquines, dont Youssoufi n'est pas responsable, n'en ternissent pas moins l'image de son gouvernement. Exemple parmi d'autres : le refoulement, en avril 1999, de Christine Daure-Serfaty, l'épouse d'Abraham. Il n'y a que l'Association marocaine des droits humains (AMDH) pour protester, et le silence des partis membres de la coalition gouvernementale est en l'occurrence assourdissant.

Parfois la courtisanerie et le cynisme des autorités locales se retournent contre elles. Le 3 juin 1999, d'une manière très makhzénienne, elles incitent plusieurs centaines de personnes à venir fêter le déplacement à Témara de Driss Basri, accompagné de son collègue de l'Équipement, Benamor Taghouane. Mais, selon *Al-Ittihad al-Ichtirakiya*, ces personnes, furieuses d'avoir été récemment expropriées à des conditions dérisoires pour permettre la construction de nouveaux quartiers résidentiels, accueillent à coups de pierre le cortège officiel. La MAP (l'agence officielle), présente sur les lieux,

---

1. Voir dépêche AFP du 23 mars 1999.

non seulement ne signale pas la manifestation, mais dément catégoriquement qu'elle a eu lieu, en fustigeant « l'absence totale de perspicacité journalistique » des organes de presse qui ont mentionné l'affaire.

Le refus des autorités, en juin de la même année, de donner l'autorisation à l'AMDH d'organiser un spectacle à Casablanca à l'occasion du vingtième anniversaire de sa création est un autre dérapage du pouvoir qui n'entraîne aucune réaction des ministres socialistes. L'humoriste Bziz, interdit d'antenne depuis de nombreuses années, qui était censé animer la soirée, pensait pourtant que les choses s'amélioreraient avec la gauche au gouvernement[1].

Quelques jours plus tard, Amnesty International, qui devait tenir son congrès en août au Maroc, fait savoir que le gouvernement de Rabat lui a retiré son autorisation. Amnesty se serait montrée « irrespectueuse envers les autorités marocaines ». Ces dernières ne fournissent aucune explication.

L'expulsion, en juin 1999, de Nicholas Pelham, correspondant de la BBC au Maroc, celle, l'année suivante, de Claude Juvénal, de l'AFP, les interdictions signifiées au *Journal* d'Aboubakr Jamaï et à *Demain* d'Ali Lamrabet, puis la condamnation de ce dernier à quatre ans de prison ferme ont achevé de décrédibiliser le cabinet Youssoufi, qui s'est montré particulièrement défaillant dans un des rares secteurs où il bénéficiait d'un préjugé favorable et où il ne pouvait se retrancher derrière le manque de moyens financiers. Non seulement la gauche gouvernementale n'a soufflé mot, mais elle a tenté de justifier ces mesures prises par l'appareil répressif.

De tels incidents font évidemment désordre et mettent en lumière l'incapacité du gouvernement Youssoufi aussi bien à indemniser convenablement des gens modestes qu'à permettre la libre expression des opinions ou une couverture honnête de l'actualité par les médias du secteur public.

En revanche, le gouvernement ne cède pas sur l'élection de Miss Rabat, élue le 17 avril parmi trente-six candidates lors du premier concours de beauté de ce genre à être organisé au Maroc[2]. Le Parti

---

1. Et malheureusement, rien n'a changé sous le règne de Mohammed VI. En dépit (ou à la cause de) son grand talent, Bziz est toujours interdit d'antenne.

de la justice et du développement – islamiste modéré, ex-Mouvement populaire constitutionnel et démocratique (MPCD) rebaptisé PJD depuis le 5 octobre 1998 – a vainement réclamé l'annulation de ce concours, estimant qu'il « porte atteinte à notre religion, à nos valeurs, et incite à la débauche ». Dieu qu'il est difficile de diriger le Maroc !

Abderrahmane Youssoufi est d'ailleurs le premier à convenir que sa tâche est ardue : « Gouverner le pays quand il a des problèmes complexes et quand il n'a pas assez de moyens administratifs, juridiques, financiers et politiques, alors la bataille s'avère effectivement difficile », confie-t-il au quotidien arabe *Al-Hayat* en mars 1999. Soumis aux pressions contradictoires du Palais et des ministères dits de souveraineté, d'un côté, et à celles de sa base, de l'autre, Abderrahmane Youssoufi marche sur le fil du rasoir et doit trouver quelques parades. L'annonce de mesures à caractère social, comme la contribution du gouvernement à la construction de logements sociaux[1] ou un plan d'alphabétisation pour cent mille salariés, ne trompe personne et laisse largement indifférents les Marocains. Ce qui préoccupe vraiment ceux-ci, c'est de voir que des centaines de milliers de diplômés ne trouvent pas de travail. On n'imagine pas le désespoir et l'humiliation de ces jeunes adultes dont les familles se sont saignées aux quatre veines pour leur permettre de poursuivre des études supérieures, et qui sont incapables de renvoyer l'ascenseur. Le ministre des Affaires sociales et de l'Emploi, Khalid Alioua, révèle ainsi que le secteur privé n'embauche que 3 % des lauréats des universités marocaines, du fait de l'« inadéquation » de leur formation aux besoins des entreprises.

L'enseignement, notamment le primaire, est pourtant l'un des secteurs où le gouvernement Youssoufi a pris conscience de la gravité de la situation et déployé de gros efforts pour l'améliorer. Une fois le diagnostic porté sur l'état des lieux catastrophique, Hassan II, quelques mois avant de mourir, crée en mars 1999 une Commission

---

2. Un concours néanmoins très habillé !

1. Au mois d'avril, le gouvernement annonce qu'il va consacrer 2,5 % du budget d'investissement à cet effet, ce qui représente quelques centaines de millions de dirhams, ou quelques milliers de logements. On est très, très loin du compte !

spéciale Éducation/Formation (COSEF) dont l'objectif est d'élaborer, sous forme de charte, un nouveau contrat social et culturel entre le pays et son école. Finalisée en juin 1999, cette charte comporte 171 alinéas dont une grande partie est examinée par le Parlement au cours du premier trimestre de l'an 2000. Mais l'argent manque, et l'enseignement dispensé par « des professeurs de moins en moins qualifiés, eux-mêmes formés par des formateurs de moins en moins compétents[1] », reste médiocre. Le ministre Moulay Ismaïl Alaoui dresse un constat d'échec : « Nous avons commencé à réfléchir aux problèmes de la qualité de notre enseignement, et nous avons pris une série de dispositions que nous avons appelées les "12 plans-qualité" pour essayer d'enclencher un mouvement de refonte de l'ensemble de notre système éducatif. Cependant, l'administration du ministère de l'Éducation nationale n'a pas suivi. Tout simplement parce que la routine était bien installée… » Néanmoins, le gouvernement a presque atteint son objectif, qui était de généraliser l'enseignement primaire en 2004. Il n'a pu cependant y parvenir que grâce à l'aide du secteur privé, qui a mis la main à la poche, l'État se révélant trop pauvre. Partout ailleurs les progrès ont été très faibles, même si les grands indicateurs économiques ne sont pas entrés dans le rouge : inflation maîtrisée, dette extérieure réduite – mais dette intérieure accrue –, revenus du tourisme et des TME (travailleurs marocains à l'étranger) en augmentation, ventes de phosphates maintenues, etc. Mais les changements structurels – réforme fiscale, réforme de la justice, etc. –, les seuls à pouvoir changer la société en profondeur, sont inexistants. À la décharge de l'équipe Youssoufi, il faut aussi préciser que la sécheresse, qui a entraîné en 1999 une chute de 11 % de l'activité agricole et une baisse de la production céréalière de 44 % par rapport à 1998, a constitué un handicap de plus dont elle se serait bien passée. « Rien ne marche, à l'exception des finances publiques, bien tenues », relève le 9 juin 1999 L'Économiste, quotidien économique indépendant, pour qui, après quinze mois passés au pouvoir, il est évident que « le gouvernement actuel est incapable de relancer l'économie ».

---

1. Selon la formule de L'Économiste du 27 avril 2000.

À la même époque – à la mi-juin –, le Premier ministre est pris d'un malaise alors qu'il dirige une réunion du Comité central de l'USFP. On l'opère rapidement à l'hôpital Avicenne de Rabat pour évacuer un « hématome sous-dural droit », c'est-à-dire un caillot dans le crâne. Le 27 juin, moins d'un mois avant de mourir, Hassan II rend visite dans sa chambre d'hôpital à Abderrahmane Youssoufi. Ce dernier, ému par ce geste, confiera un peu plus tard qu'il eût été plus juste que la mort vînt le chercher, lui, plutôt que le roi, son cadet de cinq ans[1].

---

1. *Le Monde*, 11 octobre 2002.

VIII

Tel est notre bon plaisir

En trente-huit années de règne, sans compter celles passées au côté de son père comme prince héritier, Hassan Ben Mohammed el-Alaoui a prononcé des centaines de discours et d'allocutions, accordé des dizaines d'interviews et donné presque autant de conférences de presse. Grâce à l'obligeance de Driss Basri, un « registre du génie hassanien » a été confectionné en une quinzaine de volumes représentant pas loin de dix mille pages. Ce registre est un véritable trésor qui permet de mieux comprendre le fonctionnement de cet homme intelligent, à la fois traditionaliste et audacieux, imbu de sa personne et largement indifférent aux autres, monarque absolu et implacable, qui a marqué le Maroc pour de longues générations. On verra aussi que quelques fulgurances ne l'ont pas empêché d'énoncer des contre-vérités, de se montrer approximatif et de manquer parfois de simple bon sens.

La naissance de Hassan II, le 9 juillet 1929, fournit l'occasion d'une « première révolution » au Maroc, même si personne, selon l'aîné de Mohammed V, n'y prête alors attention. Grâce à la « modernité » de son père, sa mère bénéficie en effet, lors de l'accouchement, de l'aide d'un médecin et d'une sage-femme français, et non de la traditionnelle *qâbilé* (accoucheuse) marocaine : « Tous mes langes portaient des étiquettes de magasins français. Je crois que j'ai été le premier Marocain, dès l'âge de zéro heure, à être langé par une Française avec des langes qui n'étaient pas fabriqués au Maroc, mais qui avaient été achetés à Paris. Je crois que c'est aussi avec moi qu'est entré au Maroc le premier biberon. Dans la vie de mon père, je crois que c'est à partir de ce moment-là qu'il a voulu commencer à faire la révolution à l'intérieur du Palais. Il entendait maintenir les traditions et les coutumes mais également s'ouvrir et évoluer[1]. »

Bien qu'extrêmement discret sur sa mère, Hassan II souligne à plusieurs reprises que ses aïeux ont toujours tenu à « choisir les futures mères des souverains non dans la bourgeoisie nantie ou l'aristocratie hautaine, mais dans les classes les plus modestes du peuple ». C'est pourquoi, estime-t-il, on n'a jamais décelé, dans l'histoire du Maroc, « la moindre contradiction entre les espoirs de la royauté et les aspirations du peuple marocain[2] ».

Sur les raisons qui ont conduit Mohammed V à prénommer son fils aîné Hassan, ce dernier s'est expliqué brièvement : « Mon père me disait : "Je t'ai donné le prénom de Hassan pour relier le présent national au passé lointain de la nation, afin que tu suives l'exemple de ton ancêtre Moulay Hassan". »

On a vu, dans un précédent chapitre, l'éducation spartiate qui fut la sienne. Mais il y eut aussi de bons moments. Par exemple après l'obtention de la seconde partie du baccalauréat : « Aujourd'hui, il a le cœur qui vibre de joie et de fierté en voyant les signes du bonheur emplir le visage du père bienveillant et affectueux parce que son fils fidèle et obéissant a obtenu la deuxième partie du baccalauréat, réalisant ainsi une part du souhait royal chérifien. »

Cependant, les vœux du père n'auraient sans doute pas été exaucés s'il n'avait veillé au grain. Moulay Hassan vient de « rater les deux simili-bacs [bacs blancs] d'une façon effroyable », à quelques mois de l'examen. Son père le convoque et lui rappelle l'histoire de Moulay Slimane qui transféra la couronne[3] à son neveu plutôt qu'à son fils :

---

1. Interview du 6 octobre 1989 à *Point de vue, Images du monde.*
2. *Hassan II vu par lui-même. Discours et interviews,* t. I, pp. 12 à 17.
3. Il s'agit là d'une image, la « couronne » étant une hérésie, du point de vue du droit musulman, selon Hassan II.

« "Pensez-vous que je serais incapable de faire la même chose ? Vous avez trois jours pour réfléchir et vous décider à travailler. Ou alors vous serez un gentleman-farmer et vous tournerez le dos aux affaires publiques !" Il m'a alors bouclé au collège comme interne pendant trois mois. C'est comme cela que j'ai eu mon baccalauréat[1]. »

« Il y a des amis de table qui enlèvent leurs promesses avec la nappe ; quand ils vous ont régalé, ils se croient dispensés d'acquitter leurs paroles. » Ce bon mot de Louis-Sébastien Mercier, l'ami de Rousseau et de Diderot, pourrait s'appliquer souvent à Hassan Ben Mohammed el-Alaoui. Encore prince, il prononce en juin 1957 à Marrakech un discours sur la route de l'Unité et s'engage à mettre la main à la pâte : « Faisant abstraction de notre qualité de princes, mon frère et moi allons passer de trois à quatre semaines sur le chantier en vivant comme les autres. Les *chorfas* [2] alaouites ne sont-ils pas habitués à vivre de lait et de dattes ? Ce n'est certainement pas aujourd'hui qu'ils changeront d'habitudes[3]. »

Mais un examen attentif de son emploi du temps dans les semaines et les mois qui suivent ne montre pas la moindre trace de son passage sur les chantiers[4]. Il prend en revanche la parole un peu partout dans le pays. Il est vrai que, nommé trois semaines plus tard prince héritier, ses nouvelles obligations sont sans doute peu compatibles avec une activité de cantonnier au pied du Rif.

L'histoire de la dynastie alaouite inspire manifestement Hassan II. Alors qu'il vient d'évoquer avec Chancel l'éducation de ses enfants, le souverain affirme qu'il sait être « ferme et sévère » : « Si demain il fallait vraiment prendre une décision brutale pour sauver la majorité de ce pays contre une minorité, je le ferais. » Et de citer le cas de Moulay Ismaïl et de son fils Mohammed el-Alem, brillant sujet formé à l'université Qaraouiyine de Fès, et qui, égaré, chercha à supplanter son père : « En dépit de l'intervention des oulémas en sa faveur, Moulay Ismaïl a fait exécuter son fils », rapporte Hassan II avant d'ajouter : « Un roi ne doit être qu'à sa place, et il l'a fait parce

---

1. Interview avec Jacques Chancel, sur France Inter le 20 novembre 1976.
2. Descendants du Prophète.
3. Le 20 juin 1957.
4. Le registre du génie hassanien n'en parle pas.

que tout le monde s'est dit tout bas : S'il a fait cela à son fils, Dieu sait ce qu'il me fera. Résultat : il a régné cinquante ans, aussi long-temps que Louis XIV dont il était le contemporain. Et il a laissé un pays respecté. S'il ne l'avait pas fait, je me demande ce qui se serait produit... »

L'humour n'est pas le trait dominant de la personnalité hassa-nienne, même si les courtisans qui l'entourent ne manquent pas une occasion de s'esclaffer à la moindre saillie du « patron ». Les anecdotes supposées faire rire sont extrêmement rares dans le registre. Citons-en une pour y faire droit : en 1952, il passe à Bordeaux ses oraux du diplôme de droit public. Ses jeunes examinateurs décident alors de faire une farce au doyen Popleski qui a préparé une petite fête pour le plus illustre de ses étudiants. Ils lui disent, l'air contrit, que le prince est « collé ». Tristesse du doyen du fait de l'échec de Moulay Hassan, et parce qu'il doit renoncer à prononcer son petit discours... Mais tout finit fort heureusement par s'arranger dans la joie et l'amitié...

À Jacques Chancel, sans doute son journaliste préféré, qui lui demande en mars 1987 quel métier il aurait pu exercer s'il n'avait pas été roi, Hassan II fournit quelques pistes : « Souvent, en blaguant, je dis que j'aurais pu être avocat. Comme je danse très bien, j'aurais pu être danseur mondain. J'aime aussi la cuisine et plus encore le cheval ; j'aurais donc pu être professeur d'équitation. Mais, surtout, j'aurais aimé être écrivain public, écrire pour les autres dans n'importe quel style[1]. »

Dans une autre interview donnée à la revue italienne *Class*, Hassan II raconte son attirance pour la médecine : « Je l'ai étudiée durant mes deux années et demie d'exil à Madagascar, mais sans suivre de cours réguliers, puisqu'en ce temps là il n'y avait pas de faculté de médecine sur l'île. Un médecin qui serait en même temps juriste serait un homme particulièrement brillant. Malheureusement, je n'ai pu le réaliser[2]. »

Hassan II est aussi un amateur de musique, qu'elle soit classique ou moderne. En ce domaine, il est pétri de regrets : « Je dois dire que dans le domaine artistique, déclare-t-il à la télévision française le 15 juillet 1979, j'ai été victime de ma formation. Mon père m'a vu tâter d'un

---

1. Interview à *Jours de France*, 10 mars 1987.
2. Numéro de mars 1987.

certain nombre de choses, et particulièrement de la musique. Cependant, à partir de l'âge de onze ans, il me fut interdit de toucher à un instrument de musique. Quand je lui ai demandé une explication, il m'a dit : "J'ai senti que si vous vous adonniez à un art, il serait de nature à éclipser l'art dont je voudrais qu'il soit le vôtre, celui de gouverner". »

L'interdiction du père ne semble guère avoir eu d'effets si l'on en croit Abdelhadi Boutaleb, longtemps familier du Palais et de ses réjouissances. Il y était le 9 juillet 1971, veille du premier coup d'État, en compagnie de Mohammed Abdelwahab, Farid el-Atrache, Abdelhalim Hafez, Sabah, Afaf Radi et d'autres artistes. « C'était, écrit-il, une soirée musicale réunissant les sommités de la mélodie arabe. Le roi avait, dans certains domaines particuliers, des dons exceptionnels que ne connaissait que son entourage privé. Ainsi, il pouvait jouer de différents instruments de musique. Parfois, il se levait pour diriger lui-même l'orchestre dont il contrôlait l'exécution jusqu'à harmoniser les sons et faire cesser toute dissonance. Il se transformait alors en grand maestro[1]. »

Ces compliments doivent néanmoins être accueillis avec toute la distance requise. L'admiration peut rendre indulgent. Une petite anecdote sur Hassan II amateur de golf est assez révélatrice du climat d'obséquiosité qui régnait de son vivant. À Jacques Chancel qui lui demande avec quel handicap il joue, Hassan II répond par une demi-pirouette : « Il y a des jours où je joue quatre ou cinq, mais mon pire handicap, c'est quand je suis rejoint par quelques ministres qui me glissent des notes entre deux coups. »

Apparemment, consigne a été dispensée aux caddies de répéter que Sa Majesté joue avec un handicap de quatre. C'est en effet la réponse qui est donnée à un diplomate venu jouer à Marrakech par un caddy habitué à accompagner le souverain. Le diplomate ne cache pas un certain étonnement devant un tel niveau :

« – Vraiment, quatre ? C'est un très bon joueur ! Vous êtes sûr, quatre ?

– Euh… (Hésitation et gêne du caddy). C'est-à-dire qu'on lui donne le coup quand il est à moins d'1,50 mètre du trou.

– C'est tout ?

---

1. Abdelhadi Boutaleb, *Un demi-siècle dans les arcanes de la politique, op. cit.*, p. 227.

– Si les balles sortent du parcours ou vont dans les bunkers, on ne le lui dit pas et on la remet en bonne place…

– Bon, j'ai compris !… »

Restons quelques instants sur les greens… Passionné de golf, Hassan II était prêt à tout pour s'attacher les meilleurs entraîneurs. La revue américaine *Sports Illustrated*, sous le titre « Le pays où le fou du golf est un roi », affirme que le souverain, pour conserver son entraîneur Claude Harmon qui souhaitait rentrer aux États-Unis pour retrouver sa famille, fit envoyer à sa femme une Cadillac décapotable toute neuve[1]…

Mais revenons à l'interminable cohorte de ses thuriféraires, et écoutons Jean Daniel. Venu interviewer le roi, il entend celui-ci énoncer : « Comme le dit La Bruyère, le style c'est l'homme. » Jean Daniel ne souffle mot, mais, une fois l'entretien terminé et le roi parti, il le réécoute en compagnie d'Ahmed Réda Guédira. Il lui signale alors que ce n'est pas La Bruyère mais Buffon qui est l'auteur de cette maxime. Guédira lui dit en riant : « Si le roi l'a dit, impossible de changer… Débrouillez-vous avec Driss Basri ! » Puis, Guédira s'en va et laisse Jean Daniel avec Basri :

« – Alors, Monsieur le Ministre, que fait-on ?

« – Rien du tout. Appelez-moi quand vous serez rentré à Paris, et on verra.

« – Mais, Monsieur le Ministre, ce n'est pas parce que je serai à Paris que La Bruyère sera devenu l'auteur du mot ! »

Jean Daniel arrive à Paris et rappelle comme convenu Driss Basri qui lui dit : « Écoutez, cher ami, vous qui connaissez bien La Bruyère, vous ne pourriez pas me trouver une petite phrase dans son œuvre qui ressemble à celle de Buffon ? »

« Voilà, conclut le directeur du *Nouvel Observateur*, à quel degré de courtisanerie on en était arrivé[2]. »

---

1. Anecdote citée par Stephen O. Hughes dans *Le Maroc de Hassan II*, p. 141.

2. Entretien avec l'auteur. Signalons en passant qu'en décembre 1989, lors d'une émission sur Antenne 2, ce n'est plus à La Bruyère mais à Pascal que Hassan II attribue cette maxime… Au cours de cette même émission, Jean Daniel, avant de poser une question au souverain, n'hésite pas à se réjouir de la longévité du règne hassanien. Il lui déclare en effet : « Nous étions quelques-uns à vous prévoir quelques années [de règne], à notre confusion et maintenant à notre joie. Cela démontre une immense stabilité. » Voir *Discours et Interviews de Hassan II*, t. X, pp. 420 *sq*.

Toute sa vie Hassan II semble avoir été brouillé avec les chiffres, même si le patrimoine de la famille royale, sous sa conduite avisée, a dû être multiplié par au moins cinquante sous son règne. Dans un discours prononcé le 1ᵉʳ juin 1970 devant les responsables de l'Office de commercialisation et d'exportation, il affirme ainsi qu'au Maroc l'hectare donne 15 000 tonnes d'agrumes, alors que, dans certains pays concurrents, les rendements s'élèvent jusqu'à 30 000 tonnes à l'hectare… En 1974, dans une interview accordée le 15 mars au journal libanais *Al-Hawadith*, il estime les coûts de production du baril de pétrole extrait à partir des schistes bitumineux à entre 8 et 10 dollars le baril, « c'est-à-dire, dit-il, moins cher que le prix actuel du baril ». D'où tient-il ces chiffres ? Mystère ! Ce qui est sûr, c'est que les experts situent à l'époque les prix dans une fourchette allant de 25 à 30 dollars…

Cette histoire de schistes bitumineux, dont il parlera régulièrement pendant cinq ou six ans, est une des chimères qu'il poursuit avec le plus d'obstination. À l'exception d'une intervention, le 12 août 1967, devant les élus de la ville d'Agadir auxquels il annonce que la Standard Oil Company va chercher de l'or noir en pleine mer et qu'elle est « relativement sûre d'en trouver », le pétrole est absent de ses préoccupations jusqu'en 1974. La guerre d'octobre 1973 ayant eu entre autres conséquences une augmentation considérable des cours du pétrole, Hassan II évoque cette grave question dans son discours du trône de 1974 : « Nous sommes heureux, cher peuple, de t'annoncer une bonne nouvelle. Nous avons en effet découvert que notre généreux sous-sol est riche d'une très grande quantité de pierres et de roches qui contiennent du pétrole, considéré aujourd'hui comme un produit précieux, un élément de valeur et l'une des bases de l'énergie. Nos réserves en ce domaine sont telles qu'elles vont couvrir nos besoins en pétrole durant des siècles, même si nos besoins augmentent. Une telle découverte est susceptible d'insuffler un nouvel élan à notre relance économique et d'ouvrir de très larges horizons à notre pays. »

Non content de souligner les prix particulièrement avantageux dont il a été question, le souverain se félicite du fait que les schistes bitumineux contiennent « d'autres matières essentielles comme le soufre, le charbon, le ciment… L'usine d'extraction du pétrole à partir de ces schistes coûtera 250 millions de dollars. Vous voyez donc que l'opération est profitable à cent pour cent », conclut-il, péremptoire.

En mars 1978, toujours dans son discours du trône, le souverain évoque à nouveau les schistes bitumineux. Lui manque l'enthousiasme des débuts : « Les études entreprises pour l'extraction de ces schistes sont très satisfaisantes et notre espoir, cher peuple, est que tu puisses bientôt profiter de cette nouvelle ressource. »

Mais cette réserve toute relative ne dure pas. Dès le mois d'octobre, c'est à nouveau l'euphorie : « Il m'est particulièrement agréable de vous informer que Dieu, dans Sa grandeur, nous donne de réels espoirs reposant sur des données scientifiques. C'est là une expression de Sa miséricorde. En effet, au cours des trois premiers mois de l'année prochaine, nous allons, grâce à Dieu, bénéficier des bienfaits divins par la découverte de pétrole. Le 3 mars prochain, nous aurons en effet commencé l'exploitation de quantités de pétrole qui assureront au moins la satisfaction de nos besoins. Si la production est supérieure – et je vous prie de rêver un moment avec moi, car dans certaines circonstances le rêve est nécessaire – et si cette production nous permet d'exporter, il nous sera alors possible de dire que le Maroc est libre. Je vous invite donc, messieurs, à vous pénétrer de cette perspective. Si elle ne se réalise pas, nous aurons simplement vécu un moment heureux avec un beau rêve, mais si elle se réalise, nous ne serons pas surpris de nous trouver en possession de moyens importants auxquels nous n'avions pas rêvé[1] ».

À la mi-novembre de l'année suivante, c'est un peu « Adieu, veau, vache, cochon, couvée… ». Il n'est plus question de couvrir ne fût-ce que les besoins nationaux : « Nous avons l'énergie des schistes bitumineux, nous avons l'énergie hydraulique, nous aurons l'énergie du pétrole lorsque nous serons en mesure de l'extraire. » On se console alors comme on peut : « Néanmoins, notre principale source d'énergie restera l'agriculture. Le monde pourrait se passer du pétrole, mais il ne saurait se passer de produits alimentaires[2]. »

---

1. Discours du 13 octobre 1978 pour l'ouverture de la session parlementaire.
2. Discours d'ouverture au Colloque sur les collectivités locales, le 15 novembre 1979.

En février 1981, le monarque s'efforce de concilier les bienfaits des schistes et ceux de l'agriculture : « J'affirme encore que lorsque nous aurons découvert le pétrole et extrait le carburant à partir des schistes, l'agriculture n'en restera pas moins la richesse essentielle sur laquelle notre pays devra fonder sa pérennité[1]. »

Un mois plus tard, alors qu'il vient de lancer à Marrakech les travaux de la ligne de chemin de fer reliant la grande cité impériale du Sud à Laayoune, Hassan II se penche sur « l'énergie nécessaire au fonctionnement des locomotives » : « Il y a lieu, dit-il, de souligner qu'il existe d'énormes quantités de schistes bitumineux sur le littoral de Tarfaya, et qu'elles suffiront largement non seulement à nos besoins actuels, mais aussi à ceux des générations à venir. Nous serons à même de surmonter le problème énergétique en construisant un certain nombre de centrales électriques alimentées par les produits des schistes bitumineux, et nous aurons ainsi de l'électricité pour la marche des trains et peut-être aussi pour la construction d'usines de dessalement d'eau de mer le long du littoral Tan-Tan-Lagouira[2]. »

Le 28 avril, devant le Conseil de la promotion nationale et du Plan, Hassan II, pour la dernière fois, évoque publiquement ces fameuses roches dont l'exploitation n'a toujours pas commencé. Le rêve, semble-t-il, n'est pourtant pas abandonné : « Nous devons développer notre programme d'exploitation des schistes bitumineux, programme qui exige des capitaux importants. Il est cependant établi que le prix de revient d'un baril est de 29 dollars, alors que celui d'un baril de pétrole ordinaire varie entre 35 et 36 dollars et devrait encore augmenter. Nous devons donc continuer notre action jusqu'à la couverture de nos besoins. »

Deux mois plus tard, le souverain n'y croit plus : « Le Maroc n'a ni pétrole ni bombe atomique. Il ne possède que sa parole et son engagement[3]. »

En janvier 1983, alors qu'il reçoit le Club de la presse du tiers-monde, le dépit l'emporte presque chez le roi : « Il n'y a pas de raison

---

1. Discours du 24 février 1981 à la séance d'ouverture des Journées nationales sur l'économie agricole.
2. Discours prononcé le 6 avril 1981.
3. Le 27 juin 1981 lors du XVIIIe sommet de l'OUA.

qu'on ait trouvé du pétrole en Tunisie, qui n'a qu'un petit Sahara, et qu'on n'en trouve pas chez nous. On m'a d'ailleurs dit que les meilleurs indices se trouvent en face d'Essaouira. »

Depuis cette époque, jusqu'à sa disparition, Hassan II n'a plus parlé de schistes bitumineux. Il est vrai qu'en dollars constants, le prix du baril, s'il avait effectivement triplé dans la foulée de la guerre d'octobre 1973, n'a cessé de baisser pour retrouver, ces dernières années, un niveau comparable ou à peine supérieur à celui du début des années soixante-dix. Du même coup, l'extraction de brut à partir de schistes, outre les difficultés techniques à surmonter, se révèle financiè-rement impossible, car beaucoup trop onéreuse. Espérons néanmoins pour le Maroc que Hassan II ait été une sorte de visionnaire en ce domaine. N'a-t-il pas affirmé un jour qu'il n'a jamais pensé conduire les affaires de son pays « en fonction d'un plan de dix à quinze ans », mais qu'il planifiait toujours « pour cent cinquante ou deux cents ans » ? « Je désire que nos descendants, bien qu'encore dans le néant, bénéficient de nos plans et de nos pensées[1]. »

Curieusement, Hassan II s'est aussi beaucoup trompé sur le nombre de ses compatriotes. Début 1983, il évoque le Maroc de l'an 2000 qui comptera « 40 millions d'habitants ». Puis, se référant à certaines projections, il continue : « Nous avons fait faire des études et, en 2020, nous serons 70 millions. Alors, comment les nourrir ? Eh bien, avec 7 millions d'hectares irrigués, nous pourrons le faire. Mon rêve, c'est une bande verte de 30 kilomètres de profondeur, allant de Tanger à Dakhla avec des relais d'usines de dessalement d'eau de mer alimentées par un uranium qui ne nous coûterait rien, puisqu'il est nôtre. J'ai donc décidé de demander à la France de me faire quelques-unes de mes centrales nucléaires[2]. »

Cinq ans plus tard, alors que les démographes ont pu affiner leurs prévisions et que tout le monde parle de trente millions de Marocains au maximum en l'an 2000, le roi parle encore de 40 millions d'habi-tants à cette date[3].

---

1. Ouverture d'une réunion de travail sur la région de Tensift, le 5 février 1979.
2. Devant le Club de la presse du tiers-monde, janvier 1983.
3. Le 26 mai 1988 lors de l'ouverture des travaux du Conseil supérieur de l'Eau.

Trois mois plus tard, devant la presse algérienne, les 40 millions de l'an 2000 deviennent 50 en 2010[1]. On peut sans doute comprendre son souci d'impressionner le peu commode voisin algérien, mais comment expliquer qu'à la fin de l'année, devant les lauréats du concours général, le roi affirme que « les 25 millions de Marocains d'aujourd'hui seront environ 50 millions à la fin du siècle » ?

Hassan II improvise-t-il ? Lit-il de travers les discours que ses conseillers lui préparent ? Ses conseillers sont-ils si mal informés ? D'où tiennent-ils qu'en moins de quatre décennies, le Maroc, à qui il a fallu une trentaine d'années pour franchir le cap du million d'hectares irrigués, sera en mesure d'en irriguer sept millions ? Ce qui est moins étonnant, dans un pays où on ne commente pas les propos d'une institution sacrée, c'est que de telles élucubrations n'ont jamais été relevées par la presse – économique ou autre – ni par les spécialistes.

Poète à ses heures – je « rimaille » de temps à autre, confie-t-il à quelques proches –, Hassan II s'emballe également, à la fin des années quatre-vingt, pour l'idée d'un pont jeté sur le détroit de Gibraltar : « Nous verrons, et vous aussi, confie-t-il à l'équipe de *Point de vue, Images du monde*, le pont sur le détroit de Gibraltar. C'est une affaire de six ou sept ans. On a hésité entre le pont et le tunnel, mais j'ai immédiatement fait le choix du pont, car nous avons, dans le détroit, 250 mètres de profondeur d'eau, avec des courants énormes. Avec un tunnel, cela nous obligeait à prendre un départ très loin à l'intérieur des terres. Alors on a pensé au pont et on s'est attaqué au projet. Les ingénieurs ont pensé que, pour les piliers, on pourrait s'inspirer des plates-formes de recherche pétrolière offshore. C'est cela, l'avenir ! C'est l'affaire de six ou sept ans[2]. »

Il n'y a pas qu'avec les chiffres de la population marocaine ou les rendements de céréales que Hassan II est brouillé. Ceux de son emploi du temps, qu'il livre à l'émission *Plein Cadre* de l'ORTF, en 1973, ne correspondent guère à tous les témoignages recueillis auprès de ceux qui ont travaillé avec lui : « En général, je commence ma journée assez tôt, à partir de 9 h 15, 9 h 30. Je commence à travailler pendant mon petit déjeuner et, par la suite, vers 10 h 30, je fais un

---

1. Le 11 août 1988.
2. Interview du 6 octobre 1989.

exercice physique quelconque. Quand je peux monter à cheval, je monte. Quand je ne peux pas, je joue au golf. Pendant ce laps de temps, d'ailleurs, les choses continuent à se traiter, soit par téléphone, soit par ordre à donner la plupart du temps à quelques ministres. Après un repos, je reprends mon travail vers 17 heures, 17 h 30. Ce travail n'est pas toujours le même. Il peut aller de la présidence d'un Conseil des ministres à une commission interministérielle, à la remise d'une fonction ou de hauts grades dans l'administration civile ou militaire. Et puis, à partir de 19 h 30, je rentre chez moi, toujours avec énormément de courrier à signer, des avis à donner, des orientations, des directives, et cela ne s'arrête pas… »

Certes, avouer à la presse qu'on ne commence jamais à travailler avant midi n'est pas glorieux, et l'on peut comprendre le souci du roi d'arranger quelque peu la réalité. Mais les témoignages sont unanimes à ce sujet. N'en citons qu'un, celui de M'hammed Boucetta, fidèle du trône alaouite et qui a beaucoup pratiqué le souverain disparu. Nous sommes à Fès, en 1982, au sommet arabe sur la Palestine. Il est 6 heures du matin. Abdelhalim Khaddam, ministre syrien des Affaires étrangères, vient frapper à la porte de la chambre d'hôtel de son homologue marocain pour l'avertir que le Président syrien, Hafez el-Assad, attendu dans la journée, ne viendra pas, parce que « grippé ». « Contrairement à ses habitudes, car il ne se levait jamais avant 10 heures, se souvient M. Boucetta, Hassan II, ce jour-là, m'a appelé vers 8 heures. Je l'ai aussitôt informé de la démarche de Khaddam. Hassan II était fort mécontent : "Comment cela ? Il ne viendra pas ? Eh bien, il n'y aura pas de sommet sans lui !"[1] »

Si la ponctualité est la politesse des rois, Hassan II n'aurait jamais dû monter sur le trône… Toute son existence est jalonnée de retards plus inexcusables les uns que les autres. La presse britannique le surnomma *The late King Hassan* depuis le jour où il arriva avec plus d'une heure de retard à un banquet donné au palais de Rabat en l'honneur de la reine Elizabeth et du prince Philip. François Mitterrand et le roi Juan Carlos ont dû également patienter…

Dans les années soixante-dix, les choses se passent moins bien pour un ambassadeur du Maroc à Washington. Alors que le souve-

---

1. Entretien avec l'auteur.

rain est invité par le National Press Club, le diplomate croit utile de rappeler au monarque qu'il est important d'être à l'heure, afin d'avoir un maximum d'écho. Que n'a-t-il dit ! « Qui es-tu pour donner des conseils à ton roi ? » lui lance, glacial, Hassan II. Le soir même, l'ambassadeur est rappelé…

Les humeurs ou les caprices du roi sont légion. En mai 1985, raconte Steve Hughes, des millions de Marocains, les yeux rivés sur leur écran de télévision, attendent la fin du film à suspense, *In the Dead of Night*. Brutalement, le film s'arrête et la chaîne nationale rediffuse un match de foot transmis dans l'après-midi. Sa Majesté n'avait pu le visionner, en raison d'un calendrier chargé[1]… Ce qui est parfaitement exact, dans les dires du roi, et confirmé par le Dr Dubois-Roquebert, conquis par cette méthode de travail, c'est la gestion des affaires de l'État sur les parcours de golf :

« Sa Majesté, note le médecin français[2] avant de disparaître tragiquement à Skhirat, a imaginé une pratique assez révolutionnaire, qu'elle utilise avec profit. Sa Majesté a compris que la machine humaine n'est pas adaptée pour supporter la tension continue à laquelle, de plus en plus, sont soumis ceux qui, par leurs fonctions, sont destinés à porter les lourdes responsabilités d'un chef. Pour se défendre contre ces surmenages qui ont pour cadre habituellement l'atmosphère enfumée d'un bureau, Sa Majesté a choisi d'utiliser le terrain de golf comme cabinet de travail où elle accomplit non pas toute, évidemment, mais une bonne partie de sa tâche quotidienne. C'est là, en effet, qu'elle convoque ses proches collaborateurs, ses ministres, les hauts fonctionnaires et souvent ses visiteurs. Ceux-ci n'ont pas à connaître l'ennui de l'attente dans une antichambre. Ils ont la possibilité de s'entretenir les uns avec les autres et sont également intéressés par le spectacle qu'ils ont sous les yeux […]. Le roi pense avec juste raison que ces heures consacrées au travail en même temps qu'au sport sont devenues indispensables à son équilibre intellectuel et physique et qu'elles améliorent le rendement de son activité. »

---

1. Stephen O. Hughes, *Le Maroc de Hassan II, op. cit.*, p. 150.
2. Très lié à Mohammed V et à Hassan II, le Dr Dubois-Roquebert a laissé un livre de souvenirs sur ses relations avec la famille royale.

« Accro » au golf, Hassan II, on l'a vu, est encore plus attaché de manière quasi pathologique, à la lettre des textes. L'instauration d'une monarchie constitutionnelle, puis le respect des Constitutions successives auquel il veille de manière très personnelle, ne cessent, tout au long de son existence, d'être au cœur de ses préoccupations. Même si l'islam, religion de l'État, selon l'article 6 de la Loi fondamentale, et au respect duquel le Commandeur des croyants veille aux termes de l'article 19, occupe, avec l'agriculture et les paysans, une place prépondérante dans bon nombre de ses discours, la Constitution semble être à ses yeux l'édifice sur lequel repose toute son œuvre. Elle est toujours citée en tête de ses priorités : « L'École nationale Mohammed-V, dont je suis l'élève, œuvrait pour trois impératifs : une monarchie constitutionnelle, l'élévation du niveau de vie et l'exploitation de la véritable richesse du pays, dont vivent 80 % des Marocains, à savoir l'agriculture[1]. »

En mars 1986, un journaliste lui demande quelles sont les deux décisions, la plus réjouissante et la plus pénible, qu'il ait été conduit à prendre dans sa vie de roi. Réponse : « Il s'agit de deux décisions réjouissantes : la première, c'est quand nous avons décidé de doter notre pays d'une Constitution ; car je suis de nature démocrate. La seconde, c'est quand j'ai ordonné l'arrêt de la Marche verte, je dis bien l'arrêt et non le départ, car, en fait, le succès en a été assuré le jour de l'arrêt, et non celui du départ ! »

Chaque fois que son « cher peuple » est invité à s'exprimer par référendum sur une modification constitutionnelle, aussi mineure soit-elle, Hassan II n'a pas de mots assez forts pour le préparer à l'événement, puis pour saluer celui-ci. En mai 1980, il s'agit d'amender l'article 21 qui dispose que le roi est mineur jusqu'à dix-huit ans accomplis, et que, durant sa minorité, un Conseil de régence exerce les pouvoirs et les droits constitutionnels de la Couronne. La révision projetée prévoit d'abaisser à seize ans la majorité du roi et de modifier la composition du Conseil. L'événement, objet d'au moins trois interventions de Hassan II, fait, selon lui, « vibrer d'une façon toute particulière » les Marocains. Pourquoi donc ? Parce qu'ils sentent bien que leur rôle est devenu « celui d'une véritable Assemblée

---

1. *Hassan II vu par lui-même, Discours et Interviews*, t. I, *op. cit.*

constituante ». Mais quand « le sentiment rejoint la raison » en raison de la place qu'occupe le souverain « dans le cœur de ses sujets », il devient impératif de permettre à tous les Marocains résidant à l'étranger de donner leur point de vue sur cette grave question. « Y a-t-il un seul État dans le tiers-monde, s'interroge au passage Hassan II, qui ait permis à ses ressortissants établis à l'étranger de voter ? »

Le peuple ayant voté « avec enthousiasme » pour que l'héritier ne soit plus « oisif jusqu'à dix-huit ans », il eût été dommage de s'arrêter en si bon chemin. Fier de ce « vendredi référendaire » qui a donné « un contenu moderne à la tradition, vieille de quatorze siècles, des liens unissant le peuple marocain à son roi », Hassan II demande, une semaine plus tard, aux Marocains d'exprimer leur opinion, toujours par référendum, sur l'harmonisation de la durée des mandats des députés élus au suffrage universel et des autres. Pour le souverain, ce référendum qui donne l'occasion aux Marocains de « connaître le fonctionnement de la machine qui les gouverne » n'est qu'une application de plus du « principe de la consultation prôné par l'islam et qui confère sa signification réelle à la monarchie constitutionnelle marocaine ».

Le 27 décembre 1988, il reçoit les membres du bureau de la Chambre des représentants. « Nul besoin de vous rappeler, leur confie-t-il, que, pour nous, les institutions constitutionnelles figurent peut-être au premier rang des œuvres modestes que le Très-Haut a voulu que nous entreprenions et réussissions ensemble. »

Évoquant le 6 décembre 1989, devant les membres de la Chambre constitutionnelle de la Cour suprême, un autre scrutin référendaire au cours duquel le peuple doit se prononcer sur la prorogation de deux ans du mandat des députés, Hassan II se montre une fois de plus lyrique : « En me rendant au bureau de vote pour exprimer ma voix, j'ai lu sur les visages des gens, des fonctionnaires qui m'ont accueilli, beaucoup de vigueur et d'enthousiasme. Mieux : j'ai lu quelque chose que l'on ne peut traduire en un seul mot, puisque leurs visages étaient rayonnants de joie, de splendeur et de jovialité, en raison de la nature de la question posée. » Compte tenu des prestations du Parlement marocain, on peut évidemment comprendre la liesse qui s'empare des sujets de Sa Majesté à l'idée de prolonger de vingt-quatre mois le mandat de représentants aussi remarquables…

Encore que Hassan II n'ait pas toujours montré le même enthousiasme que son peuple à l'égard des députés. À une époque où, il est vrai, l'expérience parlementaire marocaine était encore balbutiante, le roi se montra catégorique : « Ce sont les parlementaires qui ne sont pas mûrs pour un régime constitutionnel, mais le Maroc, lui, est mûr pour un régime parlementaire, car son peuple est sain[1]. »

Il se montre aussi fort susceptible quand il est interrogé sur ses propres prérogatives. À un journaliste néerlandais qui lui demande s'il est prêt à modifier la Constitution pour accorder davantage de pouvoirs au Parlement, il répond sèchement : « N'étant pas marocain ni parlementaire marocain, je ne vois pas pourquoi vous allez supposer que le Parlement va vouloir que je lui donne plus de pouvoirs. C'est une question domestique qui ne regarde que les Marocains et, en conséquence, je ne répondrai pas à votre question[2]. »

Face à Jean Daniel qui, quelques semaines plus tard, lui demande « comment fonctionne votre monarchie constitutionnelle et parlementaire », tout en estimant qu'« il y a plus de monarchie que de Parlement » et qu'on dirait « un régime présidentiel sans élection », Hassan II ne cache pas son agacement : « On s'inquiète beaucoup plus, en Occident, des monarques contrôlés que des présidents élus à 99,9 % et qui se maintiennent au pouvoir par la force[3] ! »

La corruption est un autre domaine à propos duquel Hassan II, expert en la matière, a pu donner la pleine mesure de son talent. Dès le mois de mai 1961, deux mois après être monté sur le trône, il prend de belles résolutions : « Nous mettrons fin énergiquement à la corruption et nous châtierons les coupables. Nous devons également revoir la manière dont certaines personnes sont recrutées. J'ai appris que des gens étaient embauchés en raison de liens de parenté ou d'obédience, au lieu que ce soit en raison de leurs compétences[4]. » « Notre rôle à nous consiste à châtier impitoyablement le favoritisme et la corruption sous toutes ses formes, afin que l'élan enthousiaste de la jeunesse et les efforts continus qui lui sont demandés trouvent

1. Interview à l'ORTF, le 24 mai 1965.
2. Conférence de presse à Marrakech, le 7 mars 1986.
3. Interview au *Nouvel Observateur*, mars/avril 1986.
4. Devant le Conseil municipal de Meknès, le 12 mai 1961.

toute leur raison d'être », déclare-t-il le 9 juillet 1964, lors de la fête de la Jeunesse.

Le 12 novembre de la même année, devant le Conseil supérieur de la magistrature, il tient à souligner que « le mot "magistrat" ne signifie pas une simple personne qui rend la justice entre les gens. Le mot signifie d'abord et avant tout intégrité, droiture, équité des jugements rendus, défense de l'État et de ses institutions, et considération du caractère suprême et sacré de la loi ».

En juillet 1970, à l'occasion du 17e anniversaire de la révolution du roi et du peuple, Hassan II se laisse aller : « Le Maroc, dit-il, pourrait progresser à pas de géant s'il n'était atteint de ce fléau dont la contagion a effectivement atteint de très nombreux échelons de la hiérarchie administrative. Faute de probité, la corruption s'est répandue quasiment sans limites. Certes, à un moment donné, il fut procédé à l'arrestation de quelques prévaricateurs. Ces derniers appartenaient dans la majorité des cas aux catégories sociales modestes. Plusieurs affaires traitées notamment avec des étrangers donnaient lieu à des dessous de table. Ainsi, nous avons la conviction que nombre de personnes ont des comptes bancaires à l'étranger. Mais il nous faut des preuves irréfragables pour que notre conviction se transforme en certitude, ce qui ne veut pas dire que nous n'allons rien faire et négliger de nous attaquer à ce fléau. Il y a dans ce pays deux catégories de fonctionnaires et de responsables : la première connaît des gens honnêtes mais qui peuvent aisément verser dans le travers que nous dénonçons ; il nous faut préserver leur honnêteté pour les empêcher de devenir mauvais. Il y a aussi les responsables qui sont probes et le demeureront, mais qui, à force de voir ce qui se déroule, finissent par se demander s'ils sont sur la bonne voie, s'ils doivent continuer à travailler avec dévouement et dynamisme alors que d'autres récoltent impunément le fruit de leurs efforts... »

Une dizaine d'années plus tard, Édouard Sablier lui demande s'il lutte contre la corruption, et, si oui, ce qu'il fait pour cela. Hassan II répond avec ce qui peut apparaître comme une franchise brutale : « Il ne sert à personne de vivre repu dans le milieu des affaires. On ne digère pas bien. Ça ne passe pas bien ! Dans aucun pays de notre standing les différences sociales sont aussi marquées qu'ici. Je n'ai pas manqué de le souligner. La disparité qui prévaut dans les traitements, c'est vraiment de la provocation. D'autant plus que ceux qui bénéficient de traitements exorbitants – et je donne à ce mot le sens juridique qui est plus fort que le sens littéral –, sont les pires ingrats que le monde ait créés. Partout, du reste, ils profitent de tous les avantages de l'État, mais quand il y a des élections, ils désertent et sont les premiers à vouloir démontrer, avec ou sans imparfait du subjonctif, qu'à la place de tel ministre ou de tel responsable ils auraient fait beaucoup mieux. Et quand je leur dis : "Monsieur, vous êtes directeur d'entreprise ou P-DG de banque, j'ai besoin de vous comme ministre", ils répondent : "Non, non, je vous en supplie, je ne peux pas !" Ils touchent quatre fois plus qu'un ministre et disent qu'ils feraient mieux, mais ils font tout pour creuser un fossé ! Eh bien, ce fossé, je leur interdirai de le creuser ! En tout cas, tant que Dieu me donnera un souffle de vie, ils me trouveront sur leur chemin. [...] Tous les nantis de toutes les sociétés sont des gens repus et ingrats, mais les Miens, alors, c'est pire, parce qu'ils sont dans un pays sous-développé. Si encore ils étaient repus à l'échelle de notre standing, mais ils le sont à l'échelle de l'Allemagne, de la France...[1] »

Le procédé est habile. Hassan II évite la langue de bois de la plupart de ses pairs arabes et africains qui nient avec humeur la réalité. Ce souci de l'affronter sans détours séduit : Sa Majesté, dit-on, ne manque pas de courage. Elle en profite également pour rappeler aux « nantis » qu'ils lui doivent tout, et qu'à tout moment leur bonne fortune peut cesser. Mais s'il peut donner de temps à autre un coup de pied dans la fourmilière, le système est déjà beaucoup plus fort que le monarque, et ses véhémentes protestations ne trompent plus personne.

Parfois, le roi se montre beaucoup plus ambigu. La Justice est certes défaillante, mais, selon lui, les magistrats et autres fonctionnaires du ministère paient d'abord les erreurs des politiques : « Si le Maroc garde encore une tache sur son front, c'est celle de la Justice, déclare-t-il en 1973 devant le Conseil supérieur de la promotion et du Plan. Notre procédure est compliquée, nos lois n'ont pas été faites pour nous, pour notre psychologie, pour notre système économique et social ni pour nos habitants des montagnes et des villes. Nous ne

---

1. Interview à la télévision française, le 23 mai 1979.

les avons pas conçues conformément à nos mœurs, et les avons plutôt copiées sur l'Europe. C'est pour cela que si ces lois défendent plutôt quelqu'un, c'est bien le criminel qu'elles protègent ! L'application aveugle du principe de la séparation des pouvoirs incite les gens au mécontentement à l'égard des tribunaux[1]. »

Ces propos appellent au moins deux remarques :

La première est que, comme le rappelle précisément Abdelhadi Boutaleb, à l'époque ministre de la Justice, Hassan II a « approuvé » la loi du 26 janvier 1965 relative à la marocanisation et à l'unification de la Justice. Pour M. Boutaleb, qui n'hésite pas à affirmer que Hassan II « le tenait en très haute estime » et lui vouait même « un respect spécial et unique en son genre[2] », la promulgation de cette loi « a représenté un tournant historique ». Se prévalant du feu vert donné par le monarque qui n'a « exprimé aucune critique à l'égard de ce que je faisais », Abdelhadi Boutaleb estime par ailleurs que l'application de cette loi, conformément au calendrier, a été, « de l'avis de tous, un des plus importants jalons posés sur la voie de l'édification de l'indépendance du pays[3] ». On peut imaginer la réaction de M. Boutaleb à la lecture de l'interview royale...

La seconde remarque a trait à « l'application aveugle du principe de la séparation des pouvoirs » dénoncée par le souverain. Il faut rapprocher cette petite phrase d'une autre déclaration faite au début des années quatre-vingt au cours d'une conférence de presse : « Chez nous, nous avons la séparation des pouvoirs. Quant à la clémence du roi, comme tous les chefs d'État, je ne peux intervenir qu'une fois que les tribunaux ont jugé[4]. » Nous en sommes presque à Voltaire parlant d'« impudence effrontée » ! Les bagnards de Tazmamart, dont la moitié a disparu dans des conditions atroces, doivent-ils leur funeste destin à une application trop stricte de la séparation des pouvoirs, eux qui avaient été condamnés pour la plupart à des peines de trois à cinq ans de prison ? Mais qui donc a donné l'ordre de les kidnapper, puis de les déporter ? De quoi se plaignent les Marocains

---

1. *Discours et interviews...*, tome V, *op. cit.*
2. Abdelhadi Boutaleb, *op. cit.*, p. 149.
3. *Ibid.*, p. 163.
4. Conférence de presse du 2 juillet 1981.

depuis des décennies, sinon des grossières ingérences du pouvoir ou des pressions inadmissibles du ministère de l'Intérieur sur les magistrats ? Mais où donc Hassan II a-t-il vu que la séparation des pouvoirs était appliquée « de manière aveugle » ?

Bardé de certitudes, le souverain marocain le fut à peu près toute sa vie. Son indifférence à l'opinion d'autrui – à l'exception de quelques chefs d'État étrangers – l'a conduit à un certain nombre de saillies surprenantes qui témoignent d'une perception tout à fait particulière de ses rapports avec son « cher peuple ».

En juillet 1981, il n'est pas encore tout à fait remis des émeutes qui viennent d'avoir lieu dans le royaume : « Je vous connaissais autrement, Marocains. Vous êtes allés à la Marche verte vous exposer aux balles et, aujourd'hui, parce que deux mille individus ont semé le désordre, vous voilà moroses, mélancoliques. Si nous n'étions pas en période de Ramadan, qui exige la présence du Commandeur des croyants, j'aurais pris des vacances pour ne plus avoir à rencontrer tous ces visages aux mines renfrognées[1]. »

Recevant un peu plus tard une délégation du Rassemblement national des Indépendants (RNI), il peaufine sa vision de la « démocratie hassanienne » : Elle « ne sera parfaite, dit-il, et nous ne serons tranquilles que lorsque nous aurons appris aux Marocains comment pratiquer l'opposition au gouvernement du roi du Maroc. Le jour où nous aurons ajouté ce nouveau jalon dans la démocratie hassanienne, nous estimerons alors avoir accompli notre mission d'un façon presque parfaite [...]. Si nous ouvrons la porte à une opposition constructive, il est nécessaire que cette opposition se montre dès les premiers jours au niveau de ses responsabilités. Si vous vous organisez de manière à être approximativement semblable au *shadow-government* de la Grande-Bretagne, nous aurons alors également un gouvernement fantôme et vous aurez aussi, en tant qu'opposition, votre ministre de l'Agriculture, celui des Finances, etc. Vous verrez alors que l'opposition au gouvernement est un plaisir, et ce sera un plaisir pour tout le monde de suivre les débats parlementaires[2] ».

---

1. Discours à la fête de la Jeunesse, 8 juillet 1981.
2. *Discours et interviews...*, t. V, *op. cit.*

Vœux pieux qui n'ont jamais été suivis d'effets ! Ce ne sont pas les seuls. En décembre 1962, le jeune Hassan II confie à l'ambassadeur français, de Leusse, qu'il a décidé de ne plus prendre l'avion, compte tenu de ses responsabilités familiales et étatiques. « Il désire, poursuit le diplomate, acquérir un petit croiseur pour faire ses déplacements sous pavillon marocain. La France ne pourrait-elle lui vendre à tempérament un tel navire de guerre[1] ? » Il n'y aura pas de « petit croiseur », et Sa Majesté reprendra vite l'avion, avec la « baraka » que l'on sait en 1972…

Quand ces rêves éveillés ne portent pas à conséquence, personne n'y prête vraiment attention. Hélas, il arrive à Hassan II d'avoir la mémoire courte ou de se montrer bien peu circonspect. Le 7 mai 1965, deux mois après les très graves événements du mois de mars qui ont fait des centaines de morts, il déclare à la télévision belge : « Nous ne connaissons pas, dans les pays du tiers-monde, et même dans certains pays européens, des législations du travail égales à la nôtre, des libertés publiques comme celles dont jouissent nos sujets, des libertés d'expression qui garantissent aux individus et aux collectivités la pleine jouissance de ces droits et de ces libertés. » Quelques semaines plus tard, Hassan II impose l'État d'exception…

Rien n'arrête sa volonté de tout régenter : « Personnellement, j'ai décidé pour la ville de Casablanca qu'elle vive dans un véritable système islamique qui garantit la propriété et la liberté des échanges. L'islam refuse l'existence de classes et le Maroc, qui n'a jamais observé un tel phénomène, ne sera pas un lieu de discrimination sociale aussi longtemps qu'à sa tête se trouveront des rois ayant pour objectif l'équité et la sauvegarde de la justice sociale[2]. »

Sa Majesté a également des idées précises en matière d'urbanisme : « Nous sommes hostiles aux appartements dans les immeubles, car ils compromettent la réserve devant marquer les rapports entre le père et ses enfants mariés et entre frères également mariés. La famille souffre de telles promiscuités[3]. »

---

1. Télégramme du 18 décembre 1962.
2. Le 10 octobre 1966, devant une Commission royale chargée d'étudier les problèmes de Casablanca.
3. Le 8 juillet 1981, à la fête de la Jeunesse.

Encore jeune souverain, Hassan II se montre très pudique pour la moitié féminine de ses sujets : « L'islam, c'est la religion de la collectivité d'une société pudique. Je n'aime pas beaucoup que nos filles et les mères de nos enfants sortent en minijupes et défient par un certain comportement, par le dévergondage conscient, la nature et les pulsions masculines. La femme constitue en elle-même une tentation, avec ou sans voile, mais ce défi à la morale et à la susceptibilité des enfants, qui se trouvent devant une tante ou une mère mal vêtue, va à l'encontre de toute convenance. Ceux qui se comportent avec ce genre de libertinage devraient se borner à le faire chez eux : là, ils peuvent s'habiller comme ils le désirent, dire ce qui leur plaît et exécuter les danses de leur choix. Mais faire tout cela à la face des gens, c'est défier Dieu et la pérennité de l'éthique de l'islam[1]. »

Agacé par le « relâchement des mœurs », Hassan II, qui n'a jamais été un parangon de vertu, se veut néanmoins indulgent, avec l'aide du Prophète : « Le temps des loisirs donne lieu à un grand nombre de remarques portant notamment sur le relâchement des mœurs. Pourtant, notre prophète Mohammed a dit : "Que l'assouvissement des vices soit entouré de la plus grande discrétion !" Notre Prophète n'a point dit qu'il faut s'abstenir ou qu'on doit être châtié pour tel acte, mais il a surtout mis l'accent sur la nécessité pour l'homme, qui n'est pas infaillible, d'être discret[2]. »

En avril 1987, Hassan II se surpasse. Ulcéré par l'intervention de Mohammed Abdelaziz, chef du Polisario, qui, devant les participants d'un Conseil national palestinien tenu à Alger, affirme que ses frères sahraouis subissent le même sort que les Palestiniens occupés par Israël, Hassan II avertit ses sujets que leurs maisons seront badigeonnées de m... s'ils ont la mauvaise idée de ne pas quitter des réunions où des Palestiniens prendraient la parole pour parler de la Palestine. Rejetant avec colère ces propos « acerbes et désobligeants » qui portent « atteinte à la dignité et à l'honneur du Maroc », le roi affirme que les Marocains qui ne quitteraient pas les lieux verraient leurs maisons « souillées à la manière antique ». Répétée à trois reprises, la menace est exprimée en arabe dialectal d'une manière beaucoup plus

---

1. Conférence religieuse de Ramadan, le 25 décembre 1966.
2. Fête de la Jeunesse, le 8 juillet 1972.

directe que ne le laisse entendre l'élégante traduction qui figure dans le *Registre du génie hassanien*[1].

Le souverain a aussi ses petites faiblesses. Mode et cuisine, par exemple. Quand l'équipe du magazine italien *Class* lui dit qu'en matière d'élégance il n'a plus rien à apprendre, lui qui a été désigné deux ans durant comme « l'homme le plus élégant du monde », Hassan II boit du petit-lait : « Avant toute chose, je voudrais dire qu'on naît élégant et que, par la suite, on continue de cultiver sa propre élégance. L'élégance est avant tout dans la tête. Un homme inélégant sur le plan intellectuel ou moral, un homme qui n'aime pas les autres, un misanthrope, un pessimiste ne sera jamais élégant. » De Francesco Smalto, le couturier italien dont la créativité, selon *Class*, a contribué à l'élégance hassanienne, le souverain se borne à dire : « Il pourra vous confirmer que je n'ai jamais été extravagant. J'ai toujours aimé le style classique. Ou alors, à l'opposé, la grande fantaisie, mais la voie moyenne, le cocktail entre la fantaisie et le classique, cela, vraiment pas[2] ! »

Hassan II ne se contente pas d'aimer la cuisine ; c'est un créateur : « J'ai même créé quelques plats. Enfant, j'allais dans les cuisines manger un peu de confiture et de glace. J'adorais observer les chefs en train de préparer leurs recettes. En exil, à part la médecine, lire la Bible et les Évangiles, je profitais de mes moments de loisir pour créer quelques nouveaux plats. Je dois dire que les plats que je mijotais étaient plutôt bons : vous pouvez demander aux amis qui les ont goûtés. La gastronomie est une question d'imagination. Il faut faire en sorte que les ingrédients s'harmonisent entre eux, comme pour les couleurs et les parfums. Là aussi, c'est une question d'élégance… »

Parfois, ses conseils culinaires sont déplacés, pour ne pas dire humiliants. Au début des années quatre-vingt-dix, il reproche aux Marocains, lors d'une intervention à la télévision, de « gaspiller » le pain. Il leur donne alors une recette connue de toutes les familles très pauvres, qui ne l'utilisent qu'en cachette, un peu honteuses : il s'agit de faire dorer des oignons dans un peu d'huile, puis de verser dessus

---

1. « Discours à la Nation après les travaux du CNP », le 21 avril 1987, tome IX, p. 305 *sq.*
2. Interview à la revue *Class*, mars 1987.

597

de l'eau bouillante et des lentilles. Quand celles-ci sont cuites, on ajoute le pain rassis jeté par les familles plus aisées et récupéré par les déshéritées, et on le fait tremper dans les lentilles aux oignons. « C'est un plat délicieux ! » tranche le roi.

Le magazine italien interroge également le monarque sur les restaurations effectuées à Fès et Marrakech dans « le style de Hassan II ». Réponse : « Voyez-vous, le style hispano-mauresque, que l'on peut admirer à Grenade, Cordoue, Séville, est si riche et si complexe que si on y ajoute une complication supplémentaire, on obtient un effet catastrophique. La seule chose que j'aie pu faire, c'est de réaliser en plâtre ce qui était en cuivre, et en cuivre ce qui était fait en bois, puis de mettre les deux ensemble. Aller plus loin eût été une erreur, car, comme dit le proverbe, le mieux est l'ennemi du bien. »

L'intérêt qu'il porte à la peinture moderne trouve cependant vite ses limites. Il en convient : « Je dois avouer que je ne réussis pas à comprendre le symbolisme de la peinture ultramoderne. Peut-être qu'un jour cela passera, mais, pour l'instant, je ne comprends pas. Je ne peux même pas dire qu'elle ne me plaît pas, car ce serait trop prétentieux de ma part, étant donné que je ne suis ni connaisseur, ni critique d'art. Pour moi, une œuvre d'art doit d'abord répondre à un critère : l'équilibre. »

Cette feinte modestie ne doit pas tromper. Le souverain disparu fit en effet preuve, à l'égard d'un certain nombre de créateurs, d'une incompréhension totale. Résolument rangé derrière la tradition, largement fermé à la modernité, Hassan II s'est parfois montré d'une grande méchanceté envers ceux qui ne partageaient pas son inclination pour le « néotraditionalisme » ou l'académisme. Conseillé par le redoutable décorateur français André Paccard, qui aurait entretenu et flatté son mauvais goût, Hassan II a eu la prétention d'imposer un style colonial très éloigné de la sobriété des Almohades. Pendant de longues années, Paccard, et l'architecte français Michel Pinseau ont fait la pluie et le beau temps au Maroc, construisant, retapant, aménageant ou restaurant, avec un goût prononcé pour le tape-à-l'œil, palais et luxueuses villas dont raffolait Hassan II. La politique culturelle du royaume a été, hélas, largement conditionnée par les oukases d'un roi à l'aise dans la rédaction de textes constitutionnels, mais imperméable à la sensibilité des artistes contemporains.

Toute sa vie Hassan II conjugue le goût des brillantes synthèses avec un penchant immodéré pour les petites choses, y compris les détails sordides. L'instigateur de la Marche verte et le promoteur d'une paix juste entre Arabes et Israéliens est capable de se perdre des heures durant dans des tâches subalternes relevant des compétences d'un sous-secrétaire d'État ou d'un recteur d'Académie.

Le 7 février 1985, il reçoit les représentants des syndicats de l'enseignement. Il leur annonce que la libération du Sahara a un prix très élevé et que, par voie de conséquence, ils vont devoir travailler plus. Aux représentants de chacune des organisations présentes, il précise, cycle par cycle, le nombre d'heures supplémentaires que leurs adhérents vont devoir fournir. Pour calmer les esprits, il leur annonce une augmentation de salaire « devant entrer en vigueur dans les deux ans ». Cependant, l'enseignant, rappelle le roi, n'a pas seulement pour mission d'inculquer un savoir, mais a également « pour rôle de dispenser l'éducation et de donner l'exemple en matière de conduite et de comportement ». Comment donc ? Écoutons la dernière suggestion de Sa Majesté : « Dans cet ordre d'idées, j'ai une suggestion à vous faire. Si vous la retenez, je suis sûr que vos revendications feront l'objet d'un meilleur accueil, et ce, à tous les niveaux. Il n'est qu'à tenter l'expérience, au moins au niveau de l'Éducation nationale. L'enseignant est toujours suivi dans ses attitudes par ses élèves. Je vous suggère d'adopter la méthode des Japonais. À chaque fois qu'ils décident de faire une grève, ils ne quittent pas leur travail, ils restent à leur poste, mais, pour que l'on sache qu'ils sont moralement en grève, ils se contentent de porter un brassard d'une certaine couleur. Ainsi, quand nous verrons de tels brassards, nous serons obligés de comprendre que les instituteurs ou les professeurs ne sont pas contents de leur sort, protestent pour faire prévaloir leurs droits, qu'ils ont ainsi exprimé avec mesure et correction leur mécontentement. Ceux qui seront en face de vous, vos élèves, les étudiants, seront tentés de suivre l'exemple. Vous aurez fait comprendre clairement aux autorités locales et au pouvoir central que vous êtes en grève tout en continuant à donner normalement vos cours. Je puis personnellement vous donner l'assurance que lorsqu'on m'apprendra que vous avez mis en application cette méthode, je serai le premier à prendre en considération vos revendications et à avoir de l'estime pour votre digne comportement. »

Incongrue, surprenante, cette manie du détail est parfois franchement inquiétante. Au début des années quatre-vingt-dix, nous a raconté un familier du Palais qui a souhaité garder l'anonymat, une jeune femme servant le monarque au palais de Bouznika est surprise par le roi en train de téléphoner. Hassan II entre dans une terrible colère. Il veut savoir à qui la gamine, fille d'une des femmes du harem, parlait. Il met le département de la Sécurité royale[1], alors dirigé par Mediouri, sur l'affaire. L'interlocuteur de la jeune femme est retrouvé et sévèrement tabassé par les hommes de Mohammed Farissi, bras droit de Mediouri. L'intervention d'une tierce personne permet d'éviter le pire, et on invente une histoire de famille pour calmer le roi.

Un peu plus tard, c'est une autre servante qui est écrasée par un train alors qu'elle a franchi le mur du palais de Bouznika pour retrouver son petit ami. Nouvelle colère jupitérienne du monarque. Commentaire du familier qui affirme qu'en l'occurrence il y eut mort d'homme : « Il était comme cela : le moindre détail pouvait le mettre dans des états invraisemblables. »

La paranoïa du roi sur le plan sécuritaire fournit l'occasion de faire rapidement le point sur les mesures prises par le souverain pour assurer sa quiétude. Dans les quinze dernières années de sa vie, après l'élimination de Dlimi, quatre hommes clés entourent Hassan II : Driss Basri, ministre de l'Intérieur, Hosni Benslimane, patron de la Gendarmerie, Abdelhaq Kadiri, chef de la DGED, et Mohammed Mediouri, chef des gardes du corps et à la tête du département de la Sécurité royale (Amn al-Malek). Ce département est subdivisé en plusieurs services : service de sécurité du roi, service de sécurité des princes et princesses, service de sécurité des chefs d'État et des rois et princes arabes. S'y ajoute le fameux Bureau des renseignements (BR en français comme en arabe) qui, au temps de Mediouri, était dirigé par Mohammed Farissi. Aux yeux de Hassan II, le BR était de loin le plus crédible des services de renseignements, et c'est à lui qu'il faisait appel pour les affaires délicates, notamment pour tout ce qui touchait à la famille royale.

---

1. Plus connu sous le nom d'Amn al-Malek (Sécurité du roi).

Au total, à la fin des années quatre-vingt-dix, près de six cents personnes travaillaient dans le département. Le recrutement se fait souvent dans des écoles d'arts martiaux, en particulier de *taekwando*. Les meilleurs sont dirigés vers des écoles de police, puis vont en stage à l'étranger avant d'être intégrés au Palais. Ils ne sont pas mieux payés qu'ailleurs, mais le roi leur accorde parfois une gratification. Il faut néanmoins distinguer entre les gardes du premier cercle (le roi) et ceux des second et troisième cercles. Il n'y a aucun rapport entre le département et les autres services de sécurité : DST, DGED, etc. : interdiction absolue, sauf pour le BR qui assure la liaison avec eux.

Si l'on excepte Kadiri, de santé fragile, qui est remplacé avant la mort de Hassan II par son adjoint Aarchi, un colonel-major que Hassan II a marié avec une fille élevée au palais, les trois autres « hommes clés » le servent jusqu'à la fin. Basri, l'homme fort du régime civil, entretient, contrairement à ce qu'on a pu dire, des rapports convenables avec Benslimane, l'homme des militaires. « Leurs relations, affirme un de ceux qui les a le mieux connus dans les années quatre-vingt-dix, n'étaient pas mauvaises, même s'ils n'étaient pas intimes. Ils tenaient un rôle et faisaient souvent semblant de ne pas être d'accord, mais ils n'étaient pas dupes : "Tu m'attends ici jusqu'à ce que je ressorte ; toi, tu n'as pas le droit d'entrer", plaisantait par exemple Basri avant un rendez-vous avec le roi. Celui-ci aimait ce genre de comportement. Cela lui donnait l'occasion de jouer l'un contre l'autre [...]. La différence entre Basri et Benslimane résidait dans la manière d'exécuter les choses. Basri avait tendance à marcher sur les pieds de Benslimane et à en rajouter. Benslimane était très puissant et n'avait nul besoin d'en remettre. Vous savez, la Gendarmerie est depuis longtemps la police de l'armée. Un convoi ne peut pas bouger d'une région à l'autre sans l'accord de Benslimane. En réalité, Basri, comme Benslimane, est un exécutant qui ne peut se gratter la tête sans l'autorisation du roi. Il fallait toujours laisser à ce dernier la possibilité de régler les problèmes sans jamais lui prodiguer de conseils, ce qu'il exécrait. Il ne les aurait de toute façon pas suivis. Personne n'osait d'ailleurs lui en dispenser, mais quand on lui donnait un avis, il s'arrangeait souvent, s'il le trouvait bon, pour prendre une décision légèrement différente, afin que chacun ait le sentiment que la décision émanait de lui. Parfois, des crises ou des impasses politiques se prolongeaient parce qu'il butait sur un mot et refusait obstinément de le retenir. Des caprices[1]... »

Toujours d'après notre interlocuteur, un des plus habiles avec Hassan II était Moulay Ahmed Alaoui, « très intelligent, et qui connaissait très bien le fonctionnement du roi, qui l'écoutait volontiers. Il savait faire passer un message. Mais soyons clairs : les seules personnes qui ont travaillé sur la durée avec Hassan II sont celles qui ont su la boucler. »

Quant à Kadiri, il s'entend fort bien avec Benslimane, originaire comme lui d'El-Jadida. Ils créent même en commun une société de pêche, la KABEN. Mais, au Palais, c'est incontestablement Mediouri qui était l'homme fort. « Il était influent, actif, intelligent, pas tordu comme Basri. Il pouvait être impitoyable, mais sans se montrer sadique ni cruel. Il ne s'attaquait pas aux familles, et parfois même pouvait les aider. D'une certaine manière, il avait du cœur. Il avait le bras très long. Plus que la DST ! Hassan II avait une confiance aveugle en lui [...]. Sa relation avec Latéfa, la mère du roi, est une affaire complexe. Délaissée par Hassan II, elle était très amoureuse de Mediouri depuis le début des années quatre-vingt. Lui, l'était beaucoup moins, mais il lui était très difficile de la tenir à l'écart. Il était dans une situation fort embarrassante[2]... »

Au demeurant, l'homme qui a envoyé une soixantaine d'officiers et de sous-officiers à Tazmamart, qui a fait payer au prix fort la trahison de Mohammed Oufkir à son épouse et à ses enfants, peut se révéler charmant, même si ses manières peuvent paraître parfois un peu familières.

Personne n'a évidement oublié son « copain » Giscard. Assez rapidement, Hassan II est séduit par VGE. En avril 1975, il déclare sur France Inter qu'il a l'intention de lui dire qu'il le « surprend de jour en jour agréablement ». « Comme nous sommes deux collègues dans le métier, ajoute-t-il, ce sont des choses qu'on aime à se dire entre soi. » « Iriez-vous dîner dans une modeste famille marocaine ? » lui demande alors le journaliste. Réponse : « Je ne crains qu'une chose,

---

1. Entretien de l'auteur avec le même interlocuteur ayant requis l'anonymat.
2. En mars 2002, *VSD* est saisi au Maroc pour avoir critiqué le bilan du jeune roi et également évoqué la liaison de sa mère avec Mediouri, liaison qu'il n'a jamais supportée.

c'est de ne plus pouvoir m'arrêter si je commençais. Car immédiatement je recevrais des pétitions, quartier par quartier, dans chaque ville ; mais, incontestablement, j'aimerais le faire, et il n'est pas dit que je ne le ferai pas. »

Deux années plus tard, interrogé par un autre bon « copain », Jacques Chancel[1], qui lui demande s'il accepte « le reproche et la critique », et s'il a de vrais amis, Hassan II répond : « Je préfère la *vox populi* à l'opinion d'un homme ou d'un groupe d'hommes qui pensent tous la même chose. » Puis, il confesse que s'il a « quand même des copains », il en a « moins qu'avant », qu'il en a même « peu, maintenant, parce qu'on s'est dispersés ». Mais il s'empresse d'ajouter : « Si je ne sentais pas encore le sentiment de *copinité*, je ne l'aurais pas employé à propos de Giscard. Qui n'a pas besoin d'être aimé ? J'estime que je donne beaucoup, et c'est tout à fait normal qu'on m'en donne un tout petit peu en retour. »

Dans son panthéon personnel, la reine d'Angleterre figure en bonne place : « Je connais bien la reine d'Angleterre, Sa Majesté qui est un personnage adorable, vraiment adorable. Nous nous entendons merveilleusement bien parce que c'est une personne pleine de délicatesse, de prévenance, surtout curieuse de nature, comme à l'affût mais pas indiscrète, curieuse de tout, voulant un peu savoir ce qui se passe. Et fidèle en amitié. »

Le roi Baudouin a un peu moins de succès ; Hassan II le trouve triste : « J'ai senti chez lui une plénitude de sentiments. Il est plein de générosité, mais parfois la plénitude de bons sentiments rend triste. C'est lourd à porter, les bons sentiments. »

Pour Jean-Paul II, Hassan II avoue ressentir « une sympathie particulière », parce qu'« il n'est pas un chef d'État à cent pour cent, ni un pape à cent pour cent. Il a été ouvrier, il a été syndicaliste, il a connu la vie et quand il parle de l'homme, il sait de quoi il parle ».

Mais il « garde pour la bonne bouche » Juan Carlos : « Nous nous entendons merveilleusement bien. Nous sommes de la même génération. Grâce à Dieu, nous usons du téléphone pour régler un certain

---

1. Reconnaissons à Chancel un certain courage et de la cohérence. Au moment où Gilles Perrault sort son livre *Notre ami le roi*, il est l'un des rares, parmi les « amis » de Hassan II, à prendre la plume et à le défendre publiquement.

nombre de problèmes. C'est un compagnon charmant, plein de vie, qui est monté sur le trône dans des conditions pas vraiment bénéfiques. On ne peut pas dire que la conjoncture astrale était bonne à ce moment-là. »

C'est à son « cher peuple », dont la moitié est toujours illettrée et dont un dixième a dû prendre le chemin de l'exil pour ne pas mourir de faim ou de désespoir, que Hassan II réserve néanmoins ses meilleurs encouragements : « Cher peuple, chère jeunesse, déclare-t-il le 8 juillet 1987 à la fête de la Jeunesse, plutôt que de vous ménager une cage dorée, je vous ai offert de vivre dans une maison de verre entourée de fenêtres. Toutes les revues circulent au Maroc, toutes les radios sont captables, les films vidéo de tout genre pénètrent, et vous quittez le pays sans visa, quand vous le voulez, et y revenez quand vous le désirez. Sois donc digne, cher peuple, de cette liberté. »

À peine installé sur le trône, Hassan II se montre tout à fait satisfait des prestations offertes par son régime : « Nul ne saurait prétendre avoir été emprisonné à raison de ses opinions et de ses écrits, ni pour s'être mis en grève légale », déclare-t-il à la veille des premières législatives du printemps 1963. En 1978, alors que les choses s'améliorent sans doute moins vite qu'il ne l'aurait souhaité, il estime qu'au terme des quatre plans quinquennaux suivants, le Maroc « atteindra l'an 2000 dans la paix sociale, tandis que les différences entre les classes sociales auront été réduites au maximum et que l'administration aura été rapprochée des citoyens tout en ayant simplifié considérablement ses procédures [...]. Nous aurons alors, ajoute-t-il, redistribué nos richesses d'une façon coranique et musulmane, en tenant compte des possibilités financières de chacun, nous aurons repensé nos méthodes éducatives et mis en œuvre de nouvelles méthodes[1] ».

Curieusement, à l'ouverture de la session parlementaire, le 13 octobre, soit trois petites semaines auparavant, le pessimisme le plus noir prévalait : « Je ne vous cache pas que si nous continuons sur la voie que nous suivons, nous aboutirons à une société où le pauvre sera très pauvre et où le riche sera excessivement riche. L'écart qui sera ainsi réalisé deviendra un gouffre qui se transformera bientôt

---

1. Discours d'orientation devant le CPNSP, le 30 octobre 1978.

et inéluctablement en une différenciation de classes que notre pays n'a jamais connues ni dans son lointain, ni dans son proche passé. »

Mais ces accès de lucidité ne durent guère. Très vite, les rodomontades reprennent le dessus, avec, parfois, de savoureuses fautes de frappe dans les ouvrages publiés à la gloire du monarque. Dans le « Registre du génie hassanien » de l'année 1975 figure ainsi une interview accordée à France Inter où l'on lit : « Le roi gêne effectivement [au lieu de règne], mais il règne avant tout dans le cœur de ses sujets. » Le 14 mars 1973, après deux coups d'État manqués des militaires, il affirme à *Al-Hawadith* : « Jamais la confiance n'a été ébranlée entre le trône et l'armée, parce que cette confiance n'est pas la résultante de conjonctures, mais qu'elle s'est établie, instaurée, a grandi et évolué sur une assise solide, bâtie pendant plus de seize ans après l'indépendance et plus de deux mille ans tout au long de notre histoire royale. »

Les coups d'État, la répression, les émeutes, les années de plomb, rien n'ébranle Sa Majesté qui déclare encore le 17 mars 1982 : « Il y a une lune de miel permanente et pérenne entre mon peuple et moi, et entre moi et les partis politiques qui veulent travailler dans la légalité et la clarté. »

En 1989, alors qu'il a pris sa vitesse de croisière et est solidement installé au pouvoir, il philosophe : « Le comble du bonheur, pour moi, c'est de pouvoir tous les matins me regarder dans la glace, quand je me rase, et de ne pas me traiter un beau matin de "salaud". Voilà le comble du bonheur ! »

Les allégations d'Amnesty International le laissent froid. Il en est à peine agacé : « Si je savais qu'un pour cent de ce qui est écrit dans les rapports d'Amnesty est exact, je puis vous assurer que je ne dormirais pas. Mais enfin, je n'ai pas la tête d'un bonhomme qui torture à longueur de journée et qui trouve le moyen de bien faire son travail, de sourire et d'embrasser ses enfants[1]. »

De son père dont il se félicite qu'il l'ait « élevé durement », il convient qu'avec lui tout n'était pas toujours rose : « Avec mon père, nos buts auraient été communs, mais le cheminement certainement différent. On se serait beaucoup attrapés[2] ! »

1. Interview à France 2, le 17 décembre 1989.
2. Interview avec Jacques Chancel, le 20 novembre 1976.

Hassan II a certainement subi des influences, mais toutes vont dans le sens de la tradition, des vieilles coutumes. Ses confidences, ses réactions spontanées, ses aversions, ses goûts sont ceux d'un homme profondément conservateur. En mars 1987, il rapporte ainsi à son ami Chancel qu'il était excédé, avant de prendre le pouvoir, par ces Marocains « qui se mariaient en smoking et en robe blanche [...]. Lorsque mon père est mort, précise-t-il, j'ai décidé de marier mes sœurs immédiatement selon nos traditions. J'ai voulu qu'on les voie ainsi à la télévision. Aujourd'hui, l'antique coutume est donc reprise. Toute jeune fille qui irait aux épousailles sans l'habit traditionnel ne saurait se considérer comme marocaine. »

Autre exemple de rite ressuscité : la djellaba des parlementaires marocains, imposée dans les années soixante par Hassan II aux représentants du peuple, non sans que certains d'entre eux traînent d'abord les pieds.

Sa vision de la famille est elle aussi quelque peu surannée : « La famille, note-t-il au milieu des années soixante-dix, a démissionné et je ne sais pas qui est ce couple maudit pour l'humanité qui a inventé le fait de dire : "Mes choux, nous allons sortir et vous laisser faire votre surprise-partie. Nous rentrerons à minuit." Eh bien, c'est ce couple maudit qui est responsable de la mauvaise marche du monde[1]. »

Mais, déjà à cette époque, il se déclare heureux « en faisant le bilan de sa vie » : « Dans tout bilan, il y a une colonne positive et une colonne négative. À partir du moment où le crédit l'emporte sur le débit, on peut être heureux, et cela vous encourage à continuer. Je suis heureux parce que Dieu m'a donné une belle famille, parce que je suis convaincu que, dans la mesure de mes moyens, je n'ai fait que du bien autour de moi, et que je n'ai fait de tort ni de mal à personne. Et enfin, je suis heureux parce que je suis au milieu de mon peuple comme un poisson dans l'eau[2]. »

1. Entretien avec Jacques Chancel, déjà cité.
2. Interview de mars 1973 à l'ORTF.

IX

La mort de Hassan II :
premiers enseignements

La mort de Hassan II, le 23 juillet 1999, soulève une émotion considérable au Maroc et provoque de nombreuses réactions de par le monde. Hors du pays, si l'on excepte quelques organisations de défense des droits de l'homme qui restent sur leur faim en dépit des progrès accomplis au cours des dernières années, et hormis quelques bons connaisseurs du royaume, les commentaires sur le défunt sont assez positifs. Les États-Unis lui savent gré de ses efforts pour rapprocher Israéliens et Arabes. Les Occidentaux, Europe et Amérique confondues, apprécient la stabilité du Maroc et du Maghreb en général – au moins au niveau interétatique – et pensent, sans doute à juste titre, qu'il a su raison garder au Sahara et ne pas se lancer dans une dramatique aventure avec l'incommode voisin algérien. Rien, au fond, que de bien normal, venant de dirigeants qui ont pu apprécier, loin de la misère et du mal-vivre d'un grand nombre de Marocains, le faste de l'accueil que le régime a toujours su leur réserver ! Peut-on reprocher à ces responsables européens, connaissant superficiellement le pays, de ménager l'avenir ? On oubliera aussi les réactions des innombrables courtisans qui ne doivent leur prospérité ou leur

607

statut social qu'à la souplesse de leur échine et à leur manque de courage. Fort heureusement, il reste suffisamment de Marocains et de bons connaisseurs du royaume, observateurs avisés, pour essayer de dresser le bilan de ces trente-huit années de règne.

Les faits parlent d'eux-mêmes. On peut dire, sans risque d'être contredit, que les partis politiques et l'opposition ont davantage de poids au moment où Hassan II monte sur le trône qu'à sa mort. C'est ce que souligne à sa manière Mounia Bennani-Chraïbi, politologue, qui déplore que Hassan II, hormis naturellement la monarchie, n'ait pas laissé d'institutions solides et crédibles : « N'importe qui peut se transformer en cauchemar s'il n'y a pas de contre-pouvoirs », résume-t-elle[1]. Tout en regrettant leur « culture *makhzen* », elle déplore aussi que Hassan II ait discrédité les partis politiques pour les affaiblir ; elle voit dans ce discrédit « une bombe à retardement ».

L'écrivain et poète Abdellatif Laabi, qui reproche notamment à Hassan II d'avoir « combattu d'une façon systématique les intellectuels », parle « d'immense gâchis » : « Au moment de l'indépendance, le Maroc, dit-il, était un pays de grande culture, comparable à la Syrie ou à l'Iran. Nous avions une élite qui s'était engagée résolument dans la voie de la modernité [...]. Malheureusement, il y a eu un immense gâchis à tous les niveaux. Progressivement, l'État mafieux s'est constitué et a mis le pays en coupe réglée[2]. »

Derrière le décor – des Constitutions octroyées dont il ne respecte même pas le contenu –, le fils aîné de Mohammed V passe le plus clair de son temps à tenter de réduire l'opposition à une peau de chagrin. Appuyé sur un appareil répressif brutal et efficace, il le fait de façon humiliante, en corrompant les hommes, en les menaçant, en les compromettant, parfois en les liquidant. Les confidences recueillies en ce domaine par l'auteur sont on ne peut plus édifiantes. Mais la confiance en l'avenir est si aléatoire que beaucoup d'acteurs politiques de ces quatre dernières décennies ne souhaitent pas être cités ou hésitent à parler. La peur, même si elle s'est atténuée au cours des toutes dernières années, a sans doute été le maître mot de ce règne. « C'est du

---

1. Entretien avec l'auteur. Cité in *Le Règne de Hassan II – Une espérance brisée*, par Ignace Dalle, *op. cit.*, p. 283.
2. Entretien avec l'auteur, cité *in* I. Dalle, *op. cit.*

mystère seul que l'on a peur. Il faut qu'il n'y ait plus de mystère. Il faut que des hommes soient descendus dans ce puits sombre, et en remontent, et disent qu'ils n'ont rien rencontré » : ces mots de Saint-Exupéry rendent bien compte du régime marocain – mystérieux, secret, impénétrable, inquiétant. Rien n'y est jamais clair. Peur du gendarme, peur du juge, peur de la maladie, peur du lendemain. Le pire est toujours à venir.

Parmi les Français, Jean Daniel, directeur du *Nouvel Observateur*, est certainement l'un de ceux qui ont le mieux connu Hassan II. Il est tiraillé entre son aversion pour le despote et sa fascination pour le « visionnaire » : « Hassan II, écrit-il, a stupéfié par l'acuité de ses visions internationales. Il n'est pas un chef d'État, si éloigné fût-il de la monarchie marocaine, qui n'ait été impressionné par lui[1]. » Il porte un éclairage intéressant sur un personnage avec lequel il s'est souvent et longuement entretenu pour son journal ou pour d'autres raisons. Au départ, il a une piètre idée de l'homme : « Il était réputé pour faire partie de ces individus qui avaient le droit d'indiquer de la main la jeune vierge à peine nubile qu'ils désirent et qui est enlevée de la médina pour être portée au palais. On disait qu'il pratiquait cette coutume. » Cependant, surmontant les réserves que lui inspire le personnage, il se rend à Rabat, au tout début des années soixante-dix, à la demande de Nahum Goldman[2]. « J'ai alors trouvé un homme dont on m'avait dit tout le mal qu'il fallait et qui, sur les problèmes du Proche-Orient, montrait à mes yeux au moins autant de courage que Bourguiba. Avec un désir de lui faire concurrence [...]. À ce moment-là, je suis surpris de voir un homme qui, quelles que soient ses tares, quelles que soient sa légende fâcheuse, son image détériorée, la comparaison avec son père dont il est toujours la victime, bien que son père ait finalement régné très peu de temps et qu'il représente un symbole, malgré tout cela je vois un homme qui pense à l'avenir, à l'avenir du Maroc, à l'avenir du monde[3]. » À une nuance près. Jean Daniel est en effet surpris par le peu de place que le Maghreb occupe

---

1. *In* « Impromptus marocains », *Le temps qui vient*, Grasset, 1992, p. 293.
2. Longtemps président du Congrès juif mondial, il joua un rôle actif pour rapprocher Juifs et Arabes.
3. Entretien avec l'auteur.

dans les pensées du roi et des autres dirigeants de la région : « Une chose m'étonne alors déjà et, aujourd'hui, quarante ans plus tard, je m'étonne encore que ces hommes de grande vision, comme lui, comme Bourguiba et, disons, Ben Bella, ont pensé davantage au monde et au Machrek, au monde en général et au Machrek en particulier, mais pas au Maghreb. »

La question de la monarchie est au nombre des sujets abordés par les deux hommes : « Pour ce qui est des institutions, il a été agacé, impatienté par le fait qu'on présentait en Occident, malgré l'existence de l'Angleterre, de la Suède et d'autres royaumes, la monarchie comme un état régressif par rapport aux républiques, fussent-elles populaires et totalitaires. Je crois que cette idée, cet agacement, a beaucoup compté pour lui et l'a amené à donner l'illusion à ses sujets, mais surtout aux observateurs étrangers et à ses interlocuteurs occidentaux, qu'il y avait une monarchie, pas constitutionnelle bien entendu, mais enfin qui respectait un certain nombre de formes démocratiques. Il a ainsi institué ou il a donné naissance à un certain nombre d'institutions qui étaient des exemples de rites démocratiques français ou américains, mais il fallait pour cela passer par des élections et qu'il y ait des partis. Dans quelle mesure cette idée était-elle dictée par la certitude où il croyait se trouver de n'avoir autour de lui que des opposants respectueux et modérés ? Je ne peux pas le dire…[1] »

Quand on lui demande s'il ne s'est pas montré « indulgent » avec Hassan II, Jean Daniel répond : « Si jamais il y a eu des moments d'indulgence, c'était le fruit de deux sentiments. Le premier, c'est que l'image que j'avais de Hassan II était tellement négative que j'ai confondu l'immoralité et l'inintelligence. C'était une erreur de ma part. J'avais un rejet d'intellectuel de gauche à l'égard de cet homme auquel il me convenait de ne prêter aucune qualité. Donc je revenais de très loin, et il se peut que j'aie été surpris de voir un homme se donner du mal pour être autre que les apparences qu'il présentait, et construire et échafauder des politiques que j'avais rarement trouvées ailleurs. À mon âge, j'ai rencontré beaucoup d'hommes politiques, et la vision n'est pas nécessairement associée à des qualités, même certaines[2]. »

---

1. *Ibid.*
2. *Ibid.*

Le directeur du *Nouvel Observateur*, qui l'a beaucoup questionné sur l'islam, estime que le souverain disparu s'est montré clairvoyant en ce domaine : « Hassan II est le premier à m'avoir dit quelque chose qui paraît aujourd'hui naturel à tous dans le monde arabe et dans le monde entier : seul l'islam peut vaincre l'islamisme. Il l'a dit dans un entretien que j'ai oublié, et il l'a commenté. J'étais intéressé, mais je me suis dit : "C'est une façon de se défendre, simplement un moyen de conserver son pouvoir de Commandeur des croyants. C'est une façon de conserver le *statu quo* marocain." Il avait intérêt à dire cela. Mais c'est ce qu'on dit maintenant à peu près partout : autant les leaders arabes que MM. Bush et Chirac. Il y a cette idée que les réformes de l'islam ne peuvent pas venir de l'extérieur. Et pas même des hommes laïcs. Il faut qu'il y ait une réforme luthérienne, calviniste, protestante, une réforme de l'islam. Il me disait aussi qu'il y avait une très grande différence entre l'islamisme et le fondamentalisme, pour lequel il disait avoir un grand respect. Il disait : "L'islamisme, c'est le fondamentalisme au service d'un projet politique. C'est le contraire du fondamentalisme mystique ou religieux de l'islam que, moi, je respecte." Il disait : "Je réclame le droit d'être fondamentaliste." De ce point de vue, il était dans le bon sens, dans l'anticipation[1]. »

Jean Daniel a aussi sa petite idée sur l'évolution de l'homme, prince fêtard jusqu'à la mort de son père, puis n'hésitant pas à utiliser l'islam à des fins politiques avant de finir en pieux musulman : « Il a suivi le parcours habituel d'hommes ou de femmes que nous connaissons tous, c'est-à-dire qu'il est passé, comme un certain nombre de saints chrétiens, laïcs, musulmans ou juifs, d'une jeunesse débauchée à la tentation de la foi. Lui, il a eu cette tentation d'une manière un peu hésitante, et cela a duré longtemps. Mais qu'à la fin de sa vie il ait eu la sincère volonté de se comporter en musulman, je n'en doute pas, cela me semble dans l'ordre des choses. Cela d'ailleurs n'excuse rien. Mais, même si sa foi a été déclarée pour la montre, le chiqué, l'apparence, l'idée de dire "Je n'en suis pas digne", c'était déjà vivre dans un univers religieux. Il savait comment parler aux religieux. Il était comme Tartuffe[2]. »

---

1. *Ibid.*
2. *Ibid.*

Mais, selon Jean Daniel, un homme politique change parce qu'il veut durer, et ce roi, pour durer, « devait puiser en lui des ressources insoupçonnées et déconcertantes d'adaptation ». Hassan II, souligne-t-il, devait « surprendre par son art consommé de diviser, séduire et corrompre. Ce roi n'est pas devenu un despote sanguinaire qui ne rêve que de destruction et de terreur. C'est un monarque parfois éclairé, et toujours autoritaire, dont le grand alibi est constitué par la conception qu'il juge utile de se faire de la société marocaine. En un mot, il a décidé que cette société était trop tribale, trop féodale et trop communautaire (et il en approuvait trop le patriarcat) pour la transformer d'un seul coup en une démocratie parlementaire et représentative qui lui ôterait tout pouvoir. Sans doute lui convient-il de temps à autre de faire l'expérience d'une capricieuse pratique constitutionnelle ou d'un timide processus démocratique. Mais, en attendant "une maturité plus grande du peuple", il convient, selon lui, de gouverner avec les forces traditionnelles. Il impose en fait son arbitraire[1] ».

Comme Jean Daniel, le célèbre constitutionnaliste Georges Vedel n'a jamais caché son admiration pour le « visionnaire » Hassan II. Au moins pour ce qui concerne le Sahara occidental, puisque, sur le reste, le doyen, très lié au souverain, s'est gardé de toute critique publique. Déplorant que le Maroc, « soumis à deux colonisateurs différents dont le retrait s'est opéré selon des processus non simultanés », ait été victime d'une double « absurdité », juridique et politique, Vedel estime que, malgré cela, rien n'a jamais pu détourner Hassan II « de sa volonté de paix et de fraternité » : « Cette tenace vision d'un vrai avenir pour des peuples dont le génie national, la culture et la foi sont nécessaires à notre monde, écrit-il, est de plus en plus celle d'autres gouvernants et d'autres nations arabes et africaines[2]. »

Ambassadeur de France au début des années quatre-vingt, au moment de la victoire de François Mitterrand, Jacques Morizet a eu de longues conversations avec Hassan II : « C'était un homme très complexe, fortement marqué par sa déportation. Il détestait les résidents Juin et Guillaume, mais était fasciné par Lyautey qui avait tiré le Maroc du féodalisme et avec lequel, m'a-t-il dit, on aurait pu

---

1. In « Impromptus marocains », *Le temps qui vient, op. cit.*, p. 293.
2. *La Marche verte – Hassan II*, Plon, 1990, p. 76.

construire un partenariat [...]. En même temps, poursuit le diplomate, il était très marocain, très marqué par son devoir de chef de famille. Il exerçait une emprise très médiévale sur toute sa famille, emprise qui demeure au Palais. Autrement dit, Hassan II est un mélange d'européanité, de francité et de Maroc. D'un côté, c'était un ami sincère des Français, de plain-pied avec la France. Il pigeait vite, était très ouvert sur les technologies modernes, très attiré par les États-Unis, mais cela est venu trop tardivement pour qu'on assiste à un bouleversement de tendance. Il n'a cependant rien fait pour retarder les bourses américaines ou empêcher les pressions américaines... »

Jacques Morizet évoque aussi le Commandeur des croyants, le despote redouté et l'ami fidèle : « Il tenait beaucoup à son rôle de chef religieux. Il faut aussi noter, à mon époque, la platitude de tout le milieu gouvernemental. Personne n'osait parler. Tout le monde baissait la tête devant lui. C'était le règne de la courtisanerie la plus totale. Il était fidèle en amitié, mais la confiance était fondamentale. S'il s'estimait trahi, il ne pensait plus qu'à se venger. Il était animé par l'esprit de vengeance. Il manifestait évidemment peu de respect pour les droits de l'homme ou l'idéologie de 1789. Il pouvait être d'une dureté implacable envers ceux qui s'opposaient à sa personne. Par exemple avec la famille Oufkir [...]. »

L'ancien ambassadeur révèle également que, sur certains dossiers, la France, quel que pouvait être son poids, était impuissante ; le régime se montrait intraitable : « J'ai eu personnellement affaire avec le ministre de la Justice. C'était le népotisme. Sur certains dossiers, il n'y avait absolument rien à faire. J'ai entendu parler de Tazmamart, de grands avocats sont venus me voir, mais le ministère de la Justice opposait un véritable mur à nos demandes. »

Face à des partis divisés et sans véritable projet, Jacques Morizet se demande si Hassan II n'a pas été un pis-aller : « Son rôle, dit-il, a été positif dans la mesure où il a permis une certaine stabilité marocaine. Qui pouvait préciser le contenu à donner à l'indépendance ? Les partis se sont très vite divisés. Il est possible qu'il ait été un moindre mal. Avec intelligence, roublardise, ambiguïté. Il était très populaire dans quantité de milieux. Quant à la corruption, vous savez, elle existe dans tous les pays arabes, et ailleurs... Ce n'est pas une spécificité marocaine. »

Venu un peu après Jacques Morizet, Philippe Cuvillier[1] tient lui aussi à faire la part des choses : « Fondamentalement, Hassan II avait une confiance très grande dans la France. Parfois, on lui racontait des fumisteries, comme la drogue au lycée[2]. En 1986, quand Paris a instauré les visas, le roi a fait preuve d'une sagesse totale. Il a dit en substance : "Je comprends très bien que la France veuille se protéger, et il ne faut pas que le Maroc, en exerçant des représailles, souffre." »

Pour Philippe Cuvillier, « Hassan II était un homme exceptionnel, un mélange de Moyen Âge et de modernité. C'était une intelligence remarquable et très rapide. Il avait cependant plusieurs défauts énormes. D'abord, un genre de vie très critiquable : couché tard, levé tard. Il travaillait n'importe où, n'importe quand. Il méprisait ses collaborateurs et s'entourait quelquefois fort mal. J'ai rencontré des membres du cabinet royal qui étaient des nullités totales, ce qui ne les empêchait pas d'avoir parfois de l'influence sur le roi. Pour certains ministres, jeunes et compétents, c'était pénible, car leur influence était compliquée par ce jeu de réseaux ». Aux yeux de l'ambassadeur, ces ministres technocrates, « souvent brillants », sont les seuls, avec leurs équipes, à avoir fait avancer les choses. « Ensuite, poursuit-il, Hassan II écoutait rarement son entourage. Parfois ses pairs étrangers, américains et français surtout. Je suis absolument convaincu qu'il ne se rendait pas compte de certaines réalités. Lors de ses tournées dans le pays, tout était préparé à l'avance, lavé, pomponné. Il y avait pourtant des choses très choquantes qu'on ne lui montrait pas : bidonvilles, hôpitaux dans un état lamentable… Enfin, il avait dressé une cloison entre sa prospérité personnelle et la misère de son pays. » Ambassadeur au Caire avant d'être en poste à Rabat, Philippe Cuvillier ne peut s'empêcher une petite comparai-

---

1. Ambassadeur de France à Rabat de 1985 à 1987.
2. Lors de cet entretien avec l'auteur, Philippe Cuvillier indique qu'il « surveillait de très près » les coopérants français : « comme le lait sur le feu ». Il en a fait rentrer trois qui, selon lui, « avaient franchi allègrement la ligne rouge, avec des commentaires totalement déplacés sur le régime ». Effectivement, à plusieurs reprises, les établissements français d'enseignement au Maroc et certains coopérants ont exaspéré Hassan II qui menaça de fermer collèges et lycées. Il faut dire que le conformisme hassanien s'accommodait mal d'une certaine pédagogie… Il est vrai aussi que certains enseignants français manquèrent de la réserve la plus élémentaire.

son : « Sadate vivait bien, mais cela n'avait rien à voir. Cette richesse et ce train de vie demeurent un des tabous les mieux gardés. »

Invité à dresser le bilan de Hassan II, Philippe Cuvillier estime qu'il « a fait énormément pour consolider le Maroc, qui continue à jouir d'une stabilité indéniable sans laquelle il ne peut y avoir de progrès social et économique. L'envers de la médaille, c'est qu'il a donné trop souvent, par périodes et sur certains sujets, l'impression de l'immobilisme. Même si ce ne fut pas le cas, Hassan II a fait beaucoup moins qu'il aurait pu et dû. Il a eu aussi quelques réussites grâce à certaines personnes de son entourage, notamment dans des sociétés mixtes ou privées. Hassan II manquait totalement de conscience sociale, ce qui fait qu'il n'a pas redistribué la richesse nationale comme il aurait dû. Hélas, cela dure depuis quarante ans ! Le couvercle peut sauter, et si l'islamisme progresse, ce sera à mettre au débit de la monarchie. Néanmoins, Hassan II n'a rien compromis définitivement et peut avoir laissé quelque chose de prometteur[1] ».

Neveu du roi avec lequel il a souvent eu des rapports conflictuels, Moulay Hicham n'est pas loin de penser la même chose : « Il y a deux aspects, dit-il ; le positif, à savoir l'unification du pays et la stabilité du régime ; et puis il y a l'aspect négatif, les droits de l'homme et les disparités sociales[2]. » Tiraillé par des sentiments contradictoires envers un homme qui l'a manifestement beaucoup marqué, celui qu'on appelle sans doute abusivement le « prince rouge » a certainement souffert de l'ostracisme dont son père a été l'objet de la part de Hassan II : « Dans la seconde moitié des années soixante-dix, mon père n'y croyait plus. Il était sur la touche. Il y a eu un grand décrochage chez lui. Tout le monde l'utilisait. La maison était un cénacle. Il faisait passer des messages, mais il savait bien que son frère n'en ferait qu'à sa tête. J'ai eu des discussions très orageuses avec Hassan II à ce sujet [...]. La mort de mon père, alors que j'avais dix-huit ans, poursuit-il, m'a forcé à entrer en discussion avec Hassan II. J'étais un peu son troisième fils. Mais il était très imbu de sa personne et ne montrait pas d'affection. Au fond, c'était son devoir islamique d'adopter le fils de son frère [...]. »

---

1. *Ibid.*
2. Entretien avec l'auteur.

Président du Parti de la justice et du développement, Abdelkrim Khatib, bien qu'il ait servi fidèlement le trône, évoque avec lucidité l'homme de pouvoir[1] : « Il n'y avait qu'une chose que Hassan II n'acceptait pas, c'était qu'on se mette en travers de son pouvoir. Il s'est servi de l'argent pour rendre dépendants beaucoup de leaders qui pouvaient être achetés. Pour lui, l'argent était un élément de pouvoir. Il tenait les gens comme cela. Personnellement, je n'ai jamais lutté pour le pouvoir. Je lui disais ouvertement ce que je pensais. » Khatib raconte qu'il a eu une discussion avec Hassan II sur la famille Oufkir : « Je lui ait dit que Oufkir était un aventurier, et qu'il avait payé. Pourquoi s'acharner sur sa famille ? Il était agacé. À mon avis, il a été influencé par le chef du protocole, Moulay Hafid Alaoui, qui a joué là un très mauvais rôle. »

Mais, selon le chef du PJD, on arrivait parfois à « obtenir un geste de sa part » : « Au début des années soixante-dix, après l'arrestation de Bounaïlat[2], nous sommes allés avec lui, le 10 de Ramadan, nous recueillir sur la tombe de son père. Chemin faisant, nous lui avons demandé de le libérer. Nous lui avons rappelé qu'il avait servi courageusement son père. Il l'a grâcié. » Abdelkrim Khatib, dont on n'a pas oublié les vigoureuses protestations au moment de l'instauration de l'état d'exception en 1965, est convaincu que son attitude d'alors a « pesé lourd ». « Notre parti n'a jamais eu les faveurs de l'Intérieur avant et après Oufkir. Je n'ai plus été, précise-t-il, qu'une seule fois ministre : en 1976, au moment où on préparait les élections de 1977. »

Une des figures les plus en vue de la scène politique marocaine ayant, elle, contrairement à Abdelkrim Khatib, lutté pour accéder au pouvoir, dit à peu près la même chose tout en souhaitant garder l'anonymat : « Hassan II était un corrupteur de première classe, parce qu'il avait pour devise que tout peut se faire par l'argent, que tout s'achète, les anges comme les démons. Pour lui, il fallait commencer par être riche soi-même, et, avec l'argent amassé, on pouvait tout faire. Tout le système a fonctionné comme cela : amasser de la fortune et corrompre le reste du monde. Quand on commence

---

1. Entretien avec l'auteur.
2. Grand résistant, grand patriote et opposant résolu à la monarchie.

par là, tout devient facile. En même temps, sous la pression – de la France ou d'autres –, il n'hésitait pas à envoyer en prison ceux qui avaient servi ses intérêts : Jaïdi, Tahiri, Chefchaouni[1], Lazrak, etc. » Cet homme politique met Driss Basri dans le même sac et en fait une sorte de doublure du roi, tout en restant convaincu que la monarchie, elle, reste incontournable : « Nous sommes encore un peuple de tribus. Inspiré par Hassan II, Driss Basri a été aussi grand diviseur que son maître fut grand corrupteur. Basri n'a cessé de jouer sur le registre de la division. Exemples : Fassis contre Soussis, paysans contre citadins, etc. Basri a opéré des changements massifs dans l'administration. Il allait même jusqu'à demander les prénoms, et "Maati", qui fait paysan, l'emportait sur "Aziz" ou "Rachid". S'il y avait un Soussi président de la République, vous imaginez les passions qui se déchaîneraient ! La monarchie est un ciment, un élément d'unification, même sur le plan psychologique. »

Pour sa part, M'hammed Boucetta, à demi retraité mais toujours influent, veut rester optimiste. Il apporte lui aussi quelques éléments d'appréciation[2] : « Hassan II avait beaucoup de respect et d'estime pour moi. Il y avait cependant des limites et je n'ai pas toujours accepté de le suivre. Mais jamais devant d'autres personnes : il ne le supportait pas […]. La corruption est un système de pouvoir qui part du sommet. Néanmoins, je ne crois pas qu'il faille désespérer. Je me rappelle, quand j'étais ministre de la Justice, au début des années soixante, tout le monde disait déjà : "la Justice, c'est la pourriture." Effectivement, j'ai eu à connaître trois magistrats corrompus. Je ne les ai pas jetés en prison, mais poussé à la démission. Tout le monde l'a très vite su et la corruption a beaucoup diminué […]. Évidemment, tempère M. Boucetta, je ne sais pas si on pourrait encore agir ainsi aujourd'hui… » Conscient d'avoir « avalé bien des couleuvres », M'hammed Boucetta réfléchit un instant, puis conclut : « Hassan II, je vais vous résumer : à mon sens, il voulait être monarque absolu. Il voulait une monarchie absolue et prendre aussi le temps en considé-

---

1. Pour satisfaire l'opposition, Hassan II, affaibli quelque temps avant l'attaque du Boeing, envoie quatre ministres devant la cour spéciale de justice pour une affaire de détournement de fonds. Ceux-ci sont condamnés assez sévèrement à des peines de prison, et libérés, malgré tout, rapidement.

2. Entretien avec l'auteur.

ration, introduire progressivement un peu de modernisme et de constitutionnalité. En même temps, un groupe d'individus voulait sa peau. Eh bien, c'est lui qui a eu la leur ! »

Interrogé quelques mois avant sa mort, par l'auteur, sur le bilan du régime, le *fqih* Basri fait remonter le début des déboires et des échecs aux conséquences des entretiens de Mohammed V avec Roosevelt et Churchill en 1943, à Casablanca, en l'absence de la France : « Les promesses américaines pour le Maroc, dit-il, ont entraîné des ripostes et des développements négatifs de part et d'autre. On n'a pas pu, à l'époque, assimiler les enjeux stratégiques, ni les aspirations qu'avaient les États-Unis de se substituer à l'ancienne puissance coloniale. » Il faut bien comprendre, ajoute-t-il, que « Hassan II a toujours été anxieux de la force du peuple marocain. Il a toujours été convaincu que sa sécurité et celle de son régime ne pouvaient être sauvegardées que par une force étrangère ». Revenant sur la période de 1973 durant laquelle son comportement a été très critiqué, le *fqih* Basri refuse « d'entrer dans des polémiques » qui desservent son pays. « Je ne tiens, dit-il, à évoquer que ce qui est positif pour mon pays [...]. Le régime de Hassan II, note-t-il, était en faillite après les deux putschs de 1971 et 1972, mais les conditions étaient-elles pour autant remplies pour affronter le régime de la manière dont le pensaient mes camarades de l'époque ? Je n'en assume pas moins la responsabilité morale de ce qui s'est passé. » Le *fqih* Basri lance ensuite une petite pique contre l'attitude de ses camarades de l'UNFP en ce temps-là : « Il y avait les cartésiens qui disaient : "Ce n'est pas encore le moment !" Regardez donc où ces cartésiens en sont arrivés[1] ! »

Ambassadeur de France de 1993 à 1995, Henri Benoît de Coignac[2], précédemment en poste à Madrid, ne peut s'empêcher de regretter que le grand voisin du nord n'ait pas servi de « modèle » pour le Maroc, les deux pays étant « très proches par l'Histoire » : « Si je me réfère à mes expériences espagnole et marocaine, ce qui m'a frappé, dit-il, c'est qu'on était en face de deux monarchies dont l'ave-

---

1. Entretien avec l'auteur.
2. Rappelé par Paris dans des conditions inélégantes, Henri Benoît de Coignac a été remplacé par Michel de Bonnecorse, proche de Jacques Chirac et inconditionnel de la monarchie.

mu était dicté par leur aptitude à se moderniser, à se transformer, à assurer la transition. Juan Carlos m'a dit qu'autour de lui il y avait des gens qui voulaient en faire le successeur de Franco. Et que lui a dit : "Non ! Je veux être un roi constitutionnel !" C'est donc lui qui a choisi les constituants et, parmi ces derniers, il a mis volontairement des républicains. Et lorsque la Constitution a été votée, le premier chef de gouvernement qu'il a choisi, c'était M. Adolfo Suarez, qui était ouvertement républicain et qui, durant la rédaction de la Constitution, s'était opposé à quelques articles qui accordaient certaines prérogatives à la monarchie. Juan Carlos a un sens politique extraordinaire. Il a du flair. Il aurait pu être un modèle pour le Maroc [...]. »

Mais le souverain marocain ne veut pas entendre parler de « modèle » ou de « voie » espagnols : « Je me rappelle, poursuit le diplomate, une des rares réponses que j'ai reçues de Hassan II, alors que nous étions au début du processus de l'alternance. J'insistais pour qu'il y ait des réformes constitutionnelles et il me répondait : "Le Maroc, ce n'est ni la France, ni l'Espagne, nous n'avons pas la même notion du temps." Mon sentiment était qu'il ne fallait pas déstabiliser la monarchie marocaine dans un contexte maghrébin difficile, mais, au contraire, la renforcer en l'aidant à se moderniser. Il y avait donc une sorte d'obligation de la conduire vers une réforme des institutions. Mais la réponse de Hassan II était invariablement celle-ci : "Vous n'avez pas la notion du temps. Moi, je sais quand il faut changer les choses. Vous me dites : c'est urgent, parce que je risque d'être en difficulté. Mais moi, je sais que le temps n'est pas encore venu !" »

Henri Benoît de Coignac reconnaît néanmoins que c'est son entrée dans le Marché commun qui a véritablement permis à l'Espagne de « creuser l'écart ». Mais Madrid, note-t-il, n'a pu intégrer la Communauté européenne qu'après avoir montré « ses capacités de se transformer, adhéré aux principes démocratiques et permis à l'immense majorité du peuple d'être scolarisée. Au Maroc, malheureusement, regrette l'ambassadeur, on était resté dans une société féodale, alors qu'on aurait pu se lancer dans la même voie, sans doute à un rythme plus lent. Mais Hassan II n'a pas voulu libéraliser le régime pour permettre à cette partie de la population qui a eu accès à l'éducation et qui a des moyens économiques de participer au pouvoir. Il a conservé le système *makhzénien* pour se maintenir au pouvoir et perpétuer une monarchie absolutiste. Là est le problème, le frein qui a empêché le développement ».

Terminons par le témoignage d'Éric Laurent, qui est certainement le journaliste qui a passé le plus de temps en compagnie de Hassan II puisque, outre le livre d'entretiens intitulé *Mémoires d'un roi*[1], il a réalisé avec le souverain disparu un autre livre consacré à l'Islam : *Le Génie de la modération – Réflexions sur les vérités de l'Islam*, publié un an après la mort de Hassan II[2]. Éric Laurent affirme que dans les dernières années de sa vie, Hassan II voyait de moins en moins de monde. Il était las et fatigué, et se montrait de plus en plus solitaire. Monarque tout-puissant, trop intelligent et lucide pour être dupe des bassesses et de la servilité des courtisans qui l'entouraient, il était aussi trop imbu de sa personne et trop attaché à l'étiquette et aux traditions pour pouvoir se passer des flatteries.

Entamé en 1995 et terminé quelques mois avant sa mort, le livre sur l'islam évoqué ci-dessus constitue une sorte de testament politique. Les réflexions de Hassan II mettent une dernière fois en lumière les contradictions du chef spirituel, Commandeur des croyants, qui a une haute idée de l'islam, religion, selon lui, d'équité et de solidarité, et du chef temporel qui n'hésite pas à diriger d'une main de fer son royaume. Interrogé par Éric Laurent sur « le point de vue de l'islam sur la pauvreté », le roi répond : « L'islam commande de combattre la misère et la pauvreté. Personnellement, j'abomine le jeu équivoque et terrible de l'accoutumance à ce scandale [...]. Pauvres, des couches sociales entières restent en marge du développement économique. Elles ont besoin de mettre en œuvre leur droit de participer à la croissance et d'en profiter. » Comment ? lui demande son interlocuteur : « Par la réduction des déséquilibres et des disparités. Par la création d'emplois profitant aux plus pauvres, par l'accès des petites entreprises au marché des capitaux. Par le renouvellement des petits métiers, l'encouragement de l'artisanat que

---

1. Selon Éric Laurent, un chèque de 338 000 FF représentant le montant des droits d'auteur fut envoyé à Hassan II qui le reversa à une fondation. Le livre a bien marché, en particulier dans le monde arabe où plusieurs dizaines de milliers d'exemplaires furent vendus.
2. Éditions Plon, 2001.

les produits industriels n'ont cessé de menacer. C'est la seule manière de sauver les millions de personnes en proie à la faim et au désespoir. »

Magnifique profession de foi ! Mais qu'a fait sa vie durant le chef de l'Exécutif marocain pour permettre aux couches sociales les plus défavorisées de participer à la croissance ? Qu'a-t-il fait ou qu'ont fait ses gouvernements successifs pour réduire disparités et inégalités ? Sans mettre en doute la sincérité de ses convictions dans les dernières années de sa vie – comme le note Jean Daniel, il ne serait ni le premier ni le dernier à avoir recouvré la foi de ses ancêtres –, comment ne pas être frappé une fois encore par le double langage et l'ambiguïté de la plupart des hauts responsables de ce royaume des apparences ? Khaled Jamaï, courageux électron libre du journalisme marocain, souligne à juste titre que le système marocain est « aussi une mise en spectacle d'un système de gouvernance dont la finalité première est de garantir la pérennité d'une monarchie autoritaire, totalitaire, qui doit régner et gouverner[1] ». Dans cet univers de faux-semblants, tout est bon pour donner le change : le Parlement, mal élu et composé en majorité de partis « cocotte-minute », fait semblant de débattre. L'indépendance du pouvoir judiciaire est une farce qui a entraîné nombre de drames, en dépit du courage de nombreux avocats. De hauts gradés de la police et de l'armée versent dans l'affairisme, et quand un jeune officier subalterne, révolté par la corruption de certains de ses chefs, se décide à parler, la raison d'État le brise[2]. Les bidonvilles des grandes villes sont soigneusement cachés aux touristes. Associations et journaux peuvent élever la voix, protester, dénoncer toutes sortes de scandales, mais bien peu de choses bougent. Face à un pouvoir absolu, les contre-pouvoirs sont inopérants. Pour assurer son maintien, dit encore Jamaï, « ce régime ne peut s'inscrire que dans le tout sécuritaire. D'où l'impérieuse nécessité de mettre sous haute surveillance et sous tutelle les champs politique, économique, financier, social, culturel, sportif... ».

En réalité, pendant son très long règne, Hassan II n'a fait que renforcer la culture antidémocratique au Maroc. Cette culture, qui a toujours imprégné le fonctionnement de l'État makhzénien, n'a fait

---

1. *Présumés coupables*, Tarik, Casablanca, 2004, p. 113.
2. Voir *infra* le chapitre consacré à l'institution militaire.

que se développer avec les mafias qui ont envahi le pays, notamment celles de la drogue et de la contrebande, ainsi qu'avec les islamistes qui sont un modèle d'intolérance, même si leur place dans l'opposition les oblige à tenir un discours lénifiant. Qu'un grand professeur français de droit constitutionnel ait pu présenter et préfacer au milieu des années quatre-vingt un livre intitulé *Édification d'un État moderne, le Maroc de Hassan II*, laisse pantois ! Hassan II a apporté presque toutes les apparences de la modernité, mais certainement pas ce qui en fait la substance, à savoir la liberté politique et la liberté de pensée. En fait, par tempérament, mais surtout pour ne pas mettre en péril la monarchie, il est resté fidèle à la tradition dans son acception la plus étroite, avec une symbolique très forte et un protocole étouffant. Quant aux inconvénients de la modernité, il n'a rien fait pour lutter contre eux, et, au Maroc comme ailleurs, les liens collectifs se distendent, la solidarité se perd, et l'individu, en quête d'identité, se réfugie dans l'islamisme, c'est-à-dire dans un islam dévoyé.

Le principal constat qui peut donc être fait au terme du règne hassanien, c'est l'échec de l'instauration d'une véritable monarchie parlementaire fondée sur la souveraineté du peuple, la séparation des pouvoirs, un gouvernement issu des urnes et disposant du pouvoir exécutif, le roi restant l'arbitre. Quatre ans après avoir été écarté du gouvernement et de la vie politique, Driss Basri affirme pourtant que, « sur instructions de Hassan II », il était en train de préparer, avec une petite équipe, une révision constitutionnelle très importante. Qualifiant d'« aspect douloureux le non achèvement de ce projet immense », l'ancien ministre de l'Intérieur affirme que Hassan II avait demandé à une petite équipe – dont lui-même – de faire évoluer la deuxième Chambre : « Les textes, affirme-t-il, étaient pratiquement prêts pour en faire un véritable Sénat, et tout ce qui était corporatiste devait être évacué dans un Conseil économique et social. » Selon Driss Basri, le souverain était également « prêt à accepter que le gouvernement ne soit plus responsable devant lui, mais devant le Parlement. On allait ainsi quitter les ambiguïtés de l'orléanisme pour un parlementarisme majeur[1] ». Au passage, l'ancien homme fort du royaume affirme que « l'une des raisons essentielles » de sa mise à

---

1. Entretien avec l'auteur.

l'écart, outre son « opposition franche[1] » au plan de James Baker sur le Sahara, tient précisément à « cette évolution du Maroc vers un parlementarisme majeur », qu'il préparait « personnellement » et dont le successeur de Hassan II n'a pas voulu. « J'ai défendu après la mort de Hassan II cette idée, et cela n'a pas plu à tout le monde. J'ai reçu les émissaires de Sa Majesté [Mohammed VI] qui me l'ont dit. »

Curieusement, comme on le verra, Abderrahmane Youssoufi, une fois écarté de la primature, tient à Bruxelles des propos qui ne sont pas très éloignés de ceux de Basri. Mais nous restons là dans le domaine de la spéculation. Moulay Hicham, neveu du roi défunt, se montre un peu sceptique : « Je ne crois pas que mon oncle avait arrêté quelque chose de précis, notamment une réforme de la Constitution. En revanche, j'avais l'impression qu'il voulait jeter les bases d'une réconciliation nationale entre la gauche, le peuple marocain et la monarchie. Il est certain que Hassan II voulait faire du chemin. À mes yeux, depuis la guerre du Golfe, au début des années quatre-vingt-dix, il était évident que la monarchie s'exposait, prenait trop de risques en étant en première ligne[2] ».

Ce qui, en revanche, ne fait aucun doute, c'est qu'à sa mort les trente millions de Marocains baignaient dans la « démocratie hassanienne », un système à mi-chemin du totalitarisme et de l'autoritarisme, bâti sur le clientélisme et la corruption, avec des apparences de multipartisme, des ministères dits de souveraineté condamnant le gouvernement à l'impuissance et à l'inefficacité et à se borner pratiquement à expédier les affaires courantes. On comprend mieux pourquoi, une fois leurs larmes séchées, les Marocains ont si bien accueilli Mohammed VI.

---

1. Voir *Le Journal hebdomadaire* du 10 au 16 mai 2003.
2. Entretien avec l'auteur.

TROISIÈME PARTIE

Mohammed VI
ou la monarchie assouvie

*« Si une monarchie ne sert pas son peuple, celui-ci fera
bien de la renverser et de trouver un autre système. »*

SOFIA, reine d'Espagne.

I

Les premiers pas de Mohammed VI

Succédant à Hassan II, Mohammed VI n'a pas tout à fait trente-six
ans au moment où il monte sur le trône. Contrairement à ses ancêtres
qui étaient choisis par le collège des oulémas, il a bénéficié d'une initiative de son grand-père Mohammed V qui, pour éviter le risque d'un
interrègne anarchique, avait fait de Moulay Hassan son héritier en
1957. Dès le 23 juillet 1999 au soir, les principaux responsables du
pays lui prêtent serment. Dans une courte présentation de l'allégeance
au nouveau roi, Abdelkader Alaoui M'Daghri, ministre des Habous et
des Affaires islamiques, rappelle que celle-ci « qui procède de la *charia*,
est un lien sacré entre les croyants et leur Émir, qui consolide les rapports entre les musulmans et leur Imam, puisqu'elle garantit les droits
du détenteur de l'autorité et ceux de ses sujets ».

Mohammed VI est né le 21 août 1963 à Rabat. Comme sa sœur
aînée Lalla Meriem, née à Rome, il est mis au monde par le professeur
Marziale, gynécologue italien des plus grandes artistes de cinéma. « Il
était très éveillé, très vif », raconte le Dr Cléret, chargé de surveiller
sa croissance. Encore tout petit, il échappe des mains de celle qui le
lange, tombe et se fracture l'humérus. Hassan II, que Cléret n'a pas
voulu perturber, apprend la nouvelle avec colère. Les deux hommes

se séparent un peu plus tard dans des circonstances étranges, sinon inquiétantes[1].

Cependant, depuis son plus jeune âge, Sidi Mohammed reçoit l'éducation d'un futur roi, son père y veillant personnellement et parfois de fort près. « Je veux que mes enfants aient horreur de la médiocrité. Leur éducation doit être stricte et sans complaisance », a dit Hassan II. Pourtant, quoi qu'ait pu en dire le souverain disparu, le prince héritier n'est guère préparé à prendre les rênes du pays. Contrairement à son père qui exerçait un véritable ascendant sur un Mohammed V quelque peu complexé par son absence de formation universitaire, et qui associait étroitement son fils à la gestion des affaires du pays, Sidi Mohammed a été tenu éloigné du pouvoir. « Hassan II ne parlait à personne de sa succession, c'était un sujet tabou », confie le « copain » Giscard[2]. En matière de promotion des officiers supérieurs, les rares suggestions du chef d'état-major qu'il était furent toutes rejetées par un père qui le tenait constamment à distance.

Ambassadeur de France à Rabat de 1993 à 1995 après l'avoir été à Madrid, Henri Benoît de Coignac souligne[3] qu'il était « effaré par la façon dont le roi se comportait avec ses fils [...]. Je me souviens très bien, ajoute-t-il, d'une visite effectuée par l'amiral Lanxade, chef d'état-major des armées françaises. C'est Sidi Mohammed qui l'a accueilli à l'aéroport. Nous nous sommes dirigés ensuite vers le palais de Skhirat où l'attendaient le roi et tout l'état-major de l'armée maro-caine. Nous avons attendu sur la terrasse, car Hassan II était toujours

---

1. Selon Cléret, un matin, Hassan II lui demande de mettre de l'ordre dans sa réserve de bijoux, amoncelés dans une cave bétonnée creusée sous la chambre de sa villa princière du Souissi. Il reste enfermé de très nombreuses heures et finit par s'allonger « sur un matelas de billets, de devises et de titres posés à même le sol ». Ce n'est que tard dans la nuit qu'il entend la porte s'ouvrir et le roi le regarder avec un œil inquiet. « Fallait-il prendre cet incident pour une farce, un oubli ou une mise en garde ? » se demande le médecin français qui conserve « la désagréable impression » qu'il revenait de loin. Finalement, en juillet 1967, il parvient à quitter le royaume et arrive à Paris alors qu'il est en train de perdre la vue. Il découvre alors que « son affection oculaire est d'origine toxique » et qu'il a été « victime d'une tentative d'empoisonnement par un produit végétal neurotrope à action lente ». Voir *Le Cheval du roi, op. cit.*, pp. 267 à 273.
2. *Paris Match*, août 1999.
3. Entretien avec l'auteur.

en retard. Quand il est arrivé, nous nous sommes dirigés vers son bureau. Le roi s'est alors tourné vers moi et m'a dit : "Si vous le permettez, monsieur l'ambassadeur, j'aimerais avoir un entretien privé avec l'amiral." À ce moment précis, il a fait sortir son fils qui, devant tous les chefs de l'armée marocaine, a été renvoyé sur la terrasse. C'est invraisemblable ! Sidi Mohammed n'a jamais été placé en situation de responsabilité. Il était donc mal préparé à gouverner. J'insistais auprès de Paris pour qu'on le traite convenablement, afin de lui donner un peu de substance. Mais, pratiquement, cela ne dépassait jamais la visite de courtoisie. Il connaissait d'ailleurs mal les problèmes. »

Sidi Mohammed n'a pas eu plus de succès dans la gestion des affaires courantes de l'État dont il n'était pas informé. Exemple parmi d'autres fourni par Mohammed el-Yazghi, numéro deux de l'USFP : « Hassan II ne m'a pas permis de rencontrer son fils lors des discussions sur l'alternance[1]. » En réalité, le prince héritier fait surtout figure de potiche de luxe, et son visage exprime un ennui profond lors des interminables cérémonies officielles auxquelles il est astreint. S'il a beaucoup voyagé, c'est parfois pour représenter le royaume, mais plus souvent pour s'amuser. Pendant toutes ces années qui vont de sa majorité à sa montée sur le trône, il s'exprime très peu et seulement pour proférer de sympathiques banalités. Hassan II n'aurait d'ailleurs pas toléré qu'il en fût autrement. Ainsi, dans une rare interview au *Figaro*, le prince indique qu'il lui « arrive de regretter quelquefois » d'avoir passé plus de temps sur les bancs du Collège royal qu'à courir et jouer comme les gamins de son âge.

Si l'on en croit Jean-Pierre Tuquoi[2], Sidi Mohammed, ses sœurs et son frère portaient « en privé des jugements sévères » sur leur père. Ils n'acceptaient pas de voir « toutes ces jeunes femmes de leur génération à la disposition de leur père insatiable, cette façon de vivre héritée d'un autre temps, ces coutumes barbares, ces réactions violentes […]. Comment ne pas être durablement marqué[3] ? » s'interroge Tuquoi. Ce qui lui manque, dit encore le journaliste du *Monde*, « ce sont des parents à la présence réconfortante et chaleu-

---

1. Dans un entretien avec J.-P. Tuquoi.
2. *Le Dernier roi, crépuscule d'une dynastie*, Grasset, Paris, 2001.
3. *Ibid.*, p. 72.

reuse », car les retrouvailles avec Hassan II sont « trop souvent associées à des remontrances synonymes de châtiments corporels », y compris de coups de fouet. Le *fqih* Basri affirmait tenir d'amis très proches de la Cour que, jusque dans les dernières années de sa vie, Hassan II était capable de prendre des mesures humiliantes à l'égard de son fils aîné quand il était irrité par son comportement[1].

Le Collège royal, où Sidi Mohammed a fait toutes ses études secondaires après l'école coranique, est également un établissement qui marque. Dirigé depuis une vingtaine d'années par Abdeljalil Lahjomri, ce fameux collège dispose d'un corps d'enseignants triés sur le volet. La majorité des professeurs sont français et détachés du ministère français de l'Éducation nationale : professeurs agrégés de lettres ou de sciences. À ceux-là s'ajoutent d'autres Européens pour l'enseignement des langues – anglais, espagnol[2] – et, naturellement, des Marocains pour la grammaire arabe et l'étude du Coran. Les camarades de classe des princes – une quinzaine – proviennent soit des grandes familles marocaines, soit, beaucoup plus rarement, de familles très modestes ou encore de proches collaborateurs du souverain. Ainsi Tewfik Basri, un des fils de Driss, a fait ses études avec Moulay Rachid, le jeune frère de Mohammed VI ; leurs professeurs n'ont pas oublié qu'ils essayaient de reproduire les rapports de leurs pères…

L'ambiance, dans ce collège très particulier, est étrange, parfois oppressante. Le *makhzen* se fait sentir. Il n'est évidemment pas question de contrat de travail stipulant un nombre déterminé d'heures dues. Le temps des enseignants ne leur appartient pas. Ils sont entièrement voués à l'institution et, en guise de compensation, celle-ci prend en charge les serviteurs. Hassan II tenait à rencontrer les professeurs de ses enfants. L'un d'eux, interrogé par l'auteur, se souvient de la discussion. Après les questions d'usage, le roi parle d'histoire, de stratégie militaire, de littérature, de philosophie. « Je l'ai trouvé effectivement cultivé. Il n'a pas dit de bêtises », remarque cet ancien professeur, historien. Mais celui-ci est aussi frappé par la courtisanerie et la peur qui règnent à l'époque dans

---

1. Entretien avec l'auteur.
2. Ignacio Ramonet, directeur du *Monde diplomatique*, y a enseigné l'espagnol et, à ce titre, figurait parmi les invités de Hassan II lors du putsch de Skhirat en 1971.

l'entourage du monarque : « Peur de déplaire, peur de déchoir, peur d'attirer l'attention du roi… »

« Il faut être prudent, bien des choses ont pu changer depuis la mort de Hassan II », nuance notre interlocuteur, frappé par la lucidité de ses élèves adolescents : « Ils ne se faisaient aucune illusion, étaient bien conscients de vivre dans un monde à part, celui du pouvoir et du fric. Mais on sentait aussi, chez certains, l'islam très prégnant. L'identité islamique est très forte. Ou on appartient à cette société, ou on est en dehors. » Très marqué par son séjour au Maroc, cet enseignant a appris à relativiser : « Je suis arrivé avec mes valeurs universitaires, mes critères d'Occidental. Mais j'ai vite compris que nous étions dans un autre univers auquel nous n'avons peut-être rien à imposer. À ce propos, la phrase que j'ai le plus entendue durant mes années marocaines, c'est sans aucun doute : "Vous n'avez rien compris au Maroc !" »

Après de longues années passées dans le cocon du Collège royal où il a notamment pour directeur le berbériste et très subtil Mohammed Chafik et pour condisciple Hassan Aourid, aujourd'hui l'un de ses conseillers, Sidi Mohammed entame des études de droit à Rabat. Ainsi en a décidé papa. Licence de droit en poche, après quatre années où on le voit peu sur les bancs de la faculté, il s'éloigne de son père, en 1988, pour un stage de huit mois à la Commission européenne, auprès de Jacques Delors. Selon l'agent immobilier belge qui lui loue un pied-à-terre extrêmement confortable, il est visiblement heureux loin du palais et des foudres du monarque. Ce garçon un peu timide, gauche et peu disert en public, « croque la vie à pleines dents », fréquente les brasseries et les night-clubs, court les châteaux. Danseur hors pair, il a de la repartie et fait montre d'humour avec ses amis[1]. Jacques Delors, qui l'a à ses côtés de novembre 1988 à juin 1989, le décrit comme « un jeune homme attachant, très discret, disponible […]. Il connaît parfaitement la tradition du Maroc, sa spécificité. Mais c'est aussi un jeune homme de son temps, épousant la modernité[2] », ajoute-t-il.

Le stage terminé, le prince peaufine son doctorat en droit sur les relations du royaume avec la Communauté européenne. La soute-

---

1. Éléments tirés du livre de J.-P. Tuquoi, *op. cit.*
2. Dépêche de l'AFP, 25 juillet 1999.

nance a lieu en 1993 à Sophia Antipolis, près de Nice, en présence d'un grand nombre de courtisans. Un vol spécial, avec une vingtaine de professeurs de droit, vient même de Rabat pour assister à l'événement. Le président Eyadema[1], connu pour son attachement aux règles de droit, est également de la fête…

Ses études terminées, la vie d'adulte débute pour le prince. Bridé par un père à la fois absent et pesant, Sidi Mohammed, hormis les corvées officielles et quelques missions protocolaires ou de second ordre, ne fait rien. Il attend son heure, fait la fête. On le voit dans quelques bons restaurants de la capitale, ou à Amnesia, la boîte chic de Rabat. Il se défoule parfois en conduisant à grande vitesse de grosses cylindrées sur les larges avenues de la capitale. Des policiers en civil, à bord de puissantes berlines, tentent de le suivre. En réalité, il ne peut jamais « se lâcher » totalement. Un mois avant la mort de Hassan II, Faudel et son orchestre animent une grande soirée donnée au palais à l'occasion des vingt-neuf ans de Moulay Rachid, le 20 juin ; l'alcool et le champagne coulent à flots. Tout le monde est déguisé : le futur Mohammed VI en clown avec un gros nez rouge. Ce qu'aime le prince, note justement Jean-Pierre Tuquoi, « c'est conduire sa vie avec insouciance et sans retenue ». Capable d'attentions délicates, il a aussi des emportements incontrôlés, impulsif et capricieux comme un enfant gâté.

C'est donc un homme profondément marqué par la personnalité de son père et par les rapports souvent exécrables qu'il a eus avec lui qui monte sur le trône. Hassan II a beau faire croire qu'il a préparé son fils aux plus hautes fonctions en déclarant en octobre 1995[2] qu'il suffit de lui avoir « inculqué deux choses importantes : être patriote jusqu'au sacrifice suprême, et tenir le coup quoi qu'il arrive », son entourage sait parfaitement que Sidi Mohammed n'est absolument pas prêt à exercer les plus hautes fonctions.

Ce n'est donc pas vraiment sous les meilleurs auspices que commence le règne de Mohammed VI. Certes, le passage de témoin s'effectue dans le calme, et le jeune roi jouit d'emblée d'une véritable popularité. Avoir été tenu à distance du pouvoir présente au moins

---

1. Président du Togo et doyen des chefs d'États africains.
2. Entretien accordé à une chaîne de télévision française.

un avantage, celui de ne pas s'être sali les mains dans des opérations de maintien de l'ordre, comme cela avait été le cas pour son père, dans le Rif, au début de 1959. Sidi Mohammed n'a pas non plus trempé dans des magouilles politiciennes et ne s'est pas mis à dos d'importants responsables politiques, comme l'avait fait son père avec Ben Barka et un certain nombre de responsables socialistes. Cependant, de tels atouts sont contrebalancés par de gros handicaps, dont le plus important est, sans conteste, l'inexpérience du jeune monarque. Celui-ci, compte tenu des rapports distants qu'il entretenait avec son père, peut difficilement s'appuyer sur l'équipe de conseillers ou de proches qui l'entourait. Pis encore que l'ignorance ou l'absence de confiance, c'est l'aversion qui caractérise son rapport avec le collaborateur le plus intime de son père, Driss Basri.

En outre, contrairement à ce qu'avance Jean Lacouture, Hassan II ne laisse pas « un pays qui fonctionne bien[1] ». Si tel était le cas, la succession serait beaucoup plus aisée. Mais les difficultés qui l'attendent sont telles que même un chef d'État expérimenté, entouré d'une équipe compétente, et soutenu par la grande majorité de son peuple, aurait du mal à les résoudre. *A contrario*, il est également vrai que Hassan II laisse un royaume sinon apaisé, du moins sous contrôle. Le Maroc n'est pas l'Algérie.

Autre motif de satisfaction pour le jeune monarque – mais, rapidement, motif d'incompréhension pour beaucoup de Marocains –, le prompt et inconditionnel soutien des partis de gauche à sa personne. Dès le 25 juillet, le « Bloc démocratique », la *koutla*, qui regroupe les partis de gauche et l'Istiqlal, affirme qu'il « restera fidèle à la mémoire et à la voie tracée par Hassan II », tout en soulignant son « attachement au dirigeant de la Nation et garant de son unité, Mohammed VI ». On est un peu confondu devant tant de complaisance de la part de partis qui ont payé au prix fort des décennies de répression de la part du régime hassanien, et qui n'en affirment pas moins vouloir rester « fidèle à la voie tracée » par le monarque disparu ! En privé, un peu plus tard, devant la tournure prise par les événements, nombre de ces responsables de gauche conviendront avoir très mal négocié la succession de Hassan II. Justifiant l'inertie

---

1. Entretien avec J.-P. Tuquoi.

de ses camarades, l'un d'eux déclarera : « Nous avons cru naïvement que Mohammed VI se coulerait sans difficultés dans le moule d'une véritable monarchie constitutionnelle, et qu'il y aurait donc naturellement rupture avec son père. Nous n'avons pas compris qu'il était l'homme d'un système et qu'il y prendrait vite goût[1]. »

Quels que soient ses atouts et ses handicaps, Mohammed VI bénéficie d'une grande popularité au début de son règne. Si beaucoup de ses sujets, sans doute ignorants de la face la plus noire du régime, ont pleuré le souverain disparu, de nombreux autres sont soulagés de voir s'achever une longue période, sombre à bien des égards, et commencer une ère qu'ils espèrent meilleure. En outre, pour des raisons peu rationnelles, compte tenu de l'opacité qui entoure la famille royale, Mohammed VI passe, dans ce pays de rumeurs, pour être plus ouvert et plus sympathique que son frère cadet, qui traîne une réputation de bambocheur. On dit aussi – mais que ne dit-on pas ! – que Moulay Rachid ressemble davantage à son père, qui aurait eu un faible pour lui et songé à en faire son héritier. Un proche du palais auquel nous demandions pourquoi, dans ces conditions, Hassan II n'avait pas franchi le pas et agi comme le roi Hussein de Jordanie en changeant d'héritier, nous a affirmé que le souverain marocain y avait finalement renoncé pour la raison suivante : « Il a très bien compris que sa succession se passerait beaucoup mieux avec son fils aîné, populaire dans le royaume, qu'avec Rachid que les Marocains n'aiment pas. »

Dans ses deux premiers discours, celui du trône, prononcé le 30 juillet, une semaine après la mort de son père, et celui du 20 août, à l'occasion du 46e anniversaire de la révolution du roi et du peuple, Mohammed VI fait assez bonne impression. Le « social », comme on dit, est au centre de ses deux interventions :

Dans la première, il évoque sa « sollicitude » et son « affection » pour les « couches sociales les plus défavorisées », et entend accorder toute son « attention au problème de la pauvreté dont souffre une partie du peuple marocain ». Il entend ainsi activer la Fondation Mohammed-V de solidarité, « qui voue son action aux affaires des pauvres, des nécessiteux et des handicapés ». Auparavant, il a souligné

---

1. Entretien avec l'auteur d'un cadre de l'USFP.

qu'il est « extrêmement attaché à la monarchie constitutionnelle, au multipartisme, au libéralisme économique, à la politique de régionalisation et de décentralisation, à l'édification de l'État de droit, à la sauvegarde des droits de l'homme et des libertés individuelles et collectives, et au maintien de la sécurité et de la stabilité pour tous ». De son côté, Abderrahmane Youssoufi est conforté dans ses fonctions : « Nous continuerons, dit le roi, à soutenir les efforts de feu Sa Majesté le roi, qui a fait un gouvernement d'alternance conformément aux règles démocratiques prônant l'alternance au pouvoir. Il en a confié la responsabilité de Premier ministre à M. Abderrahmane Youssoufi en qui il a pressenti succès et réussite, et qui trouvera auprès de nous aide et soutien. » Il indique enfin que l'enseignement figure en tête de ses « préoccupations actuelles et futures ».

Son second discours à la Nation retient davantage l'attention. Le jeune souverain fait preuve de lucidité au fil d'une analyse de la situation générale du royaume qui est aussi une critique implicite de la politique suivie depuis tant d'années : « La réflexion sur cette réalité [les questions sociales] nous amène à nous interroger avec peine et commisération : comment réaliser le développement global alors que notre monde rural se débat dans des problèmes qui contraignent ses habitants à abandonner la terre [...] pour venir s'installer dans les villes, en l'absence d'une stratégie de développement intégrée [...], en l'absence de l'intérêt qu'il faut accorder à l'habitat et à l'enseignement... ? » Puis il évoque les diplômés chômeurs : « Comment atteindre le progrès scientifique et être en phase avec le monde évolué alors que des contingents de nos jeunes, instruits et qualifiés, sont au chômage et trouvent les portes fermées devant eux, les empêchant de gagner leur vie à défaut d'une formation adéquate permettant de mettre en valeur leur vocation et leurs compétences [...], et en l'absence d'un Plan qui appelle pour son application la conjugaison des efforts des entreprises et de l'ensemble des opérateurs économiques ? »

C'est ensuite au tour des femmes : « Comment, dit-il, espérer atteindre le progrès et la prospérité alors que les femmes, qui constituent la moitié de la société, voient leurs intérêts bafoués, sans tenir compte des droits par lesquels notre sainte religion les a mises sur un pied d'égalité avec les hommes [...], alors même qu'elles ont atteint un niveau qui leur permet de rivaliser avec les hommes, que ce soit dans le domaine de la science ou de l'emploi ? »

Mohammed VI a enfin un mot pour les handicapés, « marginalisés et écartés des domaines pour lesquels ils sont formés et préparés, alors que l'islam, religion de l'entraide et de la solidarité, appelle à prendre soin des faibles ».

Le roi entend par ailleurs trouver une solution équitable pour les familles de disparus ou pour les victimes de détention arbitraire. Il annonce qu'une commission rattachée au CCDH va ainsi commencer ses travaux pour évaluer le montant des indemnisations auxquelles auront droit toutes ces personnes.

Le constat du monarque s'appuie sur des données éloquentes. Selon la direction de la Statistique dépendant du ministère de la Prévision économique et du Plan, le chômage a augmenté dans les villes, entre avril 1998 et avril 1999, de 21,4 % et touche plus de 1,15 million de personnes. Par ailleurs, les experts n'attendent qu'un taux de croissance de l'économie marocaine de 0,2 % en 1999, tandis que l'exode rural ne fait que s'aggraver du fait de la sécheresse.

Confirmé à son poste, Abderrahmane Youssoufi fait savoir dès le 27 juillet 1999 qu'il ne voit aucune raison de remanier ou de changer le gouvernement qu'il dirige. « Telles que les choses se présentent de notre point de vue, dit-il, il n'y a lieu que de continuer à mettre en œuvre ce pour quoi nous sommes engagés[1]. » Prudent, il précise cependant que, constitutionnellement, le roi « peut changer de gouvernement s'il le veut ». En tout état de cause, il est convaincu qu'un bilan de son action ne pourra être tiré qu'au terme de la législature : « Avec les trois années que nous avons devant nous, nous allons achever ou faire progresser les réformes que nous avons engagées. » Enfin, se réjouissant de « l'engouement » de Mohammed VI pour l'action sociale, Youssoufi déclare : « Cela tombe bien, car le Maroc souffre d'un déficit social important. »

Le 2 août, à l'issue du premier Conseil des ministres présidé par Mohammed VI, Youssoufi se félicite du lancement de plusieurs projets d'investissements à caractère social, dont « la mise en œuvre, souligne-t-il, devrait être plus efficace et plus rapide en raison de la fibre sociale,

---

1. Interview à LCI.

reconnue de tous, du roi Mohammed VI ». Littéralement euphorique, le Premier ministre réaffirme quelques jours plus tard qu'il ne ressent pas la nécessité d'un remaniement, puisque « le gouvernement dispose d'une majorité confortable qui, jusqu'à ce jour, fonctionne à merveille[1] ». Une telle éventualité ne pourrait, selon lui, se poser que « si, le moment venu, on constatait que des partis ou des ministres ne sont plus solidaires avec l'orientation générale de l'Exécutif ».

Oubliés, les coups tordus de Driss Basri, les entorses aux droits de l'homme, les nominations unilatérales, les médias publics aux ordres, etc. ! Tout « baigne » !

Abderrahmane Youssoufi eût gagné à se montrer plus circonspect. Cette fois-ci, les ennuis ne viennent plus de Driss Basri, qui a bien des raisons de se faire du souci. Détesté par le jeune souverain, qui doit aussi s'affirmer, il sait qu'il est sur un siège éjectable. Comme si cela ne suffisait pas, il est violemment critiqué pour avoir réprimé d'une façon brutale et maladroite des manifestations au Sahara occidental. « Méfiez-vous de vos amis, je m'occupe de vos ennemis », aurait pu dire Mohammed VI à son Premier ministre...

Dès le début de l'automne, l'Istiqlal commence à multiplier les critiques à l'égard de ses alliés au gouvernement, accusés d' « immobilisme » depuis dix-huit mois. Dans un mémorandum adressé à Youssoufi, Abbas el-Fassi, le chef du PI, dresse ainsi une liste détaillée des décisions que le peuple marocain « attend toujours » et qui seraient susceptibles de « rétablir la confiance et l'espoir ». La lutte contre la corruption et l'analphabétisme, les réformes de l'administration, de la justice et de l'audiovisuel, la défense de l'emploi, ou encore les mesures visant à rendre « transparentes » les élections, sont au cœur de ce catalogue d'amabilités. « Six mois après la formation de votre gouvernement, nous avions commencé à nous faire l'écho des sentiments de déception qui s'étaient déjà emparés de la plupart des Marocains face à la lenteur de l'action gouvernementale, et nous avions souligné la nécessité de donner des signes forts en direction du peuple », écrit notamment Abbas el-Fassi à l'adresse de M. Youssoufi[2].

---

1. Interview à *La Vie économique*, le 6 août 1999.
2. Dépêche de l'AFP du 24 octobre 1999.

Le patron de l'Istiqlal, qui aura un peu plus tard l'occasion de montrer l'étendue de son incompétence en se portant garant dans une affaire d'emplois fictifs dans le Golfe, sait fort bien que Youssoufi n'a pas les moyens de sa politique, et qu'il n'aurait pas fait mieux. Mais les rumeurs insistantes selon lesquelles un remaniement ministériel pourrait avoir lieu incessamment le conduisent à faire de la surenchère dans l'espoir d'obtenir quelques portefeuilles de plus pour les siens. En septembre 2000, Abderrahmane Youssoufi le mettra au pied du mur en l'appelant à occuper le poste de ministre de l'Emploi, de la Formation professionnelle, du Développement social et de la Solidarité.

Curieux assemblage que ce gouvernement Youssoufi ! En janvier 2000, le quotidien *L'Économiste*, qui ne passe pas pour raconter n'importe quoi, prend vivement à partie le ministre de l'Équipement, l'istiqlalien Benamor Taghouane, qu'il accuse de s'être approprié un logement social à Marrakech et de s'être fait construire une luxueuse villa de fonction à Rabat. Le journal affirme que cette villa de 1 200 m² a coûté plus de 450 000 dollars, terrain non compris, et qualifie de « minable, scandaleux et révoltant » le comportement du ministre. Ce qui est encore plus étonnant, c'est qu'Al-Ittihad al-Ichtiraki, l'organe de l'USFP, dirigé par le Premier ministre en personne, avait déjà dénoncé cette affaire au mois de juin précédent. Pour *L'Économiste*, « la moralisation ne doit pas s'arrêter au stade de la dénonciation des abus », « il faut que les sanctions suivent »[1]. Or, ajoute le quotidien, sur ce plan, il y a « une défaillance de taille », puisque on a pris l'habitude, au niveau supérieur de l'État, que les abus ne soient « sanctionnés ni judiciairement, ni politiquement[2] ». Abderrahmane Youssoufi, homme intègre s'il en est, perd une bonne occasion d'intervenir. À moins, bien sûr, que le « merveilleux fonctionnement » de la majorité passe pour lui avant tout…

Cependant, le gouvernement ne se borne pas à fermer les yeux sur les dérapages d'un de ses membres. Ses lacunes sont criantes dans tous les secteurs, notamment ceux où des changements de fond pourraient être opérés sans investissements importants. Les journalistes qui pou-

---

1. Ceci n'empêchera pas le ministre d'être reconduit dans ses fonctions lors du remaniement de septembre 2000.
2. *L'Économiste*, 12 janvier 2000.

vaient encore comprendre que, du vivant de Hassan II, les choses ne bougent pas dans leur domaine, estiment désormais incompréhensible l'attitude du gouvernement sous le règne de Mohammed VI. Les conditions faites à la presse pendant une tournée de dix jours effectuée par le souverain dans le nord du Maroc sont vivement dénoncées par de nombreux journalistes. « Tout s'est passé, écrit *Maroc Hebdo*, comme si l'on avait décidé que les journalistes ne seraient pas du voyage. »

Ne nous abusons pas : pas plus que le chef du gouvernement, M. Messari n'est responsable de la piètre couverture par les médias, officiels ou non, de ce voyage du souverain. Dirigée par un proche du roi, l'agence de presse officielle MAP, tout comme la radio et la télévision d'État, dépend du palais, non du ministère de la Communication. Ce que les journalistes marocains voudraient précisément changer, c'est le fonctionnement infantilisant et au fond totalement contre-productif de l'audiovisuel public. À l'exception peut-être du début des années quatre-vingt, quand Abdellatif Filali était ministre de l'Information et n'intervenait pas trop dans les affaires de la radio-télévision, la RTM a toujours été affligeante d'obséquiosité et de servilité. Quelle que soit l'actualité, qu'il vente ou qu'il fasse soleil, que le monde s'écroule ou non, la RTM inflige au public marocain entre dix et vingt minutes d'images sur les activités royales, avec d'interminables rangs d'oignons et des interventions plus fastidieuses les unes que les autres de représentants de l'administration. Pour changer ces habitudes déplorables, les journalistes comptaient beaucoup sur le gouvernement Youssoufi. Or, là également, rien n'a été fait, ou rien n'a pu l'être, compte tenu de l'inertie ou de l'opposition du palais.

En fait, dans les mois qui suivent la mort de Hassan II, l'initiative en politique revient presque exclusivement à son successeur. Le 30 septembre, Hassan Aourid, porte-parole du palais royal – une première au Maroc[1] – annonce qu'Abraham Serfaty, qui a adressé une lettre en ce sens à Mohammed VI, est autorisé par ce dernier à rentrer au Maroc, et qu'il sera à Rabat « dès ce soir ». En 1991, le Maroc, pour se débarrasser de cet encombrant détenu politique condamné à la prison à vie en 1974 pour complot contre la sécurité intérieure de

---

1. Le roi a nommé son ancien condisciple au Collège royal presque aussitôt après son intronisation.

l'État, n'avait rien trouvé de mieux que de lui découvrir une natio-nalité brésilienne[1] et de l'expulser. Cette « finesse » aurait été soufflée à Driss Basri par Ali Yata, secrétaire général du Parti du progrès et du socialisme (PPS communiste) et ancien camarade de Serfaty. Selon Hassan Aourid, dans sa lettre au souverain, Abraham Serfaty indique qu'il souhaite « reprendre sa place dans le processus en cours pour la construction d'un Maroc moderne et démocratique sous la direction de Mohammed VI ». Dans ses premières déclarations, l'ancien dirigeant d'Ilal Amam, très affecté par son exil, ne cache pas son bonheur : « Chaque jour qui passe est un morceau de paradis », déclare-t-il au *Figaro*. Il multiplie aussi les amabilités à l'égard du monarque, estimant par exemple que celui-ci est passé au Sahara occidental du « mode répressif au mode politique ». Sur TV5, il se déclare « pour une monarchie rénovée, qui est en train de se faire grâce au nouveau roi ». À l'égard d'Abderrahmane Youssoufi qui lui rend visite à l'hôtel Hilton au lendemain de son retour, Serfaty se montre très positif et lui fait confiance pour diriger « un gouvernement de changement politique réel » et pour « instaurer un gouvernement de véritable alternance ». La gentillesse ou la compréhension manifestées à l'égard du pouvoir par un Serfaty en veine d'indulgence n'est pas du goût de tout le monde. Un certain nombre de ses anciens amis poli-tiques trouvent qu'il en fait trop et cautionne un peu vite le régime.

Quelques jours plus tard, Bachir Ben Barka, le fils de Mehdi, annonce qu'il va se rendre prochainement à Rabat avec sa mère et ses trois frères et sœur[2]. La famille tient d'ailleurs à préciser qu'elle n'a pas demandé et n'avait d'ailleurs pas à demander l'autorisation de revenir au Maroc, et que les autorités marocaines se sont bornées à lui fournir les documents nécessaires au voyage. Le 27 novembre suivant, elle débarque dans la capitale marocaine pour un séjour de deux semaines. Bachir, l'aîné, se contente de remercier le nouveau roi pour « l'attention apportée à notre retour » et « pour ses vœux de bienvenue ». Le reste du séjour, après plus de trente-cinq ans d'exil, se passe dans la discrétion et la dignité, la famille continuant à se battre pour connaître la vérité sur la disparition de Mehdi.

---

1. Une partie de sa famille ayant vécu au Brésil.
2. Interview à *L'Est républicain*, le 13 octobre 1999.

Le limogeage de Driss Basri

Mais c'est évidemment le limogeage de Driss Basri, le 9 novembre 1999, qui constitue la première grande décision du nouveau règne. À vrai dire, tout le pays attendait, depuis la mort de Hassan II, que Mohammed VI se débarrassât de celui qui avait servi son père avec fidélité et sans état d'âme pendant un quart de siècle. On peut gloser sur les mauvais rapports que le prince héritier entretenait avec le plus proche collaborateur du souverain disparu, mais, après tout, n'était-il pas normal que les rapports tendus de ce dernier avec son fils aient rejailli sur les relations de celui-ci avec Driss Basri[1] ? Au-delà des petits ou grands secrets de famille que Driss Basri peut détenir, la décision de Mohammed VI est d'abord politique. Basri est détesté et craint par une grande partie de la population. Il a fait son temps, et sa mise à l'écart est tout bénéfice pour le souverain. Si certains, comme Abraham Serfaty ou des exilés politiques en Europe (en Belgique notamment), réclament qu'il soit jugé, le pouvoir marocain se garde bien de donner suite à une idée aussi saugrenue. Hormis quelques incorruptibles, personne n'a intérêt, dans la nomenklatura marocaine, à ce que l'homme le mieux renseigné du royaume révèle tout ou partie de ses informations. En même temps, le palais, s'il le laisse jouir des fruits de son travail et gérer un patrimoine auquel peu d'anciens ministres auraient rêvé, lui rappelle qu'il est maintenant tenu à la plus grande réserve, et limité, au moins pour un temps, dans ses déplacements. Jusqu'à ce qu'à l'été 2003 il soit autorisé à se rendre en France pour raisons médicales, Si Driss pouvait méditer la phrase de Sainte-Beuve : « Cette espèce de retraite forcée où des circonstances passagères me confinent[2] … »

---

1. En mai 2003, dans une interview au *Journal hebdomadaire*, Driss Basri estime que le « facteur déterminant » qui a précipité son « éloignement » a été son opposition franche au projet Baker sur le conflit du Sahara occidental. Ce n'est donc pas le super-flic qui aurait été limogé, mais le patriote intraitable…

2. Le 4 juin 2004, Driss Basri, interviewé par Ali Lamrabet pour le compte du quotidien espagnol *el Mundo*, accuse des milieux proches du pouvoir d'avoir « empêché ses médecins de venir à son chevet alors qu'il était gravement malade ». À Ali Lamrabet qui lui demande alors si le régime n'a pas cherché ainsi à « le tuer de manière naturelle », Basri répond : « Je ne peux utiliser des mots extrêmes […] mais des amis marocains et étrangers m'ont dit des choses que je raconterai un jour. Ils ont entendu dire que ma vie était en danger. Ce sont des choses peu honorables pour l'image de mon pays. »

La mansuétude du roi à l'égard de Driss Basri s'explique aussi par le soutien de certains membres de la famille royale, à commencer par Moulay Rachid et la veuve de Hassan II qui l'ont vigoureusement défendu, selon plusieurs sources.

À l'auteur qui lui demande en décembre 2002 s'il est « exact qu'il est privé de passeport et ne peut sortir du pays », Driss Basri répond, toujours à la troisième personne : « L'ancien ministre d'État à l'Intérieur n'est pas privé de passeport. Ses enfants et son épouse disposent de leur titre de voyage. Quant à ses déplacements à l'étranger, ceux de son épouse et de ses enfants, tous majeurs, ils sont reportés pour quelque temps. On lui a d'abord conseillé de faire en sorte que ses enfants évitent momentanément de voyager à l'étranger. Le motif avancé pour cette abstention "volontaire" de voyages était que les fils du ministre d'État pourraient être abordés par la presse, les médias et les journalistes, et qu'il fallait éviter les indiscrétions dont ils auraient eu connaissance, étant eux-mêmes compagnons, à un titre ou à un autre, de leurs Altesses royales, les princes et princesses. »

Après avoir patienté trois mois, Driss Basri indique que la question des déplacements des membres de sa famille à l'étranger a été de nouveau posée : « La réponse fut la suivante : "Il n'y a pas de problème, les enfants peuvent se déplacer." Néanmoins, chaque fois que l'un d'entre eux doit quitter le royaume, il convient d'en informer le roi, puisque les Basri, vu les relations qu'ils ont avec la famille royale, et vu les rapports de confiance, de loyauté et d'amitié qui liaient le roi défunt à son ministre de l'Intérieur, sont par conséquent considérés comme "membres de la famille royale". En ce qui concerne M. et Mme Basri, leurs déplacements à l'étranger ne sont soumis à aucune restriction ni précaution. Le roi a lui-même affirmé au mnistre d'État que, chaque fois qu'ils le souhaiteraient, lui et son épouse disposeraient de l'avion personnel du roi. Cependant, il leur a été dit que leur déplacement à l'étranger était encore prématuré, pour les mêmes motifs que ceux invoqués à l'égard des enfants. Le roi a d'ailleurs, à cette occasion, proposé que les médecins qui traitent le couple à Paris viennent au Maroc pour prodiguer leurs soins, et qu'il prendrait en charge sur ses deniers personnels leurs frais de voyage, de séjour et leurs honoraires de consultation. Les choses en sont demeurées à ce stade-là, bien que leur séjour prolongé au Maroc commence à porter tort à la carrière universitaire ou professionnelle des enfants et à la santé des parents. »

De cette réponse amphigourique, il ressort clairement que Si Driss, sa femme et ses enfants n'ont pu quitter le royaume au moins jusqu'à la fin de l'année 2002, soit pendant au moins trois ans et demi. Certes, cette impossibilité n'est pas liée au lourd passé de l'ex-homme fort, comme de mauvais esprits pourraient le croire, mais, au contraire, à la proximité du clan Basri avec la famille royale, qui lui crée des obligations… On notera aussi au passage que la proposition royale de déplacer le corps médical de Paris au Maroc pour traiter le couple Basri ne semble convenir qu'à demi au chef de famille, puisqu'il estime que le « séjour prolongé au Maroc » des parents commence à « porter tort à leur santé ».

À l'auteur qui s'inquiète de ses moyens d'existence et lui demande s'il « bénéficie d'une retraite de ministre », M. Basri répond : « En ce qui concerne ses droits à la retraite, l'ancien ministre d'État à l'Intérieur ne s'est jamais préoccupé de cette question et ne s'en est guère inquiété, étant unanimement connu et réputé pour n'avoir aucune propension ni penchant envers tout ce qui est matériel. »

Notons enfin que, selon *Le Figaro* du 11 novembre 1999, un incendie criminel, survenu le 29 octobre au siège de la Direction générale de la surveillance du territoire (DST), aurait accéléré le renvoi du ministre de l'Intérieur. L'incendie, allumé dans les archives, aurait permis de détruire des documents prouvant « de gigantesques détournements de fonds » commis par des hommes gravitant au cœur du « système Basri », ajoute le quotidien qui cite un fonctionnaire du contre-espionnage marocain. Il se serait agi de fonds spéciaux gérés par la DST et destinés à des notables sahraouis favorables au Maroc. En mai 2003, Driss Basri déplorera à ce sujet que la presse n'ait pas mentionné l'arrestation et l'incarcération de l'auteur de cet incendie : « Est-il raisonnable de penser que celui qui a servi feu Hassan II pendant plus de trente ans brûle des documents d'État[1] ? » s'interroge-t-il.

Au printemps 2004, confortablement installé dans l'appartement de son fils Hicham, situé dans les beaux quartiers de Paris, l'ancien

---

1. Interview au *Journal* du 10 au 16 mai 2003.

homme fort du royaume continue à ruminer son chagrin. Il en veut à la Terre entière, particulièrement à l'entourage de Mohammed VI. Le fait que son nom soit évoqué dans les ennuis judiciaires de deux hommes qui lui étaient proches, l'ex-gouverneur Abdelaziz Laafoura et l'ex-président de la Communauté urbaine de Casablanca, Abdelmoughit Slimani[1], le révolte particulièrement : « On présente ces gens-là comme mes copains, mes parents. D'abord, Slimani n'est pas mon parent, mais le cousin de mon épouse. De Laafoura on dit que c'est un de mes chouchoux. Mais enfin, nous ne sommes pas dans un pays médiéval ! Sachez que j'ai formé le corps préfectoral de A à Z. Je les connais tous et j'ai entretenu les meilleurs rapports avec eux. Pourquoi me reproche-t-on mes relations avec ces deux-là, et pourquoi mes relations avec tous les autres ne posent-elles aucun problème ? Et le groupe qui entoure le roi ? Certains de ses membres ont été mes étudiants, mes collaborateurs. Pourquoi ne parle-t-on pas d'eux[2] ? »

L'ancien ministre affirme avoir la conscience tranquille : « S'ils ne m'ont pas sauté dessus, c'est qu'ils n'ont rien trouvé ! D'ailleurs, si Hassan II n'avait pas construit le Maroc tel qu'il est, j'aurais été guillotiné tout de suite ! »

À l'auteur qui lui demande si la « retenue » de ses adversaires politiques, au pouvoir ou non, ne s'explique pas par « la crainte qu'il inspire », Driss Basri répond, agacé : « Je ne fonctionne pas comme cela. Si j'étais en possession d'informations touchant la vie privée d'une personne et qui pourraient lui porter tort, je n'en ferais jamais état. Je suis un homme intellectuellement bien fait. Quelle confiance pourrait-on avoir dans un État dont l'un des serviteurs, une fois libéré de ses fonctions, se mettrait à tout balancer[3] ? »

Sur son poids réel pendant le règne de Hassan II, les avis sont partagés. Écoutons celui d'un ancien ministre qui l'a vu fonctionner de

---

1. Au mois d'avril 2004, les deux hommes devaient être présentés « incessamment » à la Justice. Interdits de quitter le territoire national, ils n'avaient pas encore été incarcérés, mais avaient été à maintes reprises entendus par la police. Une enquête d'autant plus longue que les méfaits retenus contre eux sont nombreux. On leur reproche notamment « une mauvaise gestion des affaires communales, des irrégularités dans l'attribution et la passation de marchés publics, la dilapidation de deniers publics, l'abus de pouvoir dans le but de faciliter l'obtention de financement de certains marchés particuliers, etc. »
2. Entretien avec l'auteur.
3. Entretien avec l'auteur.

près durant de nombreuses années : « Je ne crois pas qu'il était l'homme de confiance de Hassan II. C'était un instrument efficace qui a eu beaucoup d'influence parce qu'il avait un réseau de gouverneurs et un réseau tentaculaire qui lui permettait une réactivité que personne d'autre que lui ne pouvait avoir. Hassan II l'a davantage utilisé pour cette efficacité, quel qu'en ait été le prix, que pour ses capacités intellectuelles ou ses mérites. Ensuite, il a développé un système d'information et de déformation de la réalité qui lui permettait parfois de manipuler Hassan II. » L'ancien ministre lui reproche encore d'avoir « décrédibilisé » les partis et, surtout, d'avoir éliminé l'UNEM : « Son action méthodique, froide, d'élimination de l'UNEM, dans sa dimension UNFP/USFP, disons républicaine, a été une catastrophe, parce qu'elle a mis un terme à cette extraordinaire université parallèle qu'est le syndicalisme étudiant. Si l'on ajoute à cela la manière dont son équipe a combattu la philosophie et la sociologie au sein de l'Université, sous prétexte que les "mécréants républicains" sont issus de ces disciplines, le bilan est désastreux[1]. »

Driss Basri écarté, Mohammed VI peut installer ses hommes. Ahmed Midaoui remplace ainsi l'ex-homme fort. À ses côtés, le roi place un autre condisciple du Collège royal, Fouad Ali el-Himma, encore plus sûr.

Âgé de cinquante et un ans, Midaoui, ancien inspecteur des Finances, qui a effectué un stage à la Banque mondiale avant d'être nommé gouverneur à Mohammadia, puis à Tanger, n'a rejoint qu'en 1993 la police comme patron de la DGSN, où il est resté près de quatre années. Ses premières déclarations sont dignes d'un ministre des Droits de l'homme : « Ma mission, dit-il, consiste notamment à renforcer la démocratie, réconcilier l'administration avec les citoyens, construire le développement économique avec tous les acteurs. » Le 31 août 2000, lors d'élections législatives partielles particulièrement frauduleuses, le ministre n'hésite pas à attirer l'attention des partis politiques sur l'existence en leur sein de mafieux, notamment de trafiquants de haschisch. Deux semaines plus tard, c'est au tour de la seconde Chambre d'être partiellement renouvelée. Là aussi, le scrutin se transforme en véritable mascarade. Ahmed Midaoui, si l'on en

---

1. Entretien avec l'auteur d'un ancien ministre ayant requis l'anonymat.

croit *La Gazette du Maroc*, dénonce « cette pourriture dont l'administration, les partis politiques et la société marocaine dans son ensemble sont responsables ».

L'illusion est à peu près complète jusqu'au jour où, dans un entretien fort intéressant publié par *Le Quotidien du Maroc*[1], le politologue et universitaire Abdellatif Aguenouch montre la filiation qui, selon lui, existe entre Driss Basri et Ahmed el-Midaoui : ce dernier, écrit-il, « n'est qu'un des hommes de Basri parmi la multitude de visiteurs qui fréquentaient ses conférences du samedi matin à la faculté de droit, et qui voulaient se rapprocher de lui, en quête d'un poste quelconque. C'est Basri qui l'a façonné à sa guise après qu'il eut été un simple inspecteur des finances. Par la suite, il lui a offert le poste de gouverneur de Mohammedia, puis celui de Tanger, enfin celui de directeur général de la Sûreté nationale ». Pour M. Aguenouch qui « doute fort » qu'un conflit, comme le bruit en a couru, ait naguère opposé Basri à Midaoui, « l'essentiel peut se résumer ainsi : le changement, si changement il y a, consiste uniquement à partager les rôles entre Ahmed el-Midaoui et Fouad Ali el-Himma [secrétaire d'État à l'Intérieur]. Dans ce scénario, El-Midaoui ressemble beaucoup plus à un portemanteau sur lequel on suspend tout le linge sale, alors que les dossiers les plus importants, et qui sont susceptibles de redorer le blason du pouvoir à l'étranger, sont du ressort de Fouad el-Himma, qui est un homme d'une autre trempe. »

La persistance de regrettables dérapages – comme la brutalité avec laquelle sont traités, le 9 décembre 2000, des dizaines de militants de l'AMDH, dont son futur président Abdelhamid Amine, qui manifestent à l'occasion du 52e anniversaire de la Déclaration universelle des droits de l'homme – ne s'explique pas autrement. Il est vrai que, quelques semaines auparavant, l'AMDH a publié un texte contre l'impunité, accompagné d'une liste d'une douzaine de hauts responsables contre lesquels elle a demandé que soient engagées des poursuites judiciaires en raison de leur rôle dans l'histoire de la répression. Ce texte a fait grand bruit et ouvert l'éternel débat sur la nécessité ou non de « tourner la page », et à quelles conditions.

---

1. Et repris sur le site www.casanet.net.ma, 27 novembre 2000.

Après la Sécurité, l'Information… On a vu combien les journalistes marocains sont mécontents de la situation qui prévaut. Le 15 novembre, *Libération*, le quotidien dirigé par Mohammed el-Yazghi, ministre USFP, publie un éditorial au vitriol à l'occasion de la Journée nationale d'information qui commémore la promulgation, le 15 novembre 1958, du Code des libertés publiques : « Comment le Maroc peut-il célébrer ce qu'il n'a pas ? », titre le journal pour qui le Maroc « n'a ni radio, ni télé, ni agence, et si peu de journalisme dans un océan de désinformation… Pas d'école de journalisme non plus. L'argent, l'ignorance, l'alimentaire, la manipulation et le caniveau font le reste », poursuit le journal selon qui « le Maroc a les médias qu'il mérite ». *Al-Bayane*, le quotidien du PPS, ironise : « Rêvons des autoroutes de l'information, nous qui n'en sommes qu'aux chemins tertiaires ! Levons nos plumes à notre paysage audiovisuel réduit à une peau de chagrin […]. Célébrons nos radios, dont aucune n'est libre ! Gargarisons-nous de cette liberté de presse si chèrement acquise et si mal exploitée […] »

C'est précisément le lendemain, 16 novembre, que le roi nomme deux de ses amis, Mohammed Yassine Mansouri, trente-sept ans, à la tête de la MAP en remplacement d'Abdeljalil Fenjiro, qui se consolera avec une ambassade au Liban, et Fayçal Laarachi, directeur de la première chaîne de télévision publique, à la place de Mohammed Issari. Mais l'inamovible gouverneur directeur général de la RTM, Mohammed Tricha, fidèle de Driss Basri au même titre que les deux partants, n'est pas concerné. Ministre de la Communication, Larbi Messari, qui n'a pas eu son mot à dire dans ces deux nominations, s'était pourtant fendu, la veille, d'une belle déclaration de principes : « Il faut faire de la MAP une agence nationale, et non un organe gouvernemental », car « il est désormais impératif que l'information soit au diapason des grands changements que connaît le Maroc… »

De passage à Bordeaux, à la mi-octobre, à l'occasion d'un forum économique franco-marocain, André Azoulay, conseiller économique et financier du roi après l'avoir été de son père, insiste sur la « très forte continuité » des politiques de Hassan II et de Mohammed VI, tout en affirmant que ce dernier « n'est pas le clone de son père », qu'il a « son style, sa marque et sa personnalité ». Même si sa vision de la succession n'est évidemment pas la même que celle des opposants au régime, Azoulay, qui connaît bien le palais et la classe politique, a raison de parler de « forte continuité ». Contrairement à ce que pensent encore de nombreux Marocains à l'époque, il n'y a aucune rupture dans le fonctionnement de la monarchie depuis que Mohammed VI est aux commandes. L'avenir le prouvera amplement. En attendant, le jeune roi place ses pions dont certains sont loin d'avoir l'expérience ou les compétences de divers collaborateurs de son père.

Si Mohammed VI porte un diagnostic lucide sur les maux de la société marocaine, il n'est pas le premier de la dynastie à le faire. Hassan II a fait montre à plusieurs reprises de beaucoup de clairvoyance dans l'analyse de situations qui avaient conduit à des crises ou à de profonds désordres. Mais, à l'exception d'une refonte et d'une réorganisation de l'appareil répressif, ces graves dysfonctionnements ne débouchèrent sur aucun changement structurel. Sur le plan constitutionnel, Mohammed VI n'a pas bougé le petit doigt et a chaussé avec ravissement les bottes de papa dès sa première intervention, le 30 juillet 1999. Pourquoi d'ailleurs agirait-il autrement, puisque les partis historiques ont renoncé, depuis l'alternance, à toute réforme des institutions ? Le 9 octobre, Mohammed VI affirme avec force son désir de sortir l'administration marocaine de son « immobilisme » ; mais il rappelle dans le même temps que, dix ans plus tôt, des instructions données en ce sens par son père n'ont été suivies d'aucun effet en raison notamment de la corruption.

En réalité, si le style change – pas toujours dans le bon sens, Mohammed VI étant un piètre orateur –, si une certaine simplicité prévaut au moins au début du règne, si certaines initiatives confortent l'image du « roi des pauvres » à la fibre sociale développée, le fond ne bouge pas.

Le roi peut aussi compter sur les bourdes du Premier ministre pour asseoir son prestige. Alors qu'il vient d'évincer sans ménagement Driss Basri de son poste, Youssoufi ne trouve rien de mieux à faire que d'organiser chez lui, le 6 décembre, une réception en hommage à l'ex-ministre de l'Intérieur. Cette initiative incompréhensible provoque la colère du numéro deux de l'USFP, Mohammed el-Yazghi, qui refuse de participer à cette petite fête et exprime son mécontenttement lors d'un Conseil de gouvernement. L'Opinion, organe en français de l'Istiqlal, dénonce également ce raout : « On ne peut rendre hommage, écrit-il, à un quart de siècle de falsification des élections, de travestissement de la démocratie, et avaliser un système prébendier de clientélisme et de népotisme ». Tout aussi critique, Al-Alam, organe en langue arabe du PI, se félicite néanmoins que le budget de la réception n'ait pas été « prélevé sur les deniers publics ». Enfin, aux cris de « Non à l'impunité, c'est une insulte aux Marocains ! Driss doit être jugé ! », une cinquantaine de militants des droits de l'homme et d'anciens détenus politiques, qui ont allumé des bougies en signe de deuil, manifestent leur colère à proximité de la résidence du Premier ministre.

On ne s'étonnera pas, dans ces conditions, de voir tel ou tel éditorialiste de la presse marocaine évoquer « le processus de mutation de l'USFP vers un parti s'apparentant à terme, par bien des traits, à ce que l'on pourrait appeler une "gauche administrative[1]" ».

L'adhésion de ce parti au cadre institutionnel existant, qui le rapproche de plus en plus des « partis administratifs », et son désir de gouverner à n'importe quel prix ou presque, en font un parti comme les autres. Cerise sur le gâteau de l'indignité, l'hommage rendu à Basri donne une bonne idée de tous les accommodements auxquels certains dirigeants des partis historiques ont pu se livrer.

Abderrahmane Youssoufi qui, quelques semaines plus tôt, a rouvert les salles publiques aux associations marocaines, annulant ainsi une circulaire « répressive » du mois de février signée par Driss Basri, peut répondre qu'il n'a fait que s'incliner devant la majorité de son gouvernement. Mais est-il devenu à ce point insensible à son image, en ignorant les dégâts que ne manque pas de provoquer son initiative ?

Un an après avoir été intronisé, Mohammed VI prononce, le 30 juillet 2000, un long discours du trône que son père – en tout cas au niveau du style et de la construction – aurait pu signer des deux mains. Les références au pacte sacré de l'allégeance qui unit depuis treize siècles le peuple à son roi, les hommages rendus au père, au grand-père et à toute la dynastie, les remerciements pour la « fidélité sincère », le « loyalisme fervent », « l'adhésion en bloc » au trône du

---

1. « L'USFP, une gauche administrative », par Mustapha Sehimi, in *Maroc Hebdo*.

« cher peuple », le « digne rang » que confèrent au même peuple son « histoire glorieuse », son « présent prometteur » et son « avenir radieux », rien ne manque. Sans doute par crainte d'être poursuivi pour outrage au roi, on peut regretter qu'aucun conseiller en communication ou nul publiciste n'ait pris la peine d'analyser les interventions royales pour en souligner le caractère anachronique. Il est vrai que le monarque ne participe pas à une campagne électorale, et que sa prestation ne porte pas à conséquence. Formules creuses dénuées d'importance ? Solennité incontournable ? Peut-être. On peut aussi y voir la marque d'un système autoritaire dans lequel le chef n'a de comptes à rendre à personne et peut raconter ce que bon lui semble. Quoi qu'il en soit, si certains s'étaient imaginés que le jeune roi abandonnerait le discours traditionnel ou rituel pour un style plus moderne, ils se sont trompés. Mohammed VI ne prend aucun risque. Sur ce plan-là, la continuité est totale.

Sa Majesté rappelle ensuite qu'elle a « prôné un nouveau concept de l'autorité pour en faire l'instrument qui veille sur le service public, gère les affaires locales, préserve la sécurité et la stabilité, protège les libertés individuelles et collectives, ouvert sur les citoyens et en contact permanent avec eux pour traiter leurs problèmes sur le terrain en les y associant ». Pour preuve de sa sincérité, Mohammed VI indique qu'il a opéré un « vaste mouvement » au sein de l'appareil administratif et dans le secteur de l'information. Toujours en ce qui concerne le renforcement de l'État de droit, il se dit aussi « pleinement conscient de l'extrême importance du dédommagement moral et humanitaire » de toutes les victimes de l'arbitraire.

Le souverain annonce ensuite qu'il a décidé la mise en place du Conseil économique et social prévu par la Constitution de 1992, et dont les lois organiques précisant le fonctionnement n'avaient jamais été adoptées. Même chose pour la Haute Cour qui était restée à l'état de vœu pieux. Enfin, deux autres réformes, celle des collectivités locales et celle du Conseil supérieur et des conseils régionaux des oulémas, doivent permettre, d'une part, de dégager de nouvelles élites dans toutes les régions du pays, et, d'autre part, de moderniser le fonctionnement des théologiens marocains. Il précise à cet égard avoir donné des instructions « en vue de réhabiliter la mission de la Mosquée en tant que centre de culte, d'éducation, de formation, de prédication et d'orientation, et en tant qu'espace où les oulémas, hommes et femmes, se consacrent à l'encadrement des citoyens et des citoyennes et à leur intégration dans une société de haute moralité, saine, consciencieuse et solidaire ». En d'autres termes, le palais entend mettre un peu plus d'ordre dans un réseau de mosquées dont beaucoup échappent au contrôle de l'appareil sécuritaire.

Mohammed VI a ensuite quelques envolées tendant à montrer que le « roi des pauvres » est toujours bien présent : « Si notre souci d'assurer une répartition équitable des richesses n'a d'égal que notre ferme attachement à une parfaite égalité des chances, nous incitons toutefois nos fidèles sujets à rompre avec l'esprit d'assistanat, mû en cela par les valeurs de solidarité, de justice, d'égalité des chances et l'esprit d'altruisme et d'innovation. » Invitant le gouvernement à investir aussi bien dans le logement social que dans la santé, l'éducation ou la formation, le roi explique que son attachement à cette option découle de sa conviction que « la dignité est bafouée davantage du fait de l'analphabétisme que de la pauvreté ».

Mais il ne peut y avoir de développement social « en l'absence de croissance économique ». Pour conjuguer efficacité économique et solidarité sociale, le roi rappelle qu'il a décidé de créer le Fonds Hassan II pour le développement et l'équipement. Le produit de la deuxième licence GSM, dit-il, est d'ailleurs affecté à des projets assurant des créations d'emplois et des revenus permanents « pour promouvoir le monde rural, garantir un logement convenable, lutter contre le phénomène des bidonvilles, parachever l'irrigation d'un million d'hectares, construire des autoroutes, aménager des sites touristiques, des centres culturels et sportifs, et soutenir les établissements médiatiques ». Rien que cela !

De tout ce qui précède, il ressort que Mohammed VI reste résolument dans le sillon tracé par son père. Non seulement la tonalité du discours demeure la même, mais le nouveau roi reprend à son compte des projets voulus et conçus par Hassan II, comme le Conseil économique et social ou la Haute Cour.

La seconde remarque qui s'impose est que le monarque ne laisse à son gouvernement que quelques miettes – construction de logements sociaux dont on a vu à quel point leur nombre est limité, réforme difficile de l'enseignement, gestion des affaires courantes…

Il est en revanche à l'origine de toutes les initiatives importantes : mutations dans la haute administration, indemnisation des victimes de la répression, création du Fonds Hassan II et son financement, etc. Certes, la mise à l'écart de Driss Basri, le retour de Serfaty, l'indemnisation des bagnards de Tazmamart et autres victimes, sont autant de gestes forts qui sont appréciés. Mais rien de tout cela ne change fondamentalement le quotidien des Marocains. Les préroga-tives de Mohammed VI demeurent celles d'un monarque absolu. La corruption continue à faire des ravages. Les inégalités sociales ne se réduisent pas et, sans réforme fiscale en profondeur, elles resteront considérables. Le pays, en dépit du souci exprimé par le roi d'assurer « une répartition équitable des richesses » et de son ferme « attache-ment à une parfaite égalité des chances », continue à marcher à deux vitesses. Il y a tous ceux qui ont fait leurs études en arabe au Maroc et qui, dans leur grande majorité, végètent et ne trouvent pas de tra-vail, ou un travail mal payé ou peu conforme à leurs aspirations. Il y a les autres, une minorité formée dans les écoles étrangères ou les bons lycées marocains privés. Ceux-là accèdent à l'enseignement supérieur marocain de qualité ou partent en Europe ou aux États-Unis. Et puis il y a tous les autres, sans formation, sans diplôme, sans horizon, dont la principale préoccupation est de survivre. On peut parfois s'inter-roger sur ce qu'il serait advenu du Maroc si la très grande majorité des Marocains avait pu suivre une scolarité de qualité. En d'autres termes, à qui profite l'arabisation ? Pourquoi ceux-là même qui l'ont conçue et défendue se sont-ils empressés d'envoyer leurs enfants dans des établissements étrangers ? Pourquoi, sinon pour la bonne raison qu'ils n'ont jamais nourri la moindre illusion sur ce type d'enseigne-ment, aussi mal préparé que mal financé !

Là aussi, Mohammed VI, sans doute inquiet de la gravité du pro-blème, s'implique. Toujours dans son discours du 30 juillet 2000, il annonce la création d'une Fondation des œuvres sociales de la famille de l'enseignement. « Cette institution qui portera, dit-il, le nom de Notre Majesté et qui s'appellera ainsi "Fondation Mohammed-VI des œuvres sociales des enseignants" profitera à quelque 250 000 membres de cette famille et aux membres de leurs familles. Elle leur assurera les services sociaux dont ils auront besoin dans les domaines de l'habitat, de la santé, des loisirs, de l'assurance, de la retraite complémentaire... »

Mais que fait donc le gouvernement ? Combien de fondations Sa Majesté va-t-elle devoir créer pour pallier ses lacunes et tenter de résoudre les difficultés colossales qui s'accumulent un peu partout ? Pourquoi pas une Fondation des personnels de santé, qui vivent si mal qu'ils sont contraints de racketter patients et malades ? Pourquoi pas des fondations pour les ouvriers du bâtiment, les saisonniers, les marins-pêcheurs et toutes les corporations en difficulté ? Mais, pas plus que les bols de soupe offerts par la Fondation Mohammed-V aux déshérités n'ont pu solutionner la misère qui sévit dans le royaume, pas plus la Fondation pour les enseignants n'a jusqu'ici permis d'améliorer la condition des instituteurs et des professeurs, dont beaucoup se sont prolétarisés depuis une vingtaine d'années. Ce n'est pas de charité dont le Maroc a besoin, mais de justice !

Cependant, le palais, ses conseillers et les ministères dits de « souveraineté » ne se contentent pas de tailler des croupières au reste du gouvernement, mais donnent aussi souvent le sentiment de vouloir reprendre d'une main ce qu'ils ont accordé de l'autre. Les beaux discours sont rarement suivis d'effet. Le 20 mai 2000, soit quatre jours après la levée de son assignation à résidence, Abdesslam Yassine, chef de l'association Al-Adl wa al-Ihsane, dénonce « l'oppression » qui pèse sur son mouvement : « L'association, dit-il au cours d'une conférence de presse, est toujours encerclée et opprimée. Elle est toujours dans ses cellules, même si son symbole, que je représente, est aujourd'hui libre de sortir dans la rue. » Le cheikh, qui dit ne pas comprendre l'attitude des autorités puisque, depuis vingt ans, « nous répétons que nous sommes des non-violents », souligne que « le Maroc n'est pas l'Algérie, dans laquelle il y a eu des carnages infernaux, horribles et inhumains, qui nous ont terrorisés[1] ». Yassine dénonce ainsi la saisie d'*Al-Foutoua*, journal des étudiants de l'association, et les pressions pour empêcher la sortie d'un autre journal. Refusant de faire le bilan de deux années d'alternance, il s'en tire par une formule qui résume assez bien l'opinion commune : « Le Maroc d'aujourd'hui n'est plus celui de 1995. Il change à grande vitesse, même si l'on ne sait pas très bien dans quelle direction il va. »

1. Dépêche de l'AFP du 20 mai 2000.

Ces saisies de journaux fournissent en outre l'occasion au gouvernement d'étaler ses divisions. Au début de février, un mémorandum du cheikh Yassine adressé au roi et qui fait beaucoup de bruit[1] est publié par cinq journaux – *Maroc Hebdo, Le Reporter, Le Quotidien, Al-Moustaqil* et *La Nouvelle Tribune* – qui sont aussitôt saisis (brièvement) sur ordre du ministère de l'Intérieur. Deux jours plus tard, le ministre de la Communication, Larbi Messari, estime que la censure est devenue « absurde » : « Le Maroc, dit-il, ne pratique pas la censure parce qu'elle est devenue absurde. Ce mémorandum est diffusé sur Internet en trois langues : alors, comment peut-on en empêcher la diffusion ? »

---

1. Voir chapitre IV, troisième partie, « Les islamistes ».

II

Un Premier ministre content de lui, une USFP en crise

Dans le climat d'incertitude qui règne et en l'absence de visibilité, un homme veut absolument y croire : le Premier ministre Abderrahmane Youssoufi. Dans une déclaration gouvernementale prononcée devant le Parlement le 13 janvier 2000, le chef socialiste tient un discours que ne renieraient pas les économistes libéraux de l'école de Chicago. Avant tout soucieux de rassurer les institutions financières internationales, il rappelle d'abord que son gouvernement est parvenu à ramener en deux ans la dette extérieure de 22 à 18 milliards de dollars. Il se garde bien d'ajouter que la dette intérieure a, elle, augmenté notablement. Les efforts de son gouvernement, ajoute-t-il, ont également permis, dans le même laps de temps, d'augmenter de 275 % les investissements étrangers, qui se sont élevés en 1999 à 1,7 milliard de dollars. Mais, là aussi, M. Youssoufi oublie de dire que les deux tiers de cette somme sont dus à la vente d'un deuxième réseau GSM à un consortium hispano-luso-marocain pour 1,1 milliard de dollars. Quant aux autres projets d'investissements – une trentaine, pour un montant de 650 millions de dollars –, aucune précision n'est fournie sur leur date de réalisation. Enfin, sur le volet social, le Premier ministre se montre d'autant plus discret que le Palais en a presque fait sa chasse gardée.

Quelques semaines plus tard, sans doute impressionné par une manifestation de plusieurs centaines de milliers d'islamistes[1] qui défilent à Casablanca, le 12 mars, pour dénoncer la Charte pour l'intégration de la femme, le gouvernement Youssoufi opère un recul bien peu digne en rase campagne. Une concession de plus aux obscurantistes et aux démagogues ! Le roi, lui, ne se laissera influencer ni par les attentats du 16 mai 2003, ni par les réserves ou les timidités des conservateurs de tous poils, et conduira jusqu'à son terme la réforme de la *moudawana*[2]. Il inflige ainsi, *a posteriori*, une leçon de politique à un Youssoufi incapable de saisir les opportunités qui se présentent.

On ne s'étonnera pas, dans ces conditions, de voir dès octobre 2000 le Bureau politique de l'USFP rompre avec la direction de la Chabiba (Jeunesse) socialiste. Déjà, au mois de juillet, *An-Nachra*, revue bimensuelle de la Chabiba, a été interdite de publication et ses dirigeants n'ont pu tenir un peu plus tard une conférence de presse. « Il s'agit là de la dissolution implicite de notre Bureau de la part d'une vieille génération qui refuse l'existence même de courants au sein de notre parti », déclare alors un de ses dirigeants[3]. En réalité, les désaccords sont nombreux et portent aussi bien sur la participation au gouvernement d'alternance que sur la politique à suivre au sein de ce gouvernement, jugée beaucoup trop timorée.

La Chabiba n'est pas la seule à avoir des états d'âme au sein de l'USFP. Le moins qu'on puisse dire est que l'alternance provoque des remous non seulement chez les jeunes, mais aussi chez les syndicalistes et parmi de nombreux cadres. Bien avant le Congrès du printemps 2001, Najib Akesbi, un économiste proche des anciens dirigeants de la Jeunesse USFP, Mohammed Sassi et Mohammed Hafid, exprime son malaise et celui de ses amis dans la revue *Demain* d'Ali Lamrabet : « L'USFP, écrit-il, est malade, c'est le moins qu'on

---

1. De 250 000 à 600 000 personnes, selon les points de vue, très encadrées par une organisation efficace. Une autre manifestation de « modernistes », beaucoup plus spontanée, rassemble le même jour à Rabat plusieurs dizaines de milliers de personnes.

2. Nom arabe pour le code de statut personnel. Voir chapitre VI, troisième partie, « Les marocaines ».

3. Déclaration à l'AFP, le 17 octobre 2000.

puisse dire. L'USFP est même devenue méconnaissable pour beaucoup d'USFPéistes… Un Congrès qui ne s'est pas réuni depuis plus de onze ans, une direction qui a, aux trois quarts, démissionné d'une manière ou d'une autre, laissant le quart restant décider de tout à la place de tout le monde, des militants déboussolés qui ne se reconnaissent plus dans le parti qui prétend diriger le gouvernement, ni dans celui qui a déserté le terrain des luttes à la base, et encore moins celui qui leur est présenté au quotidien dans les journaux… du parti ! Comment peut-il en être autrement, poursuit Akesbi, alors que, depuis 1989, le parti a changé de premier secrétaire, abandonné sa stratégie politique du Congrès extraordinaire de 1975, a dit pour la première fois de son histoire « oui » à une Constitution qui n'est guère fondamentalement différente des précédentes, a participé à plusieurs élections générales et accepté leurs résultats tout aussi falsifiés que par le passé, et, pour finir, s'est allié à des "partis de l'administration" pour constituer une "majorité" contre-nature et un gouvernement sans âme… et sans armes ! »

Akesbi, qui a participé à l'élaboration de la plate-forme de « Fidélité à la démocratie », souligne que l'objectif de ce courant est « d'alimenter un vrai débat dans le parti et, si nécessaire, de permettre l'émergence de regroupements internes fondés sur des idées et des projets au lieu de l'être autour des éternels *zaïms*… Finalement, conclut-il, ce que nous demandons dans le parti n'est rien d'autre que ce que nous demandons depuis des lustres dans le pays… Abderrahim Bouabid avait une formule forte à laquelle je ne peux m'empêcher de penser en ce moment : il disait que notre combat dans le pays vise à permettre "l'expression libre et consciente des citoyens". Eh bien oui, aujourd'hui, dans le parti, nous revendiquons l'expression libre et consciente des militants ! »

Le 30 mars 2001 s'ouvre le VIe Congrès de l'USFP Deux lectures totalement antagonistes de cette importante réunion sont possibles : celle de Riad Mounir, qui suit l'événement pour *Le Nouvel Afrique-Asie*, et celle de Mohammed Sassi, Mohammed Hafid et leurs amis de Fidélité à la démocratie. Écoutons Mounir :

« Lorsqu'il monte à la tribune pour le traditionnel marathon oratoire – la lecture du rapport politique, passage obligé de toutes les grands-messes politiques –, Abderrahmane Youssoufi sait que le plus dur est fait : le VIᵉ Congrès de l'USFP, attendu depuis onze ans et placé sous le signe d'un "Maroc démocratique et solidaire", a bien eu lieu dans les délais prévus […]. A. Youssoufi est serein. Et l'ovation qui l'accueille le conforte dans sa conviction, affirmée à plusieurs reprises les jours précédents, que "tout se passera bien". Message clé de ce rapport fleuve de trois heures : l'USFP a réussi son examen de passage entre "une culture d'opposition" et "une culture de gouvernement". Pour Riad Mounir, le combat de Youssoufi est celui de "toute une génération de nationalistes de progrès" qui, après des années de confrontation violente avec le pouvoir, ont opté pour le dialogue politique et "consacré ainsi leur descente du ciel du romantisme révolutionnaire à la terre de la réalité politique et de ses complexités", comme le souligne le projet de résolution du VIᵉ Congrès. Pour préparer les échéances électorales de 2002, Youssoufi, toujours selon *Le Nouvel Afrique-Asie*, appelle "à l'ouverture d'un dialogue avec toutes les forces démocratiques, pour un projet de modernisation consistant à renforcer l'État de droit, à garantir l'indépendance de la Justice, à gérer d'une façon transparente les ressources du pays et à garantir le contrôle populaire des affaires publiques". Depuis plusieurs mois, affirme encore Riad Mounir, Youssoufi suivait de près "les menées des irrédentistes, une très petite minorité. Il savait qu'ils l'attendraient à tous les tournants et qu'ils avaient affûté leurs arguments pour, pensaient-ils, l'acculer à battre en retraite sans gloire à un an de la fin de la première législature d'alternance[1]". »

La « bande des quatre » de Fidélité à la démocratie ayant jeté l'éponge, le *fqih* Basri totalement décrédibilisé après avoir exhumé, « sa dernière erreur politique » – une lettre au contenu incertain soupçonnant les dirigeants nationalistes de complicité avec Oufkir[2] –, Amaoui, discrédité du fait de sa « versatilité », le Congrès, à défaut d'avoir tenu toutes ses promesses, conclut *Le Nouvel Afrique-Asie*, « a apaisé bien des tensions en accordant une nouvelle légitimité aux responsables de l'USFP » onze ans après le Vᵉ Congrès. À défaut de pouvoir compter sur le soutien de la presse indépendante marocaine, Abderrahman Youssoufi sait désormais qu'il pourra toujours

---

1. *Le Nouvel Afrique-Asie*, n° 140, mai 2001.
2. Voir chapitre IX, deuxième partie : « Un roi en danger ».

compter sur l'appui sans faille de la revue de son vieil ami Simon Malley.

La seconde lecture, celle des opposants à la ligne du premier secrétaire, n'a pas grand-chose à voir avec ce texte apologétique. Dénonçant vivement la manière dont a été préparé le VIe Congrès, Fidélité à la démocratie fait savoir, à la veille de l'ouverture, que, « face à une telle mascarade, inédite dans l'histoire du parti », et qui défie ses « valeurs et principes démocratiques », elle se trouve « contrainte de boycotter tous les travaux du Congrès ». Les accusations portées sont graves : mise à l'écart de tout point de vue divergent lors de la préparation du Congrès, militants ignorés dans les listes de recensement, bourrages, allongements, réductions et manipulations de listes selon les besoins du Bureau politique, élections de délégués trafiquées, violences à l'égard de militants ayant protesté contre ces « démarches antidémocratiques ».

Secrétaire général de la CDT, Noubir Amaoui décide lui aussi de boycotter le Congrès. Dans un communiqué, il dénonce notamment « la falsification des opérations de recensement, la préfabrication des élections de congressistes [...] et l'exclusion des avis divergents ». Ce boycottage et des désaccords persistants conduiront finalement Amaoui et son adjoint, le cardiologue Abdelmajid Bouzoubaa, à quitter définitivement l'USFP et à créer, le 20 octobre suivant, à Casablanca, une nouvelle formation, le Parti du Congrès national unioniste. Cette scission intervient une semaine après la confirmation par le roi de la tenue d'élections législatives en septembre 2002. Comme à la CDT, Amaoui reste le patron, Bouzoubaa devenant secrétaire général et numéro deux du parti. Le médecin syndicaliste se montre particulièrement virulent à l'égard de l'USFP et déclare à *Maroc Hebdo* qu'il croit son ancien parti capable de « trafiquer les élections législatives exactement comme il a trafiqué le VIe Congrès »… Tout cela fait évidemment désordre !

Quoique complètement verrouillé, le Congrès fournit pourtant l'occasion à Mohammed Lahbabi de dresser un bilan très critique du régime. Pour sortir de l'impasse, il propose l'ouverture d'un dialogue avec les partisans d'Abdesslam Yassine, le chef de l'association islamiste Al-Adl wa al-Ihsane. Selon Lahbabi, en dépit des « actes concrets » de Mohammed VI, « la bataille pour sortir le Maroc du carcan des structures paralysantes [...] reste d'actualité ». Cela explique à ses yeux qu'Abderrahmane Youssoufi « se heurte à d'énormes obstacles et résistances de tous bords qui l'amènent à composer, à être d'une infinie patience et lenteur, voire même à une prudence paralysante ».

Or, pour surmonter ces résistances, Mohammed Lahbabi estime qu'il est impératif de ne pas perdre « la confiance des masses populaires » et, en conséquence, de dialoguer avec les forces politiques qui partagent cette conviction. Dans le cas contraire, le pays continuera « à patauger longtemps dans le sous-développement ». Précisément, Al-Adl wa al-Ihsane[1] bénéficie de la sympathie des masses. En situation de ne pas écarter le dialogue avec tout mouvement se trouvant dans ce cas, l'USFP est donc conviée à le nouer avec cet important courant de l'islamisme marocain.

Lahbabi se rend bien compte de ce qu'il peut y avoir de provocateur dans sa proposition et souligne que sur de nombreux points – « loin d'être secondaires, comme le rôle de la femme, les libertés individuelles, la fonction de l'État, la place de la laïcité... » – les opinions sont différentes. Mais ce juriste qui, dès 1962, s'est opposé vivement à la Constitution « octroyée » ou, plus globalement, à la conception makhzénienne du pouvoir, est sans doute, sur ce plan, en harmonie avec Al-Adl, association qui rejette le pouvoir absolu du souverain marocain. Lahbabi est aussi très proche de Lahbib Cherkaoui, autre vieux dirigeant de l'USFP, très remonté contre la direction de l'USFP. À l'automne 2002, Cherkaoui s'opposera d'ailleurs à la participation du parti au gouvernement après la nomination de Driss Jettou comme Premier ministre. Même minoritaires, ces deux vieux militants incarnent un courant qui n'est pas disposé à accepter toutes les concessions de la direction socialiste.

Dans sa contribution, Mohammed Lahbabi met aussi l'accent – ce qui est peu habituel à l'USFP – sur le rôle joué, selon lui, par l'islam dans la vie de sa formation : « Ce qui est commun à Al-Adl et à l'USFP, dit-il, c'est que leurs militants sont musulmans et fiers de l'être, fiers de leur civilisation musulmane, fiers des principes fondamentaux qui

---

1. Principale association islamiste. Dirigée par Cheikh Yassine. Voir chapitre IV, troisième partie, « Les islamistes ».

se dégagent du Livre sacré et du comportement du Prophète, tels que la tolérance, la justice, la solidarité, le respect de l'être humain, la recherche de la science, etc. »

L'ancien bras droit d'Abderrahim Bouabid – à l'époque où celui-ci était ministre de l'Économie et des Finances – suggère donc de mettre en place une « charte de coopération » entre Al-Adl et les forces démocratiques, charte qui aurait notamment pour objectifs de « garantir l'exercice effectif de la souveraineté populaire, d'éradiquer les abus de pouvoir et l'injustice, de combattre franchement la corruption… » Pour Mohammed Lahbabi, idyllique, si une telle idée prenait corps, Al-Adl wa al-Ihsane et l'USFP « auraient posé les bases d'une alliance stratégique de portée décisive : ils auraient dégagé le passage vers une *koutla* [un bloc] historique qui, à coup sûr, ne manquera pas de rayonner dans le monde musulman, dans tout le monde musulman. »

De façon prévisible, les suggestions de M. Lahbabi, jugées par la majorité de ses camarades aussi incongrues ou farfelues que dangereuses, ne sont pas retenues. Au terme du Congrès, alors qu'il était jusqu'ici membre du Bureau politique, son nom ne figure même plus dans la liste des 145 membres masculins de la Commission administrative, et il faut même l'y rajouter dans une piètre opération de repêchage[1].

Recevant l'auteur l'année suivante, Mohammed Lahbabi revient sur cette question qui l'obsède : « Les islamistes profitent de la mauvaise situation générale. Le peuple marocain est très croyant, très musulman. Il ne faut pas laisser la place aux islamistes. Mais comment l'éviter ? L'islam ne doit pas être utilisé pour crisper la situation. La plupart des islamistes se basent sur des interdits. Sortis de là, ils n'ont plus rien à offrir. Il ne faut pas que l'islam soit un frein. Mais nous ne devons pas non plus ignorer les islamistes. Nous devons ouvrir le dialogue avec tout le monde, et dire aux islamistes : "Vous ne réaliserez votre idéal musulman qu'en réalisant votre idéal social. Regardez les Américains : ils sont croyants et pourtant ils dominent le monde[2] !" » L'initiative de cet universitaire, marié à une Européenne et qui n'a jamais montré de penchant particulier pour les islamistes, n'en demeure pas moins signi-

---

1. Selon *Maroc Hebdo*.
2. Entretien avec l'auteur, le 16 décembre 2002.

ficative. Elle témoigne d'abord de l'évolution de l'USFP, de plus en plus réceptive aux sirènes des islamistes dont elle envie le succès auprès des Marocains. L'effondrement de l'URSS et du bloc socialiste, l'échec des idéologies panarabes – nassérisme, ba'athisme –, le renforcement de la monarchie marocaine, adversaire de toujours du parti, conduisent à des révisions déchirantes. Le choix est entre une makhzénisation plus ou moins rapide du parti – voie choisie par Youssoufi, peu importe que ce soit ou non à son corps défendant, ou pour « sauver la patrie » et le parti – et la recherche d'une autre politique qui ne soit pas synonyme de reddition.

Dans cette profonde crise identitaire vécue du Golfe à l'Océan, les valeurs islamiques apparaissent comme le seul recours à des Marocains certes très attachés à leur religion, quelle que soit leur affiliation partisane, mais surtout privés de repères. Comme le note le sociologue Mohammed Guessous, également membre du Bureau politique de l'USFP, « l'islam est conçu comme un élément d'identité nationale ». Évoquant la critique du régime politique et de la société en vigueur, Guessous voit « des similitudes considérables » entre l'USFP et le Parti de la justice et du développement[1] : « Ils ont des bases sociales similaires, ils ont des bases concentrées dans les couches moyennes, implantées surtout en milieu urbain. »

Les événements du 16 mai 2003 ont en tout cas mis un terme, sans doute pour un bon moment, aux spéculations de ceux qui pariaient sur un rapprochement des partis historiques avec la mouvance islamiste pour remettre le pays sur les rails. Selon certains de ses proches, Lahbabi a d'ailleurs reconnu s'être trompé après ce dramatique épisode printanier.

Les coups de gueule de la Chabiba, la scission de Noubir Amaoui et la création du CNI, puis celle de Fidélité à la démocratie, enfin les états d'âme de militants de vieille date et importants responsables du parti font évidemment désordre. Mais, comme le pensent alors la plupart des observateurs de la scène politique marocaine, l'USFP est enfin débarrassée de toutes ses forces centrifuges qui ont mal digéré

---

1. PJD, l'autre formation islamiste importante, mais dite « modérée » et très présente au Parlement, avec une quarantaine de députés.

le passage de l'opposition au gouvernement, et ses dirigeants comme sa base semblent avoir fini par intégrer le moule makhzénien.

Ce n'est pourtant peut-être pas aussi simple...

Immobilisme et durcissement du régime

Dans un éditorial du 30 juin 2001, le directeur du *Journal*, après s'être félicité des débuts du règne de Mohammed VI, marqués par « des décisions courageuses », appelle le souverain à faire davantage et à rompre « avec une partie de lui-même ». « Il arrive, écrit Aboubakr Jamaï, que les patrimoines reçus en héritage comportent aussi un passif. En l'occurrence, un système toujours autoritaire, un système susceptible de déraper, qui inhibe les initiatives des forces vives du pays. » Ce faisant, le journaliste exprime à haute voix ce que de plus en plus de Marocains ressentent : un certain immobilisme du régime, au-delà de quelques bonnes mesures, parfois spectaculaires, prises par le jeune monarque. Déjà, quelques mois plus tôt, la Fédération internationale des droits de l'homme (FIDH) s'est inquiétée des signes d'un « véritable durcissement du régime ». Patrick Baudouin, son président, évoque notamment à ce propos l'interdiction de trois hebdomadaires, la « répression violente » d'une manifestation organisée par l'AMDH, et l'expulsion du directeur de l'AFP.

De son côté, Moulay Hicham, le cousin du roi avec lequel, c'est le moins qu'on puisse dire, le courant ne passe pas, en remet une petite couche en affirmant au quotidien espagnol *El País* que « la démocratie n'en finit pas d'arriver au Maroc [...]. Il y a de l'impatience dans la société, et aussi un début de frustration. Il faut éviter que l'espoir retombe. Si on ne réussit pas à l'éviter, le pays va courir, à terme, de grands risques », souligne-t-il avant de résumer ainsi la situation : le Maroc doit faire face à « d'énormes défis structurels dans un contexte social explosif[1] ».

Au début de septembre 2001, Mohammed VI accorde une longue interview à un quotidien français. Il refuse de parler de bilan au bout d'un peu plus de deux années de règne : « Mon rythme, dit-il, est celui du Maroc. Ce n'est pas nécessairement le même que celui que

---

1. Interview à *El País*, le 27 mai 2001.

veulent nous imposer, avec arrogance et ignorance, certains observateurs transformés en procureurs. Depuis leurs cafés du commerce, ces gens veulent mettre le Maroc et son roi au diapason de leur propre fantasme. Ce temps est révolu[1]. » Le souverain parle d'un pays démocratique « qui a fait le choix d'un rééquilibrage social fondé sur la croissance, mais aussi sur le réalisme et l'équité ». Il se félicite des résultats déjà acquis qui, selon lui, « sont nombreux et substantiels ». Le satisfecit qu'il se donne en matière de droits de l'homme, « domaine dans lequel le Maroc n'a plus grand-chose à prouver », n'a que peu à voir avec les inquiétudes exprimées par la FIDH ou les associations marocaines.

En ce qui concerne le niveau des investissements, il fait la même confusion que son Premier ministre en intégrant la vente d'un deuxième réseau GSM pour plus d'un milliard de dollars. Les montants qu'il donne sont d'ailleurs beaucoup plus élevés que ceux avancés par Abderrahmane Youssoufi. Le fils aîné de Hassan II serait-il lui aussi brouillé avec les chiffres ? Il est en tout cas friand de statistiques. Il précise ainsi que de 1990 à 2000, le nombre de villages ayant accès à l'électricité est passé de 15 % à 45 %, et, pour l'eau potable, de 14 % à 42 %. Pour améliorer encore ces pourcentages, il estime indispensable que les ONG participent à l'effort, l'État n'ayant pas les moyens d'assumer seul toutes ces responsabilités.

Invité à définir sa vision de la monarchie, il souligne avec force qu'il est « impossible de comparer ce qui n'est pas comparable. On n'a pas arrêté, par exemple, de faire le parallèle entre ma personne et celle du roi Juan Carlos. Je le respecte et je l'aime beaucoup, mais la monarchie espagnole n'a rien à voir avec la monarchie marocaine. Les Marocains n'ont jamais ressemblé à personne, et ils ne demandent pas aux autres de leur ressembler[2] ». Puis il rappelle à ceux qui l'auraient oublié qu'il est parfaitement à l'aise dans le cadre défini par son père, et qu'il n'entend pas en changer : « Les Marocains veulent une monarchie forte, démocratique et exécutive. Notre monarchie est constitutionnelle, avec un texte fondamental datant de 1962 qui avait été élaboré en étroite concertation avec les formations politiques de l'époque.

---

1. Interview au *Figaro*, le 4 septembre 2001.
2. Interview citée au *Figaro*.

Mais, chez nous, le roi ne se contente pas de régner. Je règne et je travaille avec mon gouvernement dans un cadre constitutionnel clair qui définit la responsabilité de chacun. Il n'y a aucune ambiguïté et aucun complexe dans ce que je suis en train de vous dire. Depuis treize siècles que dure la monarchie marocaine, nous avons évolué dans ce cadre, et les Marocains le veulent ainsi. »

Une opinion qui n'est en tout cas pas celle de son cousin germain Moulay Hicham. Dans un entretien au *Journal hebdomadaire*, l'« électron libre » de la famille alaouite dit souhaiter une révision de la Constitution donnant davantage de prérogatives au gouvernement afin qu'il puisse mieux affronter les problèmes socio-économiques. Mais évitons les sujets qui fâchent et laissons, comme le dit Mohammed VI, « les problèmes de la famille, s'ils existent, se régler dans la famille[1]... ».

Si le roi tient à ses prérogatives comme à la prunelle de ses yeux, cela ne l'empêche pas de travailler « en équipe » avec des conseillers qui lui donnent « leurs avis en toute franchise... J'ai confiance en eux et ils ont confiance en moi. Cela dit, je ne m'appuie jamais sur le jugement d'une seule personne. J'ai peut-être tendance à demander un trop grand nombre d'avis... »

Les lecteurs qui ne s'en seraient pas aperçus apprennent aussi qu'il n'y a « aucune improvisation » dans la répartition des tâches entre le roi et le Premier ministre Youssoufi : « M. Youssoufi fait son travail, je fais le mien. Personne n'empiète sur le domaine de personne. Avant le Conseil des ministres, M. Youssoufi vient me voir. Nous débattons de ce qui va être dit et on se partage la tâche en ce qui concerne la politique intérieure aussi bien que la diplomatie [...]. Un jour je suis stratège, un jour c'est lui qui l'est. Un jour je suis tacticien, un jour c'est lui. Et il n'y a pas que M. Youssoufi, il y a tout un gouvernement, des ministres, des secrétaires d'État. Là aussi, nous formons une équipe, une équipe très soudée. »

Déjà, un mois plus tôt, dans un entretien accordé à un quotidien arabe, Mohammed VI avait affirmé que le Maroc était dirigé par un pouvoir homogène : « Il n'y a pas un gouvernement à l'intérieur du Palais et un autre à l'extérieur. Nous sommes un seul et même gouvernement homogène, avec Abderrahmane Youssoufi que j'aime et

---

1. Interrogé par *Le Figaro* à propos de son cousin, interview citée.

que je respecte beaucoup[1]. » À ce même journal, il indique que les Affaires étrangères, la Défense, l'Intérieur, les Affaires religieuses et la Justice lui « reviennent constitutionnellement ». En réalité, selon son article 24, rien de tel n'est prévu par la Loi fondamentale. Le roi nomme le Premier ministre et, sur proposition de ce dernier, il nomme les autres membres du gouvernement et peut mettre fin à leurs fonctions. Mais, dans la pratique, c'est bien ainsi que les choses se passent. Nous en sommes donc toujours à la Constitution « mon-bon-plaisir » de 1962 ! Il ne viendrait évidemment pas à l'idée du Premier ministre de proposer pour les « ministères de souveraineté » des noms qui n'auraient pas reçu l'aval de Sa Majesté…

« Grippée », la transition politique conduite dans le royaume par Mohammed VI, deux ans après son intronisation ? Le mot retenu par un Moulay Hicham qui n'a pas encore renoncé à mettre son grain de sel dans les affaires du pays n'est sans doute pas très éloigné de la vérité : « Aucune de nos institutions traditionnelles – ni le Parlement, ni les partis politiques, ni même la monarchie – n'a sérieusement entrepris le travail nécessaire de reconstruction des structures politiques que notre peuple mérite », estime le cousin du roi[2].

Cependant, si la vie quotidienne des Marocains n'est presque en rien affectée par la politique suivie par le pouvoir, Mohammed VI n'en prend pas moins quelques décisions importantes, au moins au niveau du symbole. Il annonce ainsi la création d'un Institut royal de la culture amazigh (IRCA) qui satisfait au moins une des dix revendications exprimées par les militants berbères dans leur Manifeste du 1er mars 2000[3]. Il nomme également, quelques jours avant son discours du trône, neuf *walis* (gouverneurs) choisis de manière très symbolique hors des cadres du ministère de l'Intérieur. Gestionnaires chevronnés, pourront-ils venir à bout de l'inertie de l'administration et relancer l'économie régionale ? Enfin, Mohammed VI souligne qu'il faut « rompre définitivement avec les velléités rentières et attentistes qui sont incompatibles avec l'esprit d'initiative. »

1. Interview à *Al-Charq al-Awsat*, le 23 juillet 2001.
2. Interview au *Monde*, août 2001.
3. Voir *infra* chapitre V, troisième partie, p. 713, sur « Les Berbères ».

En attendant que l'esprit d'initiative anime l'ensemble de ses collaborateurs, le souverain, sans doute déçu par les prestations du successeur de Driss Basri à l'Intérieur, remplace, le 19 septembre, Ahmed Midaoui par Driss Jettou, gentiment appelé « le Cordonnier » par le même Basri[1].

Cette nomination crée incontestablement la surprise. D'abord parce que, cinq semaines plus tôt, le 3 août, le roi l'a nommé à la tête de l'Office chérifien des phosphates, marque de confiance s'il en est ! Ensuite parce que son itinéraire semble l'avoir peu préparé à une pareille tâche. Mais le choix du souverain ne suscite aucun rejet. Technocrate certes, Driss Jettou est aussi un des rares hommes politiques marocains à avoir fait ses preuves dans le monde des affaires et à être apprécié dans les milieux occidentaux où ses compétences sont reconnues. L'homme est honnête et l'antipathie profonde que Driss Basri éprouve à son encontre est sans doute à porter à son crédit. Pendant la fameuse « campagne d'assainissement », il est l'un des rares ministres à avoir montré du courage en exprimant ouvertement son opposition aux pratiques du ministre de l'Intérieur. Apparemment, Hassan II ne lui en tint pas rigueur, puisqu'il en fit son ministre des Finances, en août 1997, après l'avoir gardé près de quatre ans au Commerce et à l'Industrie.

Driss Jettou est également l'un des rares membres du gouvernement à ne pas sortir des universités ou des grandes écoles françaises. Après des études scientifiques au Maroc, il s'est rendu à Londres où il a obtenu un diplôme d'aménagement et de gestion d'entreprise au Cordwainers College. Cette bonne connaissance du monde anglo-saxon n'en fait pas pour autant un inconditionnel de la politique américaine. Bien au contraire ! Dans les discussions avec Washington sur l'accord de libre-échange, en 2003 et 2004, il passe pour avoir été l'un des plus ardents défenseurs des intérêts du Maroc, contrairement à l'appareil sécuritaire, prêt à tout, ou presque, pour complaire aux Américains. Servant son pays et la monarchie sans états d'âme ni obséquiosité, Jettou, qui n'aime pas les « magouilles », a sans doute un bon profil pour préparer les élections de septembre 2002. Et plus ensuite, si affinités...

---

1. Entretien avec l'auteur. Driss Jettou a notamment dirigé avec succès une entreprise de chaussures.

C'est qu'en cette fin d'année 2001, un sondage révèle à quel point les Marocains ont perdu leurs illusions à propos de leurs partis politiques : 87 % des 1200 sondés disent se situer « en dehors des mouvances partisanes actuelles » ; 8,2 % seulement disent qu'ils voteront en septembre 2002 de la même façon qu'ils l'ont fait en 1997 ; enfin, près de neuf sur dix se disent « peu ou pas satisfaits » de l'action du gouvernement en matière de lutte contre le chômage et la pauvreté[1].

Sale temps pour l'équipe Youssoufi ! Le Premier ministre, que Sa Majesté « aime et respecte beaucoup », a beau faire son travail, il ne parvient pas à emporter l'adhésion d'André Azoulay, conseiller économique du roi. Selon *Le Monde* du 25 janvier 2002, ce dernier estime que les faibles performances économiques du gouvernement marocain étaient prévisibles en raison de l'inexpérience du cabinet Youssoufi : « C'est le prix de l'alternance », confie-t-il au journal. Fureur de l'organe de l'USFP, Al-Ittihad al-Ichtiraki, pour qui « cette déclaration pose un grand problème politique », le rôle d'un conseiller du roi n'étant pas d'intervenir dans les affaires du gouvernement, non plus que de « formuler des jugements dans les colonnes d'une presse étrangère qui n'hésite pas à critiquer très violemment l'expérience marocaine ». Le quotidien socialiste se permet même de rappeler aux conseillers du roi et aux ministres dits « de souveraineté » leur « devoir de réserve »… Le journal aurait d'ailleurs pu retourner le compliment à André Azoulay dont le bilan économique, c'est le moins qu'on puisse dire, prête à discussion… Il aurait pu aussi rappeler qu'en ce domaine, comme en beaucoup d'autres, la marge de manœuvre de l'équipe Youssoufi était réduite. Mais chacun sait qu'il ne s'est pas agi, en l'occurrence, de noter le niveau de performances du gouvernement et qu'Azoulay, qui connaît fort bien le monde politique local, ne s'est pas lancé dans cette diatribe sans arrière-pensées…

Il y a au moins une chose qu'on ne pourra pas reprocher à Abderrahmane Youssoufi et à ses amis, c'est d'avoir cherché à entraver le travail des commissions d'enquête parlementaires sur les fraudes pratiquées au sein de grands organismes d'État. C'est sous sa primature qu'ont été révélés la plupart des très gros scandales financiers du

---

1. Sondage réalisé par CSA-TMO pour l'association Maroc 2020.

royaume : CIH, CNSS, Crédit agricole, etc. Ainsi, en juin 2002, une commission de la seconde Chambre rend public un rapport sur les irrégularités et les fraudes commises à la Caisse nationale de sécurité sociale (CNSS) depuis une trentaine d'années. Ce rapport affirme notamment que celle-ci a perdu plus de 47 milliards de dirhams (4,7 milliards d'euros) depuis 1971. « C'est le crime économique le plus scandaleux et le plus ignoble de l'histoire contemporaine du Maroc », écrit *Libération*, l'organe (rédigé en français) de l'USFP. De son côté, *L'Économiste* indique que, parmi les révélations du rapport – qui fait plus de 300 pages –, on apprend que la villa d'un ancien directeur général de la Caisse (de 1975 à 1990) a coûté la bagatelle de 11 millions de dirhams ! *L'Opinion*, organe de l'Istiqlal, dénonce « l'impunité » dont ont bénéficié un certain nombre de responsables, et reproche aux pouvoirs publics de n'avoir rien fait pendant trente ans pour « arrêter l'hémorragie ». Les auteurs du rapport reprochent notamment aux dirigeants de la CNSS le défaut de comptabilité fiable, l'absence de contrôle dans l'attribution des indemnités, la falsification des documents et des données, un système d'archivage inexistant, la violation du système informatique, la passation des marchés par entente directe, et l'utilisation illégale de certains comptes de la Caisse. Ils se demandent aussi comment l'autorité de tutelle – en l'occurrence le ministère de l'Emploi – a pu laisser passer de pareilles infractions pendant trente ans. Elle apporte un début de réponse éloquent : « La CNSS a sa propre autonomie, elle n'est pas gérée par le ministère, c'est un système à part... »

La mauvaise gestion et les orientations erronées du Conseil d'administration sont mis en cause. Des noms sont jetés en pâture, dont celui de Rafiq Haddaoui, directeur général de la CNSS de 1997 jusqu'en avril 2001, ancien ministre, qui répond longuement et point par point aux parlementaires. En gros, il les accuse d'avoir écrit à peu près n'importe quoi. Personne ne voulant ouvrir la boîte de Pandore, le rapport est enterré.

Néanmoins, en février 2004, Al-Bayane, citant le porte-parole du gouvernement Nabil Ben Abdellah, indique qu'un rapport élaboré par l'inspection générale du ministère des Finances a été transmis au ministre de la Justice qui l'a transmis à son tour au juge d'instruction. Ce rapport, qui fait état « de plusieurs violations », s'ajoute, selon le ministre (qui ne fournit aucune autre précision), au travail effectué par une commission d'enquête de la Chambre des conseillers. Des poursuites sont censées être entamées, conformément aux décisions du juge d'instruction. Attendons donc…

Les législatives de septembre 2002

À moins de trois mois des législatives, Abderrahmane Youssoufi est invité par la chaîne de télévision 2M à dresser le bilan de son action. Tout va bien : la dette extérieure a été réduite, les investissements ont été multipliés par trois, le dossier de la couverture médicale obligatoire sur laquelle ses prédécesseurs « s'étaient cassé les dents » est bouclé, les jugements des tribunaux sont exécutés à 80 %, « les Marocains jouissent d'une liberté absolue ». N'étaient quelques « poches de résistance » qui « n'ont pas réussi à faire échouer l'expérience », tout serait parfait. Dans ces conditions, on se demande quelle mouche a piqué les militants de « Fidélité à la démocratie » et les amis d'Amaoui et Bouzoubaa pour qu'ils renoncent à soutenir un gouvernement aussi efficace ! Pourquoi André Azoulay fait-il du mauvais esprit ? Pourquoi les Marocains sondés se montrent-ils aussi négatifs ?

Abderrahmane Youssoufi a toutefois un léger scrupule en qualifiant de « capitales » les prochaines législatives qui doivent absolument être transparentes : « Si les élections se passent mal, c'est comme si nous n'avions rien réalisé du tout[1]. » Il y a quelque chose de pathétique dans la démarche du Premier ministre dont nul ne met en doute l'honnêteté et le désintéressement. Qu'il ait voulu accéder au pouvoir, quoi de plus normal ? C'est pour cela qu'on fait de la politique, et trente-cinq ans d'opposition, c'est long ! Qu'il ait voulu assurer une transition paisible, conscient que l'état de santé de Hassan II était inquiétant, on peut aussi le comprendre. Mais même si Youssoufi et ses amis ont pu faire avancer quelques dossiers, ils n'ont jamais eu les moyens de leurs ambitions. Le Premier ministre sait-il seulement, au moment où il se donne le beau rôle, que dans le budget 2002, le poste correspondant aux investissements en matière

---

1. Dépêche AFP, 30 mai 2002.

de santé publique – 858 198 000 dirhams – représente en chiffre absolu moins de la moitié de celui de 1992 : 1 628 888 000 dirhams ? Sait-il aussi que le budget de fonctionnement de l'enseignement supérieur représente en 2002 à peine 4 % du budget général, alors qu'en 1992 il en représentait 7 % ? Et que, dans ce chiffre du budget 2002, sont intégrées les subventions à l'université privée al-Akhaweine, réservée aux enfants de riches ? Non : à moins de se borner à du bricolage, on ne peut gérer les affaires publiques avec un Palais qui vous fait concurrence, des partenaires au gouvernement aussi peu fiables, des « ministères de souveraineté » qui vous échappent. C'est pourtant tout cela, qui était prévisible, qui est advenu.

Cinq semaines avant les législatives du 27 septembre, Mohammed VI invite les Marocains à se mobiliser afin de ne pas « rater ce rendez-vous essentiel avec la démocratie[1]. Faute de cela, ajoute-t-il, nous nous trouverions en présence d'institutions tronquées et même hautement préjudiciables à la démocratie, faisant le nid du désespoir et de la défection et attisant l'extrémisme et le maximalisme ». Ces premières élections législatives à se dérouler sous le règne du jeune roi doivent désigner 295 députés au scrutin de liste, à la proportionnelle et en un seul tour, comme lors des précédentes législatives. Trente autres sièges sont réservées aux femmes sur des listes nationales.

À quelques jours de cette « occasion en or », pour les partis, de « réhabiliter l'action politique[2] », les adversaires de l'USFP sont très loin de partager l'optimisme de M. Youssoufi. Le Parti de la justice et du développement (PJD, islamiste modéré), que les sondages placent en tête, critique durement le cabinet sortant : « Le niveau de vie des gens s'est détérioré, l'administration et la fiscalité n'ont pas été réformées, le clientélisme et la corruption n'ont pas été combattus, et la dette intérieure s'est aggravée[3]. »

Mais il n'y a pas que les adversaires à rechigner. Les « amis » sont à peine moins désagréables. Le coup de pied de l'âne est donné par Abbas el-Fassi, chef de l'Istiqlal et ministre de l'Emploi, qui déplore publiquement que le gouvernement n'ait pas adopté une « politique

1. Discours radio-télévisé prononcé à Tanger le 20 août.
2. Selon Mohammed VI.
3. Déclaration du porte-parole, citée par l'AFP le 23 septembre 2002.

claire des salaires qui ait pour souci de limiter les écarts sociaux criants ». Quant à Najib Akesbi, un économiste qui a quitté l'USFP, il estime que le gouvernement n'a pas su éviter « la fameuse crise cardiaque », puisqu'elle est « toujours devant nous ». Il évalue à 340 milliards de dirhams (34 milliards d'euros) la dette intérieure – chiffre que le gouvernement, selon lui, « préfère taire ».

En dépit de réactions généralement favorables et de l'idée admise qu'elles se sont déroulées dans la transparence, les élections du 27 septembre ont été grossièrement truquées. Selon des informations recueillies par Ignacio Cembrero[1] de *El País*, le PJD aurait en réalité remporté 70 sièges et non 42. La différence est allée pour l'essentiel à l'USFP et à l'Istiqlal et non aux partis administratifs qui, eux, ont acheté leurs voix. Avec 50 députés, dont 5 femmes élues sur les listes nationales, « l'USFP reste toujours la première force politique, même si nous n'avons pas réalisé toutes nos ambitions », déclare Driss Lachgar, président du groupe parlementaire[2]. Pour sa part, Abbas el-Fassi se félicite de « l'avancée » réalisée par l'Istiqlal qui, avec 48 élus, dont 4 femmes, gagne une quinzaine de sièges. Quant au PJD, qui multiplie par près de cinq le nombre de ses représentants au Parlement (42 contre 9, dont 4 femmes), il fait contre mauvaise fortune bon cœur et estime que ces élections « ont favorisé les partis structurés et à base populaire comme l'USFP, l'Istiqlal et le PJD ». Le RNI, qui obtient une quarantaine de sièges, regrette « quelques irrégularités[3] », mais pense néanmoins que « le Maroc est entré dans le club des pays démocratiques ».

Au-delà de la satisfaction affichée par la classe politique, ce scrutin n'en pose pas moins un certain nombre de problèmes. Comme le note l'hebdomadaire indépendant *Al-Ayyam*, « la réalité ne doit pas être cachée : les islamistes sont devenus la première force politique » du royaume et « le courant islamiste conservateur envahit le Maroc

---

1. Entretien avec l'auteur.
2. Déclaration à l'AFP, le 29 septembre 2002.
3. Curieusement, Driss Basri, champion toutes catégories du tripatouillage des élections (pour « raison d'État, s'est-il justifié), est le seul à parler de « falsification grossière » du scrutin. Comme le note *Maroc Hebdo*, il aura suffi qu'il ne soit plus ministre de l'Intérieur pour qu'il devienne démocrate ! En réalité, c'est son aversion pour Driss Jettou qui le fait ici déraper…

profond[1] ». En effet, afin d'éviter « un raz-de-marée islamiste qu'on aurait été incapable de supporter politiquement aussi bien à l'intérieur du pays qu'à l'étranger », le PJD a accepté de ne présenter des candidats que dans 56 circonscriptions sur 91. « Le scénario algérien, c'est la phobie de tous les Marocains aujourd'hui », avait expliqué Abdelilah Benkirane, l'un des dirigeants du PJD. Si l'on tient également compte de l'absence de l'autre formation islamiste, *Al-Adl wal Ihsane*, sans doute plus populaire, parce que peu suspecte de se compromettre avec le pouvoir, on mesure mieux le poids des islamistes dans la vie politique. « Le scrutin s'est déroulé dans le cadre d'une Constitution qui prive le gouvernement de ses prérogatives », avait expliqué Fathallah Arsalane, porte-parole d'*Al-Adl*, pour justifier le boycottage des élections[2]. Contrairement donc à ce que croit pouvoir dire Mohammed el-Yazghi, numéro deux de l'USFP, le Maroc ne dispose pas d'une « véritable carte politique[3] », puisque subsiste une inconnue sur l'importance véritable du courant islamiste. De même, si trente-cinq femmes font leur entrée au Parlement grâce à l'adoption, peu avant les législatives, d'un nouveau code électoral qui a permis l'élection automatique de trente d'entre elles sur une liste nationale séparée, les cinq autres ayant été élues « normalement », il s'agit là pour le moins d'une carte politique volontariste, façonnée par le pouvoir avant un scrutin qui, lui, s'est déroulé à peu près classiquement.

Quarante-huit heures après les élections, Abbas el-Fassi, qui en a manifestement assez de jouer les utilités au côté de Youssoufi, fait savoir que sa formation partage « les valeurs de l'islam » avec le PJD, « un parti qui compte et qui a beaucoup d'influence ». Déjà, avant le scrutin, il avait assuré que l'Istiqlal refuserait de « cautionner » une reconduction de « l'alternance consensuelle », qui risquerait à ses yeux d'« aggraver la crise et exacerber l'attentisme[4] ». Pour le chef du PI qui est donné comme l'un des favoris pour occuper le poste de Premier ministre, « le Maroc est un pays musulman pratiquant un

---

1. *Al-Ayyam*, 2 octobre 2002.
2. Déclaration à l'AFP ; voir dépêche du 2 octobre 2002.
3. Déclaration à Rabat, le 1er octobre.
4. Déclaration à l'AFP du 30 septembre 2002.

islam d'ouverture et de tolérance ». Il est regrettable, ajoute-t-il, que « ce discours soit rare dans le gouvernement actuel ».

Mais ces appels du pied plutôt pesants laissent de marbre le Palais. Manifestement, le profil d'Abbas el-Fassi n'est pas celui que recherche le roi pour diriger le gouvernement.

Un petit retour en arrière s'impose ici. Du fait de la vieille rivalité entre Boucetta et Douiri, le vieux parti nationaliste a failli éclater après les décevantes législatives de 1997. Quelques mois plus tard, le PI tient son Congrès ordinaire au cours duquel – fait exceptionnel au Maroc – le secrétaire général, M'hammed Boucetta, passe la main. Dans la foulée, l'homme qui a tenu les rênes pendant vingt-quatre ans après la mort du *zaïm* fait modifier les statuts du parti en limitant le secrétariat général à deux mandats. Le « leadership moral » – pour reprendre l'expression de *Tel Quel*[1] – est désormais assuré par le Conseil de la présidence du parti auquel appartiennent, outre Boucetta et Douiri, Abdelkrim Ghallab, Boubker Kadiri et Hachemi Filali. « Las, comme l'écrit *Tel Quel*, Abbas el-Fassi [qui a succédé à Boucetta] n'a pas attendu longtemps pour montrer sa propension à faire l'unanimité contre lui. » Ses velléités d'autonomie déplaisent, et ses capacités de meneur d'homme sont mises en doute. Peu de militants comprennent pourquoi il accepte le poste ingrat de ministre de l'Emploi dans le gouvernement Youssoufi-II. L'affaire Annajat[2] achève de le discréditer aux yeux d'un grand nombre d'istiqlaliens et, naturellement, de Marocains. Ce qui ne l'empêche pas de jouer des coudes pour s'assurer une place dans l'équipe Jettou et d'être reconduit en 2003 à la tête du parti lors de son XIVe Congrès.

En attendant, à la mi-décembre 2002, le Xe Conseil national de l'Istiqlal met en évidence sa fragilité. Lors de cette réunion, le bon tribun qu'il est ne retourne la situation en sa faveur que grâce à une mise en scène soignée. Selon *Maroc Hebdo*, il joue « carrément la victime d'un lynchage médiatique » orchestré par ses adversaires,

---

1. Numéro du 21 au 27 décembre 2002 – « L'Istiqlal dans la tourmente ».
2. Alors ministre de l'Emploi dans le gouvernement Youssoufi, Abbas el-Fassi donne de façon pour le moins naïve sa caution à une opération visant à faire recruter par une société du Golfe, Annajat, des milliers de jeunes Marocains. Ceux-ci sont tenus d'effectuer une visite médicale complète qui coûte environ 900 dirhams. Quelques cliniques s'en mettent ainsi plein les poches…

« qui sont aussi ceux du parti, afin d'apitoyer la salle… La gorge nouée, les yeux embués », el-Fassi se présente en « dirigeant méconnu, dénigré, voire trahi, y compris par les siens. L'émotion est alors à son comble, les participants à la messe istiqlalienne se levant tous en solidarité pour le consoler[1] ». Pour *Tel Quel*, « il ne trouve son salut que dans… ses glandes lacrymales : alors qu'il répondait aux virulentes attaques des membres du Conseil national, le secrétaire général défie son auditoire de le juger puis… fond brusquement en larmes » ! Outre les critiques déjà évoquées, les militants lui reprochent aussi la transformation en authentiques istiqlaliens des fils Ghallab et Douiri. Ces derniers, qui n'étaient pas encartés au PI, ne sont devenus ministres dans le cabinet Jettou que grâce à leur patronyme, et par la seule volonté du patron de l'Istiqlal.

Sa réélection à la tête du parti, à la fin du mois de mars suivant, ne soulève aucun enthousiasme. Perfide, un des caciques de l'Istiqlal, qui déplore notamment la manière dont el-Fassi a géré la relation du parti avec l'USFP, précise qu'il a été réélu « faute de mieux et de concurrent sérieux[2] ».

En écartant Abbas el-Fassi, à l'automne 2002, avec pour seul lot de consolation un titre de ministre d'État sans portefeuille, le Palais sait tout cela. Entre un ministre de l'Intérieur qui vient de « réussir » ses législatives et qui n'a pas à rougir de son passé, et un ministre de l'Emploi qui a fait scandale sans réussir par ailleurs à s'imposer vraiment à la tête de son parti, il n'y a pas photo…

Déçu, Abbas el-Fassi l'est. Mais certainement pas autant que son homologue de l'USFP qui vit fort mal la nomination de Driss Jettou, sans l'exprimer encore publiquement. « Nous nous attendions à ce que le choix du Premier ministre reflète les résultats obtenus par les partis politiques au scrutin du 27 septembre », déclare Driss Lachgar, président du Groupe parlementaire socialiste[3].

Si le PJD partage ce point de vue en estimant que le choix du Premier ministre aurait dû se faire « parmi les dirigeants des formations ayant réalisé les plus gros scores aux élections », une partie de

---

1. Sous la signature d'Abdallah Ben Ali in *Maroc Hebdo* du 20 au 26 décembre 2002.
2. Entretien avec l'auteur d'un « cacique » ayant souhaité garder l'anonymat.
3. Déclaration à l'AFP, le 10 octobre 2002.

la presse, soulignant « la balkanisation » du paysage politique qui empêche « toute majorité cohérente », se félicite d'un choix qui sert les intérêts du Maroc, lequel n'aurait pu que souffrir des « marchandages politiques ». D'autres organes de presse y voient en revanche « une confiscation de la démocratie ».

Abderrahmane Youssoufi ne tarde pas à réagir : « Les socialistes ont été surpris par la nomination d'un Premier ministre hors du champ politique », déclare-t-il devant les parlementaires socialistes réunis à Rabat. Tout en reconnaissant les qualités de « sérieux et de probité » de son successeur, Youssoufi ajoute que, pour ses camarades, « la démarche et la manière avec lesquelles les choses se sont déroulées sont critiquables ». Et, pour être sûr d'être bien compris, il conclut en disant : « Les développements politiques survenus introduisent la crainte de réversibilité par rapport au processus des réformes[1]. »

Au mois de février suivant, à Bruxelles, Abderrahmane Youssoufi laisse clairement entendre que la « transition démocratique » qui devait permettre le passage, en quelques années, de « l'alternance consensuelle » à « l'alternance démocratique » n'a pas eu lieu. À ses yeux, il ne fait alors aucun doute qu' « une grande quantité de compétences exécutives devait être transférée au Premier ministre et à son gouvernement ». Il était tout aussi évident que les « ministères de souveraineté » devaient disparaître. Il précise également qu'au lendemain des législatives, « l'orientation générale des débats » du Comité central de l'USFP était « contre la participation » au gouvernement Jettou, mais il rappelle que « les organes de décision du parti (Bureau politique) ont été invités à débattre de la situation politique et à prendre les décisions adéquates ». Bref, on ne comprend toujours pas pourquoi Youssoufi a fait l'exact contraire de ce qui ressortait des débats au sein du parti...

Les discussions vont bon train. Le 17 octobre, le Comité central du parti, incapable de trancher, décide donc de laisser au Bureau politique le soin de prendre « la décision adéquate ». Une majorité se dégage nettement en faveur de la poursuite de la participation des socialistes au gouvernement. Que vont-ils donc faire dans cette

---

1. *Libération* du 12 octobre 2002.

galère ? Devaient-ils, après quatre années et demie d'une prestation très moyenne, clôturée par un véritable camouflet, maintenir leur présence au gouvernement ? La satisfaction – très forte, au Maroc comme ailleurs – de conserver, de récupérer ou d'obtenir un portefeuille ministériel justifiait-elle de mettre en cause la crédibilité déjà bien entamée du parti ? Le spectacle des « recalés » (pour l'essentiel les proches de Mohammed el-Yazghi), fustigeant par presse interposée les « heureux élus » (les amis de Youssoufi obtiennent six portefeuilles sur huit !), ne contribue guère à améliorer l'image de l'USFP. Comme le souligne le politologue Mohammed Tozy, « dans le cadre de la crédibilité du système politique dans son ensemble, la position des partis n'est pas pire que celle des autres institutions. Par contre, à l'intérieur des partis, je pense que les gens n'y croient pas. La mentalité prédatrice est dominante. Nous sommes toujours en plein dans la culture du butin ! La lutte est implacable pour le partage immédiat du butin ! C'est là où on se rend compte de la gravité du déficit en culture politique démocratique [...]. Pour les politiques, le couronnement d'une carrière politique, c'est d'être ministre[1]. »

Une enquête approfondie de l'hebdomadaire *Tel Quel* sur « L'argent et le pouvoir[2] » permet sans doute de mieux comprendre les raisons pour lesquelles on a envie de rester ministre quand on a goûté à la chose. En effet, selon le magazine, l'indemnité mensuelle d'un ministre s'élève à 60 000 dirhams (environ 6 000 euros). Au salaire forfaitaire de 26 000 dirhams s'ajoutent en effet une indemnité de représentation de 14 000 dirhams, une indemnité de logement de 15 000 dirhams et une indemnité forfaitaire mensuelle de 5 000 dirhams. Un secrétaire d'État perçoit 50 000 dirhams et un sous-secrétaire d'État 45 000 dirhams[3]. Ces montants correspondent à peu près aux émoluments des gouverneurs. Quant aux députés, leurs émoluments mensuels s'élèvent à 30 000 dirhams (3 000 euros), soit vingt fois le salaire minimal théorique. Tout cela sans tenir compte de la

---

1. Interview à *La Vie économique*, novembre 2002.
2. 14-20 décembre 2002.
3. Ministres et parlementaires reversent généralement entre 10 et 15 % de leur indemnité à leur parti.

corruption qui conduit un certain nombre de parlementaires à user de leur influence ou de leurs relations pour arrondir substantiellement leurs fins de mois[1].

Vice-président de l'Association marocaine des droits humains (AMDH), observateur avisé et parfois caustique de la scène politique, Fouad Abdelmoumni a une autre analyse qui n'est d'ailleurs pas incompatible avec la précédente : « Les dirigeants de l'USFP n'avaient aucune raison de prendre leurs distances avec Jettou. En quoi leur projet se distingue-t-il de celui du Premier ministre choisi selon des critères qui n'ont rien d'inconstitutionnel ? Un parti, c'est d'abord un programme et une vision. Or, il n'y a ni l'un ni l'autre à l'USFP[2] ! »

Secrétaire général du Syndicat national de la presse marocaine, très en pointe dans le combat pour la liberté de la presse, Younès Moujahid, qui est aussi membre du Comité central de l'USFP, fait partie des opposants à la participation des socialistes au gouvernement : « Je ne crois pas qu'un parti pourra appliquer son programme au sein d'une équipe telle que celle de M. Jettou. Je pense que l'USFP aurait dû passer à l'opposition. Je ne suis pas le seul à adhérer à cette approche. Nombre de militants expriment le même avis », déclare-t-il au *Journal hebdomadaire*[3]. Younès Moujahid, qui n'a pas voulu quitter le parti, n'en déplore pas moins sa manière de fonctionner : « Il est vrai que le Bureau politique prend des décisions que le Comité exécutif adopte sans discussion sur le fond. Nous devrons réformer les mécanismes de travail au sein du parti pour permettre à chaque instance de s'exprimer. » Selon lui, « il fallait privilégier le développement des courants pour que le débat soit ouvert devant les militants afin qu'ils puissent trancher […]. Au Maroc, la majorité des partis politiques ignorent la démocratie interne et, à mon avis, le problème se situe à ce niveau. Les Marocains ne sont plus dupes, et la classe politique devra prendre en considération cette nouvelle réalité. »

Dans un éditorial sévère, le quotidien *L'Économiste* apporte un début de réponse à la dérive des formations politiques : « Pendant que les partis politiques classiques cherchent la conquête du pouvoir,

---

1. Rappelons que le SMIC s'élève au Maroc à environ 1 800 dirhams.
2. Entretien avec l'auteur.
3. 23-29 novembre 2002.

les islamistes ont entrepris la conquête de la société. » Pour ce journal, la nouvelle équipe, qui représente « les mêmes partis politiques, la même majorité élargie et encore un peu plus diluée, et, pour la plupart, les mêmes hommes […], fait le jeu des islamistes. »

S'il reprend les quatre grandes orientations fixées par Mohammed VI après les élections – emploi productif, développement économique et social, enseignement « utile » et habitat décent –, objectifs que personne ne saurait sérieusement contester, Driss Jettou s'efforce de se montrer plus concret. Il annonce que 400 kilomètres d'autoroutes seront aménagés d'ici 2007, notamment sur le littoral méditerranéen. Son gouvernement entend faciliter la construction de 100 000 habitations économiques destinées aux 760 000 familles marocaines vivant dans des bidonvilles. Des « formations-insertions » devraient profiter chaque année à 25 000 diplômés.

Saadeddine Othmani, l'un des responsables du PJD, est un des premiers à réagir à ce qu'il appelle « une simple déclaration de principes et une annonce de promesses, si l'on excepte quelques chiffres concernant l'équipement et le transport ». Mais même cela est encore trop à ses yeux, car ces « grandes ambitions dépassent les possibilités de financement disponibles », et le gouvernement sera contraint de recourir à la dette pour financer de tels projets.

Les autres réactions sont plus que tièdes : « On prend les mêmes et on recommence » est un peu le sentiment dominant. « Cette pagaille, écrit encore *L'Économiste*, est significative du manque d'objectifs et de visibilité du gouvernement actuel. » Le quotidien s'étonne en particulier que le ministère des Sports ait été supprimé alors que « le Maroc aspire à organiser l'une des prochaines Coupes du monde de football[1] ».

L'ancien chef d'entreprise et président de la Fédération des Industries du cuir est même pris rapidement à partie par le patronat marocain : « Il faut dire adieu au développement économique » si le gouvernement de M. Driss Jettou ignore l'appel des patrons, déclare ainsi Hassan Chami, président de la Confédération générale des entreprises marocaines (CGEM)[2]. Une fois de plus, au nom de ses

---

1. *L'Économiste*, 13 novembre 2002.
2. Entretien publié par *Aujourd'hui le Maroc*, le 4 mars 2003.

pairs, M. Chami réclame notamment une révision du Code du travail, une réforme de la fiscalité, de la justice et de l'administration marocaines, qu'il juge « lourdes et imprévisibles ». Le « patron des patrons » se veut néanmoins optimiste, estimant que M. Jettou, ancien industriel, est « animé d'un esprit de réforme inébranlable qui va le pousser à remuer des montagnes ».

III

Le malaise de l'institution militaire

« De toutes les théories concoctées sur le Maroc, les plus surprenantes et les plus simplistes sont celles qui ont été inspirées par le rôle de l'armée, déclare en septembre 2001 Mohammed VI[1]. Quelques mois avant le décès de mon père, ajoute-t-il, on expliquait que l'armée était islamiste et que le jour où Hassan II disparaîtrait, le pays plongerait dans le chaos. Depuis, on a dit le contraire : le Maroc serait menacé par l'émergence de l'intégrisme, et l'armée représenterait le seul bouclier contre l'islamisme. Autre scénario : le Maroc serait dirigé par un petit groupe secret d'officiers. Autant d'aberrations ! L'armée a une place importante au Maroc. Mais l'armée n'a pas de rôle politique. Son pouvoir découle du pouvoir royal. Et je n'ai pas besoin de l'armée pour faire de la politique. On a causé beaucoup de tort au Maroc avec ce genre d'élucubrations. »

L'armée n'a sans doute pas directement de rôle politique, mais elle est constamment présente à l'esprit de toute la classe politique et d'un grand nombre de Marocains qui n'ont pas oublié les événements de 1971 et de 1972, ni même la mort dans des conditions

1. Interview au *Figaro*, le 4 septembre 2001.

681

mystérieuses d'Ahmed Dlimi. Rien n'est plus difficile que de s'informer sur l'armée marocaine. Dans le numéro d'août 2000 du *Monde diplomatique*, Ignacio Ramonet, directeur du journal, affirme par exemple que celle-ci compterait, avec quelques hauts responsables de l'Intérieur, la moitié des cent plus grosses fortunes du royaume. Le sujet est pourtant de toute première importance. Par deux fois déjà, les militaires ont tenté de prendre le pouvoir, et le moral de la troupe préoccupe au plus haut point les élites et responsables marocains.

De temps à autre, la presse indépendante livre quelques informations. Au printemps 2003, un hebdomadaire de langue arabe, *Al-Ayyam*, affirme que des centaines de soldats sont sortis de leur caserne, à Missour, pour protester contre leurs conditions de vie ; les incidents durent plusieurs jours, mais le black-out est total. En 2003, si l'on en croit *Le Journal hebdomadaire*, jamais démenti, le général Kadiri, ancien chef de la DGED, et le général Hosni Benslimane, patron de la Gendarmerie, tous deux originaires d'El-Jadida, ont revendu à une société espagnole la société de pêche KABEN qu'ils avaient montée ensemble. À l'époque, il est vrai, certaines pratiques de hauts responsables du royaume, militaires ou civils, commencent à faire jaser… Outre les licences de pêche, Hassan II, pour tenir ses troupes, distribue depuis longtemps des carrières de sable, des patentes de taxis ou de véhicules de transports en commun, et ferme les yeux sur les trafics en tout genre, qu'il s'agisse de contrebande à partir des îles Canaries et des présides espagnols, ou de drogue. Quand il ne liquide pas ou ne réprime pas, le régime achète et corrompt.

Créées au printemps 1956 et prises aussitôt en mains par le prince héritier, futur Hassan II, les Forces armées royales (FAR) sur lesquelles la monarchie, encore fragile, entend s'appuyer pour conforter son pouvoir, sont choyées. Elles sont explicitement destinées à protéger le trône et non le peuple, méprisé. Des officiers ont ainsi raconté à l'auteur qu'une majorité d'instructeurs, dans les écoles de formation, cherchaient à inculquer aux jeunes recrues la haine des civils. Ces derniers, dans les années soixante, sont régulièrement désignés par l'appellation dégradante de *civil kelb* (« chien de civil »). En d'autres termes, les militaires de carrière sont préparés dès le début à intervenir à tout moment contre « ces chiens qui critiquent tout et bavardent plus qu'ils ne travaillent[1] ». Cette aversion, les civils la leur rendent bien. Les anecdotes abondent sur ce thème. N'en citons qu'une :

« Un bourgeois fassi qui fait la sieste avec sa petite fille est dérangé par le bruit assourdissant que produisent les brodequins d'un soldat qui passe en attaquant fièrement l'asphalte de ses talons. Apeurée, la petite fille demande à son père :

« – Qu'est-ce que c'est, papa ?

« – Ne t'en fais pas, ma chérie, c'est certainement un mulet ou un militaire… »

Néanmoins, le comportement honorable des FAR pendant la « guerre des Sables » avec l'Algérie, qu'elles auraient remportée si Hassan II, prudent, n'avait pas voulu prendre le risque de plonger le Maghreb dans un conflit épuisant, les a rendues incontournables. À l'époque, elles comptent encore un certain nombre d'officiers supérieurs issus de l'armée française et qui sont non seulement de bons professionnels, mais aussi des patriotes assez exigeants sur le plan éthique. Le général Medbouh, abattu par le colonel Ababou à Skhirat, et les autres généraux impliqués dans la tentative de coup d'État incarnent alors assez bien cette mouvance. Rien ne permet cependant de dire que ces officiers, une fois Hassan II écarté ou éliminé, auraient aimablement passé la main à un gouvernement de civils. Les dictatures militaires ont fait tant de ravages dans le monde arabe qu'en ce domaine les précédents conduisent à se montrer prudents.

Pour sa part, après avoir hésité, au lendemain de Skhirat, à réduire considérablement les effectifs de l'armée, Hassan II y renonce. De toute façon, l'affaire du Sahara l'aurait contraint à revenir sur une telle décision. En revanche, des changements en profondeur sont opérés dans la gestion et le contrôle de l'institution militaire. Le ministère de la Défense passe sous la coupe du souverain qui tient à s'occuper personnellement de ce secteur. Habilement, plutôt que de sanctionner à tour de bras, il sait récupérer nombre de militaires « coupables » ou qui avaient montré une attitude ambiguë. Curieusement, la revue *Maghreb-Machrek* affirme que le sinistre Moulay Hafid Alaoui, ministre de la Maison royale et âme damnée de

---

1. Entretien de l'auteur avec un colonel à la retraite.

Hassan II, qui passait pour impitoyable, n'en est pas moins à l'origine de ce rapprochement, en poussant le roi à « renouer avec les principaux cadres de l'armée » qu'il « réunit fréquemment pour un check-up de la situation[1] ». Trop heureux, ceux-ci multiplient les serments d'allégeance. Par décision royale, la gestion des dépôts de munitions est transférée aux autorités civiles des provinces et confiée à la garde des *mokhaznis*. Les mutations et les rotations deviennent systématiques ; les unités sont fractionnées. Un peu plus tard, les services de Driss Basri seront chargés de surveiller les militaires. Des officiers supérieurs ou subalternes, dont les épouses ou les enfants manifestent un certain penchant pour les idées islamistes – voiles, barbes… –, sont particulièrement suivis. Depuis la mise à l'écart de Driss Basri, il y a quelques années, la gendarmerie de Hosni Benslimane, désormais considéré par beaucoup comme l'homme fort du régime, a pris encore plus d'importance. Depuis de très nombreuses années, c'est elle qui supervise les déplacements importants des unités de l'armée. En fait, depuis le début des années soixante-dix, il n'y a plus guère que la Brigade légère de sécurité (BLS) et la garde royale, qui comptent quelques milliers d'hommes, à jouir de la confiance totale du monarque.

Le 25 janvier 1983, la mort d'Ahmed Dlimi, dans des conditions qui n'ont jamais été vraiment élucidées, a peut-être constitué la dernière tentative d'un très haut responsable militaire pour changer le cours des choses au Maroc. Né en 1931 à Sidi Kacem dans une famille originaire du Sahara, appartenant à la tribu des Oulad Dlim, Dlimi est un personnage hors du commun, intelligent et cruel, affairiste notoire, mais à qui il fut beaucoup pardonné du fait de ses succès militaires au Sahara. Jusqu'en 1975, il est pourtant encore plus détesté qu'Oufkir, auquel les Marocains reconnaissent au moins de vraies qualités de guerrier. Dlimi, pour eux, n'est qu'un flic brutal, un tortionnaire qui a trempé dans l'assassinat de Ben Barka et dans la liquidation ou la neutralisation de nombreux militants de gauche. Mais, après les deux tentatives de coup d'État, Hassan II ne peut se permettre de se passer de l'expérience et du savoir-faire de cet homme

---

1. *Maghreb-Machrek*, novembre-décembre 1972, par Brigitte Masquet et Elizabeth Stemer, pp. 16 à 18.

qui s'est montré jusqu'ici d'une loyauté exemplaire. Comme l'écrit Raouf Oufkir, « Hassan II a encore besoin d'un paravent, d'une figure pour porter le masque de ses méfaits [...]. Il a bien besoin de Dlimi pour contenir l'armée dans les sables du désert où elle va définitivement s'enliser ». Le roi, dit-il, va enfin « pouvoir dormir tranquille[1] ».

Cet ancien élève officier de l'École militaire interarmes de Saint-Maixent, qui cumule à cinquante ans les fonctions de grand chef militaire, de directeur des aides de camp du roi, de directeur général de la Sûreté et de patron des services secrets, n'est cependant pas prêt à se contenter d'un rôle de professionnel de la guerre. Dlimi a de bons contacts avec Israël où il s'est souvent rendu – on dit d'ailleurs que les Israéliens ne sont pas étrangers au mur de sable qu'il érige au Sahara –, avec la CIA, les services français, mais aussi du côté des Algériens avec lesquels il a su établir de bonnes relations. Se fondant sur le témoignage d'anciens collaborateurs de son père, Raouf Oufkir affirme qu'il « désespérait » de voir Hassan II mettre un terme au conflit et qu'il ne supportait plus cet « effort énorme ». Comme Dlimi a fort bien compris que Hassan II n'a aucune envie de voir revenir l'armée dans ses casernements d'origine, l'idée lui vient alors de se débarrasser du souverain. Il pense le faire pendant une visite de François Mitterrand, et prévient quelques personnes triées sur le volet, dont le colonel Bouatar, chef des paras commandos de la garde royale, et son aide de camp Mahjoub Tobji. Mais Dlimi est trahi. Le roi le fait venir à Marrakech et « fait durer le plaisir », selon Raouf Oufkir. Mohammed Mediouri, chef des services de sécurité du Palais, et Moulay Hafid Alaoui[2], personnage abject, collaborateur zélé des Français au temps du protectorat, récupéré par Hassan II, sont présents dans les sous-sols du Palais et assistent à l'« interrogatoire ». Dlimi est finalement reconduit, drogué, dans la voiture à bord de laquelle il était venu. Un « accident » monté par des spécialistes est organisé dans la palmeraie. *Exit* Ahmed Dlimi !

---

1. *Les Invités*, éditions Flammarion, pp. 249 *sq.*

2. « Il avait la tête d'un SS, crâne chauve, visage glabre, yeux globuleux derrière des verres épais, voix caverneuse chuchotée comme venant du néant ; il rôdait comme un spectre, veillant comme un diable sur tout ce qui se disait, tout ce qui se faisait », écrit le portraitiste Belkassem Belouchi, *op. cit.*, pp. 161 *sq.*

Dans son livre *Le Dernier Roi*, Jean-Pierre Tuquoi donne une version qui n'est pas très éloignée de celle de Raouf Oufkir, même si les circonstances de la mort de Dlimi y sont différentes, le « traître » ayant été liquidé au palais même, et sa dépouille placée dans une voiture qu'on a fait exploser. Mais ce qui, en revanche, ne fait aucun doute, c'est que Dlimi a bel et bien trahi Hassan II. Reste à savoir qui l'a dénoncé. Raouf Oufkir relève que Mahjoub Tobji, après quelques années d'exil, est rentré au Maroc où il s'occupe désormais d'affaires florissantes. Mais la piste Tobji n'est pas la seule. Les services français ou américains peuvent avoir averti le souverain, ou l'un de ses collaborateurs.

La disparition du colonel Bouatar est un autre sujet d'interrogations. Aussi bien Raouf Oufkir que Jean-Pierre Tuquoi affirment que Dlimi l'a mis dans le secret et qu'il a parlé sous la torture. Mais d'autres versions émanant de gens bien informés sur la vie du Palais circulent. Selon l'une d'elles, qui n'est pas loin de nous ramener au Moyen Âge, Dlimi, qui s'inquiétait du poids croissant de Mediouri, aurait, peu avant sa mort, poussé Bouatar à porter au roi des cassettes sur lesquelles avaient été enregistrées par les standardistes du Palais des conversations intimes entre Latéfa, la mère des princes et des princesses, et Mediouri. Hassan II, peu préoccupé par la façon de vivre de son épouse, croit à une provocation. Il aurait néanmoins chargé Bouatar d'enquêter discrètement sur la nature exacte des relations de Latéfa avec Mohammed Mediouri. Le résultat de cette filature est aussi inquiétant pour Mediouri qu'il est embarrassant pour Bouatar. Hassan II convoque alors les deux hommes et montre à Mediouri le rapport de Bouatar. Le chef des services de sécurité du Palais nie en bloc et, à la demande du roi, jure sur le Coran qu'il dit la vérité. Hassan II sort de la pièce en lançant : « Je vous laisse vous débrouiller. » Quelques jours plus tard, Bouatar disparaît pour toujours. Il aurait été jeté dans l'Atlantique depuis un hélicoptère. Les efforts de ses enfants pour connaître la vérité n'aboutiront jamais.

Aux yeux de nombreux officiers marocains, la récupération par le Maroc du Sahara occidental n'a pas seulement constitué un superbe coup politique qui a remis en selle Hassan II ; elle a aussi permis au roi de se débarrasser de l'armée en l'envoyant au Sud. Depuis plus d'un quart de siècle, plus de cent mille soldats marocains campent dans cette région. Des milliers d'entre eux ont donné leur vie pour la patrie, des centaines d'autres ont été faits prisonniers et croupissent parfois depuis plus de vingt ans, dans des conditions inadmissibles, dans les geôles du Polisario. À la fin de l'année 2003, Rabat affirme que 914 Marocains sont encore détenus dans la région de Tindouf ; certains le seraient même depuis le départ des Espagnols du Sahara occidental, en 1975, et le début des hostilités entre le Maroc et le Polisario. Leur situation est si dure qu'à la mi-septembre 2003, l'association « France Libertés » de Mme Danièle Mitterrand, peu suspecte de sympathies pour le régime marocain, dénonce le travail forcé de prisonniers marocains du Polisario, et met un terme à son aide à deux camps de réfugiés sahraouis[1].

L'affaire Adib

Autre sujet sensible pour l'institution militaire : la corruption, presque aussi vieille que l'indépendance du Royaume[2]. Ce thème aurait pu fournir une occasion de plus au gouvernement Youssoufi de redorer son blason avec la célèbre affaire Adib, véritable cas d'école. Il n'en fut hélas rien, l'armée relevant – comme bien d'autres choses – du « domaine réservé »…

En octobre 1998, le jeune capitaine, choqué de voir son colonel trafiquer le carburant de la caserne à son profit, écrit au prince héritier, Sidi Mohammed. Ce dernier ordonne une enquête qui confirme les accusations du jeune officier. Son supérieur hiérarchique est poursuivi et condamné. Mais la Grande Muette est rancunière. Commencent alors les ennuis pour Adib : brimades, insultes, humiliations, harcèlement… Ne sachant plus que faire, et poussé à bout, le capitaine se confie à la mi-décembre 1999 au journal *Le Monde*. Il est aussitôt arrêté et condamné, le 17 février 2000, à cinq ans de prison

---

1. Ce qui n'empêche pas *France-Libertés* de répéter son « soutien constant au droit à l'autodétermination » du Sahara occidental. Les prises de position de Mme Mitterrand et de son association ont fort compliqué la tâche de François Mitterrand, les Marocains étant totalement imperméables aux arguments avancés par l'épouse du Président français.

2. Souvenons-nous des ennuis de maître Mao Berrada, au tout début des années soixante-dix, ou des témoignages des bagnards de Tazmamart sur le colonel Ababou.

ferme et à la radiation de l'armée. Au mois de juin suivant, la décision est cassée par la Cour suprême qui renvoie l'affaire pour un nouveau jugement sur le fond. En octobre, le tribunal permanent des Forces armées se prononce pour la deuxième fois et réduit la peine de moitié. Adib reste néanmoins condamné pour « violation de consigne » et « outrage à l'armée » dont il est toujours radié. Le 21 février 2001, la chambre criminelle de la Cour suprême du Maroc rejette un nouveau recours en cassation du capitaine Adib.

Ses avocats marocains et les juristes de la Fédération internationale des droits de l'homme (FIDH) font remarquer que, devant le tribunal des Forces armées royales, la présomption d'innocence du capitaine a été clairement bafouée : il a en effet été exigé de lui qu'il comparaisse en civil alors que c'est le premier jugement, cassé entre-temps par arrêt de la Cour suprême, qui avait prononcé sa radiation de l'armée. Les diverses demandes de la défense concluant notamment à l'incompétence du tribunal et à la nullité de la citation, ou réclamant l'audition d'une série de témoins, sont également balayées sans qu'une véritable instruction d'audience commence ni que la parole soit donnée au prévenu. En outre, jamais la question de la liberté d'expression au sein de l'armée n'est abordée. En l'absence du prévenu, expulsé de l'audience pour avoir réclamé un procès équitable, la condamnation est prononcée à la sauvette par un tribunal visiblement mal à l'aise, n'ayant à aucun moment manifesté le souci de la vérité et visiblement soumis aux directives du parquet. Par ailleurs, la procédure devant la chambre criminelle n'a de contradictoire que l'apparence : si l'avocat du capitaine Adib peut exposer longuement les motifs qui, selon lui, auraient dû justifier la cassation, c'est dans l'ignorance totale des arguments contraires, déposés au dossier par le ministère public, qu'il a été contraint de le faire.

L'affaire Adib ne met pas seulement en cause la corruption qui sévit au sein d'une des institutions les plus importantes du Maroc, elle met aussi en évidence, une fois de plus, le fonctionnement exécrable d'une justice aux ordres du pouvoir politique.

Dans cette affaire, le roi Mohammed VI – raison d'État oblige – a sans doute fait en sorte que soit réduite de moitié la peine du capitaine qu'il avait aidé alors qu'il était encore prince héritier, mais, devenu roi, il n'a rien voulu faire qui puisse irriter l'*establishment* militaire, en accordant par exemple sa grâce au jeune officier. Pour certains observateurs, la mise à l'écart de Driss Basri, dont les services surveillaient de près les militaires, a renforcé ces derniers et affaibli d'autant le souverain qui doit désormais prendre en compte ce nouvel équilibre. Interrogé par l'auteur sur son attitude à l'égard de l'armée quand il était ministre de l'Intérieur, Driss Basri adopte un profil bas : « Chercher à contrôler l'armée, c'est de la provocation, souligne-t-il. L'armée a ses propres services pour cela, notamment le deuxième Bureau et la Prévôté, un service de la gendarmerie. » Il rappelle également les deux principales dispositions prises par Hassan II au lendemain du second coup d'État : les troupes qui se déplacent sont toujours escortées par la gendarmerie ; les munitions restent à l'écart des unités et sont sous contrôle de la Prévôté. Les gouverneurs, de son temps, étaient tenus informés des déplacements. En fait, conclut-il, « le rôle des autorités civiles était de maintenir l'armée en dehors du jeu politique[1] ».

Cependant, le silence assourdissant de la classe politique – à commencer par celui de l'USFP – est un autre fait marquant de l'affaire Adib. Si une formation politique qui, depuis l'indépendance, affirme se battre contre la corruption, les passe-droits et les dérives du système, est incapable sinon de voler au secours, du moins d'exprimer son soutien à un jeune officier honnête, alors il ne faut pas s'étonner de voir les Marocains déserter ses rangs. Quelle crédibilité peut-on encore lui accorder ? À moins, bien sûr, que l'équipe Youssoufi ne se soit retrouvée en l'occurrence sur la même longueur d'onde que le rédacteur en chef de *Maroc Hebdo* qui livre à ses lecteurs un morceau d'anthologie :

« L'Armée marocaine, à l'instar des autres armées dans le monde, n'est pas une institution démocratique. Elle est une institution militaire avec ses codes, ses lois et ses règlements propres. Elle est soumise à l'État de droit dans la mesure où elle applique sa propre législation. Pas plus. C'est une armée de métier. La rhétorique civile, en vogue sur les nouvelles frontières démocratiques, la célébration paroxystique, voire parfois complètement irresponsable de la liberté d'expression retrouvée, la volonté naïve et exaltée de rénovation accélérée de

---

1. Entretien avec l'auteur.

la vie publique, tout cela ne concerne pas l'armée. Vouloir introduire les FAR dans cette course effrénée vers l'absolu ou vers l'idéal démocratique relève de l'inconséquence[1] ».

En octobre 2002, l'hebdomadaire *Le Journal*, sous la plume de Khaled Jamaï, appelle à son tour Mohammed VI à « éradiquer » la corruption dans l'armée et à répondre aux revendications d'un « comité d'officiers libres ». Quelque temps auparavant, ce comité avait dénoncé dans le quotidien *Le Monde* « le pouvoir des généraux en place et de certains officiers supérieurs puisant dans les caisses des différents corps d'armée ». Connu pour ses prises de position courageuses sur diverses questions de société, Khaled Jamaï estime que la voie choisie par le comité peut être « contestée », mais qu'ils n'ont sans doute pas trouvé « d'autre canal pour communiquer » avec le roi.

En 2004, le malaise est toujours perceptible dans l'armée, mais l'affaire Adib a refroidi les ardeurs de ceux qui voudraient nettoyer les écuries d'Augias, personne n'ayant envie de subir le sort du jeune capitaine. L'institution militaire, elle, demeure toujours aussi fermée, même si, par recoupements, on arrive à mieux cerner l'organisation imposée par Hassan II après les deux tentatives de coup d'État des militaires (1971 et 1972).

Les experts militaires parlent de « niveaux » ou de « cercles », et en comptent six :

Le premier concerne le monarque, chef suprême et chef d'état-major des Forces armées royales. Le ministère de la Défense ayant disparu en 1972 après le second coup d'État, le monarque est le centre de toute décision.

Le second cercle comprend les trois militaires les plus puissants du pays : Hosni Benslimane, chef de la gendarmerie, Abdelhak Kadiri, inspecteur général des FAR et ami du précédent, et le général Abdelaziz Bennani, commandant de la zone sud et inspecteur de l'infanterie. Bennani est à la tête de 168 000 hommes au Sahara occidental. À ces trois hommes – et bien qu'il ne soit pas militaire – il convient d'accoler l'actuel chef de la police, le général Hamidou Laanigri, qui a pris la tête de la Direction générale de la sûreté nationale (DGSN)

---

1. *Maroc Hebdo international*, 18 février 2000, « Le capitaine Adib a-t-il été manipulé ? » par Khalil Hachimi Idrissi.

en juillet 2003 après avoir été, depuis 1999 et pendant quatre ans, le patron de la DST. Laanigri, qui a commencé sa carrière dans la gendarmerie, connaît bien Benslimane qui ne l'aime pas, et, surtout Kadiri avec lequel il a travaillé à partir de 1989, alors que ce dernier était patron de la DGED (Direction générale des études et de la documentation). Notons au passage qu'au début de l'année 2000 l'Association marocaine des droits humains (AMDH) avait réclamé des poursuites judiciaires contre quatorze hauts responsables (en activité ou anciens) de l'appareil sécuritaire, dont Benslimane et Laanigri, pour « violations graves » des droits de l'homme.

Le troisième cercle est composé des état-majors généraux (terre, air, mer, gendarmerie), le plus puissant étant celui de la gendarmerie, véritable police de l'armée.

Le quatrième cercle comprend les inspecteurs des différents corps, le cinquième les commandants d'armes délégués, et le sixième et dernier, les chefs d'unités.

Une des principales caractéristiques – certains parleraient d'anomalie – de cette organisation tient au fait que les responsables des second, troisième et quatrième cercles peuvent accéder directement au roi en court-circuitant leur hiérarchie. Ce qui serait impensable dans la plupart des autres armées permet au monarque de se tenir bien informé du « moral de la troupe ».

Néanmoins, les problèmes se règlent – ou ne se règlent pas – en catimini, l'arbitraire sévissant en toute impunité. Outre les trois hiérarques cités, quelques généraux règnent en maîtres absolus et sont intouchables. Quant aux autres, officiers supérieurs ou subalternes rencontrés par l'auteur, ils parlent beaucoup[1] d'injustice, en particulier en ce qui concerne les promotions. Ceux, rares, qui acceptent de se confier, déplorent et dénoncent « le clientélisme, le régionalisme, le copinage et la corruption ». Au Sahara, même si la solde est plus importante, ils qualifient les conditions de vie de « difficiles ». Mais même à Rabat, au palais royal, la vie n'a rien d'un long fleuve tranquille. Un colonel affirme durant l'été 2003 qu'il n'a pas bénéficié d'une seule permission depuis deux ans ! Tous ses efforts pour rendre visite à ses enfants en Europe ont échoué : « De jour comme

---

1. Naturellement sous couvert d'anonymat.

de nuit, soupire-t-il, je suis contraint de rester à la disposition du Palais pour satisfaire le moindre caprice. J'ai tout essayé ; j'ai fini par comprendre que je ne suis qu'un esclave et que, pour m'affranchir, il me faudra attendre sagement la retraite. »

Y a-t-il des islamistes dans l'armée marocaine ? Question taboue s'il en est... Mais si l'institution est le reflet fidèle de la Nation, on voit mal comment elle échapperait au phénomène. De l'avis général, notamment d'attachés militaires connaissant bien le royaume, les officiers supérieurs ne sont pas touchés, en raison de la surveillance très stricte dont ils font l'objet, mais aussi des attentions toutes particulières qui leur sont parfois réservées. Mais si certains sont trop corrompus pour inquiéter le pouvoir, d'autres, honnêtes et passablement désabusés, pourraient ne pas rester indifférents si, un jour, l'armée bougeait. C'est évidemment au niveau des officiers subalternes que les problèmes se posent. Avant d'être radié, le capitaine Adib incarnait un type de jeune officier honnête et révolté par le comportement de certains de ses supérieurs. De nombreux jeunes cadres de l'armée vivent mal la corruption et les prébendes. Certains petits groupes d'opposants, comme les « Marocains libres » basés à Londres[1], affirment avoir été rejoints par plusieurs dizaines de jeunes officiers souvent sensibles aux idées islamistes. Mais la plus grande prudence s'impose ici. Quelques journaux algériens en ont fait leurs choux gras avec une bonne dose de mauvaise foi. Pour l'heure, surtout depuis le 16 mai 2003, les islamistes ont adopté un profil d'autant plus bas que l'appareil répressif a eu tôt fait de recouvrer une partie de ses mauvaises habitudes, s'attirant d'ailleurs de nombreuses critiques de la part des organisations de défense des droits de l'homme.

---

1. Ils ont fait parvenir à la presse européenne un communiqué constitutif – « *bayan ta'sissi* » – le 5 juin 2003.

IV

Les islamistes

Interrogé en 1999, quelques semaines après la mort de Hassan II, sur la situation générale au Maroc et « l'ambition du gouvernement Youssoufi[1] », Mohammed Abed el-Jabri, philosophe et intellectuel proche d'Abderrahmane Youssoufi, faisait des islamistes au Maroc l'analyse suivante :

« En ce qui concerne l'attitude des islamistes, il faut distinguer ceux qui ont de bonnes relations avec l'Intérieur et qui sont intégrés au sein de l'ancien parti du Dr Khatib, l'un des chefs de l'Armée de libération et ami de Youssoufi. Ceux-ci, ayant participé aux dernières élections, comptent une dizaine de députés et soutiennent "du dehors" le gouvernement Youssoufi, c'est-à-dire votent pour lui sans y participer. L'autre organisation islamiste, qui paraît plus forte et qui conteste quelques aspects pratiques de la *beï'a* [allégeance] au Maroc, est dirigée par Abdesslam Yassine. Elle s'oppose non pas à M. Youssoufi, dont elle reconnaît le militantisme et l'honnêteté, mais aux aspects du régime qu'elle considère comme non conformes à l'idéal islamique.

---

1. *Confluences-Méditerranée*, n° 31, automne 1999.

« De son côté, poursuit Mohammed Abed el-Jabri, M. Youssoufi, comme d'ailleurs la quasi-totalité des militants de son parti, n'est pas hostile aux islamistes. Mis à part les querelles estudiantines au sein des universités, les rapports entre le phénomène islamiste et l'USFP sont sinon coopératifs, du moins pacifiques. L'islamisme au Maroc ne se présente pas comme une alternative à l'état actuel des choses. Il ne s'agit pas d'un projet idéologique, comme c'est le cas dans d'autres pays arabes et musulmans, mais plutôt de contestation politique et socio-économique se référant à l'idéal de l'islam : une contestation animée par quelques cadres appartenant aux rangs d'une élite plus ou moins marginalisée et dont les membres se sentent victimes de l'inégalité des chances au sein des partis politiques comme dans la société tout entière.

« On peut objecter, ajoute-t-il, que cela est le cas dans d'autres pays arabes et musulmans. C'est vrai dans une certaine mesure, mais la différence est radicale. D'une part, le Maroc n'a pas connu de parti unique qui fasse de l'islamisme la seule alternative, la seule opposition. D'autre part, au Maroc, l'islam est un. Il est la seule religion partagée par toutes les composantes du peuple marocain (excepté les Juifs, évidemment). Ensuite, les partis politiques, l'État et la monarchie se rattachent tous à l'islam. Le Mouvement national, dont l'USFP est issue, était à l'origine un mouvement salafiste. Pendant les années trente, quarante et cinquante, nationalisme et salafisme faisaient un. La scission au sein de l'Istiqlal n'était pas entre islamistes et laïques, et les deux existent toujours dans les deux camps, mais "à titre personnel", et non en tant que courants idéologiques. Au Maroc, la laïcité comme l'islamisme est le résultat d'une formation intellectuelle plutôt qu'un choix idéologique. D'une façon générale, les conflits idéologiques au Maroc sont d'ordre socio-économique. La religion n'est pas sujet de discorde, au contraire… »

Pour Abed el-Jabri, c'est à partir de ce constat qu'il « faut penser le rapport entre les islamistes et le gouvernement ». En effet, dit-il, au Maroc « il y a toujours une main tendue entre les islamistes et les partis politiques qui trouvent leur origine dans le Mouvement national pour l'indépendance [...]. Entre ces partis et les islamistes, il n'y a pas rupture. Les racines et l'appartenance à l'"opposition" font dénominateur commun. En revanche, on ne peut concevoir aucune "main tendue" entre les islamistes et les "partis de l'administration". Donc, la logique des choses, au Maroc, pousse à prévoir une certaine alliance entre le gouvernement Youssoufi et les islamistes ».

Cependant, même si Abed el-Jabri prend la précaution de souligner que le phénomène islamiste est « l'une des expressions du malaise profond qui s'ancre dans le corps de la société marocaine », la réalité qu'il décrit est celle d'un islamisme à deux visages, officiel et toléré – le PJD de Khatib et Al-Adl wal Ihsane de Yassine –, contestataire, certes, mais non violent et qui n'envisage pas de prendre le pouvoir. Cette vision idyllique de l'islamisme marocain et de ses relations « convenables » avec les « partis historiques » a été depuis lors sévèrement battue en brèche par les événements du 16 mai 2003, ainsi que par les réactions très dures qui ont suivi – celle du pouvoir, naturellement, mais aussi celle de l'USFP, le parti de Mohammed Abed el-Jabri.

En fait, depuis de nombreuses années, l'importance du phénomène islamiste, qui ne cesse de croître, préoccupe non seulement la nomenklatura locale, qui craint d'être mise sur la paille, voire liquidée par les « barbus », mais, plus sérieusement, ce qu'on peut appeler le Maroc moderne, qui n'a aucune envie de retourner à des pratiques moyenâgeuses et de vivre sous le contrôle suspicieux d'obscurantistes fanatiques. L'inquiétude de ces milieux modernistes est d'autant plus grande que de plus en plus de Marocains, découragés ou dégoûtés par les promesses non tenues de la classe politique, se montrent sensibles aux sirènes des formations islamistes qui savent souvent répondre à quelques-uns de leurs besoins les plus immédiats : aide scolaire ou universitaire, dispensaires, solidarité sous toutes ses formes, etc.

Pourtant, une lecture attentive de la presse islamiste, certains prêches, l'écoute de bon nombre de cassettes qui circulent en toute impunité un peu partout au Maroc, devraient conduire les Marocains, et en premier lieu les responsables politiques, à se montrer un peu plus circonspects et à ne se faire aucune illusion sur le type de société à laquelle songent ces formations. Mais peut-on raisonnablement reprocher à un jeune Marocain diplômé chômeur de croire au paradis dans un autre monde, alors que la porte du paradis sur terre lui est définitivement fermée en dépit de ses efforts et des sacrifices de sa famille ?

Comment d'abord définir l'islamisme ? Professeur à l'université de Fès, Abdessamad Dialmy en donne une définition très claire :

« Par islamisme, nous entendons tout mouvement social basé sur l'exploitation de l'islam à des fins politiques et qui, plus précisément, tente d'exercer le pouvoir au nom de la religion seule [...]. Les islamistes, ajoute-t-il, sont donc des gens obsédés par le pouvoir politique ; ce sont soit des militants déçus issus de la gauche et/ou du panarabisme, soit des membres de confréries qui ne se contentent plus de l'apolitisme du soufi et de son indifférence au pouvoir. » Pour le Pr Dialmy, l'islamiste ainsi défini « n'a pas, en général, une connaissance théologique ou juridique (*fqihique*) profonde, ce qui le conduit à exiger de soi et des autres une pratique religieuse rigoureuse fondée sur le respect de la lettre des textes fondateurs. *Ijtihad* (effort novateur) et *ta'wil* (interprétation) lui sont étrangers. L'islamiste est intégriste dans le sens où il est également obsédé par des règles dont il ignore l'origine, mais dont il est convaincu qu'elles sont islamiques, comme le voile féminin ou la ségrégation des sexes. Dans ce sens, l'islamiste revendique la défense de l'identité arabo-islamique et de la spécificité culturelle. L'islamisme est donc une idéologie de combat dont la fonction principale est la lutte contre l'ignorance de la société et l'illégalité du pouvoir[1]. »

En définissant l'islamisme comme volonté de conquête du pouvoir politique, Dialmy peut ainsi dresser une typologie qui le conduit à distinguer, parmi les différents acteurs islamiques, ceux qui sont identifiés comme islamistes : « La typologie que nous proposons, indique-t-il, fait la distinction entre les confréries, les associations islamiques apostoliques, les oulémas contestataires et les associations islamistes au sens strict. »

Même si certaines confréries, comme la Zituniya de Fès ou la Buchichiya, ont eu affaire au pouvoir auquel elles se sont opposées sur certains points – corruption ou éducation, par exemple –, on ne les considère pas comme islamistes dans la mesure où elles n'ont pas pour objectif la prise du pouvoir politique. Même chose pour les associations islamiques dont la finalité est d'abord éducative, même si le leitmotiv d'une association comme At-tabligh wa ad-da'wa selon lequel « il n'y a de puissance que celle de Dieu et de soumission qu'à

---

1. *L'Islamisme marocain : entre révolution et intégration*, Archives de Sciences sociales des religions, avril-juin 2000.

Dieu seul », peut être considéré, selon certains islamologues[1], « comme une mise en garde à l'adresse du Prince quand ce dernier oublie qu'il n'est qu'un intercesseur entre Dieu et le peuple ».

Le cas des oulémas contestataires est en revanche plus compliqué. Certes, ils ne revendiquent pas le pouvoir, mais leurs prêches ou leurs prises de position, souvent approuvées par les associations islamistes, constituent autant de critiques sans ambiguïté du régime. « Ils symbolisent, écrit Dialmy, le refus de la fonctionnarisation-domestication que subit l' 'alim [2] depuis le début des années soixante, et l'intellectuel marocain en général depuis la fin des années soixante-dix. » Ignorant les recommandations du ministère des Waqfs[3] un 'alim comme Abdelbari Ezzamzami affirme que le prêche du vendredi doit être critique et prononcé en arabe dialectal ou en berbère pour que le message soit reçu « cinq sur cinq » par les fidèles. Un autre 'alim, Abdelaziz Benseddiq, défend l'indépendance des oulémas à l'égard du pouvoir en toute circonstance, l'homme de pouvoir devant écouter et suivre le savant qui, lui, connaît la loi divine. Benseddiq, rappelle Dialmy, va même jusqu'à dire que la transmission du hadith selon lequel « le Sultan est l'ombre de Dieu sur terre » n'est pas sûre. Autrement dit, il rejette la prétention de la monarchie marocaine à la légitimité religieuse.

Ces deux oulémas ont tenté, avec d'autres, de créer une association des Oulémas indépendants du Maroc, opposée aux Oulémas du sultan, « ceux de la fatwa sur commande », comme le dit non sans humour Abdessamad Dialmy. Inutile de souligner son caractère éphémère[4]…

Confréries religieuses, associations islamiques ou encore oulémas contestataires témoignent de la vitalité de l'islam au Maroc et de l'importance du fait religieux dans le royaume. Celui-ci est présent dans tous les chants populaires, notamment mystiques. Le soufisme, qui s'est traduit au Maroc par la création de confréries autour d'un

---

1. Abdessamad Dialmy cite notamment un article de A. Benani, « Légitimité du pouvoir au Maroc : consensus et contestation », in Soual, avril 1987. Il l'oppose sur ce point à Mohammed Darif.

2. 'Alim, singulier de ouléma. Savant religieux.

3. Waqfs ou habous. Ministère des Biens religieux.

4. Les quelques oulémas marocains qui ont soutenu l'Irak lors de la guerre du Golfe de 1991 ont été destitués par le ministère.

maître, sage et érudit ayant marqué de sa personnalité ses disciples et son entourage, séduit de plus en plus de Marocains, révulsés aussi bien par l'islam officiel utilisé sans vergogne par le pouvoir que par l'intolérance et l'étroitesse d'esprit des extrémistes ; il est sans aucun doute une des réponses à l'islamisme. Dans un autre ouvrage[1], Abdessamad Dialmy s'interroge sur la place que l'islam peut réserver à la femme ; l'égalité des sexes prônée par le soufisme peut être, selon lui, une voie à suivre.

Le double visage de l'islamisme marocain

Laissons donc de côté ces visages de l'islam marocain, qui l'enrichissent, et concentrons-nous sur sa frange islamiste la plus remuante, à maints égards la plus inquiétante et, malheureusement, la seule à retenir l'attention du public, marocain ou non.

Passons rapidement sur Ach-Chabiba al-islamiya (La Jeunesse islamique) fondée en 1969 par Abdelkrim Mouti'h, un ancien militant de gauche très remonté contre ses anciens camarades de l'UNFP, « parti des impies ». Disciples de l'Égyptien Sayyed Qotb, Mouti'h et ses amis accusent le pouvoir et la société de vivre dans la *jahiliya* (ignorance à l'époque préislamique) et préconisent la guerre sainte, le *djihad*, pour revenir dans le droit chemin. Leur fait d'armes le plus connu est l'assassinat d'Omar Benjelloun, en 1975, dans des conditions qui n'ont jamais été éclaircies. En février 2004, l'USFP a saisi la nouvelle instance « Équité et réconciliation », dépendante du Conseil consultatif des droits de l'homme, dans l'espoir de connaître enfin la vérité sur un crime auquel les services secrets du royaume ont été mêlés aux yeux de nombreux Marocains. Mouti'h expulsé de ses rangs et en exil, la Chabiba renonce à sa ligne révolutionnaire et violente, s'institutionnalise dans l'association Al-Jama'a al-Islamiya avant de prendre un nom à connotation moins islamiste : Harakat al-Islah wa at-Tajdid [2] (Mouvement de la réforme et du renouveau). La nouvelle direction rejette la violence et la clandestinité et entend

---

1. *Féminisme, islamisme et soufisme*, publié en 1997 chez Publisud.
2. Voir l'article cité d'A. Dialmy.

participer à la vie politique, ce qui, selon elle, « consiste essentiellement à semer dans le peuple l'espoir en la possibilité de la réforme et du changement vers l'Islam, et ce, d'une manière pacifiste qui adopte le dialogue[1] ».

Après avoir fait quelques avances à l'Istiqlal, la formation d'Abdelilah Benkirane réalise que le PI, qui défend les intérêts de la bourgeoisie citadine traditionnelle, ne constitue pas « un cadre favorable à l'expression des thèses islamistes populistes », selon le mot d'Abdessamad Dialmy. Il se tourne donc vers le Mouvement populaire constitutionnel et démocratique du Dr Abdelkrim Khatib, créé en 1967 après la rupture avec Ahardane et qui, depuis lors, vivote. Déjà, en 1972, Khatib, répondant au roi qui sondait les partis après la seconde tentative de coup d'État, l'exhorte à « consolider les piliers de l'Islam dans le pays, dans les formes du pouvoir politique, dans notre pensée, dans notre comportement, nos lois, notre enseignement, notre administration, notre magistrature[2] ». En 1984, Khatib critique derechef le pouvoir qu'il accuse de négliger l'islam. En outre, pendant toutes les années quatre-vingt, il manifeste son soutien à l'Iran contre l'Irak, accusé de laïcisme, et défend les étudiants islamistes tout en condamnant la gauche marocaine. Tant de bonne volonté, associée à une faiblesse certaine, ne peut que séduire le Mouvement de la réforme et du renouveau. Le congrès du MPCD du 2 juin 1996 consacre l'entrée en son sein des amis d'Abdelilah Benkirane. Trois membres du Bureau exécutif d'Al-Islah wa at-Tajdid deviennent membres du Comité exécutif du MPCD (qui en compte sept). Abdelkrim Khatib a beau affirmer que le Palais ne lui a rien demandé et que l'initiative d'accueillir les islamistes dans sa formation lui revient[3], l'ancien ministre de l'Intérieur, Driss Basri, dit exactement le contraire : « Ceux [parmi les islamistes] qui désiraient intégrer les institutions étaient toujours les bienvenus. Quant aux autres, nous attendions qu'ils mûrissent. Khatib constituait une garantie et nous avions utilisé cette assurance, car il est royaliste et digne de confiance[4]. »

---

1. *Al-Islah*, janvier 1989, republié par *Ar-Raya* le 24 janvier 1992, cité par A. Dialmy.
2. Lettre au roi du 16 octobre 1972.
3. Entretien avec l'auteur.
4. Voir *Le Journal hebdomadaire* des 10-16 mai 2003.

Deux ans plus tard, en octobre 1998, le MPCD change d'appellation et devient le Parti de la justice et du développement (PJD). Entre-temps, Harakat al-Islah wa at-Tajdid, qui a fusionné avec une association islamique, la Rabita, est devenue Harakat at-Tawhid wa al-Islah, ou Mouvement de l'unicité et de la réforme (MUR). Le MUR constitue aujourd'hui le gros des troupes du PJD, le courant de Khatib venu du MPCD étant largement minoritaire.

Ce serait pourtant une grossière erreur de croire que le PJD est à l'image de celui qui en a conduit les destinées jusqu'en mars 2004. Âgé de quatre-vingt-quatre ans et de santé fragile, Khatib annonce alors son retrait de la vie politique après avoir introduit le ver islamiste dans le fruit de la classe politique traditionnelle. Si Khatib, homme du régime et fidèle à Hassan II, a réussi à convaincre ce dernier que les islamistes seraient moins dangereux à l'intérieur du système qu'à l'extérieur, il est rapidement dépassé par ses lieutenants. D'abord parce que Khatib, s'il est un pieux musulman, n'a rien d'un islamiste, et le mode de vie de ses cinq enfants, résolument moderne, en dit plus long à ce sujet que tous les discours. Ensuite parce que, fatigué depuis des années[1], il ne dirigeait plus que de loin son parti. Enfin et surtout parce que l'idéologie du MUR s'impose au parti.

Par ailleurs, comme le souligne Saïd Lakhal, l'un des meilleurs connaisseurs de l'islamisme marocain, « le PJD est beaucoup plus hypocrite qu'Al-Adl wa al-Ihsane, qui affiche la couleur. Il sait parfaitement où il veut aller, mais dit le contraire de ce qu'il pense. Comme l'association d'Abdesslam Yassine, le PJD entend abolir le pluralisme politique, toute pensée démocratique et, surtout, lutter sans merci contre toute pensée laïque, considérée comme ennemie de l'islam. Avant le 16 mai, le PJD faisait sa propagande sur le fait que la société marocaine est impie. Après ces tragiques événements, il a changé d'attitude. Il ne faut pas se fier à leur façade, qui veut montrer que leur philosophie est fondée sur la dissuasion pacifique des "non-croyants" que l'on veut ramener à la raison à travers le dialogue et la discussion. En réalité, ils veulent créer l'affrontement entre le "croyant" et le "non-croyant". Simplement, ils n'ont pas pour l'instant le pouvoir de créer la violence à l'échelle nationale.

---

1. On lui a posé en février 2003 un *pacemaker* à Paris.

Dans leurs discours, ils désignent clairement des cibles à abattre, et tout cela finit par s'inscruter dans l'esprit du Marocain moyen. Les esprits les plus faibles finissent par passer à l'acte »[1].

Mais l'association la plus connue et la plus importante est sans doute Al-Adl wa al-Ihsane (Justice et Bienfaisance) fondée au début des années quatre-vingt par Abdesslam Yassine. Le sociologue Mohammed Tozy, qui s'est entretenu avec lui dès 1979, est l'un de ceux qui le connaissent le mieux. Né en 1928, ce Berbère d'ascendance chérifienne idrisside fait ses études à Marrakech dans le même institut Ben Youssef qu'Abdallah Ibrahim. Instituteur en 1947, il devient quelques années plus tard inspecteur de l'enseignement primaire. Il a pour collègue Mohammed Chafiq, qui sera ultérieurement directeur du Collège royal et, surtout, un très actif défenseur de la cause berbère. Chafiq se souvient d'un inspecteur exigeant, parfaitement francophone, pas du tout obsédé par l'arabisation. D'autres enseignants qui l'ont bien connu se demandent même si des ambitions contrariées dans l'espace francophone n'expliquent pas son itinéraire atypique. Yassine, en tout cas, ne semble avoir eu aucun problème avec l'administration du protectorat. Comme le relève M. Tozy, « l'absence, dans sa biographie, d'un éventuel contact avec les nationalistes, est gênante ».

En 1974, après un long passage à la confrérie soufie *Bouchichiya*, il envoie à Hassan II une lettre restée fameuse : « Il voulait faire quelque chose qui puisse faire date, écrit François Soudan, et il tente un coup d'éclat. Avec deux amis, il écrit "L'Islam ou le déluge", une lettre fort impertinente adressée au souverain marocain[2]. » Cette prétention à montrer le bon chemin au « souverain égaré » est peu appréciée en haut lieu. Yassine passe trois ans et demi en détention, dont deux dans un établissement psychiatrique. En 1979, il édite la revue *Al-Jama'a* et, deux ans plus tard, annonce la création de la « famille » de la revue : *Ousrat al-jama'a*, « une sorte de prélude informel à la création de l'association », selon Tozy[3]. En 1984, il est à nouveau condamné à deux années de prison à la suite d'initiatives éditoriales qui irritent le pouvoir. Son procès donne l'occasion à ses partisans de

---

1. Entretien avec l'auteur.
2. *Jeune Afrique*, 1984.
3. *Monarchie et islam politique au Maroc*, Presses de Sciences-Po, Paris, 1999, p. 189.

montrer leur force. En octobre 1982, Yassine dépose les statuts de l'association Al-Jama'a, qui n'est finalement pas reconnue par des autorités hésitantes. Dès avril 1983, le célèbre cheikh remet cela avec une nouvelle association, Jama'ât al-Jama'a al-Khaïriya, mais c'est à partir de 1987 que cette dernière « adopte le slogan *al-Adl wa al-Ihsane* et se fait appeler par ce nom ». Pour Yassine, la situation sociale déplorable et le recul de la religion justifient la création d'une telle association qui, tout en voulant éviter la violence dans le discours et l'action, entend amener ses adhérents et le peuple à prendre conscience de leurs droits politiques et à exiger davantage d'équité.

Cheikh Yassine ou le délire prophétique

La personnalité d'Abdesslam Yassine qui, tout en rejetant apparemment l'action violente, ne se compromet pas avec un pouvoir qu'il n'hésite pas à critiquer durement, explique en grande partie le succès de son association. « En recherchant le pouvoir à travers la déligitimation religieuse du régime établi, Al-Adl wa al-Ihsane rompt avec l'idéal soufi[1], et semble s'acheminer vers la violence comme conséquence de l'exclusion, souligne Abdessamad Dialmy avant d'ajouter : Mais, d'un autre côté, Yassine critique Sayyed Qotb qui, selon lui, se limite au *djihad,* sans compléter cette violence nécessaire par une action éducative. »

Si les choses se passent relativement bien au Maroc, c'est aussi parce qu'Al-Adl wa al-Ihsan donne à croire qu'elle a pris en compte les expériences islamistes malheureuses en d'autres pays. L'association, souligne Tozy, refuse ainsi la violence et l'activité clandestine, s'abstient de considérer ses concurrents comme des apostats, et accepte le principe d'une démocratie « reconnue comme un moindre mal qui peut être défendu comme une solution provisoire susceptible de permettre l'émergence d'un mouvement islamiste fort ».

Saïd Lakhal, professeur de philosophie à l'université de Kénitra, est beaucoup plus sévère à l'égard de Yassine et ne croit guère à ce discours lénifiant. Lakhal, qui est sans doute celui qui a le plus

---

1. Qui entend renoncer à toute forme de pouvoir.

travaillé sur la prose du vieux cheikh[1], estime que cet homme constitue un véritable danger pour le Maroc : « Il n'a jamais varié dans sa volonté d'ériger un État islamique, en particulier après le 16 mai 2003 [attentats de Casablanca]. Par pure tactique, les responsables d'Al-Adl wa al-Ihsane ont condamné la violence, mais il faut noter que Yassine et ses amis n'ont jamais condamné les actes terroristes d'Al-Qaïda en dehors du Maroc, et notamment ceux du 11 septembre 2001[2]. »

Toujours selon Saïd Lakhal, ce doux vieillard voue une haine particulière à la gauche et aux démocrates qui représentent, selon lui, « l'avant-garde de l'impiété » : « Il leur promet, dans une première étape, de les chasser de tous les postes qu'ils occuperaient dans la fonction publique. Puis, dans une seconde étape, il s'engage à leur couper les pieds et les mains, à leur crever les yeux et à les laisser mourir de soif. » En fait, Yassine ne veut pas de la démocratie, il entend abolir tous les partis politiques et faire disparaître la pluralité culturelle, bref, en finir avec cette société *impie et ignorante*[3].

Dans un article intitulé « L'autre face de Abdesslam Yassine, ou le délire prophétique comme moyen d'accès au pouvoir politique[4] », Abdellatif Aguenouch, lecteur attentif de Lakhal, rappelle que l'histoire du Maroc a été « jalonnée par des apparitions intermittentes d'illuminés, de prétendants, de prophètes, de "Mahdis attendus[5]", etc. Ils furent tous, à quelques exceptions près, des insurgés contre le pouvoir en plae ».

Cependant, pour Saïd Lakhal, ce qui est particulièrement grave chez Yassine, c'est que plusieurs aspects de son projet « contredisent l'esprit du Coran et de la Sunna[6] ». En s'autoproclamant Imam ou Envoyé de

---

1. Il lui a consacré trois livres remarqués : t. I : *Al-Cheikh Abdesslam Yâssine wa... waswasse al mahdawiya* (Cheikh Yassine et la tentation messianique) ; t. II : *Al-Cheikh Yassine, min ad-daroucha ila al-qaouma* (Cheikh Yassine, de la soumission à la révolte) ; t. III : *Al-Cheikh Yassine, min al-qaouma... nahwa daoulat al khikafa* (Cheikh Yassine, de la révolte à l'État calife), publications d'*Al-Ahdath al-Maghribiya*, Casablanca, 2003.

2. Entretien avec l'auteur.

3. C'est-à-dire telle qu'elle était au temps de la *jahiliya* (ignorance), soit avant l'apparition de l'islam.

4. *L'Indépendant Magazine* du 16 mars 2003.

5. Messies ou envoyés de Dieu.

6. La Tradition.

Dieu, et en affirmant qu'à ce titre il a « un pouvoir absolu sur la Communauté des croyants (*oumma*) qui n'a de raison d'être que de lui obéir aveuglément », Yassine, souligne Lakhal, se comporte de la même façon que ces califes sans scrupules qui firent tant de mal au monde musulman, parce qu'ils « interprétaient les textes sacrés selon leur bon vouloir afin de légitimer leur pouvoir absolu ».

À cela s'ajoutent les pouvoirs thaumaturgiques ou magiques que s'arroge Yassine. Ses adeptes, raconte Lakhal, prétendent qu'il a la faculté de connaître les événements passés et ceux à venir, assortis de leurs dates exactes. De la même façon, il est capable de voir ce qui se passe dans les palais, les maisons et derrière les murs ! Des murs qu'il « traversait d'ailleurs, au temps de sa mise en résidence surveillée, pour se promener dans le royaume et s'asseoir parmi ses compagnons sans que ceux-ci s'en aperçoivent » (ainsi, il ne risque pas d'être contredit !…). Il passait aussi devant les agents de sécurité sans être remarqué, et est réputé guérir les maladies.

Voilà donc l'autre visage, beaucoup moins connu, de Yassine : celui d'un gourou aveuglément suivi par de nombreux disciples peu armés pour résister à ses manipulations. « Généralement, note justement Lakhal, ce sont les gens qui fréquentent les sciences dites exactes qui sont les premières "victimes" des adeptes de Yassine, puisque, dans leur cursus scolaire et universitaire, on ne trouve ni philosophie, ni dialectique, ni histoire des religions, ni comparaison des cultures humaines. Ils excellent dans leurs disciplines, mais, en dehors de celles-ci, redeviennent "analphabètes", c'est-à-dire croient comme des analphabètes à la magie, à la thaumaturgie, et adoptent une pensée antirationnelle[1]. »

Ainsi, les deux principaux courants de l'islamisme marocains, bien loin de s'opposer, se complètent parfaitement. Pour des raisons historiques – antériorité d'Al-Adl créée au milieu des années soixante-dix – et humaines – le charisme d'Abdesslam Yassine, vieil opposant longtemps emprisonné –, Al-Adl est sans doute plus populaire et plus influente que le PJD dont l'image demeure floue, en raison des compromis boiteux qu'il a passés avec le pouvoir. Mais les deux formations, qui se ménagent, l'emporteraient haut la main si

---

1. Interview à *L'Indépendant Magazine*, 16 mars 2003.

des élections vraiment libres avaient lieu. Mohammed Tozy évalue leur importance à 30 % de l'électorat, ce qui est déjà considérable : beaucoup plus que l'USFP et l'Istiqlal réunis.

On peut évidemment se demander pour quelles raisons le régime marocain, à commencer par Hassan II, si vigilant en ce domaine, a laissé Al-Adl wa al-Ihsane, rejoint par le PJD, prendre une telle dimension. Pour Saïd Lakhal, Hassan II a toujours cherché à maintenir l'équilibre entre les diverses forces en présence. Jusqu'aux tentatives de coup d'État de 1971 et de 1972, il n'aurait jamais imaginé que des militaires pussent se révolter contre son régime. Ses véritables adversaires, pensait-il, se situaient à gauche. D'une certaine manière, à partir du milieu des années soixante-dix, il a donc partagé le travail avec les islamistes : à lui le contrôle de l'armée, aux islamistes – « les pires ennemis de la gauche » – le soin d'affaiblir socialistes et consorts. « C'est pour cela qu'il a permis à Yassine de publier tous ses écrits. C'est pour cela qu'il l'a rendu plus puissant en l'emprisonnant ou en le mettant en résidence surveillée, ce qui l'a rendu populaire[1]. » De fait, l'assassinat par un groupuscule islamiste d'Omar Benjelloun, très populaire responsable de l'USFP, les rivalités sanglantes entre gauchistes et islamistes sur les campus, le travail de proximité des « barbus » dans les quartiers déshérités où la gauche est quasiment absente, sont autant d'éléments qui entrent dans le cadre général imaginé par un monarque jouant ses sujets les plus turbulents les uns contre les autres. Mais, à trop jouer avec le feu, on finit par se brûler !…

Ce panorama ne serait pas complet si l'on n'évoquait pas la présence islamiste dans les universités. C'est en 1981 que s'est réuni le XVIIe et dernier Congrès de l'Union nationale des étudiants marocains (UNEM), version « progressiste ». Le pouvoir a mené contre elle une lutte sans merci. « Depuis lors, indique Mohammed Darif, et jusqu'à la fin des années quatre-vingt, un grand vide s'installe au sein du mouvement estudiantin. Il sera rapidement comblé par les mouvements islamistes. Les premiers groupements seront ceux d'Al-adl wal Ihsane, suivis par ceux du Tajdid. Il y avait aussi ceux connus sous le nom de Rabitat al Moustaqbal al islami (Ligue de l'avenir islamique), de Raïssouni. L'autre composante est celle des étudiants

---

1. Entretien avec l'auteur.

dits du Mithaq (Al Badil al-Hadari, parfois qualifiés d'islamistes de gauche)[1].

Jusqu'en 1994 les étudiants islamistes font à peu près ce qu'ils veulent. Les attentats perpétrés à l'été 1994 par quelques Franco-Maghrébins changent la donne. Le pouvoir prend conscience de la gravité de la situation. Mohammed Darif parle d'ambiguïté des autorités : elles pratiquent la répression, mais l'UNEM version « barbue » n'a jamais été légalement interdite. « Ce qu'on peut remarquer aujourd'hui, ajoute Mohammed Darif, c'est que la majorité des mouvements de gauche commencent à considérer l'UNEM comme une structure dépassée. En revanche, les islamistes d'Al-Adl wal Ihsane s'y accrochent et font tout pour la structurer. »

Cependant, qu'ils utilisent ou non l'UNEM, les islamistes exercent une influence considérable sur la vie des étudiants. Qu'il s'agisse des activités culturelles au sein des universités, du contenu des matières enseignées, de la façon de vivre des étudiants, ils imposent en permanence – parfois violemment – une vision islamique de la société, encouragée par le laxisme ou la lâcheté d'un corps enseignant démotivé par des salaires médiocres et une hiérarchie absente.

Méfiant et attentif, le pouvoir marocain se montre cependant – en tout cas jusqu'aux événements du 16 mai 2003 – moins brutal et borné dans la répression anti-islamiste que d'autres régimes arabes. Placé en résidence surveillée pendant plus d'une dizaine d'années, Abdesslam Yassine recouvre sa liberté de mouvement peu après la mort de _Hassan II. Décision intelligente qui évite d'en faire un martyr. Mais, Commandeur des croyants et monarque de droit divin, le souverain occupe au Maroc une place centrale dans l'espace religieux, et les garde-fous sont nombreux et, pour l'heure, encore assez efficaces. L'affaire du mémorandum adressé par Yassine à Mohammed VI à la fin de janvier 2000 le montre amplement.

Dressant un bilan au vitriol de la situation du royaume, Yassine y recommande notamment au roi – c'est en tout cas ce que retient le grand public – d'utiliser sa fortune, qu'il évalue à 40 milliards de dollars, pour régler la dette extérieure qui s'élève, elle, à 17 milliards

---

1. Interview au *Journal hebdomadaire*, juin 2003.

de dollars. Il n'hésite pas à écrire : « Je souhaite beaucoup de cran et de courage au jeune roi, lui répétant en guise d'adieu : Rachetez votre pauvre père de la tourmente en restituant au peuple les biens qui lui reviennent de droit. Rachetez-vous, repentez-vous, craignez le roi des rois[1] ! » Dans les semaines qui suivent, le conseil des Oulémas réagit vivement et s'en prend d'abord à ce cheikh « dont le cœur est malade, qui nourrit des desseins et des ambitions inavoués, et une propension à l'extrémisme et à l'excès ». Puis vient la réponse sur le fond : « L'auteur de cette lettre s'est ainsi délié de la *bei'a* et s'est érigé en contestataire de l'autorité légitime puisqu'il a fait une entorse au verset coranique : "Ô vous qui croyez, obéissez à Dieu, au Prophète et à ceux d'entre vous qui détiennent l'autorité". » Les Oulémas réaffirment enfin « leur mobilisation constante derrière le Commandeur des croyants[2] ».

---

1. Le montant de la fortune de Mohammed VI et de la famille royale est un des secrets les mieux gardés, un véritable tabou. Cependant, en juin 2002, un mensuel marocain, *Économie et entreprises,* s'est penché sur la question en estimant la valeur du patrimoine, hors biens immobiliers, à au moins 550 millions de dollars. Ce chiffre contredit grandement ceux avancés par Abdesslam Yassine. À l'appui de ce montant relativement modeste, *Économie et entreprises* rappelle que « jamais feu Hassan II ni la famille royale ne sont apparus dans les classements des fortunes mondiales » établis notamment par le magazine américain *Forbes*. Mais cela ne signifie pas grand-chose, compte tenu du secret qui entoure les activités du roi et celles des grosses fortunes du Maroc dont la plupart se sont constituées dans des conditions plus que douteuses. Le milliardaire Saddam Hussein ne figurait pas, lui non plus, dans le classement *Forbes*... Un familier du Palais, qui affirme avoir eu accès au milieu des années quatre-vingt-dix à l'état du patrimoine royal établi, comme chaque année à l'époque, par le conseiller du roi Freij, nous a fourni des chiffres pas très éloignés de ceux de cheikh Yassine, la partie immobilière (palais, villas, immeubles et surtout terres et terrains) représentant environ les deux tiers de ce patrimoine.

Appelant non sans naïveté à une « culture de la transparence » pour éviter les interprétations politiques, *Économie et Entreprises* détaillait ensuite la structure du patrimoine royal dont les participations se font notamment par l'intermédiaire de deux holdings, la *Siger* et *Ergis* (anagrammes de *regis*, roi en latin), présidés par Mohamed el Majidi, trente-six ans, un proche du souverain.

Les principaux éléments du patrimoine royal – qui, selon le mensuel, présente des « faiblesses de gestion » – sont les suivants : Omnium nord-africain (ONA, mines, agro-industrie, communication, assurances, distribution ; Ergis en est l'actionnaire de référence avec près de 80 % du capital, aux côtés de multinationales comme AXA, Coca Cola, Auchan) ; Sevam (emballage, embouteillage) ; Domaines agricoles royaux (150 millions de dollars de chiffre d'affaires, dont les deux tiers à l'exportation, notamment des agrumes) ; Primarios (mobilier) ; Compagnie chérifienne des textiles (CCT, textile, films de serres agricoles)...

2. Communiqué du Conseil des oulémas en date du 24 février 2000.

Plusieurs politologues ou sociologues marocains comme Mohammed Tozy, Mohammed Darif, Mohammed Layadi, Aziz Lamchichi ou Abdessamad Dialmy, pour ne citer qu'eux, ont apporté, depuis de nombreuses années, une information considérable sur l'islamisme marocain, phénomène désormais bien cerné. Ce qui nous intéresse ici, c'est de voir la place qu'il occupe dans le champ politique et la vie des habitants. Celle-ci est tout simplement considérable. Quoique occupant à peine 15% des sièges au Parlement et n'ayant encore jamais gouverné, les islamistes marocains sont aujourd'hui omniprésents dans le quotidien des Marocains qu'ils influencent de plus en plus. L'appareil répressif, déjà fortement mobilisé depuis longtemps, les pourchasse littéralement, depuis les événements de mai 2003, à tel point qu'un certain nombre d'organisations de défense des droits de l'homme et certains gouvernements s'inquiètent ouvertement, aujourd'hui, des dérives du régime en ce domaine. Dans les universités, depuis une quinzaine d'années, avec la bénédiction d'un pouvoir trop heureux de se débarrasser à bon compte de la gauche et de l'extrême gauche, ils ont pris le contrôle des associations et du syndicalisme étudiants. Les « frères » (*Ikhwan*) barbus et les « sœurs » (*Akhawate*) voilées impressionnent par leur nombre sur les campus. En dehors du pouvoir de séduction ou de manipulation d'un certain nombre de leurs dirigeants, le succès des associations islamistes s'explique aussi par la simplicité de leur message. « Tous les acteurs politiques, note Abdessamad Dialmy, se confondent dans un même Autre. Roi et *makhzen*, partis politiques de l'administration, partis politiques nationalistes et démocratiques, partis en retrait, groupuscules gauchistes, syndicats et organisations féministes ne sont pas, pour la sociologie islamiste, des acteurs distincts dont il conviendrait d'analyser les statuts et les rôles sur l'échiquier sociopolitique. Pour l'islamisme marocain, la classe politique, composée de faux musulmans de l'intérieur, constitue un tout homogène qui trahit l'islam. »

Bien entendu, le *makhzen,* ce « grand Autre », occupe en tant que pouvoir monarchique central une place prépondérante aux yeux des islamistes, puisqu'il a utilisé l'islam sans vergogne pour parvenir à ses fins. Mais, si les partisans d'Abdesslam Yassine et les groupuscules radicaux mettent en cause le statut de Commandeur des croyants qui n'est pas, selon eux, transmissible de père en fils, les islamistes modérés du PJD n'y voient pas matière à problème. Leurs revendications portent essentiellement sur la nécessité, pour le régime, d'adopter une politique conforme à l'islam. Les deux grands courants de l'islamisme marocain ont donc la possibilité de faire un bon bout de chemin ensemble, et ne s'en privent pas. Depuis le début des années quatre-vingt-dix jusqu'au choc du 16 mai 2003, l'islamisation de la société marocaine est en marche ; le vêtement et le comportement islamiques se répandent partout : « barbus » et « voilées », pour faire court, sont de plus en plus nombreux. La littérature islamiste se développe à peu près au même rythme que les librairies du même nom. Passer une demi-journée à la foire du Livre de Casablanca donne une bonne idée de l'importance du phénomène. Encore marginales il y a une quinzaine d'années, les maisons d'édition islamistes ou religieuses occupent désormais plus de la moitié de l'espace. Dans les mosquées privées ou « sauvages », les prêches sont aussi édifiants qu'une bonne partie des cassettes vendues en toute impunité presque partout au Maroc, et qui sèment la haine de l'Occident, du juif ou du laïc.

On pourrait multiplier les exemples d'intolérance ou de bigoterie qui empoisonnent la vie des gens « normaux ». Ainsi la chasse aux sorcières lancée début 2003 contre des jeunes, amateurs de rock, diabolisés par les bien-pensants, arrêtés et incarcérés avant que les autorités ne finissent par reculer devant ce mélange d'odieux et de ridicule. Soulignons au passage l'attitude surprenante du ministre socialiste de la Justice, Mohammed Bouzoubaa, qui, recevant une délégation de personnalités de la société civile, venues plaider la cause des jeunes, s'aligna sur la position des ultraconservateurs et soutint que les jeunes étaient coupables, avant de lâcher un peu de lest... Ou comme le refus de Nabyl Ayouch, jeune et talentueux réalisateur, de projeter au festival de Marrakech son dernier film, *Une minute de soleil en moins*, la censure, bien dans l'air du temps, ayant exigé un certain nombre de coupes.

Dans un numéro de *Tel Quel* [1], Ahmed Benchemsi, son directeur, donne un florilège de jugements à l'emporte-pièce émis par des

---

1. 30 mai 2003.

responsables du PJD. Ainsi, pour Mustapha Ramid, les centres culturels étrangers « minent l'identité des Marocains et conditionnent leur mode de pensée ». Le même Ramid se demande si un Marocain qui fait ses études au lycée Lyautey de Casablanca « est toujours marocain ». Pour At-Tajdid, organe du parti, « les véritables terroristes » sont ceux qui vivent leur sexualité librement, fument du haschisch et boivent de l'alcool. Quant à Ahmed Raissouni, président du MUR, majoritaire au sein du PJD, il estime que le tourisme apporte « la déliquescence morale ». Le torchon brûle d'ailleurs entre Abdelkrim Khatib, le chef du parti, et Raissouni, qui s'est déclaré à l'époque opposé au principe de la Commanderie des croyants (*imarat al mouminine*) : « J'ai été offusqué, dit Khatib, par une telle déclaration qui porte atteinte à une institution vieille de douze siècles. Je n'ai pas compris cette sortie d'un homme qui se prétend *fqih*. L'imamat, à mon avis, est fondé sur l'allégeance et donne au monarque marocain sa légitimité religieuse et politique[1]. »

En revanche, il faut reconnaître que les islamistes pallient souvent la faillite de l'État dans le domaine social. Sans concurrents ou presque, ils quadrillent les quartiers populaires ou déshérités, apportant qui une aide médicale, qui un soutien scolaire ou universitaire, qui encore un secours financier ou moral en cas de coup dur. De ce point de vue, l'égalitarisme islamique prôné par Allal el-Fassi, mais que les bourgeois de l'Istiqlal ont rarement mis en pratique, est une réalité vécue par les amis de MM. Yassine et Benkirane. Cette réelle solidarité contribue largement au développement du mouvement islamiste. Ce n'est pas un hasard, si le PJD, pourtant peu clair dans ses rapports avec le régime, a remporté plus de quarante sièges aux législatives de 2002 alors qu'il ne se présentait que dans la moitié des circonscriptions. Dans nombre de villes, c'est sans doute la seule formation politique officiellement reconnue à ne pas être discréditée.

Les cinq attentats simultanés – au total, quarante-deux morts et une centaine de blessés – perpétrés à Casablanca le 16 mai 2003 provoquent un véritable séisme dans le pays. Les étrangers et les juifs sont les cibles principales des terroristes, puisque un club espagnol, la Casa de España, un restaurant italien, le Positano, l'hôtel Farah

---

1. Interview accordée à *Tel Quel*, le 30 mai 2003.

ainsi que l'Alliance israélite et le cimetière juif sont plus ou moins frappés. Le royaume avait déjà connu une alerte, en 1994, au moment où quelques jeunes Franco-Maghrébins manipulés par des groupuscules islamistes établis en Europe avaient tué deux touristes espagnols à Marrakech et raté leur coup partout ailleurs, mais jamais on n'avait assisté à une série d'attentats aussi sanglants et dramatiques. Comme l'écrit *Maroc Hebdo*, « un mot est entré par effraction dans notre lexique », celui de « kamikaze[1] » que le Maroc croyait réservé aux autres. Car ces attentats ont été commis par quatorze jeunes Marocains venus pour la plupart de Sidi Moumen, un quartier misérable de Casablanca –, « bref, la face honteuse et hideuse d'une société frappée de dédoublement chronique, une société schizophrène qui, contrairement aux individus atteints de la même maladie, le sait, fait semblant de ne pas le savoir et vit avec, ou plutôt à côté[2] ».

Même si Ben Laden désigne nommément, dans une cassette de février 2003, le Maroc comme un pays « impie », « la société marocaine, note Abdellatif Mansour, est suffisamment grosse de ses propres problèmes et de ses propres contradictions pour accoucher sans assistance étrangère de ses propres monstres. »

Dans le même numéro, *Maroc Hebdo* publie sur une pleine page la traduction d'un tract intégriste distribué à la sortie des mosquées et prônant l'assassinat des mécréants. Entre autres joyeusetés, on peut y lire que les membres de la société marocaine et ses gouvernants « sont des apostats et des décadents », que « la guerre sainte s'impose pour rétablir la loi divine [*charia d'Allah*] à la place des lois mécréantes », que « nul moyen pacifique ne saurait s'avérer efficace, car immédiatement contré par la propagande gouvernementale mécréante », que « l'assassinat est légitime, car le prophète a fait assassiner Kaab[3] », qu'il est « légitime pour le musulman de laisser apparaître le contraire de ce qu'il ressent en son for intérieur afin qu'il soit mieux à même de tuer les ennemis », etc.

---

1. Voir l'article d'Abdellatif Mansour, *Maroc Hebdo* du 23 au 29 mai 2003.
2. *Ibid.*
3. En réalité le poète Kaab, condamné à mort par le prophète, parvint à l'émerveiller en récitant une poésie et sauva sa tête.

Très vite, l'enquête de la police s'oriente vers le groupe As-Sirat al-Moustaqim (la Juste Voie) dont le chef, Miloudi Zakaria, a été arrêté après s'être fait remarquer par la lapidation publique d'un « impie », le 24 février 2002 à Sidi Moumen. Deux factions composent cette mouvance : celle de Miloudi et celle de Youssef Fikri. Selon eux, les institutions n'ont aucune légitimité. Le vol, le trafic de drogue, la contrebande sont autorisés à condition qu'une partie du produit soit reversé à la cause. Le meurtre des mécréants, y compris musulmans, est justifié. Disons pour simplifier que les membres du GIA algérien et les amis de Ben Laden pensent à peu près de même.

Quelques jours après les attentats, Mohammed Fizazi, ami de Miloudi et leader d'un autre groupe islamiste clandestin, Ahl Sunna wa al-Jama'a, est arrêté. Celui que certains appellent le « prince des salafistes » marocains, connu pour ses prêches enflammés, serait le gourou des kamikazes. Interrogé après le 16 mai sur les raisons qui l'ont poussé à commettre les attentats de Casablanca, il répond : « J'aime la mort autant que les impies aiment la vie[1] ! » Quelques mois plus tôt, interviewé par une revue arabe, *Al-Watan al-Arabi*, il avait déclaré : « Les impies ont peur de la mort. Ils sont comme de petites souris. »

---

1. Selon *Maroc Hebdo*, du 6 au 12 juin 2003.

V

Les Berbères

Dans un numéro de janvier 2004, le *Journal hebdomadaire*, évoquant l'antipathie de Fouad Ali el-Himma, l'homme fort de l'appareil sécuritaire, envers le Premier ministre Driss Jettou, envisage un scénario politique pour « l'après-Jettou » : « En réalité, écrit-il, au ministère de l'Intérieur on ne perd aucune occasion de faire remarquer que le premier parti du pays serait un regroupement des Mouvements populaires. Fruit d'une série de scissions, le Mouvement populaire de Mohand Laenser, le Mouvement national populaire de Mahjoubi Ahardane, et l'Union démocratique de Bouazza Ikken représentent le premier parti du pays en termes de sièges. En tant que tel, il pourrait aisément mener une coalition gouvernementale englobant le RNI, l'UC, voire même l'Istiqlal ou même le PJD qui s'appelait auparavant le Mouvement populaire démocratique et constitutionnel[1] ».

Pourquoi le pouvoir souhaite-t-il faire apparaître une nouvelle force montante ? « Les courants islamistes devenant trop forts, répond Rémy Leveau, il est important de montrer que, dans la réalité

---

1. « Comment se prépare l'après-Jettou », par Aboubakr Jamaï, in *Le Journal hebdomadaire* du 24 au 30 janvier 2004.

socio-économique du pays, il peut y avoir d'autres forces. On continue à faire du Basri sans Basri. Aujourd'hui, il y a très probablement la volonté de rééquilibrer le courant islamiste par un autre, et comme on sent que le courant berbère est en train de monter, on le gonfle. Et, pour cela, on lui donne du poids localement par le biais des législatives[1] ».

Que Mohammed VI donne ou non son feu vert à une telle opération, cette perspective n'en constitue pas moins une belle revanche pour le monde berbère marocain, après un XXe siècle douloureux et souvent tragique.

Un peu d'histoire est indispensable pour comprendre la situation actuelle. Les Berbères ou *Imazighen* (« hommes libres ») ont sans doute été les défenseurs les plus intraitables de l'indépendance du Maroc, tout en passant curieusement « pour le cheval de Troie de la politique coloniale française[2] ». Le 16 mai 1930, la publication du « *dahir* (décret) berbère », dernière étape d'une politique entamée dès le début du protectorat et qui vise naturellement à diviser pour mieux régner, met le feu aux poudres. Son article 6, pour ne citer que lui, constitue en effet une atteinte à l'autorité religieuse du Sultan. Qu'en est-il brièvement ? Les juristes de la France coloniale, pour faire adopter par les Berbères les codes français, se penchent sur la question du droit pénal ; ils décident que les crimes commis par des Berbères seront désormais du ressort des tribunaux français qui, rappelons-le, rendent la justice au nom de la République. De ce fait, une fraction importante des sujets du Sultan se trouve soustraite à la juridiction du haut tribunal chérifien. La séparation entre les mondes arabe et berbère est ainsi consacrée. Presque totalement arabe et arabophone, l'élite marocaine voit d'emblée dans cette mesure une tentative de désislamisation des régions berbères[3]. À la surprise des Français, le mouvement nationaliste, jusqu'ici plus que discret, en profite pour faire entendre sa voix. Mais, bien vite, les Marocains nationalistes arabes vont oublier leurs frères berbères et finissent par « intégrer la

---

1. Interview accordée au *Journal hebdomadaire* du 24 au 30 janvier 2004.
2. Pierre Vermeren, *Le Maroc en transition, op. cit.*, p. 121.
3. Voir le point de vue berbère dans le « Dossier spécial sur le *dahir* chérifien du 16 mai 1930 », disponible sur le site www.amazighworld.org.

particularité berbère comme un construit colonial et non comme une réalité préexistant au fait colonial[1] ». Encore aujourd'hui, nombreux sont ceux qui estiment que n'est pas tranchée la question du rôle joué et par les colons français et par les nationalistes marocains dans la constitution de l'identité berbère. D'autres vont même jusqu'à dire que la pensée arabo-islamiste calque le discours colonialiste en affirmant que « les Arabes ont eu la même mission civilisatrice en sortant les Berbères de leur ignorance et de leurs traditions agropastorales archaïques[2] ». Tout cela ne facilite évidemment pas l'approche ni la compréhension de la question berbère...

La construction de l'identité nationale marocaine se fait donc « en parallèle à l'émergence d'une conscience nationaliste arabe qui fait fi de la question des minorités au nom d'une unicité de l'islam, essence de la Nation arabe[3] ».

Le Manifeste berbère

Les Berbères ont, il est vrai, de quoi être furieux envers les nationalistes arabes. L'un de ceux-ci, Allal el-Azhar, penseur de seconde catégorie, mais qui a exercé en son temps une certaine influence, n'hésite pas à écrire qu'il « n'y a jamais eu de peuple berbère », que « la langue nationale doit être l'arabe classique », que « le berbérisme est d'origine coloniale », qu'il est « anti-unitaire, antinational et anti-arabe[4] » .

Ayant mal digéré le discours arabiste qui ne tient guère compte des particularités ethniques au sein des États arabes[5], les Berbères

---

1. Voir le mémoire de fin d'études à l'IEP de Rennes de M. Harrath, disponible sur Internet.
2. M. Harrath, *op. cit.*
3. Harrath indique que Chakib Arslan, nationaliste arabe d'origine druze syrienne, qui exerce une forte influence sur de nombreux Marocains, n'hésite pas à dire à l'époque qu'il faut « arabiser les minorités ethniques ».
4. « La question nationaliste, la tendance berbériste et la construction du Maghreb arabe », cité par M. Harrath. L'influence de cet auteur est d'autant plus grande qu'il est un des rares à s'être penché sur la question.
5. En 1976, alors que la guerre civile bat son plein au Liban, Jacques Berque, sans défendre la droite maronite, déplore, dans une interview au *Nouvel Observateur*, l'incapacité des régimes arabes à « intégrer leurs minorités, qu'elles soient ethniques ou religieuses ».

vont s'attaquer à leur propre réhabilitation, ce que M. Harrath appelle « la permanence d'un discours de victimisation ». Le Manifeste berbère, rédigé par le subtil Mohammed Chafik, cosigné par près de deux cent cinquante intellectuels, artistes, hommes d'affaires, universitaires marocains, et rendu public le 1er mars 2000, exprime parfaitement les sentiments qui animent les berbéristes.

« Avant 1912, souligne le texte, s'observait dans la vie publique une opposition totale entre ce qui était coutumes et traditions berbères, où l'on privilégiait le débat entre les membres de la communauté, de quelque taille qu'elle fût, d'une part, et, d'autre part, les méthodes de "gouvernance" léguées à tout le monde musulman non par le Prophète et les califes orthodoxes, mais par les Ommeyaddes, s'inspirant du modèle byzantin, et les Abbassides, ces fidèles copieurs du système persan, des méthodes absolutistes ignorant superbement et la notion de consultation clairement énoncée dans le Coran et la tendance à l'égalitarisme chez les Arabes avant la Révélation. »

Aux yeux des militants berbères, un seul sultan échappe à l'opprobre : Moulay Slimane qui, en 1822, selon le Manifeste, « vient simplement de découvrir que les mœurs des *Imazighen* se trouvent aux antipodes de celles de bien des tenants du pouvoir makhzénien, portés sur les excès sans jamais abandonner la prétention d'être des modèles de piété et de vertu ». Hélas, « son cri douloureux n'a pas le moindre écho… » et les décideurs se transmettent de génération en génération « leur aversion irraisonnée » pour le fait berbère.

Pour les auteurs de ce texte de référence, le *makhzen*, profondément marqué par son « lourd héritage abbassido-ommeyadde », ne peut imaginer d'autres méthodes de gestion et de gouvernement que le recours à la violence, donc à la terreur et à la répression chaque fois qu'il peut s'en donner les moyens. Ces comportements suscitent évidemment de violentes réactions de « légitime défense ». Ainsi s'installe la *siba*[1].

Cet ensemble de règles faites « de basse intrigue et de corruption », qui caractérise le *makhzen*, explique également, pour les militants

---

1. Ou anarchie ; on oppose fréquemment le « *bled makhzen* » au « *bled siba* », ou le pays contrôlé par le sultan à celui qui ne l'est pas.

berbères, l'extrême fragilité du Maroc, devenu « une proie facile » pour le colonialisme européen. Naturellement, la France coloniale trouve dans les cercles makhzéniens « ses meilleurs auxiliaires », et les deux parties s'exhortent mutuellement à combattre la rébellion berbère. Le prix à payer par les Berbères – les seuls, selon le mouvement *amazigh*, à avoir véritablement résisté aux armées française et espagnole – est très lourd. « C'est ahurissant ce que le passage de la France nous a fait de mal sur tous les plans : frontières, pays, culture […] », déclare Mahjoubi Ahardane[1] (ce qui ne l'a pas empêché de devenir naguère capitaine dans l'armée coloniale). « Jamais dans leur histoire ils n'ont été aussi totalement écrasés militairement, politiquement, culturellement, ni autant démoralisés. De surcroît, le colonisateur décrète que leurs zones d'habitat constituent le Maroc inutile, et qu'il n'y a pas lieu de les faire bénéficier du moindre développement. » Dans le désarroi général, des dizaines de milliers de Berbères s'enrôlent ainsi dans l'armée française.

Le Manifeste berbère souligne ensuite le rôle joué, selon lui, par les Berbères, au début des années cinquante, dans la reprise du combat armé, dans les commandos de la résistance urbaine ou, surtout, dans l'Armée de libération dont ils constituent « les contingents de choc » : « C'est leur énergique action en une belle épopée nationale qui, une fois de plus, permet de bouter l'ennemi hors du Maroc, comme furent chassés autrefois Romains, Vandales, Byzantins et autres conquérants exploiteurs de peuples », écrivent, lyriques, les auteurs du Manifeste.

Muet sur le « *dahir* berbère », le Manifeste n'est pas plus disert sur les négociations franco-marocaines de 1955. Menées du côté français par Edgar Faure et, du côté marocain, par la délégation nationaliste, elles permettent d'éviter un bain de sang en réduisant d'autant le rôle de la lutte armée…

Cependant, très vite, les déceptions s'accumulent. À peine l'indépendance est-elle acquise que « les *Imazighen* perçoivent avec étonnement et amertume les premiers signes d'une marginalisation dont ils savent qu'ils seront les premières victimes ». L'Istiqlal, qualifié de

---

1. In *Le Monde diplomatique*, janvier 1995, « La renaissance berbère au Maroc », cité par M. Harrath, *op. cit.*

« parti puissant en mal de dictature », et l'USFP sont dénoncés avec vigueur pour avoir complètement oublié que « l'amazighité est l'un deux éléments essentiels de l'identité marocaine ». Quoique non cité, Allal el-Fassi est épinglé sans ménagement : « Un grand *zaïm* représentatif du courant droitier et de l'idéologie panarabiste regrette que ce travail de liquidation n'ait pas été effectué dès les premiers contacts entre Arabes et Berbères », relève le Manifeste : « C'est avant tout à nos illustres ancêtres arabes que je fais le reproche d'avoir légué à notre patrie des problèmes sociologiques qu'il ne nous est pas possible d'ignorer si nous voulons diagnostiquer le mal dont nous souffrons et lui trouver remède », déclare effectivement Allal el-Fassi en 1965.

Dans un long et intéressant article, Abdellatif Aguenouch, enseignant-chercheur à la faculté de droit de Casablanca[1], ne dit pas autre chose : « Car, aujourd'hui, que demandent avec insistance les associations du mouvement baptisé *amazigh*, puisqu'il s'agit en fait de Marocains assoiffés de démocratie et de revendication participative, et en aucune manière motivés de rancune ethnicisante, puisque nous ne sommes pas en Algérie où les *Imazighen* sont minoritaires ? [...] Ils veulent ni plus ni moins rendre au Maroc ce qui lui a été renié, son *amazighité*. Reconnaître le caractère *amazigh* du pays et élever la langue *amazigh* au rang d'une langue officielle constitutionnellement. » Pour Abdellatif Aguenouch, « rendre l'*amazigh* langue officielle, c'est saper les fondements du pouvoir des privilégiés, c'est-à-dire des politiciens, des puissants et des profiteurs au nom "de l'arabisme", "de l'islam" et "de la langue arabe officielle et sacrée". Le petit peuple pourra enfin dialoguer et discuter des programmes politiques et des politiques qui ne seront plus l'apanage de ceux qui "savent", parce qu'initiés par le truchement de la langue officielle [...]. C'est dire que la revendication *amazigh*, s'inscrivant dans le cadre d'une lutte pour la démocratisation du pays et pour l'égalité de tous politiquement et économiquement, est fondamentalement politique. »

Mais le juriste reprend vite la main et montre que les élites berbères ont de bonnes raisons d'être amères, au début des années soixante,

---

1. « L'amazighité : une marocanité spoliée d'un Maroc pluriel », par Abdellatif Aguenouch, publié le 15 août 2003 et disponible sur plusieurs sites Internet.

au moment de la promulgation de la Loi fondamentale (2 juin 1961). Voulant doubler sur « leur gauche » ses « rivaux » de l'Istiqlal et de l'UNFP, et damer le pion aux nationalistes arabes du Proche-Orient, Hassan II, affirme Aguenouch, fait inscrire dans ce texte, perçu à l'époque comme une Constitution avant la lettre : « Le Maroc est un royaume arabe et musulman » ; l'État est tenu de « dispenser l'instruction suivant une orientation arabe et islamique » ; enfin, « la langue arabe est la langue officielle et nationale du pays ». À la suite d'une démarche d'une délégation amazigh que le roi aurait prise en compte, la mention « Le Maroc, État arabe », remarque Abdellatif Aguenouch, disparaît de la Constitution de décembre 1962. Quant à la langue arabe, elle demeure la langue officielle, mais n'est plus langue nationale.

En 1992, un nouveau motif de mécontentement pour les Berbères apparaît avec l'introduction dans la Constitution révisée de l'expression « grand Maghreb arabe », auquel appartient le Maroc. Il s'agit, pour Hassan II, d'« amadouer » Kadhafi, mais aussi la *koutla* – où les nationalistes arabes sont nombreux – à laquelle on songe déjà pour l'alternance !

Pour Abdellatif Aguenouch, il serait incompréhensible que, dans le Maroc du XXIe siècle, la langue amazigh ne devienne pas « langue nationale et officielle » du royaume, à côté bien entendu des langues arabe et hassani. « Je m'imagine mal, en effet, écrit-il, continuer à payer les impôts pour un gouvernement qui refuse de faire enseigner à mes enfants leur langue maternelle, et qui continue à leur inculquer, dans une langue qu'ils n'ont commencé à pratiquer tant bien que mal qu'à l'âge de cinq-six ans, une histoire de leur pays à faire dormir debout tout être sensé ! »

Les militants du berbérisme reprochent pêle-mêle aux dirigeants marocains qui se sont succédé depuis l'indépendance d'avoir tenté d'enterrer vivante la berbérité et d'avoir pratiqué, vis-à-vis des régions berbérophones, la même politique de marginalisation économique que celle des quarante-quatre années du protectorat, « comblant d'aise les panarabistes ».

Parfois le ton monte et certains défenseurs de la langue arabe sont vilipendés : « Le temps a prouvé à tout Marocain que la défense acharnée de l'arabe, langue du Livre et de la Sunna, n'a été qu'un diabolique alibi pour de fieffés bonimenteurs doublés de margoulins insatiables, soucieux de détourner l'attention des braves gens pendant qu'eux détroussent le pays, plaçant à l'étranger le plus clair de leurs fortunes et, ô paradoxe, forment leur progéniture aux savoirs modernes dans des langues internationales ! »

Si le Manifeste berbère évoque la création, dès le début des années soixante, d'associations culturelles berbères qui cherchent à sensibiliser les différentes instances de l'État à l'existence d'un vrai problème, il évite une fois encore un sujet qui doit sans doute fâcher le monde berbère, à savoir la création du Mouvement populaire à la fin des années cinquante. Ce dernier est un peu le pendant politique à ces associations, et a clairement pour objet de s'opposer au « parti puissant » dont il était question plus haut. Mais Mahjoubi Ahardane, fondateur du Mouvement, sent le soufre ; sans mettre en doute son attachement à la cause berbère, nombre de ses « frères » en berbérité n'apprécient que très moyennement son soutien inconditionnel à la monarchie, son comportement féodal et son fonctionnement bien peu démocratique à la tête du MP.

La création en 1980 d'un Institut d'études berbères ne change rien à la donne. Elle intervient d'ailleurs à un moment où l'Istiqlal tient les rênes de l'Éducation nationale avec Ezzedine Laraki, le type même de Fassi arrogant qu'exècrent les Berbères. Comme le souligne le Manifeste, le PI estime « indigne de lui de porter au front le stigmate de la création d'un institut chleuh[1] ».

En 1994, à l'occasion du 1er Mai, un groupe de jeunes enseignants *amazigh* sont condamnés à de lourdes peines de prison pour avoir porté une banderole où ils réclamaient l'enseignement de la langue berbère. Les réactions sont fortes et le pouvoir fait marche arrière. Le 20 août suivant, Hassan II, ayant senti la nécessité de lâcher un peu de lest, indique qu'il a donné des instructions pour que le berbère soit enseigné. Effectivement, des micro-journaux télévisés dans les trois langues berbères pratiquées au Maroc – le *tarifit* dans le Rif, le *tamazight* dans le Moyen-Atlas et le centre du pays, le *tachelhit* parlé dans le Sud – font leur apparition. Un des principaux objectifs du

---

1. Les Chleuhs ou Berbères du sud du Maroc, de la région de Souss. L'origine du mot n'est pas connue.

mouvement berbère est d'ailleurs d'unifier ces trois parlers et d'en faire une langue unique – l'autre langue officielle du pays.

Pour justifier la publication du Manifeste, ses auteurs affirment que l'action menée par les associations culturelles a atteint ses limites et qu'elles ne parviennent plus à canaliser le mécontentement des Berbères. Le texte constitue d'ailleurs un habile mélange de mises en garde et d'assurances aux « frères » arabes. Mise en garde quand, par exemple, il énonce : « Il est devenu évident que les Berbères ne renonceront pas à leur berbérité et n'auront de cesse que l'amazighité du Maroc soit officiellement reconnue. Au cas où les panarabistes s'obstineraient à la renier, les Imazighen se trouveraient en droit de dénier à leur pays toute prétention à se vouloir arabes. » Parallèlement, et pour « lever toute équivoque », le Manifeste affirme solennellement que les Imazighen, berbères par la langue et la culture, et non par la race, sont « des frères pour les Arabes [...] en vertu des liens indissolubles qui nous unissent à eux, ceux de la foi islamique et d'un destin historique commun marqué d'entraide et de soutien mutuel ». Au fond, pour les auteurs du Manifeste, la langue arabe est un référent religieux, tandis que la langue amazigh est un référent culturel et identitaire.

Le Manifeste se termine par toute une série de revendications allant de la reconnaissance du berbère comme langue officielle à son enseignement, à une refonte des livres d'histoire rendant aux Berbères leur juste place, à un programme ambitieux de développement économique des régions berbères marginalisées, en passant par l'introduction de la langue berbère dans l'administration. « Notre but, conclut le texte, n'est autre que de marquer notre volonté de combattre une hégémonie idéologique se fixant pour objectif un ethnocide programmé pour être mené à petit feu, nous contraignant à voir mourir lentement sous nos yeux notre langue nationale originelle et s'effriter un grand pan de l'héritage culturel marocain. Notre identité maghrébine ne saurait être amputée de sa dimension amazigh, si profondément enracinée dans l'histoire, sans que s'ensuivent d'irréparables dommages. »

De tout ce qui précède il ressort donc que la politique coloniale a joué un rôle important dans la construction de l'identité berbère et que la réaction des Marocains nationalistes, avant et après l'indépendance, a accéléré la construction de cette identité. Comme l'écrit justement M. Harrath, « c'est dans la négation d'elle-même par ceux qui se sont appuyés sur sa particularité que l'identité berbère puise sa raison mobilisatrice et qu'elle met en avant des revendications on ne peut plus claires sur ses éléments particularistes ».

Quatre années après la publication du Manifeste berbère, Il faut bien convenir que les résultats sont maigres, loin d'être à la hauteur des attentes des militants berbères. Comme toujours au Maroc sur des sujets aussi sensibles, le pouvoir avance lentement ses pions, soucieux d'éviter de froisser un « lobby arabe » qui se méfie comme de la peste des revendications amazigh. Pourtant, la plupart des responsables berbères veillent à ne pas jeter d'huile sur le feu : « Notre lutte est intimement reliée à la question de la citoyenneté dans son sens global, souligne ainsi le président du Réseau amazigh pour la citoyenneté (RAC), Hamid Arehmouch. Nous ne militons pas pour un État amazigh, mais plutôt pour un État de droit qui prendra en considération notre culture et notre identité dans toutes les politiques qui sont exercées. »

En réalité, hormis la création d'un Institut royal pour la culture amazigh (IRCA), annoncée par Mohammed VI dans son discours du trône du 30 juillet 2001, les avancées sont peu nombreuses[1]. Pour Mohammed Chafik, premier président de l'IRCA, cette création est « un acquis important », mais elle « ne répond qu'à une seule des revendications » présentées dans le Manifeste berbère[2].

Dans un bilan dressé en janvier 2004[3], des militants berbères rappellent que « la lutte du mouvement amazigh passe principalement par la reconnaissance de la langue amazigh dans la Constitution marocaine, selon le même caractère officiel et national que la langue arabe ». Pour le vice-président du RAC, Khalid Ouassou, « c'est ce

---

1. Certains militants berbères contestent d'ailleurs l'IRCA. Le 21 avril 2004, des membres du Mouvement culturel amazigh (MCA) ont organisé une manifestation dans l'enceinte de l'université d'Agadir. Ils ont été tabassés par les forces de l'ordre alors qu'ils traversaient une rue pour passer de la faculté des lettres à celle des sciences. Des slogans hostiles à la politique de la monarchie marocaine ont été scandés par les manifestants. Certains de ces slogans exprimaient leur méfiance envers l'IRCA qui ne serait, selon les manifestants, qu'une machination du régime pour « endiguer » la cause amazigh.
2. Interview à *L'Économiste*, printemps 2002.
3. Bilan disponible sur le site amazigh.info.

qui permettra à une grande partie de la population marocaine de jouir de ses droits ».

À l'appui de ses dires, M. Ouassou évoque la situation dans les tribunaux où, selon lui, « le degré de discrimination des citoyens amazigh est très élevé ». Plusieurs d'entre eux ont eu des problèmes judiciaires pour la simple raison qu'ils ne maîtrisent pas l'arabe. Malgré la volonté royale d'offrir le service d'interprètes, cette mesure législative n'est pas encore généralisée, ce qui porte atteinte au principe de l'égalité entre citoyens amazigh et arabophones devant la Justice.

Les Berbères se plaignent aussi que, dans le domaine administratif, les droits des amazigh soient limités, les documents au sein des ministères n'étant rédigés qu'en arabe classique. Par ailleurs, les organisations socioculturelles amazigh sont encore souvent victimes de la non-application de la loi sur le droit d'association et de réunion. La création de certaines d'entre elles a même été interdite arbitrairement, sans aucune explication. De même, lorsqu'une association est légalisée, rien ne garantit qu'elle pourra organiser ses activités culturelles de promotion de l'amazighité. Pour les animateurs du mouvement berbère, la constitutionnalisation des différentes composantes de la culture amazigh assurerait une protection légale à ces organisations. Cette reconnaissance n'est pas à négliger, puisqu'il est généralement admis, faute de chiffre officiel, que plus de la moitié des Marocains sont berbérophones[1].

Jusqu'à la rentrée scolaire 2003, l'État marocain n'avait pas pris en compte des recommandations de l'UNESCO remontant à 1962 et préconisant l'insertion de la langue maternelle dans le système éducatif dès les premières années, et son utilisation en vue d'éradiquer l'analphabétisme des adultes[2]. En septembre 2003, répondant au souhait du roi qui, en juin 2002, avait mis l'accent sur la nécessité de sauvegarder la culture amazigh et d'accélérer son intégration dans le système éducatif, le ministère marocain de l'Éducation nationale a entamé à titre expérimental un enseignement du berbère dans

---

1. Les associations berbères marocaines estiment que 45 % de la population marocaine sont exclusivement berbérophones et qu'en comptant les bilingues, 70 % de la population parle le berbère. Dépêche de l'AFP du 2 août 2001.
2. Selon Rachid Raha, éditeur du journal *Le Monde amazigh*.

317 écoles, soit environ 5 % des établissements scolaires du royaume. Selon les projections du ministère, ce n'est qu'à l'horizon 2013 que cet enseignement de la langue amazigh sera généralisé.

Dans le combat que mènent les Berbères pour faire aboutir leurs revendications, une figure émerge depuis une dizaine d'années : celle de Mohammed Chafik. Comme il a été, dans les années soixante-dix, directeur du Collège royal et qu'il a eu pour élève l'actuel souverain, certains pensent que le Palais l'utilise pour faire avancer à son rythme la « question berbère ». Certes, ce septuagénaire aussi fin que cultivé a une conscience aiguë des rapports de forces, mais ce serait faire insulte à cet homme de qualité que de laisser planer le doute sur son indépendance d'esprit. Conteur plein d'humour, cet ancien inspecteur général de l'Enseignement primaire, qui a eu pour collègue Abdesslam Yassine avant que leurs itinéraires ne divergent complètement, est d'abord un pédagogue : « Dans l'esprit des gens, note-t-il, l'enseignement est une politique, et non une technique. Cela commence mal ! On ne s'interroge jamais, au Maroc, sur la légitimité de l'éducateur. De quel droit un adulte impose-t-il à un enfant son mode de vie, sa façon de penser ? Il faut être prudent. Suis-je en droit de dire de faire ceci, cela ? Je pense souvent à cette phrase de Gaston Bachelard : "Les chefs d'État devraient être des éducateurs, le statut de l'éducation est plus important que celui de la République[1]. » L'homme a d'ailleurs gardé un mauvais souvenir de ses deux années passées au *msid* (école coranique) et a condamné toute sa vie le caractère répressif de cet enseignement dogmatique. En 1951, initiative exceptionnelle au « bled », il crée une classe supplémentaire pour fillettes[2].

Sans doute, l'âge aidant, Mohammed Chafik a-t-il un peu perdu de sa réserve, affichant désormais haut et fort ses convictions, comme on l'a vu dans le Manifeste berbère auquel il a très largement contribué, mais cette franchise n'empêche ni le réalisme, ni la rigueur. Chez lui, le pédagogue n'est jamais loin. Dans une interview accordée au printemps 2002 au quotidien *L'Économiste*, Chafik, qui vient de prendre ses fonctions à la tête de l'IRCA, donne son sentiment :

---

1. Entretien avec l'auteur.
2. Article d'Abla Ababou dans *Le Journal hebdomadaire*, 13 juillet 2001.

« Beaucoup de nos compatriotes s'imaginent que nous sommes arabisés une fois pour toutes et qu'il n'est pas question de parler de berbérité. C'est extrêmement dangereux. Un Berbère n'accepterait jamais de renier son identité culturelle. Lorsqu'on lui ordonne de se taire et d'affirmer qu'il est arabe de seconde zone, c'est complètement insensé ! Je me suis souvent trouvé devant des personnes qui se glorifient d'être arabes. Quand je leur dis que je suis berbère et que j'en suis fier, elles m'accusent d'être raciste ! » Pour Mohammed Chafik, les Marocains doivent se « glorifier de leur marocanité […] Il faut, dit-il, tenir un langage scientifique sur cette question d'amazighité. Dans le Manifeste berbère, nous disons que l'enseignement doit faire connaître notre histoire telle qu'elle a été, sans camouflage. Actuellement, la première leçon enseignée à nos enfants s'intitule "La ville et la tribu arabes avant l'islam[1]". Le nationalisme arabe est passé par là ! Les panarabistes ont investi l'Éducation nationale et y font ce qu'ils veulent ».

Mohammed Chafik, qui a renoncé à diriger l'IRCA en 2003 pour raisons de santé, n'est guère fasciné par l'expression politique des Berbères, incarnée notamment par Mahjoubi Ahardane et Mohand Laenser. « Que pensez-vous de leur action ? » lui demande-t-on. « Ils font ce qu'ils peuvent dans un contexte politique délétère. Les associations estiment qu'ils pourraient faire mieux », se borne-t-il à répondre.

Sur la création d'un parti berbère, sa réponse est sibylline : « Il y a beaucoup de jeunes Berbères qui sont tentés par ce projet. Ils pourraient l'appeler autrement, sans parler d'amazighité, comme c'est le cas des partis panarabistes qui ne disent pas leur nom. »

De son côté, Ahmed Aassid, chercheur à l'IRCA et secrétaire général de l'AMREP, la première association culturelle berbère fondée en 1967 par Ahmed Boukous, se montre beaucoup plus direct : « Le Mouvement populaire [d'Ahardane] n'a pas travaillé avec une conscience amazigh. Il n'a eu aucun projet, si ce n'est celui d'être à la disposition du Palais. Pas de projet sociétal. Il n'a jamais rien fait pour la culture amazigh[2]. » Il regrette également que les hommes d'affaires berbères qui financent son association continuent à exiger le silence, de peur

---

1. Tiré du Manuel de première année du cycle élémentaire.
2. Entretien avec l'auteur.

d'être sanctionnés par l'élite fassie qui dispose toujours du pouvoir et de l'argent. Pis encore, dit-il, on trouve même de riches Soussis (Berbères du Sud) qui financent tous les projets arabo-andalous…

Comme on peut le constater, écrire sur le fait amazigh n'est pas chose aisée. La question est toujours vécue de manière passionnelle. « L'injure, l'anathème, la condamnation péremptoire, voire les réactions racistes constituent l'essentiel du débat autour de cette question depuis au moins un demi-siècle. Les témoignages précis et directs sont rares et presque toujours fortement tendancieux. Souvent masquée, inavouée ou même niée, la "question berbère" est, dans le champ socio-politique maghrébin, un fait "honteux" difficile à suivre, même si, obscurément, tout le monde sait qu'il y a là une force qui est à l'œuvre », note un jeune Berbère dans un forum de discussion sur Internet[1].

Empruntant à un autre brillant intellectuel berbère, Ahmed Boukous (qui a pris en 2003 la succession de Mohammed Chafik à la tête de l'IRCA), le concept de « patrimonialisme » – c'est-à-dire la propension à recourir au patrimoine culturel pour tenter de relever les défis auxquels est confrontée la société marocaine –, le même intervenant estime à juste titre que les islamistes et les amazigh appartiennent au même paradigme culturel. Mais, à ses yeux, la différence fondamentale est que l'islamisme marocain est incapable de répondre aux nécessités de la vie moderne, contrairement à l'amazighité qui, selon lui, s'inscrit dans les réalités d'aujourd'hui.

Beaucoup de Berbères « modernistes » rejettent en effet la vision nostalgique d'un Ahardane qui décrit le Berbère comme « un homme libre, démocrate, solidaire, droit et simple ». Vision mythique teintée de romantisme de quelqu'un chez qui « l'amazighité devient un absolu auréolé d'une marginalité millénaire et dont les fondements doivent être réactivés en vue d'un projet socio-culturel alternatif[2] ». Les similitudes avec le discours islamiste sont évidentes, l'amazighité se substituant ici au Coran et à la Sunna.

À ce discours ethniciste, la plupart préfèrent une vision fondée sur le droit à la différence, sans révolte stérile contre le monde arabe, ce

---

1. Un certain Oudaï, en février 2003.
2. Oudaï, déjà cité.

qui permet de dépasser maintes discussions byzantines sur qui est arabe ou qui est berbère. Faut-il rappeler que le Maghreb est un carrefour où les passages des différents peuples et envahisseurs ont laissé des traces, des brassages et des métissages à partir desquels il est impossible de faire la part des choses ?

La parution au Maroc, à l'été 2003, d'un Coran en tamazight[1], témoigne à la fois des avancées réalisées par le mouvement berbère, mais aussi du chemin qui reste à parcourir. Une telle publication eût été impensable il y a dix ans encore, mais, bien que le texte sacré soit déjà disponible en quarante langues, cette traduction en berbère déchaîne encore des passions. Pourquoi ? Pas de réponse claire, si ce n'est pour dénoncer « l'inutilité » de la chose. Mais depuis quand juge-t-on une traduction à l'aune de son « utilité » ? D'ailleurs, elle est sans aucun doute utile pour tous ces fervents pratiquants non arabophones, condamnés depuis toujours à psalmodier des versets auxquels ils ne comprennent goutte…

Retraité de l'enseignement, ancien professeur d'histoire, le traducteur, Houcine Jouhadi, avait déjà fait parler de lui, au milieu des années quatre-vingt-dix, en publiant une biographie du Prophète en tamazight. L'ouvrage, tiré à trois mille exemplaires, s'arrache principalement parmi les lettrés berbérophones du Souss. La polémique rattrape Jouhadi en 1999 au moment où l'hebdomadaire anglais *The Economist* mentionne son projet de traduction du Coran dans un article repris par *Al Ousbou'h*. Jouhadi aurait alors reçu des menaces. On n'en sait pas plus car, depuis lors, il refuse tout contact avec les médias.

« L'absence de Coran berbère, écrit à l'époque *The Economist*, aide à comprendre pourquoi le Maroc fait partie du monde arabe, contrairement à l'Iran ou à la Turquie par exemple. Depuis que les Arabes ont islamisé l'Afrique, il y a mille quatre cents ans, une élite arabophone, investie du pouvoir d'interpréter la parole d'Allah,

---

1. Selon un des sites amazigh accessibles sur Internet, l'œuvre, prudemment intitulée *Traduction des préceptes du saint Coran*, a été tirée à trois mille exemplaires et distribuée confidentiellement par l'auteur. Ceux qui l'ont lue sont enchantés : « L'utilisation de mots simples désacralise le texte et permet une lecture critique que l'usage du classique interdit. C'est certainement ce qui dérange les islamistes, farouches opposants à cette traduction. Dommage pour eux, et tant mieux pour la science ! »

domine la population berbère. Et les autorités entendent bien voir cette situation perdurer. » Pour le célèbre hebdomadaire britannique, ce vide sur le plan religieux est à rapprocher du taux très bas d'alphabétisation du Maroc, « qui s'explique en grande partie parce que l'enseignement est dispensé dans une langue que bon nombre d'enfants ne comprennent pas ».

VI

Les Marocaines

Si l'on met de côté la mise à l'écart spectaculaire de Driss Basri, l'adoption d'un Code de la famille moderne comportant de nouveaux et d'importants droits pour les Marocaines constitue sans aucun doute le fait le plus marquant des premières années du règne de Mohammed VI. Dans cette affaire, le roi a joué un rôle décisif en apportant son appui au Collectif du printemps de l'égalité – regroupement d'associations féminines – dont le dynamisme s'est révélé déterminant. En faisant entrer de plain-pied les Marocaines dans la modernité, au moins au niveau des textes, Mohammed VI a permis au Maroc de rejoindre la Tunisie à l'heure même où les forces les plus obscurantistes tentent de s'imposer sur la scène arabo-musulmane.

Un Code de la famille moderne

Pour résumer rapidement la situation nouvelle née de l'adoption du Code à l'unanimité, les 16 et 23 janvier 2004, par les deux Chambres, celle des représentants (députés) et celle des conseillers (Sénat), retenons que, désormais, la famille est placée sous la tutelle conjointe des deux époux. L'âge du mariage est uniformément fixé à dix-huit ans et la femme majeure peut exercer un droit de tutelle. Les restrictions à la polygamie sont très fortes ; surtout, toute femme peut subordonner son mariage à la condition, consignée dans l'acte, que son mari s'engage à ne pas prendre d'autres épouses. Le divorce – qui a concerné en 2003 plus de quarante mille couples marocains – devient également un droit partagé. Les relations conjugales sont rééquilibrées au profit de la femme (violence, abandon du domicile conjugal, etc.). D'autres dispositions moins importantes sont également prévues.

Naturellement, les Marocaines militantes et les modernistes n'en sont pas arrivés là en attendant le bon plaisir du prince. Dès le début du XXᵉ siècle, quelques oulémas éclairés, mais sans influence réelle, préconisèrent des changements en faveur des femmes. En réalité, c'est seulement avec le Mouvement national, marqué par les idées réformistes des salafistes du Proche-Orient (Mohammed Abdou, El-Afghani, etc.), qu'une évolution est entamée. Le parti de l'Istiqlal crée ses premières cellules féminines en 1944, suivi de peu par le PDI. En 1946, l'association Akhawat as-Safa [les Sœurs de la pureté], liée à la formation de Mohammed el-Ouazzani, tient son premier congrès. Lors du second, réuni à Fès en 1947, les participantes adoptent une véritable charte de réforme de la condition de la femme. Elles citent comme modèle pour la femme marocaine musulmane Lalla Aïcha, la fille de Mohammed V, et appellent le sultan à soutenir leur cause. Polygamie et mariage précoce sont également dénoncés. Ces idées avant-gardistes sont justifiées sur le plan religieux par Allal el-Fassi, le prestigieux leader de l'Istiqlal, dans son livre *An-Naqd adh-Dhati* (L'Autocritique).

Malheureusement, ces bonnes dispositions ne se retrouvent pas, au lendemain de l'indépendance, dans le Code de statut personnel, la fameuse *moudawana*. « L'élaboration de la *moudawana* remonte à 1957. Cinq *dahirs* édictés entre novembre 1957 et avril 1958 avaient défini la loi et le domaine de sa juridiction. Élaboré dans la hâte, ce texte n'a connu depuis lors que quelques retouches d'appoint, sans jamais se départir de son fondement orthodoxe largement discriminatoire à l'égard de la femme », souligne Mohammed el-Ayadi[1].

---

1. Politologue et spécialiste de l'islamisme marocain, « La Moudawana, histoire d'une loi anachronique », in *Le Journal hebdomadaire* du 11 au 17 octobre 2003.

Quinze jours et trois séances de travail ont suffi à une commission[1] de dix oulémas pour rédiger ce texte de loi. Pour Mohammed el-Ayadi, la majorité des oulémas se focalisent alors sur la réhabilitation de la *charia* et sur l'affirmation de sa suprématie au détriment non seulement du droit positif, mais également de la coutume consacrée par le fameux *dahir* dit « berbère » du 16 mai 1930. La pratique de la coutume est d'ailleurs violemment dénoncée par Allal el-Fassi qui déclare à l'époque : « Aucune réforme de la famille n'est possible sans la réforme de la situation de la femme, et celle-ci ne peut bénéficier de cette réforme tant que les coutumes berbères sont imposées dans notre pays. La question est avant tout une prise de conscience des dangers que représentent les résidus de la *jahiliya*[2] » dans le pays, et des entraves qu'ils constituent pour toute réforme ou tout progrès que nous envisageons. » Ainsi, selon El-Ayadi, « le conservatisme orthodoxe et le salafisme nationaliste » se conjuguent pour « servir une certaine idée de l'identité marocaine dans un élan de décolonisation culturelle et de restauration de l'authenticité nationale mise à mal pendant la période coloniale [...]. La réhabilitation de la *charia* prenait donc le pas sur l'objectif de l'égalité des droits et de la réforme de la situation juridique de la femme, pourtant souhaités à l'époque par la majorité de l'élite marocaine. »

Le conservatisme de Hassan II, bien décidé à s'appuyer sur ses soutiens naturels, à savoir tout ce que le royaume compte de notables traditionalistes, ne conduit évidemment pas à des modifications substantielles du texte d'origine, en dépit du mécontentement ou de l'insatisfaction d'un grand nombre de militantes marocaines.

Hassan II n'est pourtant pas totalement fermé à la question. Lors du Congrès constitutif de l'union des femmes marocaines, le 6 mai 1969, le souverain s'inscrit en faux contre les ultraconservateurs, tout en adoptant une attitude traditionnelle : « Nous ne vous cacherons pas que lorsque nous avons décidé d'encourager la constitution d'une Union des femmes, nous avons constaté auprès de nombre de personnes des appréhensions quant à l'éventualité de voir la femme prendre trop d'importance. Nous tenons à préciser ici que dans un

---

1. En font pourtant partie plusieurs salafistes, dont Allal el-Fassi.
2. L'« ignorance » dans laquelle vivaient les tribus arabes avant l'islam.

ménage uni, il n'y a pas, à vrai dire, de conjoint supérieur à l'autre. Certes, le Coran dit que l'homme est le maître de la femme, mais à ce verset il y a lieu d'accoler ce *hadith* du Prophète : "Les femmes et les hommes ont les mêmes responsabilités." L'exégèse du verset conduit à établir qu'il appartient à l'homme de travailler durement, avec acharnement, de fournir un gros effort et de trouver en contre-partie, auprès de la femme, le repos et la quiétude qui compensent le labeur quotidien accompli soit en gérant les affaires de l'État, soit en subvenant aux besoins des siens. »

Son ouverture d'esprit a cependant des limites. En décembre 1989, il se félicite que le Maroc n'ait pas eu de femmes dirigeantes : « Tous nos mariages ont été morganatiques, et je pense que toutes les dynasties qui se sont succédé ont fait là un choix judicieux. Dieu nous a évité les régences féminines qui n'ont pas toujours été très heureuses de par le monde[1]. »

En 1993, un quart de siècle plus tard, le roi consent à apporter quelques changements mineurs à la *moudawana*. Ceux-ci ont au moins l'intérêt de lever un tabou en montrant que le texte n'est pas intouchable… Par ailleurs, la montée de l'islamisme, à partir du milieu des années soixante-dix, ne fait que compliquer les choses.

C'est pourtant du vivant de Hassan II que le dossier est remis à l'étude. Appelé au gouvernement par Abderrahmane Youssoufi, Saïd Saadi, professeur dans une école de commerce de Rabat, l'ISCAE, et membre du Bureau politique du PPS, est un homme sympathique, moderne et dynamique. Il est alors sans doute l'un des mieux placés pour préparer, en liaison avec les associations féminines et la société civile, un Plan d'intégration de la femme. En mars 1999, Youssoufi en personne présente devant un parterre prestigieux[2] le fruit du travail de son secrétaire d'État. Tout le monde applaudit.

Mais c'est compter sans le ministre des Affaires islamiques, Alaoui M'Daghri, qui rejette le projet, vite soutenu par les islamistes, tandis que les féministes se rangent résolument du côté du Plan que Saïd Saadi

---

1. Interview à Antenne 2, le 17 décembre 1989, in *Discours et interviews de Hassan II*, t. X.
2. Voir l'article de Nadia Hachimi Alaoui dans *Le Journal hebdomadaire* du 11 au 17 octobre 2003.

continuera à défendre jusqu'au bout avec autant de conviction que de courage. Une imposante manifestation orchestrée par les islamistes, et qui réunit plus de deux cent mille personnes, en mars 2000[1], conduit le gouvernement Youssoufi à lâcher Saadi. Une reculade de plus, qui ne grandit pas la formation socialiste. Cette dernière aurait en effet gagné à ne pas oublier combien l'ultraformalisme des islamistes et leur attachement fanatique aux textes charrient toutes sortes de nuisances.

Militant amazigh, Ahmed Aassid explique en juin 2003 pourquoi les islamistes défendent la *moudawana*, le fameux Code du statut personnel datant de 1957 et qui est alors en passe d'être réformé : « Les islamistes la défendent, dit-il, en partant du principe que ce texte constitue une vérité absolue et inviolable, ce qui prouve que ce qui intéresse les islamistes, ce n'est pas tant la dignité humaine ou l'évolution sociale que le texte lui-même. Mais si la dignité humaine est évincée, quelle est alors la valeur des textes religieux[2] ? »

Loin de baisser les bras, le Collectif du printemps de l'égalité multiplie les initiatives, débat avec les islamistes, envoie de nombreuses contributions à la presse, bref, se bat quotidiennement pour que cette réforme ne soit pas enterrée comme tant d'autres.

À la fin d'avril 2001, Mohammed VI reprend la main en nommant une Commission royale chargée de réviser la *moudawana*. Elle est composée d'une quinzaine de membres et présidée par Driss Dahak, premier président de la Cour suprême. Pendant près de vingt mois, cette Commission reçoit et écoute des dizaines d'associations et de personnalités plus ou moins parties prenantes. Un des principaux objectifs qui lui sont assignés par le roi est d'« affranchir la femme marocaine de toutes les entraves qui l'empêchent d'apporter sa pleine contribution à l'édification d'une société solidaire et prémunie contre l'extrémisme et le fanatisme, sans jamais renier l'identité islamique marocaine immuable ».

Devant l'excessive prudence de la Commission, Mohammed VI remplace en janvier 2003 Driss Dahak par M'hammed Boucetta, ancien patron de l'Istiqlal et fin politique. Celui-ci est néanmoins épin-

---

1. Les partisans du Plan d'intégration rassemblent soixante-dix mille personnes à Rabat le même jour.
2. Interview au *Journal hebdomadaire* du 31 mai au 6 juin 2003.

glé dès le mois de février par l'Association démocratique des femmes marocaines (ADFM) qui lui reproche vivement d'avoir évoqué le PACS français comme un des « dangers » qui sont censés menacer la société marocaine. Cette évocation est « stupéfiante », note l'ADFM, car le PACS est hors sujet et n'intéresse personne au Maroc ; elle souhaite que cette « grave erreur » ne soit qu'une « maladresse ».

Des associations sont réentendues, d'autres sont invitées à venir s'exprimer pour la première fois. Soixante-douze au total sont consultées en l'espace d'un peu plus de deux ans. Les quarante « points litigieux » laissés par son prédécesseur sont ramenés à une dizaine par M'hammed Boucetta qui remet un prérapport au roi à la fin de l'été. À *L'Express*, qui lui demande s'il est exact que « le roi serait allé plus loin que ne le souhaitait la majorité de la Commission », Boucetta répond : « Oui, ce fut vrai dans certains cas[1]. » Selon des sources diplomatiques marocaines, le souverain, agacé par la timidité du texte soumis à son appréciation, y a même apporté d'importantes modifications dans un sens toujours favorable à la femme marocaine. Enfin si, selon ces mêmes sources, les attentats du 16 mai n'ont pas influé sur la décision royale de réformer profondément la *moudawana*, ils ont, selon M'hammed Boucetta, « incité les gens à réfléchir davantage et les ont éloignés de l'extrémisme[2] ».

En réalité, 16 mai ou non, Mohammed VI, en pesant le pour et le contre, avait tout intérêt à mener l'opération à son terme. Outre la profonde satisfaction de nombreuses Marocaines et celle de toutes les composantes du Maroc moderne, la réforme est en effet très bien accueillie dans le monde occidental, notamment par les meilleurs amis du royaume, ravis de voir enfin les « barbus » et autres obscurantistes remis à leur place à une époque où la plupart des régimes arabes ne savent plus quoi inventer pour calmer leurs extrémistes. Hubert Védrine n'est pas loin de penser qu'il s'agit là de la mesure la plus importante prise par Mohammed VI depuis sa montée sur le trône : « Au début, le jeune roi a pris en rafale une série de mesures qui ont été très bien perçues, notamment par l'opinion française, l'opinion extérieure et la plupart des Marocains. Après, il y a eu une période

---

1. Interview en date du 11 décembre 2003.
2. *Ibid.*

sans rien de très marquant, et puis est venue la réforme de la *mou-dawana*, très importante. Après tout, il est seulement le deuxième à faire cela dans le monde arabe, après Bourguiba. C'est considérable, il ne faut pas sous-estimer cela. Mohammed VI a agi très finement. Après le recul du gouvernement Youssoufi, il a laissé mijoter les différents groupes, il a fait rechercher les références coraniques et musulmanes nécessaires, il a invoqué son statut de Commandeur des croyants. Il a fait appel au vieux et respecté leader de l'Istiqlal, M'hammed Boucetta, en quelque sorte pour jouer la droite traditionaliste contre les islamistes. Il a utilisé très intelligemment Boucetta qui s'est laissé utiliser parce que c'est personnellement un homme moderne. Le roi a donc très bien joué. Il était prêt. Je pense ensuite que les attentats du 16 mai ont aussi été très habilement utilisés : au lieu de penser "Je ne peux plus bouger après cela", il s'en est au contraire servi pour mettre les islamistes sur la défensive, et avancer[1] ».

Effectivement, on l'a vu, les deux Chambres du Parlement votent à l'unanimité le texte proposé. De la part du PJD, hostile à bien des aspects du nouveau Code de la famille, un tel comportement ne peut évidemment s'expliquer que par son souci de calmer le jeu, après avoir été violemment attaqué par tous les milieux hostiles aux islamistes. Mais cette formation islamiste « modérée » compte sans aucun doute sur le conservatisme de bon nombre de juges pour, sinon empêcher, au moins freiner l'application de la loi, ou interpréter le nouveau texte de manière restrictive.

Les associations féminines marocaines sont en effet aussi lucides que vigilantes. Pour Leïla Rhiwi, une des militantes les plus actives du Printemps de l'égalité, qui ne cache pas sa joie devant « toutes les avancées apportées par la loi », il reste « maintenant, bien sûr, tout le travail de l'opérationnalisation des principes énoncés, les procédures, les mécanismes, les verrouillages nécessaires, la formation des magistrats, les guides de vulgarisation, la communication, bref, un autre chantier, celui de la garantie de l'effectivité de l'application de la loi[2] ».

Même son de cloche chez Soumeya Aïdmane, de l'Association solidarité féminine (ASF), pour qui « de nombreuses difficultés pour-

1. Entretien avec l'auteur.
2. Interview au *Journal hebdomadaire* du 11 au 17 octobre 2003.

raient surgir dans l'application du nouveau texte, notamment pour les femmes célibataires et les enfants nés hors mariage[1] ».

Les militantes marocaines se méfient d'autant plus que les magistrats sont sans doute parmi les plus conservateurs des Marocains. Si l'on ajoute à cela la corruption du monde judiciaire, on peut comprendre leur inquiétude... Le Pouvoir paraît cependant avoir pris la mesure du problème en créant une « Juridiction de la Famille » *(Qada al-Ousra)* qui devrait disposer de ses propres locaux dans soixante-dix tribunaux de première instance.

Ainsi donc les Marocaines, qui représentent le tiers des salariés – sans parler, naturellement, des paysannes non rémunérées qui travaillent durement dans les petites exploitations familiales –, présentes dans tous les corps de métier où leur compétence et leur savoir-faire n'ont rien à envier à ceux des hommes, franchissent au début de l'année 2004, avec l'adoption du nouveau Code de la famille, un pas décisif dans la reconnaissance de leurs droits. S'il leur reste, bien sûr, à s'assurer de la bonne application de ce texte moderne, les associations de femmes ne se focalisent plus sur la question du statut personnel des Marocaines et concentrent désormais leurs efforts sur le respect d'autres codes comme celui de la fonction publique ou du travail. C'est qu'à compétences égales, elles continuent, comme dans beaucoup d'autres pays, à être moins bien payées et, plus encore, à être absentes de la plupart des postes de haute responsabilité, qui restent l'apanage de la gent masculine.

Notons enfin, dans ce rapide tour d'horizon, qu'au Parlement, toujours à l'initiative du Palais, les femmes occupent, depuis les dernières législatives, 10 % des trois cent trente sièges de la Chambre des représentants. Pour éviter de sérieuses déconvenues de la part d'un électorat qui doit aussi faire son *aggiornamento*, la plupart des femmes élues l'ont été sur des listes nationales distinctes. Mais inutile de rêver : quelles que soient leurs qualités, les parlementaires marocaines sont logées à la même enseigne que leurs collègues masculins dans une institution qui ressemble toujours à une chambre d'enregistrement dont le devenir est lié plus que jamais à une profonde refonte du système politique marocain.

---

1. Déclaration à l'AFP, le 6 mars 2004.

VII

Cinq ans de règne

Cinq ans après avoir succédé à son père, Mohammed VI demeure dans une certaine mesure « une énigme », selon le mot de Gilles Perrault dans une interview donnée quelques jours après la mort de Hassan II[1]. Le contraste entre l'homme public et l'homme privé surprend. Le premier, timide, coincé, raide, lit péniblement ses discours, n'accorde que très peu d'interviews et, en cinq années, n'a toujours pas donné la moindre conférence de presse. Les réunions officielles semblent l'ennuyer prodigieusement, et il paraît même les fuir. Lors du Sommet euro-maghrébin, dit « 5+5 », au début de décembre 2003, il arrive en retard et ne participe pas au dîner d'ouverture. Deux jours plus tard, à la consternation des autres chefs d'État et d'une partie de la délégation marocaine, il est absent du dîner qui réunit toutes les délégations. En d'autres circonstances, comme lors du 13e Sommet des Non-Alignés, à Kuala Lumpur, en février 2003, il passe plus de temps à faire du shopping de luxe et à remplir de chinoiseries l'avion spécial qui l'accompagne qu'à multiplier les entretiens bilatéraux. Lors d'un sommet arabe chez son ami le roi de

---

1. À *Ouest-France*, le 8 août 1999.

Bahrein, la mer toute proche et les plaisirs qu'elle offre – jet-ski, notamment – l'attirent beaucoup plus que l'entretien de ses relations avec les « frères » arabes. Le jet-ski, qui a maintenant sa « Nuit internationale » à Rabat[1], patronnée par la Fédération royale de jet-ski et de ski nautique, occupe d'ailleurs une place importante dans la vie du souverain. En novembre 2003, les employés d'un atelier de peinture de la BASF[2], installé près de Bordeaux, se souviennent encore de la visite de Mohammed VI, venu assister en compagnie de deux gardes du corps au « relookage » de ses engins. Le petit personnel fut invité à déjeuner par Sa Majesté dans une pizzéria voisine. On ne parla que de sport !

De l'avis unanime, l'homme privé est beaucoup plus détendu et sympathique, même s'il est susceptible et colérique. Il aime rire, a conservé en partie le sens de l'humour et l'esprit de fête qui étaient les siens quand son père vivait encore et le laissait tranquille. En 2003, libre de son temps et de ses mouvements, il réalise un de ses rêves et passe une soirée en région parisienne chez Johnny Hallyday, une de ses idoles, et Laetitia, sa compagne. Il est ravi ! Il lui faut respirer après avoir étouffé si longtemps. Dans une de ses rares interviews, Mohammed VI apporte d'ailleurs quelques petites précisions sur ses penchants en musique : « J'aime beaucoup la musique de mon temps, le raï, le rock. Je l'avoue, j'ai des goûts très commerciaux. Mais je me laisse emporter par les différents courants contemporains[3]. »

Dans cet entretien réalisé après un peu plus de deux années de règne, le jeune roi affirme ne pas avoir « peur » du pouvoir, mais reconnaît que « le poids des responsabilités est lourd ». Pour le souverain, « l'essentiel est de garder la confiance des autres. Quand vous ne l'avez pas, dit-il, vous n'avez rien à perdre. Quand vous l'avez, le plus dur est de la maintenir. Ma priorité, c'est de conserver la confiance de mon peuple. Je tiens à remercier les Marocains d'être indulgents. Parce que je sais que leurs attentes sont énormes. Le roi est le premier serviteur du pays : je suis donc à la disposition de tous

---

1. Dernière édition à l'automne 2003, au pied de la magnifique Casbah des Oudayas.
2. Grosse société allemande de produits chimiques.
3. Interview au *Figaro*, le 4 septembre 2001.

les Marocains. On a dit que j'étais le roi des pauvres. Très bien, mais je suis d'abord le roi de tous : le roi des jeunes, le roi des vieux, et même le roi des riches. Je ne dis pas à mon peuple que je ne commettrai pas d'erreur, mais je promets de faire de mon mieux ».

Mohammed VI laisse aussi entendre que le pouvoir l'a un peu changé : « Quand je suis monté sur le trône, j'ai dit à mon frère : "Si je change, préviens-moi." Et il y a quelque temps, je lui ai demandé si j'avais changé. Il m'a répondu : "Oui, un petit peu." Mais je ne crois pas que ce soit un changement négatif. Au début, je pensais que je resterais le même. Mais le pouvoir change un homme, et je ne fais pas exception. »

De l'avis général, il a pris goût au pouvoir sans d'ailleurs vouloir en assumer toutes les obligations. Après s'être montré, un temps, moins protocolaire que son père, il a fini par se résigner au faste lié à sa charge. D'ailleurs, il le reconnaît dans une interview à *Paris-Match* : « Le protocole, dit-il, est et reste le protocole. La rumeur a rapporté que j'avais fait en sorte de chambouler quelque peu ce qui existait. C'est faux. Le style est différent, mais [...] je tiens à ce que sa rigueur et chacune de ses règles soient préservées[1]. » Des centaines de personnes l'accompagnent dans ses déplacements qui bouleversent à nouveau la vie quotidienne des habitants des régions ou des zones visitées.

Ainsi, lors du sommet de l'OUA réuni à la mi-janvier 2001 à Yaoundé, Mohammed VI arrive à la tête d'une délégation de deux cent cinquante personnes ! Pour loger tout ce monde, le comité d'organisation camerounais déniche la résidence du Mont Fenbé, une somptueuse demeure composée de deux palais et d'un grand nombre de dépendances. Manque de chance : les responsables du protocole marocains, arrivés peu avant la réunion, font savoir que personne ne peut être logé dans la même enceinte que Sa Majesté. Résultat : un étage de l'hôtel Mont Fenbé doit être spécialement aménagé. Coût supplémentaire : 50 000 dollars ! Au même moment, un tapis dans la suite royale est jugé défraîchi. Fort heureusement, les Marocains ont tout prévu. Ils sont venus avec trois avions dont les soutes sont remplies de meubles et d'éléments de décoration. On remplace donc le tapis[2]...

---

1. *Paris-Match*, 13-19 mai 2004.
2. Voir *Afrique Magazine*, février 2001.

Un autre exemple caricatural est fourni à la fin de février 2004, dans les jours qui suivent le tremblement de terre dans le Rif, lequel a fait plus de six cents morts. Ahmed Benchemsi, directeur de l'hebdomadaire *Tel Quel*, résume parfaitement la situation : « La perspective de la visite royale sur le site, pendant les quatre premiers jours qui ont suivi séisme, est une des principales raisons (sinon la principale) du retard enregistré dans les aides. Les camions étaient là, les sinistrés aussi, mais *statu quo* : Sa Majesté arrive ! En attendant, personne ne bouge ! Des fois qu'il voudrait distribuer la première couverture, comme il pose la première pierre d'un édifice public[1]... » Benchemsi rapporte que les camions des associations de secours – furieuses – ne sont pas autorisés à circuler pour laisser le cortège royal se déplacer plus facilement... Le Premier ministre en personne, Driss Jettou, est prié de rentrer chez lui alors qu'il s'apprêtait à prendre un avion pour le nord du pays : pas question de précéder le roi ! D'autres initiatives stupides sont prises par une administration infiniment plus préoccupée de complaire au souverain que par le sort de dizaines de milliers de ruraux aussi désespérés qu'épuisés.

« Tout cela n'est pas la faute de Mohammed VI qui n'a rien fait d'autre que laisser s'épanouir sa fameuse "fibre sociale", écrit encore Ahmed Benchemsi pour qui « les coupables sont les autorités locales, organisatrices du spectacle qui accompagne tout déplacement royal. Encore une fois, les détestables réflexes makhzéniens ont fait des dégâts. Ils perdureront tant que le régime qui est le nôtre continuera à promouvoir la "sacralité" d'un homme par rapport à des millions d'autres. »

Le directeur de *Tel Quel*, prudence oblige, exonère sans doute un peu rapidement le souverain de ses responsabilités. L'initiative d'une réforme constitutionnelle qui remettrait en cause la « sacralité » du monarque ou qui limiterait ses pouvoirs ne peut en effet venir que de ce dernier. Or, comme rien n'indique pour l'instant que Mohammed VI soit disposé à scier la branche sur laquelle il est assis, au moins devrait-il prendre les mesures qui s'imposent pour que la bêtise et l'inefficacité de ses courtisans ne viennent pas aggraver les drames vécus ici ou là par certaines populations. La question est d'autant plus

---

1. « Détestable mentalité makhzénienne », in *Tel Quel*, le 12 mars 2004.

actuelle qu'il voyage beaucoup, aimant citer à ce propos son père qui disait : « Le trône des Alaouites est sur les selles de leurs chevaux[1] ! » Au début de son règne, ses nombreux déplacements conduisent d'ailleurs les petites gens à l'appeler « Al Jawal » (« le Mobile », du nom des cartes prépayées pour téléphone portable). Mais, s'il est vraisemblable que son entourage n'ose pas attirer l'attention du roi sur ce type d'inconvénients, et qu'en outre les autorités locales continuent à remplir, comme au bon vieux temps, camions et autocars pour assurer la « claque » sur son passage, il est tout aussi étrange que ce souverain à la « fibre sociale » ne cherche pas à infléchir de tels comportements.

Détail, sans doute. Autre détail, le comportement des membres de la famille royale qui, de temps à autre, réquisitionnent pour leurs amis ou pour eux-mêmes des places sur les lignes aériennes internationales, contraignant les sujets de Sa Majesté à retarder leur voyage. Ou bien encore telle princesse qui continue, presque chaque jour que Dieu fait, à passer devant tout le monde lors des parties ou des compétitions au golf de Dar es-Salam, à Rabat, indifférente à l'étiquette et à la réprobation générale qu'elle suscite… Les passe-droits ainsi que le train de vie de la monarchie et de ses affiliés – des journalistes espagnols ont calculé que la monarchie marocaine coûtait en valeur absolue dix-neuf fois plus cher que son homologue espagnole ! – ternissent gravement l'image du royaume et de son chef. Ce qui pouvait encore être accepté de la part de Hassan II, monté sur le trône en 1961 et qui appartenait à une autre époque, l'est beaucoup moins de la part du jeune roi.

Pour bien différencier, dit-on, son territoire de celui de son père, était-il ainsi vraiment indispensable qu'à peine intronisé Mohammed VI se fasse construire à Marrakech, dans le quartier de Sidi Mimoun, un palais de plus[2] ?

Premières fautes

Cependant, des événements plus graves ponctuent le règne du fils de Hassan II. Le 11 juillet 2002, alors que le Maroc s'apprête à fêter

---

1. Interview à *Paris-Match*, le 31 octobre 2001.
2. Dont la seule robinetterie a coûté, selon de bonnes sources, trois millions d'euros.

somptueusement le mariage du roi avec Salma – l'acte proprement dit a été conclu au mois de mars –, une demi-douzaine de gendarmes marocains débarquent sur l'îlot Leila (Perejil pour les Espagnols, à 200 mètres de la côte méditerranéenne du Maroc, non loin de Tanger) au nom de la lutte antidrogue et de l'immigration illégale dans le détroit de Gibraltar. L'Espagne les en déloge moins d'une semaine plus tard au cours d'une opération militaire sans violences, et y fait stationner plusieurs dizaines d'hommes jusqu'à la conclusion, quelques jours plus tard, d'un accord pour le retour au *statu quo ante*, grâce notamment aux bons offices du secrétaire d'État américain Colin Powell.

Si un différend existe sur le statut de l'îlot[1], les raisons de la crise sont à chercher ailleurs. Depuis de nombreux mois, les relations bilatérales sont franchement mauvaises : zones de pêche marocaines inaccessibles aux marins espagnols, émigration clandestine marocaine qui exaspère Madrid, qui y voit la main de puissantes mafias, attitude de l'Espagne dans l'affaire du Sahara, jugée partiale et favorable au Polisario, manœuvres navales espagnoles près de la côte rifaine, vives critiques de la presse espagnole contre Mohammed VI, etc. En outre, des discussions ont eu lieu entre Madrid et Londres à propos de Gibraltar. Le contentieux est lourd. Le roi est-il à l'origine de cette malheureuse initiative, ou, si elle émane de l'appareil sécuritaire, ce dernier l'en a-t-il tenu informé ? Les conséquences du « débarquement » ont-elles été mesurées ? Toujours est-il que ce « cadeau de mariage » tourne au fiasco. Certes, l'Espagne, en envoyant une véritable armada pour la *reconquista*, se montre passablement ridicule, mais le Maroc, contraint de faire marche arrière, sort humilié de l'affaire. Selon nos informations, le commandant en chef de la gendarmerie, Hosni Benslimane, fait discrètement savoir à quelques journaux qu'il n'est pour rien dans cette fâcheuse histoire. Pour leur part, les Espagnols font savoir qu'ils ont réagi aussi vigoureusement parce qu'ils étaient convaincus que ce n'était pas l'îlot, mais le préside de Ceuta qui était visé. Devant le mutisme de la

---

1. Il appartient à l'Espagne depuis 1668, même s'il est inhabité depuis quarante ans. Rabat estime en avoir la souveraineté depuis 1956 et la fin du protectorat espagnol, alors que Madrid invoque un compromis datant de la fin de ce protectorat, selon lequel les deux pays s'engagent à ne pas l'occuper.

diplomatie marocaine, Ana Palacio, ministre des Affaires étrangères du cabinet Aznar, se tourne vers Colin Powell à qui elle demande d'intervenir[1].

Quoi qu'il en soit, Mohammed VI est pour la première fois pris en flagrant délit de mauvaise gestion des affaires du pays. Soit il a donné son accord à l'opération et il n'en a pas vu la portée, soit il a été mis devant le fait accompli et il contrôle mal ses troupes. Toute la classe politique du royaume est alors unanime à dire qu'un tel impair ne serait jamais arrivé du temps de Hassan II. En Conseil des ministres, Mohammed el-Yazghi réclame des explications, estimant que le Parlement et le peuple ont le droit de savoir. Le roi le coupe sèchement en l'invitant à « relire la Constitution[2] ».

La gestion des tragiques événements du 16 mai 2003 et des suites à y apporter est aussi vigoureusement contestée. Certes, le roi rend assez rapidement visite aux blessés, mais il attend près de deux semaines avant de prononcer un discours essentiellement sécuritaire : « Aux uns et aux autres, je dis : l'exercice des droits et de la liberté exige corrélativement d'assumer les obligations et devoirs de la citoyenneté, tant il est vrai que l'édification et la consolidation de la démocratie ne sauraient être menées à bonne fin que sous l'égide d'un État fort par la suprématie de la loi », déclare-t-il avant d'ajouter : « L'heure de vérité a sonné, annonçant la fin de l'ère du laxisme face à ceux qui exploitent la démocratie pour porter atteinte à l'autorité de l'État, et de ceux dont les idées qu'ils répandent représentent un terreau pour semer les épines de l'ostracisme, du fanatisme et de la discorde. Le temps est venu aussi pour faire face aux désinvoltes et à ceux qui s'évertuent à empêcher les autorités publiques et judiciaires

---

1. En mai 2004, le secrétaire d'État confie à un magazine américain avoir travaillé deux jours sur cette « petite île stupide ».

2. Pour anecdotique qu'elle soit, la suite de cet échange un peu vif illustre bien le fonctionnement du souverain qui semble marcher allègrement sur les traces de son père. À peine Mohammed VI a-t-il remis en place Yazghi que le ministre des Affaires religieuses, Alaoui M'daghri, intervient et, en bon courtisan, fustige Yazghi auquel il reproche son intervention « indigne ». On décide finalement de se retrouver quelques jours plus tard en réunion interministérielle pour évoquer l'affaire. Entre-temps, Mohammed VI prie Alaoui M'daghri de rester chez lui et confie à Yazghi une mission en Chine. Autant dire qu'on ne parlera plus de rien…

de veiller, avec la fermeté que requiert la loi, pour protéger l'intégrité et la sécurité des personnes et des biens[1]. »

Même s'il affirme qu'il ne s'écartera pas de la voie de « la démocratie et de la modernité », Mohammed VI marque ainsi le retour en force des pratiques sécuritaires. On est bien loin de l'époque, pourtant récente, où il affirmait encore à propos des islamistes : « Non, il ne faut pas les combattre, il faut les convaincre. Durant les dernières années du règne de mon père, le roi Hassan II, certains hauts personnages ont délibérément grossi la bulle islamiste et, de leur côté, nos islamistes ont joué de la complaisance suspecte de certains médias occidentaux, tout heureux de surenchérir. Tenez, dernièrement, le quotidien espagnol *El País* titrait "Mohammed VI face au danger islamiste"... Cet article m'a vraiment fait sourire et a fait sourire tout le monde ici. Je ne vois vraiment pas où est la menace islamiste ! Je me promène dans mon pays, je vais où je veux, quand je veux, sans aucun problème. Je n'ai pas augmenté l'effectif de ma sécurité... Ici, les hommes qui ont envie d'être barbus ont le droit de porter la barbe, les femmes qui ont envie de se voiler le visage en ont le droit... Ce n'est pas forcément parce qu'ils agissent de la sorte que ce sont des islamistes ou qu'ils sont dangereux[2]. »

Quarante-huit heures avant le discours royal, le Parlement a adopté définitivement et à toute allure une loi antiterroriste. Jugée excessive et dangereuse par les organisations de défense des droits de l'homme, cette loi autorise la police à interroger pendant huit jours les suspects sans qu'ils puissent contacter un avocat ni une personne de leur choix. Les policiers peuvent également perquisitionner sans mandat. Plus grave encore peut-être, la définition très floue du mot « terrorisme », qui laisse la porte ouverte à bien des interprétations.

Le premier à essuyer les plâtres est Mustafa Alaoui, directeur de l'hebdomadaire *Al-Ousbou'e*, un brûlot peu rigoureux, peu soucieux de déontologie, mais très lu. Il est arrêté parce que son journal a publié un communiqué d'un groupe islamiste revendiquant les attentats du 16 mai. Diabétique, il est traité brutalement par la police. Deux mois plus tard, il est condamné à un an de prison avec sursis.

---

1. Discours à la Nation prononcé le 29 mai 2003.
2. Interview au *Figaro*, le 4 septembre 2001.

En juillet, dix militants islamistes impliqués dans les attentats du 16 mai 2003 tombent sous le coup de la même loi et sont condamnés à mort par un tribunal de Casablanca. Parmi eux, leur chef, Youssef Fikri, encore appelé « l'Émir du sang ». Pour échapper aux tabassages et aux tracasseries, des milliers de « barbus » se rasent, mais les dérapages sont nombreux et la Justice a souvent la main lourde avec des gens qui n'ont strictement rien à se reprocher.

Quelques semaines plus tard, le 30 juillet, dans son cinquième discours du trône, Mohammed VI souligne que le Maroc « n'acceptera jamais que l'islam soit utilisé comme un tremplin pour assouvir des ambitions de commandement » ou pour « perpétrer des actes de terrorisme ». Il en profite pour exprimer au passage le souhait que soit « accélérée l'adoption d'une loi interdisant la constitution de partis politiques sur une base religieuse, ethnique, linguistique ou régionaliste ».

Ainsi, désormais, les islamistes et l'appareil sécuritaire occupent le devant de la scène. Contraint d'adopter un profil bas, le PJD, principale formation d'opposition et islamiste dite modérée, fait savoir à la fin du mois d'août qu'il limitera sa participation aux élections communales du 12 septembre 2003[1], exactement comme il l'avait fait pour les législatives de septembre 2002. Si cette décision, fortement suggérée par le pouvoir, ôte à ce dernier une sérieuse épine du pied, elle rend aussi dérisoires les prétentions modernistes du régime. Dans quel pays démocratique un parti d'opposition accepterait-il de limiter le nombre de ses candidats pour apaiser les craintes de l'équipe dirigeante ? !

Quoi qu'il en soit, à l'échelle nationale, le PJD ne présente de candidats que dans 18 % des communes et se concentre sur les grands centres urbains où il est le mieux implanté. Même s'il ne remporte que 593 sièges sur un total de 23 689, le parti islamiste n'hésite pas à parler de « victoire historique » et se réjouit d'avoir mis en échec la « campagne virulente » dont il a fait l'objet après les attentats de Casablanca[2].

Effectivement, le PJD réalise de bons scores dans les grandes villes, arrivant même en première position dans une trentaine de centres

---

1. Ces élections, qui devaient avoir lieu au mois d'avril, furent reportées de quelques mois.
2. Selon At-Tajdid, organe du PJD, daté du 16 septembre 2003.

urbains dont ceux de Meknès, Béni Mellal et Khouribga. À Casablanca, le parti arrive en troisième position, juste derrière l'Istiqlal et l'USFP, mais en n'ayant présenté des candidats que dans la moitié des circonscriptions. Néanmoins, comme lors des législatives, ce sont les deux grands partis de la coalition gouvernementale, l'Istiqlal et l'USFP, qui arrivent en tête avec respectivement 3 890 et 3 373 sièges.

Les premières élections communales du nouveau règne n'apportent donc aucune véritable surprise. La fameuse carte politique ne bouge pas d'un pouce. En réalité, si la majorité gouvernementale est reconduite au niveau des chiffres sur le plan local, les tiraillements et dissensions qui affectent les relations entre le PI et l'USFP empêchent les deux grands partis issus du Mouvement national d'installer leurs candidats à la tête de la plupart des grandes villes du royaume.

La coalition gouvernementale marocaine, réunie autour du Premier ministre Driss Jettou, n'a plus « aucun sens » après son échec dans la course à la mairie de Casablanca, écrit même *Al-Ittihad al-Ichtiraki*, organe de l'USFP. Casablanca échappe en effet à l'Istiqlal et tombe dans l'escarcelle de l'Union constitutionnelle, un parti de droite « cocotte-minute », non représenté au gouvernement. Cet échec dans la capitale économique du Maroc, dû à une défaillance de discipline de vote entre les deux piliers du gouvernement, constitue une défaite de la démocratie et du gouvernement de Driss Jettou dont « le principe d'alliance n'a plus aucun sens », ajoute le quotidien.

Dire que les électeurs sont désabusés est « un euphémisme », note Amale Samie[1]. Les Marocains sont-ils assommés par quatre décennies de déconvenues électorales ? Les nombreux abstentionnistes – près de 45 % – ont surtout voulu signifier « leur lassitude devant l'impuissance de leurs conseillers municipaux ou leur ardeur à faire de l'argent dès le lendemain du scrutin », ajoute-t-il tout en déplorant non sans humour que « la modernité n'ait pu parvenir dans tous les recoins du Maroc, en raison de l'étendue du pays… »

Tout cela, selon lui, est inquiétant pour l'avenir : « L'érosion de l'électorat citoyen, partisan et militant, n'annonce rien de bon pour les prochaines consultations. Il est heureux qu'il n'y ait plus de scrutin en vue avant plusieurs années. On ne construit pas du neuf

---

1. Voir *Al-Medina*, 4e trimestre 2003, disponible sur Internet.

avec du vieux », note-t-il en dénonçant le rôle de l'argent qui « a encore fonctionné à pleines turbines ».

Comment aurait-il pu en être autrement alors que des milliers de candidats « indélicats » se sont à nouveau présentés sans jamais avoir été inquiétés par la Justice ? Comme à tous les échelons de la vie politique marocaine les élus locaux n'ont pas de comptes à rendre, mais seulement, pour beaucoup d'entre eux, des dividendes à toucher. « Il semble que rien ne permettra à un horizon visible de remobiliser les citoyens pour cette fable récurrente des urnes transparentes », soupire encore Amale Samie. Tout cela confirme le marasme dans lequel s'enlisent les partis politiques censés représenter la population marocaine.

Comment en est-on arrivé là après quarante-sept années d'indépendance ? Le Maroc peut toujours tenter de se consoler en songeant que la crise de la représentation est mondiale...

Monarchie, business et petites affaires

Cependant, tout en regardant d'un œil plus ou moins distrait le « cher peuple » se rendre aux urnes pour élire des conseillers municipaux à peu près aussi inefficaces et inutiles à leur niveau que peuvent l'être les parlementaires sur le plan national, le Palais s'occupe de choses sérieuses. Dans un numéro très complet sur « le dangereux mariage » de la monarchie et des affaires, *Le Journal hebdomadaire* met le doigt sur une autre tare du régime marocain, à savoir la confusion non pas du temporel et du spirituel (encore que...), mais de l'intérêt national avec des intérêts privés, à commencer par ceux de la monarchie.

L'année 2003 est en effet fertile en événements dans le monde des affaires où surviennent deux épisodes majeurs : d'abord, l'opération de rotation de participation effectuée par l'ONA pour renforcer la mainmise de Siger, la holding royale, sur l'ONA, de très loin le premier groupe privé marocain, puis le rachat par la BCM, contrôlée par l'ONA, du groupe Wafabank dans des conditions jugées par les spécialistes extrêmement favorables à la BCM[1].

---

1. Pour ceux qui seraient intéressés par les détails techniques de ces opérations, la presse économique marocaine ainsi que *Le Journal* et *Tel Quel* ont fourni de nombreuses informations disponibles pour la plupart sur Internet.

Ce qu'il faut retenir de tout cela, c'est que la famille royale, par le biais de ses deux holdings Siger et Ergis, présidés par Mohammed Mounir el-Majidi, trente-sept ans et intime du souverain, contrôle pratiquement 60 % de la totalité de la Bourse des valeurs de Casablanca. Si l'on garde à l'esprit que le souverain détient pratiquement tous les pouvoirs constitutionnels, cette situation, écrit justement Aboubakr Jamaï, est « néfaste pour le devenir de la nation marocaine » et également pour la monarchie elle-même. Écoutons-le : « L'écrasante domination du monde des affaires par une institution que la Constitution sacralise précarise l'économie marocaine. Les organes de régulation des marchés financiers marocains sont dirigés par des hommes et des femmes nommés par *dahir*. C'est le cas du gouverneur de la Banque centrale et de la directrice générale du Conseil déontologique des valeurs mobilières[1]. Le fait que la monarchie a le pouvoir exclusif de nommer ceux qui doivent contrôler ses affaires contredit toutes les règles de bonne gouvernance. Les cas du CIH[2], pillé par des proches du pouvoir sans que la Banque centrale ne bouge le petit doigt [...], les arguments servis pour justifier l'acquisition du groupe Wafa laissent pantois de simplisme, sinon de mauvaise foi[3]. »

Parmi les arguments avancés par l'entourage du monarque et par tous ceux qui défendent cette démarche figure la nécessité de créer un puissant groupe financier marocain et de « conserver marocaines » les activités financières de Wafabank. L'échec de l'État et la faillite du secteur privé sont d'autres raisons évoquées par les proches de la famille royale. Mais l'argument nationaliste fait rire ou consterne les financiers : « Il n'y a pas de discours nationaliste qui tienne quand il s'agit de business », affirme un expert cité par *Le Journal*. Même son de cloche pour Najib Akesbi, professeur d'économie, qui souligne qu'« effectivement, il y a la volonté de rationaliser les choses, de former une sorte de conglomérat multisectoriel avec un groupe financier pour le soutenir, mais si, demain, la plus petite des banques américaines trouve tout à coup intéressant de venir au Maroc, elle avalera sans sourciller le nouveau groupe BCM/Wafabank ». Pour Akesbi,

---

1. Le CDVM, le gendarme de la Bourse.
2. Crédit industriel et hôtelier.
3. *Le Journal hebdomadaire*, 29 novembre-5 décembre 2003.

on ne peut taxer d'« incompétence technique » les jeunes qui entourent le roi, mais il y a chez eux « un manque terrible de perception, de stratégie, de vision politique ». À ses yeux, ce qui est grave dans cette affaire, « c'est que la monarchie s'expose trop et qu'elle a été mal avisée de prendre le contrôle de 60 % de la Bourse de Casablanca… C'est terrible, dit-il, comme message pour les investisseurs internationaux. Aujourd'hui, l'information circule vite et partout. Quel investisseur va venir fricoter dans une Bourse contrôlée par le principal investisseur du pays ? Les jeunes *golden boys* qui gèrent les affaires du roi n'ont pas de vision politique ».

Mais s'agit-il vraiment de favoriser le développement économique ? Comme beaucoup d'autres observateurs, Najib Akesbi se pose la question : « Ce qui est certain, c'est que le Palais a toujours perçu l'économie non seulement comme un outil d'enrichissement, mais, fondamentalement, comme un outil de pouvoir. Autrement dit, le pouvoir s'installe, se consolide à travers les instruments politiques, *via* l'autorité, les Forces armées, la police, mais aussi à travers la puissance économique. Le fait que, par exemple, le Palais ait très tôt cherché à avoir des intérêts dans l'économie était un moyen pour avoir finalement le même comportement avec l'élite économique que celui qu'il avait avec l'élite politique. C'est-à-dire une sorte de dépendance de l'élite à l'égard du pouvoir central, ce dernier pouvant déléguer le pouvoir, mais jamais la légitimité, l'autorité. »

Le cas de Hicham Mandari, qu'un lourd contentieux oppose à la famille royale, est un autre déplorable exemple de confusion des genres, le pouvoir au plus haut niveau n'hésitant pas à utiliser une grosse pointure de la finance marocaine pour tenter de régler un grave conflit interne au Palais. Mandari, un garçon âgé aujourd'hui d'une trentaine d'années, élevé en Suisse, se fait connaître en juin 1999, un mois avant le décès de Hassan II, en publiant sous forme d'encart publicitaire dans le *Washington Post* une lettre ouverte au roi Hassan II, décédé en juillet 1999. Dans cette missive, il menace de rendre publiques des informations de nature, selon lui, à nuire à l'image du monarque si les atteintes à ses biens et ses proches au Maroc ne cessent pas. À la demande de la justice française, il est ensuite placé à Miami, en Floride, sous écrou extraditionnel en attendant d'être extradé pour une affaire de « vrais-faux » dinars de

Bahrein (les billets changés par Mandari avaient été reconnus authentiques après un minutieux examen par l'un des principaux changeurs de la place de Paris).

Personnage aux origines mystérieuses, Hicham Mandari a réussi à s'imposer au milieu des années quatre-vingt-dix à la Cour. Hassan II lui confie des missions plus ou moins délicates et il entretient les meilleures relations avec Mohammed Mediouri dont on a vu l'importance au temps du souverain disparu. Suite à une ténébreuse histoire de chèques et de cassette volés en 1998 au palais de Rabat, dont il rend responsable le prince héritier, futur Mohammed VI, il quitte le Maroc avant de rejoindre les États-Unis où il rend publique sa fameuse lettre. En 2002, il est extradé vers la France qui le réclame pour son implication supposée dans l'affaire des dinars de Bahrein, après que Paris s'est engagé auprès des États-Unis à ne pas l'expulser ni l'extrader vers le Maroc. Après sa mise en liberté sous contrôle judiciaire, Mandari s'implique dans un mouvement dit des « Marocains libres », groupuscule plus ou moins basé à Londres et dont les communiqués violemment hostiles au régime marocain et à son chef ne sont repris que par quelques journaux algériens et espagnols. Au Maroc, la presse aux ordres le fait passer pour un truand de seconde zone et n'a pas de mots assez durs pour le dénigrer. Curieusement, ce « petit voyou sans envergure » est l'objet de plusieurs agressions par balles à Paris et en banlieue. Un des projectiles lui frôle la moelle épinière et il reste hospitalisé plusieurs semaines. On sait aussi que Mohammed VI a tout fait pour obtenir des États-Unis son extradition vers le Maroc ; il a même évoqué le sujet avec Bill Clinton lors des obsèques de son père[1] ! En vain…

En septembre 2003, il est mis en examen à Paris pour « chantage » et placé en détention provisoire à la suite d'une histoire rocambolesque. Son interpellation fait en effet suite à une plainte déposée par le président de la Banque marocaine du Commerce extérieur (BMCE), Othman Benjelloun, qui affirme avoir été victime d'un chantage de la part de Hicham Mandari. Avant le dépôt de sa plainte, le même Othman Benjelloun, qui traverse une période difficile depuis quelques années pour avoir cru naïvement qu'il pouvait deve-

---

1. Voir Jean-Pierre Tuquoi, *Le Dernier roi, op. cit.*

nir le premier patron du Maroc[1], a invité Mandari dans un grand restaurant parisien et procédé à une première remise de fonds (200 000 euros), avant de l'emmener, à bord de son jet privé, en Suisse où il lui a fait remettre sur le tarmac de l'aéroport de Genève une valise contenant 2 millions d'euros. Ainsi donc, ce « minable escroc » est l'objet de toutes les attentions de la part d'un des plus gros financiers marocains ! De son côté, Hicham Mandari affirme avoir été informé qu'Othman Benjelloun, afin de régler le contentieux qui les oppose, était mandaté par le roi pour l'indemniser de la saisie illégale de ses biens au Maroc. Cependant, tout en organisant une nouvelle remise de fonds, censée se dérouler dans un grand hôtel parisien, Othman Benjelloun porte plainte et, dans les vingt-quatre heures qui suivent, une quinzaine d'agents de la Brigade financière, particulièrement réactifs, interviennent et arrêtent un Mandari qui déclare s'être laissé « stupidement piégé ».

Quelques mois plus tard, Mandari est relâché et placé sous contrôle judiciaire dans un département de la région parisienne. Jusqu'à ce qu'il soit repris au mois de mars 2004 dans le sud-ouest de la France, alors qu'il tente de gagner l'Espagne à bord d'une voiture de location. Pris en flagrant délit de violation d'une décision de justice, il est à nouveau incarcéré.

Qu'est-ce qui se cache donc derrière ces démarches qui mobilisent aussi bien les énergies d'importantes personnalités marocaines que celles d'une brigade de spécialistes de la police française ? Que signifient des valises bourrées de grosses coupures entre les mains d'un puissant banquier marocain ? Celui-ci veut-il rentrer dans les bonnes grâces de son souverain ? Pourquoi avoir tiré sur Mandari et l'avoir blessé gravement ? Pour quelles raisons une certaine presse marocaine s'est-elle donné tant de peine pour salir Hicham Mandari ? Mohammed VI aurait-il lui aussi son « jardin secret » ?

On ne saurait terminer ce rapide tour d'horizon sans évoquer le cas d'Ali Lamrabet dont les démêlés avec le pouvoir ont largement contribué à ternir l'image du régime et de son chef, sinon au Maroc, du moins à l'étranger. En juillet 2003, Lamrabet, qui dirige deux

---

1. Ses tentatives pour prendre, en 1998-1999, le contrôle de l'ONA, irritent au plus haut point le Palais.

journaux satiriques volontiers irrespectueux et impertinents, *Demain* (en français) et *Doumane* (en arabe), est condamné, à l'issue d'une parodie de justice, à quatre ans d'emprisonnement et à 20 000 dirhams d'amende pour « outrage envers la personne du roi » et « atteinte au régime monarchique et à l'unité territoriale ». Il lui est reproché d'avoir écrit des articles consacrés au budget de la famille royale, d'avoir dit qu'un des palais allait être vendu, d'avoir publié des photos-montages de personnalités politiques, ainsi que le point de vue d'un militant laïque d'extrême gauche favorable à l'autodétermination des Sahraouis[1]. La peine d'Ali Lamrabet est ramenée en appel à trois ans de prison. Il est finalement relâché en janvier 2004, apparemment sur intervention du secrétaire d'État américain Colin Powell qui conditionne la signature de l'accord de libre-échange Maroc/USA à l'élargissement du journaliste. Que Lamrabet et ses journaux n'aient pas toujours fait dans la dentelle et aient pu agacer, voire exaspérer certains dirigeants marocains, on peut le concevoir. Mais de là à le jeter en prison ! Il semble que le roi, poussé par une partie de son entourage, bien mal inspirée, en ait fait une affaire personnelle et que seule la volonté américaine ait pu le ramener à des sentiments plus raisonnables.

Le cas de Mohammed Rachid Chrii, relâché en même temps qu'Ali Lamrabet et une trentaine d'autres prisonniers d'opinion, est tout aussi scandaleux. Ce militant de l'Association marocaine des droits humains (AMDH) est condamné en avril 2003 à dix-huit mois de prison ferme pour avoir défendu des habitants de Safi, tabassés par la police de cette localité. Lui-même est sauvagement torturé par des éléments de cette police. À sa sortie, il demande au ministre de la Justice d'ouvrir une enquête et de traduire ses agresseurs devant les tribunaux. Il refuse de déposer plainte devant le procureur de Safi qui, dit-il, « protège les officiers de police judiciaire de cette ville[2] ».

La hargne sinon du roi, du moins de certains de ses proches envers ceux qui ont le malheur de déplaire en haut lieu, a conduit et conduit

---

1. Il s'agit de Abdallah Zaaza, militant associatif qui accomplit un travail remarquable dans un quartier populaire de Casablanca. Voir Ignace Dalle, *L'Espérance brisée, op. cit.*, pp. 234 à 240.

2. Voir *Le Journal hebdomadaire* du 10 au 16 janvier 2004.

encore à de regrettables dérapages. Moulay Hicham, cousin du roi, a payé au prix fort le fait d'avoir rendu publiques ses idées de réforme de l'institution monarchique. Avec la complicité et la complaisance de la presse locale et de certains journaux européens, les courtisans habituels l'ont dépeint comme un redoutable intrigant, assoiffé de pouvoir. Ils l'ont accusé de « comploter » avec de prétendus « officiers libres », puis lui ont collé sur le dos des connivences avec l'Algérie et l'Espagne. Un ministre socialiste, Ahmed Lahlimi, s'est montré plus royaliste que le roi et lui a reproché de « s'épancher dans les journaux ». Ben Barka, Benjelloun et Bouabid, qui n'ont cessé de réclamer une véritable monarchie constitutionnelle, ont dû se retourner dans leurs tombes ! Au début de 2004, des représentants du royaume essayaient encore d'empêcher, sous les prétextes les plus futiles, Moulay Hicham de travailler sur des questions environnementales. Des proches qui lui sont restés fidèles ont été durement et injustement sanctionnés dans leur profession. Sans doute le cousin du roi a-t-il commis des maladresses et le caractère provocant de certains de ses écrits – *Le Monde diplomatique*, qui l'a accueilli, n'est sans doute pas la référence première de la Cour marocaine – a certainement dérangé la famille royale et ses amis. Mais, à l'heure où les monarchies arabes sont invitées à trouver de nouvelles sources de légitimité, nul ne saurait se plaindre de la contribution apportée au débat par un prince inquiet de la crise profonde traversée par le monde arabo-musulman auquel appartient le Maroc. Moulay Hicham, qui déplore que beaucoup n'aient vu dans son effort de réflexion qu'« un simple désir de remplacer un calife par un autre calife », est aujourd'hui amer : « Toutes ces accusations sont parfaitement ridicules ! Je suis un nationaliste arabe, un Marocain qui veut du bien à son pays, mais j'en suis arrivé à la conclusion que je ne peux pas l'aider ou contribuer à l'aider. J'ai donc décidé de prendre mes distances, de m'occuper des affaires de la famille dont je suis le chef[1]. »

À quelques mois du cinquième anniversaire de son accession au pouvoir, Mohammed VI, aussi différent soit-il de son père, a donc très largement opté pour la continuité. « C'est la continuité sans changement, et non le changement dans la continuité », affirme

---

1. Entretien avec l'auteur.

même Khaled Jamaï, figure du journalisme marocain, de plus en plus irrité par l'immobilisme du Palais. Narquois, il ajoute : « La seule alternance qui ait réussi, c'est Hassan Ben Mohammed remplacé par Mohammed Ben Hassan[1]... »

L'appareil sécuritaire demeure aussi présent que puissant, et ce ne sont évidemment pas les terribles attentats du 11 mars 2004, à Madrid, moins d'un an après ceux de Casablanca, qui risquent de modifier son comportement, compte tenu des révélations faites par les enquêteurs espagnols sur l'existence d'une « filière marocaine[2] ». Un appareil sécuritaire qui n'est pas plus apprécié aujourd'hui qu'il ne l'était au temps de Hassan II, mais dont beaucoup commencent à dire qu'il est moins « performant » et efficace qu'il l'était sous l'ère Basri. Certes, de telles comparaisons n'ont pas grand sens, mais l'affaire de l'îlot Leïla, ou les événements du 16 mai et les rafles qui ont suivi dans les milieux islamistes, n'ont pas servi l'image de cet appareil. Deux de ses hommes forts, les généraux Hosni Benslimane et Hamidou Laanigri, sont d'ailleurs vivement contestés par les militants des droits de l'homme et, plus généralement, par les démocrates. Des poursuites judiciaires ont même été réclamées contre eux par l'AMDH au même titre que contre Driss Basri.

Un lourd héritage

Sur le plan économique, Mohammed VI et les responsables du pays doivent aussi assumer l'héritage hassanien, souvent fort lourd. Les cas de la Société de développement agricole (SODEA) et de la Société de gestion des terres agricoles (SOGETA), créées en 1972 et 1973 pour gérer et exploiter les terres récupérées des colons, éclairent crûment les pratiques du régime. Ces deux grands établissements publics agricoles assurent, au début de leur existence, l'exploitation d'environ 305 000 hectares tout en participant au développement des semences sélectionnées, des plants fruitiers et des animaux de race. Mais, au fur et à mesure que les années s'écoulent, la superficie

---

1. Entretien avec l'auteur.
2. Les services marocains étaient, semble-t-il, partiellement informés, et auraient prévenu leurs homologues espagnols.

des terres gérées par les deux sociétés fond comme neige au soleil. À la fin de 2003, elle est inférieure à 125 000 hectares. Où sont donc passés les 180 000 autres ? « La réduction du patrimoine foncier est due à la distribution des terres sous forme de dons aux grands notables », note d'une manière tout à fait neutre Attac-Maroc. En réalité, pour parler net, la SODEA et la SOGETA sont perçues comme de véritables cagnottes, un fonds de réserve à la disposition du roi. À tout moment Hassan II peut en faire ce qu'il veut, à l'instar des califes au bon temps des Abbassides et des Omeyyades... Lorsqu'il faut récompenser un ministre, un général, un gouverneur, un haut fonctionnaire, un politicien ou une personnalité quelconque, il lui suffit de prendre son téléphone et de dire : « Cédez telle ou telle terre à telle ou telle personne ! » C'est simple et redoutablement efficace. Les heureux bénéficiaires se comptent par milliers.

À partir du début des années quatre-vingt-dix, les résultats des deux sociétés baissent considérablement, que ce soit au niveau de la production ou au niveau de l'investissement productif. Leurs dettes s'alourdissent gravement : près de 2,4 milliards de dirhams au début de 2003. Une grande partie de leur main-d'œuvre est licenciée. Toujours selon Attac-Maroc qui n'a jamais été démentie, « cette grave crise est due aux dons faits à des notables et à la nomination de directeurs qui ont pillé les deux sociétés ». L'État tire prétexte de cette situation de crise pour élaborer, en mai 2003, un plan de privatisation en cédant au privé la majorité des terres qui restent et en licenciant des milliers de travailleurs. La SOGETA se recentre sur la production de semences sélectionnées et de plants certifiés sur une superficie totale de 40 950 hectares constituant « le support de la mission publique ». Parallèlement, 52 708 hectares de la SODEA, qui entend se désengager totalement de la production, doivent être vendus à des investisseurs privés. Enfin, un peu plus de 30 000 hectares sont restitués aux domaines privés de l'État, dont 6 619 hectares en périmètre urbain destinés au financement de la restructuration des deux sociétés.

Le bilan social, compte tenu du licenciement de presque 60 % du personnel mensualisé et de l'« oubli » des dix mille occasionnels, est désastreux. L'accord final, signé en octobre 2003 avec les quatre principaux syndicats, n'est guère plus brillant, puisqu'il ne concerne que

21 % du total du personnel (3 170 salariés). Attac-Maroc estime à plus de 60 000 le nombre de personnes « qui seront privées de leur source d'existence et qui viendront s'ajouter aux millions de pauvres et d'exclus de ce pays ». Voilà qui cadre en tout cas parfaitement avec l'accord sur le « dialogue social » signé par les syndicats avec le gouvernement en avril 2003, aux termes duquel ils acceptent le nouveau Code du travail généralisant la flexibilisation du travail, facilitant les licenciements, abolissant le principe du salaire minimum et limitant le droit de grève !… Dans un souci d'équité, Attac-Maroc et quelques organisations d'extrême gauche réclament notamment « la récupération des superficies cédées aux notables et le refus de toute nouvelle cession de terres », ainsi que « des poursuites judiciaires contre les responsables de la faillite des deux sociétés » – sans susciter la moindre réaction…

Beaucoup de Marocains parlent aujourd'hui d'atomisation du pouvoir, ont le sentiment qu'il n'y a pas vraiment de pilote dans l'avion ou de centre unique du pouvoir, comme c'était le cas pendant le règne de Hassan II. Ils expliquent cela par le manque d'intérêt du jeune roi pour la gestion quotidienne des affaires de l'État. Dès le jeudi soir, raconte un familier du Palais, la semaine de travail du souverain est terminée. Il s'amuse, se fait projeter des films dans une salle de projection ultramoderne, reçoit ses amis, se déplace. Pendant ce temps, quelques-uns de ses proches, comme Fouad Ali el-Himma avec lequel le roi, grand timide, est en conférence, décident de tout.

Né le 6 décembre 1962 à Marrakech, ce fils d'instituteur d'une petite localité voisine est un enfant doué pour les études. Il se retrouve au Collège royal, passe son baccalauréat en 1981 avant de poursuivre des études supérieures à la faculté des sciences juridiques, économiques et sociales de Rabat où il obtient une licence en droit et deux certificats d'études supérieures en sciences politiques et en sciences administratives. Bon élève, mais sans plus, plutôt que de se perfectionner ou de compléter sa formation en Europe ou aux États-Unis, il fait de longs stages au ministère de l'Intérieur tout en assumant des responsabilités locales. À trente ans, il est président du conseil municipal de Benguerir, avant d'être élu député des Rhamnas, dans la province d'El Kalaa (centre du pays). La suite est un véritable conte de fées. S'il connaît assez bien l'administration et la politique locale, son expérience internationale est au départ à peu près inexistante. Or, il est très vite amené à se prononcer dans des domaines très complexes, qu'il s'agisse du terrorisme islamiste, de la question du Sahara, des relations tendues avec l'Espagne ou l'Algérie, deux voisins difficiles, et de bien d'autres dossiers où son inexpérience constitue un véritable handicap.

Fouad Ali el-Himma et les quadras qui entourent et conseillent le roi paraissent ainsi mal armés pour nettoyer les écuries d'Augias et assumer la partie la plus sombre de l'héritage hassanien. Dans les affaires du CIH ou de la CNSS, ces jeunes gens, s'ils peuvent être tentés d'ouvrir la boîte de Pandore, la referment vite fait quand ils prennent conscience de la gravité et de l'ampleur des scandales. Un certain nombre d'entre eux reproduisent d'ailleurs les mêmes travers que leurs aînés, avec peut-être plus de sophistication sur le plan technique, mais sans le savoir-faire politique de ceux-ci. L'occupation ratée de l'îlot Leïla/Perejil, la gestion calamiteuse du séisme dans le Rif, les affaires Lamrabet et Mandari/Othman Benjelloun, les maladresses insignes de la diplomatie marocaine dans la question du Sahara : autant de manifestations d'amateurisme qui n'avaient pas cours du temps du père de Mohammed VI.

Ce dernier a pourtant montré à plusieurs reprises qu'il était capable de s'impliquer sérieusement dans certaines questions de société importantes et d'y apporter de bonnes réponses. Il a su ainsi répondre aux premières attentes des militants amazigh en créant l'IRCA, qui pourrait contribuer efficacement à sauvegarder la culture berbère. Durant la première année de son règne, le « roi des pauvres » a su également analyser avec justesse les maux dont souffre la société marocaine. Mais, après une longue période d'inaction, c'est évidemment l'adoption d'un nouveau Code de la famille qui restera le fait marquant de ses cinq premières années à la tête du royaume.

Conclusion générale

En 2006, le Maroc célébrera sans doute avec faste le cinquantième anniversaire de son indépendance. En dépit de bouleversements profonds dont le plus visible et le plus important est sans doute l'urbanisation du pays – plus d'un Marocain sur deux vit désormais dans les villes – et son corollaire, le déclin des élites rurales traditionnelles, le régime monarchique n'a cessé de se renforcer, du moins jusqu'à une époque toute récente.

Durant son règne relativement bref, Mohammed V, qui avait racheté, aux yeux de son peuple, les fautes de ses prédécesseurs et ses grosses erreurs de jeunesse – signature du *dahir* dit berbère, pour n'en citer qu'une seule – en s'alliant avec le Mouvement national dès les années quarante, s'est efforcé de sauvegarder la monarchie en faisant de la politique plutôt qu'en recourant à la violence. Plus exactement, il s'est donné le beau rôle et a laissé son fils faire le « sale boulot » dans le Rif et ailleurs. Comme le note l'historien Maati Monjib, « sa popularité semble avoir immunisé le trône alaouite contre les assauts de la modernité[1] ». De fait, la monarchie marocaine ne subit pas, en ces

---

1. Entretien avec l'auteur.

759

années d'instabilité, le triste sort de ses homologues égyptienne, ira-kienne, tunisienne ou libyenne.

Hassan II lui-même continue à toucher les dividendes de cette exceptionnelle popularité et ne cessera d'ailleurs, toute sa vie durant, de s'abriter derrière elle dans d'innombrables interventions. Mais le prestige paternel a ses limites et Hassan II ne parvient à s'imposer qu'en recourant largement à la violence et en instaurant un régime aux fort relents moyenâgeux (absolutisme, bagne de Tazmamart et sort réservé à la famille Oufkir qui rappellent les oubliettes, etc.). Son attitude à l'égard de l'Éducation nationale et de l'enseignement a des conséquences dramatiques pour le pays, un des plus arriérés du monde arabe en la matière. Se méfiant de l'instruction publique généralisée, qui représente à ses yeux un danger politique et idéologique, il ne cherche qu'à affaiblir cette institution, nid d'opposants et vecteur d'une culture politique moderne, incompatible avec la monarchie absolue. Il va même plus loin et « retraditionalise » l'université en sup-primant la philosophie et les sciences sociales pour les remplacer par les études islamiques. Le syndicalisme de gauche est combattu féroce-ment et les islamistes qui prennent la place sont tolérés. Parallèlement, la culture maraboutique et tout ce qu'Allal el-Fassi qualifiait de « superstitions » est encouragé.

Pour Mohammed VI, l'héritage est lourd. Certes, en le tenant à l'écart de la politique, Hassan II l'a d'une certaine manière protégé en lui permettant d'accéder au pouvoir sans passif et avec une bonne image. Mais le roi disparu aurait pu trouver un juste équilibre et l'initier davantage aux affaires de l'État, car l'inexpérience de son fils et, malheureusement, celle de son entourage constitue un gros han-dicap au moment où le Maroc a toutes sortes de défis à relever.

L'hégémonie de la monarchie sur la société

Cependant, au-delà des différences de tempérament et de person-nalité de ses représentants successifs, la monarchie marocaine montre depuis l'indépendance une très forte cohérence. À la fin des années quatre-vingt, Driss Benali, professeur de droit, actuel président de l'association Alternatives et observateur attentif de la scène politique, peut écrire : le régime, « qui établit les règles du jeu qui s'imposent à la classe politique qui n'a d'autres choix que de les accepter […], a su "endogéniser" de nouveaux apports qui constituent la condition essentielle à toute évolution moderne… Les trois décennies écoulées, ajoute-t-il, ont montré sa capacité à renouveler sa base sociale et les relais nécessaires à l'encadrement et à la subordination de la société[1] ». De fait, après une période d'observation tendue allant de 1956 à 1960, au cours de laquelle le Palais et l'opposition prennent leurs marques, on passe à l'affrontement direct, *grosso modo* de la mort de Mohammed V aux deux tentatives de coup d'État de 1971 et 1972. Non sans un coup de pouce du destin, le *makhzen* réussit à reconquérir le pouvoir de contrôle et d'arbitrage qui lui assure l'hégémonie sur la société : « Grâce à la reconstitution des relais traditionnels dans les campagnes, à la réanimation des solidarités verticales dans le monde rural, à l'appropriation et à la consolidation de l'appareil bureaucratique, le *makhzen*, note Benali, a pu affaiblir le mouvement national. »

À cette époque, Hassan II et son équipe abandonnent les principes d'indépendance économique, de réforme et de changement initiés notamment par Abderrahim Bouabid à la fin des années cinquante au moment où il détenait le portefeuille de l'Économie et des Finances. En fait, le *makhzen* s'inspire largement des méthodes de l'administration coloniale en reconstituant les réseaux de l'élite rurale, ce qui lui permet de soumettre les individus et de garantir la paix sociale. C'est tout simplement le retour à la politique du protectorat, basée sur le clientélisme et l'allégeance, avec le concours des notables. C'est d'autant plus facile que, comme le note le sociologue Paul Pascon, la paysannerie « ne s'exprime pas directement en tant que classe sociale organisée, mais tolère que d'autres parlent pour elle, croient parler pour elle, tout simplement parce qu'elle n'est pas parvenue à l'identité politique[2] ».

Inutile de dire que l'abandon des idées de réforme et de changement se traduit dans le secteur agricole par le rejet des notions de réforme agraire ou de réforme foncière et par l'adoption de concepts beaucoup

---

1. Driss Benali, « Changement de pacte social et continuité de l'ordre politique au Maroc », *Annuaire de l'Afrique du Nord*, 1989, p. 52.
2. Driss Benali, *in* « Interrogations autour de la réforme agraire », *Bulletin économique et social du Maroc*, 1977.

moins « inquiétants », plus techniques. Parallèlement, environ un demi million d'hectares passent, de 1956 à 1974, des mains des colons étrangers à celles de Marocains triés sur le volet et qui, dans leur immense majorité, deviennent les meilleurs soutiens du régime. Les bonnes terres récupérées aux colons ont d'ailleurs permis, jusqu'à tout récemment, de distribuer de la « rente » aux amis et soutiens du pouvoir, une fois naturellement les domaines royaux servis. Toujours prioritaires et remarquablement dotés, ces derniers, gérés en grande partie par des étrangers, forment de très loin la première entreprise agricole du royaume, même si personne n'est en mesure d'en chiffrer l'importance. Les bienfaits du pouvoir à l'égard du monde rural ou, plus précisément, de ceux qui l'encadrent, n'ont pas cessé jusqu'à aujourd'hui, comme on l'a vu. Le fonctionnement de la SODEA et de la SOGETA, d'une part, les privilèges fiscaux accordés aux agriculteurs les plus riches, d'autre part, combinent de manière caricaturale les tares dominantes du régime : passe-droits inadmissibles, corruption de fonctionnaires, exactions, faillite de l'État, etc.

À cette gestion calamiteuse, qui ne profite qu'à quelques milliers de personnes, en pénalise des dizaines de milliers d'autres et coûte une fortune à l'État, il faut ajouter le fait que, depuis le début des années quatre-vingt, les agriculteurs sont exonérés de tout impôt et que cette mesure, valable jusqu'en l'an 2000, a été prorogée jusqu'en 2010. Même si tel ancien ministre, sous couvert d'anonymat, fait valoir que ces largesses n'ont d'autre but que de préserver une agriculture frappée de plein fouet par les oukases de l'Union européenne, on ne peut s'empêcher de penser, à les voir vivre, que les plus riches des agriculteurs pourraient mettre la main à la poche. Premier exploitant et plus grosse fortune du pays, la famille royale est évidemment celle qui profite le plus d'une mesure dont ne bénéficie d'ailleurs qu'une minorité, puisque au moins 80 % des paysans ne paieraient de toute façon aucun impôt, faute de revenus suffisants. Ces cadeaux représentent pour le Trésor public un manque à gagner annuel de 6 à 8 milliards de dirhams[1]. Voilà donc une agriculture qui produit bien, qui rapporte bien, mais au profit de qui ?

---

1. Selon des économistes marocains interrogés par l'auteur.

En réalité, en étant aux petits soins pour les grands propriétaires terriens (d'ailleurs souvent absents), le régime sait fort bien où il met les pieds. Ce que le sociologue Paul Pascon constatait plus de vingt ans après l'indépendance, reste d'actualité : « La paysannerie, petite et pauvre, supporte l'ensemble de l'oppression et de l'exploitation du pays... C'est un phénomène séculaire, intégré à un tel point que ceux qui réagissent sourdement ne le font pas en tant que classe, mais au niveau des solidarités traditionnelles, du parental, du lignage. Les paysans sont tenus par les notables[1]. » Pour Pascon, le rôle de la campagne dans le jeu politique d'alors se limite à celui des notables, les seuls sur lesquels les partis peuvent avoir de l'influence. Un quart de siècle plus tard, en 2004, compte tenu de la natalité très forte, il y a toujours autant de paysans à la campagne, même si des millions de ruraux, poussés par la misère et la sécheresse, ont rejoint les grandes villes du royaume. Des efforts ont certes été faits par l'État au niveau de l'alimentation en eau potable, plus facilement disponible, de l'électricité, qui pénètre doucement l'intérieur du pays, et de l'enseignement dont commencent à bénéficier les filles des campagnes. Mais, faute de réforme foncière et d'une véritable politique agricole, le petit paysan continue à survivre sans représenter, aussi longtemps qu'il reste à la campagne, un danger pour le régime. Il y a un quart de siècle, Pascon déplorait que « les programmes des partis politiques parlent des paysans, mais ne les font jamais parler » ; de ce point de vue, rien n'a vraiment changé, les millions de paysans continuant à être sous-représentés et tenus hors de tout choix politique, si ce n'est celui que leur imposent les notables locaux. Incapables de fixer les populations rurales, l'État marocain n'a pu cependant empêcher un exode rural massif et, par voie de conséquence, l'arrivée, depuis une vingtaine d'années, de centaines de milliers de vrais-faux citadins établis à la périphérie des grandes villes. Ces populations déracinées et sans travail constituent, au même titre que les diplômés chômeurs et tous les laissés-pour-compte du royaume, un terrain d'expérimentation idéal pour les islamistes, violents ou non. Sidi Moumen, d'où sont partis les kamikazes de mai 2003, est un exemple parmi beaucoup d'autres de ces quartiers désespérés.

---

1. Interview à *Lamalif*, janvier-février 1978.

Ayant assuré ses arrières dans un monde rural qui représente, dans les années soixante, encore les deux tiers de la population du Maroc, le pouvoir doit cependant s'efforcer d'élargir sa base sociale au début de la décennie suivante. Le pays se transforme en effet et la concentration de la propriété dans les campagnes, l'exode rural et son corollaire, l'urbanisation rapide et mal maîtrisée, la démographie encore galopante entament la légitimité politique du régime. Les deux tentatives de coup d'État de 1971 et 1972 le lui rappellent brutalement. Le pouvoir doit alors définir une nouvelle politique destinée à lui permettre de reconstituer sa base sociale et de concevoir un nouveau pacte. Le discours des années soixante sur la « vocation agricole » est alors relayé par un autre qui met l'accent sur l'industrialisation du pays. Alors que le Maroc bénéficie d'une conjoncture internationale favorable – les prix des phosphates augmentent presque autant que ceux du pétrole –, le pouvoir décide, par le *dahir* du 2 mars 1973, de marocaniser l'économie, c'est-à-dire de faciliter le développement des affaires pour les Marocains qui deviennent réellement maîtres chez eux. En fait, ce sont les plus fortunés qui, une fois de plus, tirent leur épingle du jeu. La grande bourgeoisie urbaine se consolide grâce à ce décret. Ce qui s'est passé dans l'agriculture se reproduit dans l'industrie, le commerce et la finance, dans une perspective également libérale, même si la bureaucratie complique les choses. Premier agriculteur du pays, le Palais se prépare ainsi à devenir le premier entrepreneur en s'assurant le concours et le soutien de la plupart des familles qui comptent dans le royaume.

La reprise en main eût été évidemment incomplète si, parallèlement, le pouvoir n'avait pris progressivement le contrôle de l'administration. Dès le début des années soixante, les fonctionnaires et autres agents administratifs politiquement proches du Mouvement national, istiqlaliens ou socialistes, sont remplacés par des éléments « sûrs » ou sans appartenance politique. Dans le même temps – et le mouvement s'accélère dans les années soixante-dix –, le secteur public accroît son importance, ce qui permet à l'État makhzénien de recruter à tour de bras des hommes et des femmes qui, à défaut de lui être dévoués, ne lui sont pas hostiles. La tâche est d'autant plus facile pour le *makhzen* que les militants nationalistes affichent leurs divisions dès les premières années de l'indépendance. C'est donc presque un jeu d'enfant, pour le pouvoir, que de provoquer puis d'isoler l'UNFP de Ben Barka et du *fqih* Basri, beaucoup moins « souple » que l'Istiqlal « maintenue » d'Allal el-Fassi et M'hammed Boucetta.

Faisant le point au début des années quatre-vingt sur ce premier quart de siècle d'indépendance, Alain Claisse écrit[1] : « Le Protectorat a dessiné la configuration initiale : un centre littoral et urbain s'appuie sur la périphérie des notables ruraux. L'indépendance amorce un développement simultané de l'industrie et de l'agriculture. Des difficultés financières, ajoutées à la résistance des élites sociales, conduiront l'État à réduire ses ambitions d'abord au monde rural, puis aux secteurs agricoles les plus productifs. Cette stratégie de plus en plus étroite révèle ultérieurement ses faiblesses. Elle a laissé de côté une grande partie de la société marocaine qui, entre-temps, s'est transformée. À la fin des années soixante, une élite urbaine s'affirme dans les secteurs public et privé, tandis que monte la revendication des masses, souvent d'origine rurale, entassées dans les villes. L'aménagement étatique se tourne alors vers l'urbain [...]. En 1965, poursuit Alain Claisse, le bilan politique autant qu'économique étant négatif, l'État renonce à modifier l'espace rural par une transformation des structures agraires et une modernisation des modes traditionnels de production [...]. Les terres de colonisation officielle et privée sont récupérées selon des procédures qui, par leur lenteur, favorisent les milieux les plus influents et les plus fortunés. »

Alain Claisse fournit également quelques chiffres éloquents sur cette époque. À la fin des années soixante, la population urbaine s'accroît de 4,28 % par an, contre 1,8 % pour la population rurale. Plus significatif encore, la part des villas dans la valeur totale des constructions passe de 16 % en 1973 à 20 % en 1978 ! C'est dire le caractère inégalitaire de la société marocaine.

La seconde partie du règne de Hassan II, durant les années quatre-vingt et quatre-vingt-dix, ne change fondamentalement rien à la stratégie du Palais visant à limiter au maximum l'influence des partis politiques issus du Mouvement national. On a vu[2] qu'à la fin

---

1. « Stratégies d'aménagement et rapports sociaux au Maroc », *Annuaire de l'Afrique du Nord*, 1983, pp. 243 *sq.*

2. Voir *supra* le chapitre intitulé « Le Triomphe de la technocratie ».

des années quatre-vingt, des associations régionales, présidées par d'importantes personnalités proches du monarque, se sont multipliées, basées dans la plupart des grandes villes. Ces associations ont pour but d'attirer les élites du cru auxquelles il est demandé de s'impliquer dans des projets locaux ou régionaux. C'est aussi le moyen d'entamer une belle carrière politique ou administrative. Mais cette stratégie répond aussi à d'autres soucis : « Le phénomène associatif, écrit Driss Benali, affaiblit les instances universelles ou universalisantes (partis, syndicats). Certes, celles-ci continueront d'exister, mais elles n'exerceront plus ou exerceront moins le rôle d'universalisation qu'elles ont eu ou qu'elles ont paru avoir dans le passé. En se situant à son niveau et en privant ses membres d'une vision nationale, l'association fixe l'horizon à ne pas dépasser. De cette manière, elle tend à pervertir la conscience sociale en lui substituant la conscience régionale et à consolider les solidarités verticales au détriment des autres[1]. »

Mais il serait vain de s'illusionner sur la volonté de changement du régime. Ce qui est en réalité recherché, sous couvert de réforme, c'est la possibilité de concilier l'encadrement et le contrôle de la société en fonction de son évolution. La logique profonde du *makhzen* est de n'accepter le changement que s'il est susceptible de garantir sa vocation à encadrer l'ensemble des segments de la société.

C'est une opinion similaire qu'exprime Daniel Brumberg, professeur à l'université de Georgetown. Analysant l'héritage autoritaire et les stratégies de réforme dans le monde arabe, il montre que celui-ci, au Maroc comme ailleurs, se situe clairement en marge des réformateurs est-européens et latino-américains qui ont réussi à négocier des compromis susceptibles d'atténuer les tensions existantes entre efficacité économique et participation démocratique. Bien que nombre d'États arabes aient été secoués par des crises économiques et sociales dans les années quatre-vingt, leurs dirigeants ont réussi à contourner le problème posé par la réforme économique en appliquant ce qu'il appelle des « stratégies de survie ». Ces dernières permettent, selon lui, « d'apporter une réponse minimale aux demandes de réforme politique ou économique,

---

1. D. Benali, *Annuaire de l'Afrique du Nord, art. cit.*, année 1989, p. 71.

et cela sans s'engager dans les jeux dangereux d'un partage du pouvoir[1]. »

Cependant, pour Rémy Leveau, Hassan II n'aurait pu limiter ses changements au minimum ni mettre en coupe réglée la société marocaine s'il n'avait su, au cours de son règne, « tirer le plus grand parti de ses ressources extérieures pour compenser ses difficultés politiques internes ». Apprécié des Occidentaux pour son attitude à l'égard des parties en conflit au Proche-Orient, Hassan II a su réaliser l'union sacrée autour de sa personne dans la rivalité permanente qui oppose, depuis la fin de la guerre d'Algérie, Rabat à Alger. Dans cette perspective, l'idée géniale de la Marche verte ne lui a pas seulement permis de sauver son trône, mais aussi garanti un quart de siècle de règne tranquille. Aidé, il est vrai, par l'intransigeance algérienne, qui a sans doute plus fait pour renforcer la monarchie marocaine que MM. Oufkir, Dlimi et Basri réunis !…

Ainsi donc, à la mort de Hassan II, la classe politique marocaine se trouve, selon Mounia Bennani-Chraïbi, « extrêmement fragmentée, dans un état de décomposition avancée… Les héritiers du Mouvement national, relève-t-elle, font l'objet de beaucoup d'attentes et de critiques. C'est comme si on leur reprochait de ne pas s'être magiquement métamorphosés à l'occasion du changement de règne. Or, pendant quarante ans, tout a été fait pour émietter cette classe, pour casser et discréditer la médiation par les organisations politiques, par le Parlement, pour faire apparaître la monarchie comme l'unique institution, et le monarque comme le seul médiateur. L'État et la monarchie se sont renforcés sur la base de l'affaiblissement de la société, voire contre la société[2] ».

Si nul ne songerait à contester le rappel historique de Mme Bennani-Chraïbi, un certain nombre de Marocains pensent toutefois que le Premier ministre de l'époque, Abderrahmane Youssoufi, a laissé passer une chance historique de modifier le rapport de forces entre le Palais et la classe politique. C'est le cas d'Omar Khattabi, neveu du grand

---

1. Daniel Brumberg, *Moyen-Orient, l'enjeu démocratique*, éditions Michalon, Paris, 2003.

2. « Le Maroc, un an après la mort de Hassan II. Une conversation à trois », avec Rémy Leveau et Abdallah Hammoudi, disponible sur Internet.

Abdelkrim, qui pense que, dès le moment où Hassan II le nomma à la tête du gouvernement, Youssoufi aurait dû s'imposer : « Lorsque Abderrahmane Youssoufi a été appelé par Hassan II, il aurait pu faire montre d'un minimum de courage. Il aurait dû comprendre qu'avec la fin de la guerre froide, le Maroc – et donc Hassan II – avait perdu beaucoup de son importance stratégique. Hassan II, lui, l'avait très bien compris. Il avait notamment réalisé que les problèmes démographiques et sociaux étaient quasiment inextricables. Malade, affaibli, il a fait appel à Youssoufi pour que la passation de pouvoir avec son fils se passe bien. Si Youssoufi avait montré quelque conviction, il aurait pu changer beaucoup de choses. Malheureusement, il a accepté de commencer à travailler avec toutes sortes de casseroles, comme Ahmed Osman. Or la démocratie est incompatible avec le *makhzen* qui a créé cet esprit servile que nous connaissons tous[1]. »

À plus de soixante-quinze ans, et en dépit des cruelles tortures qu'il a endurées au début des années soixante-dix, le vieux chirurgien a toujours le caractère bien trempé. Il en veut aux formations politiques historiques qui « n'ont rien trouvé de mieux à faire qu'imiter le *makhzen* ». Omar Khattabi ne croit plus aux mots ni à des textes, selon lui, sans portée : « Tous les amendements à la Constitution n'ont aucun sens, puisque le *makhzen* n'en tiendra aucun compte. Il ne lâchera jamais rien, parce que cela est dans sa nature profonde. Depuis 1960, nous entendons les mêmes slogans. Que faire ? Un coup d'État ? On a vu le résultat. Autres temps, autres mœurs... »

Plus nuancé, mais tout aussi sévère, le président d'Alternatives, Driss Benali, relève que les partis issus du Mouvement national ont depuis toujours « des slogans, un discours critique, mais pas d'alternative au *makhzen*. Quand ce dernier s'est montré prêt à négocier, lui savait où il allait, mais la classe politique ne le savait pas, ne savait pas comment discuter et n'a même pas cherché à négocier. Certains parlent tout simplement d'abdication de sa part. Moi, je pense qu'elle n'a ni abdiqué ni renoncé, car elle n'avait rien à présenter à l'autre partie. Elle a compté sur son discours critique pendant quarante ans, elle n'a pas renouvelé ses effectifs et est restée dominée par un personnel qui puise sa légitimité dans le Mouvement national et le passé.

---

1. Entretien avec l'auteur.

En fait, Hassan II a réussi à intégrer la classe politique en la dissolvant dans la marmite makhzénienne[1] ».

L'anthropologue Abdallah Hammoudi n'est pas loin de partager ces deux points de vue. Évoquant les élites, notamment celles issues du Mouvement national, il déclare : « Ce n'est pas seulement parce que la monarchie a utilisé la force, la répression ou la corruption qu'elles sont émiettées, c'est aussi à cause de pratiques sociales et culturelles très répandues dans la société marocaine [...]. Si elles se sont dispersées, c'est parce qu'elles aussi ont des pratiques, les factions sont à couteaux tirés, les querelles de personnalités, la participation directe ou indirecte aux faveurs du régime, tout cela les affaiblit. Il faut comprendre tous ces facteurs. Cela dit, assez vite la monarchie s'est imposée comme le seul centre qui donne la direction. Les partis les syndicats s'y sont habitués [...]. Quand on voit l'exaspération des femmes, quand on voit comment les jeunes se comportent, quand on voit les changements vis-à-vis de l'autorité, du temps, du travail, de l'argent, c'est l'institution et les élites qui deviennent comparativement archaïques[2]. »

Maroc, monde arabe et structures politiques autoritaires

Abdallah Hammoudi, qui s'est beaucoup interrogé sur les raisons qui font que des structures politiques autoritaires dominent les sociétés arabes de l'Atlantique au Golfe, apporte un certain nombre de réponses qui permettent de mieux comprendre les blocages de la société marocaine. D'une certaine manière, en effet, le Maroc ressemble beaucoup au reste du monde arabe. Les différences qu'il peut y avoir entre pays arabes « modérés » ou « conservateurs » et « progressistes », écrit Hammoudi, « ne sauraient masquer une similitude fondamentale quant à la manipulation et l'exercice du pouvoir : systèmes monarchiques et partis uniques invoquent une représentation directe de ce qu'on est convenu d'appeler les masses, et ignorent ou répriment toute alternative. La structure autoritaire se caractérise par sa prétention à décider seule des aspirations et du devenir des sociétés

---

1. Entretien avec l'auteur.
2. Au cours du débat avec R. Leveau et M. Bennani-Chraïbi.

gouvernées. Elle demeure comme l'invariant d'une scène sur laquelle viennent jouer et passer les régimes et les élites[1] ».

Affinant sa démonstration, Hammoudi range le Maroc dans la catégorie des « monarchies absolues ou quasi absolues », et écrit qu'il a « recours à une "tradition" islamique éclairée pour justifier un immobilisme mêlé de réformes très lentes ». Les conditions dans lesquelles a été modifié le Code du statut personnel et celles qui ont conduit à la création de l'Institut royal de la culture amazigh – deux événements importants que nous avons assez largement évoqués – confortent cette analyse d'Abdallah Hammoudi. Il s'agit, dans les deux cas, de décisions prises par le seul Hassan II à des dates tout à fait arbitraires. Pourquoi, en effet, décide-t-il en 1992, et non pas cinq ou dix ans plus tôt, de modifier très légèrement la *moudawana*, un texte déjà vieux de trente-cinq ans ? Il ne s'en est jamais expliqué. Caprice du prince... Il faut encore patienter douze ans pour que son fils engage enfin une véritable réforme. Ainsi donc, dans « la construction de cet État moderne » vantée par tant d'amis du régime, il aura fallu attendre près d'un demi-siècle pour que la femme marocaine soit enfin reconnue comme l'égale de l'homme. Les militants berbères n'ont pas été mieux lotis : c'est seulement au milieu des années quatre-vingt-dix que Hassan II donne le feu vert à la création de microjournaux télévisés dans les trois langues berbères du Maroc. Huit ans plus tard, son fils crée l'Institut royal pour la culture amazigh, une des dix revendications contenues dans le Manifeste berbère de l'an 2000. Faudra-t-il encore attendre un quart de siècle pour passer à la seconde revendication ?

Pour Hammoudi, tout cela n'a rien d'étonnant, compte tenu de la manière dont est exercé le pouvoir au Maroc comme dans pratiquement tous les autres pays arabes. Les décisions, souligne-t-il, « sont prises par un petit groupe d'hommes dont un seul émerge vraiment sur la scène publique ». Par ailleurs, ajoute-t-il, « la société civile ne dispose pas de moyens institutionnels pour exercer un contrôle sur l'appareil d'État. En revanche, elle est dominée par un

---

1. *Master and Disciple, the Cultural Foundations of Moroccan Authoritarianism*, The University of Chicago Press, 1997, p. 135. La version française a été publiée en 2001 par les éditions Maisonneuve et Larose et Toubkal sous le titre *Maîtres et Disciples, Genèse et fondements des pouvoirs autoritaires dans les sociétés arabes.*

appareil de répression développé et ramifié ». L'anthropologue insiste également sur « l'exigence de conformité plus ou moins absolue à ce que l'État définit comme les "coutumes du peuple", exigence qui, selon lui, va de pair avec celle d'un attachement marqué à une idéologie, celle-ci étant largement définie sur une base ethnique ou théologique, ou les deux ». Il affirme enfin que « l'obéissance et l'accomplissement du devoir prennent les formes d'une soumission ostentatoire au chef. Et partout le comportement dans les rapports bureaucratiques est modelé sur cette relation primordiale : à chaque échelon, la passivité du subalterne répond à l'activité et à l'autorité de son supérieur. Ce dualisme est partout présent ».

Non sans humour, Hammoudi écrit que « le chef se définit d'abord par son oisiveté », c'est-à-dire qu'on se trouve dans une situation où « celui qui atteint la prééminence absolue n'a pas à travailler, car il dispose d'un groupe de collaborateurs entièrement dévoués à son service personnel ». Mais cela ne doit surtout pas l'empêcher de contrôler l'appareil d'État. Ce que le chef fait par le biais de « son petit groupe de fidèles et de la cooptation, parmi eux, d'un disciple qui est plus proche et que la presse désigne par l'"homme fort du régime" ». Maître et disciple vivent ainsi un rapport ambivalent, et « comme il n'y a ni règles formalisées de succession, ni institutions stables permettant à la société civile de jouer un rôle de contrepoids, dans les périodes de transition on passe de l'obéissance absolue au chef à son assassinat ».

Au Maroc comme dans le reste du monde arabe, l'école et l'armée ont toujours joué un rôle considérable. C'est ainsi que sont formées les élites qui, par la suite, se cooptent. Le chef, bien entendu, à défaut d'être issu de l'institution militaire, la dirige, puisque l'armée campe au centre de la vie de la Nation. Compte tenu des diversités régionales, confessionnelles et ethniques, la monarchie marocaine est également le ciment de la Nation. Sans elle, disent ses partisans, le chaos et l'anarchie menacent. Pour Hammoudi, il ne fait ainsi aucun doute que « l'autoritarisme marocain, quelles que soient les spécificités, par ailleurs réelles, dont il se réclame, n'est en fait qu'une variante de l'autoritarisme arabe. »

Au-delà de la figure centrale du père ou du chef, Hammoudi s'interroge sur les places respectives de l'homme et de la femme dans la société marocaine. Dans cette dernière, comme dans les autres sociétés arabes, dit-il, « les enfants des deux sexes (encore aujourd'hui) apprennent très tôt la ségrégation entre hommes et femmes, et la subordination de celles-ci à l'autorité des premiers. L'enfant mâle, en particulier, voit sa masculinité exaltée par son père et sa mère. Mais alors que celle-ci requiert de lui une attitude virile, le rapport avec le père est double – bien que ce double ne soit jamais évoqué et encore moins reconnu. Viril, l'enfant mâle doit l'être, mais, en présence du père, il lui faut abdiquer une part de sa virilité. Il doit observer une série d'attitudes de silence, de réserve, de modestie et de soumission qui sont bien caractéristiques du comportement féminin, au moins au niveau de l'idéal exigé par la société ». Même s'il se réjouit de voir se développer, chez les jeunes et les femmes notamment, une argumentation égalitaire, Abdallah Hammoudi pense néanmoins que « c'est à une ambivalence enracinée dans le rapport entre hommes et femmes que semblent renvoyer les autoritarismes politiques qui régissent les sociétés arabes ».

Également enseignant à l'université de Princeton, le politologue Abdeslam Maghraoui exprime le souhait, au lendemain des attentats du 16 mai 2003, que sociologues et psychanalystes se penchent sur la problématique des attentats-suicides. Relevant le caractère encore tabou de ce type de questionnement, Maghraoui s'interroge sur « le rôle de la sexualité » dans le terrorisme islamiste, sur « le rapport entre le pouvoir (ou son manque) et le désir sexuel [...] Pourquoi la mise à l'écart des femmes, sinon leur total bannissement des lieux publics, se demande-t-il encore, occupe-t-elle une si grande place dans le programme des extrémistes[1] » ?

En évoquant les discriminations dont sont victimes les femmes marocaines, Hammoudi et Maghraoui abordent une question essentielle pour l'avenir du royaume. Des rôles parentaux mieux définis, une organisation du travail mieux adaptée, l'égalité des chances, l'égalité devant la loi, la scolarisation des femmes sont autant de facteurs qui ne peuvent que favoriser le progrès économique et social. Politiquement, la récente réforme du Code du statut personnel revêt donc une importance considérable. Elle ne résoudra certainement

---

1. *Le Journal hebdomadaire*, 7 au 13 juin 2003.

pas tous les problèmes du pays, mais, sans elle, celui-ci était assuré de continuer à stagner. On ne construit rien de solide d'une seule main, et se priver de la moitié de la population ne peut conduire qu'à la catastrophe. Mohammed VI a joué un rôle décisif dans l'élaboration de la nouvelle loi ; il lui reste à s'assurer que tout ce que le pays compte de vieilles barbes ou de jeunes barbus sectaires et rétrogrades ne puisse saper ou freiner l'application du nouveau texte.

Tous ceux qui ont été amenés à réfléchir sur les difficultés du Maroc soulignent l'importance, sinon d'une révolution culturelle, du moins de changements importants dans les comportements individuels et collectifs. Dans un petit livre très instructif publié au début des années quatre-vingt, un ingénieur agronome, ancien ministre et ambassadeur, Yahya Benslimane, s'étonne que les Marocains ne sachent pas mettre davantage en valeur leur patrimoine : « Nous avons beaucoup de choses à montrer, mais nous ne possédons pas de musées attrayants pour les exposer ; notre cuisine passe pour être très raffinée, mais nous manquons de restaurants qualifiés pour la déguster ; notre folklore est toujours marqué du sceau de l'authenticité, mais il n'existe pas de théâtre pour le représenter[1]. » Yahya Benslimane est passionné par l'instruction et l'apprentissage, la formation et la culture – « bref, cet ensemble produit par l'enseignement et l'éducation » qui, à ses yeux, « constituent la clef de voûte de la construction économique et sociale, et conditionnent le développement ». Selon lui, « il en est de la technique comme de la religion : on n'accède pas à la première par mimétisme, en copiant les tours de main des contremaîtres ; pas plus qu'on ne vit la seconde par répétition de rites que conduit un officiant [...]. Plutôt que de rêver d'un hypothétique transfert de technologies, il faut mener un combat pour l'accession aux techniques ».

Yahya Benslimane, qui a abandonné une belle carrière administrative et peut-être politique pour se lancer avec succès dans l'agriculture, sa véritable passion, regrette que le Marocain ne se prenne pas suffisamment en charge et attende tout du Ciel ou de l'administration. Il dénonce aussi « le gaspillage d'une instruction sans formation ».

Sans lien avec les grandes familles fassies, et homme de gauche, Paul Pascon n'est pas loin de penser comme Yahya Benslimane. Il

---

1. Yahya Benslimane, *Nous, Marocains*, *op. cit.*, p. 214.

critique sévèrement l'enseignement marocain, « importé et ina-dapté » : « L'enseignement, déclare-t-il en 1978, ne prépare pas à entrer dans la vie, mais à entrer dans l'administration. Dans le meilleur des cas, c'est une école où l'on apprend, rarement une école où l'on se forme. » Pour lui, avec la très mauvaise distribution des richesses, l'école défaillante constitue l'un des principaux blocages de la société marocaine. Lui aussi se méfie des produits d'importation : « Il faut un projet historique, une doctrine. Les idées importées toutes faites de l'extérieur représentent un danger. La grande maladie de ce pays, c'est la greffe de modèles et l'absence d'innovations. Le jour où le Maroc innovera, il ne sera plus à la traîne[1]. » Le célèbre sociologue franco-marocain, disparu au début des années quatre-vingt, déplore, en cette fin des années soixante-dix, le caractère byzantin des intel-lectuels marocains : « Le corps intellectuel n'est pas nombreux. Il évite la critique. On se fait des amabilités de surface dans les salons. On est entre gens de bonne compagnie, on attaque sous couvert de manières très policées. On est à Byzance. Les choses importantes, on n'en parle pas. Il ne peut pas y avoir de développement dans ces conditions. »

Un quart de siècle plus tard, Abdallah Hammoudi, qui consacre un temps considérable à lire la presse et à observer de près le comportement et les réactions de ses compatriotes, est à peu de chose près sur la même longueur d'onde : « Il me semble que les classes moyennes continuent à préférer les cafés, les discussions mondaines, plutôt que les rassemblements politiques. » Il se rappelle que, tout jeune étudiant, il avait été « effaré » par le peu de gens qui étaient sortis pour manifester après l'enlèvement de Mehdi Ben Barka. Il est vrai que la répression de mars 1965 était encore dans tous les esprits…

Mais si chaque Marocain, chaque individu porte sa part de res-ponsabilité dans l'impasse actuelle, si les fondements culturels de l'autoritarisme du pouvoir au Maroc, et son corollaire, la soumission des sujets de Sa Majesté, doivent être étudiés en profondeur, le rôle de la monarchie et de ceux qui l'entourent ne doit pas être sous-estimé. Hassan II ne s'est pas contenté de constitutions « mon-bon-plaisir ». Il n'a négligé aucun détail pour mieux asseoir son pouvoir.

---

1. Paul Pascon, *Lamalif,* janvier 1978.

Le mode de scrutin en vigueur au Maroc depuis le début des années soixante – uninominal et majoritaire à un tour – est à cet égard révélateur. Mounia Bennani-Chraïbi rappelle qu'il « favorise la personnalisation, le clientélisme, les systèmes de petit patronage, la corruption ». Évoquant les compétences limitées du gouvernement, elle se demande également si « la monarchie ne continue pas à se construire sur la base de la limitation des prérogatives gouvernementales ». Pour elle, « le gouvernement souffre aussi bien de la fragmentation et de la division dans ses rangs, des conditions de sa formation, que de la concurrence déséquilibrée entre au moins deux pôles de l'exécutif ».

Contre-pouvoirs et garde-fous indispensables

L'étude des règnes de Mohammed V et de Hassan II, celle du début de règne de Mohammed VI font ressortir le caractère absolu de la monarchie marocaine, même si les personnalités du prédécesseur et du successeur de Hassan II ont pu – ou peuvent – en atténuer la rigueur. Les derniers représentants de la dynastie alaouite ne se sont pas contentés de se tailler une Constitution sur mesure leur donnant pratiquement les pleins pouvoirs sur le plan politique, ils ont investi le champ économique afin de disposer des ressources nécessaires pour mieux contrôler le champ politique et, accessoirement, pour vivre fastueusement. Tout cela, quoi qu'en pensent les courtisans et autres profiteurs du régime, est profondément malsain. Il n'est pas un seul pays démocratique qui pourrait accepter les conditions de vie qui sont celles du roi du Maroc et de sa famille. Si le sujet reste largement tabou dans la presse locale, de plus en plus de Marocains, y compris parmi les élites, s'interrogent sur un train de vie d'autant plus choquant que des millions de Marocains vivent dans la misère. Le « cher peuple », du moins dans sa composante citadine la plus déshéritée, sait parfaitement à quoi s'en tenir. Invité au début du printemps 2003 chez des militants associatifs installés à Derb Sultan, quartier populaire de Casablanca, l'auteur découvre que le secteur où il se trouve est pratiquement devenu une zone de non-droit. La police n'y pénètre plus et des bandes de jeunes, à défaut de terroriser la population locale, y font la loi. Les ravages de l'alcool et de la drogue se lisent sur les visages fatigués de ces gamins privés de perspectives. Ils sont bruyants, défient le régime et ses symboles en les insultant ; *'abaddine ar raya, 'abaddine al 'alam* : « Esclaves du drapeau, à quoi vous a servi votre esclavage ? » crient-ils à l'adresse d'un voisinage indifférent, trop épuisé pour protester. C'est d'un quartier casablancais semblable, Sidi Moumen, que sont sortis la dizaine de kamikazes qui se sont fait sauter, le 16 mai 2003, entraînant dans leur folie meurtrière une trentaine d'innocents. Les dirigeants du Maroc ont-ils conscience que dans ces quartiers oubliés de la capitale économique ou des principales villes du pays, la fibre monarchiste a disparu ? « Il ne faut pas prendre le peuple marocain pour plus bête qu'il n'est, déclare doucement notre hôte. Ni l'État, ni la région, ni la ville n'ont jamais rien fait pour eux. Résignation, violence et désespoir : il n'y a plus que cela ici ! »

Autant dire que le débat tournant autour de la légitimité de la monarchie ne présente absolument aucun intérêt dans ces zones marginalisées, de plus en plus nombreuses. La légitimité royale, qui s'appuie sur le pouvoir absolu du monarque, sur l'utilisation de l'Islam avec la Commanderie des croyants, sur la tradition dynastique, sur les liens de clientélisme et de soumission au *makhzen*, est vécue confusément comme une véritable provocation. Les islamistes n'ont nul besoin d'en rajouter. Mais la légitimité démocratique fondée sur le respect de la loi, sur l'égalité des droits, sur des élections libres et sur une justice indépendante, est tout aussi hors sujet. Personne n'y croit, parce que personne n'y songe. Les priorités des populations concernées sont ailleurs : il leur faut survivre !

À trop étaler ses fastes et à trop s'exposer politiquement, économiquement et socialement, la monarchie est de plus en plus mise en équation. Sa légitimité, sans être globalement remise en cause, est moins solidement fondée, et sa place exacte est à redéfinir. En dépit de son expérience et de ses qualités d'homme d'État, le costume était déjà un peu ample pour Hassan II qui a laissé un énorme passif sur le plan social. Il risque d'être rapidement trop grand pour Mohammed VI qui, à l'impuissance dans le domaine social, risque d'ajouter son inexpérience et son manque de vision en politique étrangère. Ainsi, au Proche-Orient, la voix du Maroc est devenue inaudible, même si la brutalité et la rigidité d'Ariel Sharon ne lui ont pas facilité la tâche. Au Sahara occidental, nombre d'experts estiment que, depuis la mort de Hassan II, les dirigeants marocains ont à la fois manqué d'imagination et multiplié les impairs, par exemple en irritant James Baker, l'émissaire américain. « Mohammed VI, écrit Rémy Leveau, éprouve les plus grandes difficultés à maîtriser les données des problèmes auxquels il est confronté. Il s'est notamment engagé sans recul dans l'affaire du Sahara occidental, dans l'espoir de capter le bénéfice d'une sortie de crise favorable aux thèses marocaines[1]. » Rien, cependant, n'est jamais définitif dans cette partie du monde. La réélection d'Abdelaziz Bouteflika en Algérie, en avril 2004, la défaite de José Maria Aznar aux législatives de mars 2004, et, surtout, les gros soucis du royaume avec ses islamistes, pourraient conduire Washington – également en difficulté dans le monde arabe – et Madrid à ménager le Maroc dans une période difficile.

Mais Rémy Leveau, qu'on ne saurait qualifier d'adversaire résolu du royaume, a d'autres motifs d'inquiétude. Après la publication du mémorandum d'Abdesslam Yassine dans lequel était évoquée la fortune de la famille royale, il revient sur cette affaire et rappelle que le très sérieux *The Economist* de Londres a été « le premier à poser le problème de la réintégration de la fortune du roi dans l'espace public, au moins de façon partielle, sous forme d'une fondation pieuse ». Pour Leveau, « il s'agit là d'un problème relevant du débat public sur lequel il serait dangereux que la monarchie, le gouvernement et, pourquoi pas, le Parlement n'aient pas un discours crédible ». Puis l'auteur du *Fellah marocain, défenseur du trône* met les points sur les « i » : « Moi, je dis les choses tout bêtement : est-ce que Mohammed VI va continuer à faire des affaires ? [...] Dans un système en voie de transition démocratique, répond-il, le roi ne peut pas être entrepreneur. Il ne peut faire concurrence aux entrepreneurs. Dans cette situation, il faut qu'il renforce sa position d'arbitrage[2]. » Répondant à Rémy Leveau, Mounia Bennani-Chraïbi déclare : « Si le roi tient à conserver le contrôle du champ politique et à intervenir à tous les niveaux de celui-ci, on peut facilement faire le pari qu'il aura besoin, à un moment donné, de continuer à accroître son contrôle des ressources pour maintenir son pouvoir sur les hommes, même si ce n'est pas nécessairement son souhait à l'origine. »

1. Rémy Leveau, *Monarchies arabes...*, *op. cit.*
2. Débat avec M. Bennani-Chraïbi et A. Hammoudi.

La liste des maladresses ou des bévues commises n'est pas exhaustive. La gestion du litige sur l'îlot Leïla, le séisme dans le Rif, les attentats du 16 mai, les gros dossiers économiques et sociaux ont montré à des degrés divers que Mohammed VI n'avait que des mauvais coups à prendre à trop s'exposer. Parmi les élites intellectuelles d'aujourd'hui, il existe sans aucun doute un consensus pour une révision constitutionnelle d'une ampleur comparable à ce qui s'est passé pour le Code du statut personnel. Il ne s'agit plus, ici, de jouer avec les mots et de lâcher un petit peu de lest pour calmer les impatiences. L'objectif poursuivi n'est pas seulement, en effet, de protéger la monarchie contre son penchant à s'impliquer tous azimuts, penchant aux conséquences désastreuses, mais aussi de restaurer la crédibilité d'une classe politique qui ne suscite qu'indifférence ou mépris, mais sans laquelle rien ne pourra se faire. Là encore, le régime, même s'il refuse de regarder la réalité en face, paie les finasseries du Palais dans les années qui ont suivi l'indépendance. Si le multipartisme et l'interdiction du parti unique, en vigueur au Maroc, ont pu faire illusion à une époque où les anciens pays colonisés optaient presque tous pour le parti unique, il y a longtemps que les limites du système ont été mises au jour. Le multipartisme a en effet davantage servi à cautionner la légitimité du régime, notamment à l'étranger, qu'à jouer un véritable rôle de représentation ou d'action politique. Jean-Claude Santucci a dénoncé ce « double-jeu » consistant à présenter à l'extérieur l'opération « comme une référence démocratique modèle, alors que, simultanément, ce multipartisme a été constamment bridé dans ses fonctions tout à fait légitimes d'aspiration à l'exercice réel du pouvoir[1] ».

Essayant d'imaginer l'avenir du régime au lendemain des attentats de Casablanca – ceux de Madrid ne changent rien aux données du problème –, Abdesslam Maghraoui abonde aussi dans le sens de l'instauration d'institutions crédibles. Selon lui, le Maroc a deux options : « Soit le renforcement de l'appareil sécuritaire, à la tunisienne, soit l'élargissement des libertés civiques, l'application stricte de la loi et l'établissement d'institutions crédibles assurant une représentation politique adéquate [...] Quand il y a liberté d'expression, des droits

---

1. *Le Journal hebdomadaire*, février 2004.

civiques protégés et une population disposant de moyens crédibles de participation politique, souligne-t-il, les groupuscules d'extrémistes constituent bien une menace sécuritaire, comme en d'autres pays démocratiques, mais non pas une menace pour la stabilité du Maroc et ses institutions. »

Opérant une distinction entre « monarchie, institution de pouvoir avec son propre capital symbolique, ses pouvoirs et rituels codifiés, et *makhzen*, c'est-à-dire la structure administrative, les réseaux sociaux, les centres d'influence à travers lesquels la monarchie a historiquement étendu son pouvoir et son autorité », Maghraoui estime que le *makhzen* ne peut être réformé et qu'il devrait tout simplement disparaître. Quant à la monarchie, « elle peut et doit être réformée en clarifiant sa relation constitutionnelle et juridique avec l'État, la société et le gouvernement ».

Il pose ensuite toute une série de questions intéressant au premier chef les sujets de Sa Majesté, et qui n'obtiennent jamais de réponse. Exemples : Lorsque des représentants de Sa Majesté violent leurs droits, de quels moyens légaux disposent-ils pour redresser tel ou tel abus ? Quel est le statut d'un *dahir*, d'un code, d'une loi, d'une circulaire administrative ? Qui est responsable des carences constatées : le *makhzen* ? la monarchie ? l'État moderne ? Tous ensemble ?

L'un des plus intéressés par l'évolution des institutions du royaume est le président d'Alternatives, Driss Benali : « Nous avons été les premiers, dit-il, à poser la question d'une vraie réforme constitutionnelle. On ne peut pas parler de modernisation, souligne-t-il, si on n'établit pas les responsabilités. Or le *makhzen*, c'est à la fois l'absence de responsabilités et la faveur. Quand on est dans le *makhzen*, on ne demande rien, on n'a pas le droit de démissionner. Imaginez qu'en cinquante ans d'indépendance, deux ministres seulement ont démissionné[1] ! C'est le *makhzen* qui octroie, qui donne et qui enlève. Il n'appartient à personne de demander, de revendiquer ou de démissionner. Ce n'est pas devant la Nation, mais devant le roi qu'on est responsable. Dans une société de responsables, Abbas el-Fassi, ministre

---

1. Demnati dans les années soixante-dix et Mohammed Ziane, ministre des Droits de l'homme, pour protester contre l'attitude de Driss Basri en 1996, dans la « campagne d'assainissement ».

des Affaires sociales, aurait démissionné après l'affaire an-Najat, soit pour incompétence, soit pour complicité. Eh bien non, ici il a même été promu ministre d'État. »

Avocat d'innombrables détenus politiques, Abderrahim Berrada, fidèle à ses idées de toujours, et l'une des rares personnalités marocaines à exprimer sans détours le fond de sa pensée, se montre beaucoup plus direct. Quand on lui demande « ce qu'il faut faire aujourd'hui », la réponse fuse : « La révolution, qui signifie pour moi une rupture avec ce que j'appelle la trinité sacrée : "Dieu, la Patrie, le Roi". Avec tout ce que cela implique ! Par quoi commencer ? Par tout en même temps, notamment une nouvelle Constitution, mise sur pied par une Constituante, instaurant une monarchie laïque où le roi règne sans gouverner ; un début de révolution culturelle par l'instauration d'un système éducatif libérateur de l'esprit et performant. Il faut aussi poser les jalons d'une Justice qui mérite vraiment ce nom, mettre sur pied un dispositif adéquat pour lutter sérieusement contre la corruption ; commencer à construire une économie assurant une vie digne pour tous, notamment par la juste rémunération de toutes les formes de travail[1]. »

Enfin, Rémy Leveau et Abdallah Hammoudi, qui divisent *grosso modo* le monde arabe en deux types d'État, les monarchies et les républiques autoritaires à tendances dynastiques ou non – des « monarchies au rabais », selon l'expression de Moulay Hicham –, pensent que « la survie des monarchies réside dans leur capacité à faire mieux que les "républiques au rabais" qui leur succèdent en cas de crise et d'échec. Le monarque, disent-ils, est souvent le seul, dans une situation de transition, à pouvoir appeler à une démocratisation qui limite les risques du changement. Faire accepter la citoyenneté comme base du pacte politique, tout en préservant l'intégrité de la communauté de façon à montrer que l'islam n'est pas incompatible avec la démocratie, est un objectif qui donne du sens à la construction monarchique ».

En 2004, alors qu'il vient de fêter le cinquième anniversaire de son intronisation, il est bien difficile d'imaginer le destin de Mohammed VI et, partant, de la dynastie alaouite. La prudence est ici de mise. À la fin de 1972, après le second coup d'État, John Waterbury

---

1. Entretien avec l'auteur.

écrivait que les hommes politiques marocains n'avaient le choix qu'entre « accepter de travailler avec la monarchie et contribuer ainsi à la consolider » ou « refuser leurs services au risque d'un futur coup, réussi cette fois, et qui les balaiera tous […]. L'épreuve du choix devenant plus angoissante et plus dangereuse, les élites – il s'agit de la jeune génération apparue pendant l'état d'exception – essaient plus désespérément que jamais de fuir les prises de position […]. Il ne reste plus au roi qu'à se tourner vers son cercle familial ou vers les quelques hommes, comme Dlimi, associés depuis trop longtemps avec le Palais[1] ». L'universitaire américain concluait son travail en estimant qu'« en réalité, le roi a peu de chances de rallier les nouvelles élites et de leur rendre la foi ». Pourtant excellent connaisseur du royaume, Waterbury se trompait, mais nul ne songerait à le lui reprocher. Qui pouvait en effet imaginer que ce monarque mal-aimé et isolé allait, en quelques années, retourner la situation en sa faveur ?

Mohammed VI monte sur le trône dans des circonstances infiniment plus favorables que celles qui prévalent au moment où son père succède à Mohammed V. L'opposition du début des années soixante a rejoint depuis 1998 le gouvernement et ses représentants n'ont pas de mots et de gestes assez forts pour témoigner leur affection au jeune roi. Celui-ci prend vite goût au pouvoir, mais chacun sent qu'il n'a pas encore fini de rattraper le temps perdu alors qu'il était prince héritier et astreint à de pénibles et fréquentes obligations protocolaires sous l'implacable regard d'un père intransigeant. D'où, sans doute, cette impression étrange de roi dilettante, un peu absent. À plusieurs reprises, pourtant, il montre qu'il a des convictions et qu'il peut trancher dans le vif du sujet. De telles initiatives ne sont pas négligeables et, comme le disent justement Rémy Leveau et Abdallah Hammoudi, « l'avenir des monarchies repose sur une série de miracles, de reconquêtes constantes du pouvoir, comme le retour de Madagascar, la Marche verte ou les manifestations d'unanimité lors des funérailles de Hassan II[2] ». Ils auraient pu ajouter le limogeage de Driss Basri et, surtout, l'adoption du nouveau Code de la famille. En cinq années, le souverain n'a toujours pas de sang sur les mains, ce dont personne ne

---

1. John Waterbury, *Le Commandeur des croyants, op. cit.*, p. 389.
2. Rémy Leveau et Abdallah Hammoudi, *Monarchies arabes, op. cit.*, p. 278.

se plaindra. Dans le domaine des libertés publiques, le bilan est moins rassurant. Même si nombre de tabous ont été levés, permettant à la presse d'évoquer aussi bien le patrimoine et les affaires de la famille royale que la vie quotidienne des bagnards de Tazmamart, l'affaire Lamrabet, le nouveau Code de la presse, ainsi que la récente législation antiterroriste ne laissent pas d'inquiéter. Faute d'institutions crédibles et de contre-pouvoirs réels, les machines policière ou judiciaire, sur instructions du *makhzen*, peuvent à tout moment se mettre en mouvement et broyer les individus. Dans la conclusion d'un petit livre émouvant où il raconte sa douloureuse expérience carcérale[1], Khaled Jamaï déplore qu'« après quelques années de résistance » l'opposition ait « abdiqué au nom de l'intérêt supérieur du pays, au nom de l'intégrité territoriale, au nom d'un nationalisme aveugle. Elle s'est soumise aussi pour préserver ses privilèges, acceptant que se substitue à l'État de droit le droit de l'État, à la force de la loi, la loi de la force. Elle a donc contribué à renforcer un régime où le droit est devenu privilège, et le privilège un droit sur lequel règnent en maîtres absolus le *makhzen* politique et le *makhzen* économique ».

Ce qu'il y a sans doute de plus préoccupant dans le nouveau règne, c'est qu'on n'a toujours pas la moindre idée de la direction que Mohammed VI entend prendre. Le sait-il lui-même ? Ou a-t-il décidé de faire de cette absence de cap une méthode de gouvernement. Le « plus pervers », dans le système marocain, souligne encore Khaled Jamaï, « c'est qu'il ne va jamais jusqu'au point de rupture. Ainsi, au moment où l'on s'y attend le moins, il lâche du lest, donnant l'impression que l'on entre enfin dans un État de droit, que le pays est en transition démocratique. Une transition qui n'en finit pas. Il fait naître l'espoir d'une ère de démocratie et de jours meilleurs, et toute idée de révolte ou de révolution s'émousse alors graduellement ».

Arbitre ou joueur, institution sacrée ou homme d'affaires, État de droit ou appareil sécuritaire ? Mohammed VI ne pourra éternellement jouer sur les deux tableaux et éluder toutes ces questions. Il lui faudra choisir, donner du sens et de la cohérence à son règne, s'il ne veut pas finir comme Moulay Abdelaziz, désastreux successeur de l'énergique Hassan Ier à la fin du XIXe siècle. Malheureusement, les

---

1. Khaled Jamaï, *Présumés coupables*, 1973, éditions Tarik, p. 115, Casablanca, 2004.

règles du jeu sont au moins aussi floues aujourd'hui qu'elles l'étaient au temps de son père. « Les responsables de ce pays n'ont ni vision ni stratégie. Cela est déprimant », soupire Najib Akesbi avant d'ajouter en souriant : « Quand je veux me remonter le moral, je regarde vers l'Afrique ; quand je veux être réaliste, je regarde vers le Nord. Est-ce donc une fatalité, pour nous Marocains, de ne trouver notre équilibre que par le bas ? »

Chronologie du Maroc

ANTIQUITÉ – Selon le point de vue officiel marocain, c'est vers 800-600 av J.-C. que le Maroc « entre dans l'Histoire ». L'écriture libyque, inventée par les Berbères, apparaît à cette époque dans l'Atlas. Un peu plus tard, les Atlantes occupent le centre de l'Atlas et donnent leur nom à l'océan Atlantique. Entre 25 av. J.-C. et 23 ap. J.-C, Juba II, roi de Mauritanie, est installé à la tête du royaume par l'empereur romain Auguste, et réside à Volubilis. Il décrit le pays dans un livre utilisé plus tard par Pline.

LA CONQUÊTE ROMAINE (42 ap. J.-C.) – Les armées romaines prennent possession de la Mauritanie Tingitane ; mise en valeur par la création de routes, celle-ci connaît un essor agricole et un commerce actif. Tingis, Lixus, Volubilis, Benassa se développent. L'influence romaine se conservera au Sud jusqu'en 429, date du passage des Vandales dans cette partie de la Mauritanie Tingitane.

LA CONQUÊTE MUSULMANE – *L'islamisation* : dès 682, le chef arabe Oqba Ibnou Nafi'i, fondateur de Kairouan, la première cité musulmane en Tunisie, entame un raid jusqu'aux côtes atlantiques. Berbères et Byzantins se soulèvent alors contre l'envahisseur, mais les Arabes musulmans parviennent à étendre leur domination, faisant ainsi progresser l'islamisation des populations. – *La crise du califat* : la domination musulmane se consolide malgré la formation de royaumes aux doctrines religieuses insoumises, comme le royaume kharidjite de Sigilmassa, dans le Tafilalet. En 740 éclate une importante révolte contre les autorités de Damas, siège du califat omeyyade. Peu à peu, le Maroc échappe à leur pouvoir et se morcelle en nombreux royaumes et principautés.

LA DYNASTIE IDRISSIDE – En 788, c'est la naissance de la première dynastie musulmane, d'origine moyen-orientale. En 791, l'État marocain est créé. Idriss Ier, descendant d'Ali, gendre du Prophète, fuit l'Arabie et vient s'installer à Volubilis avant de fonder Fès qui, après sa mort en 792, est désignée capitale du royaume par son fils et successeur Idriss II. La vie économique prospère à Fès. En 857 et 859, construction des mosquées Qaraouiyine et des Andalous.

LA DYNASTIE ALMORAVIDE – Dynastie berbère originaire du Sahara occidental, son nom vient de l'arabe « Al Mourabitoun », sorte de moines guerriers. Leur sultan, Youssef Ibn Tachfine, construit la ville de Marrakech (future capitale du royaume) vers 1070, puis s'occupe de l'unification politique entre le Maroc et l'Espagne musulmane. Grâce à lui la civilisation andalouse se répand au Maghreb.

LA DYNASTIE ALMOHADE – Dynastie berbère originaire du Haut-Atlas, son nom vient de l'arabe « *Al-Mouwahidoune* », « les unitaires », qui prônent l'unicité de Dieu. Son fondateur est Ibn Toumart. Abdelmoumen, son disciple, prend Marrakech pour capitale, fait construire la Koutoubia, puis fonde l'Empire almohade. Il parvient à unifier l'Afrique du Nord, mais décède à Rabat en 1163 avant de pouvoir relier l'Andalousie à son empire. Cette gloire revient à son successeur Yacoub al-Mansour, victorieux à la bataille d'Alarcos, en 1195, contre Portugais et Espagnols. Après la disparition d'Al-Mansour, les insuccès militaires suivent, et l'empire éclate.

lA DYNASTIE MÉRINIDE – Dynastie berbère – nomades Zénètes originaires de la haute Moulouya –, les Mérinides auront pour capitale Fès, qu'ils contribuent à agrandir et embellir : création de Fès el-Jedid et de plusieurs *medersas*, dont les célèbres el-Attarine et Abou Inane. Les Mérinides profitent de l'affaiblissement de l'empire almohade pour prendre les villes de Fès, de Rabat, de Salé, ainsi que les plaines fertiles du Saïs et du Gharb. En 1269, le sultan Abou Youssef Yacoub s'empare de la ville de Marrakech et évince complètement les Almohades. Après des incursions en Algérie (Tlemcen) et en Tunisie (Tunis), les Mérinides sont victimes de la peste noire, en 1348, et des rébellions de Tlemcen et Tunis. Ils ne parviennent pas à refouler les Portugais et les Espagnols qui s'installent sur la côte Atlantique. La résistance s'organise autour des confréries et des marabouts dont est issue la dynastie saadienne.

LA DYNASTIE SAADIENNE – Dynastie chérifienne – de « Chorfa », descendants du prophète Mohamed –, les Saadiens sont originaires de la vallée du

Draa. Marrakech est leur capitale. En 1578, le sultan Ahmed al-Mansour Eddahbi entre dans l'Histoire en remportant, non sans mal, « la bataille des trois Rois » à Oued El Makhazine. Al-Mansour est le frère de Abdelmalek, tué au combat comme Sébastien, roi de Portugal, et al-Montawakhil, prince dissident. Al-Mansour conquiert également Tombouctou, d'ou il ramène or et esclaves. Il meurt en 1602.

LA DYNASTIE ALAOUITE – Dynastie issue des Chorfas de Tafilalet, descendants d'Ali (d'où Alaouite), qui agissent en souverains indépendants depuis le milieu du XVe siècle, les Alaouites imposent leur autorité dès 1666. Le fondateur et chef spirituel, Moulay Ali Chérif, et ses successeurs entendent réunifier le Maroc et appliquent à cet effet une stratégie économique et militaire des plus rigide. En 1672, c'est au tour du célèbre Moulay Ismaïl d'exercer un pouvoir absolu tout en poursuivant, non sans grandeur, l'œuvre accomplie par ses prédécesseurs. Il entame la construction de Meknès dont il fera plus tard la capitale du royaume. Après avoir repris Larache et Tanger, Moulay Ismaïl renverse les pouvoirs politique et religieux locaux et fonde ainsi l'Empire chérifien. Sa domination s'étendra jusqu'au Sénégal. Parallèlement, il met en place des relations diplomatique fructueuses avec des pays étrangers, notamment au temps de Louis XIV et de Jacques II d'Angleterre.

Un des successeurs de l'intraitable Moulay Ismaïl, mort en 1727, Sidi Mohamed Ben Abdallah, ne songe, à partir de 1757, qu'à apporter repos et paix au pays. Il est accueilli en homme providentiel et allège aussitôt les impôts, frappe une monnaie saine et reconstitue une nouvelle armée. Il fortifie les ports marocains et reprend Mazagan aux Portugais (1769). Il conclut la paix avec les Espagnols et un accord sur les prisonniers avec Louis XV (cet accord que Moulay Ismaïl n'avait pu obtenir de Louis XIV). Renforçant ses relations avec l'extérieur, il signe des traités de commerce avec le Danemark, la Suède, l'Angleterre et les États-Unis qui viennent de proclamer leur indépendance et que Sidi Mohammed est l'un des premiers à reconnaître. Il reçoit à cette occasion une très belle lettre de George Washington proposant d'instaurer une paix perpétuelle entre leurs deux pays. Il fonde enfin Mogador (actuelle Essaouira), dont la construction est confiée à l'architecte français Gournot. Il meurt en 1790.

Le XIXe siècle est beaucoup moins brillant. Le Maroc connaît alors une crise politique des plus aiguë qui conduit à de multiples interventions étrangères, y compris militaires : la France en 1844, puis l'Espagne en 1859-1860. Les affrontements se poursuivent jusqu'en 1873. Malgré les efforts du sultan Moulay Hassan Ier, qui parvient à rallier les tribus du Haut-Atlas et à moderniser le pays tout en maintenant l'indépendance, des traités sont imposés par la Grande-Bretagne, l'Espagne et la France. Le pays s'endette auprès des banques étrangères.

Moulay Hassan Ier décède en 1894 ; il est remplacé par Moulay Abdelaziz, sultan fantasque qui règne jusqu'en 1907, année où Moulay Hafid prend le relais. À la suite de l'assassinat de quelques ressortissants européens, les Français occupent Casablanca alors que la France et l'Espagne ont déjà été nommés mandataires de la nouvelle banque d'État du Maroc au cours de la conférence d'Algésiras en 1906.

LE PROTECTORAT – En 1909, l'Espagne entame la conquête militaire du croissant rifain. Deux ans plus tard, Moulay Hafid fait appel à l'armée française pour libérer Fès, cernée par des tribus rebelles. Suite à la pénétration française, le sultan est contraint de signer un traité de protectorat le 30 mars 1912. Une zone d'influence est confiée à l'Espagne. Moulay Hafid laisse le trône à son frère Moulay Youssef, père de Mohammed V. La même année, Lyautey est nommé résident général du Maroc et choisit Rabat comme capitale. En 1921 commence la révolte du Rif conduite par Abdelkrim el-Khattabi.

MOHAMMED BEN YOUSSEF, FUTUR MOHAMMED V – Lyautey parti en 1925, la France réduit les prérogatives du pouvoir chérifien en procédant de plus en plus par la gestion directe. Devenu sultan en 1927, Ben Youssef s'appuie sur les nationalistes pour parvenir à l'indépendance. Pendant la guerre, il protège courageusement les Juifs marocains face au régime de Vichy. En 1944 est proclamé le Manifeste de l'indépendance. Trois ans plus tard, le sultan se prononce à Tanger en sa faveur. Durant les cinq années qui suivent, les négociations continuent, mais sans succès. En 1952, la crise entre les autorités du protectorat et les nationalistes entraîne des mouvements insurrectionnels, tandis que le sultan est déposé, puis envoyé en exil en 1953. La suite est longuement détaillée dans ce livre.

1955, décembre : formation du premier gouvernement du Maroc indépendant avec comme Premier ministre Bekkai Ben M'barek Lahbil.

1956, 2 mars : la France reconnaît l'indépendance du Maroc.

7 avril : l'Espagne reconnaît l'indépendance du Maroc.

22 avril : le Maroc est admis comme membre de l'ONU.

28 octobre : second gouvernement marocain, sous la présidence de Bekkai Ben M'barek Lahbil.

1958, récupération de la province de Tarfaya, qui était sous domination espagnole, et abrogation du statut de « ville internationale » attribué à Tanger.

12 mai : Ahmed Balafrej est désigné pour former le gouvernement.

24 décembre : Abdallah Ibrahim nommé pour former le quatrième gouvernement depuis l'indépendance.

1960, 27 mai : Mohammed V préside le cinquième gouvernement et son fils Moulay Hassan, futur Hassan II, est désigné comme vice-président.

29 mai : élections communales. Premières élections générales depuis l'indépendance. Sept autres consultations pour l'élection des élus locaux suivront : en juillet 1963, octobre 1969, novembre 1976, juin 1983, octobre 1992, juin 1997 et septembre 2003.

1961, 26 février : décès de Mohamed V. Moulay Hassan est intronisé le 3 mars sous le nom de Hassan II. Le lendemain 4 mars, il prend également la tête du sixième gouvernement.

2 juin : Hassan II reste à la tête du septième gouvernement.

1962, départ des troupes étrangères.

7 décembre : référendum sur la première Constitution.

1963, 5 janvier : le nouveau gouvernement se caractérise par l'absence du poste de Premier ministre. Ahmed Balafrej est nommé représentant personnel du roi.

13 novembre : neuvième gouvernement, confié à Ahmed Bahnini.

17 mai : premières élections législatives.

Octobre-novembre : guerre des Sables avec l'Algérie.

1965, mars : émeutes de Casablanca : des centaines de morts.

7 juin : proclamation de l'état d'exception.

8 juin : Hassan II dirige le nouveau gouvernement.

Fin octobre : enlèvement à Paris et disparition de Mehdi Ben Barka.

1967, 11 novembre : Hassan II cède la place à Mohammed Benhima, chef du onzième gouvernement.

789

1969,   retour de la province de Sidi Ifni, jusque-là sous contrôle espagnol.

7 octobre : Mohamed Benhima est remplacé par Ahmed Laraki.

1970,   24 juillet : référendum sur la Constitution.

28 août : élections législatives.

1971,   juillet : tentative de coup d'État de Skhirat.

6 août : Mohamed Karim Lamrani est chargé de former le treizième gouvernement depuis l'indépendance.

1972,   1er mars : référendum constitutionnel.

12 avril : Karim Lamrani est reconduit comme Premier ministre.

Août : le Boeing royal est attaqué par des pilotes marocains. Hassan II en réchappe miraculeusement.

20 novembre : Ahmed Osman succède à Karim Lamrani. Il dirigera les quatorzième, quinzième et seizième gouvernements avant d'être remplacé en octobre 1977.

1975,   6 novembre : plus de 300 000 Marocains pénètrent au Sahara occidental dans le cadre de la Marche verte, marche historique préparée depuis plusieurs semaines.

Décembre : assassinat d'Omar Benjelloun.

1977,   3 juin : élections législatives.

1979,   27 mars : Maati Bouabid succède à Ahmed Osman. Ce dernier, resté en fonctions six ans et demi, détient le record de durée.

1980,   23 et 30 mai : référendums pour l'amendement des article 21 (23 mai) et 43 et 95 (30 mai) de la Constitution.

1981,   5 novembre : Maati Bouabid est reconduit à son poste.

1983,   30 novembre : Mohamed Karim Lamrani est de nouveau chargé de former le gouvernement.

1984,   31 août : référendum relatif à l'Union arabo-africaine.

14 septembre : élections législatives.

1985,   11 avril : Karim Lamrani est reconduit à son poste.

1986,   30 septembre : Ezzedine Laraki est désigné Premier ministre.

1989,   17 février : signature à Marrakech du traité constitutif de l'Union du Maghreb arabe (UMA).

1er décembre : référendum relatif à la prolongation de deux ans du mandat des membres du Parlement de 1984.

1990,   création du Conseil consultatif des droits de l'homme.

1992,   11 août : Karim Lamrani est rappelé par Hassan II à la tête du gouvernement.

4 septembre : référendum sur la révision de la Constitution de 1972.

1993,   29 août : inauguration de la Mosquée Hassan II à Casablanca.

25 juin et 17 septembre : élections législatives.

11 novembre : Karim Lamrani est reconduit à son poste dans le vingt-deuxième gouvernement.

1994,   7 juin : Abdellatif Filali remplace Karim Lamrani.

1995,   27 février : reconduction d'Abdellatif Filali à la tête du gouvernement.

15 septembre : référendum sur l'amendement à l'article 49 de la Constitution relatif à l'adoption de la loi de finances.

1996,   13 septembre : adoption par référendum du nouveau texte de la Constitution qui institue un régime bicaméral, doté d'une première Chambre des représentants, élue exclusivement au suffrage universel direct, et d'une seconde Chambre des conseillers, élue au suffrage indirect.

1997,   28 février : signature d'une déclaration commune entre les pouvoirs publics et les partis politiques, relative aux élections.

2 avril : promulgation de la loi sur la région et de lois adaptant les statuts de base des chambres d'agriculture, des chambres de commerce, d'industrie et de service, des chambres d'artisanat et des chambres maritimes.

13 juin : déroulement des élections communales au Maroc. 102 179 candidatures pour pourvoir les 24 253 sièges dans les 1 547 communes urbaines et rurales du pays.

13 août : nouvelle reconduction d'Abdellatif Filali au poste de Premier ministre.

14 novembre : élections législatives pour désignation de 325 députés à la Chambre des représentants.

5 décembre : élection au suffrage indirect des 270 membres de la Chambre des conseillers.

1998, 4 février : Hassan II reçoit Abderrahmane Youssoufi, premier secrétaire de l'USFP, et le charge de former un nouveau gouvernement.

14 mars : Hassan II reçoit salle du Trône les membres du gouvernement de Abderrahmane Youssoufi qui institue pour la première fois dans l'histoire du royaume le principe de l'alternance.

1999, 23 juillet : mort de Hassan II (1929-1999).

2000, 6 septembre : Abderrahmane Youssoufi est reconduit à son poste et chargé par Mohammed VI de former le vingt-septième gouvernement depuis l'indépendance.

2002, 27 septembre : élections législatives.

9 octobre : Mohammed VI charge Driss Jettou de former un nouveau gouvernement...

2003, 16 mai : cinq attentats simultanés attribués aux islamistes font 42 morts à Casablanca, dont une dizaine de kamikazes.

2004, janvier : adoption à l'unanimité du Parlement du nouveau code de la famille.

Petit glossaire des termes arabes

Adil, pluriel adoul : notaire musulman.

Alim, pluriel ouléma : savant en sciences islamiques.

Bled makhzen : partie du territoire marocain qui, avant le Protectorat, reconnaissait l'autorité du sultan et payait les impôts.

Bled Siba : littéralement « pays de la dissidence ». Partie du Maroc qui refusait de se soumettre à l'administration du sultan ou makhzénienne.

Cadi : juge religieux.

Caïd : fonctionnaire, chef d'une circonscription administrative.

Chraâ : vient du mot charia : droit religieux musulman.

Cheikh, pluriel chouyoukh : aujourd'hui adjoint du caïd.

Cherif, pluriel chorfa : descendant réel ou supposé du Prophète.

Chleuh : berbère du sud du Maroc.

Dahir : décret signé du roi, ayant force de loi.

Douar : petit village.

Fellah : paysan.

Fqih : maître d'école coranique ou lettré (fqih Basri).

Gouvernement khalifien : équivalent pour le protectorat espagnol du gouvernement chérifien de Rabat. Installé à Tétouan.

Habous (ministère des) : les biens affectés à une fondation religieuse.

Jemaa : assemblée locale des habitants d'un douar ou d'une collectivité.

Makhzen : régime de gouvernance spécifique au Maroc. Au départ, il s'agit du grenier où l'on stocke le fruit de l'impôt. Désigne aujourd'hui l'appareil d'État. Avec une connotation négative : brutal et corrompu. Souvent inefficace.

Mokhaznis : dépendent du ministère de l'Intérieur, gardent les administrations et assurent l'ordre en milieu rural.

Moqaddem : auxiliaire de l'administration. Sous les ordres du caïd qui le nomme. Surveille un quartier ou une rue. Occupe une place importante dans la vie quotidienne des Marocains.

Souk : marché rural.

Zaouïa : lieu de dévotion animé par une famille de chorfa ou descendant d'un saint local.

Bibliographie

Aassid Ahmed, *al-Amazighiya fi khitâb al islam as-siyassi (L'amazighité dans le discours de l'islam politique)*, Publications de la revue Taousna, Rabat, 2000.

Aguenouch Abdelatif, *La Dialectique institution-légitimité au Maroc à l'heure du changement politique hypothétique*, Gauthier Livres, Casablanca, 1998.

–, Contribution à l'étude des stratégies de légitimation du pouvoir autour de l'institution califienne, *Le Maroc des Idrissides à nos jours*, Thèse d'État en sciences politiques, Casablanca, 1985.

Alami (el) Mohammed, *Allal el-Fassi, patriarche du nationalisme marocain*, Ar-Rissala, Rabat, 1972.

Attac-Maroc, *Diplômés chômeurs*, Tarik Éditions, Casablanca, 2001.

Ayache Albert, *Dictionnaire biographique du mouvement ouvrier. Maghreb*, Éditions Eddif, Casablanca, 1998.

Belal Abdelaziz, *L'Investissement au Maroc (1912-1964)*, Les Éditions maghrébines, Casablanca, 1976.

Belouchi Belkassem, *Portraits d'hommes politiques du Maroc*, Éditions Afrique-Orient, Casablanca, 2002.

–, *Alternance et transition démocratique*, Éditions Afrique-Orient « Droit public », Casablanca, 2003.

795

Ben Barka Mehdi, *Écrits politiques 1957-1965*, Éditions Syllepse, Paris, 1999.

Bendourou Omar, *Le Régime politique marocain*, Éditions Dar al-Qalam, Rabat, 2000.

Benjelloun Ahmed, *8 mai 1983, Min al-Ittihad ila Hizb at-Tali'a, al-Istimrâr* (8 mai 1983, de l'USFP au PADS, la Continuité, Publications at-Tariq, Casablanca, 1993.

Bennouna Mehdi, *Héros sans gloire. Échec d'une révolution, 1963-1973*, Tarik Éditions, Casablanca, 2002.

Bensaïd Aït Idder Mohammed, *Safhat min malhamat jeich at-tahrir bi al-janoub al-maghribi* (Chroniques du massacre de l'Armée de libération dans le Sud marocain), Éditions E.C., Casablanca, 2001.

Benslimane Yahya, *Nous, Marocains*, Rabat, 1980.

Bontemps Claude, *La Guerre du Sahara occidental*, Éditions PUF, 1984.

Boutaleb Abdelhadi, *Un demi-siècle dans les arcanes de la politique*, Éditions Az-Zaman, Rabat, 2002.

Brumberg Daniel, *Moyen-Orient, l'enjeu démocratique*, Éditions Michalon, Paris, 2003.

Chaffard Georges, *Les Carnets secrets de la décolonisation*, Éditions Calmann-Lévy, Paris, 1965.

Clément Claude, *Oufkir*, Jean Dullis éditeur, Paris, 1974.

Cléret François, *Le Cheval du roi*, Les Presses du Midi, 2000.

Chisse Alain, *L'Expérience parlementaire au Maroc*, Rabat, Toubkal, 1985.

Collectif, *Penseurs maghrébins contemporains*, Éditions Eddif, Casablanca, 1993.

CRESM (Centre de Recherches et d'Études sur les sociétés méditerranéennes), *Introduction à l'Afrique du Nord contemporaine*, Éditions CNRS, Paris, 1975.

Dalle Ignace, *Le Règne de Hassan II (1961-1999), Une espérance brisée*, Éditions Maisonneuve et Larose et Tarik, Paris et Casablanca, 2001.

Daniel Jean, *La Blessure* suivi de *Le temps qui vient*, Éditions Grasset, Paris, 1992.

Daoud Zakya et Monjib Maati, *Ben Barka, une vie, une mort*, Éditions Michalon, Paris, 2000.

Daoud Zakya, *Féminisme et politique au Maghreb*, Éditions Eddif, Casablanca, 1993.

Delanoë Nelcya, *Poussières d'empire*, PUF, Paris, 2002.

Dubois-Roquebert Henri, *Mohammed V, Hassan II, tels que je les ai connus*, Tarik Éditions, Casablanca, 2003.

El Ouadie Salah, *Le Marié, Candide au pays de la torture*, Paris Méditerranée, 2001.

Entelis John P., *Islam, Democracy ans the State in North Africa*, Indiana University Presse, Indianapolis, 1997.

Filali Abdou et Tozy Mohammed (présentation de...), *Penseurs maghrébins contemporains*, ouvrage collectif, Éditions Eddif, Casablanca,1993.

Gaudio Attilio, *Allal el-Fassi ou l'histoire de l'Istiqlal*, Éditions Alain Moreau, Paris, 1972.

Goldman Nahum, « Impromptus marocains », *Le temps qui vient*, Éditions Grasset, 1992.

Hammoudi Abdallah, *Maîtres et disciples. Genèse et fondements des pouvoirs autoritaires dans les sociétés arabes*, Maisonneuve et Larose et Toubkal, Paris et Casablanca, 2001.

Hassan II, *Le génie de la modération. Réflexions sur les vérités de l'Islam* (Entretiens avec Éric Laurent), Éditions Plon, Paris, 2000.

Hassan II, *Mémoires d'un roi*, (entretiens avec Éric Laurent), Éditions Plon, Paris, 1994.

Hassan II, *Le Défi*, Éditions Albin Michel, Paris, 1976.

Hassan II, *Discours et interviews*. Une quinzaine de volumes publiés par le ministère de l'Information.

Himmich Bensalem, *Au pays de nos crises, Essai sur le mal marocain*, Éditions Afrique-Orient, Casablanca, 1997.

Hodges Tony, *Sahara occidental. Origines et enjeux d'une guerre du désert*, Éditions L'Harmattan, Paris, 1987.

Hughes Stephen O., *Le Maroc de Hassan II*, Éditions Bouregreg, Rabat, 2003.

Ibn al-Zayyât al-Tâdili, *Regards sur le temps des soufis*, Éditions Eddif, Éditions UNESCO, Casablanca, 1995.

Jabri (el) Mohammed Abed, *Mawaqef* (Positions, une dizaine d'opuscules dans lesquels l'auteur retrace son itinéraire de militant politique de gauche depuis l'indépendance. En vente dans tous les kiosques marocains et disponible sur Internet).

Jacquin Sophie, *Les Nations unies et la question du Sahara occidental*, thèse de doctorat, université Paris VIII, décembre 2000.

Jamaï Khalid, *1973, Présumés Coupables*, Tarik Éditions, Casablanca, 2004.

Jay Salim, *Tu ne traverseras pas le détroit*, Éditions Mille et une nuits, Paris, 2001.

Jean Raymond, *Problèmes d'édification du Maroc et du Maghreb*. Quatre entretiens avec Mehdi Ben Barka recueillis par Raymond Jean, Plon, 1959.

Jobert Michel, *Maroc, extrême Maghreb du soleil couchant*, Éditions Jeune Afrique, Paris, 1978.

Julien Charles-André, *Histoire de l'Afrique du Nord*, Payot, Paris, 1951.

Kadri Aïssa (sous la direction de), *Parcours d'intellectuels maghrébins*, Éditions Karthala, Paris, 1999.

Kepel Gilles et Richard Yann (sous la direction de), *Intellectuels et militants de l'islam contemporain*, Éditions du Seuil, Paris, 1990.

Khaïreddine Mohammed, *Une vie, un rêve, un peuple, toujours errants…*, Éditions Tarik et Cérès, Casablanca et Tunis, 2002.

Lacouture Jean et Simone, *Le Maroc à l'épreuve*, Éditions du Seuil, Paris, 1958.

Lacouture Jean, *Cinq Hommes et la France*, Éditions du Seuil, Paris, 1961.

Lakhal Saïd, Volume I, *Al-Cheikh Abdesslam Yâssine wa…waswasse al mahdawiya* (Cheikh Yassine et la tentation messianique) – Volume II, *Al-Cheikh Yassine, min ad-daroucha ila al-qaouma* (Cheikh Yassine, de la soumission à la révolte) – Volume III, *Al-Cheikh Yassine, min al-qaouma…nahwa daoulat al khikafa* (CheikhYassine, de la révolte à l'État califal), publications de al-Ahdath al-Maghribiya, Casablanca, 2003.

Lahbabi Mohammed, *Positions et Propositions au fil des jours*, Les Éditions maghrébines, Casablanca, 1982.

Lamchichi Abderrahim, *Islam, islamisme et modernité*, Éditions L'Harmattan, Paris, 1994.

Laroui Abdallah, *Les Origines sociales et culturelles du nationalisme marocain (1830-1912)*, Centre culturel arabe, Casablanca.

Laurent Michel, *Le Maroc de l'espoir*, Éditions Laporte, Rabat, 1996.

Layadi Fatiha et Rerhaye Narjis, *Maroc, chronique d'une démocratie en devenir*, Éditions Eddif, Casablanca, 1998.

Le Tourneau Roger, *Évolution de l'Afrique du Nord musulmane, 1920-1961*, Éditions Armand Colin, Paris, 1962.

–, *Fès avant le Protectorat*, Éditions Laporte, Rabat.

Leveau Rémy, *Le Fellah marocain défenseur du trône*, Presses de la Fondation nationale des sciences politiques, Paris, 1985.

Leveau Rémy et Hammoudi Abdallah (sous la direction de), *Monarchies arabes, transitions et dérives dynastiques*, Les Études de la documentation française, Paris, 2002.

Louma Mohammed, *Thaoura cha'abiya am Mounâouarat lit-Tahrik ?* (Révolution populaire ou manipulation ?), publié en 2001 à compte d'auteur.

Lugan Bernard, *Histoire du Maroc, des origines à nos jours*, Éditions Perrin, Paris, 2000.

Marzouki Ahmed, *Tazmamart Cellule 10*, Éditions Paris-Méditerranée, Tarik Éditions et Folio Gallimard.

Messaoudi Leïla, *Proverbes et dictons du Maroc*, Éditions Belvisi, Casablanca, 1987.

Monjib Maati, *La Monarchie marocaine et la lutte pour le pouvoir. De l'indépendance à l'état d'exception*, Éditions l'Harmattan, Paris, 1992.

Nataf Felix, *L'Indépendance du Maroc, témoignage d'action 1950-1956*, Éditions Plon, Paris, 1975.

Ouardighi Abderrahim, *Maroc : la vraie histoire du communisme de Ali Yata* (publication à compte d'auteur, Rabat, 2000).

Ouardighi Abderrahim, *Mehdi Ben Barka, vie et mort d'un leader* (Imprimé à Rabat à compte d'auteur en 2002).

Oufkir Fatema, *Les Jardins du roi*, Éditions Michel Lafon, Paris, 2000.

Oufkir Raouf, *Les Invités. Vingt ans dans les prisons du roi*, Éditions Flammarion, Paris, 2003.

Palazzoli Claude, *Le Maroc politique, de l'indépendance à 1973*, Éditions Sindbad, 1974.

Parker Richard B., *North Africa, Regional Tensions and Strategic Concerns*, Praeger, New York, 1987.

Perrault Gilles, *Notre ami le roi*, Éditions Gallimard, Paris, 1990.

Rivet Daniel, *Le Maroc de Lyautey à Mohammed V, le double visage du Protectorat*, Denoël, 1999.

Rollinde Marguerite, *Le Mouvement marocain des droits de l'homme*, Éditions Karthala, Institut Maghreb-Europe, Paris, 2002.

Saaf Abdallah, *Maroc, l'espérance d'État moderne*, Éditions Afrique-Orient, Casablanca, 1999.

Saaf Abdallah, *La Transition au Maroc, l'invitation*, Éditions Eddif, Casablanca, 2001.

Santucci Jean-Claude, *Chroniques politiques marocaines (1971-1982), Chroniques de l'Annuaire de l'Afrique du Nord*, Éditions CNRS, Paris, 1985.

Sehimi Mustapha (sous la direction de), *De Gaulle et le Maroc* (préface de Michel Jobert), Publisud/Sochepress, Paris, 1990.

Serfaty Abraham et Elbaz Mikhaël, *L'Insoumis, Juifs, Marocains et rebelles*, Éditions Desclée de Brouwer, Paris, 2001.

Serfaty Abraham et Daure Christine, *La Mémoire de l'autre*, Tarik Éditions, Casablanca, 2002.

Serhane Abdelhak, *Le Deuil des chiens*, Éditions du Seuil, Paris, 1998.

Smith Stephen, *Oufkir, un destin marocain*, Éditions Calmann-Lévy, Paris, 1999.

Stora Benjamin, *Algérie, Maroc, histoires parallèles, destins croisés*, Éditions Maisonneuve et Larose et Tarik, Paris et Casablanca, 2002.

Tahiri Brahim, *Le Temps des anciens, Mémoires, clandestinité, récits de l'Armée de libération marocaine* (Imprimé à compte d'auteur), Rabat, 2003.

Tijkâni (el) Mehdi Moumni, *dar Bricha, qissat moukhtataf* (dar Bricha, histoire d'un kidnappé), préface de Hajj Ahmed Maaninou, Casablanca, 1987.

Tozy Mohammed, *Monarchie et islam politique au Maroc*, Éditions Presses de sciences politiques, Paris, 1999.

Tuquoi Jean-Pierre, *Le Dernier Roi, crépuscule d'une dynastie*, Paris, Éditions Grasset, 2001.

Vedel Georges (présentation de), *Édification d'un État moderne, le Maroc de Hassan II*, Éditions Albin Michel, Paris, 1986.

–, *La Marche verte - Hassan II*, Éditions Plon, 1990, p. 76.

Vermeren Pierre, *Le Maroc en transition*, Éditions La Découverte, Paris 2001.

–, *École, élite et pouvoir au Maroc et en Tunisie au xxᵉ siècle*, Éditions Alizés, Tunis, 2003.

–, *Maghreb, la démocratie impossible ?*, Éditions Fayard, Paris, 2004.

Verschave, François-Xavier, *Noir Chirac*, Éditions Les Arènes, 2002.

Waltz Susan E., *Human Rights and Reform, Changing the Face of North African politics*, University of California Press, Berkeley, 1995.

Waterbury John, *Le Commandeur des croyants*, Éditions PUF, Paris, 1995.

Yassine Abessalam, *Islamiser la modernité*, Al Ofok Impressions, Éditions Salé, 1998.

Yazghi (el) Mohammed, *Dhakirat Mounadel* (Mémoires d'un militant), Manchourat az-Zaman, Casablanca, 2002.

Zhiri Kacem, *Azmat ba'ad oukhra* (Une crise après l'autre), Imprimé à Casablanca, 2000.

Journaux et revues consultés : *Maghreb-Machrek, Jeune Afrique, Le Journal hebdomadaire, Demain, Tel Quel, L'Économiste, Maroc Hebdo, L'Opinion, Libération, Le Matin du Sahara, Lamalif, Souffles, Le Monde, Le Figaro, Le Monde diplomatique, al-Ittihad al-Ichtirakiya, al-Ahdath al-Maghribiya.*

Index des noms propres

Alaoui, Mustafa, 744.

Alaoui (el), Sidi Mohammed Ben Larbi, 312.

Alaoui M'daghri, Abdelkader, 480, 565, 627, 732, 743 n. 2.

Alaoui, Moulay Ahmed, 204, 206, 238, 318, 321, 360, 406, 445, 448, 454 et n. 1, 461, 471, 501, 504, 602.

Alaoui, Moulay Hafid, 616, 683, 685 et n. 2.

Alaoui, Moulay Ismaïl, 565, 571.

Alaoui, Moulay Larbi, 144, 163 et n. 2.

Alaoui, Moulay Mehdi, 284, 364, 377, 378, 462.

Alaoui, Nadia Hachemi, 732.

Albert, Michel, 104.

Alem (el), Mohammed, 577.

Alioua, Khalid, 565, 571.

Amalou (ex-ministre justice), 548, 549.

Amaoui, Noubir, 259 n. 2, 393 n. 1, 478, 506, 522, 531, 658, 659, 662, 670.

Amahroq, Mohammed Ould, 136 n. 2.

Amine, Abdelhamid, 646.

Amokrane, colonel, 377 et n. 1, 381.

Amor, Ali, 490, 545-547, 550.

Amor, Hamadi, 456 n. 1.

Anouzla, Ali, 478.

Aouad (directeur de cabinet Mohammed V), 214.

Aouad, Mohammed (secrétaire Ben Barka), 50, 51, 69, 88, 90.

Aouad, Mohammed (conseiller Hassan II), 503.

Aourid, Hassan, 631, 639 et n. 1, 640.

Aragon, Louis, 153.

Archane, Mohammed, 559.

Arehmouch, Hamid, 722.

Areinas, Reinaldo, 359.

Aristote, 153.

Armstrong, Neil, 369 n. 1.

Arsalane, Fathallah, 673.

Arslan, Chakib, 78, 94, 715 n. 3.

Artajo, Martin, 73.

Assad (el), Hafez, 586.

Assidon, Sion, 408, 409, 480.

Atef, Daniel, 288.

Atrache (el), Farid, 579.

Aubin, Jules et Jim, 308 et n. 1, 310.

Auboyneau (consul général), 171.

Aubrac, Raymond, 104, 105, 243-247.

Auriol, Jacqueline, 44.

Auriol, Vincent, 25.

Ayache, Albert, 85 n. 2, 86 et n. 1 et 2, 149 n. 2.

Ayachi (el), Raho Bougrine, 136 n. 2.

Ayouch, Nabyl, 709.

Ayouche, Mohsen, 550 et n. 1.

Azhar (el), Allal, 715.

Aznar, José Maria, 743, 777.

Azoulay, André, 647, 648, 668, 670.

Azzimane, Omar, 530, 565.

Bachelard, Gaston, 724.

Bachir, commandant (proche du fqih Basri), 253.

Baghdadi, 36.

Bahnini, Ahmed, 285, 287, 293, 310, 311, 318, 371, 496.

Bahnini, M'hammed, 136.

Baker, James, 623, 777.

Balafrej, Ahmed, 28, 71, 74, 77, 81 et n. 1 et 2, 93-95, 101, 102, 107, 132, 139-146, 148, 154-156, 166, 167 et n. 1, 173, 210, 221, 233 n. 2, 255, 280,

n. 1, 453-456 et n. 1, 555, 579 et n. 1, 593 et n. 2 et 3.

Bouteflika, Abdelaziz, 301, 777.

Bouygues, Francis, 245.

Bouzar, 50.

Bouzoubaa, Abdelmajid, 506.

Bouzoubaa, Mohammed, 659, 670, 709.

Boyer de La Tour, général, 29, 285 et n. 1.

Bras, Jean-Pierre, 503 et n. 2, 505 n. 2, 506 et n. 1, 510 n. 3.

Breton, André, 153.

Brumberg, Daniel, 766, 767 n. 1.

Bsir (el), El Kbir, 136 n. 2.

Buffon, Georges Louis Leclerc, comte de, 580.

Bush, Georges W., 611.

Bziz, (Ahmed Senoussi, dit (humoriste), 570 et n. 1.

Caciaguerra, adjudant, 95.

Camdessus, Michel, 502.

Carter, Jimmy, 432.

Cembrero, Ignacio, 672.

Chaban-Delmas, Jacques, 475.

Chadli, Chadli Ben Djedid, dit, 432.

Chaffard, Georges, 95 n. 1.

Chafiq (ou Chafik), Mohammed, 701, 716, 722, 724-726.

Chami, Hassan, 679, 680.

Chancel, Jacques, 577-579, 603 et n. 1, 605 n. 2, 606 et n. 1.

Chaoui, Touria, 43-45.

Chefchaouni, Yahya, 366, 617.

Cherif, Me (avocat algérien), 296 et n. 1.

Chérif, Mourad, 296 n. 1.

Cherkaoui, Lahbib, 306, 506, 660.

Cherkaoui, Mohammed, 28, 34, 51, 158, 205, 311, 313, 335, 344, 381.

Chessmann, Caryl, 159 n. 1.

Chevallier-Chantepie, colonel, 297.

Cheysson, Claude, 473 et n. 1, 474.

Chiguer, Haddou, 139, 233 n. 2, 328, 446.

Chirac, Jacques, 13, 537, 538, 611, 618 n. 2.

Chkili, Leïla, 225 n. 1.

Chmaou, Mohammed, 136 n. 2.

Chorfi, 317.

Choureau, Etchika (Jeannine Verret, dite), 188.

Chrii, Mohammed Rachid, 752.

Chtouki, Larbi, 477.

Churchill, sir Winston, 618.

Claisse, Alain, 502 n. 2, 765 et n. 1, 766 n. 1.

Cléret, François, le Dr, 43, 44 n. 1, 111et n. 1, 178 et n. 1 et 2, 180, 181, 183, 190 et n. 1, 192, 222-224 et n. 1 et 2, 627, 628 n. 1.

Clinton, Bill, 750.

Cortina, 411.

Couleau (administrateur civil), 244.

Cruse, Lorrain, 491.

Cuvillier, Philippe, 614 et n. 2, 615 et n. 1.

Dahak, Driss, 733.

Dahlab, Saad, 298.

Dalle, Ignace, 449 n. 1, 608 n. 1 et 2, 752 n. 1.

Damis, John, 304 et n. 2.

Daniel, Jean, 354, 355, 470, 580 et n. 2, 590 et n. 3, 609 et n. 1,

610 et n. 2, 611 et n. 1 et 2, 612 et n. 1, 621.

Danset, Dr, 178.

Daoud, Cheikh, 159.

Daoud, Zakya, 52 et n. 1, 53 n. 1, 256, 260, 305 et n. 2, 321 n. 2, 323 et n. 2, 324 et n. 1, 519, 520, 558 et n. 1.

Darif, Mohammed, 697 n. 1, 705, 706, 708.

Daure-Serfaty, Christine, 569.

Décout, Robert, 392 n. 1.

Defournel, commandant, 125.

Delefosse, 27.

Delors, Jacques, 631.

Demnati, 779 n. 1.

Derkaoui, Abdellatif, 480.

Dialmy, Abdessamad, 695-699 et n. 1, 702, 708.

Diderot, Denis, 577.

Dillon Douglas, 39.

Djebli (médecin de Mohammed V), 224 n. 1.

Djemal, commandant, 303.

Dlimi, Ahmed, colonel, 288, 335 n. 1, 337, 372, 381, 395, 402, 409, 459 n. 4, 548, 600, 682, 684-686.

Douiri, M'hammed, 80, 148, 160, 204, 205, 211, 239, 240, 279, 332, 333, 387, 507, 509, 532, 560 et n. 2, 674.

Douiri, Adil, fils du précédent, 675.

Doukkali, cheikh, 77 n. 1.

Druon, Maurice, 473.

Dubois, André-Louis, 37, 70, 112, 181 n. 1, 182.

Dubois-Roquebert, Henri, le Dr, 178, 180, 190 et n. 2, 222, 225, 587 et n. 2.

Du Chayla, Armand, 112.

Dumont, René, 244, 245.

Dupont, Jean, 375 et n. 1 et 3.

Dupuy, Jacques, 177, 186 n. 1.

Duverger, Maurice, 116 et n. 4, 117, 241, 270-274.

Ebrard, Pierre, 266 et n. 1 et 3, 267 et n. 2 et 3.

Echiguer, Mohammed, 411.

Elizabeth II, 188, 586, 603.

Eyadema, Gnassingbe (président du Togo), 632 et n. 1.

Eyquem, Danièle, 387 n. 2.

Ezzamzami, Abdelbari, 697.

Farissi, Mohammed, 600.

Fassi (el), Abbas, 565, 637, 671-675.

Fassi (el), Abdelwahad, 565.

Fassi, Allal (el), 33, 34, 43, 52, 53, 56, 57, 61, 62, 69, 71, 72-85, 93, 96, 97, 99, 101, 105, 107, 118 n. 1, 127, 128, 140, 141, 144, 146-148, 152, 154-160, 163 et n. 2, 165-170, 208, 210, 211, 233 et n. 2, 234 et n. 3, 236, 238-242, 248, 264, 274, 279, 280, 283 et n. 2, 285, 312, 313, 315 et n. 3, 321, 333-335, 342, 345 et n. 3, 350, 351, 360-362, 367, 371, 373, 380, 387, 389, 390, 412-419, 434, 452, 481, 482, 494, 507, 508, 559, 564, 710, 718, 730, 731 n. 1, 760, 765, 779.

Fassi (el), Mohammed, 125, 126 et n. 1, 144, 345.

Fassi (el), Mohammed Abdess-lam, 236.

Fassi (el), Omar, 540.

Faudel, 632.

Faure, Edgar, 25 et n. 1, 26, 28, 29, 30, 33, 45, 87, 102, 103, 164 n. 3, 475, 717.

Jamaï, Khaled, 395, 621, 690, 754, 782 et n. 1.

Jean Paul II [Karol Wojtyla], pape, 112, 603.

Jean, Raymond, 92 n. 3.

Jettou, Driss, 99, 547, 551-553, 660, 667 et n. 1, 672 n. 3, 674-676, 678, 679, 680, 713, 740, 746.

Jobert, Michel, 513.

Jouahri, Abdellatif, 494, 499.

Jouhadi, Houcine, 727.

Jouhari, Noureddine, 477 n. 2.

Jouvenel, René de, 452 et n. 1.

Juan Carlos Ier, roi d'Espagne, 432, 586, 603, 619, 664.

Juin, Alphonse, maréchal, 28, 33, 86, 144, 612.

Julien, Charles-André, 53 n. 1, 409.

July, Pierre, 26.

Juvénal, Claude, 570.

Kaab, 711 et n. 3.

Kabbaj (el), Mohammed, 503, 532, 547-549, 551-553.

Kabbaj, commandant (pilote), 475.

Kadhafi (el), Mouammar, 486, 719.

Kadiri, Abdelhaq, général, 405, 600-602, 682, 690, 691.

Kadiri, Boubkeur, 85, 328, 674.

Kaddouri, Abdelmajid, 56.

Kaddouri Yousfi, 536.

Karchaoui (el), Mustapha, 398, 478, 560.

Kennedy, John Fitzgerald, 179.

Kettani, Driss, 496 et n. 2.

Kettani, général, 160, 172, 187, 214, 223, 304 et n. 1.

Khaddam, Abdelhalim, 586.

Khatib, Abdelkrim, 49, 63, 123, 124, 126-128, 129 n. 1, 130-133, 138, 146, 160, 204, 222-224, 234, 237, 279, 287, 293, 310, 319, 322, 328, 338-340, 390, 412, 436, 437, 446, 616, 693, 695, 699, 700 et n. 1, 710.

Khatib, Abderrahmane, 48.

Khattab (responsable algérien), 296.

Khattabi (el), Abdelkrim, 37, 50, 66, 75, 143, 400, 413, 414, 768.

Khattabi (el), Omar, 369, 400, 413, 767, 768.

Khemisti (ancien ministre algérien AE), 297.

Khiari (el), gouverneur de Taza, 68.

Khiari, Thami, 539-541 et n. 1.

Kim Il Sung, 109.

Kissinger, Henry, 427.

Kœnig, Marie Pierre, général, 29.

Kohen (el) Lamghili, Ahmed, 76-79, 82 n. 1, 328, 412, 413 n. 1, 414, 418 et n. 1, 419.

Koueira, commandant, 377.

Kriem, Abdelhamid, 365.

Ksikes, Driss, 56 n. 1, 496 n. 1, 497.

Laabi, Abdellatif, 608 et n. 2.

Laafoura, Abdelaziz, 644 et n. 1.

Laanigri, Hamidou, général, 690, 691, 754.

Laarachi, Fayçal, 647.

Laaraj, Hassan, 377.

Labonne, Eirik, 33, 94, 118.

La Bruyère, Jean de, 580 et n. 2.

La Chevalerie, Xavier Daufresne de, 227, 228, 258 n. 1, 288, 332.

87, 91, 92 et n. 3, 94, 98, 104, 107, 108, 110-112, 115, 117-122, 124, 125, 127, 128, 130, 132, 135-141, 143-149, 151, 152, 154 et n. 1, 155, 157, 160-163, 166, 168-174, 177, 181-184, 188, 189-196, 197-199, 201-205, 207, 209, 211-215, 221, 222, 224-228, 229-231, 233 n. 2, 234-237, 239, 242, 246, 250, 251, 253, 255, 260, 262, 263, 265-267, 271, 272, 277, 278, 291, 293, 298, 301, 302, 303, 307, 321, 325, 331, 346, 350, 356, 361, 393, 409, 411, 412, 466, 495, 562, 575, 576, 578, 587 n. 2, 605, 606, 608, 609, 616, 627, 628, 707 et n. 1, 730, 759, 775, 781.

Mohammed VI, 13, 16 et n. 2, 19, 20, 226, 247, 289, 347, 433, 567, 570 n. 1, 602 n. 2, 623, 627-637, 639-641, 645, 647-652, 659, 660, 663-666, 668, 671 et n. 2, 674, 679, 681, 687, 688, 690, 706, 707 et n. 1, 714, 722-724, 729, 733-735, 737-745, 749-754, 756, 757, 760, 768, 770, 773, 775-782.

Mokri (el), Thami, 136 n. 2.

Mokri, Si (grand vizir), 29.

Mollet, Guy, 120.

Monjib, Maati, 52 et n. 1, 53 n. 1, 61 et n. 2 et 3, 67 et n. 1, 122 et n. 1, 131 et n. 1, 136 n. 3, 145 n. 1, 146 n. 2, 148 et n. 1, 201 et n. 1, 210 et n. 1, 233 n. 1, 237 et n. 1 et 2, 254 n. 1, 255 et n. 1 et 2, 293 n. 1 et 2, 305 et n. 1, 310 n. 1, 321

et n. 2, 323 n. 2, 324 et n. 1, 759.

Montand, Yves, 88.

Morizet, Jacques, 472-476, 612-614.

Motii, Abdelkrim, 436, 437.

Moujahed, Younès, 569, 678.

Moukhtataf, Qissat, 66 n. 1.

Moulay Abdallah, 40, 181, 184, 193, 223, 224 n. 1, 226 n. 1, 365, 371, 381, 409.

Moulay Abdallah Ibrahim, 163, 372.

Moulay Abdelaziz, 782.

Moulay Abdelmalik, 350 n. 2.

Moulay Ali (parent de Hassan II), 181, 246, 381.

Moulay Ali Chérif, 122.

Moulay Hafid Alaoui, 526 et n. 1.

Moulay Hassan (cousin de Hassan II), 381.

Moulay Hassan (frère de Mohammed V), 32, 41, 193-195, 577.

Moulay Hicham, 365, 381, 615, 623, 663, 665 et n. 1, 666, 753, 780.

Moulay Idriss Ier, 491.

Moulay Ismaïl, 331, 577.

Moulay Ismail Alaoui (PPS), 572.

Moulay Rachid, 630, 632, 634, 642, 739.

Moulay Slimane, 576, 716.

Moulay Youssef, 31.

Mouline, Rachid, 234.

Mouloudji, Marcel, 88.

Mounir, Riad, 657, 658.

Mounir, Samira, 413.

Moureau, capitaine, 95.

Moutawakkil (al), Mohammed, 350 n. 2.

Mouti'h (ou Motii), Abdelkrim, 698.

Puaux, Gabriel, 33.

Qasim, général, 80.
Qasmi, Mohammed, 400.
Qotb, Sayyed, 334, 698, 702.

Rabin, Yitzhak, 459, 530.
Racine, Jean, 241.
Radi, Abdelouahad, 467-470, 506.
Radi, Afaf, 579.
Raha, Rachid, 723 n. 2.
Raïss, Mohammed, 10, 367 n. 1.
Raïssouni, Ahmed, 705, 710.
Ramid, Mustapha, 710.
Ramonet, Ignacio, 630 n. 2, 682.
Reda (prince héritier de Libye), 228.
Reed, Walter, 179.
Rerhaye, Narjis, 557 n. 1, 558 et n. 2, 559 et n. 1, 560 n. 1, 561 et n. 1.
Revelli, Victor, 54.
Rézette, Robert, 96 n. 1.
Rhiwi, Leïla, 735.
Rida, Rachid, 77, 78.
Rivarol, Antoine, dit le comte de, 412.
Rivet, Daniel, 16 et n. 1.
Robert, Jacques, 356 et n. 2, 358 et n. 2.
Roosevelt, Franklin D., 33, 618.
Roudani, Brahim, 149.
Rousseau, Jean-Jacques, 117, 577.
Rué, Maurice, 104.

Saab, Édouard, 168 et n. 1.
Saadani (al), Mahmoud, 112.
Saadi, Saïd, 732, 733.
Saaf, Abdallah, 539, 540.
Sabah (chanteuse), 579.
Sablier, Édouard, 392, 591.

Sadate (el), Anouar, 334, 467, 615.
Saïl, Noureddine, 496.
Sainte-Beuve, Charles Augustin, 641.
Saint-Exupéry, Antoine de, 609.
Salma (épouse de Mohammed VI), 742.
Samie, Amale, 746 et n. 1, 747.
Santucci, Jean-Claude, 369 et n. 2, 421, 433 et n. 2, 445 et n. 1, 471, 478 et n. 1, 481, 484, 500, 511 et n. 1, 516 et n. 1, 521 et n. 1, 525, 526, 778.
Sarkozy, Nicolas, 551 et n. 1.
Sartre, Jean-Paul, 153.
Sassi (el), Mohammed, 535, 562, 656, 657.
Sassi, Taïeb, 477.
Savary, Alain, 182.
Sayed, Bachir Mustapha, 432.
Sébastien, roi du Portugal, 350 n. 2.
Sefrioui, général, 381.
Sehimi Mustapha, 649 n. 1.
Sennani, Mohammed, 155 n. 1.
Senoussi, cheikh, 77 n. 1.
Serfaty, Abraham, 104, 105, 174, 306, 480, 505, 513, 569, 639-641, 652.
Serghini, 525.
Seydoux, Roger, 212, 234, 238, 241, 252, 253, 258, 261, 262, 277, 278, 296, 311.
Sghir, Hussein, 51.
Sharon, Ariel, 776.
Siéyès, Emmanuel-Joseph, 115.
Simon, Claude, 14 et n. 1.
Sinnaceur, Allal, 435.
Sinnaceur, Habib, 435.
Sitaïl, Samira, 534 n. 3.
Sitbon, Guy, 283.

Skali, Badia, 527.

Slaoui, Driss, 51, 60 et n. 2, 61, 356, 368, 371, 372, 377, 380, 381, 383, 453, 454, 522.

Slimane, commandant, 303.

Slimani, Abdelmoughit, 644 et n. 1.

Smalto, Francesco, 597.

Soudan, François, 493 n. 1, 701.

Soussi, Mokhtar, 136, 144.

Staline, Iossip V. Djougachvili, dit, 152, 153.

Steeg, Théodore, 32.

Steinrachs, 232.

Stemer, Elizabeth, 101 et n. 1, 358 n. 1, 376 et n. 1, 684 et n. 1.

Stéphane, Roger, 27.

Suarez, Adolfo, 619.

Taghouane, Benamor, 565, 569, 638.

Tahiri, Mamoun, 365.

Tahiri, Mohammed, 85, 101, 211, 242-248, 617.

Tahiri, Youssef, 565.

Tajkani (el), Mehdi Moumni, 66.

Tazi, Abdelhaq, 502.

Tazi, Ahmed, 192, 498.

Tine, Jacques, 249 n. 1.

Tobji, Mahjoub, 685, 686.

Toledano, Meyer, 102, 103.

Tomasini, René, 182.

Torrès, Abdelkhaleq, 39-41, 45, 74, 78, 82, 189, 204, 235, 236, 285, 318, 359-360.

Touil, Ahmed, 44, 64.

Tounsi, le Dr, 494 n. 2.

Touya, colonel, 35, 297.

Tozy, Mohammed, 97, 677 et n. 1, 701, 702, 705, 708.

Tricerri, S., 188.

Tricha, Mohammed, 647.

Tuquoi, Jean-Pierre, 629 et n. 1 et 2, 631 n. 1, 632, 633 n. 1, 686, 750 n. 1.

Valino, Garcia, général, 73, 74.

Vallery-Radot, Pasteur, le Pr, 178.

Vedel, Georges, 473, 612 et n. 2.

Védrine, Hubert, 13, 467, 473, 514, 519, 734.

Vermeren, Pierre, 497 et n. 1, 714 n. 2.

Verschave, François-Xavier, 537 et n. 2.

Voltaire, François Marie Arouet, dit, 593.

Voynet, Dominique, 538.

Waterbury, John, 9-12, 780, 781 et n. 1.

Winckler, Jean-Claude, 347, 454.

Wolf, Jean, 40, 173 n. 1, 359 n. 1.

Yakdhan, Mehdi, 434 n. 1.

Yassine (ou Yacine), Abdesslam, Cheikh, 480, 653, 654, 659, 660 n. 1, 693, 695, 700-708, 710, 724, 777.

Yata, Ali, 36, 63 et n. 3, 162, 352, 362, 363, 412, 447, 498, 540, 541, 640.

Yazghi (el), Larbi Ben Abdesslam, 136 n. 2.

Yazghi (el), Mohammed, 317 et n. 1, 363, 364, 389, 395, 398, 403, 420, 421 et n. 1, 437 et n. 2, 438 et n. 1, 445, 448 et n. 1, 466, 477 et n. 1, 478, 479 et n. 1, 535, 536, 541-543 et n. 1, 565, 566, 569, 629, 647, 648, 673, 677, 743 et n. 2.

Yazidi (el), 233 n. 2.

Table des matières

PREMIÈRE PARTIE

Le quinquennat de Mohammed V
(1956-1961)

DEUXIÈME PARTIE

Hassan II, monarque absolu

*

La monarchie agressive

TROISIÈME PARTIE
Mohammed VI
ou la monarchie assouvie

Composition :
Paris PhotoComposition
75017 PARIS

Aubin Imprimeur
LIGUGÉ, POITIERS

Achevé d'imprimer en septembre 2004
N° d'impression L 67453
Dépôt légal, octobre 2004
Imprimé en France
ISBN : 2-213-61746-5
35-57-1946-9 / 02
N° éditeur : 52090